Léon Tolstoï

La Guerre
et la Paix

II

Traduction de Boris de Schlœzer
Notes de Gustave Aucouturier
Index de Sylvie Luneau

Gallimard

ISBN 2-07-036288-4

LIVRE TROISIÈME

PREMIÈRE PARTIE

I

A la fin de 1811, l'Europe occidentale procéda à l'armement intensif et à la concentration de ses forces, et en 1812 ces forces, des millions d'hommes (y compris ceux qui transportaient et nourrissaient les armées) se mirent en marche d'Ouest en Est, vers les frontières de la Russie, vers lesquelles, à partir de 1811 également, affluaient les forces russes. Le 12 juin [1], les armées occidentales franchirent ces frontières et la guerre commença, c'est-à-dire un événement contraire à la raison et à la nature humaine. Des millions d'hommes commirent les uns à l'égard des autres plus de forfaits, — mensonges, trahisons, vols, émissions de fausses monnaies, pillages, incendies et meurtres, — que n'en contiennent depuis des siècles les archives de tous les tribunaux du monde, cependant qu'au cours de cette période les hommes coupables de ces crimes ne les considéraient pas comme des crimes.

Qu'est-ce qui déclencha cet événement extraordinaire? Quelles en furent les causes? Les historiens disent avec une naïve assurance que les causes de cet événement ont été l'offense faite au duc d'Oldenbourg, l'inobservation du système continental, l'ambition de Napoléon, la fermeté d'Alexandre, les erreurs des diplomates, etc.

Il eût donc suffi que Metternich, Roumiantsev ou Talleyrand se fussent appliqués, entre une audience et un raout, à mieux rédiger une note, ou bien que Napoléon eût écrit à Alexandre : *Monsieur mon frère, je consens à rendre le duché au duc d'Oldenbourg*, et la guerre n'aurait pas eu lieu.

On comprend que les choses soient apparues sous ce jour aux contemporains. On comprend que selon Napoléon la guerre ait été provoquée par les intrigues de l'Angleterre (comme il le dit à Sainte-Hélène), que pour les membres du Parlement anglais elle ait été due à l'ambition de Napoléon, que le duc d'Oldenbourg l'ait attribuée à la violence dont il avait été victime, que les marchands en aient vu la cause dans le blocus continental qui ruinait l'Europe, tandis qu'il semblait aux vieux militaires et aux généraux qu'il fallait faire la guerre pour les sortir de leur inaction, cependant que les légitimistes de l'époque croyaient indispensable de restaurer les *bons principes* et que les diplomates s'imaginaient que tout était arrivé parce qu'on n'avait pas assez soigneusement caché à Napoléon le traité d'alliance de 1809 entre l'Autriche et la Russie et maladroitement rédigé le *memorandum* Nº 178. On comprend que toutes ces raisons et d'autres encore, dont le nombre infini dépend de l'infinité des différents points de vue, aient été valables pour les contemporains, mais à nous qui contemplons dans toute son ampleur la grandeur de l'événement et scrutons son sens terrible et simple, ces raisons apparaissent insuffisantes. Il nous est incompréhensible que des millions d'hommes, des chrétiens, aient pu subir de telles souffrances et s'entretuer parce que Napoléon aimait le pouvoir, Alexandre était ferme, l'Angleterre intrigante et le duc d'Oldenbourg offensé. On ne conçoit pas le rapport qu'avaient ces circonstances avec le fait même de ces meurtres et de ces violences. Pourquoi, un duc ayant été offensé, des milliers d'hommes venus de l'autre bout de l'Europe tuaient et ruinaient les habitants des provinces de Moscou et de Smolensk et se faisaient tuer par eux?

A nous, qui ne sommes pas historiens, que le processus même de la recherche n'obnubile pas et qui, en conséquence, contemplons l'événement en gardant intact notre bon sens, il nous apparaît que le nombre de ces causes dépasse le calcul. A mesure que nous avançons dans leur recherche, nous en découvrons toujours de nouvelles, et quelle que soit la cause ou la série de causes envisagées, toutes paraissent également exactes considérées en elles-mêmes et également fausses vu leur insignifiance en regard de l'énormité de l'événement qu'elles étaient incapables de produire (en dehors de leur coïncidence avec toutes les autres). Le désir ou le refus de rengager de n'importe quel caporal français nous paraît une cause tout aussi valable que le refus de Napoléon de retirer ses troupes derrière la Vistule ou de rendre le duché d'Oldenbourg; car si ce caporal n'avait pas repris du service et qu'un autre, un troisième, un millième caporal ou soldat avait agi de même, il y aurait eu autant d'hommes de moins dans l'armée de Napoléon et la guerre n'aurait pu avoir lieu.

Si Napoléon ne s'était pas jugé offensé qu'on eût exigé le repli de ses troupes derrière la Vistule et ne les avait pas fait avancer, il n'y aurait pas eu de guerre; mais si les sergents n'avaient pas voulu rengager, il n'y aurait pas eu de guerre non plus. Et il n'y en aurait pas eu non plus sans les intrigues anglaises, sans le duc d'Oldenbourg, sans l'offense que ressentit Alexandre, sans le régime du pouvoir absolu en Russie, sans la Révolution française, le Directoire et l'Empire consécutifs à celle-ci, sans tout ce qui a produit la Révolution française, et ainsi de suite. En l'absence de l'une de ces causes, rien n'aurait pu arriver. Ainsi donc toutes ces causes, des milliards, coïncidèrent pour aboutir à ce qui s'est produit. Par conséquent, l'événement ne fut pas dû à telle ou telle cause, mais l'événement s'est produit uniquement parce qu'il devait se produire. Reniant leurs sentiments humains et leur raison humaine, ces millions d'hommes devaient se diriger d'Ouest en Est et tuer leurs semblables, exactement comme plusieurs siècles auparavant des millions d'hommes allaient d'Est en Ouest tuant leurs semblables.

Les actes de Napoléon et d'Alexandre dont dépendait, semblait-il, que les événements eussent lieu ou non, étaient aussi peu libres que l'acte de n'importe quel soldat qui partait en campagne désigné par le sort ou recruté. Il ne pouvait en être autrement, parce que l'accomplissement de la volonté de Napoléon et d'Alexandre (dont dépendait, semblait-il, l'événement) nécessitait la coïncidence d'un nombre incalculable de circonstances et qu'à défaut d'une seule d'entre elles, l'événement n'eût pu se produire. Il fallait que les millions d'hommes qui détenaient la force effective, les soldats qui tiraient, transportaient les vivres et les canons, il fallait qu'ils voulussent bien accomplir la volonté d'autres hommes isolés et faibles, et qu'ils eussent été amenés à cela par diverses raisons compliquées et en nombre infini.

Le fatalisme est inévitable en histoire lorsqu'il s'agit d'expliquer les phénomènes irrationnels (c'est-à-dire ceux dont nous ne comprenons pas le sens). Plus nous nous efforçons d'expliquer rationnellement ces phénomènes historiques, plus ils nous apparaissent dénués de sens et incompréhensibles.

Tout homme vit pour soi, profite de sa liberté pour atteindre ses buts personnels et sent de tout son être qu'il peut à chaque instant accomplir ou ne pas accomplir tel acte; mais une fois qu'il l'aura accompli, cet acte accompli à un moment précis du temps deviendra irrévocable et appartiendra à l'histoire qui, de libre qu'il était, le rend nécessaire.

La vie de tout homme présente deux faces; celle de sa vie personnelle, d'autant plus libre que ses intérêts sont abstraits, et celle de sa vie élémentaire, la vie de la ruche où l'homme obéit inéluctablement aux lois qui lui sont prescrites.

L'homme consciemment vit pour soi, mais il sert inconsciemment d'instrument à des fins historiques et sociales. L'acte accompli est irrévocable et en coïncidant avec les millions d'actes des autres hommes, il acquiert un sens historique. Plus l'homme est placé haut sur l'échelle sociale, plus le réseau de ses relations avec les autres hommes est étendu, plus il possède d'autorité sur les autres et plus il apparaît que chacun de ses actes est prédéterminé et inévitable.

Le cœur des rois est dans les mains de Dieu [1].

Le roi est l'esclave de l'histoire.

L'histoire, c'est-à-dire la vie inconsciente, grégaire, la vie de la ruche humaine, utilise à ses propres fins chaque instant de la vie de rois.

Plus que jamais persuadé en 1812 qu'il dépendait de lui *de verser* ou *de ne pas verser le sang de ses peuples* (comme le lui écrivait Alexandre dans sa dernière lettre), Napoléon n'avait jamais été plus étroitement soumis à ces lois inéluctables qui l'obligeaient (alors qu'il croyait agir librement) d'accomplir pour l'œuvre commune, pour l'histoire, ce qui devait être accompli.

Les hommes de l'Ouest allaient vers ceux de l'Est pour se massacrer les uns les autres. Et conformément à la loi de la coïncidence des causes, des milliers de petites causes insignifiantes s'agençaient d'elles-mêmes et concordaient avec cet événement : les violations du blocus continental, et l'offense faite au duc d'Oldenbourg, et l'avance des troupes en Prusse, entreprise (semblait-il à Napoléon) dans le seul but d'assurer la paix armée, et la passion, l'habitude de la guerre de Napoléon, coïncidant avec les dispositions de son peuple, et l'attrait des grandioses préparatifs, et les frais occasionnés par ces préparatifs, et le désir d'obtenir des avantages qui compenseraient lesdits frais, et la griserie des honneurs de Dresde, et les pourparlers diplomatiques qui, aux yeux des contemporains, avaient été menés avec le sincère désir de maintenir la paix, mais ne faisaient que blesser l'amour-propre des deux adversaires, et des millions et des millions d'autres causes qui s'adaptaient à l'événement qui devait s'accomplir et coïncidaient avec lui.

Quand une pomme est mûre et tombe, pourquoi tombe-t-elle? Est-ce à cause de l'attraction de la terre? Est-ce parce que sa queue est desséchée et que le soleil l'a abîmée, ou bien est-elle devenue trop lourde ou a-t-elle été secouée par le vent? Ou bien est-ce parce que l'enfant debout sous l'arbre avait envie de la manger?

Rien de tout cela n'est la cause; il ne s'agit que de la coïncidence des conditions dont dépend l'accomplissement de n'importe quel événement de la vie élémentaire, organique. Et le botaniste qui dit que la pomme tombe parce que sa pulpe se décompose ou pour quelque cause de ce genre, aura raison tout autant que l'enfant qui, sous l'arbre, dira que la pomme est tombée parce qu'il avait envie de la manger et qu'il a prié pour qu'elle tombât. Ainsi aura à la fois tort et raison celui qui dira que Napoléon a marché sur Moscou parce qu'il l'a voulu et y a trouvé sa perte parce qu'Alexandre l'a voulu. De même a tort et raison celui qui prétend que c'est le dernier coup de pioche qui a fait s'écrouler la colline que l'on creusait.

Ceux qu'on appelle les grands hommes sont des étiquettes qui donnent leurs noms aux événements historiques; et tout comme les étiquettes, ils n'ont pas de rapports avec ces événements. Chacune de leurs actions qui, à leurs propres yeux, est libre, n'est pas libre au sens historique, mais est liée à toute la marche de l'histoire et prédéterminée de toute éternité.

II

Le 29 mai, Napoléon quitta Dresde où il avait séjourné trois semaines entouré d'une cour de princes, de ducs, de rois et qui comptait même un empereur. Avant son départ, il avait traité affablement les princes, les rois et l'empereur qui le méritaient, gourmandé les rois et les princes dont il était mécontent, comblé l'impératrice d'Autriche de perles et de diamants pris à d'autres rois, puis ayant serré tendrement dans ses bras l'impératrice Marie-Louise (considérée comme son épouse, bien qu'il eût une autre épouse à Paris), il la laissa si affligée de cette séparation, dit son historien [1], qu'elle semblait ne pouvoir la supporter. Alors que les diplomates croyaient encore à la possibilité de la paix et travaillaient avec zèle à cet effet, alors que Napoléon lui-même écrivait à l'empereur Alexandre une lettre dans laquelle il l'appelait *Monsieur mon frère* et l'assurait sincèrement qu'il ne désirait pas la guerre et qu'il ne cesserait jamais de l'aimer et de le respecter, Napoléon n'en partait pas moins pour l'armée et donnait à chaque étape de nouveaux ordres destinés à précipiter le mouvement des troupes de l'Ouest vers l'Est. Il suivait dans une berline de voyage attelée de six chevaux, entouré de pages, d'aides de camp et d'une escorte, la grande route de Posen, Thorn, Dantzig et Kœnigsberg. Et dans toutes ces villes des milliers de gens l'accueillaient avec un respect craintif et enthousiasme.

L'armée avançait de l'Ouest vers l'Est et les six chevaux de poste emportaient la berline dans la même direction. Le 10 Juin, Napoléon rejoignit l'armée et passa la nuit en pleine forêt de Wilkowiski, dans le domaine d'un comte polonais, où on lui avait préparé un appartement.

Le lendemain, Napoléon ayant dépassé l'armée, atteignit en calèche le Niémen et revêtu d'un uniforme polonais descendit sur le rivage afin de reconnaître le gué. Ayant aperçu sur l'autre rive des Russes *(les Cosaques)* et l'immensité des plaines *(les steppes)* au-delà desquelles se trouvait *Moscou la ville sainte*, capitale de cet empire semblable à celui des Scythes qu'avait envahi Alexandre de Macédoine, Napoléon, à l'étonnement général et au mépris des considérations aussi bien stratégiques que diplomatiques, donna l'ordre d'aller de l'avant et le lendemain ses troupes commencèrent à passer le Niémen.

Le 12, tôt le matin, il sortit de sa tente qui ce jour-là avait été dressée sur la rive gauche escarpée du Niémen, et observa avec une longue-vue les flots de ses régiments qui s'écoulaient de la forêt de Wilkowiski et se répandaient sur les trois ponts jetés sur le Niémen. Au courant de la présence de l'empereur, les troupes le cherchaient des yeux et, lorsqu'elles apercevaient sur la hauteur, devant la tente, à l'écart de la suite, la silhouette en redingote et petit chapeau, elles lançaient leurs bonnets en l'air et criaient : « *Vive l'Empereur !* » Les uns après les autres, les régiments s'écoulaient toujours de l'immense forêt qui les avait jusqu'alors dissimulés et se divisant en trois courants, passaient de l'autre côté.

— *On fera du chemin cette fois-ci. Oh ! quand il s'en mêle lui-même ça chauffe... Nom de Dieu... Le voilà !... Vive l'Empereur ! Nous voilà dans les steppes de l'Asie ! Vilain pays tout de même ! A revoir Beauché ; je te réserve le plus beau palais de Moscou. A revoir ! Bonne chance... L'as-tu vu, l'Empereur ? Vive l'Empereur !... Si on me fait gouverneur aux Indes, Gérard, je te fais ministre du Cachemire, c'est arrêté. Vive l'Empereur ! Vive ! vive ! vive ! Les gredins de cosaques, comme ils filent. Vive l'Empereur ! Le voilà ! Le vois-tu ? Je l'ai vu deux fois comme je te vois. Le petit caporal !... Je l'ai vu donner la croix à l'un des vieux... Vive l'Empereur !* disaient vieux et jeunes, des hommes les plus divers, et de toute condition sociale. Les visages de tous ces hommes avaient la même expression de joie à l'approche de la campagne depuis longtemps attendue, et d'enthousiasme et de dévouement pour l'homme en redingote, debout sur la hauteur.

Le 13 juin, on amena à Napoléon un petit pur-sang arabe. Il monta en selle et gagna au galop l'un des ponts du Niémen, assourdi par les acclamations incessantes qu'il ne supportait évidemment que parce qu'il était impossible d'interdire à ces hommes d'exprimer leur amour ; ces cris cependant, qui l'accompagnaient partout, lui pesaient et le distrayaient des soucis d'ordre militaire qui l'absorbaient depuis qu'il avait rejoint l'armée. Il franchit le fleuve sur l'un des ponts de bateaux branlants et sur l'autre rive tourna brusquement à gauche et partit au galop dans la direction de Kovno, précédé des chasseurs de la garde à cheval qui, éperdus de bonheur, lui frayaient un passage à travers les troupes. Ayant atteint la large Vilia, il s'arrêta près d'un régiment de uhlans polonais rangé sur le rivage.

— *Vivat!* crièrent les Polonais avec le même enthousiasme, rompant les rangs et se bousculant pour le voir. Napoléon parcourut des yeux la rivière, descendit de cheval et s'assit sur une poutre au bord de l'eau. Sur un signe de sa main, on lui apporta sa longue-vue, il l'appuya sur le dos d'un page accouru tout joyeux, et se mit à examiner l'autre rive. Puis il se plongea dans l'étude de la carte déployée sur des troncs d'arbres. Sans lever la tête il dit quelques mots, et deux de ses aides de camp se dirigèrent au galop vers les uhlans polonais.

A l'approche de l'un d'eux, un murmure courut dans les rangs :

— Qu'a-t-il dit? Qu'a-t-il dit?

Ordre était donné de trouver un gué et de passer de l'autre côté. Le colonel des uhlans, un bel homme âgé, demanda à l'aide de camp, rougissant et cherchant ses mots tant il était ému, s'il lui serait permis de traverser la rivière à la nage avec ses hommes, sans chercher de gué. Avec la peur évidente d'essuyer un refus, comme un gamin qui supplie qu'on lui permette de monter à cheval, il demandait qu'on le laissât traverser la rivière à la nage sous les yeux de l'empereur. L'aide de camp répondit que l'empereur ne serait sans doute pas mécontent de cet excès de zèle.

A peine eut-il prononcé ces mots que le vieil officier aux longues moustaches, le visage épanoui, les yeux brillants, brandit son sabre en criant « *Vivat!* » donna l'ordre aux uhlans de le suivre et éperonnant son cheval gagna au galop la rivière. Comme le cheval regimbait, il le poussa rageusement, plongea dans l'eau et se dirigea droit à travers les remous du courant. Des centaines de uhlans se précipitèrent à sa suite. Mais le froid était vif, la rapidité du courant effrayante; les hommes s'accrochaient les uns aux autres et tombaient de leur monture. Des chevaux se noyèrent, des hommes aussi. Les autres nageaient se tenant qui à leur selle, qui à la crinière de leur cheval. Et bien que le gué ne fût qu'à une demi-verste de distance, ils étaient fiers de nager et de se noyer dans cette rivière sous les yeux de l'homme assis sur une poutre et qui ne regardait même pas ce qu'ils faisaient. Quand revenu auprès de l'empereur l'aide de camp profita d'un moment propice pour se permettre d'attirer son attention sur le dévouement des Polonais à sa personne, le petit homme à la redingote grise se leva, fit appeler

Berthier et se mit à marcher avec lui le long de la rivière et à lui donner ses instructions, tout en jetant de temps à autre des regards mécontents du côté des uhlans en train de se noyer, qui troublaient le cours de ses pensées.

Que sa présence en n'importe quel point de l'univers, de l'Afrique aux steppes de la Moscovie, subjuguait les hommes et les précipitait dans la folie du sacrifice, il en était depuis longtemps convaincu. Il se fit amener son cheval et retourna à son campement.

Une quarantaine de uhlans se noyèrent, bien qu'on eût envoyé des barques à leur secours; la plupart durent rebrousser chemin. Le colonel et quelques hommes réussirent à traverser la rivière et se hissèrent péniblement sur l'autre rive. Mais dès qu'ils eurent pris pied dans leurs vêtements ruisselants, ils crièrent « *Vivat!* » en regardant avec adoration l'endroit où s'était tenu Napoléon mais où il ne se trouvait plus, et ils étaient heureux.

Le soir, entre deux ordres — l'un de hâter l'envoi des faux assignats destinés à être introduits en Russie, et l'autre prescrivant de fusiller un soldat saxon dont une lettre qu'on avait saisie contenait des renseignements sur les mouvements de l'armée française — Napoléon conféra la *Légion d'Honneur* (dont lui-même était le chef) au colonel polonais qui s'était précipité dans l'eau sans aucune nécessité.

Quos vult perdere dementat.

III

Cependant l'empereur de Russie séjournait déjà depuis plus d'un mois à Vilna, passait des revues et assistait à des manœuvres. Rien n'était prêt pour la guerre que tout le monde attendait et en vue de laquelle Alexandre était venu de Pétersbourg. Il n'existait pas de plan général d'opération; on ne se décidait pas à adopter l'un de ceux qui étaient proposés. Il y avait un mois déjà que l'empereur séjournait au quartier général, et l'hésitation ne faisait que croître. Les trois armées avaient chacune son commandant en chef, mais il n'y avait pas de chef suprême à leur tête et l'empereur se refusait à assumer ce titre.

Plus le séjour de l'empereur se prolongeait, moins on s'occupait de cette guerre qu'on était las d'attendre. Les gens qui entouraient Alexandre semblaient s'ingénier uniquement à lui faire passer agréablement le temps et à oublier la guerre imminente.

Après maints bals et fêtes donnés par les magnats polonais, les courtisans et l'empereur lui-même, en juin, un des généraux aide de camp polonais proposa à ses collègues d'offrir en leur nom à tous un dîner et un bal à l'empereur. L'idée fut acceptée et l'empereur donna son accord. Les généraux aides de camp ouvrirent une souscription; la personne dont la présence devait être particulièrement agréable à l'empereur fut invitée à tenir le rôle de maîtresse de maison. Le comte Bennigsen, gros propriétaire de la province de Vilna, offrit son château de Zakret situé aux environs de la ville, et la fête —. dîner, promenade en barque, bal et feu d'artifice — fut fixée au 13 juin.

Le jour même où Napoléon donnait l'ordre de passer le Niémen et où ses avant-gardes, bousculant les cosaques, franchissaient la frontière russe, Alexandre passait la soirée au château de Bennigsen, au bal offert par les généraux aides de camp.

La fête était brillante et joyeuse; les connaisseurs en la matière assuraient qu'on avait rarement vu réunies tant de jolies femmes. Parmi les dames qui avaient suivi l'empereur de Pétersbourg à Vilna et assistaient au bal, se trouvait la comtesse Bézoukhov, dont la beauté opulente, la beauté dite « russe », éclipsait celle, plus fine, des dames polonaises. Hélène fut remarquée et l'empereur lui fit l'honneur de danser avec elle.

Boris Droubetskoï, *en garçon* comme il disait, ayant laissé sa femme à Moscou, assistait lui aussi à ce bal; bien qu'il ne fût pas général aide de camp, il avait participé pour une forte somme à la fête. Boris était à présent un homme riche qui avait rapidement gravi l'échelle des honneurs. Il ne recherchait plus la protection des autres mais traitait sur un pied d'égalité les gens les plus haut placés de sa génération. Il avait rencontré Hélène à Vilna après l'avoir longtemps perdue de vue et ne se souvenait plus du passé, mais elle jouissait des faveurs d'un personnage très important et Boris était marié depuis peu, aussi se retrouvèrent-ils comme de bons vieux amis.

A minuit on dansait encore. N'ayant pas de cavalier digne d'elle, Hélène proposa à Boris de danser avec elle la mazurka. Ils formèrent le troisième couple. Ils parlaient de leurs anciennes connaissances; cependant, tout en jetant des regards indifférents aux éclatantes épaules nues d'Hélène qui émergeaient de sa robe de gaze foncée brodée d'or, Boris sans qu'on le remarquât, et sans s'en rendre compte lui-même, ne cessait de surveiller l'empereur qui se trouvait dans la même salle. Il ne dansait pas; debout près d'une porte, il arrêtait tantôt l'un tantôt l'autre pour lui dire quelques mots affables comme lui seul savait en dire.

Au début de la mazurka, Boris vit le général aide de camp Balachov, l'un des intimes d'Alexandre, s'approcher de lui et contrairement à l'étiquette, s'arrêter à deux pas du souverain qui causait avec une dame polonaise. Au bout d'un moment, l'empereur jeta un coup d'œil interrogateur à Balachov, devinant que celui-ci devait avoir un motif important pour agir de la sorte. Il fit un léger signe de tête à la dame et se tourna vers Balachov. A peine ce dernier se fut-il mis à parler que la stupéfaction se peignit sur le visage de l'empereur; il prit le général par le bras et traversa la salle avec lui sans prêter attention à la foule qui s'écartant lui ouvrait un large passage. Boris remarqua à ce moment le visage inquiet, au nez rouge, d'Araktchéiev; reniflant et regardant par en dessous l'empereur, Araktchéiev fit un pas en avant comme s'il s'attendait à ce que son maître lui adressât la parole (Boris devina qu'Araktchéiev enviait Balachov et était mécontent qu'une nouvelle évidemment importante eût été transmise à l'empereur par un autre).

Mais Alexandre et Balachov passèrent sans remarquer Araktchéiev et sortirent par la porte qui donnait sur le jardin illuminé. Araktchéiev les suivit à une vingtaine de pas, maintenant de la main son épée et jetant autour de soi des regards furibonds.

Tout en continuant d'exécuter les figures de la mazurka, Boris ne cessait de se tourmenter; quelle nouvelle avait apportée Balachov, se demandait-il, et comment l'apprendre avant les autres?

Quant ce fut le moment pour lui de choisir une autre danseuse, il murmura à Hélène qu'il voulait inviter la comtesse Potocka qui, croyait-il, était sur le balcon. Il traversa rapidement la salle d'une démarche glissante et franchit la porte, mais apercevant l'empereur et Balachov qui, venant de la terrasse, se dirigeaient vers la porte, Boris s'immobilisa comme s'il n'avait pas eu le temps de s'écarter, se colla au chambranle et inclina respectueusement la tête.

L'empereur prononçait justement les paroles suivantes avec l'émotion de celui qui vient d'être personnellement offensé :

— Entrer en Russie sans déclaration de guerre!... Je ne ferai pas la paix tant qu'il restera un seul ennemi en armes sur le sol de mon pays.

Il sembla à Boris que l'empereur prenait plaisir à prononcer ces mots, qu'il était satisfait d'avoir formulé ainsi sa pensée, mais mécontent qu'on l'eût entendu.

— Que personne n'en sache rien! ajouta-t-il en fronçant les sourcils.

Boris comprit que cela s'adressait à lui et fermant les yeux, il inclina légèrement la tête. L'empereur rentra dans la salle et resta encore une demi-heure au bal.

Boris fut le premier à apprendre que les troupes françaises avaient franchi le Niémen, et il eut ainsi l'occasion de prouver à certains personnages que maintes choses cachées aux autres lui étaient connues, et de monter ainsi dans l'estime de ces gens.

La nouvelle du passage du Niémen produisit un effet d'autant plus inattendu qu'elle parvint après un mois de vaine attente et au cours d'un bal. Sous le coup de l'indignation et de l'humiliation, l'empereur trouva dès la première minute les termes, devenus depuis célèbres, qui le satisfirent en exprimant pleinement ses sentiments. Rentré du bal, il envoya chercher à deux heures du matin le secrétaire Chichkov et lui fit rédiger un ordre du jour aux troupes et un rescrit au maréchal prince Saltykov où il tint à faire insérer sa déclaration comme quoi il ne conclurait pas la paix tant qu'il y aurait un seul Français en armes sur le sol de la Russie.

Le lendemain il écrivit à Napoléon la lettre suivante :

« Monsieur mon frère. J'ai appris hier que malgré la loyauté avec laquelle j'ai maintenu mes engagements envers Votre Majesté, ses troupes ont franchi les frontières de la Russie, et je reçois à l'instant de Pétersbourg une note par laquelle le comte Lauriston, pour cause de cette agression, annonce que Votre Majesté s'est considérée comme en état de guerre avec moi dès le moment où le prince Kourakine a fait la demande de ses passeports. Les motifs sur lesquels le duc de Bassano fondait son refus de les lui délivrer, n'auraient jamais pu me faire supposer que cette démarche servi-

rait jamais de prétexte à l'agression. En effet, cet ambassadeur n'y a jamais été autorisé comme il l'a déclaré lui-même, et aussitôt que j'en fus informé, je lui ai fait connaître combien je le désapprouvais en lui donnant l'ordre de rester à son poste. Si Votre Majesté n'est pas intentionnée de verser le sang de nos peuples pour un malentendu de ce genre et qu'elle consente à retirer ses troupes, je regarderai ce qui s'est passé comme non avenu, et un accommodement entre nous sera possible. Dans le cas contraire, Votre Majesté, je me verrai forcé de repousser une attaque que rien n'a provoquée de ma part. Il dépend encore de Votre Majesté d'éviter à l'humanité les calamités d'une nouvelle guerre.

Je suis, etc.

(signé) : Alexandre. »

IV

Le 13 juin, à deux heures du matin, l'empereur ayant fait venir Balachov et lui ayant lu sa lettre, le chargea de la remettre en mains propres à Napoléon. Il répéta de nouveau à Balachov qu'il ne ferait pas la paix tant qu'il resterait un ennemi en armes sur le sol de la patrie, et lui ordonna de rapporter sans faute ses paroles à l'empereur des Français. Avec son tact habituel il sentait qu'il ne convenait pas de les insérer dans sa lettre alors qu'il faisait une dernière tentative de réconciliation ; mais il voulait que Balachov les transmît verbalement.

Parti dans la nuit du 13 au 14, Balachov accompagné d'un trompette et de deux cosaques atteignit à l'aube les avant-postes français au village de Rykonty, en-deçà du Niémen. Il fut arrêté par des sentinelles montées.

Un sous-officier de hussards, en uniforme amarante et bonnet à poil, cria à Balachov qui approchait de faire halte. Balachov ne s'arrêta pas immédiatement et continua d'avancer au pas sur la route.

Fronçant les sourcils et grommelant des injures, le sous-officier poussa son cheval tout contre Balachov, porta la main à son sabre et interpella grossièrement le général russe lui demandant s'il était sourd. Balachov se nomma et le sous-officier envoya un soldat chercher un officier.

Sans plus faire attention à Balachov, sans le regarder, il se mit à parler de ses propres affaires avec ses camarades.

Balachov qui avait toujours vécu dans la proximité du pouvoir suprême, qui étant donné ses fonctions était habitué aux honneurs et venait de s'entretenir pendant trois heures avec l'empereur, éprouvait un sentiment étrange de se voir traité par une force brutale avec tant d'hostilité et surtout un tel manque d'égard, et cela sur le sol russe.

Le soleil commençait à peine à se dégager des nuages; l'air était frais et chargé de rosée. Un troupeau sortait du village sur la route. Pareille à des bulles à la surface de l'eau, les alouettes jaillissaient l'une après l'autre des blés en lançant des trilles.

Dans l'attente de l'officier qui devait venir du village, Balachov parcourait des yeux les alentours. Gardant le silence, les cosaques et le trompette russe échangeaient de temps à autre de brefs regards.

Le colonel français, qu'on venait manifestement de tirer de son lit, arriva du village monté sur un beau cheval gris bien nourri, escorté de deux hussards. L'officier, les soldats, les chevaux avaient un air satisfait et pimpant.

On n'en était qu'au début de la campagne, quand les troupes ont encore belle allure comme aux revues du temps de paix, mais avec une certaine nuance d'élégance martiale et ce joyeux esprit d'aventure qu'éveille toujours l'entrée en campagne.

Le colonel retenait avec peine ses bâillements, cependant il se montra courtois et comprit l'importance de la mission de Balachov. Il lui fit franchir les avant-postes et lui dit qu'il serait probablement présenté sans tarder à l'empereur, ainsi qu'il le désirait, vu que le quartier général se trouvait à sa connaissance dans les environs.

Ils traversèrent le village de Rykonty en passant devant les piquets des hussards, les sentinelles et les soldats qui faisaient le salut militaire à leur colonel et regardaient avec curiosité les uniformes russes. Aux dires du colonel, le commandant de division qui se trouvait à deux kilomètres recevrait Balachov et le conduirait à destination.

Le soleil déjà haut brillait gaiement sur la verdure éclatante.

A peine eurent-ils dépassé une auberge au haut d'une côte, qu'ils aperçurent sur l'autre versant un groupe de cavaliers qui venaient à leur rencontre; en tête, sur un cheval noir dont les harnais brillaient au soleil, s'avançait un homme de haute taille aux cheveux noirs bouclés retombant sur les épaules, coiffé d'un chapeau à plumes et drapé dans un manteau rouge; il se tenait en selle à la française, ses longues jambes tendues en avant. Cet homme vint au galop au-devant de Balachov, ses plumes flottant au vent, ses bijoux, ses galons chatoyant sous l'éclatant soleil de juin.

Balachov ne se trouvait plus qu'à deux longueurs de cheval du cavalier qui caracolait à sa rencontre, le visage empreint d'une solennité théâtrale, avec ses bracelets, ses colliers et ses galons, quand Ulner, le colonel français, murmura respectueusement : « *Le roi de Naples.* » En effet, c'était Murat qu'on appelait à présent le roi de Naples. Bien qu'on ne comprît absolument pas pourquoi il était roi de Naples, on l'appelait ainsi, et convaincu lui-même qu'il l'était, il arborait un air plus important, plus solennel qu'auparavant. Il était à tel point convaincu d'être le roi de Naples que lorsqu'au cours d'une promenade en ville avec sa femme, la veille de son départ de Naples, quelques Italiens avaient crié « *Viva il re* », il s'était tourné avec un sourire attristé vers son épouse et avait dit : « *Les malheureux, ils ne savent pas que je les quitte demain !* »

Mais tout en étant fermement convaincu qu'il était le roi de Naples, et tout en compatissant au chagrin de ses sujets, lorsqu'il avait reçu l'ordre de reprendre du service et qu'au cours de son entrevue avec Napoléon, à Dantzig, son auguste beau-frère lui avait dit : « *Je vous ai fait roi pour régner à ma manière mais pas à la vôtre* », il se remit gaiement à sa besogne familière, et tel un cheval que la bonne nourriture n'a pas trop engraissé, dès qu'il se sentit attelé il piaffa dans les brancards et vêtu de la façon la plus voyante et la plus riche, satisfait et insouciant, il se lança sur les routes de Pologne sans savoir lui-même où il allait et pourquoi.

A la vue d'un général russe, il rejeta la tête en arrière d'un geste vraiment royal, ses cheveux bouclés flottant sur ses épaules, et interrogea du regard le colonel français.

Le colonel informa respectueusement Sa Majesté de la mission de Balachov dont il n'arrivait pas à prononcer le nom.

— *De Bal-machève!* dit le roi (surmontant grâce à son assurance la difficulté éprouvée par le colonel). *Charmé de faire votre connaissance, général,* ajouta-t-il avec un geste de condescendance royale. Mais dès que le roi se mit à parler haut et vite, sa dignité l'abandonna instantanément et sans s'en douter il prit un ton de bonhomie familière. Il posa la main sur le garrot du cheval de Balachov.

— *Eh bien, général, tout est à la guerre à ce qu'il paraît*, dit-il, comme s'il regrettait une situation qu'il n'était pas à même de juger.

— *Sire, l'Empereur mon maître ne désire point la guerre, comme Votre Majesté le voit*, répondit Balachov en usant à tout propos du titre « *Votre Majesté* », comme on est amené à le faire en s'adressant à celui pour qui ce titre est encore une nouveauté.

Le visage de Murat rayonnait d'une sotte satisfaction tandis qu'il écoutait *monsieur de Balachoff*. Mais *royauté oblige*: il sentait qu'il lui fallait en tant que roi et allié parler avec le messager d'Alexandre des affaires politiques. Il descendit de cheval et prenant Balachov sous le bras l'entraîna à quelques pas de sa suite qui attendait respectueusement, et se mit à marcher avec lui de long en large s'efforçant de tenir de graves propos. L'empereur Napoléon, dit-il, avait été offensé qu'on eût exigé le retrait de ses troupes de Prusse, d'autant plus que cette exigence ayant été rendue publique, la dignité de la France en avait été blessée. Balachov répondit qu'il n'y avait rien de blessant dans cette exigence vu que... Murat l'interrompit :

— Vous ne considérez donc pas l'empereur Alexandre comme l'agresseur, demanda-t-il d'une façon inattendue avec un sourire niais et bon enfant.

Balachov expliqua pourquoi il considérait que le responsable de la guerre était Napoléon.

— *Eh, mon cher général*, interrompit de nouveau Murat, *je désire de tout mon cœur que les empereurs s'arrangent entre eux, et que la guerre commencée malgré moi se termine le plus tôt possible*, dit-il sur le ton des domestiques qui souhaitent rester bons amis en dépit de la querelle de leurs maîtres. Il s'enquit ensuite de la santé du grand-duc héritier et évoqua les moments qu'ils avaient passés ensemble à Naples. Puis, se souvenant subitement de sa dignité royale, Murat se redressa solennellement, prit l'attitude qu'il avait eue lors de son couronnement et dit en agitant la main droite : *Je ne vous retiens plus, général, je souhaite le succès de votre mission* — et son manteau brodé et ses plumes flottant au vent, ses bijoux étincelant au soleil, il rejoignit sa suite qui l'attendait avec déférence.

Balachov poursuivit son chemin, supposant d'après les paroles de Murat qu'il n'allait pas tarder à être reçu par Napoléon; mais les sentinelles du corps d'infanterie de Davout l'arrêtèrent au village suivant comme il l'avait déjà été en première ligne, et l'aide de camp du commandant de corps qu'on avait fait appeler le conduisit auprès du maréchal.

V

Davout était l'Araktchéiev de l'empereur Napoléon, un Araktchéiev nullement poltron mais tout aussi pointilleux, tout aussi cruel et ne sachant manifester son attachement à son maître qu'en se montrant cruel.

Dans la machine de l'État de tels gens sont nécessaires, comme sont nécessaires les loups dans la nature; il s'en trouve toujours et ils se maintiennent, si incongrues que semblent leur présence auprès du chef de l'État et leur familiarité avec lui. Seule cette nécessité explique qu'Araktchéiev qui arrachait de ses propres mains les moustaches des grenadiers et ne pouvait cependant, à cause de la faiblesse de ses nerfs, affronter le danger, que cet homme sans instruction et sans éducation, ait pu se maintenir et disposer d'un tel pouvoir auprès d'un être aussi noble et délicat que l'était Alexandre.

Balachov trouva le maréchal Davout dans une grange attenante à une isba; assis sur une barrique, il vérifiait des comptes. Un aide de camp se tenait debout près de lui. On aurait pu trouver un meilleur local, mais Davout était de ces gens qui s'installent exprès dans les pires conditions, afin d'avoir le droit de prendre un air sinistre. C'est pour la même raison qu'ils se montrent toujours accablés de besognes urgentes. « Comment pourrais-je songer aux aspects plaisants de l'existence alors que vous me voyez travailler assis sur une barrique dans une grange sordide », disait le visage de Davout. Le plus grand plaisir, le besoin des gens de cette sorte lorsqu'ils se trouvent en présence de ceux qui participent au mouvement de la vie, est de leur jeter à la face leur morne et opiniâtre labeur. C'est ce plaisir que s'offrit Davout quand on introduisit auprès de lui Balachov. Il se plongea encore davantage dans son travail lorsque le général russe entra et ayant jeté un bref regard à travers ses lunettes sur Balachov que la belle matinée et la conversation avec Murat avaient mis de bonne humeur, il ne se leva pas, ne fit même pas un geste, mais se renfrogna encore davantage et ricana.

Ayant remarqué l'impression désagréable que cet accueil produisait sur Balachov, Davout leva la tête et lui demanda froidement ce qu'il désirait.

Supposant que ces façons tenaient à ce que Davout ignorait qu'il était général aide de camp de l'empereur Alexandre et même son représentant personnel auprès de Napoléon, Balachov s'empressa de lui faire connaître qui il était et quelle était sa mission. Contrairement à son attente, l'ayant écouté, Davout devint encore plus dur et plus grossier.

— Où donc est votre pli? dit-il. *Donnez-le moi, je l'enverrai à l'Empereur.*

Balachov répondit qu'il avait ordre de le remettre personnellement à l'empereur Napoléon.

— Les ordres de votre empereur sont exécutés dans votre armée, mais ici, répliqua Davout, vous devez faire ce qu'on vous dit.

Et comme pour faire sentir encore davantage au général russe sa dépendance de la force brutale, Davout envoya l'aide de camp chercher l'officier de service.

Balachov prit le paquet contenant la lettre de l'empereur et le déposa sur la table (une table qui consistait en une porte aux gonds arrachés posée sur deux barriques). Davout prit le pli et lut la suscription.

— Vous êtes parfaitement libre de me traiter ou non avec égard, dit Balachov, mais permettez-moi de vous faire remarquer que j'ai l'honneur d'être général aide de camp de Sa Majesté...

Davout le regarda en silence et fut visiblement satisfait de lire sur le visage de Balachov un certain trouble.

— On aura pour vous les égards qui vous sont dus, dit-il, et ayant mis l'enveloppe dans sa poche, il sortit.

Une minute plus tard, l'aide de camp du maréchal, M. de Castries, arriva et conduisit Balachov au logis qui lui avait été préparé.

Balachov dîna ce jour-là avec le maréchal dans la grange, sur la même planche posée sur des barriques.

Le lendemain, avant de partir tôt au matin, Davout fit venir Balachov et lui dit d'un ton significatif de rester sur place tant que les convois auxquels il devait se joindre n'auraient pas reçu l'ordre de se mettre en route et de ne parler à personne en dehors de M. de Castries.

Après quatre jours d'isolement et d'ennui, tout au long desquels la conscience de sa dépendance et de son impuissance lui avait été d'autant plus pénible qu'elle succédait à la sensation de sa puissance, après plusieurs étapes avec les bagages du maréchal et les troupes françaises qui se répandaient à travers toute la région, Balachov arriva à Vilna maintenant occupée par les Français; il y entra par la même barrière par laquelle il en était sorti quatre jours plus tôt.

Le lendemain, le chambellan de l'empereur, M. de Turenne, vint le prévenir que l'empereur Napoléon lui accordait une audience.

Quatre jours auparavant, devant la maison où l'on conduisit Balachov se tenaient les sentinelles du régiment Préobrajensky; à présent c'étaient des grenadiers français aux uniformes bleus à grands revers, en bonnet à poil. Une escorte de hussards et de uhlans et une suite brillante d'aides de camp, de pages et de généraux attendaient la sortie de Napoléon autour de son cheval de selle et du mamelouk Roustan. Napoléon donnait audience à Balachov dans cette même maison d'où Alexandre l'avait envoyé en mission.

VI

Bien que Balachov fût habitué aux magnificences des cours, le luxe et le faste de la cour de Napoléon le surprirent.

Le comte de Turenne l'introduisit dans un grand salon de réception où attendaient de nombreux généraux, aides de camp et magnats polonais, et Balachov reconnut beaucoup de ces derniers pour les avoir vus à la cour d'Alexandre. Duroc vint le prévenir que l'empereur le recevrait avant sa promenade.

Après quelques minutes d'attente, le chambellan de service entra et, s'étant courtoisement incliné devant Balachov, l'invita à le suivre.

Balachov fut introduit dans un petit salon dont une porte donnait sur un cabinet, ce même cabinet d'où l'empereur de Russie l'avait envoyé auprès de Napoléon. Balachov attendit debout une minute ou deux. Des pas rapides se firent entendre derrière la porte; les battants de la porte s'ouvrirent en hâte, tout se tut et venant du cabinet, d'autres pas retentirent, fermes et décidés : c'était Napoléon. Il venait de terminer sa toilette pour monter à cheval. Il portait un uniforme bleu ouvert sur un gilet blanc qui descendait sur son ventre rond; une culotte de peau blanche moulait les cuisses grasses de ses courtes jambes chaussées de bottes à l'écuyère. Ses cheveux courts venaient visiblement d'être peignés, mais une mèche descendait jusqu'au milieu du large front. Son cou blanc et potelé tranchait sur le col noir de son uniforme. Il répandait une odeur d'eau de Cologne. Sur son visage replet encore jeune au menton saillant, se lisait une expression de bienveillance condescendante, majestueuse.

Il s'avança rapidement, tressaillant à chaque pas, la tête légèrement rejetée en arrière. Toute sa personne envahie par l'embonpoint, avec ses épaules larges et grasses, son ventre et sa poitrine pointant malgré lui en avant, avait cet aspect important que présentent les hommes d'une quarantaine d'années vivant dans le bien-être. De plus, on voyait qu'il était ce jour-là de la meilleure humeur du monde.

Il inclina légèrement la tête en réponse au salut profond et respectueux de Balachov et s'étant approché de lui, se mit immédiatement à parler, comme quelqu'un dont chaque minute est précieuse et qui ne daigne pas préparer ses discours, étant sûr qu'il dira toujours parfaitement ce qu'il a à dire.

— Bonjour, général, commença-t-il. J'ai reçu la lettre de l'empereur Alexandre que vous m'avez transmise, et je suis très heureux de vous voir. — Il regarda Balachov de ses grands yeux qui se portèrent aussitôt ailleurs.

La personne même de Balachov ne l'intéressait manifestement d'aucune manière; il était évident que ce qui se passait dans son âme A LUI avait seul de l'intérêt à ses yeux. Le reste ne signifiait rien pour lui, parce que tout au monde, lui semblait-il, dépendait uniquement de sa volonté.

— Je ne veux pas et ne voulais pas la guerre, dit-il, mais on m'y a contraint. Je suis prêt encore MAINTENANT (il accentua ce mot) à écouter toutes les explications que vous pouvez me donner.

Et il formula clairement et brièvement ses griefs contre le gouvernement russe.

Le ton calme, modéré et amical de Napoléon convainquit Balachov qu'il désirait effectivement la paix et avait l'intention d'entrer en pourparlers.

— *Sire, l'empereur mon maître...*, dit Balachov commençant un discours préparé à l'avance, lorsque Napoléon ayant fini de parler, jeta un regard interrogateur au général russe; mais ce regard troubla Balachov : « Vous êtes intimidé, reprenez-vous », semblait dire Napoléon considérant avec un sourire à peine perceptible l'uniforme et l'épée de Balachov. Celui-ci se ressaisit et se mit à parler. Il dit que l'empereur Alexandre ne considérait pas que la demande de passeport présentée par Kourakine était un motif de guerre suffisant, que Kourakine avait agi de sa propre initiative, sans l'autorisation de l'empereur Alexandre, que ce dernier ne voulait pas la guerre et n'était pas en contact avec l'Angleterre.

— PAS ENCORE, interrompit Napoléon, et comme s'il craignait de s'abandonner à ses sentiments, il fronça les sourcils et fit un léger signe de tête, donnant à entendre à Balachov qu'il pouvait continuer.

Ayant dit ce que lui prescrivaient ses instructions, Balachov ajouta que l'empereur Alexandre désirait la paix mais qu'il n'entamerait les pourparlers que si... qu'à condition que..., Balachov hésita à ce moment; il se souvint des paroles qu'Alexandre avait omises dans sa lettre mais qu'il avait donné l'ordre d'introduire dans le rescrit à Saltykov et chargé Balackov de répéter sans faute à Napoléon. Balachov se souvenait de ces paroles : « Tant qu'il restera un ennemi en armes sur le sol russe »; mais un sentiment qui lui restait obscur le retenait; il ne parvenait pas à articuler ces mots en dépit de ses efforts. Il hésita et dit : « A condition que les troupes françaises se replient derrière le Niémen ».

Le trouble du général russe en prononçant ces derniers mots n'échappa pas à Napoléon; son visage frémit, son mollet gauche se mit à trembler régulièrement. Sans changer de place, il parla d'une voix plus haute, plus précipitée. Pendant le discours qui suivit, Balachov baissa plus d'une fois les yeux, observant involontairement le tremblement du mollet gauche de Napoléon, qui s'accentuait au fur et à mesure que s'élevait sa voix.

— Je désire la paix non moins que l'empereur Alexandre, commença-t-il. N'est-ce pas moi qui depuis dix-huit mois fais tout pour l'obtenir? Depuis dix-huit mois j'attends des explications. Mais pour entamer les pourparlers, qu'exige-t-on de moi? dit-il en fronçant les sourcils et en faisant un geste interrogateur et énergique de sa petite main blanche et potelée.

— Le retrait des troupes derrière le Niémen, Sire, dit Balachov.

— Derrière le Niémen? répéta Napoléon. Ainsi maintenant vous voulez qu'elles se retirent derrière le Niémen, seulement derrière le Niémen? répéta Napoléon en regardant Balachov droit dans les yeux.

Balachov inclina respectueusement la tête.

Alors qu'on exigeait quatre mois auparavant que l'armée

française se retirât de Poméranie, à présent on se contentait d'un repli derrière le Niémen. Napoléon se détourna brusquement et se mit à arpenter la pièce.

— Vous dites que pour entamer les pourparlers, on exige que je retire les troupes derrière le Niémen; mais il y a deux mois, je devais me retirer derrière l'Oder et la Vistule. Et cependant vous êtes toujours prêts à entamer des pourparlers.

Il marcha en silence d'un bout de la pièce à l'autre et s'arrêta de nouveau devant Balachov, et celui-ci remarqua que le mollet gauche de l'empereur tremblait plus rapidement encore, tandis qu'une expression sévère semblait pétrifier son visage. Napoléon connaissait ce tremblement : *la vibration de mon mollet gauche est un grand signe chez moi*, disait-il plus tard.

— Dégager l'Oder et la Vistule, des propositions de ce genre on peut en faire au prince de Bade, mais pas à moi! cria presque, à sa propre surprise, Napoléon. Me donneriez-vous Pétersbourg et Moscou que je n'accepterais quand même pas ces conditions. Vous dites que c'est moi qui ai déclenché cette guerre. Et qui donc a rejoint le premier l'armée? L'empereur Alexandre, pas moi. Et vous me proposez de négocier alors que j'ai dépensé des millions, que vous vous êtes alliés avec l'Angleterre et que votre situation est mauvaise! Vous me proposez de négocier! Et quel est le but de votre alliance avec l'Angleterre? Que vous a-t-elle donné? — Sa parole se précipitait. Son discours ne tendait évidemment plus à montrer les avantages de la paix et à en examiner les possibilités, mais uniquement à prouver son bon droit à lui, Napoléon, et sa force et les torts et les fautes d'Alexandre.

Le début de son discours visait évidemment à montrer qu'en dépit des avantages de sa situation, il était prêt à négocier, mais à mesure qu'il parlait il était moins maître de sa parole.

A présent, il ne cherchait manifestement qu'à se grandir et à blesser Alexandre, c'est-à-dire à faire précisément ce qu'il tenait surtout à éviter au début de l'entrevue.

— Vous avez conclu la paix avec les Turcs, paraît-il?

Balachov fit un signe de tête affirmatif :

— La paix est conclue, commença-t-il.

Mais Napoléon ne le laissa pas achever. Visiblement, il lui fallait être seul à parler. Et il continua de parler avec cette éloquence et cette abondance auxquelles sont si enclins les gens gâtés par la vie. — Oui, je sais, vous avez conclu la paix avec les Turcs sans avoir obtenu la Moldavie et la Valachie. Et moi, j'aurais donné à votre empereur ces provinces, comme je lui ai donné la Finlande. Oui, j'avais promis et j'aurais donné à l'empereur Alexandre la Moldavie et la Valachie ; et à présent, il n'aura pas ces magnifiques provinces. Cependant, il aurait pu les réunir à son empire et en un seul règne, il aurait étendu la Russie du golfe de Botnie aux bouches du Danube. La grande Catherine n'aurait pu faire davantage, disait Napoléon, s'échauffant de plus en plus, arpentant la pièce et répétant à Balachov presque les mêmes paroles qu'il avait dites à Tilsitt à Alexandre lui-même. — *Tout cela il l'aurait dû à mon amitié. Ah, quel beau règne ! Quel beau règne !* répéta-t-il plusieurs fois. Il s'arrêta, sortit de sa poche une tabatière en or et aspira avidement une prise. — *Quel beau règne aurait pu être celui de l'empereur Alexandre !*

Il eut pour Balachov un regard chargé de compassion, et comme le général russe voulait placer une remarque, il se hâta une fois de plus de l'interrompre :

— Que pouvait-il désirer et chercher qu'il n'eût pas trouvé dans mon amitié?... — Il marqua son étonnement par un haussement d'épaules. — Eh bien, non ! Il a jugé préférable de s'entourer de mes ennemis. Et de qui donc? Il a appelé auprès de lui les Stein, les Armfeldt, les Bennigsen, les Wintzingerode... Stein, chassé de sa patrie, un traître, Armfeldt, un intrigant et un débauché, Wintzingerode, un Français émigré, Bennigsen, un peu meilleur soldat que les autres, tout de même un incapable qui n'a rien su faire en 1807 et qui aurait dû rappeler à l'empereur Alexandre de terribles souvenirs... S'ils avaient été du moins des gens capables, on aurait pu les employer, je l'admets, continuait Napoléon dont la parole avait peine à suivre les considérations qui surgissaient sans arrêt dans son esprit et qui tendaient à établir son bon droit et sa force (ce qui pour lui revenait au même). — Mais ce n'est même pas le cas : ils ne sont bons à rien, ni en temps de guerre ni en temps de paix. On dit que Barclay vaut mieux qu'eux tous, mais je ne le dirais pas à en juger par ses premières dispositions. Et eux, que font-ils, que font tous ces courtisans? Pfuhl propose, Armfeldt discute, Bennigsen examine ; quant à Barclay, appelé à agir, il ne sait à quoi se résoudre, et le temps passe. Seul Bagration est un homme de guerre. Il est bête, mais il a de l'expérience, du coup d'œil et de la décision... Et quel rôle joue donc votre jeune empereur dans cette foule hideuse? Ils le compromettent et font retomber sur lui la responsabilité de ce qui se passe. *Un souverain ne doit être à l'armée que quand il est général,* dit-il, jetant évidemment ces mots comme un défi au visage d'Alexandre. Napoléon savait combien l'empereur Alexandre désirait être un chef de guerre.

— La campagne est commencée déjà depuis une semaine et vous n'avez pas été capables de défendre Vilna. Vous êtes coupés en deux et chassés des provinces polonaises. Votre armée murmure...

— Au contraire, Votre Majesté, dit Balachov qui avait peine à se rappeler tout ce qui lui était dit, et suivait difficilement ce feu d'artifice verbal. Nos troupes brûlent du désir de...

— Je sais tout, interrompit Napoléon, je sais tout et je connais le nombre de vos bataillons aussi exactement que celui des miens. Vous n'avez même pas deux cent mille hommes sous les armes, et moi j'en ai trois fois plus, je vous en donne ma parole d'honneur, dit-il, oubliant que cette parole d'honneur ne pouvait avoir aucune valeur. Je vous donne *ma parole d'honneur que j'ai cinq cent trente mille hommes de ce côté de la Vistule.* Les Turcs ne vous seront d'aucune aide, ils ne sont bons à rien et ils l'ont prouvé en faisant la paix avec vous [1]. Quant aux Suédois, leur destin est d'être gouvernés par des fous. Leur roi était fou, ils en ont pris un autre, Bernadotte, qui immédiatement est devenu fou, car étant Suédois, il faut être fou pour conclure une alliance avec la Russie.

Napoléon sourit méchamment et porta de nouveau la tabatière à son nez.

Balachov voulait répliquer à chacune des affirmations de Napoléon et il était en mesure de le faire; il esquissait constamment le geste d'un homme qui veut dire quelque chose, mais Napoléon lui coupait la parole. A propos de la folie des Suédois, Balachov voulait indiquer que lorsque la Russie était derrière elle, la Suède devenait une île. Mais Napoléon éleva furieusement la voix pour couvrir celle du général. Il était dans cet état d'irritation où on a besoin de parler, de parler et de parler sans arrêt, uniquement pour se prouver à soi-même qu'on est dans son droit. Balachov éprouvait un sentiment pénible; en tant qu'ambassadeur, il craignait de compromettre sa dignité et se rendait compte qu'il était indispensable de répliquer; mais l'homme se contractait moralement devant le spectacle de cette colère irraisonnée dont Napoléon était évidemment la proie; il savait que les paroles que prononçait en ce moment Napoléon n'avaient pas d'importance, que revenu à lui il en aurait lui-même honte. Debout, les yeux baissés, Balachov regardait les grosses jambes de Napoléon qui tressaillaient et il essayait d'éviter son regard.

— Et que m'importent tous vos alliés! poursuivait Napoléon. Mes alliés à moi ce sont les Polonais. Ils sont quatre-vingt mille et se battent comme des lions. Et ils seront deux cent mille!

Sans doute parce qu'il venait de dire une chose qu'il savait fausse et voyait Balachov debout devant lui, toujours silencieux et résigné, l'exaspération le saisit. Il fit brusquement demi-tour, s'approcha de Balachov à le toucher et cria presque, avec un geste énergique :

— Sachez que si vous entraînez la Prusse contre moi, sachez que je l'effacerai de la carte de l'Europe! — Le visage blême convulsé de fureur, il frappa violemment une de ses petites mains contre l'autre. — Oui, je vous rejetterai au-delà de la Dvina, au-delà du Dniéper, et je dresserai contre vous cette barrière que l'Europe a été assez criminelle et assez aveugle pour laisser détruire! Oui, voilà ce qu'il adviendra de vous, voilà ce que vous aurez gagné à vous éloigner de moi! — Il arpenta la pièce en silence; ses grosses épaules tressaillaient.

Il glissa sa tabatière dans la poche de son gilet, puis l'en ressortit, la porta plusieurs fois à son nez et s'arrêta devant Balachov. Il se tut un instant, le regarda ironiquement droit dans les yeux et dit d'une voix apaisée :

— *Et cependant, quel beau règne aurait pu avoir votre maître!*

Balachov sentit qu'il était indispensable de répliquer; il dit que du côté russe, les choses ne se présentaient pas sous un jour aussi noir. Napoléon se taisait, continuait de le regarder d'un air moqueur et ne l'écoutait évidemment pas. Comme Balachov ajoutait que la guerre selon les Russes aurait une heureuse issue, Napoléon hocha la tête avec condescendance comme pour dire : « Je sais, votre devoir est de parler ainsi, mais vous n'y croyez pas vous-même, je vous ai convaincu. »

Quand Balachov eut terminé, Napoléon sortit de nouveau sa tabatière, prisa et frappa deux fois le parquet du pied. La porte s'ouvrit, un chambellan ployé par le respect tendit à l'empereur son chapeau et ses gants, un autre lui apporta un mouchoir de poche. Sans les regarder, Napoléon s'adressa à Balachov :

— Assurez de ma part l'empereur Alexandre, dit-il en prenant son chapeau, que je lui suis dévoué comme par le passé. Je le connais parfaitement et j'ai en grande estime ses hautes qualités. *Je ne vous retiens plus, général, vous recevrez ma lettre à l'empereur.*

Napoléon franchit rapidement la porte. Tous ceux qui se trouvaient dans la salle de réception se précipitèrent dans l'escalier.

VII

Après ce que lui avait dit Napoléon, après ses éclats de colère et les derniers mots prononcés sur un ton sec : « *Je ne vous retiens plus, général, vous recevrez ma lettre* », Balachov était convaincu que Napoléon non seulement ne voudrait pas le revoir mais s'efforcerait même d'éviter l'ambassadeur offensé et surtout le témoin de son emportement indécent. Cependant, au grand étonnement de Balachov, Duroc lui transmit ce même jour une invitation à la table de l'empereur.

A ce dîner assistaient Bessières, Caulaincourt et Berthier.

Napoléon accueillit Balachov d'un air gai et affable. Non seulement il ne semblait pas confus de sa violente sortie du matin et ne paraissait pas se la reprocher, mais il cherchait au contraire à réconforter Balachov. Napoléon était manifestement depuis longtemps convaincu qu'il ne pouvait commettre d'erreur; dans son esprit, tout ce qu'il faisait était bien non parce que cela concordait avec l'idée communément admise du bien et du mal, mais parce que c'était LUI qui le faisait.

L'empereur était d'excellente humeur après sa promenade à cheval dans Vilna, où la foule l'avait accueilli et escorté avec des acclamations enthousiastes. Toutes les fenêtres des maisons en bordure des rues qu'il avait suivies étaient tendues de tapis, pavoisées de drapeaux, ornées de son monogramme, et les dames polonaises agitaient leurs mouchoirs.

Ayant fait placer Balachov à côté de lui, il le traita à dîner non seulement aimablement mais comme s'il le comptait aussi parmi ses courtisans, parmi ceux qui approuvaient ses projets et devaient se réjouir de ses succès. Parlant entre autres choses de Moscou, il interrogea Balachov sur la capitale russe, et non pas comme un voyageur curieux qui se renseigne sur un lieu qu'il a l'intention de visiter, mais comme s'il considérait que Balachov en sa qualité de Russe dût être flatté de cette curiosité.

— Combien y a-t-il d'habitants à Moscou? demandait-il. Combien de maisons? Est-il exact qu'on appelle Moscou, *Moscou la Sainte*? Combien y a-t-il d'églises à Moscou?

Et comme il lui était répondu qu'il y avait plus de deux cents églises, il dit :

— Pourquoi tant d'églises?

— Les Russes sont très pieux, répondit Balachov.

— D'ailleurs, le grand nombre de couvents et d'églises est toujours l'indice d'un peuple arriéré, dit Napoléon en se retournant vers Caulaincourt pour que celui-ci appréciât sa remarque.

Balachov se permit respectueusement de ne pas partager l'opinion de l'empereur.

— Chaque pays a ses mœurs, dit-il.

— Mais il n'existe rien de pareil nulle part en Europe, insista Napoléon.

— Je demande pardon à Votre Majesté, répliqua Balachov, mais l'Espagne compte tout autant de couvents et d'églises.

Cette réponse qui faisait allusion à la récente défaite des Français en Espagne, fut fort appréciée à la cour de Russie lorsque Balachov la rapporta, mais guère à la table de Napoléon où elle passa inaperçue.

A l'expression indifférente et légèrement perplexe de messieurs les maréchaux, on voyait qu'ils se demandaient où était la pointe que semblait souligner le ton de Balachov. « S'il y a là une intention particulière, nous ne l'avons pas comprise, ou bien il n'y a rien », disaient les visages des maréchaux. Napoléon, lui, ne fit aucune attention à cette réponse et demanda naïvement à Balachov par quelles villes passait la route directe de Vilna à Moscou. Le général russe qui se tenait sur ses gardes depuis le début du repas, répondit que comme « *tout chemin mène à Rome, tout chemin mène à Moscou*, et entre autres la route de Poltava [1] qu'avait prise Charles XII ». Balachov fut si satisfait de sa réponse qu'il ne put s'empêcher de rougir; mais il n'avait pas achevé de prononcer « Poltava » que déjà Caulaincourt se mettait à parler du déplorable état de la route de Pétersbourg à Moscou et à évoquer ses souvenirs pétersbourgeois.

Le dîner terminé, on passa prendre le café dans le cabinet de Napoléon qui avait été quatre jours plus tôt celui d'Alexandre. Napoléon s'assit et tout en remuant son café dans une tasse de Sèvres, désigna à Balachov une chaise à côté de lui.

Il est un certain état d'esprit d'après dîner qui, mieux que toute autre raison, incline l'homme à se sentir satisfait de lui et à ne voir en ceux qui l'entourent que des amis. Napoléon se trouvait précisément dans cet état; il lui semblait que tous ceux qui étaient là l'adoraient; il était persuadé qu'ayant mangé à sa table, Balachov était lui aussi son ami, son adorateur. Il s'adressa à lui avec un sourire affable et légèrement ironique.

— C'est cette même pièce, paraît-il, qu'occupait l'empereur Alexandre. Bien étrange, n'est-il pas vrai, général? — Il ne doutait évidemment pas que cette remarque dût être agréable à son interlocuteur, puisqu'elle prouvait sa supériorité à lui Napoléon, sur Alexandre.

Ne pouvant rien répondre à cela, Balachov inclina la tête en silence.

— Oui, dans cette pièce, il y a quatre jours, Wintzingerode et Stein se consultaient, continua Napoléon avec le même sourire ironique et plein d'assurance. Ce que je ne puis pas comprendre, c'est que l'empereur Alexandre se soit entouré de tous mes ennemis personnels. Comment n'a-t-il pas songé que je pouvais agir de même? dit-il d'un ton interrogateur. Cette question réveilla de nouveau sa colère matinale dont le souvenir était encore frais en lui.

— Et qu'il sache que je le ferai, poursuivit-il en se levant et en repoussant sa tasse de la main. Je chasserai d'Allemagne tous ses parents, ceux de Würtemberg, de Bade, de Weimar... Oui, je les chasserai! Qu'il leur prépare un refuge en Russie!

Balachov, la tête baissée, montrait par toute son attitude qu'il eût bien voulu prendre congé et n'écoutait que parce qu'il ne pouvait pas ne pas écouter ce qu'on lui disait. Napoléon ne remarquait pas cette attitude; il s'adressait à Balachov non pas comme à l'ambassadeur de son ennemi mais comme à un homme qui lui était maintenant complètement dévoué et ne pouvait que se réjouir de l'humiliation de son ancien maître.

— Et pourquoi l'empereur Alexandre a-t-il pris le commandement de l'armée? Pourquoi? La guerre c'est mon métier, son métier à lui est de régner et non pas de commander des armées. Pourquoi s'est-il chargé d'une pareille responsabilité?

Napoléon prit une fois de plus sa tabatière, arpenta la pièce en silence et soudain s'approcha de Balachov, et comme s'il faisait quelque chose non seulement de très important mais aussi d'agréable pour Balachov, d'un geste assuré, prompt et simple, il leva la main vers le visage de cet homme de quarante ans, un général russe, et saisissant son oreille, la tira légèrement, en ne souriant que des lèvres.

Avoir l'oreille tirée par l'Empereur était considéré comme le plus grand honneur et une grande grâce à la cour de France.

— *Eh bien, vous ne dites rien, admirateur et courtisan de l'Empereur Alexandre?* dit-il, comme s'il était comique d'être en sa présence *courtisan* et *admirateur* de quelqu'un d'autre que lui, Napoléon.

— Les chevaux pour le général sont-ils prêts? ajouta-t-il en inclinant la tête en réponse au salut de Balachov.

— Donnez-lui les miens, il doit aller loin...

La lettre que Balachov rapporta fut la dernière lettre de Napoléon à Alexandre. Tous les détails de la conversation furent rapportés à l'empereur de Russie et la guerre commença.

VIII

Après son entrevue à Moscou avec Pierre, le prince André se rendit à Pétersbourg, pour affaires, dit-il à ses proches, en réalité pour rencontrer Anatole Kouraguine, ce qu'il jugeait indispensable. Mais Anatole dont il s'informa aussitôt, avait déjà quitté Pétersbourg. Pierre, ayant prévenu son beau-frère de l'arrivée imminente du prince André, Anatole avait immédiatement obtenu du ministre de la guerre son affectation à l'armée de Moldavie. A Pétersbourg, le prince André revit Koutouzov, son ancien chef, toujours bien disposé à son égard, qui lui offrit de l'emmener en Moldavie où il était nommé commandant en chef [1]. Affecté à l'état-major du quartier général, le prince André partit pour la Turquie.

Il jugeait déplacé d'écrire à Kouraguine et de le provoquer en duel, considérant qu'en prenant cette initiative il risquait de compromettre la comtesse Rostov. Aussi cherchait-il à rencontrer Kouraguine, comptant qu'au cours de leur entrevue il trouverait bien quelque prétexte à un duel. Mais en Turquie non plus il ne réussit pas à joindre Anatole, celui-ci étant retourné en Russie peu après l'arrivée de Bolkonsky. Dans un pays nouveau et dans de nouvelles conditions d'existence, le prince André se sentit quelque peu soulagé. Après la trahison de sa fiancée dont il souffrait d'autant plus qu'il mettait tous ses soins à dissimuler à tous ce qu'il ressentait, il lui était pénible de continuer à mener la vie qu'il avait connue au temps de son bonheur, et plus pénibles encore lui étaient cette liberté, cette indépendance auxquelles il tenait tant auparavant. Les pensées qui avaient surgi en lui pour la première fois sur le champ de bataille d'Austerlitz, qu'il aimait à développer avec Pierre et qui nourrissaient sa solitude à Bogoutcharovo, puis en Suisse et à Rome, ne lui revenaient plus jamais et il craignait même de se rappeler ces pensées qui lui avaient révélé des horizons infinis et lumineux. Il ne s'intéressait à présent qu'aux questions pratiques les plus immédiates, n'ayant aucun lien avec le passé; et il s'en saisissait d'autant plus avidement que les anciennes questions lui étaient fermées. On eût dit que la voûte immense, infiniment éloignée, qui s'élevait autrefois au-dessus de lui, s'était transformée soudain en une voûte basse, bien délimitée, écrasante, sous laquelle tout était précis, mais où ne subsistait plus rien d'éternel, de mystérieux.

De toutes les activités qui s'offraient à lui, le service militaire était la plus simple et la plus familière. En qualité de général attaché à l'état-major du commandant en chef, il s'adonnait à ses occupations avec zèle et persévérance, étonnant Koutouzov par son goût du travail et son esprit méthodique. N'ayant pas retrouvé Kouraguine en Turquie, le prince André renonça à le poursuivre de nouveau en Russie; cependant, en dépit du temps écoulé, en dépit du mépris qu'il lui portait et des raisons qu'il se donnait pour se prouver qu'il s'abaisserait en le provoquant, malgré tout cela, il savait que quand il le rencontrerait, il ne pourrait pas ne pas le provoquer, comme un homme affamé ne peut s'empêcher de se jeter sur la nourriture. Et la conscience que l'outrage n'était pas encore vengé, que sa colère n'était pas encore déversée mais pesait sur son cœur, empoisonnait ce calme factice que le prince André s'était créé en Turquie à force de soucis, d'une activité fébrile non dénuée d'ambition et de vanité.

Quand la nouvelle de la guerre avec Napoléon parvint en 1812 à Bucarest (où depuis deux mois Koutouzov passait ses jours et ses nuits chez sa maîtresse valaque), le prince André demanda son affectation à l'armée de l'Ouest. Koutouzov, qui en avait déjà assez de Bolkonsky dont le zèle semblait un vivant reproche à sa propre oisiveté, le laissa volontiers partir et le chargea d'une mission auprès de Barclay de Tolly.

Avant de rejoindre l'armée qui était au camp de la Drissa, le prince André s'arrêta à Lyssya Gory, le domaine étant sur son chemin, à trois verstes de la grand'route de Smolensk. Au cours des trois dernières années, il y avait eu tant de bouleversements dans la vie du prince André, il avait pensé, éprouvé et vu tant de choses diverses (en Occident et en Orient) qu'en constatant à son arrivée à Lyssya Gory que jusque dans les moindres détails, l'existence s'y écoulait exactement comme auparavant, il en fut étrangement surpris. Quand ayant franchi le portail de pierre, il suivit l'allée qui menait à la maison, il crut pénétrer dans un château endormi par quelque enchantement. Le même ton digne, la même propreté, le même silence régnaient toujours dans cette maison, c'était les mêmes meubles, les mêmes murs, les mêmes sons, les mêmes odeurs, et les mêmes visages timides, quelque peu vieillis seulement. La princesse Marie, toujours craintive et laide, vieillissait en proie à la peur et à de perpétuels tourments moraux, passant sans profit et sans joie les meilleures années de son existence. Mlle Bourienne était toujours la même jeune fille coquette, satisfaite d'elle-même, pleine de riants espoirs, sachant profiter de chaque minute de son existence. Elle avait seulement gagné en assurance, semblait-il au prince André. Dessales, le précepteur qu'il avait amené de Suisse, portait maintenant une redingote de coupe russe et estropiait le russe en parlant aux domestiques, mais il était toujours le même éducateur borné, instruit, vertueux et pédant. Au physique, le seul changement qui se remarquait chez le vieux prince était l'absence d'une dent au coin de sa bouche. Au moral, il était seulement plus méchamment irritable et plus méfiant à l'égard de tout ce qui se passait dans le monde. Seul le petit Nicolas avait changé, grandi, pris des couleurs; ses cheveux foncés bouclaient et tout en jouant et riant, il relevait sans le savoir la lèvre supérieure de sa jolie petite bouche exactement comme la relevait sa mère. Lui seul échappait à la pétrification qui régnait dans ce château endormi et ensorcelé. Mais bien qu'apparemment rien n'eût changé, les relations qu'entretenaient entre elles toutes ces personnes s'étaient modifiées depuis que le prince André les avait quittées. Elles s'étaient divisées en deux camps hostiles et étrangers l'un à l'autre, qui ne se rapprochaient qu'en présence du prince André, renonçant pour lui à leur habituel mode de vie. D'un côté il y avait le vieux prince, Mlle Bourienne, l'architecte; de l'autre, la princesse Marie, Dessales, Nicolas, auxquels se joignaient les bonnes et les nourrices.

Pendant son séjour tous prirent leur repas ensemble, mais tous furent mal à l'aise; le prince André sentait qu'ils faisaient exception en sa faveur, le traitant en hôte et que sa présence les gênait. S'en rendant compte malgré lui, le premier jour il resta silencieux au cours du dîner et le vieux prince ayant remarqué son attitude contrainte, se tut également d'un air sombre et se retira aussitôt après le repas. Lorsque dans la soirée, le prince André passa chez lui et, voulant le réveiller un peu, entreprit de lui raconter la campagne du jeune comte Kamensky [1], le vieux prince se mit à parler soudain de la princesse, lui reprochant ses superstitions, son hostilité envers Mlle Bourienne, la seule personne, dit-il, qui lui fût entièrement dévouée.

S'il était malade, c'était à l'en croire uniquement à cause de la princesse Marie; elle s'ingéniait à le tourmenter et à l'irriter; ses gâteries et ses propos stupides compromettaient l'éducation du petit Nicolas. Le vieux prince savait parfaitement qu'il torturait sa fille, que la vie de celle-ci était très pénible, mais il savait aussi qu'il lui était impossible de ne pas la torturer et qu'elle méritait cela. « Pourquoi donc le prince André qui voit cela ne me dit-il rien de sa sœur? se demandait le vieillard. Me prend-il pour un scélérat, ou un vieil imbécile qui sans raison s'est éloigné de sa fille et s'est rapproché de la Française? Il ne comprend pas, il faut donc lui expliquer, il faut qu'il m'écoute », pensait le vieux prince. Et il se mit à expliquer les raisons pour lesquelles il ne pouvait supporter le caractère absurde de sa fille.

— Puisque vous m'interrogez, répondit le prince André sans regarder son père (il le blâmait pour la première fois de sa vie), je ne voulais pas en parler, mais puisque vous m'interrogez, je vous dirai franchement mon opinion au sujet de tout cela. S'il y a un malentendu et un désaccord entre vous et Macha, je ne puis en aucune façon l'en accuser, je sais qu'elle vous aime et vous vénère. Si donc vous me demandez mon avis, poursuivit le prince André en s'irritant, parce qu'il était toujours au bord de l'irritation ces derniers temps, je ne puis dire qu'une chose : s'il y a malentendu, la cause en est une femme de rien qui ne devrait pas être la compagne de ma sœur.

Le vieillard regarda tout d'abord son fils de ses yeux devenus fixes, découvrant dans un sourire contraint le nouveau défaut de sa bouche auquel le prince André ne pouvait s'habituer.

— Quelle est cette compagne, mon ami? Hein? Tu en as trop dit! Hein?

— Père, je ne voulais pas être juge, dit le prince André d'un ton dur et amer, mais vous m'avez provoqué; j'ai dit et dirai toujours que Marie n'est pas coupable, que la coupable... la coupable est cette Française.

— Ah, tu as jugé... tu as jugé! dit le vieillard à mi-voix et quelque peu confus, sembla-t-il à son fils. Mais soudain il bondit et se mit à crier : — Hors d'ici! Hors d'ici!... Que je ne te voie jamais plus!

Le prince André voulait partir sur-le-champ, mais la princesse Marie réussit à le retenir jusqu'au lendemain. Il ne revit pas son père qui ne sortit pas de chez lui, interdit sa porte à tous sauf à Mlle Bourienne et à Tikhone et s'informa à plusieurs reprises si son fils était parti. Le lendemain, le prince André entra avant son départ dans la chambre du petit Nicolas. Le robuste garçonnet, bouclé comme l'avait été la princesse Lise, s'assit sur les genoux de son père qui commença à lui raconter l'histoire de Barbe-bleue, mais il ne l'acheva pas et se prit à songer, non pas à son fils, ce joli enfant qu'il tenait sur ses genoux, mais à lui-même : il découvrait avec horreur qu'en dépit de ses efforts, il ne parvenait pas à se repentir d'avoir offensé son père, et ne regrettait pas de le quitter en s'étant brouillé avec lui pour la première fois de sa vie. Mais le plus grave, c'était qu'il cherchait sans la retrouver son ancienne tendresse pour son fils, qu'il avait espéré réveiller en caressant l'enfant et en le prenant sur ses genoux. « Eh bien, raconte! » disait l'enfant. Son père le déposa à terre sans lui répondre et quitta la chambre.

Dès qu'il eut abandonné ses occupations quotidiennes et retrouvé les conditions d'existence qu'il avait connues au temps où il était heureux, l'angoisse de la vie le saisit, aussi forte qu'auparavant; il avait hâte de s'éloigner au plus vite de ces souvenirs et de trouver une occupation quelconque.

— Tu es bien décidé à partir, André? lui demanda sa sœur.

— Dieu merci, je peux partir! dit-il. Je regrette beaucoup que tu ne puisses en faire autant

— Pourquoi dis-tu cela? s'exclama la princesse Marie. Pourquoi dis-tu cela alors que tu pars pour cette terrible guerre et qu'il est si vieux? Mlle Bourienne m'a dit qu'il s'était informé de toi...

Dès qu'elle eut touché à ce sujet, ses lèvres tremblèrent et des larmes s'échappèrent de ses yeux Le prince André se détourna et se mit à arpenter la pièce

— Ah, mon Dieu, mon Dieu! Et quand on songe qui, quels êtres nuls peuvent causer le malheur des autres! dit-il dans un sursaut de colère qui effraya sa sœur.

Elle comprit qu'en parlant ainsi, il pensait non seulement à Mlle Bourienne qui faisait son malheur à elle, mais aussi à cet homme qui avait anéanti son bonheur à lui.

— André, je te demande une seule chose, je t'en supplie, dit-elle en lui touchant le coude et en le regardant de ses yeux lumineux à travers ses larmes. Je te comprends (elle baissa les yeux). Ne crois pas que la souffrance nous est infligée par les hommes. Les hommes sont Ses instruments. — Ses yeux se posèrent avec assurance sur un point au-dessus de la tête du prince André, comme on regarde l'endroit où l'on sait que se trouve un portrait. — C'est Lui qui nous envoie la souffrance, et non les hommes. Les hommes sont Ses instruments, ils ne sont pas coupables. Si quelqu'un te semble coupable envers toi, oublie et pardonne. Nous n'avons pas le droit de châtier. Et tu comprendras le bonheur du pardon.

— Si j'étais une femme, je le ferais, Marie. C'est la vertu de la femme. Mais un homme ne doit et ne peut oublier et pardonner, dit-il. Et bien que jusqu'à cet instant il n'eût pas pensé à Kouraguine, toute sa rancune inassouvie se leva soudain dans son cœur. « Si la princesse Marie essaye de me persuader de pardonner, c'est donc que j'aurais dû châtier depuis longtemps », se dit-il. Et sans plus répondre à sa sœur, il évoqua cette minute délicieuse où dans l'exaltation de la haine il rencontrerait Kouraguine qui était (il le savait) à l'armée.

La princesse Marie supplia son frère d'attendre encore un jour; elle savait, disait-elle, combien leur père serait malheureux si André partait sans s'être réconcilié avec lui. Mais le prince André répondit qu'il reviendrait bientôt sans doute, qu'il écrirait sans faute à son père et que s'il prolongeait son séjour, leurs rapports se détérioreraient encore davantage.

— *Adieu, André! Rappelez-vous que les malheurs viennent de Dieu et que les hommes ne sont jamais coupables* — Ce furent les dernières paroles de sa sœur qu'il entendit lorsqu'il lui dit adieu.

« Il doit en être ainsi, songeait-il en quittant Lyssya Gory par la grande allée. La pauvre et innocente créature reste la proie d'un vieillard qui n'a plus sa raison. Le vieux sent qu'il est coupable mais il ne peut se changer. Mon petit garçon grandit et sourit déjà à la vie, alors qu'il sera comme les autres trompé ou trompeur. Je pars pour l'armée, pourquoi? Je l'ignore, et je veux rencontrer l'homme que je méprise pour lui donner l'occasion de me tuer et de se moquer de moi!... » L'existence du prince André se déroulait dans les mêmes conditions qu'autrefois, mais alors elles formaient un ensemble cohérent, tandis que tout maintenant s'était désagrégé, et les images qui se succédaient dans son esprit étaient dénuées de sens et sans lien entre elles.

IX

Le prince André arriva au quartier général à la fin de juin. La première armée, celle où se trouvait l'empereur, occupait un camp fortifié sur la Drissa; la seconde armée battait en retraite en cherchant à rejoindre la première dont elle était coupée, disait-on, par d'importantes forces françaises. Tout le monde était mécontent de la marche des opérations, mais personne n'envisageait la possibilité d'une invasion des provinces russes et personne ne supposait que la guerre pût s'étendre au-delà des provinces polonaises de l'ouest.

Le prince André rejoignit Barclay de Tolly à qui l'avait dépêché Koutouzov, sur les bords de la Drissa. Comme il n'y avait ni gros bourg ni petit village à proximité du camp, les généraux et courtisans, qui en grand nombre accompagnaient l'empereur, occupaient dans un rayon de dix verstes les meilleures maisons des villages d'un côté et de l'autre de la rivière. Barclay de Tolly logeait à quatre verstes de l'empereur. Il accueillit froidement et sèchement Bolkonsky et lui dit avec son accent allemand qu'en attendant que l'empereur décidât de son affectation, il l'attachait à son état-major. Anatole Kouraguine que le prince André espérait retrouver à l'armée n'y était pas; il était à Pétersbourg. Et Bolkonsky l'apprit avec plaisir; étant maintenant au centre des immenses événements qui se préparaient, il y prenait intérêt et était heureux de se trouver débarrassé pour un temps de cet état pénible dans lequel le mettait la pensée de Kouraguine.

Les quatre premiers jours, personne ne s'occupa de lui et il en profita pour visiter le camp retranché et s'en faire une idée exacte en ayant recours à ses propres connaissances et aux informations des gens compétents. Mais la question de savoir si ce camp présentait ou non des avantages resta pour lui non résolue. Son expérience lui avait déjà appris qu'à la guerre les plans les plus savamment élaborés n'ont pas d'importance (il l'avait constaté lors de la campagne d'Austerlitz); que tout dépend de la façon dont on pare les coups inattendus et imprévisibles de l'ennemi, que tout dépend de la conduite même des opérations et de ceux qui les conduisent. Afin d'élucider ce dernier point, mettant à profit sa situation et ses relations, le prince André s'attacha à se rendre compte de l'organisation du haut commandement, des personnes et des groupes qui participaient à la direction de l'armée, et voici le tableau qu'il put se faire de l'ensemble de la situation.

Au temps où l'empereur se trouvait encore à Vilna, les troupes étaient réparties en trois armées; la première, sous le commandement de Barclay de Tolly, la seconde, de Bagration, la troisième, de Tormassov. L'empereur était à la première armée, mais non en qualité de généralissime. Les rescrits ne disaient pas qu'il prendrait la tête de l'armée, mais qu'il y serait présent. D'ailleurs, il ne disposait pas d'un état-major de commandant en chef mais seulement d'un état-major personnel, celui du quartier général impérial, dont le chef était le général quartier-maître prince Volkonsky, avec de nombreux généraux, aides de camp, fonctionnaires diplomatiques et quantité d'étrangers. De plus, il y avait auprès de lui, sans mission précise, l'ancien ministre de la guerre, Araktchéiev, le comte Bennigsen, le général le plus ancien en grade, le grand-duc héritier Constantin Pavlovitch, le chancelier comte Roumiantsev, l'ex-ministre prussien Stein, le général suédois Armfeldt, Pfuhl, le principal auteur du plan de campagne, l'aide de camp général Paulucci, réfugié sarde, Wolzogen et beaucoup d'autres. Tous ces personnages n'occupaient pas de poste précis à l'armée, cependant, vu leur situation, ils jouissaient d'une certaine influence, et souvent un commandant de corps d'armée ou même le commandant en chef ignorait à quel titre Bennigsen, ou le grand-duc, ou Araktchéiev, ou le prince Volkonsky demandait ou conseillait telle ou telle mesure, et ne savait pas davantage si tel ordre qui lui était présenté sous forme de conseil émanait de l'un d'eux ou de l'empereur, et s'il fallait ou non obéir. Mais cela, c'était l'apparence extérieure des choses; du point de vue des courtisans (et l'empereur étant présent, tout le monde devient courtisan), ce que signifiait la présence de l'empereur et de tous ces gens était évident : l'empereur n'avait pas pris le titre de généralissime, mais en fait il disposait de toutes les armées et ceux qui l'entouraient l'assistaient dans cette tâche. Araktchéiev était le fidèle gardien de l'ordre, le garde du corps de l'empereur; Bennigsen, grand propriétaire de la province de Vilna, semblait faire les honneurs de la région à Sa Majesté, mais en réalité il était un bon général, d'excellent conseil, qu'on avait toujours sous la main pour remplacer le cas échéant Barclay; le grand-duc était là parce qu'il le désirait; l'ancien ministre Stein, parce qu'il était de bon conseil et que l'empereur estimait fort ses qualités personnelles; Armfeldt, parce qu'il exécrait Napoléon et était très sûr de lui, ce qui en imposait toujours à Alexandre; Paulucci, parce qu'il se montrait audacieux et décidé dans ses discours : les généraux aides de camp, parce qu'ils étaient partout où était l'empereur. Enfin, et surtout, Pfuhl était là parce qu'il était l'auteur du plan de campagne contre Napoléon et qu'ayant réussi à convaincre Alexandre des avantages de ce plan, il avait la haute main sur la conduite de la guerre. Il avait à ses côtés Wolzogen qui transmettait sous une forme plus accessible les idées de Pfuhl, ce théoricien de cabinet, esprit tranchant, sûr de soi jusqu'à envelopper tout le monde dans le même mépris.

En plus de ces personnages russes et étrangers (ces derniers, avec la hardiesse propre à ceux dont l'activité s'exerce dans un milieu qui n'est pas le leur, proposaient chaque jour des idées nouvelles, inattendues), il y avait encore beaucoup de personnages secondaires qui se trouvaient à l'armée parce que ceux qui les patronnaient y étaient. Parmi toutes les idées, parmi toutes les voix qui se croisaient dans cet univers agité, brillant et orgueilleux, le prince André discernait certains courants d'opinion, certains partis bien tranchés.

Le premier était celui de Pfuhl et de ses adeptes, les théoriciens de la guerre, qui croyaient à l'existence d'une science de la guerre, laquelle avait ses lois immuables, les lois du mouvement oblique, de l'enveloppement, etc. Pfuhl et ses partisans exigeaient le repli à l'intérieur du pays, conformément aux règles strictes de la prétendue théorie militaire, et la moindre dérogation à cette théorie n'était à leurs yeux que barbarie, ignorance ou malveillance. Ce parti comptait dans ses rangs les princes allemands, Wolzogen, Wintzingerode et d'autres, en majorité des Allemands.

Le second parti était diamétralement opposé au premier. Ainsi qu'il arrive toujours, une opinion extrême suscite une autre opinion extrême. Les tenants de ce parti réclamaient depuis Vilna l'offensive en Pologne et l'abandon de tout plan élaboré à l'avance. Partisans de l'audace dans l'action, ils étaient aussi les représentants du nationalisme, ce qui les rendait encore plus intransigeants dans la discussion. C'étaient des Russes : Bagration, Ermolov qui commençait à se faire une réputation, et d'autres. On colportait alors une boutade fameuse d'Ermolov qui aurait demandé à l'empereur une grande grâce : être promu Allemand. Évoquant l'exemple de Souvorov, les gens de ce parti répétaient qu'il s'agissait non pas de calculer, de piquer des épingles sur des cartes, mais de se battre, de frapper l'ennemi, de ne pas lui permettre de pénétrer en Russie et de ne pas laisser l'armée se morfondre.

Le troisième parti, celui auquel l'empereur faisait le plus confiance, comprenait des courtisans qui jouaient le rôle de conciliateurs entre les deux tendances. Ces hommes qui comptaient dans leurs rangs Araktchéiev et dont la plupart n'étaient pas des militaires, disaient ce que disent en général les gens dépourvus de convictions mais désireux de paraître en avoir. Ils reconnaissaient que la guerre, surtout avec un adversaire de génie tel que Bonaparte (on l'appelait de nouveau Bonaparte), exigeait sans aucun doute de profonds calculs et une parfaite connaissance de la science militaire, et que sous ce rapport Pfuhl était génial; cependant on ne saurait nier, disaient-ils, que les théoriciens ne voient souvent qu'un aspect des choses et que pour cette raison on ne doit pas leur faire entièrement confiance; il faut aussi écouter les adversaires de Pfuhl, les gens pratiques, expérimentés, et extraire de tout cela une moyenne. Ces conciliateurs avaient insisté pour que tout en conservant le camp de la Drissa conformément au plan de Pfuhl, on modifiât la marche des armées. Bien qu'en agissant de la sorte, on ne pût atteindre ni l'un ni l'autre but, ils jugeaient cette solution préférable.

Le représentant le plus important du quatrième parti était le grand-duc héritier qui ne pouvait oublier sa déconvenue d'Austerlitz, quand il s'était avancé en tête de la garde comme à la parade, portant casque et veste de chevalier-garde, persuadé qu'il allait écraser sans coup férir les Français, mais qui s'étant trouvé à l'improviste en première ligne avait tout juste pu s'échapper dans la débandade générale. Les jugements des gens de ce parti avaient le mérite mais aussi les inconvénients de la sincérité. Ils craignaient Napoléon, voyaient sa force et leur faiblesse et l'avouaient franchement : « Tout cela, disaient-ils, n'aboutira pour nous qu'à la défaite, à la honte et au désastre. Nous avons déjà abandonné Vilna, nous avons abandonné Vitebsk, nous abandonnerons la Drissa. La seule chose raisonnable à faire c'est de conclure la paix, et le plus vite possible, avant qu'on nous ait chassés de Pétersbourg. »

Ces vues, largement répandues dans les hautes sphères de

l'armée, trouvaient aussi un appui à Pétersbourg, même auprès du chancelier Roumiantsev, qui inclinait également vers la paix, mais pour d'autres raisons.

Le cinquième groupe soutenait Barclay de Tolly, non pas tant l'homme que le ministre de la guerre et le commandant en chef. Les gens de ce groupe allaient répétant : « Quel qu'il soit (on commençait toujours ainsi), il est honnête et actif et nous n'en avons pas de meilleur. Donnez-lui de réels pouvoirs, car la guerre exige l'unité de commandement, et il montrera ce dont il est capable, comme il l'a montré en Finlande. Si notre armée est maintenant bien organisée et forte et a pu se replier jusqu'à la Drissa sans subir de défaite, nous le devons uniquement à Barclay de Tolly. Si on remplace Barclay par Bennigsen, tout est perdu : Bennigsen a déjà fait preuve de son incapacité en 1807. »

Les partisans de Bennigsen, qui formaient le sixième groupe, prétendaient au contraire que personne n'était aussi expérimenté et actif que Bennigsen, qu'on aurait beau tourner et retourner la question, on en reviendrait toujours à lui. Notre retraite jusqu'à la Drissa était selon eux la plus honteuse des défaites et une série ininterrompue d'erreurs. « Mais plus on accumulera d'erreurs, disaient-ils, mieux cela vaudra; au moins comprendra-t-on plus vite qu'on ne peut continuer ainsi. Ce qu'il nous faut, ce n'est pas un quelconque Barclay mais un homme qui a déjà montré ce qu'il vaut en 1807, à qui Napoléon lui-même a rendu justice, un homme dont tout le monde reconnaîtra l'autorité et cet homme ne peut être que Bennigsen. »

Le septième réunissait ces gens qu'on rencontre toujours dans l'entourage d'un souverain, surtout lorsqu'il est jeune; ils étaient particulièrement nombreux auprès d'Alexandre, généraux et aides de camp passionnément attachés moins au monarque qu'à l'homme; ils l'adoraient sincèrement, avec un entier désintéressement, tout comme Rostov en 1805, et lui attribuaient non seulement toutes les vertus, mais aussi toutes les qualités humaines. Tout en admirant la modestie de l'empereur qui refusait le commandement suprême, ces gens la jugeaient excessive, ne souhaitaient qu'une chose sur laquelle ils insistaient avec force, que cessant de se défier de lui-même, leur souverain adoré déclarât franchement qu'il se mettait à la tête de l'armée, constituât un grand état-major impérial et prenant au besoin conseil des théoriciens et des hommes d'action expérimentés, menât lui-même les troupes au combat; cela seul suffirait à exalter au plus·haut point leur ardeur.

Le huitième groupe, de loin le plus nombreux car il formait presque 99 % de l'ensemble, comprenait les gens qui ne souhaitaient ni la paix ni la guerre, ni l'offensive ni la défensive sur la Drissa ou ailleurs, ni Barclay, ni l'empereur, ni Pfuhl, ni Bennigsen, qui ne désiraient qu'une chose, essentielle à leur yeux : le plus d'avantages et de plaisirs pour eux-mêmes. Dans ce foisonnement d'intrigues qui s'entrecroisaient et s'entremêlaient au quartier général de l'empereur, on réussissait des entreprises qui eussent été impensables en d'autres temps. Celui-ci, par crainte de perdre un poste avantageux, approuvait aujourd'hui Pfuhl, le lendemain son adversaire, et le surlendemain déclarait qu'il n'avait aucune opinion sur la question, et cela uniquement pour éviter les responsabilités et plaire à l'empereur. Un autre, désireux de s'assurer des avantages, attirait sur lui l'attention de l'empereur en menant grand tapage autour d'un projet auquel l'empereur avait fait allusion la veille; il criait, discutait au conseil, se frappait la poitrine et provoquait en duel ses contradicteurs à seule fin de montrer qu'il était prêt à se sacrifier à l'intérêt général. Entre deux réunions du conseil et profitant de l'absence de ses ennemis, un troisième sollicitait tout simplement des subsides en récompense de ses fidèles services, sachant qu'à ce moment on n'aurait pas le temps de les lui refuser. Un quatrième était toujours accablé de travail lorsqu'il tombait comme par hasard sous les yeux de l'empereur. Pour obtenir une invitation depuis longtemps convoitée à la table de l'empereur, un cinquième démontrait avec acharnement le bien ou le mal-fondé d'une opinion nouvellement lancée en s'appuyant sur des arguments plus ou moins forts et plus ou moins exacts. Tous ces gens faisaient la chasse aux roubles, aux décorations, aux grades, attentifs uniquement à l'orientation de la girouette des faveurs impériales; tournait-elle d'un côté, tous ces frelons de l'armée se mettaient à souffler dans le même sens, si bien qu'il était difficile à l'empereur de la tourner dans une nouvelle direction. Au milieu d'une situation confuse que la menace d'un grave danger rendait particulièrement inquiétante, dans le tourbillon d'intrigues, de conflits de vanités, d'idées, de sentiments, parmi tant de personnes de nationalités différentes, ceux qui ne poursuivaient que leurs propres intérêts troublaient encore davantage et compliquaient la marche des affaires. Quelle que fût la question envisagée, l'essaim des frelons n'avait pas encore fini de claironner le thème précédent que déjà il attaquait le nouveau thème, et son bourdonnement couvrait les voix qui discutaient sincèrement.

Au moment de l'arrivée du prince André au camp, un nouveau groupe s'était détaché des autres et commençait à faire entendre sa voix. C'était le parti des gens âgés et raisonnables, ayant l'expérience des affaires de l'État. Sans partager aucune des opinions qui s'affrontaient, ils suivaient objectivement tout ce qui se passait à l'état-major du quartier général et réfléchissaient aux moyens de mettre fin à l'incertitude, à l'hésitation, au désordre et à l'impuissance.

Les gens de ce parti disaient et pensaient que le mal venait principalement de la présence à l'armée de l'empereur et de sa cour militaire qui avait apporté avec elle ces conventions, cette instabilité capricieuse qui conviennent à la cour mais sont nocives à l'armée, que l'empereur devait régner et non commander les troupes, que l'unique moyen de sortir de cette situation était le départ de l'empereur et de sa cour, que la seule présence de l'empereur paralysait cinquante mille hommes nécessaires à assurer sa sécurité personnelle, qu'à condition qu'il fût indépendant, le plus médiocre commandant en chef serait encore préférable à un autre, meilleur, mais lié par la présence et l'autorité de l'empereur.

Tandis que le prince André passait ses journées dans l'inaction au camp de la Drissa, le secrétaire d'État Chichkov, l'un des principaux représentants de ce parti, écrivit à l'empereur une lettre que consentirent à signer avec lui Balachov et Araktchéiev. Dans cette lettre, profitant de l'autorisation qui lui avait été donnée de se prononcer sur la situation générale et sous prétexte qu'il était indispensable d'échauffer l'ardeur de la population de Moscou pour la guerre, Chichkov suggérait respectueusement à l'empereur de quitter l'armée.

Ainsi, la nécessité d'exalter le patriotisme des Moscovites, de faire appel au peuple pour la défense de la patrie, de soulever cet élan d'enthousiasme (pour autant qu'il dépendait de la présence du souverain à Moscou) qui fut la raison essentielle de la victoire de la Russie, était présentée à l'empereur et considérée par lui comme offrant un prétexte commode à son départ.

X

Cette lettre n'avait pas encore été remise à son destinataire quand Barclay prévint le prince André que l'empereur désirait le voir pour l'interroger sur la Turquie et qu'il devait se présenter chez Bennigsen à six heures du soir.

Ce même jour, le quartier général impérial avait été informé que Napoléon venait d'effectuer un nouveau mouvement qui risquait d'être dangereux pour l'armée, information qui se révéla plus tard fausse. Et dans le courant de la matinée, le colonel Michaux avait parcouru avec l'empereur les fortifications de la Drissa et lui avait démontré que ce camp organisé par Pfuhl et considéré comme un *chef-d'œuvre* de tactique qui entraînerait la perte de Napoléon, était en réalité une absurdité et causerait la perte de l'armée russe.

Le prince André arriva chez Bennigsen qui occupait une petite maison de campagne au bord même de la rivière, et n'y trouva ni Bennigsen, ni l'empereur, mais l'aide de camp Tchernychov qui le reçut, lui dit que Sa Majesté accompagnée de Bennigsen et du marquis Paulucci visitaient pour la seconde fois de la journée les fortifications du camp dont les avantages commençaient à paraître douteux.

Tchernychov lisait un roman français près d'une fenêtre de la première pièce. Cette pièce sans doute avait été autrefois une salle de réception; on y voyait un orgue sur lequel étaient amoncelés des tapis, et dans un coin, le lit pliant de l'aide de camp de Bennigsen. L'aide de camp était là; visiblement épuisé de travail ou d'avoir trop bien dîné, il sommeillait assis sur son lit replié. L'une des portes de la salle, en face, menait à l'ancien salon; l'autre, à droite, à un cabinet de travail. Des voix parvenaient à travers la première; on parlait allemand et parfois français. Dans ce salon, se tenait sur le désir de l'empereur non pas un conseil de guerre (l'empereur avait le goût de l'imprécision), mais une réunion de quelques personnes dont l'empereur voulait connaître l'opinion dans les circonstances difficiles où l'on se trouvait. Ce n'était pas un conseil de guerre mais un conseil d'élus en quelque sorte, appelés à éclairer l'empereur sur certaines questions. On y avait convoqué le général suédois Armfeldt,

48

le général aide de camp Wolzogen, Wintzingerode, transfuge français comme l'appelait Napoléon, Michaux, Toll, le comte Stein, un civil, enfin Pfuhl lui-même qui, ainsi que l'avait entendu dire le prince André, était la *cheville ouvrière* de toute l'affaire. Le prince André eut l'occasion de bien l'examiner, car Pfuhl arriva peu après lui et avant de passer au salon échangea quelques propos avec Tchernychov.

Bien qu'il ne l'eût jamais rencontré, dès le premier coup d'œil, le prince André eut l'impression qu'il avait déjà vu Pfuhl engoncé dans son uniforme de général russe mal coupé qui le faisait paraître déguisé. Il y avait en lui quelque chose et de Weirother et de Mack et de Schmidt et de beaucoup d'autres théoriciens militaires allemands que le prince André avait eu l'occasion de rencontrer en 1805; mais il était plus typique qu'eux tous. Jamais encore Bolkonsky n'avait vu un Allemand qui réunît en lui à ce point tous les traits caractéristiques des théoriciens militaires.

Pfuhl était de taille médiocre, très maigre, mais fortement, grossièrement charpenté, avec un large bassin et des omoplates osseuses. Ses yeux étaient profondément enfoncés dans son visage creusé de rides. Ses cheveux qui visiblement venaient d'être aplatis à la hâte par-devant, sur les tempes, se hérissaient comiquement par derrière. Il entra en jetant autour de lui des regards inquiets et irrités, comme s'il avait peur de tout dans cette grande pièce où il pénétrait. Maintenant maladroitement son épée, il demanda à Tchernychov en allemand où était l'empereur. On voyait qu'il voulait passer au plus vite, en finir rapidement avec les saluts et les politesses et se mettre immédiatement au travail devant une carte où il se sentait à son affaire. Il hochait hâtivement la tête en écoutant Tchernychov et souriait ironiquement en lui entendant dire que l'empereur inspectait les fortifications que lui, Pfuhl, avait fait construire selon sa théorie. Il marmonna quelque chose à part soi d'une voix de basse et de ce ton raide qu'ont les Allemands sûrs d'eux : *Dummkopf...*, ou : *zu Grunde die ganze Geschichte*, ou bien : *s' wird was gescheites d'raus werden...* [1]. Le prince André ne saisit pas et voulut passer, mais Tchernychov le présenta à Pfuhl en prévenant ce dernier que le prince Bolkonsky revenait de Turquie où la guerre s'était si heureusement terminée. Pfuhl jeta un bref regard non pas tant sur le prince André qu'à travers lui et dit avec un rire méprisant : « *Da muss ein schöner taktischer Krieg gewesen sein* [2] » et il passa.

Toujours irritable et sarcastique, Pfuhl ce jour-là était particulièrement agacé qu'on eût osé inspecter et critiquer son camp fortifié en son absence. Cette seule et brève entrevue suffit au prince André pour se faire d'après ses souvenirs d'Austerlitz une idée précise du personnage. Pfuhl était un de ces hommes sûrs d'eux, irrémédiablement, jusqu'au martyre, comme seuls peuvent l'être les Allemands, parce que seuls les Allemands fondent leur assurance sur une idée abstraite, sur la science, c'est-à-dire la prétendue connaissance de la vérité absolue. Le Français sera sûr de lui parce qu'il est convaincu de la séduction irrésistible, tant intellectuelle que physique qu'il exerce sur tous, hommes et femmes. L'Anglais est sûr de lui parce qu'il est citoyen de l'État le mieux organisé de tous et parce qu'il sait toujours, en tant qu'Anglais, ce qu'il doit faire et sait que tout ce qu'il fait en tant qu'Anglais est indubitablement bien fait. L'Italien est sûr de lui parce qu'il s'abandonne à son émotion et en oublie facilement et lui-même et les autres. L'assurance du Russe tient à ce qu'il ne sait rien et ne veut rien savoir, car il ne croit pas qu'on puisse savoir quoi que ce soit. L'assurance de l'Allemand est la pire de toutes, la plus inébranlable et la plus odieuse, parce qu'il s'imagine qu'il connaît la vérité, la science qu'il a inventée lui-même, mais qui est à ses yeux la vérité suprême.

Tel était manifestement Pfuhl. Il disposait d'une science, la théorie du mouvement oblique qu'il avait déduite de l'histoire des campagnes de Frédéric le Grand, et toute l'histoire des guerres plus récentes lui apparaissait comme une suite de mêlées absurdes, hideuses, où d'un côté comme de l'autre on avait commis tant de fautes que ces guerres n'étaient pas dignes du nom de guerre : elles ne rentraient pas dans la théorie et ne pouvaient être l'objet de science.

Pfuhl avait été en 1806 l'un des auteurs du plan de campagne qui aboutit à Iéna et à Auerstaedt, mais l'issue de cette campagne ne prouvait nullement à ses yeux la fausseté de ses théories. Bien au contraire, l'échec, selon lui, tenait à ce qu'on s'était écarté des théories et il disait avec la joyeuse ironie qui lui était propre : « *Ich sagte ja, dass die ganze Geschichte zum Teufel gehen werde* [1]. » Pfuhl était de ces théoriciens, si passionnément épris de théorie qu'ils en oublient le but, l'application. Féru de théorie, il haïssait toute mise en pratique et ne voulait pas en tenir compte. Il se réjouissait même des échecs, car ceux-ci étant dus à ce qu'on s'était écarté de la théorie, ils prouvaient d'après lui l'excellence de la théorie.

Il échangea quelques mots avec le prince André et Tchernychov sur la campagne en cours, du ton d'un homme qui sait
à l'avance que tout ira mal et qui n'en est même pas mécontent.
Ses cheveux qui se hérissaient en touffes sur sa nuque et ses
tempes hâtivement lissées le disaient éloquemment.

Il passa dans la pièce voisine d'où parvinrent aussitôt les
accents grondeurs de sa voix de basse.

XI

Le prince André suivait encore Pfuhl du regard, quand le
comte Bennigsen entra précipitamment; ayant adressé un signe
de tête à Bolkonsky, il passa sans s'arrêter dans le cabinet en
donnant des ordres à son aide de camp. L'empereur le suivait
de près et Bennigsen se hâtait afin de préparer certains documents et accueillir le souverain. Tchernychov et le prince André
sortirent sur le perron. L'empereur, le visage fatigué, descendait
de cheval. Le marquis Paulucci lui parlait, et Alexandre, la tête
penchée à gauche, écoutait d'un air mécontent Paulucci qui
s'exprimait avec chaleur. L'empereur fit quelques pas en avant,
voulant manifestement mettre fin à l'entretien, mais l'Italien,
rouge, agité, oubliant les convenances, le suivit sur le perron
en continuant de parler.

— *Quant à celui qui a conseillé ce camp, le camp de la Drissa,*
disait Paulucci, tandis que l'empereur apercevant le prince André
scrutait ce visage qu'il ne reconnaissait pas, — *quant à celui, Sire,*
continuait Paulucci désespéré, incapable de se contenir, *qui a
conseillé le camp de la Drissa, je ne vois pas d'autre alternative que
la maison jaune* [1] *ou le gibet.* — Sans relever la phrase de l'Italien,
faisant comme s'il ne l'avait pas entendue, l'empereur ayant
reconnu Bolkonsky lui dit affablement :

— Je suis très heureux de te voir. Passe là-bas et attends-moi.
— Il entra dans le cabinet. Le prince Piotr Mikhaïlovitch Volkonsky et le baron Stein le suivirent et les portes se refermèrent
sur eux. Profitant de l'autorisation de l'empereur, le prince André
passa au salon avec Paulucci qu'il avait connu en Turquie.
Le prince Volkonsky qui était en quelque sorte le chef d'état-
major impérial, apporta du cabinet des cartes qu'il étala sur la
table du salon et il soumit au conseil les questions sur lesquelles
il désirait obtenir l'avis de ces messieurs : on avait reçu la nuit

la nouvelle (qui plus tard se révéla fausse) que les Français tournaient le camp de la Drissa.

Le général Armfeldt prit la parole le premier. Pour parer à la situation, il proposa de façon tout à fait inattendue que l'armée occupât une nouvelle position (que rien ne justifiait, sinon le désir de son auteur de montrer que lui aussi pouvait avoir sa propre opinion), à l'écart des routes de Pétersbourg et de Moscou, et y attendît l'ennemi après avoir opéré sa jonction avec les autres troupes. Il était clair que ce plan avait été conçu depuis longtemps par Armfeldt et qu'il l'exposait à présent non pas tant en réponse aux questions soulevées, car il n'y répondait nullement, mais pour profiter de l'occasion qui se présentait de le faire connaître. C'était une de ces innombrables propositions toutes également défendables, qu'on pouvait faire sans avoir la moindre idée du caractère qu'allait prendre cette guerre. Certains la combattirent, d'autres la soutinrent. Le jeune colonel Toll qui s'élevait avec une ardeur particulière contre la proposition du général suédois, sortit au cours de la discussion un cahier de sa poche intérieure et demanda la permission de le lire. Toll y exposait tout au large un autre plan de campagne, diamétralement opposé à celui d'Armfeldt et à celui de Pfuhl. Répliquant à Toll, Paulucci proposa que l'armée se portât en avant et attaquât, seule manœuvre qui pouvait, selon lui, nous faire sortir de l'indécision et du piège, comme il appelait le camp de la Drissa, dans lesquels nous étions. Pendant ces discussions, Pfuhl et Wolzogen (son intermédiaire auprès de la Cour) se taisaient. Pfuhl se contentait de renifler avec mépris et se détournait, montrant qu'il ne s'abaisserait jamais jusqu'à réfuter les sottises qu'il entendait. Mais quand le prince Volkonsky qui dirigeait les débats lui demanda d'exposer son opinion, il dit seulement :

—-Pourquoi me la demander? Le général Armfeldt propose une splendide position dont les arrières ne sont pas protégés. Ou bien l'attaque *von diesem italienischen Herrn, sehr schön* [1], ou bien la retraite. *Auch gut* [2]. Pourquoi donc me demander mon avis? Vous savez tout mieux que moi.

Mais quand Volkonsky fronçant les sourcils précisa qu'il lui demandait son avis de la part de l'empereur, Pfuhl alors se leva et s'animant soudain se mit à parler.

— On a tout gâché, tout embrouillé, tout le monde en savait plus que moi, et maintenant on se tourne vers moi : comment réparer? Il n'y a rien à réparer. Il faut se conformer exactement aux principes que j'ai exposés, disait-il en martelant la table de ses doigts osseux. Où est la difficulté? Niaiseries! *Kinderspiel* [1]!

— Il s'approcha de la table, et son doigt sec posé sur la carte, se mit à parler très vite, démontrant que le camp de la Drissa gardait sa valeur dans toutes les éventualités, que tout était prévu et que si l'ennemi essayait vraiment de tourner le camp, il serait inéluctablement anéanti.

Paulucci qui ignorait l'allemand, posa des questions en français. Wolzogen se porta au secours de son chef qui parlait mal le français et se mit à traduire ce qu'il disait, parvenant à peine à suivre Pfuhl; celui-ci affirmait que tout, tout, non seulement ce qui était déjà arrivé, mais ce qui pouvait encore arriver, absolument tout était envisagé dans son plan et que s'il y avait à présent des difficultés, cela tenait uniquement à ce qu'on ne l'avait pas strictement réalisé. Il riait d'un air ironique et finalement il abandonna sa démonstration comme un mathématicien qui renonce à vérifier par d'autres méthodes la solution d'un problème déjà résolu. Wolzogen le remplaça et continua d'exposer ses idées en français, demandant de temps à autre à Pfuhl : « *Nicht wahr, Excellenz* [2]? »

Et Pfuhl, comme un homme qui, dans l'excitation du combat, frappe les siens, disait d'un air furibond à Wolzogen :

— *Nun ja, was soll denn da noch expliziert werden* [3]?

Paulucci et Michaux attaquaient à deux voix Wolzogen en français; Armfeldt s'adressait à Pfuhl en allemand; Toll donnait des explications en russe au prince Volkonsky. Le prince André écoutait et observait en silence.

De tous ces gens, celui qui éveillait en lui une certaine sympathie était Pfuhl avec sa rageuse et absurde assurance. Lui seul parmi les personnes présentes ne désirait évidemment rien pour lui-même, ne nourrissait d'hostilité envers personne, et ne désirait qu'une chose, la réalisation du plan déduit de sa théorie, fruit de longues années de travail. Il était ridicule, son ironie était désagréable, mais son attachement passionné à une idée forçait involontairement le respect. En outre, toutes les interventions, celle de Pfuhl exceptée, présentaient un trait commun qui n'apparaissait pas lors du conseil de guerre de 1805 : la peur panique, bien que dissimulée, du génie de Napoléon, une peur qui s'exprimait dans chaque réplique. On supposait tout possible de la part de Napoléon, on s'attendait à le voir surgir de tous les côtés et on renversait les arguments de son interlocuteur en évoquant son nom redoutable. Seul Pfuhl, semblait-il, ne voyait en Napoléon qu'un barbare pareil à tous ceux qui s'opposaient à sa théorie. Mais au respect que Pfuhl inspirait au prince André se joignait un sentiment de pitié. D'après le ton que prenaient les courtisans en s'adressant à Pfuhl, d'après les paroles que Paulucci s'était permis de dire à l'empereur, et surtout d'après la véhémence rageuse de Pfuhl lui-même, il était clair que les autres savaient que sa chute était proche et qu'il le pressentait. En dépit de son assurance et de sa maussade ironie allemande, il faisait pitié avec ses tempes lissées et les mèches hérissées de sa nuque. Bien qu'il le dissimulât sous une attitude sarcastique et méprisante, il était manifestement désespéré de voir lui échapper l'unique occasion de vérifier sur une immense échelle le bien-fondé de sa théorie et de le montrer au monde entier.

Les discussions se poursuivirent longtemps, et à mesure qu'elles se poursuivaient, plus elles se faisaient violentes, allant jusqu'aux cris et aux invectives, et moins il devenait possible de tirer une conclusion quelconque de tout ce qui se disait. Le prince André écoutait avec étonnement ces débats en diverses langues, ces hypothèses, ces projets, ces objections et ces clameurs. Au cours de sa carrière militaire, il s'était dit souvent qu'il n'existait pas et ne pouvait exister de science de la guerre et qu'en conséquence il n'y avait pas non plus de « génie militaire »; et voilà que cette idée devenait maintenant à ses yeux une vérité évidente. « Quelle théorie et quelle science peut-il y avoir alors qu'il s'agit d'une activité dont les conditions et les circonstances sont inconnues, ne peuvent être déterminées à l'avance, non plus que les forces qui y sont engagées. Personne ne peut savoir quelle sera demain notre situation et celle de l'ennemi. S'il ne se trouve pas en tête quelque poltron pour crier « Nous sommes coupés! » et fuir, mais un homme courageux qui criera « Hourra! », cinq mille hommes parfois en vaudront trente mille, comme à Schœngraben, tandis qu'il arrive que cinquante mille hommes soient pris de panique devant huit mille, comme à Austerlitz. Quelle science peut-il y avoir dans une activité où comme dans toute activité d'ordre pratique rien ne peut être défini, car tout dépend d'innombrables conditions dont l'importance et la signification se découvriront instantanément, mais à quel moment précisément, personne ne le sait? Armfeldt dit que notre armée est coupée, Paulucci dit que nous avons placé les Français entre deux feux, Michaux assure que le camp de la Drissa est dangereux parce que la rivière passe derrière, et Pfuhl prétend que c'est cela justement qui en fait la force. Toll propose un plan, Armfeldt en propose un autre, et tous sont bons, tous mauvais, et les avantages de toutes ces propositions ne deviendront évidents qu'à la minute où s'accomplira l'événement. Qu'ont-ils tous à parler de « génie militaire »? Est-il un génie celui qui assure en temps voulu la distribution des biscuits et donne l'ordre à l'un d'aller à droite, et à l'autre d'aller à gauche? On n'attribue aux militaires du génie que parce qu'ils sont revêtus de pouvoir et d'éclat et que la foule des lâches flatte le pouvoir en lui attribuant des qualités qu'il n'a pas. Les meilleurs généraux que j'ai connus étaient au contraire inintelligents ou distraits. Le meilleur était Bagration, comme l'a reconnu Napoléon. Et Bonaparte lui-même! Je me souviens de son visage suffisant sur le champ de bataille d'Austerlitz. Non seulement un bon chef militaire n'a nul besoin de génie ou de qualités exceptionnelles, mais il doit être au contraire dépourvu des plus hauts, des plus beaux dons de la nature humaine : l'amour, le sens poétique, l'inquiétude, le doute philosophique, la tendresse. Il doit être borné, fermement convaincu que ce qu'il fait est très important (sinon il manquera de patience); c'est alors seulement qu'il sera un bon chef de guerre. Que Dieu le préserve d'être véritablement un homme, d'aimer quelqu'un, d'éprouver de la pitié, de réfléchir à ce qui est juste ou injuste. On comprend qu'on ait depuis toujours façonné à leur usage une théorie du génie : ils sont le Pouvoir. Ce n'est pas d'eux que dépend la victoire, mais de l'homme qui dans les rangs crie « Hourra! » ou « Nous sommes perdus! » Et c'est dans les rangs seulement qu'on peut servir avec la conviction qu'on se rend utile. »

Ainsi songeait le prince André en écoutant les discussions; il ne revint à lui que lorsque Paulucci l'interpella tandis que tout le monde se dispersait.

Le lendemain, au cours de la revue, l'empereur demanda au prince André l'affectation qu'il désirait et le prince André se perdit à jamais aux yeux de la cour, car au lieu de demander d'être attaché à la personne de l'empereur, il sollicita l'autorisation de servir dans l'armée.

XII

Avant l'ouverture de la campagne, Nicolas Rostov avait reçu une lettre de ses parents qui l'informaient brièvement de la maladie de Natacha et de sa rupture avec Bolkonsky (rupture due, disaient-ils, au refus de Natacha). Ils insistaient de nouveau pour qu'il démissionnât et rentrât à la maison. Au reçu de cette lettre, Nicolas ne fit aucune démarche pour obtenir un congé ou démissionner et écrivit à ses parents qu'il était désolé de la maladie de Natacha et de la rupture de ses fiançailles, et qu'il ferait son possible pour accomplir leur désir. Il écrivit à part à Sonia :

« Amie adorée de mon âme! lui disait-il. Rien sauf l'honneur ne pourrait m'empêcher de revenir chez nous. Mais à présent, alors que s'ouvre la campagne, je me considérerais comme déshonoré non seulement vis-à-vis de tous mes camarades mais vis-à-vis de moi-même si je préférais mon bonheur à mon devoir et à mon amour pour ma patrie. Mais c'est notre dernière séparation. Crois bien que si je suis en vie et que tu m'aimes toujours, la guerre terminée j'abandonnerai immédiatement tout et je volerai vers toi pour te serrer désormais à tout jamais sur ma poitrine ardente. »

Seule en effet l'ouverture de la campagne retint Nicolas et l'empêcha de revenir, comme il l'avait promis, et d'épouser Sonia. L'automne à Otradnoïé avec ses parties de chasse, l'hiver avec les fêtes de Noël et l'amour de Sonia lui promettaient les calmes joies de la paisible existence des gentilshommes sur leurs terres, ces joies qu'il n'avait pas encore connues et qui maintenant l'attiraient : « Une excellente épouse, des enfants, une bonne meute de chiens courants, dix ou douze couples de rapides lévriers, un domaine à gérer, des voisins, une fonction quelconque que me confieraient les élections locales... » Ainsi songeait-il. Mais la campagne commençait et il fallait maintenant rester au régiment. Et puisqu'il le fallait, Rostov, vu sa nature, savait se satisfaire de la vie qu'il menait au régiment et parvenait à se rendre cette vie agréable.

Accueilli joyeusement par ses camarades à son retour de congé, il avait été chargé de la remonte de l'escadron et avait ramené de l'Ukraine d'excellents chevaux dont il était lui-même enchanté et qui lui valurent les compliments de ses chefs. Promu capitaine en son absence, et le régiment ayant été mis sur pied de guerre avec des effectifs renforcés, il fut affecté à son ancien escadron.

La campagne commença, les soldes furent doublées, le régiment partit pour la Pologne complété par de nouveaux officiers, de nouveaux hommes, de nouveaux chevaux, et surtout dans cet état de joyeuse excitation qui accompagne toujours le début d'une guerre. Rostov, conscient des avantages qu'il s'était acquis au régiment, se donna tout entier aux plaisirs et aux affaires du service, tout en sachant qu'il faudrait les abandonner tôt ou tard.

Les troupes avaient évacué Vilna pour des raisons diverses et compliquées d'ordre politique et tactique. Chaque pas en arrière s'accompagnait au grand état-major d'un jeu complexe d'intérêts, de raisonnements, de passions. Mais pour les hussards de Pavlograd, cette retraite qu'on effectuait pendant la meilleure période de l'été avec un ravitaillement suffisant, n'était qu'une promenade des plus plaisantes. Le grand quartier général pouvait perdre courage, s'inquiéter, intriguer, dans l'armée on ne se demandait pas où on allait et pourquoi. Si on regrettait de battre en retraite, c'était uniquement parce qu'on devait quitter une charmante Polonaise et un logis où l'on avait ses habitudes. S'il venait à l'esprit de l'un ou de l'autre que les choses allaient mal, celui qui avait eu cette pensée s'efforçait, comme il sied à un bon militaire, d'être gai et de ne pas réfléchir à la situation générale pour s'occuper de ce qu'il avait à faire. Au début, on cantonnait joyeusement aux alentours de Vilna, on liait connaissance avec les propriétaires polonais, on se préparait aux revues que passaient l'empereur et divers grands chefs. Puis vint l'ordre de se retirer sur Swienciany et de détruire les approvisionnements qu'on ne pouvait emporter.

Les hussards gardèrent le souvenir de Swienciany parce que ce fut le « camp de la saoulerie », comme le baptisa toute l'armée, et à cause aussi des nombreuses plaintes de la population contre les troupes qui ayant reçu l'ordre de s'approvisionner chez l'habitant, en profitèrent pour faire main basse sur les équipages, les chevaux, les tapis des seigneurs polonais. Rostov se souvint longtemps de Swienciany parce que le jour même de l'entrée des troupes dans ce bourg, il avait été obligé de mettre à pied son maréchal des logis et n'avait pu venir à bout des hommes de son escadron qui s'étant emparés à son insu de cinq tonneaux de vieille bière, étaient tous ivres-morts. De Swienciany, on recula encore et encore, jusqu'à la Drissa, puis on se retira au-delà de la Drissa, toujours plus loin, se rapprochant des frontières russes.

Le 13 juin, les hussards de Pavlograd furent pour la première fois engagés dans une affaire sérieuse. Le 12 juin, dans la nuit, la veille de l'engagement, il y eut un violent orage avec pluie et grêle. L'été de 1812 fut en général marqué par de nombreux orages.

Deux escadrons du régiment bivouaquaient dans un champ de seigle en épis, entièrement piétiné par les chevaux et le bétail. Il pleuvait à verse et Rostov, en compagnie d'un jeune officier, Iline, qu'il avait pris sous sa protection, s'abritait dans une hutte construite à la hâte. Surpris par la pluie à son retour de l'état-major, un officier de leur régiment dont les grosses moustaches mangeaient les joues, entra dans la hutte.

— Je viens de l'état-major, dit-il. Avez-vous entendu parler, comte, de l'exploit de Raïevsky?

Et l'officier raconta en détail le combat de Saltanovka, tel qu'il l'avait entendu à l'état-major.

Le cou rentré dans les épaules pour se protéger de la pluie qui s'infiltrait dans son dos, Rostov fumait et écoutait distraitement en jetant parfois un coup d'œil au jeune Iline recroquevillé à ses côtés. Ce que Dénissov avait été sept ans auparavant pour Rostov, celui-ci l'était maintenant pour ce garçon de seize ans, arrivé depuis peu au régiment. Iline s'efforçait d'imiter en tout Rostov et était amoureux de lui comme une femme.

L'officier aux longues moustaches, Zdrjinski, racontait avec emphase que la digue de Saltanovka était devenue les Thermopyles russes et que le général Raïevsky y avait accompli une action d'éclat digne de l'antiquité. Il avait fait avancer sur la digue ses deux fils sous un feu terrible et était parti avec eux à l'attaque. Rostov écoutait ce récit et ne disait rien qui pût faire croire qu'il partageait l'enthousiasme de Zdrjinski; il semblait avoir honte au contraire de ce qu'il entendait, bien qu'il ne fît aucune objection. Après la campagne d'Austerlitz et celle de 1807, Rostov savait par sa propre expérience qu'on mentait toujours en racontant des faits de guerre, comme lui-même avait menti. Ensuite, la guerre lui avait appris que les choses s'y passent tout autrement qu'on ne se l'imagine et ne le raconte. Ainsi le récit de Zdrjinski lui était-il désagréable, comme lui était désagréable Zdrjinski lui-même avec ses longues moustaches, qui à son habitude se penchait tout contre le visage de son auditeur et était bien encombrant dans l'étroite cahute. Rostov le regardait en silence. « Tout d'abord, se disait-il, la confusion et la presse devaient être telles sur la digue que même si Raïevsky s'est avancé avec ses fils, cela n'aurait pu produire quelque effet que sur la dizaine d'hommes qui se trouvaient à proximité. Les autres n'auraient pu voir avec qui et comment il attaquait. Et l'eussent-ils vu qu'ils n'en auraient certainement pas été transportés d'enthousiasme; car, que leur auraient importé les tendres sentiments paternels de Raïevsky alors qu'il y allait de leur propre peau? Ensuite le sort de la patrie ne dépendait nullement de la prise de cette digue, comme ce fut le cas, paraît-il, pour les Thermopyles. Mais alors, pourquoi un tel sacrifice? Et puis, à quoi bon jeter ses enfants dans la guerre? Je n'exposerais pas mon frère Pétia, ni même cet Iline qui m'est étranger mais qui est un brave garçon. J'aurais essayé de le mettre quelque part à l'abri. » Mais Rostov garda pour lui ses pensées; sous ce rapport aussi il avait acquis de l'expérience : il savait que ce récit contribuait à la gloire de nos armes; il fallait donc faire semblant de ne pas en douter. Et c'est ce qu'il faisait.

— Vraiment, je n'en puis plus, dit Iline, se rendant compte que le discours de Zdrjinski ne plaisait guère à Rostov. Et la chemise et les chaussettes, et le sol sous moi, tout est trempé. Je vais à la recherche d'un abri. La pluie diminue, semble-t-il.

Iline sortit et Zdrjinski poursuivit sa route.

Cinq minutes plus tard, Iline pataugeant dans la boue revint en courant.

— Hourra, Rostov! Allons vite! J'ai trouvé! Là-bas, à deux cents pas, une auberge. Les nôtres y sont déjà. On pourra au moins se sécher. Et Maria Henrikovna est là aussi.

Maria Henrikovna était une jeune et jolie Allemande que le médecin du régiment avait épousée en Pologne. Soit par manque d'argent, soit pour ne pas se séparer de sa jeune épouse les premiers temps de leur mariage, le médecin l'emmenait partout avec lui à la suite du régiment et sa jalousie était devenue le sujet habituel des plaisanteries des officiers.

Rostov jeta son manteau sur ses épaules, cria à Lavrouchka d'apporter leurs effets et partit avec Iline. Tantôt glissant dans la boue, tantôt pataugeant dans les flaques, ils avançaient en s'interpellant sous la pluie qui s'apaisait et les lointains éclairs qui zébraient parfois l'obscurité :

— Rostov, où es-tu?

— Ici. Quel éclair!

XIII

Cinq ou six officiers se trouvaient déjà à l'auberge devant laquelle stationnait la kibitka [1] du major. Maria Henrikovna, petite Allemande blonde et grassouillette, en camisole et coiffe de nuit, était assise dans un coin sur un large banc. Le major dormait derrière elle. Rostov et Iline furent accueillis par des rires et de joyeuses exclamations.

— Eh, mais on s'amuse chez vous, dit Rostov en riant.

— Et vous, qu'aviez-vous à lambiner?

— Ils sont jolis! Tout ruisselants. Attention, n'arrosez pas notre salon.

— Et ne salissez pas la robe de Maria Henrikovna!

Rostov et Iline cherchèrent quelque endroit où pouvoir changer de vêtements sans offusquer la pudeur de Maria Henrikovna. Ils passèrent dans un petit réduit, derrière une cloison, mais il était entièrement obstrué par trois officiers qui jouaient aux cartes sur une caisse vide à la lueur d'une chandelle et qui refusèrent carrément d'abandonner les lieux. Maria Henrikovna céda une de ses jupes qu'on déploya en guise de rideau, et à l'abri de ce rideau Rostov et Iline, avec l'aide de Lavrouchka qui avait apporté leurs effets, enlevèrent leurs vêtements trempés et en endossèrent de secs.

On fit du feu dans un petit poêle à moitié démoli, on disposa une planche sur deux selles, on étendit dessus une couverture de cheval, et s'étant procuré un petit samovar, une cantine et une demi-bouteille de rhum, on demanda à Maria Henrikovna d'être la maîtresse de maison; tout le monde se réunit autour d'elle. L'un lui offrait un mouchoir propre pour essuyer ses jolies mains; un autre étalait son dolman sous ses petits pieds pour les protéger de l'humidité; celui-ci pendait son manteau à la fenêtre pour que la jeune femme ne sentît pas le vent, celui-là chassait les mouches du visage de son mari afin qu'il continuât de dormir.

— Laissez-le, disait Maria Henrikovna avec un sourire timide et heureux, il dort déjà bien sans cela après une nuit blanche.

— Impossible, Maria Henrikovna, répondit l'officier, il faut prendre bien soin du docteur. Tout peut arriver, et lui aussi prendra soin de moi, quand il s'agira de me couper le bras ou la jambe.

Il n'y avait que trois verres; l'eau était si sale qu'on ne savait si le thé était fort ou léger, et il n'y avait d'eau dans le samovar que pour six verres, mais il était d'autant plus agréable de recevoir à son tour son verre, par ordre d'ancienneté, des mains potelées, aux ongles courts, pas très propres, de Maria Henrikovna Tous les officiers semblaient vraiment amoureux d'elle ce soir-là. Ceux mêmes qui jouaient aux cartes les abandonnèrent bientôt, rejoignirent leurs camarades et se laissèrent gagner par leur humeur amoureuse. Se voyant entourée d'une jeunesse si brillante, si aimable, Maria Henrikovna tout en essayant de le dissimuler, rayonnait de bonheur, malgré la crainte que visiblement lui causait le moindre mouvement de son mari endormi derrière elle. Le sucre était en abondance, mais il n'y avait qu'une cuillère et on n'arrivait pas à le faire fondre assez vite; aussi fut-il décidé que Maria Henrikovna tournerait la cuillère dans le verre de chacun. Rostov ayant obtenu le sien y versa du rhum et demanda à Maria Henrikovna de remuer son thé.

— Mais vous le prenez sans sucre? dit-elle, souriant toujours, comme si tout ce qu'elle disait et tout ce que disaient les autres était drôle et avait de plus un sens caché.

— Ce n'est pas pour le sucre, mais seulement pour que vous remuiez mon thé avec votre petite main.

Maria Henrikovna se mit à la recherche de la cuillère que quelqu'un avait déjà prise.

— Avec votre doigt, Maria Henrikovna, ce sera encore plus agréable.

— C'est brûlant, dit la jeune femme rougissant de plaisir.

Iline prit un seau d'eau, et y ayant versé quelques gouttes de rhum, demanda à Maria Henrikovna de remuer avec son doigt.

— C'est ma tasse, disait-il. Trempez-y seulement votre doigt et je boirai tout.

Quand on eut vidé le samovar, Rostov prit les cartes et proposa de jouer aux rois avec Maria Henrikovna. On tira au sort pour savoir qui ferait sa partie. Selon la proposition de Rostov, celui qui serait roi aurait le droit de baiser la main de Maria Henrikovna et le perdant devrait aller mettre à chauffer un nouveau samovar pour le docteur lorsqu'il se réveillerait.

— Bon, et si c'est Maria Henrikovna qui est le roi? demanda Iline.

— Elle est déjà reine! Et ses ordres font loi.

A peine le jeu eût-il commencé que derrière Maria Henrikovna surgit la tête ébouriffée du docteur. Il y avait longtemps qu'il ne dormait pas et tendait l'oreille à ce qui se disait, et ne trouvait évidemment rien de plaisant et d'amusant à tout cela. Son visage était morne et mélancolique. Il ne salua pas les officiers, se gratta et demanda qu'on le laissât sortir, car on lui barrait le passage. Dès qu'il fut sorti, les officiers éclatèrent tous de rire et Maria Henrikovna rougit jusqu'aux larmes, ce qui la rendit encore plus séduisante aux yeux de tous. Revenu de la cour, le major dit à sa femme (ayant déjà perdu son sourire heureux, elle regardait craintivement son époux dans l'attente du verdict) que la pluie avait cessé et qu'il fallait dormir dans la voiture, sinon on chaparderait tous leurs effets.

— J'enverrai un planton... deux même, dit Rostov.

— Je monterai moi-même la garde, proposa Iline.

— Non, messieurs, vous avez dormi votre content, et moi voilà deux nuits que je n'ai pas fermé l'œil, répondit le major. Il s'assit d'un air sombre près de sa femme et attendit la fin de la partie.

La vue du visage renfrogné du major, qui regardait sa femme de travers, augmenta encore la gaieté des officiers, et beaucoup ne parvenaient pas à retenir leur rire, se hâtant aussitôt de lui trouver quelque prétexte décent... Quand le médecin ayant emmené sa femme se fut installé avec elle dans la kibitka, les officiers s'étendirent sous leurs manteaux mouillés, mais ils furent longs à s'endormir; tantôt ils évoquaient l'inquiétude du mari et la gaieté de sa femme, tantôt ils couraient sur le perron et revenaient raconter ce qui se passait dans la voiture. Son manteau ramené sur sa tête, Rostov essayait de dormir, mais une remarque de l'un ou de l'autre l'en empêchait constamment, la conversation reprenait et de nouveau des rires fusaient, sans raison, joyeux, enfantins.

XIV

Il était près de trois heures et personne n'avait encore dormi quand arriva le maréchal des logis qui apportait l'ordre de gagner le village d'Ostrovnia.

Toujours riant et bavardant, les officiers se préparèrent en hâte; on mit de nouveau à chauffer le samovar rempli d'eau sale. Mais Rostov décida de rejoindre son escadron sans attendre le thé. Le jour pointait déjà; la pluie avait cessé, les nuages se dissipaient. Il faisait humide et froid, surtout dans des vêtements qui n'avaient pas eu le temps de sécher. En sortant de l'auberge, dans la pénombre de l'aube, Rostov et Iline jetèrent un regard à la kibitka dont la bâche de cuir était luisante de pluie. De dessous le tablier pointaient les pieds du docteur; au fond de la voiture, on distinguait sur un oreiller le petit bonnet de Maria Henrikovna et on entendait la respiration des dormeurs.

— Elle est vraiment très gentille, dit Rostov à Iline qui l'accompagnait.

— Une femme délicieuse, approuva Iline avec tout le sérieux de ses seize ans.

Une demi-heure plus tard, les hommes de l'escadron étaient rangés sur la route. Au commandement « A cheval! » ils se signè-rent et montèrent en selle. S'étant porté en tête, Rostov com-manda « En avant, marche! » et dans le bruit des sabots dans la boue, le cliquetis des sabres et la sourde rumeur des voix, les hussards s'ébranlèrent par rangs de quatre le long de la route bordée de bouleaux, à la suite de l'infanterie et d'une batterie d'artillerie.

Le vent chassait rapidement les nuages déchiquetés d'un bleu lilas teinté de rouge à l'Orient. Il faisait de plus en plus clair; on distinguait maintenant l'herbe frisée encore trempée par la pluie de la veille, qui envahit toujours les chemins vicinaux. Agitées par le vent, les branches des bouleaux, trempées elles aussi, laissaient tomber obliquement des gouttelettes brillantes. Les visages des soldats se dessinaient plus nettement. Rostov, qu'Iline ne lâchait pas d'une semelle, chevauchait sur le côté de la route entre deux rangées de bouleaux.

En campagne, Rostov se permettait de monter non pas un cheval de troupe mais un cheval cosaque. Se connaissant en chevaux, il s'était procuré récemment un alezan du Don, une bête puissante et ardente qui ne se laissait jamais distancer. Monter ce cheval était pour lui une véritable jouissance. Il songeait à son alezan, à la matinée, à la femme du major, et pas une fois il ne songea au danger imminent.

Auparavant, quand il allait au combat, il avait peur; à pré-sent, il n'éprouvait pas le moindre sentiment de crainte. S'il n'avait pas peur, ce n'était pas parce qu'il était habitué au feu (on ne s'habitue pas au danger), mais parce qu'il avait appris à contrôler son âme. En partant pour l'action, il avait pris l'habitude de penser à tout sauf à ce qui était, semblait-il, le plus important, le danger imminent. Les premiers temps, il avait beau se reprocher sa couardise, faire des efforts, il n'y parvenait pas; mais avec les années cela s'était fait tout natu-rellement. Il chevauchait maintenant à côté d'Iline, entre les

63

bouleaux, arrachant de temps en temps des feuilles aux branches lorsqu'elles lui tombaient sous la main, touchant parfois du pied le ventre de sa monture, tendant sans se retourner sa pipe éteinte au hussard qui le suivait, aussi calme et insouciant que s'il partait en promenade. Il regardait avec compassion le visage troublé d'Iline qui parlait beaucoup et avec agitation. Rostov connaissait par expérience cet état torturant d'attente et de peur devant le danger et la mort dans lequel se trouvait l'aspirant, et il savait que rien ne pouvait l'en guérir si ce n'est le temps.

A peine le soleil se dégageant des nuages eut-il apparu dans une bande de ciel pur que le vent se tut, comme s'il n'osait troubler cet exquis matin d'été succédant à la nuit d'orage. Des gouttes tombaient encore mais verticalement; puis tout s'apaisa. Le soleil disparut dans un long nuage étroit suspendu au-dessus de l'horizon. Quelques minutes plus tard il en déchiqueta le bord supérieur et surgit plus radieux encore, et tout s'éclaira et se mit à briller. Au même moment, comme en réponse à cette brusque illumination, des coups de canon retentirent en avant.

Rostov n'avait pas encore eu le temps d'apprécier la distance des coups, qu'un aide de camp du comte Ostermann-Tolstoï arrivait au galop de Vitebsk avec l'ordre de prendre le trot sur la route.

L'escadron dépassa l'infanterie et l'artillerie qui se hâtaient elles aussi, dévala une côte et ayant traversé un village complètement désert, gravit une hauteur. Les chevaux transpiraient, les hommes étaient rouges.

— Halte! Alignement! fit en tête la voix du général commandant la division. — Demi-tour à droite, au pas, en avant marche!

Passant devant les troupes alignées, les hussards gagnèrent le flanc gauche de notre position et se rangèrent derrière nos uhlans placés en première ligne. A leur droite, une épaisse colonne d'infanterie formait notre réserve. Derrière elle, sur une hauteur, nos canons se détachaient nettement à l'horizon dans l'air d'une absolue pureté, sous les rayons obliques du soleil matinal.

En avant on apercevait au-delà d'un vallon l'infanterie et l'artillerie françaises; dans le vallon même crépitait déjà une joyeuse fusillade entre nos tirailleurs et ceux de l'ennemi.

Rostov, l'âme en joie, écoutait ces bruits qu'il n'avait plus entendus depuis longtemps et qui étaient pour lui la plus gaie des musiques. Trap-ta-ta-tap, claquaient les coups tantôt isolément tantôt se suivant rapidement. Le silence retombait parfois; puis de nouveau, on eût dit que quelqu'un faisait éclater une série de pétards en marchant dessus.

Les hussards restèrent sur place près d'une heure. Les canons s'étaient mis à tirer de part et d'autre. Le comte Ostermann passa avec sa suite derrière l'escadron, échangea quelques mots avec le commandant du régiment, puis rejoignit notre batterie sur la hauteur.

Après son départ on commanda aux uhlans : « En colonne d'attaque! En avant! » L'infanterie doubla ses rangs pour les laisser passer. Les uhlans s'ébranlèrent en faisant onduler les flammes de leurs lances et descendirent au trot la pente à la rencontre de la cavalerie française apparue à gauche au bas de la colline.

Dès que les uhlans furent descendus, les hussards reçurent l'ordre de les remplacer sur la colline afin de couvrir la batterie. Tandis qu'ils y prenaient position, des balles perdues passèrent au loin en sifflant.

Ces sifflements, plus encore que la fusillade précédente, excitèrent Rostov. Il se dressa sur ses étriers et examina le champ de bataille qu'on découvrait de la hauteur, participant de toute son âme à l'attaque des uhlans. Ceux-ci tombèrent sur les dragons français. Tout se mêla dans la fumée et au bout de cinq minutes les uhlans refluèrent non vers leur ancienne position mais plus à gauche. Parmi les uniformes orange des uhlans aux chevaux alezans et derrière eux, en masse compacte, on distinguait des dragons bleus français sur des chevaux gris.

XV

De son œil perçant de chasseur, Rostov avait vu un des premiers ces dragons bleus qui poursuivaient les uhlans; ceux-ci en pleine débandade se rapprochaient rapidement, ainsi que les Français qui les pourchassaient. On pouvait déjà apercevoir ces hommes qui paraissaient petits sous la colline, se heurter, s'attaquer, agiter bras et sabres.

Rostov regardait ce qui se passait devant lui comme une

chasse à courre. Son instinct lui disait que s'il pouvait foncer maintenant avec ses hussards sur les dragons, ceux-ci ne résisteraient pas ; mais si l'on voulait frapper, il fallait le faire immédiatement, à cette minute même, sinon il serait trop tard. Il regarda autour de lui. Le capitaine, debout à ses côtés, lui non plus ne quittait pas des yeux la cavalerie en bas.

— Andréi Sévastianovitch, lui dit Rostov, on les bousculerait facilement.

— Ce serait un fameux coup, répondit le capitaine. En effet...

Ne le laissant pas achever, Rostov éperonna son cheval et se porta en tête de ses hommes, et il eut à peine le temps de donner l'ordre de partir à l'attaque que tout l'escadron, qui éprouvait le même sentiment que lui, s'élançait à sa suite. Rostov ne savait ni comment ni pourquoi il avait agi ainsi ; il avait agi comme il le faisait à la chasse, sans réfléchir, sans calculer ; il voyait que les dragons étaient proches, qu'ils galopaient en désordre, il savait qu'ils ne supporteraient pas le choc et que si on la laissait échapper, cette occasion ne reviendrait plus. Les gémissements et les sifflements des balles autour de lui étaient si exaltants, mon cheval tirait si impatiemment sur sa bride qu'il n'avait pu y résister. Il avait éperonné sa monture, crié l'ordre d'attaque et au même moment, entendant le martèlement des sabots de l'escadron qui se déployait derrière lui, il avait dévalé la pente au grand trot à la rencontre des dragons. A peine arrivés en bas, les hussards passèrent involontairement du trot au galop, accélérant l'allure à mesure qu'ils se rapprochaient de nos uhlans et des dragons français qui les talonnaient. Les dragons étaient tout proches ; ceux qui étaient en tête tournèrent bride à la vue des hussards ; les autres s'arrêtèrent. En proie aux mêmes sentiments que lorsqu'il galopait pour couper la route au loup, Rostov lança son cheval du Don ventre à terre perpendiculairement aux rangs rompus des dragons français ; un uhlan s'arrêta, un autre, démonté, s'aplatit contre terre pour éviter d'être écrasé, un cheval sans cavalier se joignit aux hussards. Presque tous les dragons avaient fait demi-tour. Rostov ayant jeté son dévolu sur l'un d'eux, se lança à sa poursuite. Un buisson se dressait sur son chemin, mais son brave alezan le franchit d'un bond. S'étant remis d'aplomb, Rostov vit qu'il était sur le point d'atteindre l'ennemi qu'il s'était choisi. Ce Français, un officier à en juger par son uniforme, courbé sur sa monture grise qu'il frappait du plat de son sabre, galopait. Un instant plus tard, le cheval de Rostov donna du poitrail contre l'arrière-train du cheval de l'officier, le renversant presque, et Rostov d'un geste involontaire leva son sabre et en frappa le Français.

Au moment même où Rostov faisait ce geste, toute son excitation tomba brusquement. L'officier glissa à terre, non pas tant à cause du coup de sabre qui n'avait que légèrement entaillé son bras au-dessus du coude, qu'à la suite du choc et de la peur. Retenant sa monture, Rostov chercha des yeux son ennemi, voulant savoir de qui il venait de triompher : l'officier de dragons sautait sur un pied, l'autre s'étant pris dans l'étrier. Plissant les yeux comme s'il s'attendait à recevoir un nouveau coup, le visage contracté de terreur, il regardait Rostov de bas en haut. Ce visage pâle éclaboussé de boue, avec une fossette au menton, ces cheveux blonds, ces yeux d'un bleu clair, tout cela convenait aussi peu que possible à un champ de bataille; c'était un visage ordinaire, quotidien, non pas celui d'un ennemi. Avant même que Rostov eût décidé ce qu'il allait faire, l'officier cria : « *Je me rends!* » Il essayait en vain de dégager son pied de l'étrier et ne quittait pas Rostov de ses yeux bleus épouvantés. Des hussards accourus ayant dégagé son pied, le remirent en selle. Nos hommes étaient encore çà et là aux prises avec les dragons; l'un de ceux-ci était blessé, mais, le visage en sang, refusait de rendre son cheval; un autre, assis en croupe d'un hussard le serrait de ses bras; un troisième montait en selle soutenu par un hussard. L'infanterie française accourait en tiraillant. Les hussards tournèrent bride en hâte avec leurs prisonniers. Rostov revenait au galop avec les autres; un sentiment pénible lui serrait le cœur. La capture de l'officier et le coup qu'il lui avait porté lui avaient découvert quelque chose de confus, de compliqué, qu'il n'arrivait pas à comprendre.

Le comte Ostermann-Tolstoï alla au-devant des hussards, fit appeler Rostov, le remercia et lui dit qu'il informerait l'empereur de son exploit et demanderait pour lui la croix de Saint-Georges. Se souvenant qu'il avait attaqué sans en avoir reçu l'ordre, Rostov s'était rendu à l'appel de son chef persuadé qu'il allait être puni pour avoir enfreint la discipline. Les paroles flatteuses d'Ostermann et la promesse d'une récompense eussent dû le réjouir d'autant plus; cependant le même sentiment pénible et confus continuait de peser sur son cœur. « Mais qu'est-ce qui me tourmente? » se demandait-il en quittant le général. « Iline? Non, il est sain et sauf... Ai-je commis quelque chose de honteux? Non, ce n'est pas cela. » Une autre chose le torturait comme un remords. « Oui, oui, cet officier français avec sa fossette au menton... Et je me souviens que mon bras a hésité quand je l'ai levé pour frapper... »

Rostov aperçut les prisonniers qu'on emmenait et les rattrapa au galop pour revoir son Français au menton troué d'une fossette. Dans son étrange uniforme, l'officier montait un cheval de hussard et jetait autour de lui des regards inquiets : sa blessure au bras n'était qu'une égratignure. Il eut à la vue de Rostov un sourire contraint et agita la main en guise de salut. Rostov éprouvait toujours le même malaise, la même honte.

Tout ce jour-là et le suivant, les amis et camarades de Rostov remarquèrent qu'il était non pas morne, non pas fâché, mais silencieux, pensif et concentré. Il ne buvait pas volontiers, recherchait la solitude et ne cessait de réfléchir.

Il réfléchissait à son brillant exploit qui, à son étonnement, lui valait la croix de Saint-Georges et lui avait même acquis la réputation d'un brave; il y avait là quelque chose qu'il n'arrivait pas à comprendre. « Ils ont donc encore plus peur que nous, songeait-il. Alors ce qu'on appelle héroïsme, ce n'est donc que cela? Et l'ai-je fait pour la patrie? Et en quoi est-il coupable, celui-là avec sa fossette et ses yeux bleus? Comme il avait peur! Il croyait que j'allais le tuer. Mais pourquoi l'aurais-je tué? Ma main a tremblé... Et on m'a donné la croix de Saint-Georges... Je ne comprends rien, rien... »

Mais tandis que Rostov ruminait toutes ces questions et ne parvenait pas à se rendre clairement compte de ce qui le tourmentait, la roue de la fortune tournait en sa faveur comme il arrive souvent. On lui donna de l'avancement après l'affaire d'Ostrovnia. Il fut nommé chef d'escadron, et c'est à lui qu'on s'adressait de préférence quand on avait besoin d'un officier particulièrement courageux.

XVI

Ayant appris la maladie de Natacha, la comtesse, bien que mal rétablie encore et faible, partit pour Moscou avec Pétia et toute la maisonnée. Et dès son arrivée, les Rostov déménagèrent de chez Maria Dimitrievna et s'installèrent définitivement dans leur propre maison.

Natacha était si gravement malade qu'heureusement pour elle et pour ses proches, la cause même de sa maladie — et sa rupture avec son fiancé — passa au second plan. Alors qu'elle ne mangeait pas, ne dormait pas, maigrissait, toussait et que les médecins disaient que sa vie était en danger, on ne pouvait songer à condamner sa conduite; il fallait penser uniquement à la soigner. Les médecins qui venaient la voir, tantôt séparément, tantôt à plusieurs, parlaient beaucoup en français, en allemand et en latin, se critiquaient l'un l'autre et prescrivaient les médicaments les plus divers contre toutes les maladies qu'ils connaissaient; mais il ne leur venait pas à l'esprit cette idée si simple qu'ils ne pouvaient connaître la maladie dont souffrait Natacha, non plus que n'importe quelle maladie qui frappe les êtres humains, car chaque homme présente ses particularités et souffre toujours de sa propre maladie, singulière, nouvelle, compliquée et ignorée de la médecine, et non pas d'une maladie des poumons, du foie, de la peau, du cœur, des nerfs, etc., que la médecine a classée, mais d'une maladie résultant d'une des innombrables combinaisons des affections de ces organes. Cette simple idée ne pouvait venir à l'esprit des médecins (comme il ne peut venir à l'esprit d'un sorcier qu'il est incapable d'ensorceler), parce que leur raison d'être était précisément de soigner, parce qu'ils recevaient de l'argent pour cela et parce qu'ils avaient consacré à cela les meilleures années de leur vie, mais surtout parce qu'ils se considéraient comme indiscutablement utiles. Et ils l'étaient en effet à toute la famille Rostov, non lorsqu'ils obligeaient la malade à absorber des substances pour la plupart nocives (le tort qu'elles causaient était peu sensible, les doses étant infimes), mais ils étaient utiles, indispensables, irremplaçables (et c'est pourquoi il y eut toujours et il y aura toujours des soi-disant guérisseurs, des rebouteux, des homéopathes, des allopathes), parce qu'ils satisfaisaient un besoin moral, essentiel de la maladie et de ceux qui aimaient la malade : le besoin de l'homme qui souffre que l'on s'occupe de lui, que l'on compatisse à sa souffrance, qu'on lui donne l'espoir de guérir : ce besoin (qui apparaît sous sa forme la plus élémentaire chez l'enfant) que nous avons de frotter l'endroit où nous nous sommes fait mal. L'enfant se donne-t-il un coup, il se précipite aussitôt vers sa mère ou sa bonne, pour qu'elle lui frotte et embrasse l'endroit douloureux, et leurs caresses le soulagent immédiatement. L'enfant ne peut croire que ceux qui sont plus puissants et plus savants que lui n'aient pas les moyens de le secourir, et la compassion que lui témoigne sa mère en lui frottant sa bosse, l'espoir d'un soulagement, le consolent déjà. Les médecins étaient utiles à Natacha en ce qu'ils frottaient et embrassaient son *bobo* en l'assurant que tout irait bien si le cocher allait à la pharmacie de l'Arbat et y achetait pour un rouble et soixante-dix kopeks des poudres et des pilules empaquetées dans une jolie boîte et si ces poudres étaient absorbées par la malade dans de l'eau bouillie toutes les deux heures exactement, ni plus ni moins.

Qu'auraient fait Sonia, le comte, la comtesse, comment auraient-ils pu rester là à considérer Natacha, s'il n'y avait pas eu ces pilules à faire prendre à heures fixes, ces boissons tièdes, ces croquettes de volaille, s'il n'avait pas fallu veiller à observer strictement les prescriptions des médecins, ce qui était une occupation et une consolation pour l'entourage de Natacha? Comment le comte eût-il supporté la maladie de sa fille préférée s'il n'avait pas su qu'elle lui coûtait des milliers de roubles, qu'il était prêt à en dépenser des milliers d'autres encore pour la soulager et que si elle ne se remettait pas il l'emmènerait à l'étranger pour y consulter des sommités médicales? Qu'aurait-il fait s'il n'avait pas eu la possibilité de raconter en détail que Métivier et Feller n'avaient pas compris la maladie, que Fries l'avait comprise, mais que le diagnostic de Moudrov avait été encore plus précis?

Qu'aurait fait la comtesse si elle n'avait pas eu de temps à autre l'occasion de se disputer avec Natacha parce que celle-ci n'observait pas exactement les prescriptions du docteur?

— Tu ne guériras jamais si tu n'obéis pas au médecin et ne prends pas ton remède à l'heure, disait la comtesse, qui dans son irritation oubliait son chagrin. Il ne s'agit pas de plaisanter alors que tu risques une pneumonie. — Et rien qu'à prononcer ce mot qu'elle n'était pas seule à ne pas comprendre, elle se sentait déjà réconfortée.

Qu'aurait fait Sonia si elle n'avait pas eu la joie de se dire qu'elle ne s'était pas déshabillée les trois premières nuits pour être à même d'exécuter les prescriptions médicales, et que maintenant encore elle ne dormait que d'un œil dans la crainte de laisser passer l'heure d'administrer les pilules inoffensives de la petite boîte dorée? Natacha elle-même, bien qu'elle assurât qu'aucun remède ne la guérirait, et que tout cela n'était que des bêtises, cependant était heureuse que l'on fît pour elle tant de sacrifices et d'être obligée de prendre des médicaments à heures fixes. Et elle goûtait même un certain plaisir à montrer, en négligeant de se conformer aux prescriptions, qu'elle n'y croyait pas et ne tenait pas à la vie.

Le médecin venait tous les jours, tâtait le pouls de la malade, regardait sa langue et sans faire attention à son visage exténué, plaisantait avec elle. En revanche, lorsqu'il passait dans la pièce voisine où la comtesse se hâtait de le suivre, la mine sérieuse et hochant pensivement la tête il lui disait que le danger était certes indéniable mais qu'il avait confiance dans l'effet du dernier remède, qu'il fallait attendre et observer, que d'ailleurs la maladie était plutôt d'ordre moral, mais que...

Comme si elle voulait le cacher à elle-même et au médecin, la comtesse lui glissait dans la main une pièce d'or et le cœur chaque fois rasséréné revenait près de la malade.

La maladie de Natacha se traduisait par des insomnies, le manque d'appétit, des crises de toux et une apathie générale. Les médecins disaient qu'on ne pouvait la laisser sans soins médicaux et en conséquence la maintenaient dans l'air étouffant de la ville. Les Rostov ne passèrent donc pas l'été de 1812 à la campagne.

Bien que Natacha eût avalé une grande quantité de pilules, de gouttes et de poudres contenues dans de petits pots et de petites boîtes, dont Mᵐᵉ Schoss, amateur de ces choses, avait réuni une importante collection, et bien qu'elle eût été privée de la vie champêtre à laquelle elle était habituée, sa jeunesse reprenait le dessus. Les impressions de la vie courante recouvrirent son chagrin et il cessa de peser sur son cœur d'un poids aussi douloureux, il glissa dans le passé, et Natacha commença à se remettre physiquement.

XVII

Natacha n'était pas plus gaie mais elle était plus calme. Non seulement elle évitait toute occasion de se distraire : les bals, les promenades, les concerts, les spectacles, mais elle ne riait jamais sans qu'on sentît ses larmes à travers son rire. Elle ne pouvait chanter; dès qu'elle se mettait à rire ou essayait, étant seule, de chanter, les larmes l'étouffaient; larmes de repentir, larmes au souvenir de ce temps innocent qui ne reviendrait plus, larmes de dépit d'avoir stupidement, pour rien, gâché sa jeune vie qui eût pu être si heureuse. Le rire et le chant surtout lui semblaient profaner son chagrin. Elle avait abandonné toute coquetterie, et cela sans effort, sans même y songer; elle disait et sentait que tous les hommes ne valaient pas plus à ses yeux que le bouffon Nastassia Ivanovna. Une voix intérieure lui interdisait fermement toute joie. Et d'ailleurs, tout ce qui faisait l'intérêt de son ancienne existence de jeune fille insouciante et pleine d'espoir, lui était devenu étranger. Ce qu'elle se rappelait le plus souvent et le plus douloureusement, c'étaient les soirs d'automne, la chasse, le petit oncle et les fêtes de Noël à Otradnoïé avec Nicolas. Que n'eût-elle pas donné pour revivre ne fût-ce qu'une seule des journées de ce temps! Mais ce pressentiment ne l'avait pas trompée qui lui disait que cet état de liberté, de disponibilité à toutes les joies ne reviendrait jamais plus. Cependant il fallait vivre.

Elle se délectait à la pensée qu'elle était non pas meilleure que les autres comme elle en avait été persuadée auparavant, mais pire que les autres, la pire de toutes. Cela ne lui suffisait pourtant pas. Elle se demandait : « Et après? » Après il n'y avait rien. La vie était privée de toute joie et la vie s'écoulait. Il était manifeste que Natacha cherchait seulement à n'être à charge à personne et à ne gêner personne; pour elle-même elle ne souhaitait rien; elle s'éloignait de ses proches et ne se sentait à l'aise qu'avec son frère Pétia; elle préférait sa compagnie à celle des autres et quand elle se trouvait seule avec lui, il lui arrivait parfois de rire. Elle ne sortait presque jamais et le seul visiteur qui lui fît plaisir était Pierre. On ne pouvait se montrer plus tendre, plus délicat et en même temps plus sérieux que ne l'était avec elle le comte Bézoukhov. Natacha sentait d'instinct cette tendresse et c'est pourquoi elle aimait sa société; mais elle ne lui était même pas reconnaissante de sa gentillesse. Il lui semblait qu'elle ne coûtait aucun effort à Pierre. Il se montrait si naturellement bon envers tous qu'il n'avait à cela aucun mérite. Natacha remarquait parfois que Pierre était gauche et troublé en sa présence, surtout lorsqu'il craignait que leur conversation ne rappelât à Natacha des souvenirs pénibles. Elle remarquait cette attitude et l'attribuait à la bonté naturelle de Pierre et à sa timidité, supposant qu'il se conduisait avec elle comme avec les autres. Depuis le jour où dans des circonstances si douloureuses pour elle, il lui avait dit que s'il avait été libre il aurait demandé à genoux sa main et son amour, il ne lui avait plus jamais parlé de ses sentiments, et Natacha était persuadée que ces paroles qui l'avaient alors réconfortée n'avaient pas plus d'importance que les mots dénués de sens que l'on dit pour consoler un enfant en larmes. Et non pas parce que Pierre était marié, mais parce que Natacha éprouvait avec force la présence entre elle et lui de ces barrières morales dont elle avait ressenti l'absence en face de Kouraguine. Aussi ne lui venait-il jamais à l'esprit que leurs rapports pussent donner naissance à l'amour, en elle et moins encore en Pierre, et même à cette sorte d'amitié entre un homme et une femme, tendre, poétique et pleinement consciente, dont elle connaissait plusieurs exemples.

A la fin du carême de la Saint-Pierre, Agrafèna Ivanovna Biélov, une voisine d'Otradnoïé, vint en pèlerinage aux sanctuaires moscovites. Elle proposa à Natacha de l'accompagner dans ses dévotions et de communier ensemble. Natacha accepta avec joie. En dépit des médecins qui lui avaient interdit de se lever de bonne heure, elle insista pour se préparer à la communion non pas à la manière ordinaire des Rostov qui se contentaient d'entendre chez eux trois offices, mais comme le faisait Agrafèna Ivanovna, c'est-à-dire en assistant une semaine durant à tous les offices : vêpres, messes et matines.

La ferveur de Natacha fit plaisir à la comtesse; après l'insuccès des soins médicaux, elle espérait au fond du cœur que la prière ferait à sa fille plus de bien que les remèdes. Non sans crainte et à l'insu des médecins, elle se rendit au désir de Natacha et la confia à Mme Biélov. Agrafèna Ivanovna venait chercher Natacha à trois heures du matin et le plus souvent la trouvait déjà éveillée; elle craignait de manquer les matines. Sa toilette faite à la hâte, vêtue par humilité de sa robe la plus ordinaire et d'une vieille mantille, Natacha frissonnant à la fraîcheur matinale sortait dans les rues désertes sous la fine lumière de l'aube. Sur le conseil d'Agrafèna Ivanovna, elle n'allait pas à l'église de sa paroisse, mais à une église dont le desservant, au dire de la pieuse Biélov, était un prêtre zélé qui menait une vie austère. Les fidèles étaient d'ordinaire peu nombreux; Natacha et sa compagne se plaçaient devant une image de la Vierge à gauche du chœur, et un sentiment nouveau, un sentiment d'humilité en présence de quelque chose de grand, d'inaccessible, s'emparait de Natacha lorsque, à cette heure matinale insolite, elle contemplait la face noire de la Mère de Dieu éclairée à la fois par les cierges et par la lumière de l'aube qui tombait de la fenêtre, et écoutait les paroles de l'office qu'elle s'efforçait de suivre et de comprendre. Quand elle les comprenait, ses sentiments intimes avec toutes leurs nuances s'intégraient à sa prière; quand elle ne comprenait pas, il lui était encore plus doux de songer que le désir de comprendre est de l'orgueil, qu'on ne peut tout comprendre, qu'il suffit de croire et de s'abandonner à Dieu qui, en ces minutes, elle le sentait, était le Maître de son âme. Elle se signait, se prosternait et quand elle ne comprenait pas, saisie d'horreur devant son abjection, elle demandait seulement à Dieu de lui pardonner tout, tout, et d'avoir pitié d'elle. Et c'était à ces effusions de repentir qu'elle se livrait avec le plus d'ardeur. En rentrant chez elle à ces heures matinales où l'on ne rencontre que les maçons allant à leur travail, les concierges balayant devant leur porte, tandis que le sommeil règne encore dans les maisons, Natacha découvrait avec surprise la possibilité de son relèvement, la possibilité d'une vie nouvelle, pure et heureuse.

Ce sentiment grandit de jour en jour au cours de la semaine où elle mena cette existence. Et la joie de communier ou de communiquer avec Dieu, comme disait Agrafèna Ivanovna en jouant sur le mot, lui apparaissait si immense qu'il lui semblait que ce bienheureux dimanche n'arriverait jamais.

Mais il arriva, et lorsqu'en ce dimanche, mémorable pour elle, Natacha revint de la communion dans sa robe de mousseline blanche, elle se sentit apaisée pour la première fois depuis de longs mois et capable d'envisager sans tourments la vie qui l'attendait.

Le docteur qui examina Natacha ce jour-là lui ordonna de continuer à prendre les poudres qu'il lui avait prescrites quinze jours auparavant.

— Continuez sans faute matin et soir, dit-il, sa conscience professionnelle visiblement satisfaite de ce succès. Mais, je vous en prie, très ponctuellement.

— Soyez tranquille, comtesse, reprit-il d'un ton enjoué en faisant prestement glisser la pièce d'or dans le creux de sa main, elle se remettra bientôt à chanter et à folâtrer. Ce dernier médicament lui a fait le plus grand bien. Elle a bien meilleure mine.

La comtesse regarda ses ongles en touchant du bois et rentra au salon le visage heureux.

XVIII

Au début de juillet, des rumeurs de plus en plus alarmantes touchant la marche des opérations se répandirent à Moscou; on parlait d'un appel de l'empereur au peuple, de son prochain départ de l'armée et de son arrivée à Moscou. Et comme jusqu'au 11 juillet, le manifeste et l'appel n'avaient pas encore été reçus, des bruits très exagérés couraient à leur sujet et à propos de la situation en général. On disait que l'empereur quittait l'armée parce que celle-ci était en danger, que Smolensk était abandonné, que Napoléon avait une armée d'un million d'hommes et que seul un miracle pouvait sauver la Russie.

Le 11 juillet, un samedi, on reçut le manifeste, mais il n'était pas encore imprimé, et Pierre qui se trouvait ce jour-là chez les Rostov promit de venir dîner le lendemain dimanche et d'apporter le manifeste et l'appel au peuple, qu'il comptait se procurer chez le comte Rostoptchine.

Ce dimanche-là, les Rostov, selon leur habitude, allèrent à la messe à la chapelle privée des Razoumovsky. C'était une chaude journée de juillet. Dès dix heures, lorsque les Rostov descendirent de voiture devant la chapelle, l'air brûlant, les cris des colporteurs, les vêtements bigarrés et légers de la foule, les feuilles poussiéreuses des arbres du boulevard, les accents de la musique et les pantalons blancs du bataillon qui se rendait à la parade, le fracas de la chaussée et l'éclat du soleil ardent, tout respirait cette langueur estivale où la joie du moment se nuance d'accablement et que l'on ressent avec une netteté particulière en ville par une journée torride. Toute l'aristocratie moscovite, toutes les connaissances des Rostov étaient réunies dans la chapelle des Razoumovsky (dans l'attente de quelque événement, cette année-là, beaucoup de familles riches qui d'ordinaire passaient l'été dans leurs terres étaient restées en ville). En suivant avec sa mère le valet en livrée qui fendait la foule, Natacha entendit le chuchotement insuffisamment étouffé d'un jeune homme qui parlait d'elle :

— C'est la jeune Rostov, celle qui...
— Comme elle a maigri! Et jolie quand même.

Elle entendit ou il lui sembla entendre qu'on mentionnait les noms de Kouraguine et de Bolkonsky. D'ailleurs, il lui semblait qu'il en était toujours ainsi; il lui semblait qu'en la regardant tout le monde ne pensait qu'à ce qui lui était arrivé. L'âme oppressée, comme chaque fois qu'elle se trouvait prise dans la foule, Natacha avançait dans sa robe de soie lilas garnie de dentelles noires, ainsi que savent marcher les femmes, d'autant plus calmement et majestueusement qu'elle souffrait au fond du cœur et avait honte. Elle savait, et ne se trompait pas, qu'elle était belle, mais à présent cela ne lui faisait pas plaisir, c'était, au contraire, ce qui la tourmentait le plus ces derniers temps, et particulièrement en cette matinée d'été en ville, lumineuse et chaude. « Encore un dimanche, encore une semaine, se disait-elle, se rappelant qu'elle se tenait au même endroit le dimanche précédent. Et toujours la même existence privée de vie, et cela dans les mêmes conditions dans lesquelles il était si facile de vivre auparavant! Je suis jeune, jolie, et je sais que je suis bonne maintenant; avant j'étais mauvaise mais à présent je suis bonne, je le sais, songeait-elle. Et comme ça, sans que personne en profite, passent mes meilleures, mes plus belles années! » Debout à côté de sa mère, elle échangea un signe de tête avec des gens qu'elle connaissait et qui étaient tout proches. Elle examina par habitude les toilettes des dames, critiqua la *tenue* et la façon étriquée dont se signait sa voisine, se souvint de nouveau avec dépit qu'on la jugeait et qu'elle aussi jugeait les autres, et brusquement, entendant les chants de l'office, elle eut horreur de sa bassesse et fut épouvantée d'avoir de nouveau perdu sa pureté.

Un petit vieux vénérable officiait avec cette douceur solennelle qui exerce sur l'âme des fidèles une action si apaisante. Les portes de l'iconostase se refermèrent, le rideau fut tiré lentement et une voix douce et mystérieuse prononça à l'intérieur quelques mots. Des larmes dont elle ne comprenait pas la raison gonflèrent la poitrine de Natacha, une joie douloureuse la bouleversait...

« Enseigne-moi ce que je dois faire, comment vivre, comment me corriger une fois pour toutes, à jamais! » pensait-elle.

Le diacre sortit sur l'ambon, dégagea, en écartant largement le pouce, ses longs cheveux de dessous sa dalmatique et s'étant signé, il entonna la prière d'une voix forte et solennelle :

« Tous ensemble, prions le Seigneur. »

« En paix, tous ensemble sans distinction de conditions, sans hostilité, mais unis dans l'amour fraternel, nous prierons, » pensait Natacha.

« Pour la paix d'en haut et le salut de nos âmes ! »

« Pour le monde [1] des anges et des âmes de toutes les créatures spirituelles qui sont au-dessus de nous, » priait Natacha.

Quand on pria pour l'armée, elle pensa à son frère et à Dénissov. Quand on pria pour ceux qui naviguent et voyagent, elle se souvint du prince André et elle pria pour lui, et elle pria pour qu'il lui pardonnât le mal qu'elle lui avait fait. Quand on pria pour ceux qui nous aiment, elle pria pour ceux de sa maison, pour son père, sa mère, Sonia, se rendant compte pour la première fois de ses torts envers eux, et éprouvant toute la force de l'amour qu'elle leur portait.

Quand on pria pour nos ennemis et ceux qui nous haïssent, elle se chercha des ennemis afin de prier pour eux, considérant comme ennemis les créanciers de son père et tous ceux qui étaient en relations d'affaires avec lui ; et en songeant à ses ennemis elle se souvenait d'Anatole qui lui avait causé tant de mal, et bien qu'il ne la haït point elle pria joyeusement pour lui comme pour un ennemi. C'était seulement lorsqu'elle priait qu'elle trouvait en elle la force d'évoquer calmement le souvenir du prince André et d'Anatole. Les sentiments qu'elle éprouvait pour eux s'effaçaient alors devant la crainte et l'élan d'adoration que lui inspirait Dieu. Quand on pria pour la famille impériale et le synode, elle se signa en s'inclinant profondément, se disant que si elle ne comprenait pas elle ne pouvait douter et devait aimer le synode et prier pour lui.

Les litanies terminées, le diacre croisa l'étole sur sa poitrine et proféra :

— Nous-mêmes et toute notre vie, remettons-les au Christ Notre-Seigneur.

« Remettons-nous nous-mêmes à Dieu, répéta Natacha en son âme. Mon Dieu, je me livre à Ta volonté. Je ne veux, ne désire rien. Enseigne-moi ce que je dois faire, comment user de ma volonté ! Et prends-moi, prends-moi donc ! » disait Natacha en son âme avec une fervente impatience, sans se signer, laissant pendre ses bras minces comme si elle s'attendait à ce qu'une force invisible allât à l'instant même l'enlever et la délivrer d'elle-même, de ses regrets, de ses désirs, de ses remords, de ses espoirs et de ses vices.

Au cours de l'office, la comtesse jeta à plusieurs reprises des regards rapides sur le visage fervent, aux yeux brillants, de sa fille, et elle priait Dieu pour qu'Il lui vînt en aide.

Soudain, au milieu de la messe, en dérogation à l'ordonnance de l'office que Natacha connaissait parfaitement, le sous-diacre apporta un petit banc, celui-là même sur lequel on s'agenouille pour les prières de la Pentecôte, et le plaça devant la porte royale de l'iconostase [1]. Le prêtre sortit coiffé de sa calotte de velours violet, arrangea ses cheveux et se mit péniblement à genoux; tout le monde fit de même en échangeant des regards surpris. C'était la prière qu'on venait de recevoir du Synode, une prière pour le salut de la Russie envahie par l'ennemi.

« Seigneur Tout-Puissant, Dieu de notre salut! » commença le prêtre de cette voix nette, douce et sans emphase propre aux seuls officiants slaves et qui agit irrésistiblement sur un cœur russe.

« Seigneur Tout-Puissant, Dieu de notre salut! Considère aujourd'hui dans Ta miséricorde et Ta générosité Ton humble peuple et entends-nous avec amour, épargne-nous et aie pitié de nous! Voici que l'ennemi qui trouble la terre et dévaste tout l'univers, se dresse contre nous; ces hommes sans loi se sont rassemblés pour anéantir Ton bien, ravager Ta fidèle Jérusalem, Ta Russie bien-aimée! Ils veulent souiller Tes temples, renverser Tes autels et se railler de nos choses saintes. Jusques à quand, Seigneur, jusques à quand les impies se glorifieront-ils? Jusques à quand jouiront-ils de leur pouvoir?

« Seigneur Dieu! Entends-nous, nous qui Te prions : affermis de Ta force notre très pieux empereur autocrate Alexandre Pavlovitch, souviens-toi de sa droiture et de sa douceur, traite-le avec mansuétude comme il nous traite, nous, Ton Israël aimé. Bénis ses décisions, ses entreprises et ses actions, affermis par Ta main toute-puissante son empire et donne-lui la victoire sur l'ennemi, comme à Moïse sur Amalec, comme à Gédéon sur Madian et à David sur Goliath. Protège son armée, place l'arc des Mèdes dans la main de ceux qui se sont armés en Ton nom, et anime-les de force pour le combat. Prends les armes et le bouclier et lève-Toi pour nous secourir, que soient couverts de honte et d'opprobre ceux qui nous veulent du mal, qu'ils soient devant la face de Ton armée fidèle comme la poussière devant la face du vent, et que Ton ange puissant les punisse et les pourchasse; qu'un filet les enveloppe, et qu'ils ne le voient pas et qu'ils se prennent à leurs propres pièges; qu'ils tombent sous les pieds de Tes serviteurs et qu'ils soient foulés par nos guerriers. Seigneur, Tu sauves les grands comme les petits, Tu es Dieu, et l'homme ne peut rien contre Toi.

« Dieu de nos pères! Souviens-Toi de Tes bienfaits et de Tes dons, depuis les siècles des siècles! Ne nous rejette pas de Ta face, ne prends pas en aversion notre indignité, mais selon Ta grande miséricorde et Tes innombrables bienfaits, considère avec indulgence nos manquements et nos péchés. Suscite en nous un cœur pur et renouvelle en notre sein un esprit droit, fortifie-nous tous dans Ta foi, affermis-nous dans l'espérance, vivifie-nous d'une sincère charité les uns pour les autres, que nous soyons tous unis pour la défense légitime du patrimoine que Tu nous a donné à nous et à nos pères, que le sceptre des impies ne s'élève pas sur le lot des élus.

« Seigneur notre Dieu en qui nous croyons et en qui nous espérons! Que nous n'ayons pas honte d'avoir eu confiance en Ta bonté, fais un signe en notre faveur, que voient ceux qui nous haïssent, nous et notre foi orthodoxe! Qu'ils soient couverts de honte et qu'ils périssent et que toutes les nations sachent que Ton nom est Seigneur et que nous sommes Ton peuple. Montre-nous en ce jour, Seigneur, Ta miséricorde et accorde-nous Ton salut! Réjouis le cœur de Tes serviteurs par Tes bienfaits, abats nos ennemis et terrasse-les au plus vite sous les pieds de Tes fidèles. Car Tu es le secours, l'appui et la victoire de ceux qui espèrent en Toi, et nous Te rendons gloire, au Père, au Fils et au Saint-Esprit, maintenant et toujours et dans les siècles des siècles. Amen! »

Dans l'état de disponibilité où était Natacha, cette prière produisit sur elle une forte impression. Attentive à chaque mot, elle écoutait évoquer la victoire de Moïse sur Amalec, de Gédéon sur Madian, et de David sur Goliath, et la ruine de « Ta Jérusalem » et elle priait Dieu avec la tendre ferveur dont son cœur débordait; mais elle ne comprenait pas très bien ce qu'elle demandait dans sa prière. Lorsqu'on suppliait Dieu de donner un esprit droit, de raffermir les cœurs par la foi et de les revivifier par l'amour, elle participait de toute son âme à ces supplications; mais elle ne pouvait demander que ses ennemis fussent foulés aux pieds alors que quelques instants plus tôt elle souhaitait en avoir davantage pour les aimer et prier pour eux. Cependant elle ne pouvait non plus douter du bien-fondé de la prière lue à genoux. Son âme frémissait d'une terreur sacrée devant le châtiment qui frappe les hommes pour leurs péchés, mais elle songeait surtout à ses propres péchés et demandait à Dieu de pardonner à tous et à elle-même et d'accorder à tous et à elle-même la paix et le bonheur dans cette vie. Et il lui semblait que Dieu entendait sa prière.

XIX

Depuis le jour où Pierre, ayant quitté les Rostov en emportant le souvenir du regard plein de gratitude de Natacha, avait contemplé la comète dans le ciel et senti que quelque chose de nouveau s'était dévoilé à lui, la question qui le tourmentait constamment de la vanité et de l'absurdité de tout ce qui est terrestre, cessa de le poursuivre. Cette terrible question : « Pourquoi? A quoi bon? » qui surgissait devant lui au milieu de toutes ses occupations, avait fait place à présent non pas à une autre question, ni à une réponse à l'ancienne question, mais à son image à ELLE. Écoutait-il ou menait-il lui-même quelque conversation futile, lisait-il ou apprenait-il certaines choses où se révélait la bassesse ou la stupidité humaine, il n'en était pas épouvanté comme auparavant, il ne se demandait pas pourquoi les hommes se démènent alors que tout est si bref et incertain : il se la rappelait telle qu'il l'avait vue la dernière fois et tous ses doutes s'évanouissaient non pas parce qu'elle répondait aux questions qui se posaient à lui, mais parce que son image le transportait immédiatement dans une autre région, la région lumineuse de la vie spirituelle où il ne pouvait y avoir ni juste ni coupable, dans la région de la beauté et de l'amour pour lesquels il vaut la peine de vivre. La vie quotidienne lui découvrait-elle une vilenie quelconque, il se disait : « Qu'importe qu'un tel ait volé l'État et le tsar et qu'ils le couvrent d'honneurs, elle m'a souri hier et m'a demandé de venir, et je l'aime et personne jamais n'en saura rien. » Et son âme était claire et sereine.

Pierre continuait à aller dans le monde, à boire beaucoup et à mener la même existence oisive et dissipée, car en dehors des heures qu'il passait chez les Rostov, il fallait bien employer à quelque chose le reste du temps, et les habitudes et les relations qu'il s'était faites à Moscou l'entraînaient irrésistiblement dans cette existence. Mais lorsque les nouvelles du théâtre de la guerre devinrent de plus en plus inquiétantes et que la santé de Natacha s'étant améliorée, la jeune fille cessa d'éveiller sa pitié attentive, une inquiétude incompréhensible s'empara graduellement de Pierre. Il avait le sentiment que la situation dans laquelle il se trouvait ne pouvait se prolonger longtemps, qu'une catastrophe approchait qui devait transformer complètement son existence et il épiait partout avec impatience les signes avant-coureurs de cette catastrophe imminente. Un des frères maçons lui avait révélé la prophétie suivante se rapportant à Napoléon, extraite de l'Apocalypse de Saint Jean :

Au chapitre treize, verset dix-huit de l'Apocalypse, il est dit : « C'est ici la sagesse, que celui qui a l'intelligence compte le nombre de la Bête, car c'est un nombre d'homme et ce nombre est 666. »

Et au même chapitre, verset cinq : « Et il lui fut donné une bouche pour proférer des paroles arrogantes et blasphématoires et il lui fut donné le pouvoir d'agir pendant quarante-deux mois. »

Si l'on donne aux lettres de l'alphabet français la même valeur numérique qu'aux lettres de l'ancienne écriture hébraïque où les dix premières lettres représentent les unités et les autres les dizaines, on obtient le tableau suivant :

a	b	c	d	e	f	g	h	i	k	l	m	n	o
1	2	3	4	5	6	7	8	9	10	20	30	40	50

p	q	r	s	t	u	v	w	x	y	z
60	70	80	90	100	110	120	130	140	150	160

Si on chiffre conformément à ce tableau les mots *l'empereur Napoléon*, il se trouve que la somme des nombres est égale à 666 et que Napoléon est donc la Bête prédite par l'Apocalypse; de plus, en chiffrant de même les mots *quarante-deux*, c'est-à-dire la période assignée à la Bête pour proférer des paroles arrogantes et blasphématoires, on trouve encore une fois 666. Il en ressort que l'année 1812 marque la limite du pouvoir de Napoléon qui a eu cette année-là quarante-deux ans.

Cette prédiction frappa beaucoup Pierre; il se demandait souvent ce qui mettrait un terme à la puissance de la Bête, autrement dit de Napoléon, et utilisant la même méthode de chiffrage et de calcul, et s'efforçait de trouver une réponse à la question qui le poursuivait. Était-ce *l'empereur Alexandre? La nation russe?* La somme des chiffres était supérieure ou inférieure à 666. Plongé dans ces calculs, il écrivit un jour son nom : *Comte Pierre Bésouhoff*. La somme ne concordait toujours pas. Modifiant l'orthographe, il remplaça l's par z, ajouta *de*, ajouta l'article *le*, mais n'obtint pas le résultat désiré. Alors il lui vint à l'esprit que si la réponse à la question se dissimulait sous son nom, cette réponse devait mentionner sa nationalité; il écrivit *le Russe Besuhof* et ayant fait le calcul, obtint 671. C'était cinq de trop. Ce cinq représentait le *e*, cet *e* élidé dans l'article devant *empereur*. Ayant élidé de la même manière, bien que ce fût incorrect, le *e* devant son nom, Pierre trouva la réponse : *l'Russe Besuhof*. La somme des chiffres était 666. Cette découverte l'émut. Comment, par quels liens était-il rattaché à ce grand événement que prédisait l'Apocalypse? Cela il l'ignorait, mais de la réalité de ces liens il ne doutait pas un instant. Son amour pour Natacha Rostov, l'Antéchrist, l'invasion de la Russie, la comète, 666, *l'empereur Napoléon*, et *l'Russe Besuhof*, tout cela devait se fondre et mûrir en lui, exploser et l'arracher à ce monde ensorcelé et futile des habitudes moscovites où il se sentait emprisonné, pour lui faire accomplir une grande action et le conduire vers un immense bonheur.

La veille de ce dimanche où on avait lu la prière, Pierre avait promis aux Rostov de leur apporter de chez le comte Rostoptchine, qu'il connaissait bien, l'appel de l'empereur à Moscou et les dernières nouvelles de la guerre. Étant passé dans la matinée chez Rostoptchine, il y trouva un courrier qui venait de l'armée. Pierre le connaissait, le courrier fréquentait assidûment les bals moscovites.

— Au nom du ciel, dit-il, ne pouvez-vous m'aider? J'ai un plein sac de lettres aux familles.

Au nombre de ces lettres il y en avait une de Nicolas à son père. Pierre la prit. De son côté, le comte Rostoptchine lui remit l'appel de l'empereur qui sortait des presses, les récents ordres du jour à l'armée et sa dernière affiche. En parcourant les ordres du jour, Pierre découvrit dans une liste de blessés, de morts et décorés, le nom de Nicolas Rostov décoré de la croix de Saint-Georges de quatrième classe pour sa conduite au combat d'Ostrovnia, et la nomination du prince André Bolkonsky au commandement d'un régiment de chasseurs. Bien qu'il n'eût guère envie de rappeler aux Rostov le souvenir du prince André, Pierre ne put renoncer à leur apprendre au plus vite la distinction accordée à leur fils, sachant combien ils en seraient heureux. Ayant laissé chez lui l'appel aux Moscovites, l'affiche et les autres ordres du jour, avec l'intention de les apporter en venant dîner chez eux, il leur envoya la lettre de Nicolas et la liste.

Son entretien avec Rostoptchine affairé et soucieux, les propos échangés avec le courrier qui racontait d'un ton léger à quel point les choses allaient mal à l'armée, les bruits sur la présence d'espions français à Moscou et la découverte, assurait-on, d'un papier répandu en ville où il était dit que Napoléon serait avant l'automne dans les deux capitales russes, la nouvelle de l'arrivée de l'empereur le lendemain, tout cela renforçait en Pierre ce trouble et cette attente qui ne le lâchaient plus depuis l'apparition de la comète et surtout le début de la guerre.

Il songeait déjà depuis longtemps à s'engager et il l'eût fait s'il n'en avait pas été empêché, tout d'abord parce qu'il était lié par serment à la franc-maçonnerie qui prêchait la fin des guerres et la paix perpétuelle et ensuite parce qu'à la vue du grand nombre de Moscovites qui endossaient un uniforme et affichaient leur patriotisme, il avait honte, sans bien savoir pourquoi, d'accomplir ce geste. Mais s'il ne prenait pas du service dans l'armée, c'était principalement en raison de cette vague idée qu'il était *l'Russe Besuhof* ayant pour chiffre le nombre de la Bête, 666, et que sa participation au grand événement devant mettre un terme au pouvoir de la Bête qui profère des paroles arrogantes et blasphématoires, avait été décrétée de toute éternité, qu'en conséquence il n'avait pas à entreprendre quoi que ce fût mais attendre ce qui devait s'accomplir.

XX

Comme tous les dimanches, les Rostov recevaient à dîner quelques intimes.

Pierre arriva tôt pour les trouver seuls.

Il avait tellement grossi au cours de cette année qu'il eût été difforme s'il n'avait été si grand et d'une carrure puissante qui lui permettait de porter aisément sa corpulence.

Soufflant et marmonnant quelque chose, il monta l'escalier. Son cocher ne lui demandait plus s'il fallait l'attendre : il savait que quand le comte était chez les Rostov, il y restait jusque vers minuit. Les valets se précipitèrent joyeusement pour le débarrasser de son manteau et lui prendre son chapeau et sa canne : obéissant à une habitude contractée au Club, Pierre laissait toujours sa canne et son chapeau dans l'antichambre.

La première personne qu'il rencontra fut Natacha. Avant même de la voir, il l'avait entendue en enlevant son manteau. Elle chantait des exercices dans la salle. Il savait qu'elle ne chantait plus depuis sa maladie; aussi le son de sa voix le surprit et le réjouit. Il ouvrit discrètement la porte et vit Natacha qui, dans la robe lilas qu'elle portait à la messe, chantait en arpentant la pièce. Elle lui tournait le dos. Lorsque s'étant brusquement retournée elle aperçut son gros visage étonné, elle rougit et s'approcha vivement.

— J'essaye de me remettre à chanter. C'est quand même une occupation, dit-elle comme pour s'excuser.

— Voilà qui est bien, dit Pierre.

— Comme je suis contente que vous soyez venu! Je suis si heureuse aujourd'hui, reprit-elle de son ton animé d'autrefois que Pierre ne lui connaissait plus depuis longtemps. Vous savez, Nicolas a reçu la croix de Saint-Georges? Je suis si fière de lui.

— Mais oui, c'est moi qui vous ai envoyé l'ordre du jour. Mais je ne veux pas vous déranger, ajouta-t-il et il voulut passer au salon.

Natacha l'arrêta.

— Comte, est-ce mal de ma part de chanter? demanda-t-elle en rougissant, et elle posa sur lui un regard interrogateur.

— Non... pourquoi donc?... Au contraire. Mais pourquoi me le demandez-vous?

— Je ne sais, répondit vivement Natacha, mais je ne voudrais rien faire qui vous déplaise. J'ai confiance en vous en tout. Vous ne savez pas à quel point vous comptez pour moi et tout ce que vous avez fait pour moi... — Elle parlait précipitamment et ne remarquait pas que Pierre avait rougi à ces mots. — J'ai vu dans le même ordre du jour que LUI, Bolkonsky (elle murmura rapidement ce nom), est en Russie, a repris du service. Qu'en pensez-vous, reprit-elle en hâte, craignant sans doute que ses forces ne la trahissent, me pardonnera-t-il jamais? Cessera-t-il de me garder rancune? Qu'en pensez-vous? Qu'en pensez-vous?

— Je pense..., dit Pierre. Il n'a rien à pardonner. Si j'étais à sa place...

Ses souvenirs s'enchaînant le transportèrent instantanément à cette minute où, consolant Natacha, il lui avait dit que s'il avait été libre et non pas celui qu'il était mais le meilleur des hommes, il aurait demandé sa main à genoux; et la même pitié, la même tendresse, le même amour le saisirent, et les mêmes mots vinrent sur ses lèvres, mais Natacha ne lui laissa pas le temps de les proférer.

— Oui, mais vous... vous..., dit-elle, prononçant ce « vous » avec exaltation, vous c'est autre chose. Je ne connais pas d'homme meilleur, plus généreux que vous, et il n'y en a pas. Si vous n'aviez pas été là alors... et encore maintenant d'ailleurs... je ne sais pas ce que je serais devenue, parce que... — Les larmes jaillirent soudain de ses yeux; elle se détourna, approcha le cahier de musique de son visage et se remit à chanter en marchant à travers la salle.

A ce moment, Pétia accourut du salon.

Pétia était à présent un beau garçon de quinze ans, aux joues, aux lèvres rouges et charnues, qui ressemblait à Natacha. Il se préparait à entrer à l'Université, mais ces derniers temps il avait décidé avec son camarade Obolensky de s'engager dans les hussards.

Pétia était accouru auprès de Bézoukhov pour lui parler de son affaire : il lui avait demandé de s'informer s'il pouvait s'engager dans les hussards.

Mais Pierre avançait sans l'écouter.

Pétia le tira par le bras pour attirer son attention.

— Eh bien, où en est mon affaire, Piotr Kirilovitch? Au nom du ciel! Vous êtes mon seul espoir, disait Pétia.

— Ah oui... ton affaire... Les hussards, hein? J'en parlerai, j'en parlerai. Aujourd'hui même, je dirai tout.

— Alors, *mon cher*, alors vous vous êtes procuré le manifeste? demanda le comte. La comtesse a été à la messe chez les Razoumovsky, elle a entendu la nouvelle prière. Elle dit qu'elle est très belle.

— Je l'ai, répondit Pierre. L'empereur arrive demain... On convoque une réunion extraordinaire de la noblesse et on parle d'une levée de dix hommes sur mille... Et je vous félicite.

— Oui, oui, Dieu soit loué! Et quelles nouvelles de l'armée?

— Nous avons encore reculé, jusque sous Smolensk, paraît-il, répondit Pierre.

— Mon Dieu, mon Dieu! s'exclama le comte. Où est donc le manifeste?

— L'appel à la Russie? Ah oui...

Pierre chercha en vain dans ses poches. Tout en continuant de les tapoter, il baisa la main de la comtesse qui venait d'entrer et regarda autour de lui avec inquiétude, attendant visiblement Natacha qui avait cessé de chanter, mais ne paraissait pas.

— *Ma parole, je ne sais où je l'ai fourré*, dit-il.

— Il perd toujours tout, dit la comtesse.

Natacha entra, le visage tendrement ému, s'assit et regarda Pierre en silence. A son entrée, le visage de Pierre, jusque-là morne, s'éclaira et tout en continuant de chercher le papier il la regarda à plusieurs reprises.

— Ma parole, je l'ai oublié chez moi, c'est certain. J'y vais.

— Vous serez en retard pour le dîner.

— Ah, et le cocher est parti !...

Mais Sonia qui était allée chercher le document dans l'anti-chambre, le trouva soigneusement plié dans la doublure du chapeau de Pierre. Celui-ci voulut le lire sur-le-champ.

— Non, après le dîner, dit le comte qui évidemment se promettait grand plaisir de cette lecture.

Pendant le dîner où l'on but du champagne à la santé du nouveau chevalier de Saint-Georges, Chinchine rapporta les dernières nouvelles de la ville : la maladie d'une vieille princesse géorgienne, la disparition de Métivier, l'histoire d'un Allemand qu'on avait amené à Rostoptchine en déclarant que c'était un « champignon [1] », c'est du moins ce que racontait Rostopt-chine lui-même, qui avait donné l'ordre de le relâcher en expliquant au peuple que ce n'était pas un champignon, mais rien qu'un vieil Allemand vermoulu.

— On arrête, on arrête, dit le comte. Je ne cesse de répéter à la comtesse qu'elle devrait un peu moins parler français. Ce n'est pas le moment.

— Et savez-vous, intervint Chinchine, que le prince Galitzine a pris un professeur de russe? Il apprend le russe. *Il commence à devenir dangereux de parler français dans les rues.*

— Alors, Piotr Kirilovitch, quand on lèvera la milice, il vous faudra aussi monter en selle, dit le vieux comte à Pierre.

Pierre qui était resté silencieux et pensif tout au long du repas, regarda le comte comme s'il ne comprenait pas.

— Oui, oui, la guerre..., dit-il. Non, le beau guerrier que je ferais! D'ailleurs, tout est si étrange, si étrange... Je ne comprends pas moi-même, je ne sais pas... J'ai si peu de goût pour les choses militaires. Cependant, par le temps qui court, personne ne peut répondre de soi.

Après le dîner le comte s'installa confortablement dans un fauteuil et l'air grave demanda à Sonia considérée comme une parfaite lectrice, de lire à haute voix le manifeste.

« A Moscou, notre première capitale.

« L'ennemi a franchi avec des forces considérables les frontières de la Russie. Il vient dévaster notre patrie bien-aimée », lisait avec application Sonia de sa voix grêle. Le comte écoutait les yeux fermés en poussant à certains passages de profonds soupirs.

86

Assise toute droite, Natacha posait un regard scrutateur tantôt sur son père, tantôt sur Pierre.

Pierre sentait ce regard et essayait de ne pas le rencontrer. La comtesse hochait la tête d'un air sombre et désapprobateur à chaque expression emphatique du manifeste : tout cela ne signifiait pour elle qu'une chose, c'est que les dangers que courait son fils ne prendraient pas fin de sitôt. Chinchine, un sourire ironique aux lèvres, se préparait évidemment à profiter de la première occasion pour se moquer de la façon de lire de Sonia, de ce que dirait le comte, de l'appel lui-même à défaut d'autre chose.

Ayant lu le passage relatif aux dangers qui menaçaient la Russie, aux espoirs que l'empereur fondait sur Moscou et en particulier sur l'illustre noblesse, Sonia, avec un tremblement dans la voix dû surtout à l'attention qu'on lui accordait, lut les derniers mots :

« Nous ne tarderons pas à paraître nous-mêmes au milieu de notre peuple, dans cette capitale et en d'autres lieux de notre empire pour y délibérer et pour guider toutes nos armées, tant celles qui actuellement barrent la route à l'ennemi que celles qui seront formées pour la défaite de cet ennemi partout où il surgira. Que le malheur dans lequel il médite de nous précipiter retombe sur sa tête et que l'Europe libérée de l'esclavage glorifie la Russie ! »

— Voilà qui est bien dit, s'exclama le comte entr'ouvrant ses yeux remplis de larmes. Et s'interrompant à plusieurs reprises pour renifler comme si on lui avait mis sous le nez un flacon de sels, il ajouta : — Que l'empereur nous le demande seulement, et nous donnerons tout, sans regret.

Chinchine n'eut pas le temps de lancer la plaisanterie qu'il avait préparée sur le patriotisme du comte que Natacha bondissait et se précipitait vers son père :

— Qu'il est merveilleux, ce papa, dit-elle en l'embrassant, et elle regarda de nouveau Pierre avec cette inconsciente coquetterie qu'elle avait retrouvée en même temps que sa vivacité .

— Voyez-moi cette patriote ! dit Chinchine.

— Non pas patriote, mais tout simplement..., répondit Natacha vexée. Vous vous moquez de tout, mais ce n'est nullement une plaisanterie...

— Il s'agit bien de plaisanter ! s'écria le comte. Qu'il dise seulement un mot, et nous irons tous... Nous ne sommes pas de quelconques Allemands...

— Et avez-vous remarqué, intervint Pierre, qu'il est dit : « Pour délibérer » ?

— Que ce soit pour délibérer ou autre chose, qu'importe!

A ce moment, Pétia, à qui personne ne faisait attention, s'approcha de son père et, tout rouge, dit de sa voix qui muait, tantôt grave, tantôt aiguë :

— Eh bien, maintenant, papa, je vous dirai fermement, et à maman aussi..., comme vous voudrez, mais je vous dirai fermement que vous devez me laisser partir pour m'engager... parce que je ne peux pas... et voilà!...

La comtesse horrifiée leva les yeux au ciel et joignit les mains.

— Te voilà content maintenant, dit-elle à son mari d'un ton irrité.

Mais le comte avait instantanément surmonté son émotion.

— Allons, allons, dit-il. Voyez-moi ce guerrier! Laisse ces sottises; il te faut encore étudier.

— Ce ne sont pas des sottises, papa. Fédia Obolensky est plus jeune que moi et il part aussi, et surtout, je suis incapable maintenant de poursuivre mes études alors que... — Il s'arrêta, rougit à tel point que son visage se couvrit de sueur, et finit par articuler : alors que la patrie est en danger.

— Allons, allons, sottises!...

— Mais vous avez dit vous-mêmes que nous étions prêts à tout sacrifier!

— Pétia, je te dis de te taire! cria le comte en jetant un regard à sa femme qui toute pâle ne quittait pas des yeux son plus jeune fils.

— Et moi je vous dis... Tenez, Piotr Kirilovitch vous dira aussi.

— Je te le répète, sottises que tout cela! Il a encore du lait au bout du nez et il veut guerroyer! Allons, allons... — Et le comte ayant pris le manifeste, sans doute pour le relire dans son cabinet avant sa sieste, se dirigea vers la porte.

— Piotr Kirilovitch, dit-il à Pierre, allons fumer...

Pierre était en proie au trouble et à l'indécision, car les yeux de Natacha, plus brillants, plus vifs qu'à l'accoutumée, se posaient constamment sur lui avec une expression plus que tendre.

— Non, je crois que je vais rentrer chez moi, répondit-il.

— Comment? Mais vous comptiez passer la soirée chez nous... Vous venez bien rarement ces derniers temps, et celle-là — et le comte désigna avec bonhomie Natacha, — elle n'est gaie qu'en votre présence.

— Oui, j'avais oublié... Il faut absolument que je rentre... Des affaires..., dit précipitamment Pierre.

— Alors au revoir, dit le comte en quittant la pièce.

— Pourquoi partez-vous? Pourquoi êtes-vous troublé? Pourquoi?... demanda Natacha à Pierre en le regardant droit dans les yeux d'un air provocant.

« Parce que je t'aime! » voulut-il dire, mais il ne le dit pas, rougit jusqu'aux larmes et baissa les yeux.

— Parce qu'il vaut mieux que je vienne plus rarement chez vous... Parce que... non, simplement, j'ai des affaires...

— Pourquoi? dites, commença Natacha avec décision, et soudain elle se tut.

Tous deux se regardèrent, émus et effrayés. Il essaya de sourire mais son sourire exprima la souffrance; il baisa sans dire mot la main de Natacha et sortit.

Pierre se promit de ne plus aller chez les Rostov.

XXI

Après le refus catégorique qu'il avait essuyé, Pétia monta dans sa chambre, s'enferma à clef et pleura amèrement. Tout le monde fit semblant de ne rien remarquer lorsqu'il vint prendre le thé, sombre et silencieux, les yeux rougis.

L'empereur arriva le lendemain. Plusieurs domestiques des Rostov demandèrent la permission d'assister à son passage. Ce jour-là, Pétia consacra beaucoup de temps à s'habiller, à se coiffer, à arranger son col à la façon des grandes personnes; il fronçait les sourcils devant la glace, gesticulait, haussait les épaules. Enfin, sans rien dire à personne, il mit sa casquette et sortit par la porte de service, cherchant à passer inaperçu. Il avait résolu d'aller directement à l'endroit où devait se trouver l'empereur et d'expliquer sans ambages à quelque chambellan (Pétia s'imaginait que l'empereur était toujours entouré de chambellans) qu'en dépit de sa jeunesse il voulait servir sa patrie, que la jeunesse n'empêchait pas le dévouement, que lui, comte Rostov, était prêt... Tout en s'habillant, Pétia avait préparé maintes belles phrases à l'intention du chambellan.

Il comptait que son âge favoriserait son entreprise, il se disait même que tout le monde serait frappé de sa jeunesse. Et cependant, en soignant sa coiffure et l'arrangement de son col, en avançant d'une démarche lente et digne, il voulait se donner l'aspect d'un homme mûr. Mais à mesure qu'il avançait et voyait la foule affluer vers le Kremlin, il oubliait d'observer l'allure posée des gens mûrs. En approchant du Kremlin, il ne songeait déjà plus qu'à ne pas être bousculé et, l'air menaçant, se frayait un chemin à coups de coudes. Mais sous la voûte de la Trinité [1], les gens qui ignoraient sans doute dans quel dessein patriotique il allait au Kremlin, le serrèrent à tel point contre la muraille qu'en dépit de sa résolution il dut se soumettre et s'arrêter pour laisser passer une file de voitures dans un fracas amplifié par la voûte. Pétia était serré entre une paysanne, un valet, deux marchands et un soldat retraité. Au bout d'un moment, sans attendre que toutes les voitures fussent passées, Pétia voulut se remettre en route avant les autres et se mit résolument à travailler des coudes; mais la paysanne qui se trouvait devant lui et contre laquelle il dirigea en premier ses coudes, l'interpella d'un air furibond :

— Qu'as-tu à pousser, mon petit monsieur? Vois, tout le monde attend! Pourquoi bousculer les gens?

— Tout le monde peut en faire autant, dit le valet, et se mettant lui aussi à jouer des coudes, il repoussa Pétia dans un coin malodorant du portail.

Pétia essuya de ses mains la sueur qui couvrait son visage et remit en ordre son col trempé qu'il avait si bien arrangé à la maison à la façon des grands.

Il sentait qu'il avait un aspect peu convenable, et il craignait que s'il se présentait ainsi devant le chambellan, on ne le laissât pas approcher de l'empereur. Mais en raison de la presse il lui était impossible de se dégager pour réparer le désordre de sa toilette. Un des généraux qui passaient était connu des Rostov, et Pétia voulut lui demander de l'aider, mais il se dit que ce ne serait pas digne d'un homme. Quand tous les équipages eurent défilé, la foule se précipita et emporta Pétia jusqu'à la place qui était noire de monde; il y avait des gens jusque sur les talus et les toits. Parvenu sur la place, Pétia entendit distinctement le son des cloches qui emplissait tout le Kremlin et le joyeux brouhaha du peuple.

Il y eut un moment de moindre presse, puis, soudain, toutes les têtes se découvrirent et la foule se rua en avant et se mit à hurler : « Hourra! Hourra! » Pressé à ne plus respirer, Pétia se dressait sur la pointe des pieds, poussait, pinçait, mais ne parvenait à rien voir d'autre que la foule qui l'entourait.

La même expression d'attendrissement et d'enthousiasme se

lisait sur tous les visages. Une marchande près de Pétia sanglotait et des larmes coulaient de ses yeux.

— Notre père chéri! Notre ange! répétait-elle en essuyant ses larmes de ses doigts.

— Hourra! criait-on de toutes parts.

La foule demeura un moment immobile, puis ce fut de nouveau la ruée. Ne sachant plus ce qu'il faisait, les dents serrées, les yeux exorbités, Pétia poussait, travaillait des coudes, criait « Hourra! » Il était prêt à tuer tout le monde à ce moment, à se tuer lui-même. Mais les gens qui le bousculaient avaient tous le même visage féroce et poussaient les mêmes cris.

« C'est donc ça l'empereur! se dit Pétia. Non, je ne puis songer à lui présenter personnellement ma requête, ce serait trop hardi! » Pourtant, il essayait toujours désespérément d'avancer et entre les épaules de ceux qui le précédaient, il entrevit la durée d'un éclair un espace vide traversé d'un chemin de drap rouge; mais à ce moment un remous parcourut la foule qui reflua en arrière (des policiers repoussaient ceux qui s'étaient avancés trop près du cortège : l'empereur se rendait du palais à la cathédrale de l'Assomption), et Pétia reçut soudain un coup si violent dans les côtes et fut à tel point comprimé que sa vue se brouilla et il perdit connaissance. Quand il revint à lui, un homme d'église en soutane bleue râpée, la nuque surmontée d'une touffe de cheveux gris, un sacristain sans doute, le soutenait d'un bras sous l'aisselle et de l'autre le protégeait contre la pesée de la foule.

— On a écrasé le jeune monsieur, disait-il. Voyons... doucement, faites attention!... On l'a écrasé, écrasé!

L'empereur était entré dans la cathédrale de l'Assomption. La foule devint moins dense et le sacristain conduisit Pétia pâle et à bout de souffle vers le Tsar des canons [1]. Quelques personnes furent prises de pitié, et brusquement l'attention de la foule se porta sur Pétia, et ce fut autour de lui cette fois qu'on se bouscula. Les plus proches s'empressaient, déboutonnaient ses vêtements, le faisaient asseoir sur le soubassement du canon, tout en invectivant les inconnus qui l'avaient écrasé.

— Encore un peu et ils l'auraient étouffé!... A-t-on idée de ça!... Voyez un peu, il est devenu blanc comme un linge.

Pétia se remit bientôt, les couleurs lui revinrent, la douleur disparut et ce malaise passager lui valut une place de choix sur le canon d'où il comptait voir l'empereur à son retour au palais. Pétia ne songeait plus à présenter sa requête; voir l'empereur l'aurait déjà comblé de bonheur.

Tandis qu'à la cathédrale se déroulait l'office d'actions de grâces pour l'arrivée de l'empereur et la conclusion de la paix avec la Turquie, la foule s'éclaircissait. Des marchands ambulants vendaient du kvass [1], des pains d'épice, des graines de pavot dont Pétia était particulièrement friand; on causait de choses et d'autres. Une femme montrait son châle déchiré qui lui avait coûté fort cher, disait-elle; une autre assurait que les prix de toutes les soieries avaient considérablement monté. Le sacristain donnait à un fonctionnaire force détails sur les prêtres qui officiaient aujourd'hui avec le métropolite, et il employa à plusieurs reprises le mot « pontifical » que Pétia ne comprenait pas. Deux jeunes gaillards plaisantaient avec des femmes de chambre qui croquaient des noix. Tous ces propos et surtout les plaisanteries des jeunes gens qui auraient dû amuser Pétia vu son âge, ne l'intéressaient aucunement; juché sur le canon, profondément ému, il continuait de songer avec amour à l'empereur. Le souvenir de la douleur et de la peur qu'il venait d'éprouver ne faisait qu'exalter sa ferveur et donner plus d'importance aux minutes qu'il vivait.

Des coups de canon retentirent soudain sur le quai (on tirait une salve à l'occasion de la paix avec les Turcs), et la foule se précipita vers le quai; Pétia voulut suivre son exemple, mais le sacristain qui avait pris sous sa protection le jeune monsieur l'en empêcha. Les canons tiraient encore quand de la cathédrale sortirent en hâte des officiers, des généraux, des chambellans que d'autres suivaient d'une démarche plus posée. Les têtes se découvrirent de nouveau, les gens qui étaient descendus sur le quai revinrent en courant et enfin quatre personnes en uniforme et grand cordon apparurent sur le parvis de l'église. « Hourra! Hourra! » cria de nouveau le peuple.

— Lequel? Lequel est l'empereur? criait Pétia à la ronde d'une voix éplorée; mais les gens étaient bien trop transportés d'enthousiasme pour lui répondre, et Pétia ayant porté son choix au hasard sur l'un des quatre personnages qu'il distinguait fort mal, ses yeux s'étant embués de larmes de joie, concentra sur lui toute la ferveur de son amour, bien que ce ne fût pas l'empereur, poussa un « Hourra! » frénétique et résolut coûte que coûte de s'engager dès le lendemain.

Courant derrière l'empereur, la foule l'accompagna jusqu'au palais et commença à se disperser. Il était tard déjà, Pétia n'avait encore rien mangé et ruisselait de sueur. Il ne rentra pas chez lui cependant et se joignit à la foule, moins dense mais encore assez importante, qui s'aggloméra devant le palais où dînait l'empereur, regardant les fenêtres, attendant encore quelque chose, enviant aussi bien les hauts personnages invités à la table impériale que les laquais qui servaient à cette table et qu'on voyait passer rapidement derrière les fenêtres.

Au cours du dîner, Valouïev dit en jetant un coup d'œil par la fenêtre :

— Le peuple espère encore voir Votre Majesté.

Le repas terminé, l'empereur se leva en achevant un biscuit et sortit sur le balcon. La foule entraînant avec elle Pétia se rua en avant.

— Notre ange! Père chéri! Hourra! criait le peuple et Pétia avec lui, et de nouveau des femmes et quelques hommes plus impressionnables, et parmi eux Pétia, versaient des larmes de joie.

Un assez gros morceau du biscuit que l'empereur tenait à la main s'étant cassé, tomba sur la rampe du balcon et de là sur le sol. Un cocher en houppelande qui se trouvait à proximité se jeta sur ce fragment de biscuit et le saisit. Quelques hommes se précipitèrent sur le cocher. A cette vue, l'empereur se fit apporter une assiette de biscuits qu'il se mit à jeter dans la foule. Les yeux injectés de sang, Pétia que le risque d'être écrasé ne faisait qu'exciter davantage, bondit sur les biscuits; il ne savait pas lui-même pourquoi, mais il lui fallait un de ces biscuits tombés des mains du tsar et il ne devait pas céder. En se jetant en avant, il renversa une petite vieille qui tentait elle aussi d'attraper un biscuit; jetée à terre, elle ne s'avouait cependant pas vaincue et allongeait le bras. D'un coup de genou, Pétia repoussa sa main, saisit le biscuit et comme s'il craignait d'avoir trop tardé, cria de nouveau « Hourra! » mais d'une voix déjà enrouée.

L'empereur quitta le balcon et la foule commença à se disperser.

— Je le disais bien qu'il fallait attendre encore un peu, et voilà, j'avais raison, disait-on joyeusement de différents côtés.

Si heureux que fût Pétia, il songeait non sans tristesse que c'en était fini des plaisirs de cette journée. Du Kremlin, il ne se rendit pas directement à la maison mais passa chez son camarade Obolensky qui avait quinze ans et s'engageait lui aussi. De retour à la maison, il déclara fermement que si on ne le laissait pas partir, il se sauverait. Le lendemain, bien qu'il n'eût pas encore cédé, le comte Ilia Andréiévitch alla s'informer s'il n'était pas possible de caser Pétia quelque part où il ne courrait aucun danger.

XXII

Le surlendemain, le 15 au matin, d'innombrables équipages stationnaient devant le palais Slobodsky [1].

Les salles étaient pleines de monde; la première, de nobles en uniforme, la seconde, de marchands barbus en caftans bleus garnis de médailles. Le bruit, l'agitation régnaient dans l'assemblée de la noblesse. Les personnages les plus considérables étaient assis sur des chaises à hauts dossiers devant une grande table sous le portrait de l'empereur, les autres allaient et venaient.

Tous ces gens que Pierre voyait quotidiennement au Club ou chez eux étaient tous en uniforme, qui en uniforme du temps de Catherine ou de Paul, qui en uniforme du règne d'Alexandre, d'autres enfin portaient la tenue ordinaire de la noblesse. Que ces gens si différents les uns des autres, jeunes et vieux, fussent vêtus de façon semblable, produisait une impression bizarre, fantastique. Les vieillards étaient particulièrement frappants : la vue basse, édentés, chauves, bouffis de graisse jaune ou maigres et ratatinés, la plupart restaient assis et se taisaient, et s'ils marchaient et parlaient, c'était généralement avec de plus jeunes qu'eux. Et tous ces visages, comme ceux qui entouraient Pétia sur la place du Kremlin, offraient la même expression curieusement contradictoire : l'attente de quelque événement important et les soucis les plus prosaïques : la partie de boston de la veille, le cuisinier Pétrouchka, la santé de Zinaïda Dimitrievna, etc.

Sanglé depuis le matin dans son uniforme de la noblesse devenu trop étroit pour lui, Pierre déambulait à travers la salle, très ému : la convocation d'une assemblée extraordinaire, non seulement des nobles mais aussi des marchands — des diverses classes, des *États généraux* — éveillait en lui tout un ensemble de pensées depuis longtemps délaissées mais profondément ancrées en lui, se rapportant au *Contrat social* et à la Révolution française. La phrase du manifeste qu'il avait remarquée, où il était dit que l'empereur viendrait à Moscou pour « délibérer » avec son peuple, l'avait confirmé dans ces vues; et supposant que quelque chose d'important se préparait dans ce sens, cela même qu'il attendait depuis longtemps, il allait et venait, observait, prêtait l'oreille à ce qui se disait autour de lui, mais ne découvrait rien qui répondît aux pensées qui l'occupaient.

On lut le manifeste de l'empereur qui souleva l'enthousiasme, puis les conversations reprirent par petits groupes. On échangeait des considérations sur l'endroit où devraient se ranger les maréchaux de la noblesse lorsque entrerait l'empereur, sur la date du bal qui serait donné en son honneur, ou bien on se demandait si l'on voterait ou non par districts, etc. Mais dès qu'il s'agissait de la guerre et de l'objet même de la réunion de la noblesse, les propos devenaient hésitants et vagues; chacun alors préférait écouter plutôt que parler.

Un officier de marine à la retraite, bel homme d'un certain âge à l'allure martiale, discourait au milieu d'un groupe; Pierre s'approcha et prêta l'oreille. Le comte Ilia Andréiévitch qui connaissait tout le monde et circulait parmi la foule dans son caftan de gouverneur du temps de Catherine, un sourire aimable aux lèvres, s'approcha lui aussi et se mit à écouter avec son bon sourire, comme il écoutait toujours en approuvant d'un signe de tête celui qui parlait. Le marin en retraite s'exprimait hardiment; cela se voyait aux visages de ses auditeurs et aussi parce que certains d'entre eux que Pierre savait particulièrement pacifiques et dociles, s'éloignaient d'un air désapprobateur ou le contredisaient. Pierre parvint à s'introduire dans le groupe et constata que l'orateur était effectivement un libéral, mais dans un tout autre sens que lui-même. Le marin, qui grasseyait agréablement et avalait les consonnes, avait une voix de baryton sonore, chantante, la voix dont certains gentilshommes crient : « Eh, garçon, mon thé! ma pipe! » ou autres choses de ce genre, la voix d'un fêtard ayant l'habitude du commandement.

— Que nous importe que ceux de Smolensk aient offert des miliciens à l'empereur! Est-ce à eux de nous faire la loi? Si l'illustre noblesse de Moscou le juge nécessaire, elle peut manifester son dévouement à l'empereur par d'autres moyens. Aurions-nous oublié la milice de l'an sept [1]? Seuls en ont tiré profit les fils de pope et les filous.

Le comte Ilia Andréiévitch approuvait de la tête avec un doux sourire.

— Nos miliciens ont-ils été de quelque utilité à l'empire?

D'aucune. Ils n'ont fait que nous ruiner. Mieux vaut encore le recrutement... Ceux qui nous reviennent ne sont ni des soldats ni des paysans, mais des propres à rien. Nous sommes prêts à donner notre vie, nous partirons tous tant que nous sommes et amènerons encore des recrues. Que l'empeur (c'est ainsi qu'il prononçait empereur) nous appelle et nous mourrons tous pour lui! conclut l'orateur de plus en plus excité.

Ilia Andréiévitch avalait sa salive de plaisir et poussait Pierre du coude. Mais Pierre eut envie de parler lui aussi.

Il s'avança sous le coup de l'inspiration, ne sachant pas lui-même ce qui le poussait à parler, ni ce qu'il allait dire. Mais à peine eût-il ouvert la bouche qu'il fut interrompu par un sénateur complètement édenté, au visage intelligent, qui visiblement mécontent se tenait près du marin. Habitué à mener les débats, il dit d'une voix sourde mais distincte :

— Je suppose, monsieur, que nous avons été convoqués ici non pas pour décider ce qui convient mieux au pays à l'heure présente, le recrutement ou la milice. Nous avons été convoqués pour répondre à l'appel dont nous a honorés Sa Majesté. Quant à savoir ce qui vaut mieux, le recrutement ou la milice, nous laisserons en décider l'autorité suprême.

Pierre trouva brusquement une issue à son excitation. La colère le saisit contre le sénateur qui imposait aux délibérations de la noblesse ses vues étroites de légiste. Il s'avança et lui coupa la parole. Il ignorait ce qu'il allait dire, mais il se mit à parler avec animation dans un russe livresque parsemé de termes français.

— Que Votre Excellence m'excuse, commença-t-il (Pierre connaissait fort bien ce sénateur, mais jugeait nécessaire de prendre ici avec lui un ton officiel)... Bien que je ne sois pas d'accord avec monsieur... (Pierre hésita : il avait voulu dire *mon très honorable préopinant*), avec monsieur... *que je n'ai pas l'honneur de connaître*, cependant je suppose que la noblesse est réunie ici non seulement pour manifester son dévouement et son enthousiasme, mais aussi pour délibérer des mesures que nous avons à prendre pour venir en aide à la patrie. Je suppose, poursuivit-il en s'animant, que l'empereur lui-même serait mécontent s'il ne trouvait en nous que les propriétaires des paysans que nous lui livrons et... que nous-mêmes... de la *chair à canon* et non des... conseillers...

Ce langage trop libre et le sourire méprisant du sénateur éloignèrent plusieurs personnes. Seul Ilia Andréiévitch se montrait satisfait du discours de Pierre comme il avait été satisfait de ceux du marin et du sénateur. et en général du dernier discours qu'il entendait.

— J'estime qu'avant d'examiner ces questions, continuait Pierre, nous devons demander à l'empereur, demander très respectueusement à Sa Majesté, de nous faire connaître le nombre de nos troupes, la situation dans laquelle elles se trouvent, et alors...

Mais Pierre ne put achever, car on tomba sur lui de trois côtés à la fois. Le plus violent de ses adversaires était Stépane Stépanovitch Adraksine, un joueur de boston qu'il connaissait et qui se montrait d'ordinaire bien disposé à son égard. Stépane Stépanovitch était en uniforme, et à cause de cela peut-être ou pour quelque autre raison, Pierre se trouva en face d'un autre homme. Le visage soudain contracté par une colère sénile, Stépane Stépanovitch cria :

— Tout d'abord, je vous dirai que nous n'avons pas le droit de demander cela à l'empereur. Et ensuite, que même si la noblesse russe disposait d'un tel droit, l'empereur ne pourrait pas nous répondre. Les mouvements des troupes dépendent des mouvements de l'ennemi et leur nombre diminue et augmente...

Une autre voix interrompit Adraksine, celle d'un homme de taille moyenne, âgé d'une quarantaine d'années, que Pierre avait rencontré dans le temps chez les Tsiganes et connaissait pour un piètre joueur. Transformé lui aussi par l'uniforme, il lança à Pierre :

— Oui, et ce n'est pas le moment de discuter. Il faut agir. L'ennemi est en Russie, il vient détruire la Russie, profaner les tombes de nos pères, enlever nos femmes et nos enfants! — L'homme se frappait la poitrine. — Nous nous dresserons tous, tous nous marcherons, tous derrière le tsar notre père! criait-il en roulant des yeux injectés de sang. Des voix s'élevèrent dans la foule pour l'approuver. — Nous autres Russes, nous verserons sans regret notre sang pour la défense de la foi, du tsar et de la patrie! Les rêveries, il faut les abandonner si nous sommes de vrais fils de la patrie. Nous montrerons à l'Europe comment la Russie combat pour la Russie!

Pierre voulut répliquer mais il ne put placer un mot; il sentait que le son même de ses paroles, indépendamment de leur sens, avait moins de résonance que le son des paroles du gentilhomme excité.

Ilia Andréiévitch, qui se tenait derrière le groupe, continuait d'approuver. Certains se tournaient résolument vers l'orateur et disaient à chacune de ses phrases :

— C'est ça, c'est ça ! C'est bien ça !

Pierre aurait voulu dire qu'il était prêt lui aussi à tous les sacrifices, en argent, en hommes, qu'il était prêt à donner sa propre vie, mais qu'il fallait connaître la situation pour apporter son aide. Mais il ne put s'exprimer. Trop de gens parlaient et criaient à la fois, de sorte qu'Ilia Andréiévitch n'avait plus le temps de les approuver tous. Le groupe s'élargissait, s'effritait, se reformait de nouveau et finalement s'ébranla tout entier dans le brouhaha et se dirigea vers la grande salle et la grande table. Non seulement Pierre ne réussissait pas à se faire entendre, il était grossièrement interrompu, repoussé; on se détournait de lui comme de l'ennemi commun : ce n'était pas qu'on fût mécontent de son discours — on l'avait complètement oublié après tous ceux qui l'avaient suivi — mais la foule en effervescence avait besoin d'un objet tangible d'amour et d'un objet tangible de haine; Pierre devint cet objet de haine. De nombreux orateurs parlèrent après le gentilhomme excité et tous sur le même ton; certains fort bien et de façon originale.

Le directeur du « Messager Russe », Glinka [1], que l'on reconnut (« L'écrivain, l'écrivain ! » entendit-on dans la foule), déclara qu'il fallait « combattre l'enfer par l'enfer », qu'il « avait vu un enfant sourire aux éclairs et aux roulements du tonnerre », mais que « nous ne serions pas cet enfant ».

— Oui, oui, aux roulements du tonnerre ! approuvait-on dans les derniers rangs.

La foule se dirigea vers la grande table où siégeaient dans leurs uniformes, la poitrine barrée de grand cordons, les hauts dignitaires septuagénaires, chauves ou chenus. Pierre les connaissait presque tous pour les avoir vus chez eux avec leurs bouffons, ou bien jouant au boston au Club. La foule bourdonnante s'approcha de la table. L'un après l'autre et parfois à deux voix, les orateurs discouraient, serrés par la foule qui les poussait contre les hauts dossiers des chaises : ceux qui se tenaient derrière notaient ce que l'orateur avait omis de dire et se hâtaient de compléter sa pensée. D'autres, dans cette chaleur et cette presse, se creusaient la tête pour en faire jaillir quelque idée qu'ils s'empressaient de proclamer. Les vieux dignitaires que connaissait Pierre portaient leurs regards de l'un à l'autre. Le visage de la plupart d'entre eux exprimait tout simplement qu'ils avaient très chaud. Pierre était ému cependant; le désir général de montrer que l'on ne reculerait devant rien, ce désir que révélaient bien plutôt la sonorité des voix et l'expression des visages que le sens des discours, se communiquait à lui. Il ne reniait pas ses idées, mais se sentait coupable de quelque chose et voulait se justifier.

— J'ai seulement dit que nos sacrifices seraient plus féconds si nous savions quels sont les besoins, dit-il en s'efforçant de crier plus fort que les autres.

Son plus proche voisin, un petit vieux, se tourna vers lui, mais fut aussitôt distrait par des exclamations à l'autre bout de la table.

— Oui, Moscou sera livrée! Elle sera notre rédemption! criait l'un.

— Il est l'ennemi du genre humain! criait un autre. Laissez-moi parler!... Messieurs, vous m'écrasez!...

XXIII

A ce moment, le comte Rostoptchine portant l'uniforme de général et le grand cordon, entra d'un pas alerte, le menton saillant, les yeux vifs. La foule lui livra passage.

— L'empereur sera ici dans un instant, dit-il. Je viens du palais. Je suppose que dans la situation où nous nous trouvons, il n'y a pas à délibérer longuement. L'empereur a daigné nous convoquer, nous et les marchands. De là, — il désigna la salle des marchands, — couleront des millions. Notre affaire à nous est de fournir la milice et de ne pas nous ménager nous-mêmes... C'est le moins que nous puissions faire.

Les dignitaires assis à la table se mirent à délibérer. Après le récent brouhaha, cette délibération qui se déroulait plus que calmement produisait une morne impression; on entendait les vieilles voix dirent l'une après l'autre : « Je suis d'accord », ou bien, pour varier : « Je suis du même avis », et ainsi de suite.

Le secrétaire reçut l'ordre d'inscrire la résolution, à savoir que la noblesse de Moscou, à l'exemple de celle de Smolensk, donnait dix hommes sur mille âmes avec leur équipement complet. Puis, dans le fracas des chaises repoussées, ces messieurs se levèrent visiblement soulagés et se répandirent dans la salle pour se dégourdir les jambes, certains se prenant par le bras et causant.

— L'empereur! L'empereur! cria-t-on soudain, et tout le monde se précipita vers l'entrée.

L'empereur s'avança entre la double haie des nobles qui lui laissaient un large passage. Sur tous les visages se lisait une curiosité respectueuse et craintive. Pierre se trouvait assez loin et ne put saisir complètement le discours du souverain; il comprit seulement d'après ce qu'il entendait que l'empereur parlait du péril que courait l'empire et des espoirs qu'il fondait sur la noblesse de Moscou. Quelqu'un répondit et lui communiqua la résolution qui venait d'être rédigée.

— Messieurs, commença d'une voix tremblante l'empereur.

Un frémissement parcourut la foule, puis le silence retomba. Et Pierre entendit distinctement la voix si émouvante et séduisante d'Alexandre qui disait :

— Je n'ai jamais douté du zèle de la noblesse russe; mais en ce jour, je vous remercie au nom de la patrie. Messieurs, passons à l'action, le temps est précieux.

L'empereur se tut, la foule l'entoura et des acclamations enthousiastes jaillirent de tous côtés.

— Oui, plus précieux que tout... la parole de l'empereur, disait en sanglotant dans les derniers rangs Ilia Andréiévitch qui n'entendait rien mais comprenait tout à sa façon.

De la salle de la noblesse l'empereur passa dans celle des marchands. Il y demeura une dizaine de minutes. Pierre et les autres le virent revenir les yeux humides d'émotion. Comme on l'apprit plus tard, à peine l'empereur se fut-il adressé aux marchands que des larmes avaient jailli de ses yeux, et il avait terminé d'une voix tremblante. Quand Pierre l'aperçut, il était accompagné de deux marchands; Pierre connaissait l'un d'eux, un gros fermier des eaux-de-vie; l'autre, le visage maigre et jaune, la barbe en pointe, était le prévôt des marchands. Tous deux pleuraient, mais les larmes du maigre embuaient ses yeux, tandis que le gros sanglotait comme un enfant et ne cessait de répéter :

— Et ma vie et mes biens, prends tout, Votre Majesté!

Pierre à cet instant n'avait d'autre désir que de prouver que rien ne comptait pour lui et qu'il était prêt à tout sacrifier. Il se reprochait le libéralisme de son discours et cherchait l'occasion de se racheter. Ayant appris que le comte Mamonov offrait un régiment, il déclara aussitôt à Rostoptchine qu'il donnait mille hommes et se chargeait de leur entretien.

Le vieux Rostov ne put s'empêcher de pleurer en racontant à sa femme ce qui s'était passé, et cédant aux instances de Pétia il alla lui-même le faire inscrire.

Le lendemain, l'empereur partit. Tous ceux qui avaient assisté à l'assemblée de la noblesse enlevèrent leur uniforme, retournèrent à leurs occupations habituelles chez eux ou au Club, et tout en grommelant, surpris eux-mêmes de ce qu'ils avaient fait, donnèrent l'ordre à leur intendant de réunir des miliciens.

DEUXIÈME PARTIE

I

Napoléon avait entrepris la campagne de Russie parce qu'il ne pouvait pas ne pas venir à Dresde, parce qu'il ne pouvait pas ne pas y être grisé par les honneurs, ne pouvait pas ne pas revêtir l'uniforme polonais, ne pas céder à l'excitation d'une belle matinée de juin, ne pas s'abandonner à la colère en présence de Kourakine, puis de Balachov.

Alexandre s'était refusé à tous pourparlers parce qu'il se sentait personnellement offensé. Barclay de Tolly s'efforçait de commander l'armée de son mieux pour accomplir son devoir et mériter le renom d'un grand capitaine. Rostov s'était lancé à l'attaque contre les Français parce qu'il n'avait pu résister à l'envie de galoper en rase campagne. Et c'est exactement ainsi qu'agissaient selon leur nature, leurs habitudes, leurs desseins, les conditions dans lesquelles ils se trouvaient, les innombrables individus qui prenaient part à cette guerre. Ils avaient peur, faisaient des embarras, se réjouissaient, s'indignaient, raisonnaient, croyant savoir ce qu'ils faisaient et persuadés qu'ils le faisaient dans leur propre intérêt, et tous n'étaient que les instruments inconscients de l'histoire et accomplissaient une œuvre qui leur était cachée mais que nous comprenons. Tel est le sort invariable de tous les hommes d'action qui sont d'autant moins libres qu'ils occupent une place élevée dans la hiérarchie sociale.

Les acteurs de l'an 1812 ont depuis longtemps quitté la scène. Les intérêts personnels qu'ils poursuivaient ont disparu sans laisser de trace et seuls subsistent pour nous les résultats historiques de cette époque. Mais si nous admettons que les habitants de l'Europe DEVAIENT s'enfoncer, sous la conduite de Napoléon, au cœur de la Russie et y périr, toute la conduite contradictoire, absurde et cruelle de ceux qui ont participé à cette guerre nous devient compréhensible.

La Providence contraignait chacun de ces hommes à contribuer, tout en poursuivant ses buts personnels, à la réalisation d'un immense dessein dont aucun d'eux (ni Napoléon, ni Alexandre, ni moins encore l'un quelconque des combattants) n'avait la moindre idée.

Aujourd'hui, nous voyons clairement les causes qui provoquèrent la perte des armées françaises en 1812. Personne ne mettra en doute qu'elle fut due, d'une part, à ce qu'elles s'enfoncèrent en Russie sans s'être préparées à une campagne d'hiver alors que la saison était déjà avancée et, d'autre part, au caractère que prit la guerre du fait de l'incendie des villes russes et de l'exaspération dans le peuple de la haine de l'ennemi. Mais alors non seulement personne ne prévoyait (ce qui à présent semble évident) que c'est uniquement ainsi que pouvait être anéantie la meilleure de toutes les armées, forte de huit cent mille hommes, sous la conduite du meilleur chef militaire, aux prises avec une armée deux fois plus faible, sans expérience et conduite par des chefs inexpérimentés; NON SEULEMENT PERSONNE N'AVAIT PRÉVU CELA, mais tous les efforts, DU COTÉ RUSSE, visaient constamment à faire obstacle aux seules mesures susceptibles de sauver la Russie, et DU COTÉ FRANÇAIS, en dépit de l'expérience et de ce qu'on appelle le génie militaire de Napoléon, tous les efforts tendaient à atteindre à la fin de l'été Moscou, c'est-à-dire à faire précisément ce qui devait entraîner la perte de l'armée française.

Dans leurs ouvrages sur 1812, les auteurs français se complaisent à souligner que Napoléon se rendait compte du danger que présentait l'allongement de ses lignes de communication, qu'il cherchait la bataille décisive, que ses maréchaux lui conseillaient de s'arrêter à Smolensk; ces historiens avancent d'autres faits encore destinés à prouver qu'on avait déjà conscience du danger. De leur côté, les historiens russes prétendent avec plus de complaisance encore qu'il existait dès le début de la campagne un plan de guerre « à la scythe », qui consistait à attirer Napoléon au cœur de la Russie, et ils attribuent ce plan, les uns à Pfuhl, d'autres à un certain Français, où à Toll ou à l'empereur Alexandre lui-même, en se référant à des notes, des projets, des lettres où il est fait effectivement allusion à une guerre de ce genre. Mais aussi bien du côté français que du côté russe, il n'est fait état aujourd'hui de ces allusions que parce que les événements les ont justifiées. Si l'événement ne s'était pas produit, ces allusions eussent été oubliées, comme sont oubliées aujourd'hui des milliers et des milliers d'allusions et de propositions opposées qui circulaient alors, mais se sont trouvées fausses et en conséquence ont été oubliées. On fait tant de suppositions sur l'issue d'un événement, que de quelque façon qu'il se termine il se trouve toujours des gens pour déclarer : « Je vous l'avais bien dit », oubliant complètement que parmi les innombrables suppositions il y en avait aussi d'absolument opposées.

La conscience qu'aurait eue Napoléon de l'allongement dangereux de ses lignes de communication, l'intention qu'auraient eue les Russes d'attirer l'ennemi au fond de la Russie, appartiennent évidemment à ce genre de suppositions, et il faut beaucoup de bonne volonté aux historiens pour attribuer de telles considérations à Napoléon ou à ses maréchaux, et de tels plans aux chefs militaires russes. Tous les faits démentent ces hypothèses. Tout au long de la campagne, les Russes non seulement ne cherchèrent nullement à attirer les Français à l'intérieur du pays, mais ils s'efforcèrent de les arrêter dès leur première avance; quant à Napoléon, non seulement il ne craignait pas l'allongement de ses lignes, mais il se réjouissait comme d'un grand succès de chaque pas en avant et ne cherchait la bataille décisive que très mollement, contrairement à sa façon d'agir au cours des campagnes précédentes.

Dès le début de la guerre nos armées sont coupées et nous n'avons d'autre but que d'opérer leur jonction; et cependant, si nous avions voulu attirer l'ennemi à l'intérieur du pays, la réunion des deux armées n'offrait aucun avantage. L'empereur est à l'armée pour l'encourager à défendre chaque pouce de la terre russe et non pour assister à sa retraite. On organise un immense camp sur la Drissa conformément au plan de Pfuhl et on ne songe pas à reculer au-delà. L'empereur fait des reproches au haut commandement pour chaque pas en arrière. Il ne peut lui venir à l'esprit non seulement qu'on incendie Moscou mais qu'on abandonne Smolensk. Et quand les armées opèrent leur jonction, il s'indigne qu'on n'ait pas livré bataille devant Smolensk et que cette ville ait été prise et brûlée par l'ennemi sans qu'on se fût battu sous ses murs.

Ainsi pense l'empereur; mais nos chefs militaires et tous

les Russes en général sont encore plus indignés de voir nos troupes battre en retraite.

Ayant coupé nos armées, Napoléon pénètre à l'intérieur du pays et laisse échapper plusieurs occasions de livrer bataille. Au mois d'août, il est à Smolensk et il ne songe qu'a aller de l'avant alors que cette avance, nous le voyons maintenant, doit lui être fatale.

Les faits prouvent avec évidence que Napoléon ne prévoyait pas les dangers que présentait la marche sur Moscou et que, de leur côté, Alexandre et ses généraux ne songeaient pas à attirer Napoléon mais voulaient au contraire arrêter son offensive. Napoléon n'a pas été attiré au fond du pays conformément à un plan (personne ne croyait que la chose fût possible) mais par suite d'un jeu des plus compliqué d'intrigues, de projets, de désirs des hommes engagés dans la guerre, qui ne se doutaient pas de ce qui allait arriver et quelle était l'unique chance de salut de la Russie. Tout s'est produit fortuitement. Les armées sont coupées en deux dès le début de la campagne. Nous cherchons à ce qu'elles se rejoignent dans le but évident de livrer bataille et d'arrêter l'ennemi; mais en cherchant à opérer cette jonction tout en évitant le combat contre un ennemi très supérieur, et en reculant malgré nous sous un angle aigu, nous amenons les Français à Smolensk. Mais il est peu de dire que nous reculons sous un angle aigu parce que les Français avancent entre les deux armées : cet angle devient encore plus aigu et nous reculons encore plus loin, parce que Barclay de Tolly, cet étranger impopulaire [1], est haï de Bagration, le commandant de la deuxième armée, qui doit lui être subordonné et essaye de retarder autant que possible sa jonction avec Barclay pour ne pas se trouver sous ses ordres. Bagration tarde à le rejoindre (bien que la réunion des deux armées soit le but essentiel du haut commandement) parce qu'il considère qu'en opérant ce mouvement il expose dangereusement ses troupes et qu'il lui est plus avantageux d'obliquer plus à gauche et plus au Sud en harcelant le flanc et les arrières de l'ennemi, et de compléter les effectifs de son armée en Ukraine. Or il semble bien qu'il avait trouvé ce prétexte parce qu'il ne voulait pas être subordonné à l'étranger Barclay qu'il haïssait et qui était plus jeune que lui.

L'empereur est à l'armée pour lui donner courage; cependant sa présence, ses hésitations, la multitude des conseillers et des plans d'action détruisent la puissance offensive de la première armée, et elle bat en retraite.

On se propose de s'arrêter dans le camp de la Drissa; mais soudain l'énergie de Paulucci qui vise le commandement suprême agit sur Alexandre, le plan de Pfuhl est rejeté et toute l'affaire confiée à Barclay de Tolly. Pourtant, comme Barclay n'inspire pas confiance, on limite ses pouvoirs. Les armées sont fractionnées, il n'y a pas d'unité de commandement, Barclay est impopulaire. Mais ce désordre, ce fractionnement, cette impopularité du commandant en chef étranger ont pour conséquence, d'une part, l'indécision et le refus de livrer bataille (bataille qu'on n'aurait pu s'empêcher de livrer si les armées s'étaient rejointes et si Barclay n'avait pas été général en chef), et, d'autre part, l'indignation de plus en plus violente contre les étrangers et l'exaltation du sentiment patriotique.

Enfin l'empereur quitte l'armée et le seul prétexte commode qu'on trouve pour expliquer son départ, c'est qu'il doit éveiller l'esprit de résistance des capitales pour entraîner tout le peuple dans la guerre... Et le séjour d'Alexandre à Moscou triple la force des armées.

L'empereur quitte l'armée pour ne pas compromettre l'autorité du commandant en chef et il espère que l'on va entreprendre une action décisive; mais la situation du haut commandement devient plus confuse encore et son autorité s'affaiblit. Bennigsen, le grand-duc et tout un essaim de généraux aides de camp restent sur place pour surveiller le généralissime et aiguillonner son énergie, et Barclay se sentant moins libre encore sous le contrôle des « yeux de l'empereur », se montre encore plus prudent et évite le combat.

Barclay est partisan de la prudence; le grand-duc héritier parle à mots couverts de trahison et réclame une bataille décisive. Lubomirski, Bronicki, Wlocki, d'autres encore grossissent à tel point ces rumeurs que Barclay, sous prétexte de faire parvenir des documents à l'empereur, renvoie les généraux polonais à Pétersbourg et entre en lutte ouverte contre Bennigsen et le grand-duc.

Enfin, en dépit des répugnances de Bagration, les deux armées opèrent leur jonction à Smolensk. Bagration arrive en calèche à la maison qu'occupe Barclay. Celui-ci met son écharpe, s'avance à la rencontre de Bagration, plus ancien en grade, et lui présente son rapport. Bagration ne veut pas être en reste avec lui dans cet assaut de générosité et se place sous ses ordres, mais il est plus que jamais en désaccord avec le commandant en chef, et il adresse directement ses rapports à l'empereur conformément

aux ordres que lui a donnés celui-ci. Bagration écrit à Araktchéiev : « Que mon souverain me pardonne, mais il m'est impossible de m'entendre avec le " ministre " (Barclay). Au nom du
Ciel, envoyez-moi commander quelque part, ne fût-ce qu'un régiment. Je ne puis rester ici; le quartier général est rempli d'Allemands, à tel point qu'un Russe ne peut y respirer, et il n'en sort
rien de bon. Je croyais servir vraiment l'empereur et la patrie,
or il se trouve qu'en réalité je sers Barclay. J'avoue que je ne le
veux pas ». L'essaim des Bronicki, Wintzingerode et autres enve-
nime encore davantage les relations entre les deux généraux et
l'unité du haut commandement est plus compromise que jamais.
On se propose d'attaquer les Français devant Smolensk et l'on
charge un général d'étudier la position. Ce général qui déteste
Barclay, se rend chez son ami, un commandant de corps, passe
chez lui la journée, retourne auprès de Barclay et soumet à une
critique sévère le futur champ de bataille qu'il n'a pas vu.

Tandis que discussions et intrigues au sujet du futur champ
de bataille vont leur train, tandis que nous cherchons les Français et nous trompons sur la position qu'ils occupent, les Français
se heurtent à la division Névérovsky et arrivent sous les murs
mêmes de Smolensk.

Force est d'accepter une bataille imprévue à Smolensk pour
savegarder nos communications. La bataille a lieu. Des milliers
d'hommes sont tués de part et d'autre.

Smolensk est abandonné à l'encontre de la volonté de l'empereur et de la nation tout entière. Mais Smolensk est incendié par
ses habitants eux-mêmes, trompés par le gouverneur de la ville,
et les habitants ruinés, qui vont servir d'exemple aux autres
Russes, gagnent Moscou ne pensant qu'à ce qu'ils ont perdu et
attisent dans le peuple la haine de l'ennemi. Napoléon continue
à avancer, nous reculons et c'est ainsi précisément qu'est atteinte
cette situation qui devait entraîner la défaite de Napoléon.

II

Le lendemain du départ de son fils, le prince Nicolas Andréiévitch fit venir la princesse Marie.

— Alors, te voilà satisfaite maintenant? lui dit-il. Tu m'as
brouillé avec mon fils! Tu es contente? C'est tout ce que tu
voulais! Contente?... Moi, cela me fait mal, très mal. Je suis

vieux et faible, mais toi, tu le voulais... Eh bien, réjouis-toi, réjouis-toi !...

Après cela, la princesse Marie ne vit plus son père de toute la semaine... Il était malade et ne quittait pas son cabinet.

La princesse Marie remarqua avec étonnement que pendant sa maladie le vieillard n'admit pas non plus chez lui Mlle Bourienne ; Tikhone seul le soignait.

Au bout de huit jours, le prince sortit de sa chambre et reprit ses anciennes habitudes, s'occupant avec une ardeur particulière de ses constructions et de ses jardins ; il mit fin cependant à ses relations avec Mlle Bourienne. L'air et le ton froid qu'il prenait en s'adressant à sa fille semblaient dire : « Tu vois, tu m'as calomnié, tu as menti à mon fils au sujet de mes rapports avec cette Française et tu m'as brouillé avec lui, et tu vois bien que je n'ai besoin ni de toi ni de la Française. »

La princesse Marie passait la moitié de ses journées avec Nicolouchka, surveillant ses leçons, lui apprenant elle-même le russe, lui enseignant la musique et s'entretenant avec Dessales. Elle consacrait le reste du temps à la lecture, à sa vieille nourrice et aux hommes de Dieu qui de temps à autre venaient la voir en passant par l'entrée de service.

A la guerre, la princesse Marie pensait comme y pensent les femmes. Elle avait peur pour son frère qui était là-bas ; elle était horrifiée, ne la comprenant pas, de la cruauté des hommes qui les pousse à s'entretuer ; mais elle ne comprenait pas le sens de cette guerre qui lui semblait pareille à toutes les guerres ; elle ne comprenait pas sa signification, et cependant Dessales, son interlocuteur habituel qui s'intéressait passionnément au déroulement des opérations, essayait de lui expliquer les choses, et les hommes de Dieu lui rapportaient avec épouvante, chacun à sa façon, les rumeurs populaires sur l'avance de l'Antéchrist, tandis que Julie, à présent princesse Droubetskoï, qui avait recommencé à correspondre avec elle, lui adressait de Moscou des lettres patriotiques.

« Je vous écris en russe, ma chère amie, disait Julie, parce que j'ai en haine tous les Français et aussi leur langue que je ne peux plus entendre parler... Tous à Moscou, nous brûlons d'enthousiasme pour notre empereur adoré.

« Mon pauvre mari supporte la faim et maints ennuis dans les auberges juives, mais les nouvelles que je reçois m'enflamment encore davantage.

« Vous avez sans doute entendu parler de l'exploit héroïque

de Raïevsky qui embrassa ses deux fils et dit : " Je périrai avec eux mais nous ne fléchirons pas. " Et en effet, bien que l'ennemi fût deux fois plus fort que nous, nous n'avons pas fléchi. Nous passons le temps comme nous pouvons; mais à la guerre comme à la guerre. La princesse Aline et Sophie me tiennent compagnie des journées entières et, pauvres veuves de maris vivants, nous menons d'admirables conversations tout en faisant de la charpie. Vous seule nous manquez, mon amie », etc.

Si la princesse Marie ne comprenait pas toute l'importance de cette guerre, c'était surtout parce que son père n'en parlait jamais; il voulait l'ignorer et se moquait à table de Dessales qui, lui, au contraire, en parlait. Le ton du vieux prince était alors si calme et assuré que la princesse lui faisait confiance sans raisonner.

Pendant tout le mois de juillet il se montra très actif, animé même; il entreprit de nouvelles plantations et fit bâtir un nouveau corps de logis destiné aux domestiques. Ce qui inquiétait pourtant la princesse Marie, c'est qu'il dormait peu et qu'au lieu de coucher dans son cabinet comme il l'avait toujours fait, il changeait de chambre toutes les nuits : tantôt il se faisait dresser un lit de camp dans la galerie, tantôt il s'installait sur le divan ou dans le fauteuil Voltaire du salon et y sommeillait sans se déshabiller tandis que le petit domestique Pétroucha, qui remplaçait maintenant Mlle Bourienne, lui faisait la lecture. Parfois aussi il couchait dans la salle à manger.

Le premier août, il reçut la seconde lettre de son fils. Dans la première, parvenue peu après le départ du prince André, celui-ci demandait humblement pardon à son père des paroles qu'il s'était permis de lui dire et le priait de lui rendre ses bonnes grâces. Le vieux prince avait répondu par une lettre affectueuse et à partir de ce moment il avait tenu Mlle Bourienne à l'écart. La seconde lettre, expédiée des environs de Vitebsk, après son occupation par les Français, décrivait brièvement la situation militaire avec un plan à l'appui et contenait quelques considérations sur le développement des événements. Le prince André représentait également à son père les inconvénients qu'entraînait la proximité de Lyssya Gory du théâtre des opérations, sur la ligne même de repli des troupes, et il lui conseillait de partir pour Moscou.

A dîner ce jour-là, comme Dessales disait que le bruit s'était répandu de l'entrée des Français à Vitebsk, le vieux prince se souvint de la lettre de son fils.

— J'ai reçu une lettre du prince André aujourd'hui, dit-il à la princesse Marie. Tu ne l'as pas lue?

— Non, *mon père*, répondit la princesse intimidée. Elle n'avait pu lire une lettre dont elle ignorait même l'existence.

— Il parle de leur guerre, dit le vieillard avec ce sourire méprisant qu'il arborait. toujours aussitôt qu'on touchait à ce sujet.

— Ce doit être très intéressant, dit Dessales. La situation du prince lui permet...

— Ah, très intéressant, intervint Mlle Bourienne.

— Apportez-la moi, dit le prince à Mlle Bourienne. Sur la petite table, vous savez, sous le presse-papier.

Mlle Bourienne se leva vivement, toute contente.

— Ah, non! s'écria le vieillard, le visage brusquement rembruni. Vas-y, toi, Mikhaïl Ivanytch.

Mikhaïl Ivanytch se leva et sortit, mais à peine fut-il sorti que le vieillard promenant autour de lui des regards inquiets, jeta sa serviette et le suivit.

— On ne sait rien faire, on embrouillerait tout, dit-il.

En son absence, la princesse Marie, Dessales, Mlle Bourienne et Nicolouchka lui-même se regardaient en silence. Il revint d'un pas pressé accompagné de Mikhaïl Ivanytch, avec la lettre et le plan qu'il posa à côté de lui et ne fit lire à personne jusqu'à la fin du repas.

Quand on passa au salon, il remit la lettre à sa fille et lui dit de la lire à haute voix tandis que lui-même ne quittait pas des yeux le plan de la nouvelle construction qu'il avait étalé devant lui. Ayant lu la lettre, la princesse Marie regarda son père d'un regard interrogateur. Il considérait le plan, visiblement plongé dans ses réflexions.

— Que pensez-vous de cela, prince? se permit de demander Dessales.

— Moi? Moi? répondit le vieillard comme s'il sortait péniblement d'un rêve et sans quitter le plan des yeux.

— Il est fort possible que le théâtre des opérations se rapproche à tel point de nous que...

— Ha-ha-ha! Le théâtre des opérations! s'exclama le prince. J'ai dit et je répète encore que le théâtre des opérations, c'est la Pologne et que l'ennemi ne pénétrera jamais au-delà du Niémen.

Dessales regarda avec étonnement le prince qui parlait du Niémen alors que l'ennemi était déjà sur le Dniéper, mais la princesse Marie qui avait oublié la position géographique du Niémen crut que son père disait vrai.

— A la fonte des neiges, ils se noieront dans les marais polonais, reprit le prince, pensant évidemment à la campagne de 1807 qui lui semblait toute récente. — Ils sont seuls à ne pas le voir, mais Bennigsen aurait dû entrer plus tôt en Prusse; l'affaire aurait pris alors une tout autre tournure.

— Mais, prince, dit timidement Dessales, dans la lettre il s'agit de Vitebsk.

— Hein? Dans la lettre?... Oui, dit le vieillard d'un air mécontent. Oui... Oui... — Son visage devint soudain sombre. Il garda un moment le silence. — Oui, il écrit : les Français ont été défaits. Près de quel fleuve?

Dessales baissa les yeux.

— Le prince ne dit rien de cela, fit-il à mi-voix.

— Il n'en dit rien? Pourtant, je ne l'ai pas inventé.

Il y eut un long silence.

— Oui... Oui... Allons, Mikhaïl Ivanytch, dit brusquement le vieux prince en levant la tête et en désignant le plan de la construction, raconte un peu comment tu veux transformer cela...

Mikhaïl Ivanytch s'approcha et après avoir échangé avec lui quelques propos au sujet de la construction, le prince jeta un regard irrité à sa fille et à Dessales et retourna chez lui.

La princesse avait remarqué la gêne et l'étonnement avec lesquels Dessales avait considéré le vieillard, elle avait remarqué son silence et était stupéfaite que son père eût oublié la lettre du prince André dans le salon sur la table; mais elle avait peur non seulement d'interroger Dessales sur les raisons de sa gêne et de son silence, mais d'y penser même.

Vers le soir, Mikhaïl Ivanytch envoyé par le prince vint chercher chez la princesse Marie la lettre oubliée dans le salon. Elle la lui remit. Bien que cela lui fût désagréable, elle se permit de demander à Mikhaïl Ivanytch ce que faisait son père.

— Il se tracasse toujours, répondit Mikhaïl Ivanytch avec un sourire respectueux teinté d'ironie, qui fit pâlir la princesse. Le nouveau corps de logis le préoccupe beaucoup. Il a un peu lu, et maintenant, ajouta Mikhaïl Ivanytch en baissant la voix, il est à son bureau, il doit s'occuper de son testament (les derniers temps une des occupations favorites du prince consistait à mettre en ordre les papiers qu'il voulait laisser après sa mort et qu'il appelait son testament).

— Et Alpatytch? Est-il vrai qu'on l'envoie à Smolensk? demanda la princesse.

— Comment donc! Il attend depuis longtemps.

III

Quand Mikhaïl Ivanytch revint avec la lettre, le prince était assis devant son bureau ouvert, le nez chaussé de lunettes, un abat-jour sur le front; il lisait des papiers qu'il tenait à la main très loin de son visage dans une pose quelque peu solennelle. C'était ses notes, comme il disait, qui après son décès devaient être remises à l'empereur.

Mikhaïl Ivanytch le trouva les larmes aux yeux au souvenir du temps où il écrivait ce qu'il lisait à présent. Il prit la lettre des mains de Mikhaïl Ivanytch, la mit dans sa poche, rangea ses papiers et fit appeler Alpatytch qui attendait déjà depuis longtemps.

Il avait inscrit sur une feuille de papier ce qu'il fallait acheter à Smolensk et tout en arpentant la pièce il donnait ses instructions à Alpatytch debout sur le seuil.

— En premier, du papier à lettre, tu entends? Huit mains, d'après ce modèle, à tranches dorées... qu'il soit exactement conforme au modèle. Du vernis, de la cire à cacheter, selon la note de Mikhaïl Ivanytch.

Il fit quelques pas et consulta son calepin.

— Ensuite tu remettras en main propre au gouverneur la lettre relative à la milice.

Il fallait encore des verrous pour les portes du nouveau bâtiment, qui devaient être du modèle qu'avait inventé le prince lui-même. Puis commander une boîte spéciale pour ranger le testament.

Les instructions à Alpatytch prirent plus de deux heures; le prince ne le lâchait toujours pas. Finalement, il s'assit, s'abandonna à ses pensées et ayant fermé les yeux, s'assoupit. Alpatytch fit un mouvement.

— Eh bien, va, va! S'il faut encore quelque chose, je te le ferai dire.

Alpatytch sortit. Le prince revint à son bureau et ayant jeté un coup d'œil à l'intérieur et tâté quelques papiers, il le ferma à clef et s'assit à sa table pour écrire la lettre au gouverneur.

Il était tard déjà lorsqu'ayant cacheté la lettre il se leva. Il avait sommeil, mais il savait qu'il ne s'endormirait pas, que les pensées les plus pénibles lui venaient toujours au lit. Il appela Tikhone et se mit à parcourir avec lui les différentes pièces, à la recherche de celle où l'on dresserait son lit pour cette nuit. Il examinait minutieusement chaque petit coin.

Rien ne lui convenait. Mais le pis, c'était encore le divan habituel dans le cabinet. Ce divan l'épouvantait, en raison sans doute des sombres pensées qu'il y avait tellement remuées. Rien ne convenait; le mieux, tout de même, était encore ce petit coin dans le fumoir, derrière le piano; il n'y avait jamais dormi.

Aidé d'un valet, Tikhone apporta le lit et l'installa.

— Pas ainsi! Pas ainsi! s'écria le prince et il écarta légèrement le lit du mur puis l'en rapprocha de nouveau.

« Allons, j'ai fait tout ce qu'il fallait, je vais maintenant me reposer », se dit-il et il laissa Tikhone le déshabiller.

Grimaçant de dépit sous l'effort qu'il devait faire pour enlever son caftan et sa culotte, il s'affaissa enfin lourdement sur le lit et parut réfléchir en considérant avec mépris ses jambes jaunes et décharnées. Il ne réfléchissait pas, il hésitait devant l'effort qu'il lui fallait encore faire pour soulever ses jambes et s'étendre. Serrant les lèvres, il fit cet effort pour la vingt millième fois. — « Oh, que c'est pénible! Oh, si seulement tout cela pouvait bientôt finir et si vous pouviez me laisser partir! » songeait-il. Mais à peine se fut-il allongé que le lit se mit subitement à osciller sous lui en avant et en arrière, comme s'il respirait lourdement et le poussait. Cela se produisait presque toutes les nuits. Il ouvrit les yeux, déjà mi-clos.

— Pas moyen d'avoir la paix! Les maudits! grommela-t-il furieux contre on ne sait qui. « Oui, oui, il y avait encore quelque chose d'important, de très important, que j'avais gardé pour y réfléchir la nuit, au lit... Les verrous? Non, j'en ai parlé. C'est quelque chose qui s'est passé au salon. La princesse Marie disait des sottises... Dessales, cet imbécile, disait lui aussi... Dans ma poche, quelque chose, je ne me souviens plus... »

— Tichka! De quoi a-t-on parlé à dîner?

— Du prince Mikhaïl...

— Tais-toi! Tais-toi! — Le vieillard frappa la table de la main.

— Je sais, la lettre du prince André. La princesse Marie lisait, Dessales a parlé de Vitebsk... Je vais la lire maintenant.

Il fit prendre la lettre dans sa poche et approcher du lit le guéridon avec la limonade et la bougie torsadée sous un abat-

113

jour vert, chaussa ses lunettes et se mit à lire. Alors seulement, dans le silence de la nuit, sous la faible lumière, il comprit pour la première fois, la durée d'un instant, la portée de cette lettre.

« Les Français à Vitebsk, en quatre étapes ils peuvent être à Smolensk. Peut-être y sont-ils déjà. » — Tichka! — Tikhone sursauta. — Non, rien, rien!

Il glissa la lettre sous le bougeoir et ferma les yeux. Et voilà le Danube, un soleil éclatant, des roseaux, le camp russe. Il entre, — lui, jeune général, sans une ride, alerte, gai, le teint vermeil —, il entre sous la tente richement décorée de Potemkine [1], et aussi violent qu'alors un sentiment cuisant de jalousie à la vue du favori le bouleverse. Et il se rappelle chacune des paroles qui furent échangées lors de cette première entrevue avec Potemkine. Et il voit une petite femme corpulente, au gras visage jaunâtre, notre mère l'impératrice; ses sourires, les paroles gracieuses qu'elle eut pour lui en le recevant la première fois; et il revoit ce même visage sur le catafalque, l'altercation devant le cercueil avec Zoubov [1] qui voulait baiser la main de l'impératrice avant lui.

« Ah, revenir vite, vite, à ce temps, et que le présent disparaisse au plus vite! Et qu'ils me laissent tranquille! »

IV

Lyssya Gory, le domaine du prince Nicolas Andréiévitch Bolkonsky, était situé à trois verstes de la route de Moscou à Smolensk et à soixante verstes de cette ville.

Tandis que le prince donnait ses ordres à Alpatytch, Dessales demanda à voir la princesse Marie. Comme le prince, lui dit-il, n'était pas tout à fait bien portant et ne prenait aucune disposition pour sa sécurité, et que d'après la lettre du prince André le séjour à Lyssya Gory présentait évidemment un certain danger, il lui conseillait respectueusement d'écrire elle-même et d'envoyer à Smolensk par Alpatytch une lettre au gouverneur en le priant de l'informer de la situation et dans quelle mesure il était dangereux de rester à Lyssya Gory : Dessales rédigea cette lettre, la princesse Marie la signa et Alpatytch reçut l'ordre de la remettre au gouverneur et de rentrer au plus vite en cas de danger.

Muni de toutes les instructions, Alpatytch accompagné des gens de sa famille, coiffé d'un chapeau de castor blanc (cadeau de son maître) et une canne à la main, à l'exemple du prince, se dirigea vers la petite kibitka à capote de cuir, attelée d'une troïka de rouans bien nourris.

La clochette était attachée et les grelots enveloppés de papier. Conformément aux ordres du prince, personne à Lyssya Gory ne pouvait en faire usage. Mais Alpatytch aimait à entendre clochettes et grelots en voyage. Toute la cour d'Alpatytch, — le commis, le comptable, la cuisinière des maîtres, celle des serviteurs, deux vieilles femmes, le galopin, les cochers, d'autres encore —, le conduisirent jusqu'à la voiture.

Sa fille plaça sous lui et derrière son dos des coussins de duvet recouverts d'indienne; une petite vieille, sa belle-sœur, y glissa discrètement un paquet. Un des cochers l'aida à monter en voiture en le soutenant sous le bras.

— Allons, allons! Remue-ménage de bonne femme que tout ça! Ah, les femmes, les femmes! grommela Alpatytch en soufflant bruyamment, exactement comme le prince, et il s'installa dans la kibitka.

Ayant donné au commis ses dernières instructions au sujet des travaux, Alpatytch, cette fois n'imitant plus le prince, découvrit sa tête chauve et se signa trois fois.

— Si quelque chose... revenez, Iakov Alpatytch. Au nom du Christ, ayez pitié de nous! lui cria sa femme, faisant allusion aux rumeurs qui couraient sur l'avance de l'ennemi.

— Les femmes, les femmes! Remue-ménage de bonnes femmes! murmura Alpatytch et la voiture démarra. Il parcourait du regard les champs, ici de seigle déjà jaunissant, là d'épaisse avoine encore verte, d'autres encore noirs, préparés pour le labour.

Alpatytch se réjouissait de la récolte exceptionnelle que promettaient cette année les blés de printemps, il considérait attentivement les bandes de seigle qu'on commençait çà et là de moissonner, se livrait à des supputations sur les semailles et se demandait s'il se rappelait bien les ordres de son maître.

S'étant arrêté deux fois en cours de route pour faire manger les chevaux, il arriva à Smolensk le 4 août vers le soir.

En chemin, il avait rencontré et dépassé des convois et des troupes. En s'approchant de Smolensk il avait entendu au loin des coups de feu, mais ces sons ne l'avaient pas frappé. Ce qui le frappa ce fut aux abords de la ville la vue d'un splendide champ d'avoine que des soldats qui y bivouaquaient fauchaient pour en nourrir évidemment leurs chevaux. Ce spectacle frappa

115

Alpatytch, mais il l'oublia bien vite, absorbé qu'il était par sa mission.

Depuis plus de trente ans déjà, tous les intérêts de la vie d'Alpatytch étaient délimités par la seule volonté du prince et jamais Alpatytch n'avait franchi ces limites. Tout ce qui ne touchait pas à l'exécution des ordres de son maître, non seulement ne l'intéressait pas, mais n'existait même pas pour lui.

Arrivé le 4 août vers le soir à Smolensk, Alpatytch, selon une habitude qui remontait à une trentaine d'années, descendit dans l'auberge de l'ancien portier Férapontov, située sur l'autre rive du Dniéper, dans le faubourg de Gatcha. Douze ans plus tôt, Férapontov ayant acheté, avec l'aide d'Alpatytch, un bois au prince, s'était mis à faire du commerce; et maintenant il possédait une maison, une auberge et un magasin de farine. C'était un gros homme rougeaud d'une quarantaine d'années, avec des cheveux noirs, de grosses lèvres, un gros nez rond, un front bosselé au-dessus de sourcils broussailleux et une grosse panse.

En gilet et chemise d'indienne, Férapontov se tenait devant sa boutique qui donnait sur la rue. Ayant aperçu Alpatytch il alla vers lui.

— La bienvenue à Iakov Alpatytch, dit-il. Les gens quittent la ville et toi tu arrives.

— Et pourquoi donc la quitter?

— C'est ce que je dis. Les gens sont bêtes. La peur des Français.

— Racontars de bonnes femmes, racontars de bonnes femmes!

— Je pense comme vous, Iakov Alpatytch. Je dis, moi, l'ordre a été donné de ne pas les laisser entrer, par conséquent, c'est sûr. Et puis, nos paysans demandent trois roubles par chariot, de vrais païens.

Iakov Alpatytch n'écoutait qu'à moitié. Il demanda le samovar, du foin pour les chevaux et ayant pris son thé, alla se coucher.

Durant toute la nuit, des troupes passèrent dans la rue devant l'auberge. Le lendemain Alpatytch endossa les habits qu'il ne portait qu'en ville et alla à ses affaires. Le matin était ensoleillé et il faisait déjà très chaud à huit heures. Une belle journée pour la moisson, se disait Alpatytch. Depuis les premières heures de la matinée, on entendait au loin une fusillade.

A partir de huit heures, aux coups de fusils se joignirent des coups de canon. Il y avait beaucoup de monde dans les rues, des gens qui se hâtaient on ne sait où, des soldats. Comme toujours cependant les fiacres circulaient, les marchands se tenaient dans leurs boutiques et on célébrait l'office dans les églises. Alpatytch fit ses achats, passa à la poste et pour finir se rendit chez le gouverneur. Dans les lieux publics, à la poste, dans les magasins, tout le monde parlait de l'armée, de l'ennemi qui attaquait déjà la ville; on s'interrogeait les uns les autres sur ce qu'on devait faire et on essayait de se tranquilliser mutuellement.

Devant la maison du gouverneur, Alpatytch aperçut quantité de monde, des cosaques et la berline du gouverneur. Sur le perron, il croisa deux messieurs; l'un d'eux qui lui était connu, l'ancien chef de police du district, s'exprimait avec feu :

— Il ne s'agit pas de plaisanter, disait-il. Passe encore pour celui qui est seul. Il ne pleure que sa propre tête. Mais quand on a une famille de treize personnes et qu'on a du bien... Ils ont fait tant et si bien que nous sommes tous perdus! En voilà des chefs! On devrait tous les pendre ces bandits!

— Allons, assez, disait l'autre.

— Je m'en moque, qu'ils entendent! On n'est pas des chiens tout de même, dit l'ancien chef de police. — S'étant retourné, il aperçut Alpatytch.

— Ah, Iakov Alpatytch! Que viens-tu faire ici?

— Je viens sur l'ordre de Son Altesse chez Monsieur le gouverneur, répondit Alpatytch, la tête fièrement dressée, une main passée sous le revers de sa redingote, ce qu'il faisait toujours quand il parlait de son maître. — Il a daigné me charger de me renseigner sur la situation.

— Eh bien, renseigne-toi! cria l'autre. Ils s'y sont si bien pris qu'il n'y a ni chariots, ni rien du tout... Tu entends ça? Les voilà! ajouta-t-il en indiquant la direction d'où parvenaient des coups de feu.

— Voilà où ils nous ont conduits, les bandits! reprit-il et il descendit le perron.

Alpatytch hocha la tête et monta l'escalier. Dans la salle de réception des marchands, des femmes, des fonctionnaires échangeaient des regards en silence. La porte du cabinet s'ouvrit; tous se levèrent et s'avancèrent. Un fonctionnaire sortit en hâte de chez le gouverneur, échangea quelques mots avec un marchand, introduisit dans le cabinet un gros fonctionnaire qui portait une décoration au cou et disparut derrière la porte, voulant évidemment se dérober aux questions et aux regards qui convergeaient vers lui. Alpatytch se poussa au premier rang et quand le fonctionnaire reparut, il lui tendit les deux lettres d'une main, l'autre passée dans sa redingote étroitement boutonnée.

— Pour monsieur le baron Asch, de la part du général en chef [1] prince Bolkonsky, proféra-t-il d'un ton si solennel, si important, que le fonctionnaire se tourna vers lui et lui prit les lettres. Quelques minutes plus tard, le gouverneur reçut Alpatytch et lui dit précipitamment :

— Dis au prince et à la princesse que je n'étais au courant de rien, j'ai agi selon des ordres supérieurs, voici...

Il donna un papier à Alpatytch.

— D'ailleurs, puisque le prince est souffrant, je lui conseille de partir pour Moscou. Je pars moi-même dans un instant. Dis-lui...

Il ne put achever : un officier en sueur et couvert de poussière fit irruption dans la pièce et lui dit quelques mots en français. L'effroi se peignit sur le visage du gouverneur.

— Va, dit-il à Alpatytch en le congédiant d'un signe de tête et il se mit à questionner l'officier.

Des regards avides, épouvantés, pitoyables, se tournèrent vers Alpatytch quand il sortit de chez le gouverneur. Tendant cette fois involontairement l'oreille à la fusillade qui se rapprochait et devenait plus violente, Alpatytch regagna en hâte l'auberge. Voici ce que contenait le papier que lui avait remis le gouverneur :

« Je vous donne l'assurance que la ville de Smolensk ne court aucun danger, et il est très douteux qu'elle soit jamais menacée. Le prince Bagration d'un côté et moi de l'autre nous avançons pour opérer notre jonction devant Smolensk, laquelle aura lieu le 22, et les deux armées conjuguant leurs forces défendront leurs compatriotes dans cette province qui vous a été confiée jusqu'à ce que leurs efforts repoussent les ennemis de la patrie ou que leurs rangs valeureux soient exterminés jusqu'au dernier guerrier. Vous voyez ainsi que vous avez pleinement le droit de rassurer les habitants de Smolensk, car ceux qui se trouvent défendus par des armées aussi courageuses peuvent être certains de leur victoire. » (Ordre du jour de Barclay de Tolly au gouverneur civil de Smolensk, baron Asch, 1812.)

Les gens inquiets se pressaient dans les rues; des chariots surchargés de vaisselle, de chaises, de petites armoires sortaient à tout moment des portes cochères et s'engageaient dans les rues. Des charrettes stationnaient devant la maison voisine de l'auberge de Férapontov et des femmes se lamentaient à grands cris en faisant leurs adieux. Un chien aboyait et sautillait entre les attelages.

Alpatytch entra dans la cour d'un pas pressé qui ne lui était pas habituel et alla droit à la remise où étaient les chevaux et la kibitka. Le cocher dormait. Il le réveilla, lui dit d'atteler et entra dans le vestibule. De la chambre de l'aubergiste parvenaient des pleurs d'enfants, les sanglots convulsifs d'une femme et les cris furieux et rauques de Férapontov. Quand Alpatytch entra dans le vestibule, la cuisinière courait çà et là comme une poule affolée.

— Il l'a battue à mort... Il a tué la patronne... Il l'a tellement battue, il l'a tellement traînée!...

— Pourquoi? s'enquit Alpatytch.

— Elle le suppliait de partir. Que veux-tu? Une femme! Emmène-moi, qu'elle disait. Ne me laisse pas périr avec mes petits enfants. Tout le monde s'en va. Et nous, alors? Et le voilà qui se met à la battre! Il l'a tellement battue, tellement traînée!...

Alpatytch hocha la tête d'un air vaguement approbateur et ne voulant pas en savoir davantage se dirigea vers la chambre qui faisait face à celle des patrons, où il avait déposé ses achats.

Une femme hâve et pâle, un enfant dans les bras, son fichu à moitié arraché de sa tête se rua hors de la chambre des patrons et dévala l'escalier.

— Brigand! Assassin! criait-elle.

Férapontov sortit à son tour et aperçut Alpatytch, rectifia son gilet, ses cheveux, bâilla et le suivit dans la chambre.

— C'est-y que tu pars déjà? demanda-t-il.

Sans répondre, sans le regarder et tout en rangeant ses emplettes, Alpatytch s'enquit de ce qu'il lui devait.

— On s'arrangera toujours. Et alors, tu as été chez le gouverneur? demanda Férapontov. Quelle décision?

Alpatytch répondit que le gouverneur ne lui avait rien dit de précis.

— Une affaire comme la mienne, est-ce que ça peut se déménager? dit Férapontov. Et rien que jusqu'à Dorogobouj, sept roubles le chariot. Je dis, moi : ce sont des païens. Sélivanov, lui, a eu de la chance, il a vendu jeudi sa farine à l'armée neuf roubles le sac. Vous allez prendre le thé tout de même?

Tandis qu'on attelait les chevaux, Alpatytch et Férapontov

burent leur thé en discourant du prix des blés, de la récolte et du temps propice à la moisson.

— Ça se calme, dirait-on, observa Férapontov en se levant après avoir vidé trois verres de thé. Les nôtres ont le dessus, faut croire. On disait bien qu'on ne les laisserait pas entrer. C'est donc qu'on a la force... Et on racontait que l'autre jour Matvéï Ivanytch Platov les avait jetés dans la Marina, dix-huit mille qu'il en avait noyés en un jour.

Alpatytch rassembla ses achats, les remit au cocher qui entrait et régla le patron. Près du portail retentirent le martèlement des sabots, le tintement des grelots, le bruit de la kibitka qui sortait.

L'après-midi était déjà très avancé; un côté de la rue était dans l'ombre, l'autre brillamment éclairé par le soleil. Alpatytch jeta un coup d'œil par la fenêtre et alla vers la porte. Soudain retentit le bruit étrange d'un lointain sifflement et d'un choc, et aussitôt après le fracas prolongé d'une canonnade qui fit trembler les vitres.

Alpatytch sortit dans la rue; deux hommes passèrent en courant dans la direction du pont. On entendait de différents côtés des sifflements et le choc des boulets, l'éclatement des obus qui tombaient sur la ville. Cependant les habitants n'écoutaient presque pas ces sons, ils n'y faisaient pas attention, saisis qu'ils étaient par le fracas de la canonnade aux abords de la ville. C'était ce bombardement de Smolensk par cent trente pièces qui avait été déclenché vers cinq heures sur l'ordre de Napoléon. Tout d'abord, la population ne comprit pas de quoi il s'agissait.

Le bruit des obus et des boulets qui tombaient ne provoqua au début que la curiosité. La femme de Férapontov, qui n'avait pas cessé jusque-là de se lamenter dans le hangar, se tut et son enfant sur les bras gagna le portail où elle écouta les bruits en observant les gens sans mot dire.

La cuisinière et le boutiquier vinrent la rejoindre. Tous essayaient avec une curiosité amusée d'apercevoir les projectiles qui passaient au-dessus de leur tête. Au coin de la rue apparurent quelques personnes qui parlaient avec animation.

— Quelle force! disait l'un. Et le toit, et le plafond, tout a été mis en miettes.

— Ça vous a fouillé la terre comme un cochon, dit un autre.

— Tu en as de bonnes! dit un troisième en riant. Heureusement que tu as sauté de côté, autrement tu étais aplati.

La foule interrogea ces gens; ils s'arrêtèrent et racontèrent qu'un boulet avait frappé sous leurs yeux une maison. Cependant les projectiles ne cessaient pas de voler au-dessus des têtes, tantôt avec un sifflement rapide, sinistre, c'étaient les boulets, et tantôt avec un sifflement plaisant, les obus. Mais rien ne tombait à proximité. Alpatytch s'installait dans sa kibitka, Férapontov se tenait devant le portail.

— Qu'est-ce qu'il y a à voir là-bas? cria-t-il à la cuisinière qui, en jupon rouge, les manches retroussées, balançant ses coudes nus, était allée au coin de la rue pour entendre ce qu'on racontait.

— Écoutez-moi ça, quelle histoire! disait-elle; mais à la voix du patron elle revint sur ses pas en tirant sur sa jupe retroussée.

De nouveau, mais cette fois tout près, quelque chose siffla et comme un oiseau se laisse choir de haut, une flamme s'alluma au milieu de la rue, une détonation retentit et tout se couvrit de fumée.

— Scélérat! Voyez ce qu'il fait! s'écria l'aubergiste en se précipitant vers la cuisinière.

Au même instant, de tous côtés, s'élevèrent les cris plaintifs des femmes, un petit enfant terrifié se mit à pleurer et une foule silencieuse et blême s'attroupa autour de la cuisinière dont les gémissements et les exclamations dominaient les autres bruits.

— Oh, oh, oh!... mes chéris, mes colombes, mes colombes blanches! Ne me laissez pas mourir, mes colombes!

Cinq minutes plus tard il n'y avait plus personne dans la rue. La cuisinière, une hanche brisée par un éclat d'obus, fut transportée à la cuisine. Assis dans la cave, Alpatytch, son cocher, la femme de Férapontov avec ses enfants, le concierge, tendaient l'oreille. Le grondement des canons, le sifflement des projectiles et les gémissements pitoyables de la cuisinière qui dominaient tous les bruits, ne cessaient pas un instant. La patronne tantôt berçait l'enfant et tâchait de l'apaiser, tantôt demandait plaintivement à mi-voix à ceux qui descendaient dans la cave ce qu'était devenu son mari resté dans la rue. Le commis de la boutique lui dit que Férapontov avait suivi la foule à la cathédrale où l'on se préparait à porter en procession l'icône miraculeuse de la Vierge de Smolensk.

Au crépuscule, la canonnade s'apaisa peu à peu. Alpatytch sortit de la cave et s'arrêta sur le pas de la porte. Pur auparavant, le ciel était entièrement voilé de fumée, et à travers cette fumée, très haut dans le ciel, luisait étrangement le croissant de la nouvelle lune. Succédant au fracas de l'artillerie, un silence était tombé, semblait-il, sur la ville, que troublait seulement une rumeur confuse de pas, de gémissements, de cris lointains, de crépitements de flammes, qui paraissait monter de partout. Les plaintes de la cuisinière s'étaient tues. A droite et à gauche s'élevaient et se dissipaient des nuages de fumée noire. Non pas en rangs, mais comme les habitants d'une fourmilière dévastée, des soldats de différentes armes marchaient et couraient dans toutes les directions. Sous les yeux d'Alpatytch, quelques-uns se précipitèrent dans la cour de Férapontov. Alpatytch gagna la porte cochère. Un régiment qui battait en retraite encombrait la rue, les hommes se hâtant et se bousculant.

— On abandonne la ville! Partez, partez! dit un officier à Alpatytch en l'apercevant dans le portail. Et se tournant vers ses hommes, il leur cria :

— Je vous apprendrai, moi, à entrer dans les cours!

Alpatytch rentra, appela son cocher et lui dit de sortir la voiture. Tous les gens de Férapontov suivirent Alpatytch et le cocher. A la vue de la fumée et des flammes des incendies que l'on distinguait maintenant dans le crépuscule, les femmes qui s'étaient tues jusque-là éclatèrent en lamentations; comme leur faisant écho, d'autres lamentations retentirent aux deux bouts de la rue. Sous l'auvent, Alpatytch et le cocher, les mains tremblantes, défaisaient les guides et les traits qui s'étaient emmêlés.

Quand la voiture d'Alpatytch franchit le portail, il aperçut dans la boutique ouverte de Férapontov une dizaine de soldats qui dans un brouhaha emplissaient leurs sacs de farine et de graines de tournesol; Férapontov rentrait au même moment. A la vue des soldats, il allait se répandre en imprécations, mais il s'arrêta soudain et se prenant les cheveux à deux mains, éclata d'un rire mêlé de sanglots :

— Allez-y, les gars! Ne laissez rien à ces diables! cria-t-il, en saisissant lui-même les sacs et en les jetant dans la rue.

Quelques soldats effrayés s'enfuirent; d'autres cependant continuèrent de remplir leurs sacs.

Apercevant Alpatytch, Férapontov lui cria :

— Finie la Russie, Alpatytch! Finie! Je mettrai moi-même le feu... Finie!... — Il se précipita dans la cour.

Les soldats défilaient sans arrêt, obstruant complètement la rue si bien qu'Alpatytch ne pouvait avancer et devait attendre. La femme de Férapontov, installée avec ses enfants dans un chariot, attendait elle aussi qu'on pût partir.

Il faisait déjà complètement nuit. Voilé de temps à autre par la fumée, le croissant de la lune brillait dans le ciel étoilé. Les voitures d'Alpatytch et de la femme de l'aubergiste, qui avançaient lentement au milieu des soldats et d'autres voitures, furent de nouveau obligées de s'arrêter sur la descente vers le Dniéper. Non loin du carrefour où l'on s'était arrêté, une maison et des boutiques flambaient dans une ruelle. Le feu s'apaisait; les flammes tantôt mouraient et se perdaient dans la fumée noire et tantôt se ranimaient brusquement, éclairant avec une netteté étrange la foule massée au carrefour. Des silhouettes noires passaient devant le foyer et à travers le pétillement ininterrompu des flammes, on entendait la rumeur des voix. Alpatytch descendit de voiture voyant qu'il ne passerait pas de sitôt et prit la ruelle pour voir l'incendie de plus près. Des soldats allaient et venaient sans cesse devant le brasier et Alpatytch en vit deux qui, aidés d'un homme en manteau de drap, sortaient du feu et traînaient dans la cour voisine des poutres enflammées; d'autres portaient des brassées de foin.

Alpatytch s'approcha de la foule qui stationnait devant un haut entrepôt dévoré par le feu. Les murs étaient en flammes, celui de derrière s'était écroulé; le toit en voliges s'affaissait, les poutres flambaient. La foule attendait évidemment que le toit s'effondrât. Et c'était cela qu'attendait aussi Alpatytch.

— Alpatytch! cria soudain une voix qui lui était familière.

— Votre Altesse! répondit-il, ayant reconnu aussitôt la voix de son jeune maître.

Le prince André, enveloppé d'un manteau et monté sur un cheval noir, se tenait derrière la foule et regardait Alpatytch.

— Comment es-tu ici? demanda-t-il.

— Votre... Votre Altesse, articula Alpatytch, et il éclata en sanglots. Votre... Votre... Alors, nous sommes vraiment perdus?

— Comment es-tu ici? répéta le prince André.

A ce moment des flammes jaillirent et firent apparaître aux yeux d'Alpatytch le visage pâle et exténué de son jeune maître. Alpatytch raconta pourquoi il avait été envoyé à Smolensk et comme il lui avait été difficile d'en partir.

— Alors, Votre Altesse, est-ce que nous sommes vraiment perdus? demanda-t-il de nouveau.

Sans lui répondre, le prince André sortit son carnet, en arracha une feuille qu'il posa sur son genou et écrivit au crayon à sa sœur :

« On abandonne Smolensk. Lyssya Gory sera occupé par l'ennemi dans une semaine. Partez au plus vite pour Moscou. Préviens-moi immédiatement par courrier à Ouzviaj du jour de votre départ. »

Ayant remis le feuillet à Alpatytch, il lui donna de vive voix ses instructions concernant le départ de son père, de sa sœur, de son fils et du précepteur, ainsi que la réponse à lui faire parvenir immédiatement. Il n'avait pas encore terminé qu'un officier d'état-major à cheval, accompagné d'une escorte, arriva au galop vers lui.

— Vous êtes colonel? s'écria-t-il avec un accent allemand et d'une voix que le prince André reconnut. On incendie en votre présence des maisons et vous êtes là à regarder! Qu'est-ce que cela signifie? Vous aurez à en répondre! criait Berg qui était maintenant sous-chef d'état-major de l'infanterie de la première armée, poste très agréable et en vue, comme disait Berg.

Le prince André le regarda et sans lui répondre continua de parler à Alpatytch.

— Dis-lui donc que j'attends une réponse jusqu'au dix, et si le dix je n'apprends pas que tous sont partis, je serai obligé de tout abandonner et de venir moi-même à Lyssya Gory.

— Je vous ai parlé ainsi, prince, parce que je dois exécuter les ordres, dit Berg reconnaissant le prince André, parce que je les exécute toujours ponctuellement... Je vous prie de m'excuser, insista-t-il, se justifiant on ne sait de quoi.

Il y eut un craquement; le feu s'apaisa un instant, des tourbillons de fumée noire s'échappèrent de dessous le toit; un nouveau craquement plus violent encore, et quelque chose d'énorme s'écroula.

— Hou, hou, hou! hurla la foule faisant écho au fracas de la chute de l'entrepôt d'où s'échappait une odeur de pain brûlé. Les flammes jaillirent et éclairèrent les visages exténués et à la fois joyeusement surexcités des gens rassemblés autour du brasier.

L'homme au manteau de drap criait en agitant les bras :

— Du beau travail! Ça flambe bien! Fameux, les gars!

— C'est le propriétaire lui-même, firent des voix.

— C'est donc bien entendu, insista le prince André s'adressant à Alpatytch. Répète-leur tout comme je t'ai dit. — Et sans un mot à Berg silencieux à côté de lui, il piqua son cheval et s'engagea dans la ruelle.

V

Après Smolensk, les troupes continuèrent à battre en retraite. L'ennemi les suivait. Le 10 août, le régiment que commandait le prince André passait sur la grande route devant l'avenue conduisant à Lyssya Gory. La chaleur et la sécheresse sévissaient depuis plus de trois semaines. Des nuages moutonneux glissaient chaque jour dans le ciel, voilant parfois le soleil, mais vers le soir ils se dissipaient et le soleil se couchait dans une brume rougeâtre. Seule une forte rosée, la nuit, rafraîchissait la terre. Les blés restés sur pied brûlaient et s'égrenaient. Les marais se desséchaient. Le bétail affamé beuglait dans les prairies grillées par le soleil. La nuit seulement et dans les bois il y avait encore quelque fraîcheur tant que la rosée se maintenait; mais il n'y en avait plus sur la grande route que suivait l'armée, même la nuit, même dans les bois. La rosée se perdait dans la poussière sablonneuse de la route brassée à plus d'un quart d'archine de profondeur. Dès l'aube on se mettait en marche. Les convois, l'artillerie avançaient silencieusement, enfonçant jusqu'au moyeu, et l'infanterie jusqu'à la cheville, dans la poussière molle, étouffante, qui ne s'était pas refroidie au cours de la nuit. Une partie de cette poussière était brassée par les roues et les pieds; l'autre s'élevait en un épais nuage et restait suspendue au-dessus des troupes, collant aux yeux, aux cheveux, aux narines et s'introduisant dans les poumons des hommes et des bêtes qui avançaient le long de la route. Et à mesure que le soleil montait, la poussière montait elle aussi, et à travers cette fine poussière brûlante, on pouvait regarder à l'œil nu le soleil que ne cachait aucun nuage. Il semblait alors une grosse boule pourpre. Il n'y avait pas de vent, et les hommes étouffaient dans cet air immobile. Ils avançaient, un mouchoir sur le nez et la bouche. Arrivait-on dans un village, tout le monde se ruait vers les puits. On se battait pour l'eau et on la puisait jusqu'à la boue.

Le prince André commandait un régiment et ce commandement, le bien-être des hommes, la nécessité de donner et de recevoir des ordres occupaient son esprit. L'abandon et l'incendie de Smolensk avaient marqué une époque dans sa vie. Un nouveau sentiment, la haine de l'ennemi, lui faisait oublier son propre chagrin. Les intérêts de son régiment l'absorbaient entièrement; il se montrait plein de sollicitude pour ses hommes et ses officiers, et les traitait avec affabilité. « Notre prince », disait-on au régiment; on était fier de lui et on l'aimait. Mais il ne se montrait bon et affable qu'avec ceux de son régiment, avec Timokhine et d'autres, avec les gens qui n'avaient pas été de ses relations, qui appartenaient à un milieu différent du sien et ne pouvaient connaître et comprendre son passé. Dès qu'il se heurtait à l'une de ses anciennes connaissances, à ses camarades de l'état-major, il se hérissait aussitôt, il devenait désagréable, railleur et dédaigneux. Tout ce qui évoquait en lui le passé le repoussait; aussi dans ses rapports avec ce monde ancien, s'efforçait-il uniquement de ne pas être injuste et d'accomplir son devoir.

Il est vrai que tout se présentait à lui sous un jour sombre, sinistre, surtout depuis l'abandon, le 6 août, de Smolensk (qui selon lui pouvait et devait être défendu) et depuis que son père, malade, avait dû fuir à Moscou et abandonner au pillage Lyssya Gory qu'il aimait tant, qu'il avait lui-même bâti et peuplé. Et cependant, étant obligé de s'occuper de ses hommes, le prince André pouvait penser à autre chose, sans rapport avec toutes ces questions d'ordre général, à son régiment. Le 10 août, la colonne dont il faisait partie arriva à hauteur de Lyssya Gory. Deux jours auparavant, le prince André avait été informé que son père, son fils et sa sœur étaient partis pour Moscou. Bien qu'il n'eût rien à faire à Lyssya Gory, il décida qu'il devait y passer, cédant à ce besoin d'envenimer ses plaies qui était propre à sa nature.

Il se fit seller un cheval et se rendit de l'étape au domaine de son père où il était né et où s'était écoulée son enfance. En passant devant l'étang où de tout temps des dizaines de femmes battaient et rinçaient leur linge en bavardant, il remarqua qu'il n'y avait personne sur la berge et que le radeau à l'amarre rompue flottait à moitié immergé au milieu de l'étang. Il se dirigea vers la maisonnette du gardien. Il n'y avait personne devant le portail de pierre et la porte était ouverte. L'herbe poussait déjà sur les chemins du jardin et des veaux et des chevaux vaguaient dans le parc anglais. Le prince André alla à l'orangerie : les vitres en étaient brisées, quelques arbres en caisse étaient renversés, d'autres desséchés. Il héla Tarass, le jardinier; personne ne répondit. Ayant fait le tour de l'orangerie, le prince arriva à la terrasse et il s'aperçut que la palissade en voliges ajourées était démolie et qu'on avait cassé les branches des pruniers pour s'emparer des fruits. Un vieux paysan (étant enfant le prince André le voyait près du portail), assis sur un banc peint en vert tressait une chaussure de tille. Il était sourd et n'entendit pas approcher le prince André. Il était assis sur le banc où aimait à s'asseoir le vieux prince. Des lanières de tille pendaient aux branches d'un magnolia brisé et desséché.

Le prince André arriva à la maison. Quelques tilleuls dans l'ancien parc avaient été coupés; une jument pie et son poulain erraient juste devant la maison parmi les rosiers. Les volets étaient cloués aux fenêtres; l'une d'elles en bas était ouverte. Un gamin aperçut le prince et entra en courant dans la maison. Ayant fait partir sa famille, Alpatytch était resté seul à Lyssya Gory; il était en train de lire la Vie des Saints. Apprenant l'arrivée du prince, il sortit de la maison en se boutonnant, les lunettes sur le nez, s'approcha précipitamment de son jeune maître et sans mot dire embrassa son genou en pleurant.

Puis il se détourna, confus de sa faiblesse et raconta ce qui s'était passé. Tous les objets de valeur avaient été expédiés à Bogoutcharovo; on y avait transporté également le blé, près de deux cents quintaux; quant au foin et aux blés de printemps, — une récolte superbe, disait Alpatytch, — fauchés en vert ils avaient été pris par les troupes. Les paysans étaient ruinés; certains d'entre eux avaient rejoint eux aussi Bogoutcharovo; d'autres, en petit nombre, étaient restés à Lyssya Gory.

Sans le laisser achever, le prince André lui demanda :

— Quand mon père et ma sœur sont-ils partis? — il voulait dire : pour Moscou. Supposant qu'il s'agissait du départ pour Bogoutcharovo, Alpatytch répondit que le départ avait eu lieu le sept, et revint sur les affaires du domaine, demandant des instructions.

— Faut-il livrer l'avoine aux troupes contre reçu? Il nous en reste encore six cents sacs.

« Que lui répondre? » se demandait le prince André en considérant le crâne chauve du vieillard qui luisait au soleil et, lisant sur son visage qu'il comprenait lui-même l'inopportunité de telles questions et les posait uniquement pour étouffer son chagrin :

— Oui, livre-les contre reçu, dit-il.

— Si vous avez remarqué du désordre dans le parc, reprit Alpatytch, c'est qu'on n'a pas pu l'empêcher : trois régiments ont logé ici, des dragons surtout. J'ai noté le grade et le nom du commandant pour présenter une réclamation.

— Et que vas-tu faire? Resteras-tu ici si l'ennemi occupe le domaine? demanda le prince André.

Alpatytch tourna vers lui son visage, le regarda et soudain leva les bras au ciel d'un geste solennel :

— Il est mon protecteur, que Sa volonté soit faite, proféra-t-il.

Une foule de paysans et de domestiques, tête nue, s'avançait vers le prince André à travers une prairie.

— Allons, adieu, dit-il se penchant vers Alpatytch. Pars et emporte ce que tu peux, et dis aux gens de partir pour la terre de Riazan ou celle près de Moscou.

Alpatytch se serra en sanglotant contre la jambe de son maître qui l'écarta doucement, piqua son cheval et descendit l'allée au galop.

Sur la terrasse de l'orangerie, toujours aussi indifférent, tel une mouche sur le visage d'un mort aimé, le vieux paysan, assis, frappait à petits coups la chaussure de tille posée sur une forme; deux fillettes qui sortaient en courant de l'orangerie, leurs jupes relevées pleines de prunes qu'elles venaient de cueillir, se heurtèrent au prince André. Reconnaissant le jeune maître, la plus âgée, épouvantée, saisit sa compagne par la main et toutes deux se cachèrent derrière un bouleau sans prendre le temps de ramasser les prunes vertes qui s'étaient répandues à terre.

Le prince André se détourna en hâte, craignant de leur laisser voir qu'il les avait aperçues. Il avait pitié de cette jolie petite fille effarouchée; il craignait de la regarder et en avait cependant irrésistiblement envie. Un sentiment nouveau, apaisant et heureux, l'envahit lorsque, regardant ces fillettes, il se rendit compte qu'il existait d'autres intérêts humains, totalement étrangers aux siens, mais tout aussi légitimes que ceux qui l'absorbaient. Ces petites filles ne désiraient évidemment qu'une chose : ne pas se laisser prendre et emporter et terminer de manger ces prunes vertes. Et le prince André souhaitait comme elles la réussite de leur entreprise. Il ne put s'empêcher de les regarder encore une fois. Se jugeant hors de danger, elles bondirent de leur cachette et coururent gaiement de toute la vitesse de leurs jambes grêles et hâlées, en soutenant le bas de leur jupe et en piaillant de leurs voix flûtées.

Le prince André se sentait quelque peu rafraîchi d'avoir quitté la grande route poussiéreuse que suivaient les troupes; mais il rejoignit la route non loin de Lyssya Gory et rattrapa son régiment qui faisait halte près de la digue d'un petit étang. Il était presque deux heures de l'après-midi. Le soleil, boule rouge dans la poussière, brûlait intolérablement le dos à travers la tunique noire. La poussière, toujours pareille, immobile, planait au-dessus du bourdonnement confus des troupes au repos. Il n'y avait pas de vent. En passant sur la digue, le prince André aspira l'odeur de la vase et la fraîcheur de l'eau. Si sale que fût cette eau, il eut envie de s'y plonger. Il jeta un coup d'œil vers le petit étang d'où parvenaient des cris et des rires. Trouble et verdâtre, il avait visiblement monté d'un quart d'archine et inondait la digue, rempli qu'il était de soldats nus aux corps blancs, mais dont les visages, les cous et les mains étaient d'un rouge brique. Au milieu des rires et des cris perçants, toute cette viande humaine nue et blanche barbotait dans la mare boueuse comme des poissons entassés dans un arrosoir; cette agitation était joyeuse et c'est pourquoi elle produisait une impression particulièrement triste.

Un jeune soldat blond de la troisième compagnie, — le prince André le connaissait, — dont le mollet était entouré d'une courroie, s'étant signé, recula pour prendre son élan et plongea. Un autre, un sous-officier noiraud, toujours hirsute, dans l'eau jusqu'à la ceinture, faisait voluptueusement jouer son torse musclé et s'ébrouait gaiement en arrosant sa tête de ses mains noires jusqu'aux poignets. On entendait des bruits de claques, des appels, des clameurs.

Sur les berges, sur la digue, dans l'étang, partout s'étalait une chair blanche, saine et musclée. Timokhine, le capitaine au petit nez rouge, s'essuyait avec une serviette sur la digue; bien que confus à la vue du prince, il se décida néanmoins à lui adresser la parole.

— C'est ça qui fait du bien, Votre Altesse! Vous devriez essayer.

— Mais l'eau est sale, répondit le prince André en faisant la grimace.

— Nous allons vous nettoyer ça, dit Timokhine et il partit en courant sans se rhabiller.

— Le prince désire...

— Quel prince? Le nôtre? firent des voix, et tous s'empressèrent à tel point que le prince André eut grand'peine à les calmer. Le mieux, se dit-il, est de s'asperger dans la grange.

« Viande, corps, *chair à canon* », songeait-il en considérant son propre corps nu, et frissonnant non pas tant de froid que d'une sensation de dégoût et d'horreur qu'il ne comprenait pas lui-même devant cette quantité de corps barbotant dans l'eau boueuse.

Le 7 août, de son campement de Mikhaïlovka sur la route de Smolensk, le prince Bagration écrivait ce qui suit au comte Araktchéiev (il écrivait à Araktchéiev, mais savait que la lettre serait lue par l'empereur, aussi, pour autant qu'il en fût capable, il en pesa chaque mot) :

« Je pense que le ministre [1] vous a déjà informé de l'abandon de Smolensk à l'ennemi. Ç'est douloureux, c'est triste et toute l'armée est au désespoir de l'abandon sans nécessité de la place la plus importante. Moi, de mon côté, j'ai insisté de vive voix de la façon la plus pressante, et finalement je lui ai écrit; mais rien n'a pu le décider. Je vous jure sur l'honneur que Napoléon était pris dans un sac comme jamais encore il ne l'a été et qu'il aurait perdu la moitié de son armée sans parvenir à s'emparer de Smolensk. Nos troupes se sont battues et se battent comme jamais. J'ai arrêté l'ennemi avec quinze mille hommes pendant trente-cinq heures et je le battais; mais lui, il n'a même pas tenu quatorze heures. C'est une honte, une tache sur notre armée, et quant à lui, il me semble qu'il n'est même pas digne de vivre. S'il rapporte que les pertes sont lourdes, ce n'est pas vrai. Près de quatre mille peut-être, pas plus. Mais elles n'atteignent même pas ce chiffre. Et quand bien même ce serait dix mille, que faire? C'est la guerre. En revanche, les pertes de l'ennemi ont été énormes.

« Qu'est-ce qu'il en coûtait de rester deux jours encore? Du moins ils seraient partis d'eux-mêmes, car ils manquaient d'eau pour les hommes et les chevaux. Il m'avait donné sa parole qu'il ne reculerait pas, et voilà qu'il m'envoie soudain un dispositif en me prévenant qu'il part dans la nuit. Impossible de faire la guerre de cette façon, nous pourrions bientôt amener de la sorte l'ennemi à Moscou.

« Le bruit court que vous songez à la paix. Que Dieu nous garde de conclure la paix! Comment, faire la paix après tous ces sacrifices et ces stupides reculades! Vous dresserez toute la Russie contre vous et chacun de nous aura honte de porter l'uniforme. Puisque nous en sommes arrivés là, il faudra se battre tant que la Russie le pourra et tant que les hommes se tiendront debout.

« Il faut qu'un seul commande, et non pas deux. Votre ministre est peut-être bon au ministère, mais comme général, c'est peu dire qu'il est mauvais, il est détestable. Et c'est à lui que l'on a confié le sort de notre patrie... Vraiment, je deviens fou de dépit. Pardonnez-moi la hardiesse de mes paroles. Celui-là n'aime pas l'empereur et veut évidemment notre perte à tous, qui conseille de conclure la paix et de confier le commandement au ministre. Je vous écris donc la vérité : préparez la milice. Car avec un art consommé le ministre va conduire son hôte jusqu'à la capitale. Monsieur le général aide de camp Wolzogen éveille de graves soupçons dans toute l'armée. Il est, dit-on, bien plus l'homme de Napoléon que le nôtre, et c'est lui qui conseille en tout le ministre. Je me montre non seulement déférent avec lui, mais j'obéis comme un caporal, bien que je sois plus ancien en grade. Cela me fait mal, mais par amour pour mon bienfaiteur et empereur, j'obéis. Seulement, je plains l'empereur d'avoir confié notre glorieuse armée à de telles gens. Imaginez-vous que notre retraite nous a fait perdre plus de quinze mille hommes d'épuisement et dans les hôpitaux, et que si nous avions attaqué, cela ne se serait pas produit. Dites-moi, au nom du Ciel, que dira la Russie, notre mère, en voyant que nous avons tellement peur, et que nous livrons une si bonne et aimante patrie à des crapules et que nous faisons pénétrer dans le cœur de chacun de ses sujets la haine et la honte? De quoi avons-nous peur? Et qui avons-nous à craindre? Ce n'est pas ma faute si le ministre est indécis, poltron, lent et sot et a tous les défauts. Toute l'armée pleure et le couvre d'injures. »

VI

Il est maintes et maintes façons de classer les différentes manifestations de la vie sociale; c'est ainsi qu'on peut les répartir en deux catégories, celle où domine le fond et celle où domine la forme. A cette dernière catégorie, et à l'inverse de la vie à la campagne, dans les chefs-lieux de district ou de province, et même à Moscou, appartient la vie pétersbourgeoise et en particulier celle des salons : cette vie-là est immuable. Depuis 1805, nous nous étions maintes fois réconciliés et brouillés avec Napoléon, nous avions élaboré des constitutions et nous les avions défaites, mais le salon d'Anna Pavlovna et le salon d'Hélène étaient toujours exactement tels qu'ils étaient l'un sept ans et l'autre cinq ans plus tôt. Chez Anna Pavlovna, on parlait toujours avec la même stupéfaction des succès de Bonaparte et l'on considérait que ses succès et la complaisance à son égard des souverains d'Europe étaient la preuve d'un odieux complot n'ayant d'autre but que de causer des désagréments et des inquiétudes à ce petit cercle de la cour dont Anna Pavlovna était la représentante. Chez Hélène, que Roumiantsev lui-même considérait comme une femme extrêmement intelligente et qu'il honorait de ses visites, on continuait en 1812, exactement comme en 1808, à s'entretenir avec enthousiasme de la grande nation et du grand homme et l'on déplorait la rupture avec la France qui, de l'avis des habitués du salon d'Hélène, devait se terminer au plus vite par la paix.

Ces derniers temps, après que l'empereur eut quitté l'armée, un certain trouble s'était emparé de ces milieux opposés qui se livrèrent l'un contre l'autre à quelques manifestations hostiles; mais leur orientation ne varia pas. Le cercle d'Anna Pavlovna n'admettait d'autres Français que les légitimistes endurcis et l'on s'y refusait par patriotisme à fréquenter le théâtre français dont l'entretien coûtait autant que celui d'un corps d'armée. On y suivait passionnément les événements militaires et l'on répandait les bruits les plus favorables pour nos armées.

Dans le cercle pro-français d'Hélène et de Roumiantsev, on démentait les rumeurs qui couraient sur les cruautés de l'ennemi et l'on examinait sérieusement les tentatives de réconciliation de Napoléon. On y blâmait ceux qui préconisaient que l'on prît sans plus attendre les mesures nécessaires à l'évacuation sur Kazan de la cour et des établissements d'enseignement féminin placés sous le patronage de l'impératrice douairière. Le salon considérait en général les opérations militaires comme de futiles démonstrations qui devaient aboutir rapidement à la paix; ici régnait l'opinion de Bilibine qui était maintenant à Pétersbourg un familier d'Hélène (tout homme intelligent était tenu de la fréquenter) et selon laquelle la décision n'appartenait pas à la poudre, mais à ceux qui l'avaient inventée. Dans ce cercle, on raillait avec ironie et très spirituellement, bien que très prudemment, l'enthousiasme des Moscovites dont on avait eu connaissance à Pétersbourg en même temps que de l'arrivée de l'empereur.

Chez Anna Pavlovna, au contraire, on exaltait ces manifestations et l'on en parlait comme Plutarque parle des Anciens. Le prince Basile, qui occupait toujours les mêmes postes importants, formait le trait d'union entre les deux cercles. Il fréquentait *ma bonne amie* Anna Pavlovna et *le salon diplomatique de ma fille*, et en raison de ce va-et-vient continuel entre les deux camps, il lui arrivait souvent de s'embrouiller et de dire chez Hélène ce qu'il aurait dû dire chez Anna Pavlovna, et inversement.

Peu après le retour de l'empereur, le prince Basile, parlant chez Anna Pavlovna des événements militaires, avait durement jugé Barclay de Tolly, tout en se montrant indécis sur le choix de son remplaçant. Un des invités connu sous le nom *d'un homme de beaucoup de mérite*, raconta qu'il avait vu ce même jour Koutouzov, élu chef de la milice de Pétersbourg, présider à la Trésorerie la réception des miliciens ; et il se permit prudemment de supposer que Koutouzov pourrait bien être l'homme de la situation.

Anna Pavlovna sourit tristement et fit observer que Koutouzov n'avait jamais causé que des désagréments à l'empereur.

— Je l'ai dit et redit à l'assemblée de la noblesse, intervint le prince Basile, mais on ne m'a pas écouté. J'ai dit que son élection comme chef de la milice ne plairait pas à l'empereur. On ne m'a pas écouté.

— Toujours cette manie de fronder, poursuivit-il. Et devant qui ? Tout cela vient de ce que nous voulons singer les stupides enthousiasmes moscovites, dit-il, s'embrouillant un instant et oubliant que chez Hélène il fallait se moquer des enthousiasmes moscovites, et chez Anna Pavlovna les admirer. Mais il se reprit immédiatement. — Voyons, est-il convenable que Koutouzov, le plus ancien des généraux russes, siège à la Trésorerie ? *Et il en restera pour sa peine*. Est-il possible de nommer commandant en chef un homme qui ne peut pas monter à cheval, qui s'endort au conseil et a les pires mœurs avec cela ? Il s'est fait une belle réputation à Bucarest ! Et je ne parle déjà pas de ce qu'il vaut comme général. Peut-on vraiment dans une minute aussi grave nommer un homme débile et aveugle, oui, tout simplement aveugle ? Ce serait du beau, un général aveugle ! Il ne voit rien. Qu'il joue au colin-maillard !... Il ne voit absolument rien.

Personne ne répliqua.

Le 24 juillet, c'était parfaitement juste, mais le 29 juillet Koutouzov reçut le titre de prince. L'octroi de ce titre pouvait aussi bien signifier qu'on voulait se débarrasser de lui ; dans ee cas, le jugement du prince Basile demeurait valable, et pourtant il était moins pressé de l'exprimer. Mais le 8 août, un comité composé du maréchal Saltykov, d'Araktchéiev, de Lopoukhine, de Viazmitinov et de Kotchoubeï fut réuni pour se prononcer sur la conduite de la guerre. Le comité conclut que nos échecs tenaient à la dualité du commandement et tout en sachant que Koutouzov ne jouissait guère de la faveur de l'empereur, après une courte délibération les membres du comité proposèrent de le nommer commandant en chef. Et le même jour, Koutouzov fut nommé commandant en chef des armées et de tout le territoire qu'elles occupaient.

Le 9 août, le prince Basile rencontra de nouveau chez Anna Pavlovna *l'homme de beaucoup de mérite.* Celui-ci, qui cherchait à se faire nommer curateur d'un établissement d'éducation de jeunes filles, faisait la cour à Anna Pavlovna. Le prince Basile entra dans le salon d'un air triomphant, comme un homme dont tous les désirs sont exaucés.

— *Eh bien, vous savez la grande nouvelle? Le prince Koutouzov est maréchal.* Tous les dissentiments sont terminés. Je suis si content, si heureux! dit-il. Enfin voilà un homme! ajouta-t-il en parcourant l'assistance d'un regard significatif et sévère.

En dépit de son désir d'obtenir un poste, *l'homme de beaucoup de mérite* ne put s'empêcher de rappeler au prince Basile qu'il avait été d'un avis différent (c'était peu poli aussi bien à l'égard du prince Basile dans le salon d'Anna Pavlovna qu'à l'égard d'Anna Pavlovna qui avait accueilli la nouvelle avec joie; mais il ne put se contenir).

— *Mais on dit qu'il est aveugle, mon prince?* dit-il, rappelant au prince Basile ses propres paroles.

— *Allons donc, il y voit assez,* répondit en toussotant le prince Basile d'une voix de basse, précipitée, de cette voix et avec ce toussotement auxquels il recourait pour résoudre toutes les difficultés. *Allez, il y voit assez,* répéta-t-il. Et ce qui me rend surtout heureux, c'est que l'empereur lui a donné plein pouvoir sur toutes les armées, sur tout le territoire, pouvoir que n'a jamais obtenu aucun commandement en chef. C'est un second autocrate, conclut-il avec un sourire triomphant.

— Que Dieu l'assiste, que Dieu l'assiste! dit Anna Pavlovna.

L'homme de beaucoup de mérite, encore novice dans le monde de la cour, voulut se faire bien voir d'Anna Pavlovna en soutenant son ancienne opinion :

— Il paraît, dit-il, que l'empereur n'a octroyé ce pouvoir à

Koutouzov qu'à contrecœur. *On dit qu'il rougit comme une demoiselle à laquelle on lirait Joconde* [1], *en lui disant : « Le souverain et la patrie vous décernent cet honneur. »*

— *Peut-être que le cœur n'était pas de la partie*, dit Anna Pavlovna.

— Oh non, non! intervint avec chaleur le prince Basile; maintenant, il n'aurait cédé Koutouzov à personne. Non seulement Koutouzov, selon lui, avait toutes les qualités, mais tout le monde l'adorait. — Non, ce n'est pas possible, car l'empereur l'a toujours tellement apprécié.

— Que Dieu veuille seulement que le prince Koutouzov, dit Anna Pavlovna, prenne effectivement le pouvoir en main et ne permette à PERSONNE de lui mettre *des bâtons dans les roues*.

Le prince Basile comprit immédiatement qui était ce « personne » et chuchota :

— Je sais de source sûre que Koutouzov a posé comme condition absolue que le grand-duc héritier ne soit pas à l'armée. *Vous savez ce qu'il a dit à l'empereur?* — Et le prince Basile répéta les paroles que Koutouzov aurait dites à l'empereur : « Je ne puis le punir s'il agit mal, ni le récompenser s'il agit bien. »

— Oh, c'est un homme des plus intelligents, le prince Koutouzov, *je le connais de longue date*.

— Il paraît même, intervint *l'homme de beaucoup de mérite*, à qui manquait le tact des courtisans, que le Sérénissime [2] a posé comme condition absolue que l'empereur lui-même ne vienne pas à l'armée.

A peine eut-il prononcé ces mots que le prince Basile et Anna Pavlovna se détournèrent de lui d'un même mouvement et, en soupirant, échangèrent un regard attristé devant cette candeur.

VII

Tandis que ceci se passait à Pétersbourg, les Français qui avaient déjà dépassé Smolensk approchaient de Moscou. A l'exemple des autres historiens de Napoléon, Thiers, voulant justifier son héros, prétend qu'il a été entraîné malgré lui sous les murs de Moscou. Thiers a raison, comme ont raison tous les historiens qui cherchent l'explication des événements historiques dans la volonté d'un seul homme; il a raison comme ont raison les historiens russes lorsqu'ils affirment que Napoléon fut attiré à Moscou par les manœuvres habiles des chefs militaires russes. Ce qui joue ici, ce n'est pas seulement cette vision rétrospective des choses qui considère tout le passé comme préparant le fait accompli, c'est également une certaine interférence des événements qui embrouille tout.

Si un bon joueur d'échecs perd une partie, il est sincèrement persuadé que cela tient à ce qu'il a commis une faute et il cherche cette faute en remontant au début, mais il oublie qu'il en a commis d'autres à chaque pas, tout au long de la partie, qu'aucun de ses coups n'était parfait; la faute qui attire son attention, il ne la remarque que parce que son adversaire en a profité. Et combien plus complexe est le jeu de la guerre qui se déroule dans certaines conditions de temps, où il ne s'agit pas de pièces inertes dirigées par une volonté unique, mais où tout résulte d'innombrables heurts de volontés individuelles.

Après Smolensk, Napoléon chercha la bataille, passé Dorogobouj, à Viazma, puis à Tsarévo-Zaïmichtché; mais il se trouva par le jeu de multiples circonstances que les Russes ne purent accepter le combat avant Borodino, à cent douze verstes de Moscou. De Viazma, Napoléon donna l'ordre de marcher droit sur Moscou.

Moscou, la capitale asiatique de ce grand empire, la ville sacrée des peuples d'Alexandre, Moscou avec ses innombrables églises en forme de pagodes chinoises, Moscou hantait l'imagination de Napoléon. Accompagné de la garde et d'une escorte de pages et d'aides de camp, il suivait la route de Viazma à Tsarévo-Zaïmichtché sur un petit demi-sang isabelle qui trottait l'amble. Le chef d'état-major, Berthier, était demeuré en arrière pour interroger un prisonnier russe pris par la cavalerie. Il rattrapa au galop Napoléon en compagnie de l'interprète Lelorme d'Ideville et arrêta son cheval, l'air joyeux.

— Eh bien? demanda Napoléon.

— *Un cosaque de Platov.* Il dit que le corps de Platov opère sa jonction avec la grande armée, que Koutouzov est nommé commandant en chef. *Très intelligent et bavard.*

Napoléon sourit, donna l'ordre de fournir à ce cosaque un cheval et de le lui amener. Il voulait l'interroger personnellement. Quelques aides de camp partirent au galop et une heure plus tard, Lavrouchka, le serf que Dénissov avait cédé à Rostov, arriva sur un cheval de cavalerie français; vêtu d'une veste d'ordonnance, il s'approcha de Napoléon avec une expression de gaieté rusée sur son visage aviné. Napoléon le fit marcher à ses côtés et l'interrogea :

— Vous êtes cosaque?

— Cosaque, Votre Noblesse.

« *Le cosaque ignorant la compagnie dans laquelle il se trouvait, car la simplicité de Napoléon n'avait rien qui pût révéler à une imagination orientale la présence d'un souverain, s'entretint avec la plus extrême familiarité des affaires de la guerre actuelle* », dit Thiers en rapportant cet épisode. En réalité Lavrouchka qui s'était enivré la veille et avait laissé son maître sans dîner, avait été fouetté et envoyé dans un village pour en rapporter des poules, mais il n'avait pu s'empêcher de marauder et était tombé aux mains des Français. Lavrouchka était de ces valets grossiers et impudents qui en ont vu de toutes les couleurs, croient de leur devoir d'agir toujours de façon rusée et basse, sont prêts à rendre n'importe quel service à leur maître, dont ils devinent subtilement toutes les faiblesses, et surtout la vanité et la mesquinerie.

Se trouvant en présence de Napoléon qu'il avait fort bien et facilement reconnu, Lavrouchka ne fut nullement intimidé et s'efforça seulement de toute son âme de complaire à ses nouveaux maîtres. Il savait fort bien qu'il était en présence de Napoléon lui-même et cela ne le troublait pas plus que s'il avait eu affaire à Rostov ou au maréchal des logis avec ses verges, parce qu'il ne possédait rien dont pût le priver le maréchal des logis ou Napoléon.

Il bavardait, racontant tout ce qui se disait parmi les ordonnances. Il y avait une grande part de vérité dans tout cela. Mais quand Napoléon lui demanda ce que croyaient les Russes : battraient-ils Napoléon ou non, Lavrouchka plissa les paupières et réfléchit.

Il soupçonna dans cette question une ruse subtile, comme les gens de cette espèce en voient toujours et partout ; il se renfrogna et se tut un moment.

— C'est-à-dire, voilà, dit-il d'un air pensif, s'il y a bataille et bientôt, vous prendrez le dessus. C'est bien ça. Mais si trois jours passent et après cette date, alors cette même bataille pourrait bien traîner en longueur.

Ce que Lelorme d'Ideville traduisit en souriant comme suit : « *Si la bataille est donnée avant trois jours, les français la gagneraient, mais si elle était donnée plus tard, Dieu sait ce qui en arriverait.* » Napoléon, lui, ne sourit pas, bien qu'il fût visiblement d'excellente humeur, et il se fit répéter ces mots.

Lavrouchka s'en aperçut et désireux de l'égayer, il reprit, faisant toujours mine d'ignorer qui était son interlocuteur :

— Nous le savons, vous avez Bonaparte, il a battu tout le monde, mais avec nous ce sera une autre paire de manches, dit-il, ne sachant pas lui-même comment et pourquoi cette pointe de vantardise patriotique s'était introduite dans ses derniers mots.

L'interprète les omit, et Napoléon sourit. « *Le jeune cosaque fit sourire son puissant interlocuteur* », note Thiers. Ayant gardé un moment le silence, Napoléon se tourna vers Berthier et lui dit qu'il voulait savoir l'effet que produirait *sur cet enfant du Don* la révélation qu'il s'entretenait avec l'empereur en personne, cet empereur qui avait inscrit sur les pyramides son nom glorieux et immortel.

Le renseignement fut transmis.

Lavrouchka comprit qu'on voulait le décontenancer et qu'on s'attendait à ce qu'il eût peur, et pour se faire bien voir de ses nouveaux maîtres il feignit immédiatement la surprise, l'ébahissement, écarquilla les yeux et prit la mine qu'il prenait habituellement quand on allait lui donner les verges. « *A peine l'interprète de Napoléon avait-il parlé, dit Thiers, que le cosaque saisi d'une sorte d'ébahissement ne proféra plus une parole et marcha les yeux constamment attachés sur ce conquérant dont le nom avait pénétré jusqu'à lui à travers les steppes de l'Orient. Toute sa loquacité s'était subitement arrêtée, pour faire place à un sentiment d'admiration naïve et silencieuse. Napoléon, après l'avoir récompensé, lui fit donner la liberté comme à un oiseau qu'on rend aux champs qui l'ont vu naître.* »

Napoléon poursuivit sa route, rêvant à cette Moscou qui séduisait tellement son imagination; quant à *l'oiseau qu'on rendit aux champs qui l'ont vu naître*, il galopa vers les avant-postes tout en inventant ce qui ne s'était pas passé pour le raconter aux siens. Ce qui lui était réellement arrivé, il ne voulait pas le raconter, le jugeant indigne d'un récit. Il rejoignit les cosaques, s'informa de l'endroit où campait le détachement de Platov, et vers le soir il avait déjà retrouvé son maître, Nicolas Rostov, qui cantonnait à Iankovo et venait justement de monter en selle pour faire le tour des villages environnants avec Iline. Rostov fit donner un autre cheval à Lavrouchka et le prit avec lui.

VIII

La princesse Marie n'était pas à Moscou et hors de danger comme le croyait son frère.

Après le retour d'Alpatytch de Smolensk, le vieux prince parut brusquement sortir d'un songe. Il donna l'ordre de lever la milice dans les villages, de l'armer et il envoya au commandant en chef une lettre par laquelle il l'informait qu'il avait l'intention de rester à Lyssya Gory et de se défendre jusqu'à la dernière extrémité, en le laissant juge s'il devait ou non prendre des mesures pour la défense de Lyssya Gory où serait fait prisonnier ou tué un des plus anciens généraux russes; à ses familiers, le vieux prince déclara qu'il restait sur place.

Cependant, tout en restant lui-même à Lyssya Gory, il donna ses instructions pour le départ de la princesse, de Dessales et du petit Nicolas pour Bogoutcharovo, d'où ils devaient ensuite aller à Moscou. La princesse Marie, que l'activité fébrile de son père succédant subitement à sa récente apathie remplissait d'inquiétude, ne put se résoudre à le laisser seul, et pour la première fois de sa vie osa lui désobéir. Elle refusa de partir et le terrible orage de la colère paternelle fondit sur elle. Le vieillard reprit toutes les accusations injustes qu'il avait portées contre elle; cherchant à l'accabler, il dit qu'elle n'avait cessé de le tourmenter, l'avait brouillé avec son fils, nourrissait de vilains soupçons sur son compte, qu'elle n'avait d'autre but que d'empoisonner son existence, et finalement il la chassa de son cabinet en lui déclarant qu'il se souciait peu qu'elle partît ou non, mais qu'il ne voulait plus la connaître et lui interdisait de se présenter devant lui. Le fait que, contrairement à ce qu'elle craignait, il n'eût pas donné l'ordre de l'emmener de force et se fût contenté de lui interdire de paraître sous ses yeux, ce fait réconforta la princesse Marie. Cela prouvait, elle le savait, que dans le plus profond secret de son cœur il était heureux qu'elle restât avec lui.

Le lendemain du départ du petit Nicolas, le vieux prince revêtit le matin sa grande tenue pour se rendre auprès du commandant en chef. La calèche était déjà avancée. La princesse Marie le vit sortir de la maison dans son uniforme avec toutes ses décorations et se diriger vers le parc pour y passer èn revue les paysans et les domestiques armés. Assise à la fenêtre, elle prêtait l'oreille à la voix de son père qui parvenait du parc. Soudain quelques hommes surgirent dans l'allée; ils accouraient épouvantés.

La princesse Marie se précipita sur le perron et suivit en courant le chemin à travers les parterres de fleurs puis l'allée. Une foule de miliciens et de domestiques venait à sa rencontre, et au milieu de cette foule quelques hommes traînaient sous les bras le petit vieillard en uniforme constellé de décorations. La princesse courut au-devant de lui; mais les jeux de la lumière qui trouait l'ombre de l'allée de tilleuls l'empêchèrent tout d'abord de se rendre compte du changement de ses traits. Au premier moment, elle vit seulement que l'expression toujours sévère et énergique de son visage avait fait place à la crainte et à la soumission. A la vue de sa fille, ses lèvres remuèrent faiblement et il émit des sons rauques. Il était impossible de comprendre ce qu'il voulait. On le souleva, on le porta dans son cabinet et on l'étendit sur ce divan qui depuis quelque temps lui inspirait une si vive répugnance.

Le médecin ramené dans la nuit pratiqua une saignée et déclara que le prince était paralysé du côté droit.

Rester à Lyssya Gory devenait de plus en plus dangereux et, dès le lendemain, on transporta le prince à Bogoutcharovo. Le médecin l'accompagna. Quand ils arrivèrent à Bogoutcharovo, Dessales et le petit Nicolas étaient déjà partis pour Moscou.

Toujours dans le même état, le vieux prince paralysé passa trois semaines à Bogoutcharovo dans la maison qu'avait fait construire le prince André. Il restait étendu sans connaissance tel un cadavre défiguré. Ses sourcils et ses lèvres tressaillaient tandis qu'il ne cessait de marmonner quelque chose, et il était impossible de savoir s'il se rendait compte de ce qui se passait autour de lui. Ce qui était certain seulement, c'est qu'il souffrait et s'efforçait aussi d'exprimer quelque chose; mais ce que c'était, on ne pouvait le savoir : s'agissait-il du caprice d'un malade délirant? Cela avait-il un rapport quelconque avec la situation générale ou celle de la famille? Le médecin assurait que l'agitation du malade ne signifiait rien, qu'elle n'avait que des causes physiques; mais la princesse Marie supposait qu'il voulait lui dire quelque chose (et le fait que sa présence augmentait toujours cette agitation le confirmait).

Il souffrait à n'en pas douter et physiquement et moralement. Il n'y avait aucun espoir de guérison; il était impossible de le transporter. Et que se passerait-il s'il mourait en route? « La fin, la fin définitive ne serait-elle pas préférable? » se demandait parfois la princesse Marie. Elle le surveillait jour et nuit, ne dormant presque pas. Et chose terrible à dire, souvent elle l'observait non pas avec l'espoir de découvrir des symptômes d'amélioration, mais *en souhaitant* découvrir les signes d'une fin prochaine.

Si pénible que ce fût pour la princesse Marie de constater en elle ce sentiment, il était là. Et ce qui était plus affreux encore, c'est que depuis le début de la maladie de son père (peut-être avant encore; ne serait-ce pas depuis qu'elle vivait seule avec lui, toujours dans l'attente de quelque chose?) tous ses désirs et ses espoirs d'une vie personnelle, endormis, oubliés, s'étaient maintenant réveillés. Tout ce qui depuis des années ne lui venait plus à l'esprit — la perspective d'une existence indépendante, affranchie de la peur du vieillard, la pensée qu'elle pourrait connaître l'amour et le bonheur conjugal — tout cela hantait constamment son imagination comme des tentations diaboliques. Quoi qu'elle fît pour l'écarter, la question de savoir comment elle organiserait son existence après CELA, la poursuivait toujours. C'était le diable qui la tentait. La princesse Marie en était certaine. Elle savait qu'il n'y avait d'autre arme contre LUI que la prière, et elle essayait de prier. Elle se mettait dans l'attitude de la prière, contemplait les icones, prononçait les paroles des prières, mais ne parvenait pas à prier. Elle se sentait entraînée dans un monde nouveau, le monde de l'activité quotidienne, laborieuse et libre, absolument différent du monde moral dans lequel elle se sentait enfermée auparavant et où la prière était sa seule consolation. Elle était incapable de prier, incapable de pleurer, et les soucis et les préoccupations de la vie s'emparèrent d'elle.

Rester à Bogoutcharovo devenait dangereux. De tous les côtés, on entendait parler de l'approche de l'ennemi; à quinze verstes de Bogoutcharovo, une propriété avait été pillée par des maraudeurs français.

Le médecin insistait pour qu'on emmenât le prince; le maréchal de la noblesse dépêcha un fonctionnaire à la princesse pour l'engager à partir le plus tôt possible; le chef de police du district vint la prévenir que les Français étaient à quarante verstes de Bogoutcharovo, qu'ils répandaient des proclamations dans les villages et que si la princesse ne partait pas avec son père avant le 15, il ne répondait plus de rien.

La princesse prit la décision de partir le 15. Les préparatifs du départ, les ordres à donner — tout le monde maintenant s'adressait à elle — occupèrent toute sa journée. Elle passa la nuit du 14 au 15 sans se déshabiller, comme d'habitude, dans la chambre contiguë à celle où était couché le prince. Se réveillant de temps à autre, elle l'entendit à plusieurs reprises gémir et marmonner, elle entendit les grincements du lit, les pas de Tikhone et du médecin qui retournaient le malade. Elle appliqua plusieurs fois l'oreille à la porte et il lui sembla que cette nuit il marmonnait plus fort que d'habitude et s'agitait davantage. Ne pouvant dormir, elle s'approcha plusieurs fois de la porte dans l'intention d'entrer chez son père, mais elle ne s'y décidait pas. Bien qu'il ne pût parler, elle voyait, elle savait combien lui était désagréable toute manifestation d'inquiétude à son sujet; elle remarquait qu'il se détournait, mécontent, pour éviter le regard insistant que parfois elle posait involontairement sur lui. Elle savait que son apparition la nuit, à une heure indue, l'irriterait.

Jamais pourtant elle n'avait éprouvé un tel chagrin, une telle terreur à la pensée de le perdre. Elle évoquait sa vie avec lui et découvrait dans chacune de ses paroles, dans chacun de ses actes le témoignage de l'amour qu'il lui portait. Parfois des tentations diaboliques faisaient irruption parmi ces souvenirs, la pensée de ce qui arriverait après la mort du vieillard, de l'organisation de sa vie nouvelle, libre; mais elle chassait avec dégoût cette pensée. Vers le matin, il se calma et elle s'endormit.

Elle s'éveilla tard. Avec cette clairvoyance qui accompagne fréquemment le réveil, elle distingua nettement ce qui la préoccupait par-dessus tout dans la maladie de son père. Elle prêta l'oreille à ce qui se passait derrière la porte, entendit les mêmes gémissements et se dit en soupirant que rien n'était changé.

« Mais que pourrait-il arriver? Qu'est-ce donc que je voulais? Je veux sa mort! » cria-t-elle et elle eut horreur d'elle-même.

Elle se leva, s'habilla, fit ses prières et sortit sur le perron. Devant le perron stationnaient des voitures non attelées encore dans lesquelles on chargeait les bagages.

La matinée était tiède et grise. La princesse Marie resta un moment sur le perron; horrifiée de son infamie, elle essayait de remettre un peu d'ordre dans ses pensées avant d'aller voir le malade. Le médecin descendit l'escalier et vint à elle.

— Il va un peu mieux aujourd'hui, dit-il. Je vous cherchais.

On peut à peu près comprendre ce qu'il dit, il a la tête plus claire. Venez. Il vous demande.

Le cœur de la princesse Marie battit si fort à cette nouvelle que, toute pâle, elle dut s'appuyer à la porte pour ne pas tomber. Le voir, lui parler, affronter son regard en ce moment, alors que son âme se débattait contre ces terribles, ces criminelles tentations, la remplissait à la fois de terreur et d'une joie déchirante.

— Venez, répéta le médecin.

Elle entra chez son père et s'approcha du lit; il était étendu sur le dos, le buste surélevé par des oreillers, ses petites mains osseuses, sillonnées de veines mauves et noueuses, posées sur la couverture, les sourcils et les lèvres immobiles; l'œil gauche fixait un point devant lui, le droit louchait. Il était là, petit, maigre, pitoyable; son visage aux traits amenuisés semblait desséché ou fondu. La princesse s'approcha et baisa sa main. De sa main gauche, il serra fortement celle de sa fille qui comprit à cela qu'il l'attendait déjà depuis longtemps. Il tiraillla sa main tandis que, d'un air irrité, il crispait ses lèvres et ses sourcils.

Elle le regardait craintivement, cherchant à deviner ce qu'il voulait d'elle. Lorsque, changeant de position, elle se pencha de façon qu'il pût voir son visage de son œil gauche, il se calma et la considéra fixement quelques secondes; puis sa langue et ses lèvres remuèrent, laissant échapper quelques sons et il se mit à parler en la regardant d'un air timide, suppliant, craignant visiblement de n'être pas compris.

La princesse le regardait, toute son attention tendue. Les efforts comiques qu'il faisait pour mouvoir sa langue lui firent baisser les yeux et elle eut peine à réprimer les sanglots qui lui montaient à la gorge. Il dit quelque chose, répétant plusieurs fois les mêmes mots. La princesse ne pouvait les comprendre; elle essayait cependant de les deviner en les reprenant d'un ton interrogatif.

— Aa... sfr... sfr..., répétait-il.

On ne pouvait le comprendre. Le médecin crut avoir deviné : « La princesse a peur? » suggéra-t-il, mais le malade fit un signe de tête négatif.

— L'âme, l'âme souffre? prononça la princesse.

Il poussa un grognement affirmatif, prit la main de sa fille et l'appliqua à différents points de sa poitrine comme s'il cherchait la meilleure place.

143

— Toutes mes pensées... pour toi... pensées..., articula-t-il plus distinctement, maintenant qu'il était sûr d'être compris.

La princesse Marie appuya sa tête contre la main de son père, essayant de dissimuler ses sanglots.

Il passait sa main sur ses cheveux.

— Je t'ai appelée toute la nuit, prononça-t-il.

— Si j'avais su! dit-elle à travers ses larmes. Je craignais d'entrer.

— Tu ne dormais pas?

— Non, je ne dormais pas, répondit la princesse hochant négativement la tête. Imitant inconsciemment son père, elle s'efforçait comme lui de s'exprimer plutôt par signes et semblait, elle aussi, remuer sa langue avec peine.

— Ma petite âme... — ou bien était-ce « mon amie chérie »? — la princesse Marie n'en était pas sûre, mais elle était certaine d'après l'expression du visage de son père qu'il avait dit une parole tendre, caressante, comme il n'en avait jamais prononcée : Pourquoi n'es-tu pas venue?

« Et moi qui souhaitais sa mort! » songea-t-elle.

Elle garda le silence.

— Je te remercie... ma fille... amie... pour tout, pardonne... pardonne... merci... — Des larmes coulaient de ses yeux. — Appelez Andrioucha, dit-il soudain, et une expression timide, enfantine et méfiante passa sur son visage.

On eût dit qu'il se rendait lui-même compte de l'absurdité d'une telle demande.

— J'ai reçu une lettre de lui, répondit la princesse.

Il la considéra, surpris et craintif.

— Et où est-il donc?

— A l'armée, *mon père*, à Smolensk.

Il resta longtemps silencieux, les yeux clos; puis, comme en réponse à ses doutes et pour confirmer qu'il comprenait et se rappelait tout maintenant, il hocha affirmativement la tête et ouvrit les yeux.

— Oui, prononça-t-il distinctement à mi-voix, la Russie est perdue. Ils l'ont perdue!

Il se remit à sangloter, les larmes coulaient de ses yeux. Incapable de se contenir davantage, la princesse Marie pleurait elle aussi en le regardant.

Il referma les yeux, cessa de pleurer et porta la main à son visage; l'ayant compris, Tikhone essuya les larmes de son maître.

Rouvrant les yeux, il prononça quelques mots que personne

ne put comprendre. Tikhone seul les comprit au bout d'un long moment et les répéta à la princesse Marie. Celle-ci cherchait à en saisir le sens en se rapportant à ce qu'il avait dit un moment auparavant; elle supposait qu'il s'agissait de la Russie, du prince André ou d'elle, ou du petit Nicolas, ou encore de sa mort à lui; aussi ne devinait-elle pas.

— Mets ta roble blanche, je l'aime beaucoup, avait-il dit.

Quand la princesse Marie comprit, ses sanglots redoublèrent. Le médecin la prit par le bras et l'emmena sur la terrasse en l'adjurant de se calmer et de s'occuper des préparatifs du départ. En l'absence de sa fille, le malade se remit à parler de son fils, de la guerre, de l'empereur d'un air courroucé; ses sourcils tressaillaient, sa voix rauque se haussait et il eut une seconde et dernière attaque.

La princesse restait sur la terrasse. Le ciel s'était éclairci, le soleil brillait, il faisait très chaud. Toutes ses pensées, tous ses sentiments étaient uniquement centrés sur son amour ardent pour son père, amour dont elle ne s'était pas rendu compte jusqu'à cette minute, lui semblait-il. Toujours pleurant, elle descendit en hâte dans le jardin et se dirigea vers l'étang en suivant les chemins que le prince André avait tracés et plantés de tilleuls.

« Oui... et moi... moi... j'ai souhaité sa mort!... J'ai souhaité que cela finît au plus vite... J'aspirais au repos... Et que deviendrai-je à présent? A quoi bon ce repos quand il ne sera plus là », se disait-elle à voix basse en parcourant le parc d'un pas rapide et en comprimant des mains sa poitrine secouée par des sanglots convulsifs.

Sa marche circulaire la ramena à la maison; elle aperçut, venant à sa rencontre, Mlle Bourienne (qui se refusait à quitter Bogoutcharovo) et un inconnu. C'était le maréchal de la noblesse du district venu tout exprès pour convaincre la princesse de la nécessité d'un prompt départ. Elle l'écouta sans comprendre ce qu'il disait, le fit entrer dans la maison, lui proposa de déjeuner. Après être restée un moment avec lui, elle s'excusa et se dirigea vers la chambre de son père; le médecin en sortit l'air inquiet et lui dit qu'on ne pouvait entrer.

— Partez, princesse, partez!

Elle retourna dans le parc et s'assit sur l'herbe, au bas de la pente qui descendait vers l'étang, où personne ne pouvait la voir. Elle n'eut pas conscience du temps qu'elle était restée là lorsqu'elle revint à elle au bruit des pas précipités d'une femme sur le sentier. Elle se releva et vit Douniacha, sa femme de chambre, qui évidemment la cherchait, s'arrêter brusquement comme épouvantée à la vue de sa maîtresse.

— Venez, princesse... le prince..., dit-elle d'une voix entrecoupée.

— Tout de suite... je viens, je viens, répondit hâtivement la princesse Marie sans lui permettre d'achever et elle courut vers la maison en évitant de regarder Douniacha.

— Princesse, la volonté de Dieu s'accomplit, soyez prête à tout, lui dit le maréchal de la noblesse qui l'attendait à l'entrée.

— Laissez-moi, ce n'est pas vrai! lui cria-t-elle rageusement. Le médecin voulut l'arrêter. Elle le repoussa et s'élança vers la porte. « Pourquoi tous ces gens aux visages effrayés m'arrêtent-ils? Je n'ai besoin de personne! Et que font-ils ici? » Elle ouvrit la porte et la lumière éclatante du jour dans cette chambre à moitié obscure auparavant l'épouvanta. Sa vieille nourrice et les autres femmes qui se trouvaient là s'écartèrent du lit, lui livrant passage; il était étendu sur le lit dans la même position, mais l'expression sévère de son visage calme arrêta la princesse Marie sur le seuil de la pièce.

« Non, se dit-elle, il n'est pas mort, ce n'est pas possible! » Elle s'approcha de lui et surmontant sa terreur, appuya ses lèvres contre sa joue, mais aussitôt elle s'écarta. Toute la tendresse qu'elle ressentait pour son père disparut instantanément pour faire place à un sentiment d'horreur devant ce qui était là. « Non, il n'est plus! Il n'est plus. Mais il y a là, à l'endroit même où il était, quelque chose d'inconnu, d'hostile, un mystère terrifiant, bouleversant et repoussant. » Et se cachant le visage dans les mains, la princesse Marie s'écroula dans les bras du médecin.

En présence de Tikhone et du médecin, les femmes lavèrent ce qui avait été le prince Bolkonsky, entourèrent sa tête d'un mouchoir pour que la bouche ouverte ne se raidît pas, lièrent avec un autre mouchoir les jambes qui s'écartaient. Ensuite, ils revêtirent de son uniforme couvert de décorations le petit cadavre ratatiné et le déposèrent sur une table [1]. Dieu sait qui prit les dispositions nécessaires, mais tout se fit comme de soi-même. A la nuit, des cierges brûlaient autour du cercueil, le cercueil était recouvert d'un drap mortuaire; des branches de genévrier étaient répandues sur le parquet, une prière imprimée avait été glissée sous la tête décharnée. Assis dans un coin, un chantre lisait à haute voix le Psautier.

De même que les chevaux s'attroupent, se cabrent et s'ébrouent devant un cheval mort, une foule de familiers et d'étrangers — le maréchal de la noblesse, le staroste, [les gens du village — se pressaient dans le salon autour du cercueil et tous, les yeux fixes, effrayés, se signaient, se prosternaient et baisaient la main froide et raidie du vieux prince.

IX

Jusqu'à ce que le prince André se fût installé à Bogoutcharovo, les propriétaires du domaine n'y venaient pas, et les paysans de Bogoutcharovo étaient très différents de ceux de Lyssya Gory. Ils s'en distinguaient et par leur parler et par leurs vêtements et par leurs coutumes. On les appelait ceux de la steppe. Le vieux prince louait leur endurance au travail quand ils venaient à Lyssya Gory aider aux moissons ou curer l'étang et les fossés, mais il ne les aimait pas à cause de leur naturel sauvage. Le séjour du prince André à Bogoutcharovo et ses dernières innovations — hôpitaux, écoles, allégement des redevances — n'avait pas adouci, mais renforcé au contraire ce trait de leur nature que le vieux prince qualifiait de sauvage. Des bruits vagues circulaient constamment parmi eux, tantôt qu'ils allaient obtenir le statut des cosaques, tantôt qu'on les convertirait tous à une nouvelle religion; ou bien il s'agissait d'un serment prêté par les seigneurs à l'empereur Paul Ier en 1797 (l'affranchissement des serfs était déjà chose faite, assurait-on, mais les seigneurs l'avaient escamoté), ou encore du retour dans sept ans de Pierre III[1], sous le règne duquel tous seraient libres, et tout se ferait si simplement qu'on n'aurait plus besoin de rien. Aux rumeurs touchant la guerre, Bonaparte et l'invasion, d'autres s'étaient entremêlées sur la fin du monde, l'apparition de l'Antéchrist et l'instauration d'une liberté totale.

Il y avait dans les environs de Bogoutcharovo de gros villages, appartenant les uns à la couronne, les autres à des particuliers; très peu de ces derniers résidaient dans leurs domaines dont la population comptait fort peu de domestiques et de paysans sachant lire; aussi les mystérieux courants de la vie populaire russe dont les causes et la signification échappent généralement aux contemporains, étaient-ils puissants dans cette région et plus apparents qu'ailleurs. C'est ainsi qu'une vingtaine d'années plus tôt parmi ces populations s'était produit un mouvement d'émigration vers on ne sait quelles rivières aux eaux chaudes. Des centaines de paysans, dont ceux de Bogoutcharovo, vendirent subitement leur bétail et se mirent en route dans la direction du Sud-Est. Tels des oiseaux qui s'envolent au-delà des mers, ces gens partaient avec femme et enfants quelque part au loin, vers des pays que nul d'entre eux n'avait jamais vus. Ils partaient en caravane ou isolément, les uns se rachetaient [1], d'autres fuyaient vers les mystérieuses rivières chaudes; beaucoup furent punis, déportés en Sibérie; beaucoup périrent de froid et de faim en route; beaucoup revinrent de bon gré, et le mouvement prit fin de lui-même comme il avait débuté, sans raisons apparentes. Cependant les courants souterrains continuaient à circuler parmi cette population, et s'apprêtaient à paraître au jour avec une force nouvelle sous une forme tout aussi étrange, inattendue et néanmoins aussi simple et naturelle. Celui qui maintenant, en 1812, vivait en contact avec le peuple, se rendait compte qu'il était puissamment travaillé par ces courants souterrains et que ceux-ci allaient prochainement se manifester aux yeux de tous.

Lorsque peu de temps avant la mort du vieux prince Alpatytch arriva à Bogoutcharovo, il remarqua qu'il y régnait une certaine agitation et que, contrairement à ce qui se passait dans un rayon de soixante verstes autour de Lyssya Gory où tous les paysans partaient (abandonnant leurs villages au pillage des cosaques), dans la région des steppes, celle de Bogoutcharovo, les paysans, à ce qu'on disait, entretenaient des relations avec les Français qui répandaient parmi eux on ne sait quels papiers, et ils restaient sur place. Par des domestiques qui lui étaient attachés, Alpatytch savait qu'un paysan très influent dans la commune, Karp, qui avait été récemment réquisitionné pour conduire un charroi, racontait à son retour que les cosaques pillaient les villages abandonnés par leurs habitants, alors que les Français n'y touchaient pas. Alpatytch savait aussi qu'un autre paysan avait même rapporté la veille de Vislooukhovo qu'occupaient les Français, une proclamation de leur général, déclarant aux habitants qu'il ne leur serait fait aucun mal s'ils restaient chez eux et que tout ce qui serait réquisitionné serait payé. Et comme preuve, le paysan montrait cent roubles en assignats (il ignorait qu'ils étaient faux) qu'on lui avait donnés à Vislooukhovo comme avance sur son foin.

Enfin, et c'était le plus grave, Alpatytch apprit que 'e jour même où il avait donné l'ordre au staroste de réunir les chariots pour le transport des bagages de la princesse, une assemblée de la commune s'était tenue le matin, où il avait été décidé de ne pas bouger et d'attendre. Cependant le temps pressait. Le 15 août, le jour de la mort du vieux prince, le maréchal de la noblesse avait insisté auprès de la princesse Marie pour qu'elle partît le jour même, le danger étant imminent. Il lui avait dit qu'après le 16 il ne répondait plus de rien. Reparti le soir du 15, il avait promis de revenir le lendemain pour l'enterrement; mais ce lui fut impossible : ayant appris que les Français avaient brusquement avancé, il eut à peine le temps d'emmener sa famille et ce qu'il avait de plus précieux.

Depuis une trentaine d'années, Bogoutcharovo était géré par le staroste Drone que le vieux prince appelait Dronouchka. Drone était un de ces paysans solides, au physique et au moral, qui en prenant de l'âge se parent d'une barbe opulente, puis vivent jusqu'à soixante et soixante-dix ans sans plus changer, sans un cheveu blanc, ni une dent en moins, toujours aussi droits, aussi vigoureux à cet âge qu'à trente.

Peu après l'émigration vers les rivières chaudes, à laquelle Drone avait pris part comme les autres, il fut nommé staroste à Bogoutcharovo, fonction qu'il remplissait depuis vingt-trois ans de manière irréprochable. Les paysans le craignaient plus que leur maître. Le vieux prince et le jeune, ainsi que l'intendant, l'estimaient et l'appelaient en plaisantant « ministre ». Pendant toutes ces années, pas une fois il n'avait été ivre ni malade; après des nuits sans sommeil ou après des travaux quels qu'ils fussent, jamais il n'avait montré la moindre fatigue, et bien qu'illettré, jamais il n'avait commis d'erreur dans le décompte soit de l'argent, soit de la farine qu'il vendait par énormes charrois, ou du nombre de gerbes de blé par déciatine [1] que rendaient les champs de Bogoutcharovo.

C'est ce Drone qu'Alpatytch à son arrivée de Lyssya Gory dévasté convoqua le jour de l'enterrement du prince et chargea de préparer douze chevaux pour les équipages de la princesse et dix-huit charrettes pour tout ce qu'on devait emporter de Bogoutcharovo. Les paysans étaient à la redevance [2], mais selon Alpatytch l'exécution de ces-ordres ne devait pas soulever de difficulté, vu que Bogoutcharovo comptait deux cent trente feux et que les paysans y étaient très à l'aise. Mais ayant écouté, Drone baissa les yeux en silence. Alpatytch lui nomma quelques paysans qu'il connaissait et qui pouvaient fournir les charrettes.

Drone répondit que les chevaux de ces paysans étaient en course; Alpatytch en nomma d'autres. Ceux-là n'avaient pas de chevaux non plus, selon Drone; les uns ayant été réquisitionnés par les autorités, les autres étant fourbus, certains même avaient crevé faute de fourrage. A en croire Drone, on ne pourrait avoir de chevaux non seulement pour les charrettes mais aussi pour les voitures de la princesse.

Alpatytch considéra attentivement Drone et fronça les sourcils. Drone était un staroste modèle, mais ce n'était pas pour rien qu'Alpatytch qui administrait depuis vingt ans les propriétés du prince passait pour un intendant modèle. Il l'était parce qu'il possédait un flair particulier qui lui permettait de comprendre les gens auxquels il avait affaire. Il lui avait suffi d'un regard sur Drone pour deviner que ses réponses ne reflétaient pas ce que pensait le staroste mais l'état d'esprit de la commune de Bogoutcharovo dont il subissait l'emprise. Pourtant Alpatytch savait aussi que Drone, qui s'était enrichi et que la commune détestait, devait hésiter entre deux camps : celui des maîtres et celui des paysans. Cette hésitation, Alpatytch l'avait lue dans le regard de Drone. Il s'approcha de lui, les sourcils froncés.

— Écoute bien, Dronouchka. Ne me raconte pas d'histoires. Son Altesse, le prince André Nicolaïtch, m'a donné lui-même l'ordre de faire partir toute la population, de ne pas rester ici avec l'ennemi. Et il y a ordre du tsar. Celui qui reste trahit le tsar. Tu entends?

— J'entends, dit Drone sans lever les yeux.

Cette réponse ne satisfit pas Alpatytch.

— Eh! Drone, ça tournera mal! dit-il en hochant la tête.

— Comme il vous plaira, répondit Drone tristement.

— Eh! Drone, laisse ça, répéta Alpatytch et dégageant sa main de son caftan, il en désigna solennellement le plancher sous les pieds du staroste. — Non seulement je te perce à jour, mais je vois à trois archines sous toi.

Drone se troubla, jeta un regard furtif à Alpatytch et baissa de nouveau les yeux.

— Laisse là ces sornettes et dis aux gens que tous se préparent à quitter leurs maisons et à aller à Moscou. Et qu'ils amènent les chariots pour transporter les bagages de la princesse. Et toi-même, ne va pas à l'assemblée de la commune. Entends-tu?

Drone tomba brusquement à ses pieds.

— Iakov Alpatytch, libère-moi! Reprends les clefs! Libère-moi, au nom du Christ!

— Laisse ça, dit sévèrement Alpatytch. Je vois à trois archines sous toi, répéta Alpatytch. Il n'ignorait pas que son habileté à soigner les abeilles, la sûreté de ses prévisions en matière de semailles et le fait qu'il avait réussi pendant vingt ans à donner satisfaction au vieux prince, lui avaient valu depuis longtemps de passer pour sorcier, et que l'on attribuait aux sorciers le don de voir à trois archines sous les pieds d'un homme.

Drone se redressa et voulut parler, mais Alpatytch l'interrompit :

— Qu'est-ce que vous vous êtes mis dans la tête?... Hein?... A quoi pensez-vous? Allons!

— Que puis-je faire avec les gens? répondit Drone. Ils ont la tête à l'envers. J'ai eu beau leur dire...

— C'est bien ce que je pensais. Ils boivent?

— Ils sont déchaînés, Iakov Alpatytch. Ils en sont déjà à leur deuxième tonneau.

— Eh bien, écoute-moi. Je vais avertir le chef de la police, et toi, dis-leur de cesser leurs histoires et d'amener les chariots.

— A vos ordres, répondit Drone.

Alpatytch n'insista pas davantage. Il avait depuis trop longtemps exercé son autorité pour ne pas savoir que le meilleur moyen de se faire obéir des gens était de ne jamais leur laisser croire qu'on mettait leur obéissance en doute. Ayant obtenu de Drone le docile « à vos ordres », il s'en contenta; et pourtant il doutait. Il était presque certain que les chariots ne seraient pas fournis sans l'intervention de la force armée.

Et en effet, le soir, les chariots n'étaient toujours pas là. Une nouvelle assemblée avait eu lieu au village, devant le cabaret, et on y avait décidé d'emmener les chevaux dans les bois et de ne pas fournir de chariots. Sans en rien dire à la princesse, Alpatytch fit décharger ses propres bagages des chariots amenés de Lyssya Gory, donna l'ordre d'atteler ses chevaux à la calèche de la princesse et alla avertir les autorités.

X

Après l'enterrement de son père, la princesse Marie s'était enfermée dans sa chambre et n'avait voulu voir personne. Une servante avait frappé à sa porte et lui avait dit qu'Alpatytch demandait ses instructions pour le départ (cela se passait avant la conversation avec Drone). Elle s'était soulevée du divan où elle était allongée et avait répondu à travers la porte fermée qu'elle ne partirait pas et demandait qu'on la laissât en paix.

Les fenêtres de la pièce où elle était étendue sur le divan donnaient au couchant. Le visage tourné vers le mur, elle promenait ses doigts sur les boutons d'un coussin de cuir et ses pensées confuses tournaient autour d'un seul point : l'irrévocabilité de la mort et l'abjection de son âme qu'elle ignorait jusqu'alors, que lui avait révélée la maladie de son père. Elle voulait mais n'osait prier; elle n'osait s'adresser à Dieu dans l'état d'esprit où elle se trouvait. Elle resta longtemps allongée ainsi.

Le soleil passa de l'autre côté de la maison et les rayons obliques du couchant illuminèrent à travers les fenêtres ouvertes la chambre et une partie du coussin de maroquin que contemplait la princesse Marie. Le cours de ses songeries s'interrompit soudain. Elle se redressa inconsciemment, arrangea ses cheveux, se leva et s'étant approchée de la fenêtre, aspira avidement malgré elle la fraîcheur de cette soirée claire mais venteuse.

« Oui, à présent, tu peux admirer la soirée tout à ton aise, il n'est plus là, personne ne te dérangera », se dit-elle, et s'affaissant sur une chaise elle laissa tomber sa tête sur l'appui de la fenêtre.

Quelqu'un qui l'avait appelée du jardin par son nom, d'une voix douce et tendre, posa un baiser sur ses cheveux. Elle se retourna : c'était Mlle Bourienne en robe noire garnie de pleureuses; elle s'approcha sans bruit, embrassa la princesse en soupirant et se mit aussitôt à pleurer. La princesse Marie la considéra. Elle se rappela leurs dissentiments, et qu'elle avait été jalouse d'elle; elle se rappela que les derniers temps il avait changé d'attitude envers elle et ne pouvait plus la voir. Combien donc étaient injustes les reproches qu'elle faisait à Mlle Bourienne dans le fond de son cœur! « Et est-ce à moi, à moi qui ai souhaité la mort de mon père, de juger qui que ce soit! » songeait-elle.

Elle se représenta vivement la situation de Mlle Bourienne, obligée de vivre chez des étrangers, qu'elle avait tenue à distance ces derniers temps, mais qui dépendait d'elle... Elle en eut pitié et la regardant d'un air timidement interrogateur, lui tendit la main. Mlle Bourienne la baisa en fondant en larmes et exprima la part qu'elle prenait au malheur qui venait de frapper la princesse. La seule chose, disait-elle, qui pût adoucir son propre chagrin était que la princesse lui permît de le partager avec elle; tous les malentendus devaient s'effacer devant leur grande douleur; en ce qui la concernait, sa conscience était pure et LUI voyait de là-haut son affection et sa gratitude. La princesse Marie l'écoutait sans comprendre ce qu'elle disait, mais la regardait de temps à autre et prêtait l'oreille au son de sa voix.

— Votre situation est doublement affreuse, ma chère princesse, reprit Mlle Bourienne après un court silence. Je comprends que vous n'ayez pu et ne puissiez pas encore penser à vous, mais l'affection que je vous porte m'oblige à le faire pour vous... Alpatytch est-il venu chez vous? Vous a-t-il parlé du départ?

La princesse ne répondit pas. Elle ne comprenait pas qui devait partir et pour où. « Est-il possible d'entreprendre quelque chose maintenant, de penser à quoi que ce soit? Tout n'est-il pas indifférent? » Elle ne répondit pas.

— Savez-vous, *chère Marie*, que nous sommes en danger, que nous sommes entourés par les Français? Il est dangereux de partir à présent. Si nous partons, nous serons certainement faites prisonnières, et Dieu sait alors...

La princesse regardait son amie et ne comprenait toujours pas ce qu'elle disait.

— Ah, si l'on pouvait savoir à quel point tout, tout m'est indifférent maintenant! Bien entendu, je ne voudrais pour rien au monde m'éloigner de LUI ... Alpatytch m'avait dit quelque chose au sujet du départ... Parlez-lui. Je ne veux et ne puis rien faire.

— Je lui ai parlé. Il espère que nous pourrons partir demain; mais je crois qu'il serait maintenant préférable de rester ici, dit Mlle Bourienne. Car, convenez-en, *chère Marie*, tomber en route aux mains de partisans et de soldats révoltés serait affreux.

Mlle Bourienne tira de son réticule la proclamation (le papier était différent de celui des documents russes) du général français Rameau qui invitait les habitants à rester chez eux en les assurant de la protection des autorités françaises. Elle tendit la proclamation à la princesse Marie.

— Je considère qu'il vaut mieux s'adresser à ce général, dit Mlle Bourienne, et je suis convaincue qu'il vous témoignera les égards qui vous sont dus.

La princesse lisait le papier et des crispations passaient sur son visage.

— De qui tenez-vous cela? demanda-t-elle.

— Sans doute a-t-on su d'après mon nom que j'étais française.

Le papier à la main, la princesse Marie, toute pâle, sortit de la chambre et gagna l'ancien cabinet de travail de son père.

— Douniacha, dit-elle, appelez Alpatytch, Dronouchka ou un

autre, et dites à Amélia Karlovna de ne pas entrer chez moi, ajouta-t-elle ayant entendu la voix de Mlle Bourienne. « Partir! Vite! Vite! » répétait-elle épouvantée à l'idée de tomber au pouvoir des Français.

« Si André apprend jamais que je suis aux mains des Français!... Comment, moi, la fille du général Nicolas Andréiévitch Bolkonsky, j'irais solliciter la protection de Monsieur le général Rameau et profiterais de ses bonnes grâces! » Cette pensée la bouleversait, la faisait frémir et rougir; des bouffées de colère et d'orgueil qu'elle n'avait jamais encore connues lui montaient à la tête. Elle se représentait nettement combien sa situation serait pénible, et surtout humiliante. « Les Français s'installeraient dans cette maison, Monsieur le général Rameau occuperait le cabinet de mon frère! Ils feuilletteront et liront pour se distraire des lettres et des notes; *Mlle Bourienne leur fera les honneurs de Bogoutcharovo*. On me laissera par charité une chambrette; les soldats profaneront la tombe toute fraîche de mon père pour s'emparer de ses décorations, de ses croix; ils me parleront de leurs victoires sur les Russes, feront mine de compatir à mon chagrin. » Ainsi songeait la princesse Marie qui n'exprimait pas ses propres pensées mais se sentait obligée d'adopter les pensées de son père et de son frère. Personnellement peu lui importait d'être ici ou là, et ce qui pouvait lui advenir; cependant elle se sentait en même temps la représentante de son père défunt et du prince André. Sa pensée s'appropriait spontanément leurs idées, sa sensibilité, leurs sentiments. Il était de son devoir de dire et de faire ce qu'ils auraient dit et fait dans les circonstances présentes. Elle réfléchissait à sa situation dans le cabinet du prince André, en cherchant à se pénétrer des pensées de son frère.

Les exigences de la vie quotidienne, qu'elle jugeait abolies depuis le décès de son père, se dressaient brusquement devant elle et la submergeaient avec une force toute nouvelle inattendue.

Émue, cramoisie, elle arpentait la pièce et commandait qu'on fît venir Alpatytch ou Mikhaïl Ivanytch, ou bien Tikhone, ou encore Drone. Douniacha, la nourrice, et les autres servantes ne savaient rien qui pût confirmer ce qu'avait dit Mlle Bourienne. Alpatytch était absent; il était parti prévenir les autorités. Mikhaïl Ivanytch, l'architecte, se présenta devant la princesse, les yeux bouffis de sommeil, et ne put rien lui dire. A toutes ses questions, il répondait avec le même sourire approbateur avec lequel il avait répondu pendant quinze ans au vieux prince, sans jamais exprimer son avis. Il fut impossible de rien retirer de ses paroles. Convoqué lui aussi, Tikhone, le vieux valet de chambre, dont le visage gris, ravagé, portait les marques d'un chagrin inconsolable, répondait « A vos ordres », à toutes les questions de la princesse Marie et avait peine à retenir ses sanglots en la regardant.

Enfin on introduisit Drone, le staroste. S'étant profondément incliné devant la princesse il s'immobilisa contre le linteau de la porte.

Elle fit quelques pas dans la pièce et s'arrêta devant lui.

— Dronouchka, dit-elle, considérant comme un ami sûr ce Dronouchka qui de la foire de Viazma où il se rendait tous les ans, lui rapportait chaque fois des pains d'épice qu'il lui offrait en souriant, — Dronouchka, à présent, après notre grand malheur..., commença-t-elle, mais incapable de poursuivre, elle se tut.

— Nous sommes tous dans la main de Dieu, dit-il avec un soupir.

— Dronouchka, Alpatytch est allé je ne sais où, je n'ai personne à qui m'adresser; on m'assure que je ne puis partir, est-ce vrai?

— Pourquoi ne partirais-tu pas, Altesse? On peut partir, dit Drone.

— On prétend que ce serait dangereux à cause de l'ennemi. Mon bon ami, je ne comprends rien, je n'ai personne auprès de moi. Je veux absolument partir cette nuit ou demain tôt au matin.

Drone garda le silence et lui jeta un regard en dessous.

— Il n'y a pas de chevaux, déclara-t-il. Je l'ai déjà dit à Alpatytch.

— Et pourquoi donc?

— Tout ça, c'est le châtiment de Dieu, dit Drone. Des chevaux que nous avions, beaucoup ont été pris par les troupes. Les autres ont crevé. C'est une année comme ça. Non seulement il n'y a pas de quoi nourrir les chevaux, mais on pourrait bien mourir de faim nous-mêmes. Il y en a qui restent des trois jours sans manger. Il n'y a plus rien. On nous a complètement ruinés.

La princesse Marie écoutait attentivement.

— Les paysans sont ruinés? Ils n'ont pas de pain? demanda-t-elle.

— Ils meurent de faim, dit Drone. Et voilà maintenant ces chariots...

— Mais pourquoi ne l'as-tu pas dit, Dronouchka? On doit pouvoir les nourrir? Je ferai tout ce que je peux...

En ces instants où son âme était accablée d'une si grande douleur, la princesse Marie était surprise qu'il pût y avoir des riches et des pauvres et que les riches pussent ne pas aider les pauvres. Elle avait vaguement entendu parler de blé réservé au seigneur et qu'on distribuait le cas échéant aux paysans; elle savait aussi que ni son père ni son frère n'auraient refusé de les aider. Elle craignait seulement de ne pas savoir ce qu'il fallait dire pour que l'on procédât à cette distribution. Elle était heureuse de ce prétexte qui lui permettait de se détourner sans le moindre scrupule de sa propre douleur. Elle demanda à Drone des détails sur les besoins des paysans et s'il y avait du blé à Bogoutcharovo.

— Nous devons bien avoir du blé... celui de mon frère?

— Le blé du maître est intact, répondit fièrement Drone. Notre prince n'a pas voulu qu'on le vende.

— Distribue-le aux paysans, donne-leur tout ce dont ils ont besoin. Je t'y autorise au nom de mon frère, dit la princesse.

Drone ne répondit pas.

— Distribue ce blé s'il y en a suffisamment. Distribue. Je te l'ordonne au nom de mon frère. Et dis-leur : ce qui est à nous est à vous. Nous n'épargnerons rien pour les aider. Dis-leur cela.

Tandis qu'elle parlait, Drone la regardait attentivement.

— Rends-moi ma liberté, dit-il, au nom du Christ! Dis-leur de reprendre les clefs! J'ai servi vingt-trois ans, je n'ai jamais rien fait de mal. Décharge-moi au nom du Christ!

La princesse Marie ne comprenait pas ce qu'il attendait d'elle et de quoi il voulait être déchargé. Elle répondit qu'elle n'avait jamais douté de son dévouement et qu'elle était prête à tout faire pour lui et pour les paysans.

XI

Une heure plus tard, Douniacha vint prévenir la princesse que Drone était là et que tous les paysans réunis devant la grange, selon l'ordre qu'elle avait donné, désiraient lui parler.

— Mais je ne les ai pas fait appeler, dit la princesse. J'ai seulement dit à Drone de leur distribuer du blé.

— Au nom du Christ, princesse, ma petite mère, ordonnez qu'on les chasse et n'y allez pas. Tout ça c'est des tromperies, dit Douniacha. Iakov Alpatytch va revenir et nous partirons... Et vous, n'y allez pas...

— Quelles tromperies? demanda la princesse étonnée.

— Oh, moi, je sais. Écoutez-moi seulement, pour Dieu! Demandez plutôt à la nourrice. Ils refusent de partir, malgré vos ordres.

— Tu dois te tromper. Je ne leur ai jamais donné l'ordre de partir, dit la princesse. Appelle Drone.

Drone arriva et confirma les paroles de Douniacha : les paysans étaient réunis sur l'ordre de la princesse.

— Mais je ne les ai pas convoqués, protesta la princesse. Tu as certainement mal transmis ce que je t'avais dit. Je voulais seulement que tu leur donnes le blé.

Drone se contenta de soupirer.

— Si vous l'ordonnez, ils s'en iront, dit-il.

— Non, non, j'y vais, dit la princesse.

En dépit des supplications de Douniacha et de la vieille nourrice, elle sortit sur le perron suivie de Drone, de Douniacha, de la nourrice et de Mikhaïl Ivanytch.

« Ils croient probablement que je leur propose du blé à condition qu'ils restent ici, alors que moi je partirai en les abandonnant à la merci des Français... Je vais leur promettre une ration mensuelle [1], et de les reloger dans notre propriété près de Moscou. André aurait certainement fait encore davantage à ma place », se disait la princesse en allant dans le crépuscule vers la foule qui l'attendait au pacage, près de la grange.

Un remous parcourut la foule qui s'aggloméra; les têtes se découvrirent. Elle arriva les yeux baissés, ses pieds se prenant dans sa robe. Tant de regards jeunes et vieux la fixaient, tant de visages différents étaient tournés vers elle que la princesse Marie n'en distinguait aucun et, sentant qu'il lui fallait s'adresser à tous, elle ne savait comment s'y prendre. Mais la conscience qu'elle représentait son père et son frère lui donna de nouveau des forces et elle se mit à parler hardiment.

— Je suis très contente que vous soyez venus, commença-t-elle les yeux baissés, le cœur battant avec violence. Dronouchka m'a dit que la guerre vous a ruinés. C'est notre malheur à tous et je n'épargnerai rien pour vous aider. Je pars, parce qu'il est dangereux de rester ici... l'ennemi est proche... et aussi... parce que... Je vous donne tout, mes amis, et vous demande de prendre tout, tout notre blé, pour que vous ne manquiez de rien. Et si l'on vous a dit que je donne le blé pour que vous restiez ici, c'est faux. Je vous demande au contraire de partir avec tous vos biens et d'aller dans notre domaine près de Moscou et là-bas, je prends sur moi, je promets que vous ne serez pas dans le besoin. On vous donnera et des maisons et du blé.

La princesse s'arrêta. Il n'y eut dans la foule que quelques soupirs.

— Je ne fais pas cela en mon nom, reprit-elle. Je le fais au nom de feu mon père qui a été un si bon maître pour vous, et au nom de mon frère et de son fils.

Elle s'arrêta de nouveau. Personne n'interrompit son silence.

— Notre malheur nous est commun à tous et nous partagerons tout également. Tout ce qui est à moi est à vous, reprit-elle en parcourant du regard les visages qui lui faisaient face.

Tous ces yeux étaient fixés sur elle avec la même expression, mais elle ne parvenait pas à en comprendre le sens. Était-ce curiosité, dévouement, gratitude, ou bien crainte, méfiance? En tout cas, tous avaient la même expression.

— Nous vous sommes très reconnaissants de vos bontés, fit une voix dans les derniers rangs, mais ça ne nous va pas de prendre le blé du maître.

— Pourquoi donc? demanda la princesse.

Personne ne répondit, et la princesse parcourant des yeux la foule remarqua que, maintenant, tous les regards qu'elle croisait se baissaient aussitôt.

— Mais pourquoi donc ne voulez-vous pas? répéta-t-elle.

Personne ne répondait.

Ce silence pesait sur la princesse; elle tentait de capter ne fût-ce qu'un regard.

— Pourquoi vous taisez-vous? demanda-t-elle à un vieillard qui se tenait devant elle, appuyé sur un bâton. Dis-moi, avez-vous encore besoin d'autre chose? Je ferai tout, répéta-t-elle, étant parvenue à saisir son regard.

Mais comme si cela l'eût mis en colère, il baissa la tête et dit :

— Pourquoi accepter? Nous n'avons pas besoin de ce blé.

— Alors quoi, tout abandonner? Nous ne consentons pas! Nous ne sommes pas d'accord!... Nous refusons notre consentement!... Nous avons pitié de toi mais nous ne consentons pas. Pars toute seule! firent des voix dans la foule.

Et de nouveau, sur tous les visages apparut la même expression, et cette fois ce n'était certainement pas une expression de curiosité ou de gratitude mais de farouche résolution.

— Mais vous n'avez probablement pas compris, dit la princesse Marie avec un sourire triste. Pourquoi refusez-vous de partir? Je vous promets de vous installer, de vous nourrir. Et ici l'ennemi vous ruinera...

Mais les voix de la foule étouffèrent la sienne.

— Nous ne consentons pas!... Qu'il nous ruine! Nous n'acceptons pas ton blé! Nous refusons notre consentement...

Elle essayait encore de saisir ne fût-ce qu'un regard, mais aucun ne se posait sur elle; tous ces yeux l'évitaient. Elle était décontenancée, mal à l'aise.

— Voyez-moi ça! Les beaux conseils! Partir comme ça, en esclavage! Abandonne tes maisons et va, mets ton cou dans le nœud coulant!... Comment donc! Je donnerai mon blé, qu'elle dit! entendait-on de toutes parts.

Tête basse, elle sortit du cercle et rentra à la maison. Ayant renouvelé à Drone l'ordre d'amener les chevaux pour le départ le lendemain matin, elle regagna sa chambre et resta seule avec ses pensées.

XII

La princesse Marie passa une grande partie de cette nuit assise dans sa chambre devant la fenêtre ouverte, prêtant l'oreille aux voix des paysans qui parvenaient du village; mais elle ne pensait pas à eux; elle sentait qu'elle aurait beau y penser, elle ne pourrait pas les comprendre. Elle ne pensait toujours qu'à une chose, à son malheur qui maintenant, après la coupure causée par les soucis du présent, était devenu pour elle du passé. Elle pouvait maintenant se souvenir, pouvait pleurer et prier. Le soleil s'étant couché, le vent était tombé. La nuit était calme et fraîche. Vers minuit, les voix peu à peu se turent. Un coq chanta. La pleine lune apparut derrière les tilleuls; une buée blanchâtre et humide montait de l'herbe couverte de rosée. Le silence s'étendit sur la maison et le village.

L'une après l'autre les images d'un proche passé surgissaient devant elle, la maladie et les dernières minutes de son père. Et à présent, elle s'y arrêtait avec une joie mélancolique, ne chassant avec horreur que la dernière image, celle de sa mort qu'elle n'avait pas la force, elle le sentait bien, de contempler même en imagination à cette heure de la nuit, calme et mystérieuse. Et ces images se présentaient à elle avec une telle netteté et de tels détails qu'elle les prenait pour la réalité, une réalité tantôt présente, tantôt passée, tantôt encore à venir.

Elle revoyait intensément cette minute quand on le traînait sous les bras à Lyssya Gory et qu'il bredouillait quelque chose de sa langue impuissante, agitait ses sourcils blancs et la regardait timidement avec inquiétude.

« Alors déjà il voulait me dire ce qu'il m'a dit le jour de sa mort, songeait-elle. Ce qu'il m'a dit, il l'a toujours pensé. » Et elle se souvint en détail de cette nuit à Lyssya Gory, la veille de son attaque, quand pressentant un malheur, elle était restée avec lui contre sa volonté. Elle ne dormait pas et étant descendue la nuit sur la pointe des pieds, s'était approchée de la porte de la serre où il passait cette nuit. Et elle avait écouté sa voix faible, épuisée. Il parlait avec Tikhone; il lui parlait de la Crimée, des nuits tièdes, de l'impératrice. Il avait évidemment envie de parler. « Pourquoi ne m'a-t-il pas appelée? Pourquoi ne m'a-t-il pas permis d'être là, à la place de Tikhone? » Elle se l'était dit alors, et se le disait maintenant. « Désormais il n'exprimera plus à personne tout ce qu'il y avait en lui. Plus jamais ne reviendra ni pour lui ni pour moi cet instant où il disait ce qu'il avait sur le cœur et que moi, et non Tikhone, j'aurais écouté et compris. Pourquoi ne suis-je pas entrée alors? Peut-être m'aurait-il dit à ce moment ce qu'il m'a dit le jour de sa mort... Déjà alors, en causant avec Tikhone, il s'était par deux fois informé de moi. Il avait envie de me voir. Et moi, j'étais là debout derrière la porte... C'était triste pour lui, pénible de parler à Tikhone qui ne le comprenait pas. Je me souviens, il lui a parlé de Lise comme d'une vivante; il avait oublié qu'elle était morte. Et Tikhone lui a rappelé qu'elle n'était plus, et il lui a crié : « Imbécile! » Il souffrait. Derrière la porte, je l'ai entendu s'étendre en gémissant sur son lit et crier : « Mon Dieu! » Pourquoi ne suis-je pas entrée à ce moment? Que m'aurait-il donc fait? Qu'aurais-je donc perdu? Et peut-être que je l'aurais soulagé? Peut-être qu'il m'aurait dit alors cette parole... » Et la princesse Marie prononça à haute voix cette parole caressante qu'il lui avait dite le jour de sa mort. « Ma chère âme », répétat-elle et elle sanglota, versant ces larmes qui soulagent le cœur. Elle avait maintenant devant elle le visage de son père. Non pas celui qu'elle avait toujours connu depuis l'enfance et n'avait vu qu'à distance, mais ce visage faible et timide qu'elle avait vu pour la première fois de tout près, dans tous ses détails, avec toutes ses rides, quand, le dernier jour, elle s'était penchée sur ses lèvres pour saisir ce qu'il disait.

« Ma chère âme!... » Que pensait-il en prononçant cette parole? Que pense-t-il maintenant? Et en réponse à cette question, elle le vit dans le cercueil avec l'expression qu'avait son visage entouré d'un mouchoir blanc. Et l'horreur qui l'avait envahie alors, lorsque l'ayant touché elle avait découvert non seulement que ce n'était pas lui mais quelque chose de mystérieux et de repoussant, cette même horreur s'empara d'elle maintenant. Elle voulait penser à autre chose, voulait prier et en était incapable. Elle regardait les yeux grand ouverts la lumière de la lune et les ombres, s'attendant à tout moment à voir surgir son visage mort, et le silence qui régnait au-dessus de la maison et dans la maison la pétrifiait.

— Douniacha! chuchota-t-elle. Douniacha! s'écria-t-elle d'une voix stridente, et s'étant arrachée au silence, elle se précipita vers la chambre des servantes à la rencontre de la nourrice et des femmes qui accouraient au-devant d'elle.

XIII

Le 17 août, Rostov et Iline, accompagnés de Lavrouchka rentré de captivité et d'un planton, quittèrent leur cantonnement de Iankovo à quinze verstes de Bogoutcharovo, pour faire un tour, essayer le cheval que venait d'acheter Iline et voir s'il n'y avait pas de foin dans les villages.

Depuis trois jours, Bogoutcharovo se trouvait entre les deux armées ennemies, de sorte qu'on pouvait aussi bien y recevoir la visite de l'arrière-garde russe que de l'avant-garde française. En chef d'escadron prévoyant, Rostov voulait profiter avant les Français du ravitaillement qui y restait encore.

Les deux jeunes gens étaient de l'humeur la plus joyeuse. En route pour Bogoutcharovo, riche domaine princier où ils comptaient trouver une nombreuse population et de jolies filles, ils interrogeaient Lavrouchka sur Napoléon et riaient de ses récits, ou bien luttaient à la course pour savoir ce que valait le cheval d'Iline.

Rostov ignorait que la propriété où il se rendait était celle de ce même Bolkonsky qui avait été le fiancé de Natacha.

Ils lancèrent une dernière fois leurs montures sur la descente avant Bogoutcharovo et, devançant Iline, Rostov s'engagea au galop dans la rue du village.

— Tu as gagné, dit Iline les joues en feu.

— Oui, toujours le premier, et dans la plaine et au village, répondit Rostov en flattant de la main sa bête du Don couverte d'écume.

— Et moi, je monte un cheval français, Votre Excellence, intervint derrière eux Lavrouchka qui appelait ainsi sa rosse de trait. Je vous aurais bien dépassé, mais je ne voulais pas vous faire honte.

Ils atteignirent au pas la grange devant laquelle se tenaient de nombreux paysans; certains enlevèrent leur bonnet; d'autres regardaient les nouveaux venus sans se découvrir. Deux paysans, vieux et longs, le visage ridé, la barbe clairsemée, sortirent du cabaret en titubant, souriant et chantonnant on ne sait quoi et s'approchèrent des officiers.

— Vois un peu ces gaillards, dit Rostov en riant. Eh, avez-vous du foin?

— Et tout pareils, dit Iline.

— Joy... euse... compa... gnie, chantonna l'un des vieux avec un sourire béat.

Un paysan sortit de la foule et s'avança vers Rostov.

— Qui êtes-vous? demanda-t-il.

— Des Français, répondit en riant Iline. Et voilà Napoléon lui-même, ajouta-t-il en désignant Lavrouchka.

— Vous êtes donc russes? dit l'homme.

— Et alors, vous êtes beaucoup? s'enquit un autre, petit, qui s'était approché d'eux.

— Beaucoup, beaucoup, répondit Rostov. Mais que faites-vous ici? Serait-ce fête?

— Les vieux se sont réunis pour causer des affaires de la commune, dit le paysan en s'éloignant.

A ce moment, deux femmes et un homme en chapeau blanc sortirent de la maison seigneuriale et se dirigèrent vers les officiers.

— Celle en rose est pour moi! Attention, ne me la souffle pas! dit Iline, ayant remarqué Douniacha qui arrivait d'un pas décidé.

— Elle sera à nous, dit Lavrouchka avec un clin d'œil complice.

— Eh bien, ma belle, que vous faut-il? demanda Iline en souriant.

— La princesse fait demander quel est votre régiment et quel est votre nom.

— Voici le comte Rostov, commandant d'escadron, et moi je suis votre humble serviteur.

— Joy... euse... com... pagnie, continuait de chantonner l'ivrogne, considérant Iline et la jeune fille avec un sourire ravi. Alpatytch s'approcha à son tour, s'étant déjà découvert de loin.

— Je me permets de déranger Votre Noblesse, commença-t-il d'un ton déférent, mais nuancé de quelque dédain pour la jeunesse de cet officier, et la main passée dans son caftan. Ma maîtresse, la fille du général en chef, prince Nicolas Andréiévitch Bolkonsky, décédé ce 15 août, se trouve dans une situation difficile par suite de la grossière ignorance de ces gens. — Il désigna les paysans. — Elle vous prie... de bien vouloir... venir... Ne voudriez-vous pas vous éloigner un peu? ajouta-t-il avec un sourire peiné, — car il ne convient pas de parler devant ces... — Il désigna les deux paysans qui tournaient autour de lui comme des taons autour d'un cheval.

— Ah... Alpatytch... Iakov Alpatytch... Fameux... Comme tu parles bien! Excuse-nous au nom du Christ! Hein? bredouillaient-ils avec de larges sourires.

Rostov considéra les ivrognes et sourit lui aussi.

— A moins que Votre Excellence ne trouve cela distrayant, reprit Alpatytch d'un air digne en montrant de sa main libre les deux vieux.

— Non, ce n'est guère distrayant, répondit Rostov, et il s'éloigna un peu. De quoi s'agit-il?

— Je me permets d'informer Votre Excellence que la grossière population de ce lieu veut empêcher de partir la propriétaire du domaine et menace de dételer les chevaux, de sorte que Son Altesse ne peut partir, alors que tout est emballé.

— Ce n'est pas possible! s'écria Rostov.

— J'ai l'honneur de vous dire l'exacte vérité, répéta Alpatytch. Rostov mit pied à terre, confia son cheval au planton et se dirigea vers la maison en compagnie d'Alpatytch qu'il interrogea sur les détails de la situation. En effet, la proposition qu'avait faite la princesse aux paysans de distribuer son blé, ses explications avec Drone, puis à l'assemblée de la commune, avaient à tel point gâté les choses que Drone avait rendu les clefs, s'était joint aux paysans et ne se rendait plus à l'appel d'Alpatytch; quand la princesse, le matin, avait donné l'ordre du départ, les paysans s'étant réunis en foule près de la grange, avaient envoyé dire qu'ils ne la laisseraient pas partir, qu'il était interdit par ordre supérieur de déménager et qu'ils dételleraient les chevaux. Alpatytch s'était rendu auprès d'eux pour les raisonner, mais on lui avait répondu (c'était Karp surtout qui pérorait, Drone, lui, se dissimulait dans la foule), qu'on ne pouvait laisser partir la princesse, qu'il y avait des ordres là-dessus. Qu'elle reste donc, et ils la serviront comme par le passé et lui obéiront en tout.

Au moment même où Rostov et Iline galopaient sur la route du village, en dépit des instances d'Alpatytch, de la nourrice et des servantes, la princesse bien résolue à partir donnait l'ordre d'atteler. Mais à la vue des cavaliers pris pour des Français, les cochers s'étaient enfuis tandis que les femmes emplissaient la maison de leurs lamentations.

— Notre sauveur, notre père, notre sauveur! C'est Dieu qui t'envoie! disaient dans l'antichambre que traversait Rostov des voix attendries.

La princesse Marie, désemparée, était assise dans le grand salon lorsqu'on introduisit Rostov. Elle ne comprenait pas qui il était, ce qu'il venait faire et ce qui allait advenir d'elle; mais quand elle vit son visage russe et reconnut à son allure, aux premiers mots qu'il prononça, que c'était un homme de son monde, elle posa sur lui son regard profond et lumineux et se mit à parler d'une voix entrecoupée, tremblante d'émotion. Rostov aperçut immédiatement le côté romantique de cette rencontre. « Une jeune fille sans défense, brisée de douleur, seule, à la merci de grossiers paysans en révolte! Quel étrange destin m'a entraîné ici!... Et quelle douceur, quelle noblesse dans ses traits, dans l'expression de son visage! » songeait-il en la regardant et en écoutant son timide récit.

Lorsqu'elle en vint à dire que tout cela était arrivé le lendemain des obsèques de son père, sa voix frémit. Elle se détourna, puis, comme si elle craignait que Rostov ne s'imaginât qu'elle voulût l'apitoyer, elle le regarda d'un air interrogateur et légèrement inquiet. Rostov avait les larmes aux yeux. Elle s'en aperçut et eut pour lui un regard reconnaissant, ce regard lumineux qui faisait oublier la disgrâce de ses traits.

— Je ne puis vous exprimer, princesse, combien je me félicite d'être venu ici par hasard et de pouvoir me mettre à votre disposition, déclara Rostov en se levant. Mettez-vous en route, et je vous réponds sur l'honneur que personne n'aura l'audace de vous causer le moindre désagrément si seulement vous me permettez de vous escorter. — S'étant respectueusement incliné devant elle comme devant une princesse du sang, il se dirigea vers la porte.

La déférence du ton semblait souligner que, si désireux qu'il eût été de faire plus ample connaissance avec elle, il ne voulait pas profiter de ses malheurs pour lui imposer sa présence.

La princesse Marie le comprit et apprécia ce ton.

— Je vous suis très reconnaissante, dit-elle en français, mais j'espère que tout cela n'est qu'un malentendu et que personne n'est responsable. — Elle se mit soudain à pleurer. — Excusez-moi, reprit-elle.

Rostov fronça les sourcils, s'inclina derechef profondément et quitta le salon.

XIV

— Alors? Elle est gentille?... Non, frère, la mienne, en rose, est délicieuse, et on l'appelle Douniacha. — Mais à la vue du visage de Rostov, Iline se tut. Son chef et son héros était en proie à de tout autres sentiments.

Rostov le regarda d'un air mauvais et sans lui répondre se dirigea d'une démarche rapide vers le village.

— Je vais leur montrer, je vais leur en flanquer, à ces bandits! grommelait-il.

Allongeant le pas presque jusqu'au trot, Alpatytch eut peine à le rejoindre.

— Quelle décision avez-vous daigné prendre? demanda-t-il.

Rostov s'arrêta brusquement et, les poings serrés, s'avança sur Alpatytch, le visage menaçant.

— Une décision? Quelle décision? vieil idiot! lui cria-t-il. Où avais-tu les yeux? Hein? Les paysans se mutinent et tu ne sais pas en venir à bout! Tu n'es qu'un traître, toi aussi. Je vous connais! Je vous arracherai la peau à tous!... — Et comme s'il craignait de gaspiller sa colère accumulée, il laissa là Alpatytch et repartit en avant.

Alpatytch, ravalant l'offense faite à sa dignité, suivait Rostov de sa démarche glissante et continuait de lui exposer ses considérations. Les paysans s'étaient butés, disait-il, il ne serait pas raisonnable de leur tenir tête sans disposer de la force armée; ne vaudrait-il pas mieux faire venir d'abord un détachement?

— Un détachement?... Leur tenir tête?... répétait absurdement Nicolas qu'étouffait une rage irraisonnée, bestiale, et le besoin de la déverser.

Sans réfléchir à ce qu'il faisait, il se dirigeait presque inconsciemment vers la foule d'un pas rapide, résolu; et à mesure qu'il s'en approchait, Alpatytch sentait que cette action déraisonnable pouvait avoir de bons résultats. Et c'était aussi ce que sentaient les paysans à la vue de sa démarche ferme et de son visage dur, contracté.

L'arrivée des hussards dans le village et l'entrevue de Rostov et de la princesse avaient provoqué le désarroi dans la foule et soulevé des discussions. Quelques-uns dirent que les nouveaux venus étaient des Russes et qu'ils pourraient être mécontents qu'on n'eût pas laissé partir la princesse. C'était l'opinion de Drone; mais aussitôt qu'il l'eut exprimée, Karp et d'autres s'en prirent à l'ancien staroste.

— Depuis combien d'années dévores-tu la commune? lui criait Karp. Tu t'en moques, toi, tu déterreras ton magot, tu l'emporteras! Que nos maisons soient détruites ou non, que t'importe!

— On a dit que tout reste en ordre, que personne ne bouge, qu'on n'emporte même pas ça! Et c'est tout! criait un autre.

— C'était le tour de ton fils, et toi, naturellement, tu as eu pitié de ton bouffi, dit soudain un petit vieux s'en prenant à Drone. Et c'est mon Vagnka que tu as fait tondre [1]. Eh, la mort viendra pour tous!

— Pour sûr que notre tour viendra.

— Je tiens toujours pour la commune, dit Drone.

— Il tient pour la commune! Voyez-moi sa panse!

Les deux ivrognes palabraient entre eux. Aussitôt que Rostov accompagné d'Iline, de Lavrouchka et d'Alpatytch eut rejoint la foule, Karp s'avança avec un léger sourire, les doigts passés dans sa ceinture; Drone, au contraire, se faufila dans les derniers rangs et la foule se tassa.

— Eh! Qui est ici le staroste? cria Rostov.

— Le staroste? Et pourquoi?... commença Karp.

Mais il n'avait pas achevé que son bonnet volait en l'air et que sa tête vacillait sous un coup violent.

— Bonnets bas, traîtres! cria Rostov de sa voix puissante. Où est le staroste? hurla-t-il.

— Il appelle le staroste, le staroste!... Drone Zakharytch c'est pour vous, firent hâtivement ici et là des voix soumises, et les têtes se découvrirent.

— Nous, on ne se révolte pas, on maintient l'ordre, dit Karp, et des voix s'élevèrent immédiatement dans les derniers rangs :

— Nous, c'est comme ont décidé les vieux... Les autorités, il y en a beaucoup...

— Comment? Vous discutez?... Une rébellion?... Bandits! Traîtres! hurla Rostov ne se connaissant plus, et il saisit Karp par le collet. — Ligote-le! Ligote-le! cria-t-il bien qu'il n'y eût là que Lavrouchka et Alpatytch.

Cependant Lavrouchka se précipita sur Karp et lui saisit les bras par-derrière.

— Faut-il appeler les nôtres qui sont en bas de la colline? demanda-t-il.

Alpatytch appela deux paysans par leur nom. Ils sortirent docilement de la foule et dénouèrent leur ceinture.

— Où est le staroste? cria Rostov.

Drone s'avança, pâle et renfrogné.

— C'est toi le staroste? Ligote-le, Lavrouchka, commanda Rostov comme si l'exécution de cet ordre ne pouvait non plus rencontrer d'obstacle. Et en effet, deux autres paysans se mirent en devoir de lier les mains de Drone qui paraissant vouloir les aider, enleva sa ceinture et la leur tendit.

— Et vous tous, écoutez-moi bien! dit Rostov à la foule. En avant marche, immédiatement! Qu'on rentre chez soi et que je ne vous entende plus!

— Eh bien, quoi, on n'a rien fait de mal... C'est par bêtise, uniquement par bêtise... On n'a fait que des sottises... Je le disais que c'était irrégulier, répétaient les paysans, s'accusant les uns les autres.

— Je vous avais prévenus, dit Alpatytch qui retrouvait son autorité. Ce n'est pas bien, les gars.

— On n'est pas malin, Iakov Alpatytch, firent des voix, et la foule se dispersa rapidement et se répandit dans le village.

Les prisonniers furent emmenés dans la cour de la maison; les deux ivrognes les suivaient.

— Te voilà bien! dit l'un à Karp.

— Peut-on parler ainsi aux maîtres? A quoi pensais-tu? Quel imbécile! confirma l'autre. Un vrai imbécile!

Deux heures plus tard, les chariots stationnaient devant la maison. Les paysans chargeaient avec entrain les bagages des maîtres, et Drone qui sur l'intervention de la princesse avait été sorti du réduit où on l'avait enfermé, debout dans la cour, dirigeait les opérations.

— Ne la pose pas comme ça de travers, disait un grand gaillard au visage rond et souriant en recevant des mains d'une femme de chambre une cassette. Elle doit en coûter de l'argent! Ne va pas la flanquer n'importe où, l'enrouler d'une corde qui l'abîmera. Je n'aime pas ça, moi. Mais que tout se fasse honnêtement, dans l'ordre. Voilà, comme ça, sous la natte, et du foin par-dessus. Fameux!

— Y en a des livres! disait un autre qui sortait de la maison la bibliothèque du prince André. Ne les attrape donc pas comme ça! Ils sont lourds, les gars. Des livres solides...

— Oui, ils ne se sont pas tourné les pouces ceux qui les ont écrits, fit avec un coup d'œil entendu le grand paysan au visage rond en désignant les dictionnaires posés par-dessus.

Ne désirant pas imposer sa présence à la princesse, Rostov ne retourna pas auprès d'elle mais attendit son départ. Lorsque les voitures se mirent en marche, il monta en selle et accompagna la princesse jusqu'à la route que suivaient nos troupes, à douze verstes de Bogoutcharovo. A l'auberge de Iankovo, il prit respectueusement congé d'elle et se permit pour la première fois de lui baiser la main.

— Comment pouvez-vous parler ainsi? dit-il en rougissant à la princesse Marie qui le remerciait de l'avoir sauvée (selon son expression). N'importe quel commissaire de police en aurait fait autant. Si nous n'avions à batailler qu'avec des paysans, nous n'aurions pas laissé l'ennemi pénétrer si avant, ajouta-t-il vaguement embarrassé et essayant de changer de conversation. Mais je suis heureux d'avoir eu ainsi l'occasion de faire votre connaissance. Adieu, princesse. Je vous souhaite bonheur et consolation, et ·j'espère que nous nous rencontrerons dans des circonstances plus favorables. Si vous ne voulez pas me faire rougir, cessez, je vous en prie, de me remercier.

Mais si la princesse ne le remerciait plus en paroles, elle le remerciait par l'expression de son visage rayonnant de gratitude et de douceur. Elle ne pouvait admettre qu'elle n'eût pas de quoi lui être reconnaissante; il lui était évident au contraire que s'il n'avait pas été là, elle aurait péri, victime des mutins ou des Français. Et lui avait couru pour la sauver les plus terribles dangers. Et il était non moins évident que c'était une âme élevée et noble, capable de comprendre sa situation et sa douleur. Et les bons yeux honnêtes de Nicolas qui s'étaient remplis de larmes lorsque, pleurant elle-même, elle lui avait parlé de sa perte récente, obsédaient l'imagination de la princesse Marie.

Quand, lui ayant dit adieu, elle fut restée seule, la princesse Marie sentit soudain ses yeux s'humecter, et l'étrange question qu'il lui était déjà arrivé de se poser surgit devant elle : « L'aimerais-je ? »

Au cours de leur voyage vers Moscou, bien que la situation de la princesse ne fût guère réjouissante, Douniacha qui l'accompagnait dans la calèche remarqua à plusieurs reprises que sa maîtresse, se penchant à la portière, souriait avec une expression à la fois mélancolique et heureuse.

« Et quand bien même je l'aimerais ? » songeait-elle.

Quelque honte qu'elle éprouvât à s'avouer qu'elle aimait un homme qui ne l'aimerait peut-être jamais, elle se consolait en se disant que personne n'en saurait rien et qu'elle n'aurait rien à se reprocher en aimant jusqu'à la fin de ses jours, en secret de tous, celui qui serait son premier et son dernier amour.

Elle se rappelait ses regards, sa sympathie, ses paroles, et le bonheur ne lui semblait pas impossible. C'était à ces moments-là que Douniacha remarquait qu'elle regardait par la portière en souriant.

« Il fallait qu'il vienne à Bogoutcharovo, et juste à ce moment! Et il a fallu que sa sœur renonçât au prince André [1]! » Dans tout cela, elle reconnaissait la main de la Providence.

La princesse Marie avait de son côté produit sur Rostov une impression fort agréable. Son souvenir le mettait de bonne humeur et quand ses camarades ayant appris son aventure à Bogoutcharovo le plaisantèrent, disant que parti chercher du foin il avait déniché une des plus riches héritières de Russie, il se fâchait. Il se fâchait précisément parce que l'idée d'un mariage avec cette douce et attachante jeune fille immensément riche lui était déjà involontairement venue plusieurs fois à l'esprit. En ce qui le concernait personnellement, il ne pouvait rêver d'une meilleure épouse; un tel mariage ferait le bonheur de la comtesse sa mère et arrangerait les affaires de son père; et il ferait également, Nicolas le sentait, le bonheur de la princesse.

Mais Sonia? Mais la parole donnée? C'est justement pourquoi il se fâchait quand on le plaisantait au sujet de la princesse Marie.

XV

Ayant pris le commandement des armées, Koutouzov se souvint du prince André et le convoqua au quartier général.

Le prince André arriva à Tsarévo-Zaïmichtché le jour et à l'heure même où Koutouzov passait pour la première fois les troupes en revue. Il s'arrêta dans le village devant la maison du prêtre où stationnait la voiture du commandant en chef et s'assit sur un banc près du portail dans l'attente du Sérénissime, ainsi que tout le monde appelait maintenant Koutouzov. Dans la plaine, derrière le village, retentissaient tantôt les accents de la musique militaire, tantôt les hurlements d'innombrables voix criant « Hourra! » en l'honneur du commandant en chef. Profitant de son absence et du beau temps, deux ordonnances, un planton et le maître d'hôtel de Koutouzov se tenaient non loin du portail, à une dizaine de pas du prince André. Un lieutenant-colonel de hussards, petit, brun, le visage mangé de poils, arrêta son cheval devant le portail et ayant jeté un regard à Bolkonsky, lui demanda si c'était bien ici que logeait le Sérénissime et s'il serait bientôt de retour.

Le prince André répondit qu'il ne faisait pas partie de l'état-major du commandant en chef et qu'il venait lui aussi d'arriver. Le lieutenant-colonel s'adressa à l'une des élégantes ordonnances et celle-ci répondit de ce ton dédaigneux que les ordonnances d'un général en chef affectent en parlant à des officiers :

— Quoi? Le Sérénissime? Il rentre bientôt sans doute. Que lui voulez-vous?

Le lieutenant-colonel sourit dans sa moustache du ton de l'ordonnance, descendit de cheval, le remit au planton et s'approchant de Bolkonsky lui fit un léger salut. Le prince André recula un peu pour lui faire place sur le banc et l'autre s'assit à côté de lui.

— Vous attendez vous aussi le commandant en chef? demanda-t-il. On le dit accessible à tout le monde, Dieu merci! Tandis qu'avec ces mangeurs de saucisses, rien à faire! Ce n'est pas pour rien qu'Ermolov demandait à être promu Allemand. Peut-être bien que maintenant les Russes auront eux aussi leur mot à dire... Le diable sait ce qu'ils manigançaient... Battre en retraite, toujours battre en retraite! Vous avez fait la campagne?

— J'ai eu le plaisir non seulement de prendre part à la retraite, répondit le prince André, mais de perdre dans cette retraite tout ce qui m'était cher, sans parler du domaine, de la maison familiale... mon père mort de chagrin... Je suis de la province de Smolensk.

— Ah?... Vous êtes le prince Bolkonsky? Très heureux de faire votre connaissance : lieutenant-colonel Dénissov, plus connu sous le nom de Vaska, dit Dénissov en serrant la main du prince André et en le considérant avec un affectueux intérêt.

— Oui, j'en ai entendu parler, ajouta-t-il d'un ton plein de sympathie. — Et voilà la guerre des Scythes, poursuivit-il après un silence. Tout ça c'est fort joli, mais pas pour ceux qui paient les pots cassés... Ainsi vous êtes le prince André Bolkonsky! — Il hocha la tête — Très heureux, très heureux, prince, de vous connaître, répéta-t-il, en lui serrant de nouveau la main avec un sourire apitoyé.

Le prince André connaissait Dénissov par les récits de Natacha sur son premier prétendant. Ce souvenir amer et doux lui rappela un passé douloureux auquel il ne pensait plus les derniers temps, mais qui persistait tout de même en lui. Depuis lors, il avait éprouvé tant d'autres impressions, vécu tant d'événements et de si graves, — l'abandon de Smolensk, sa visite à Lyssya Gory, la mort récente de son père, — que ce passé ne le poursuivait plus depuis longtemps; lorsque à ce moment il ressurgit, il n'agit plus avec la violence d'autrefois. Pour Dénissov aussi, les nombreux souvenirs que réveillait le nom de Bolkonsky appartenaient à un lointain et poétique passé, quand ayant entendu chanter Natacha après le souper, sans savoir lui-même comment, il avait demandé en mariage cette fillette de quinze ans. Il sourit à l'évocation de ce temps et de son amour, et passa aussitôt à ce qui, à présent, l'absorbait passionnément, exclusivement. C'était le plan de campagne qu'il avait élaboré au cours de la retraite, aux avant-postes; il l'avait présenté à Barclay de Tolly et avait maintenant l'intention de le soumettre à Koutouzov. Considérant que la ligne d'opérations des Français s'était allongée à l'extrême, il proposait qu'au lieu d'agir de front pour leur barrer la route, ou simultanément avec cette action, on attaquât leurs communications. Dénissov se mit à développer son idée au prince André.

— Ils ne pourront maintenir toute cette ligne. C'est impossible. Qu'on me donne seulement cinq cents hommes et je me fais fort de la rompre! La guerre de partisans, il n'y a que ça.

Il s'était levé et parlait avec de grands gestes. Cependant les acclamations des troupes, toujours plus discordantes, s'étendaient et se confondaient avec la musique militaire et les chansons. Des cris, et le piétinement des chevaux emplirent le village.

— Il arrive! cria un cosaque près du portail. Le voilà!

Bolkonsky et Dénissov s'approchèrent du portail devant lequel se tenaient des soldats (la garde d'honneur) et aperçurent Koutouzov qui débouchait de la rue sur un petit cheval bai. Il était suivi de nombreux généraux; Barclay chevauchait presqu'à sa hauteur. Une foule d'officiers courait derrière et autour d'eux, et poussait des hourras.

Devançant Koutouzov, les aides de camp s'engouffrèrent dans la cour; il éperonnait impatiemment sa monture qui, pliant sous le poids de son cavalier, trottait l'amble; inclinant sans cesse la tête il portait la main à sa casquette blanche de chevalier-garde (à bordure rouge, sans visière). Parvenu à la hauteur des splendides grenadiers de la garde d'honneur, pour la plupart décorés, qui lui présentaient les armes, il les considéra un moment du regard scrutateur d'un chef et se tourna vers la suite des généraux et des officiers qui l'entourait; son visage prit soudain une expression malicieuse, et haussant les épaules d'un air perplexe, il dit :

— Et avec de tels gaillards reculer, toujours reculer!... Allons, au revoir, général, ajouta-t-il, et piquant son cheval, il passa le portail devant Bolkonsky et Dénissov.

— Hourra! Hourra! criait-on derrière lui.

Depuis la dernière fois que le prince André l'avait vu, Koutouzov avait beaucoup grossi; envahi par la graisse, il s'était encore alourdi; mais l'expression lasse de son visage, avec la cicatrice et l'œil blanc familiers à Bolkonsky, n'avait pas changé. Il portait en bandoulière sur son uniforme un fouet retenu par une fine lanière. Affalé sur son courageux petit cheval qui le secouait, il pénétra dans la cour en sifflotant presque imperceptiblement : « Pfui... pfui... pfui... ». Son visage reflétait la satisfaction de l'homme qui compte se reposer après une corvée officielle. Il dégagea sa jambe gauche de l'étrier, le corps rejeté en arrière, les traits crispés par l'effort, la fit passer péniblement par-dessus la selle, s'arc-bouta du genou, poussa un grognement et s'affaissa dans les bras des cosaques et des aides de camp qui le soutinrent.

Il se redressa, regarda autour de lui en plissant les paupières, jeta un coup d'œil au prince André que manifestement il ne reconnut pas et se dirigea vers le perron de sa démarche plongeante. « Pfui... pfui... pfui... » sifflota-t-il et il regarda de nouveau le prince André. Ce fut quelques secondes plus tard seulement (comme il arrive fréquemment chez les vieillards) que l'impression produite par ce visage éveilla en lui le souvenir de Bolkonsky.

— Ah, bonjour, prince, bonjour, mon cher! Viens..., dit-il d'une voix lasse en se retournant, et il gravit lourdement les marches du perron qui grincèrent sous son poids.

Il déboutonna son uniforme et s'assit sur un petit banc en haut du perron.

— Alors, et ton père?

— J'ai reçu hier la nouvelle de sa mort, répondit brièvement Bolkonsky.

Koutouzov lui jeta un coup d'œil craintif, puis se découvrit et se signa.

— Que Dieu ait son âme! dit-il. Que la volonté de Dieu s'accomplisse sur nous tous! — Il soupira profondément, du fond de sa poitrine, et garda un moment le silence. — Je l'aimais sincèrement et je l'estimais, et je compatis de toute mon âme à ta douleur.

Il étreignit le prince André, le serra longuement contre sa poitrine grasse; lorsqu'il le lâcha, le prince André vit que ses lèvres molles tremblaient et que des larmes baignaient ses yeux. Il soupira et s'appuya des deux mains au banc pour se lever.

— Allons, allons chez moi, nous causerons, dit-il.

Mais, à ce moment, Dénissov qui se laissait aussi peu intimider par ses supérieurs que par l'ennemi, monta hardiment les marches en faisant tinter ses éperons, en dépit des chuchotements irrités des aides de camp qui essayaient de l'arrêter. Koutouzov, les mains toujours posées sur le banc, considérait Dénissov d'un air mécontent. S'étant présenté, Dénissov déclara qu'il avait à communiquer à Son Altesse une affaire des plus importantes pour le salut de la patrie. Koutouzov le fixa de son regard las, croisa d'un geste résigné ses mains sur son ventre et répéta : « Pour le salut de la patrie? Eh bien, qu'est-ce que c'est? Parle. » Dénissov rougit comme une jeune fille (la rougeur sur ce visage moustachu de vieil ivrogne produisait une étrange impression) et se mit à exposer avec assurance son plan de rupture des communications ennemies entre Smolensk et Viazma. Il avait vécu dans cette région et la connaissait bien. Son plan paraissait incontestablement bon, d'autant que ses paroles respiraient une ardente conviction. Koutouzov considérait ses pieds et se tournait parfois vers la cour de la maison voisine, comme s'il s'attendait à en voir sortir quelque chose de désagréable. Et en effet, au beau milieu des explications de Dénissov, un général en sortit, un portefeuille sous le bras.

— Alors? demanda Koutouzov. Déjà prêt?

— Oui, Votre Altesse, répondit le général.

Koutouzov hocha la tête comme pour dire : « Comment est-il possible qu'un seul homme fasse tout cela! » Et il continua d'écouter Dénissov.

— Je romprai les communications de Napoléon, déclara Dénissov, j'en donne ma parole d'officier russe.

— Es-tu parent de l'intendant général Kiril Andréiévitch Dénissov? interrompit Koutouzov.

— C'est mon oncle, Votre Altesse.

— Oh, nous étions amis! dit gaiement Koutouzov. Parfait, parfait! mon cher. Reste ici, à l'état-major; nous causerons demain.

Il le congédia d'un signe de tête, se détourna et tendit la main vers les documents que lui apportait le général Konovnitsyne.

— Plairait-il à Votre Altesse d'entrer? dit Konovnitsyne d'un ton mécontent. Il est indispensable d'examiner les plans et de signer certains documents.

Un aide de camp apparut à la porte et annonça que tout était prêt. Mais Koutouzov ne voulait visiblement rentrer chez lui qu'après s'être débarrassé de toutes les affaires. Il se renfrogna.

— Non, mon ami, qu'on apporte une petite table; je verrai tout cela ici. Et toi, ajouta-t-il se tournant vers Bolkonsky, ne t'en va pas.

Le prince André resta sur le perron et écouta le rapport du général de service. Tandis que celui-ci parlait, le prince André saisit derrière la porte d'entrée le chuchotement d'une voix féminine et le frou-frou d'une robe de soie; ayant jeté à plusieurs reprises un coup d'œil dans cette direction, il aperçut une belle femme bien en chair, au teint frais; en robe rose, un fichu de soie mauve sur la tête, elle tenait un plat et attendait évidemment le commandant en chef. L'aide de camp expliqua à voix basse au prince que c'était la femme du prêtre, la maîtresse de maison, et qu'elle se disposait à offrir le pain et le sel à Son Altesse. Le prêtre avait accueilli le Sérénissime avec la croix à l'église, et elle... « Fort jolie », ajouta l'aide de camp en souriant. Koutouzov leva la tête à ces mots. Il écoutait le rapport du général de service (qui avait principalement pour objet la critique de la position de Tsarévo-Zaïmichtché) comme il avait écouté Dénissov, comme il avait écouté sept ans plus tôt les discussions du conseil de guerre d'Austerlitz; il écoutait pour l'unique raison qu'il avait des oreilles qui ne pouvaient pas ne pas entendre, bien que l'une d'elles fût obstruée par un tampon d'étoupe [1]. Cependant, il était clair que non seulement rien de ce que pouvait lui dire le général de service n'était susceptible de l'étonner ou de l'intéresser, mais qu'il savait d'avance tout ce qu'on allait lui dire et qu'il écoutait parce qu'il y était obligé, de même qu'on est obligé d'écouter un office religieux. Tout ce que disait Dénissov était raisonnable et intelligent; tout ce que disait le général de service l'était encore davantage. Mais Koutouzov méprisait manifestement et les connaissances et l'intelligence, et savait quelque chose d'autre qui trancherait la question, quelque chose qui ne dépendait ni des connaissances, ni de l'intelligence. Le prince André observait attentivement le visage du commandant en chef, et il n'y décelait que l'ennui, la curiosité éveillée par le chuchotement derrière la porte et le désir d'observer les convenances. Il était évident que Koutouzov méprisait les connaissances et l'intelligence, et même le sentiment patriotique manifesté par Dénissov, non pas en raison de ses propres connaissances, de son intelligence, de son patriotisme (car il ne cherchait pas à les manifester), mais en raison de quelque chose de tout différent : son grand âge et son expérience de la vie. La seule mesure qu'il prit à la suite de ce rapport concerna la maraude des troupes russes.

Un propriétaire dont les blés avaient été fauchés en herbe ayant déposé une plainte, à la fin de son rapport le général avait présenté à la signature du Sérénissime un ordre de service rendant les chefs responsables des dégâts commis par leurs hommes; Koutouzov claqua des lèvres et hocha la tête.

— Au feu... dans le poêle! Et je te préviens une fois pour toutes, mon ami, dit-il, toutes les affaires de ce genre, au feu! Je ne l'ordonne pas et ne le permets pas, mais ne puis non plus sévir. Impossible autrement. C'est inévitable. On ne fait pas d'omelette sans casser des œufs... — Il regarda de nouveau l'ordre de service. — Oh, cette minutie allemande! ajouta-t-il avec un hochement de tête.

XVI

— Et maintenant, c'est fini, dit Koutouzov en signant le dernier papier. Il se leva péniblement, les plis de son cou blanc et gras s'effacèrent et il se dirigea vers la porte, le visage rasséréné.

La femme du pope, toute rougissante, saisit en hâte le plateau qu'elle ne parvint tout de même pas à présenter au bon moment, bien qu'elle s'y fût préparée à l'avance, et l'offrit avec un profond salut à Koutouzov.

Celui-ci plissa les paupières, sourit, la prit par le menton et dit :

— Qu'elle est belle ! Je te remercie, ma colombe.

Ayant sorti de la poche de ses larges culottes quelques pièces d'or, il les déposa sur le plateau.

— Alors, comment vas-tu ? demanda-t-il en gagnant la chambre qui lui avait été réservée. La femme le suivit en souriant, son visage vermeil creusé de fossettes. Un aide de camp rejoignit Bolkonsky sur le perron et l'invita à déjeuner ; une demi-heure plus tard, le général en chef le fit appeler. Affalé dans un fauteuil, l'uniforme déboutonné, Koutouzov tenait à la main un roman français qu'il referma à l'entrée du prince André en marquant la page avec un couteau. C'était *Les Chevaliers du Cygne*, une œuvre de *Madame de Genlis*, comme le visiteur put le lire sur la couverture.

— Assieds-toi, assieds-toi ici, causons, dit Koutouzov. C'est triste, très triste. Mais souviens-toi, mon ami, que tu as en moi un père, un autre père...

Bolkonsky raconta tout ce qu'il savait de la mort de son père et ce qu'il avait vu à Lyssya Gory quand il y était passé.

— Voilà où ils nous ont amenés, dit soudain Koutouzov qui, en écoutant le récit du prince André, s'était évidemment représenté nettement la situation de la Russie.

— Mais patience, patience ! reprit-il d'un ton rageur ; puis ne voulant sans doute pas poursuivre sur ce sujet qui l'agitait, il dit : — Je t'ai fait venir pour te garder auprès de moi.

— Je remercie Votre Altesse, répondit le prince André, mais je crains de n'être plus bon pour les états-majors. — Il sourit.

Koutouzov qui avait remarqué ce sourire, le regarda interrogativement.

— Et surtout, ajouta le prince André, je suis habitué à mon régiment. J'aime les officiers et les hommes m'aiment aussi, je crois. Cela me ferait de la peine d'abandonner le régiment. Si je renonce à l'honneur d'être auprès de vous, croyez bien...

Une expression intelligente, bienveillante et en même temps légèrement ironique éclaira le visage bouffi de Koutouzov; il interrompit Bolkonsky.

— Je regrette, tu m'aurais été utile; mais tu as raison, tu as raison. Ce n'est pas ici que nous avons besoin d'hommes. Des conseilleurs, il y en a toujours beaucoup, mais d'hommes, point. Il en serait autrement des régiments si tous les conseilleurs servaient là-bas à ton exemple. Je te vois encore à Austerlitz... Je me souviens, avec le drapeau, je me souviens... — A ce souvenir, le prince André rougit de joie.

Koutouzov l'attira par le bras et lui tendit la joue, et des larmes apparurent de nouveau dans les yeux du vieillard. Le prince André savait certes que Koutouzov avait la larme facile et qu'il se montrait particulièrement affectueux avec lui parce qu'il voulait lui montrer la part qu'il prenait à son malheur; néanmoins le rappel d'Austerlitz le flatta et le rendit heureux.

— Va, suis ton chemin avec l'aide de Dieu. Je le sais, ton chemin est le chemin de l'honneur. — Il se tut un moment. — J'ai regretté ton absence à Bucarest. J'aurais eu des missions à te confier. — Changeant de sujet, Koutouzov se mit à parler de la campagne de Turquie et de la paix qui l'avait conclue.

— Oui, on m'a fait pas mal de reproches et pour cette campagne et pour la paix... Et pourtant, tout est venu à son heure. *Tout vient à point à qui sait attendre*... De conseilleurs il y en avait là-bas autant qu'ici, dit-il, revenant à ces conseilleurs qui visiblement le préoccupaient. — Ah! les conseilleurs! Si on les avait écoutés, tous ces gens, nous n'aurions ni conclu la paix ni terminé la guerre en Turquie. Toujours faire vite, vite, mais à trop se presser les choses n'avancent pas. Si Kamensky n'était pas mort, il était perdu. Il montait à l'assaut des forteresses avec trente mille hommes. Prendre une forteresse n'est pas difficile; le difficile c'est de gagner la campagne. Et pour cela, ce qu'il faut ce n'est pas prendre d'assaut, attaquer, c'est LA PATIENCE ET LE TEMPS. Kamensky [1] a lancé les soldats sur Rouchtchouk, et moi, rien qu'avec ces deux-là (la patience et le temps), j'ai pris plus de forteresses que Kamensky et j'ai fait manger aux

Turcs de la viande de cheval. — Il hocha la tête. — Et les Français mangeront eux aussi de la viande de cheval, crois-en ma parole! dit-il en se frappant la poitrine. Et ses yeux de nouveau se remplirent de larmes.

— Il faudra bien cependant accepter la bataille, fit observer le prince André.

— Il le faudra si tout le monde le veut, rien à faire... Mais crois-moi, mon ami, rien n'est plus fort que ces deux guerriers, LA PATIENCE ET LE TEMPS. Ceux-là accompliront tout. Les conseillers, eux, *n'entendent pas de cette oreille, voilà le mal*. Les uns veulent, les autres ne veulent pas. Alors que faire? demanda-t-il attendant visiblement une réponse. Oui, que veux-tu que je fasse? répéta-t-il. — Son regard brillait d'intelligence. — Je vais te dire ce qu'il faut faire et ce que je fais, reprit-il, comme le prince André ne répondait toujours pas. Je vais te le dire : *dans le doute, mon cher,* — il se tut un instant — *abstiens-toi*, proféra-t-il en détachant chaque mot. Eh bien, adieu, mon ami. Souviens-toi que je porte avec toi ta peine et que pour toi je ne suis pas Sérénissime, le prince ou le commandant en chef, mais un père. Si tu as besoin de quelque chose, viens droit à moi. Adieu, mon ami!

Il l'étreignit de nouveau et l'embrassa, et le prince André n'avait pas passé la porte que Koutouzov, ayant poussé un soupir de satisfaction, reprenait la lecture interrompue du roman de Madame de Genlis, *Les Chevaliers du Cygne*.

Comment et pourquoi cela se produisit, le prince André n'aurait pu l'expliquer, mais après cette entrevue avec Koutouzov, il rejoignit son régiment, rassuré sur la marche générale des affaires et sur l'attitude de celui à qui elles avaient été confiées. Plus il se rendait compte de l'absence de tout élément personnel chez ce vieillard qui n'avait conservé, semblait-il, que des habitudes passionnelles et en qui l'intelligence (laquelle groupe les faits et en tire des conclusions) avait fait place à la sereine contemplation des événements, plus il était convaincu que tout s'accomplirait comme il se devait. « Il ne fera rien qui vienne de sa propre initiative. Il n'inventera ni n'entreprendra rien, se disait le prince André, mais il écoutera tout, se souviendra de tout, mettra tout à sa place, laissera faire ce qui peut être utile et empêchera ce qui est nuisible. Il comprend qu'il y a quelque chose de plus puissant et de plus important que sa volonté, le cours inéluctable des événements; il sait les voir et saisir leur sens et, l'ayant compris, renoncer à y intervenir, renoncer à les orienter dans une autre direction. Mais on a surtout confiance en lui parce que c'est un Russe, en dépit du roman de Madame de Genlis et des dictons français, parce que sa voix a tremblé lorsqu'il a dit : « Voilà où ils nous ont amenés » et qu'il pleurait en promettant de « leur faire manger du cheval ».

C'est sur le même sentiment plus ou moins confusément éprouvé par tous que reposaient cet accord unanime, cette approbation générale qu'avait entraînés la nomination de Koutouzov, contraire aux vues de la cour, au poste de commandant en chef.

XVII

Après le départ de l'empereur, la vie moscovite reprit son cours habituel, à tel point habituel qu'on avait peine à se rappeler l'exaltation et l'enthousiasme patriotique des jours précédents et qu'on se représentait difficilement que la Russie fût réellement en danger et que les membres du Club Anglais pussent être aussi des fils de la patrie prêts pour elle à tous les sacrifices. Ce qui rappelait l'explosion des sentiments patriotiques provoqués par le séjour de l'empereur, c'était uniquement la nécessité où l'on se trouvait d'accomplir ces sacrifices en hommes et en argent qui, une fois consentis, avaient revêtu une forme légale, officielle et apparaissaient inévitables.

A mesure que l'ennemi approchait, loin de prendre leur situation plus au sérieux, les habitants de Moscou se montraient au contraire plus insouciants, comme cela arrive toujours aux gens à l'approche d'un grand danger. Devant l'imminence du péril, deux voix d'égale force s'élèvent en l'homme : l'une lui dit fort raisonnablement qu'il doit examiner la nature du péril et les moyens de l'éviter; l'autre lui suggère, plus raisonnablement encore, qu'il est par trop pénible d'y réfléchir alors qu'il n'est pas au pouvoir de l'homme de tout prévoir et d'échapper à la marche générale des événements, et qu'en conséquence mieux vaut se détourner des choses désagréables jusqu'à ce qu'elles surviennent et penser à ce qui est agréable. Dans la solitude l'homme s'abandonne le plus souvent à la première voix, en société, à la seconde au contraire. Et il en était ainsi à présent des habitants de Moscou. Il y avait long-temps qu'on ne s'était autant amusé à Moscou que cette année-là.

Les petites affiches de Rostoptchine [1] avec en tête l'image d'un débit de boissons, du cabaretier et du petit-bourgeois moscovite Karpouchka Tchiguirine « qui enrôlé dans la milice et ayant bu un verre de trop et entendu dire que Bonaparte voulait marcher sur Moscou, s'était fâché, avait couvert les Français d'injures et, étant sorti de l'établissement, avait parlé sous le panonceau au peuple assemblé », ces affiches étaient lues et commentées tout comme les derniers bouts rimés de Vassili Lvovitch Pouchkine [2].

Au Club, dans la pièce d'angle où l'on se réunissait pour lire ces affiches, certains goûtaient la façon dont Karpouchka se moquait des Français, disant que « les choux les feront gonfler, le gruau les fera éclater, les chtchi [3] les étoufferaient, qu'ils étaient tous des nains et qu'une paysanne en embrocherait trois d'un coup de fourche ». D'autres n'approuvaient pas ce ton, le jugeant vulgaire et bête. On racontait que Rostoptchine avait expulsé de Moscou les Français et même tous les étrangers, parmi lesquels il y avait des espions et des agents de Bonaparte; mais on en parlait principalement pour citer à cette occasion le bon mot de Rostoptchine lors de leur départ : les étrangers étaient expédiés en barques à Nijny, et le gouverneur leur avait dit : « *Rentrez en vous-mêmes, entrez dans la barque et n'en faites pas une barque de Charon.* » On racontait aussi que toutes les administrations avaient été évacuées de Moscou et l'on colportait à ce propos une plaisanterie de Chinchine qui avait dit que Moscou devait être reconnaissante à Napoléon rien que pour cela. Le régiment du comte Mamonov, disait-on, allait lui revenir à huit cent mille roubles; mais Bézoukhov avait dépensé encore davantage pour ses miliciens; mais le plus beau, ajou-tait-on, était qu'il allait revêtir lui-même l'uniforme et prendre à cheval la tête de son régiment et sans rien faire payer à ceux qui viendraient le regarder.

— Vous n'épargnez personne, dit Julie Droubetskoï en ramas-sant et en pressant une petit tas de charpie entre ses doigts fins couverts de bagues.

Julie qui se préparait à quitter Moscou le lendemain, donnait une soirée d'adieu.

— Bézoukhov est *ridicule*, mais il est tellement bon, tellement charmant... Quel plaisir à être si *caustique* !

— Une amende! dit un jeune homme en uniforme de milicien, que Julie appelait *mon chevalier* et qui l'accompagnait à Nijny.

Dans la société que fréquentait Julie, ainsi que dans de nombreux cercles, on avait décidé de parler uniquement russe, et ceux qui se trompaient et employaient un mot français payaient une amende au profit du comité de secours.

— Et une autre amende pour le gallicisme, intervint un écrivain qui se trouvait dans le salon. « Plaisir à être » n'est pas russe.

— Vous ne faites grâce à personne, continua Julie s'adressant au militaire sans relever la remarque de l'écrivain. — Pour *caustique*, je suis fautive et je suis prête à payer encore pour le plaisir de vous dire la vérité. Mais je ne réponds pas des gallicismes, dit-elle à l'écrivain. Je n'ai ni le temps ni les moyens de prendre un professur de russe comme le prince Galitzine... Et le voilà justement! s'exclama-t-elle. *Quand on...* Non, non, vous ne m'attraperez pas, dit-elle au militaire. Quand on parle du soleil, on voit ses rayons. — Elle sourit aimablement à Pierre.

— Nous venons de parler de vous, lui dit-elle, mentant avec la désinvolture des femmes du monde. Nous disions que votre régiment sera certainement plus beau que celui de Mamonov.

— Ah, ne me parlez pas de mon régiment! répondit Pierre. Il baisa la main de Julie et s'assit près d'elle. — J'en ai par-dessus la tête.

— Vous en prendrez le commandement sans doute? demanda Julie en lançant un sourire railleur au jeune homme.

Mais celui-ci n'était plus aussi *caustique* en présence de Pierre et il parut ne pas comprendre ce sourire. Malgré sa distraction et sa bonhomie, la personnalité de Pierre arrêtait net toute tentative de raillerie en sa présence.

— Non, répondit-il en riant et en considérant son grand corps épais. Les Français me descendraient trop facilement. Je crains d'ailleurs de ne pouvoir monter en selle.

Comme on parlait de différentes personnes, la conversation tomba sur les Rostov.

— Il paraît que leurs affaires vont très, très mal, dit Julie, le vieux comte est si peu raisonnable. Les Razoumovsky voulaient acheter leur maison et la propriété près de Moscou, mais les choses traînent. Il en demande trop cher.

— Non, la vente se fera, semble-t-il, ces jours-ci, intervint quelqu'un. Mais c'est une folie d'acheter maintenant quelque chose à Moscou.

— Pourquoi? Pensez-vous vraiment que Moscou soit en danger?

— Pourquoi donc partez-vous?

— Moi? Étrange question! Je pars parce que... eh bien, parce que tout le monde part. Et puis, je ne suis ni une Jeanne d'Arc ni une amazone.

— Oui, oui. Passez-moi encore des chiffons.

— S'il parvient à bien mener l'affaire, il pourra encore payer ses dettes, dit l'officier de la milice revenant aux Rostov.

— Un bon vieux, mais très *pauvre sire*. Et pourquoi ont-ils tellement prolongé leur séjour ici? Il y a longtemps déjà qu'ils voulaient partir pour la campagne. Nathalie est en bonne santé maintenant, je crois? demanda Julie à Pierre avec un sourire malin.

— Ils attendent leur fils cadet, répondit Pierre. Il s'était engagé dans les cosaques d'Obolensky et était parti pour Biélaïa Tserkov où se forme le régiment; et à présent, on l'a transféré dans mon régiment et ses parents l'attendent d'un jour à l'autre. Le comte voulait partir depuis longtemps, mais la comtesse refuse absolument de quitter Moscou avant le retour de son fils.

— Je les ai vus avant-hier chez les Arkharov. Nathalie a embelli et a retrouvé sa gaieté. Elle a chanté une romance. Comme tout passe vite chez certaines personnes!

— Qu'est-ce qui passe? demanda Pierre d'un air mécontent. Julie sourit.

— Savez-vous, comte, que des chevaliers comme vous n'existent que dans les romans de *Madame Suza*.

— Quels chevaliers? Pourquoi? — Pierre rougit.

— Allons, allons, mon cher comte, *c'est la fable de tout Moscou. Je vous admire, ma parole d'honneur.*

— Une amende! s'écria l'officier.

— Bien, bien. Impossible de causer. Comme c'est ennuyeux!

— *Qu'est-ce qui est la fable de tout Moscou?* demanda Pierre, se levant, agacé.

— Vous le savez, vous le savez vous-même, comte.

— Je ne sais rien.

— Vous étiez ami avec Nathalie, je le sais, et c'est pourquoi... Non, moi, j'ai été toujours plus liée avec Véra. *Cette chère Véra!*

— *Non, madame*, reprit Pierre avec humeur. Je n'ai nullement pris sur moi le rôle de chevalier de mademoiselle Rostov, et je n'ai plus été chez eux depuis bientôt un mois. Mais je ne comprends pas cette cruauté...

— *Qui s'excuse s'accuse*, dit Julie en souriant et en agitant la charpie, et tenant à avoir le dernier mot elle changea immédiatement de conversation : — Je viens d'apprendre que la pauvre

Marie Bolkonsky est arrivée hier à Moscou. Elle a perdu son père, vous le savez?

— Pas possible! Où est-elle? Je voudrais beaucoup la voir, dit Pierre.

— J'ai passé hier la soirée avec elle. Elle part aujourd'hui ou demain matin pour leur propriété proche de Moscou.

— Eh bien, comment va-t-elle? s'enquit Pierre.

— Pas mal, triste. Mais savez-vous qui l'a sauvée? C'est tout un roman : Nicolas Rostov. On l'avait cernée, on voulait la tuer, ses gens ont été blessés. Il s'est précipité et l'a sauvée.

— Un roman de plus, dit l'officier. Décidément, on a organisé cette fuite générale pour que toutes les vieilles filles se marient... Catiche, et d'une; la princesse Bolkonsky, et de deux.

— Vous savez, je crois qu'elle est *un petit peu amoureuse du jeune homme.*

— Une amende! Une amende! Une amende!

— Mais comment le dire en russe?

XVIII

Quand Pierre rentra chez lui, on lui remit deux affiches de Rostoptchine, apportées le jour même.

La première disait que le bruit selon lequel Rostoptchine avait interdit de quitter Moscou était faux; au contraire, le comte était heureux du départ des dames de la noblesse et des femmes des marchands. « Moins de craintes, moins de bavardages, disait Rostoptchine. Mais je réponds sur ma vie que le bandit n'entrera pas à Moscou. » En lisant cela, Pierre se rendit compte pour la première fois que les Français occuperaient Moscou. La seconde affiche annonçait que notre quartier général était à Viazma, que le comte Wittgenstein avait battu les Français, mais que comme beaucoup d'habitants voulaient s'armer, ils pouvaient trouver à bas prix à l'Arsenal des sabres, des fusils, des pistolets. Le ton était déjà moins facétieux que celui des affiches précédentes avec Tchiguirine. Cette lecture rendit Pierre songeur. La terrible nuée d'orage qu'il appelait de toutes les forces de son âme, bien qu'elle le terrorisât malgré lui, cette nuée d'orage approchait évidemment.

« M'engager et partir pour l'armée ou bien attendre? » se demandait-il pour la centième fois. Il prit un jeu de cartes sur sa table et étala une patience.

« Si cette patience réussit, se dit-il tenant en main le jeu et regardant en l'air, si elle réussit, cela voudra dire... qu'est-ce que cela voudra dire?... » — Avant qu'il eût répondu à la question, derrière la porte se fit entendre la voix de l'aînée des princesses qui demandait la permission d'entrer.

« Cela voudra dire que je dois m'engager », acheva Pierre. — Entrez, entrez, ajouta-t-il à l'intention de la princesse (seule, l'aînée, au long buste et au visage figé, continuait à vivre dans la maison de Pierre; les deux cadettes s'étaient mariées).

— Excusez-moi, *mon cousin*, de vous déranger, commença-t-elle d'une voix agitée, pleine de reproches. Il faut pourtant prendre une décision. Que va-t-il se passer? Tout le monde quitte Moscou et le peuple se révolte. Pourquoi restons-nous?

— Au contraire, tout va très bien, semble-t-il, *cousine*, dit-il de ce ton enjoué qu'il prenait toujours avec la princesse, confus qu'il était vis-à-vis d'elle de son rôle de bienfaiteur.

— Tout va très bien?... C'est du joli! Aujourd'hui même Varvara Ivanovna m'a raconté comment nos armées se distinguent. Il y a de quoi être fier. Et le peuple est en pleine révolte, il n'obéit plus; ma femme de chambre même devient grossière. A ce train, ils se mettront bientôt à nous battre nous aussi. On ne peut plus circuler dans les rues. Et le principal, c'est qu'aujourd'hui ou demain les Français seront là; qu'attendons-nous? Je ne vous demande qu'une chose, *mon cousin*, faites-moi conduire à Pétersbourg. Je ne fais pas tellement cas de moi, mais je ne puis vivre sous l'autorité de Bonaparte.

— Allons donc, *ma cousine*, où prenez-vous tous ces renseignements? Au contraire...

— Je ne me soumettrai pas à votre Napoléon. Que les autres fassent à leur guise... Si vous refusez de faire cela...

— Mais je le ferai, je donne à l'instant les ordres.

La princesse était visiblement dépitée de ne pouvoir s'en prendre à quelqu'un. Elle s'assit en murmurant des paroles indistinctes.

— Néanmoins on vous renseigne inexactement, dit Pierre. Tout est calme en ville et il n'y a aucun danger. Je viens à l'instant de lire... — Il désigna à la princesse les affiches. — Le comte déclare qu'il répond sur sa vie que l'ennemi n'entrera pas à Moscou.

— Ah, votre comte! dit rageusement la princesse. Un hypocrite, un gredin qui a incité lui-même le peuple à se mutiner! N'a-t-il pas écrit dans ces stupides affiches de saisir les gens, quels qu'ils soient, par les cheveux et de les traîner au poste (et comme c'est bête)? Honneur et gloire, disait-il, à celui qui agira de la sorte! Et voilà où il en est arrivé avec ses flagorneries. Varvara Ivanovna m'a dit qu'on a failli la tuer parce qu'elle parlait français.

— Mais ça n'a pas tant d'importance!... Vous prenez tout trop à cœur. — Et Pierre se mit à étaler sa patience.

Bien que la patience eût réussi, Pierre ne rejoignit pas l'armée et resta dans Moscou déserte, toujours aussi troublé, hésitant, en proie à la terreur et à la joie, dans l'attente de quelque chose de terrible.

Le lendemain, vers le soir, la princesse partit et l'intendant général de Pierre vint le prévenir que, pour se procurer l'argent nécessaire à l'équipement du régiment, il fallait vendre une des terres, et que d'une façon générale toutes ces fantaisies finiraient par le ruiner... Pierre dissimulait avec peine un sourire en écoutant son intendant.

— Eh bien, vendez, lui dit-il. Que faire! Je ne puis renoncer maintenant.

Plus les affaires, et ses propres affaires en particulier, allaient mal, plus il en était heureux, plus il lui était évident que la catastrophe attendue approchait. Il n'y avait déjà presque plus personne en ville de ceux qu'il connaissait. Julie était partie, la princesse Marie était partie; de ses intimes, seuls restaient les Rostov, mais il ne les fréquentait plus.

Ce jour-là, Pierre pour se distraire se rendit au village de Vorontsovo pour voir un grand ballon que construisait Leppich et qui devait anéantir l'ennemi, ainsi qu'un ballon d'essai qui allait être lâché le lendemain. Le grand ballon n'était pas encore prêt, mais on apprit à Pierre qu'on le construisait sur le désir de l'empereur. Celui-ci avait écrit à ce propos la lettre suivante au comte Rostoptchine :

« *Aussitôt que Leppich sera prêt, composez-lui un équipage pour sa nacelle d'hommes sûrs et intelligents et dépêchez un courrier au général Koutouzov pour l'en prévenir. Je l'ai instruit de la chose.*

Recommandez, je vous prie, à Leppich d'être bien attentif sur l'endroit où il descendra pour la première fois, pour ne pas se tromper et ne pas tomber dans les mains de l'ennemi. Il est indispensable qu'il combine ses mouvements avec le général en chef. »

En rentrant de Vorontsovo, Pierre aperçut sur la place Bolotnaïa une grande foule autour du pilori. Il fit arrêter sa voiture et en descendit. On venait de passer par les verges un cuisinier français accusé d'espionnage. Le bourreau détachait du chevalet un gros homme aux favoris roux, en bas bleus et veste verte, qui gémissait lamentablement. Un autre condamné, maigre et pâle, se tenait debout à côté. Tous deux étaient des Français, à en juger d'après leur visage. Pierre, dont les traits trahissaient le même effroi, la même souffrance que ceux du second Français, se fraya un passage à travers la foule.

— Qu'est-ce que c'est? Qui est-ce? Pourquoi? interrogeait-il.

Mais l'attention de la foule — fonctionnaires, artisans, marchands, paysans, femmes en rotonde et en casaquin — était si avidement concentrée sur ce qui se passait devant le pilori qu'il n'obtint pas de réponse... Le gros se releva, les sourcils froncés, secoua les épaules et voulant manifestement se montrer courageux, commença d'enfiler sa veste sans regarder autour de lui; mais ses lèvres soudain tremblèrent et il fondit en larmes, furieux contre lui-même, comme pleurent les hommes forts et sanguins. La foule se mit à parler très haut, comme pour étouffer en elle toute pitié, sembla-t-il à Pierre.

— C'est le cuisinier d'un prince...

— Eh bien, moussiou, la sauce russe, il faut croire, est un peu aigre pour un Français... elle agace les dents, dit, voyant pleurer le cuisinier, le voisin de Pierre, un petit scribe ratatiné.

Il regarda autour de lui, s'attendant visiblement à ce qu'on goûtât sa plaisanterie. Certains rirent, d'autres continuèrent de considérer craintivement le bourreau qui déshabillait le second condamné.

Pierre renifla, se renfrogna, fit brusquement demi-tour et retourna à sa voiture où il s'installa sans cesser de marmonner quelque chose. Au cours du trajet, il tressaillait et poussait parfois de si fortes exclamations que le cocher lui demanda :

— Quels sont vos ordres?

— Où donc me conduis-tu? lui cria Pierre alors qu'ils débouchaient dans la Loubianka.

— Chez le gouverneur comme vous me l'avez ordonné, répondit le cocher.

— Imbécile! Animal! cria Pierre, injuriant le cocher, ce qui ne lui arrivait que très rarement. J'ai dit à la maison! Et vite, imbécile!... Il faut partir dès aujourd'hui, marmonna-t-il.

A la vue de l'exécution, et de la foule autour du pilori, Pierre avait si fermement décidé de quitter le jour même Moscou et de rejoindre l'armée qu'il s'était imaginé l'avoir dit au cocher, ou bien que celui-ci l'avait certainement compris de lui-même.

Rentré chez lui, il prévint son cocher Evstafiévitch, un homme précieux, au courant de tout, connu de tout Moscou, qu'il voulait rejoindre la nuit même l'armée à Mojaïsk et lui donna l'ordre d'y envoyer les chevaux de selle. Tout cela ne pouvait se faire en un jour, lui expliqua Evstafiévitch, et Pierre dut remettre son départ au lendemain pour permettre de préparer les relais.

Le 24, le ciel se dégagea après une période de mauvais temps, et Pierre ce jour-là se mit en route après le dîner. Dans la nuit, tandis qu'on changeait de chevaux à Perkhouchkovo, on lui apprit qu'une grande bataille avait eu lieu le soir même; la canonnade était si forte, disait-on, que le sol tremblait à Perkhouchkovo. Aux questions sur l'issue de la bataille, personne ne put répondre (il s'agissait du combat du 24 à Chevardino). A l'aube, Pierre atteignit Mojaïsk.

Toutes les maisons de Mojaïsk étaient occupées par les troupes; à l'auberge où Pierre fut accueilli par son écuyer et son cocher, toutes les chambres étaient prises par des officiers.

A Mojaïsk et autour de Mojaïsk, ce n'étaient partout que régiments en marche ou bivouaquant : cosaques, fantassins, cavaliers, canons, caissons, fourgons. Pierre se hâtait et plus il s'éloignait de Moscou et s'enfonçait dans cette mer de soldats, plus il était en proie à l'inquiétude, à l'agitation et aussi à une joie nouvelle, jamais encore éprouvée : c'était un sentiment pareil à celui qu'il avait connu au palais Slobodsky au moment de l'arrivée de l'empereur, le sentiment qu'il fallait absolument entreprendre quelque chose et faire un sacrifice. Il prenait maintenant joyeusement conscience que tout ce qui constituait le bonheur des hommes, le bien-être, la richesse et la vie elle-même, n'était que futilité qu'il y avait plaisir à rejeter, en regard d'une certaine chose... Laquelle? Cela, Pierre l'ignorait et il ne cherchait d'ailleurs pas à savoir au juste pour qui et pour quoi il était prêt à tout sacrifier et y trouvait un charme particulier. Il ne se souciait pas de savoir à quoi il se sacrifiait, c'était le sacrifice lui-même qui le remplissait d'une joie nouvelle.

XIX

La bataille de la redoute de Chevardino eut lieu le 24; le 25, pas un coup de feu ne fut tiré ni d'un côté ni de l'autre. Le 26 eut lieu la bataille de Borodino [1].

Pour quelles raisons et comment les batailles de Chevardino

et de Borodino furent-elles proposées et acceptées? Pourquoi la bataille de Borodino fut-elle engagée? Elle n'avait pas le moindre sens ni pour les Français ni pour les Russes. Son résultat fut pour les Russes, et devait l'être immanquablement, de précipiter la chute de Moscou (ce que nous redoutions par-dessus tout), et pour les Français, de précipiter la destruction totale de leur armée (ce que, de leur côté, ils redoutaient par-dessus tout). Ce résultat était sur le moment même parfaitement évident; et néanmoins, Napoléon engagea la bataille et Koutouzov l'accepta.

Si les grands capitaines se laissaient guider par la raison, Napoléon aurait dû voir clairement qu'en livrant bataille au risque de perdre le quart de son armée à deux mille verstes de ses bases, il allait à une catastrophe certaine; et il devait être également clair pour Koutouzov qu'en acceptant le combat au risque de perdre lui aussi le quart de son armée, la chute de Moscou était irrémédiable. C'était pour Koutouzov d'une évidence mathématique, tout comme il est évident que si, au jeu de dames, j'ai un pion de moins que mon adversaire et que je procède à des échanges, je perdrai à coup sûr et qu'en conséquence je ne dois pas utiliser cette tactique.

Quand mon adversaire a seize pions et moi quatorze, je suis plus faible d'un huitième, et quand j'aurai échangé treize pièces, il sera trois fois plus fort que moi.

Jusqu'à la bataille de Borodino, nos forces comparées à celles des Français étaient à peu près dans le rapport de cinq à six; après Borodino, dans le rapport de un à deux. Autrement dit, avant la bataille, cent mille hommes contre cent-vingt mille, et après, cinquante contre cent. Et cependant, Koutouzov, intelligent et expérimenté, accepta la bataille. Et Napoléon, ce génie militaire comme on l'appelle, livra une bataille qui lui coûta le quart de son armée et allongea encore ses lignes de communication. Si l'on prétend qu'il croyait que la prise de Moscou terminerait la campagne, comme il en avait été de la prise de Vienne, les preuves du contraire ne manquent pas. Les historiens de Napoléon eux-mêmes écrivent qu'il voulait s'arrêter déjà à Smolensk, qu'il reconnaissait le danger de l'allongement de ses lignes et savait que la prise de Moscou n'entraînerait pas la fin de la guerre, car depuis Smolensk, il voyait dans quel état les Russes abandonnaient leurs villes et que ses propositions réitérées de pourparlers restaient sans réponse.

En engageant la bataille de Borodino, Koutouzov et Napoléon agirent sans le vouloir et absurdement. Mais les historiens découvrirent dans les faits accomplis les preuves subtiles du génie et de la clairvoyance des chefs de guerre qui, de tous les instruments inconscients des événements mondiaux, ont été les plus dociles, les moins conscients.

Les Anciens nous ont laissé des modèles de poèmes épiques dont les héros concentrent sur eux tout l'intérêt de l'histoire, et nous ne parvenons toujours pas à comprendre que pour notre temps une histoire de ce genre est dénuée de sens.

A la seconde question, comment furent livrées la bataille de Borodino et celle de Chevardino qui la précéda, on donne également une réponse précise, bien connue, mais complètement fausse. Tous les historiens décrivent l'affaire de la façon suivante :

EN SE REPLIANT APRÈS SMOLENSK, L'ARMÉE RUSSE AURAIT CHERCHÉ LA MEILLEURE POSITION POUR LIVRER UNE BATAILLE GÉNÉRALE, ET CETTE POSITION AURAIT ÉTÉ TROUVÉE A BORODINO.

LES RUSSES AURAIENT FORTIFIÉ A L'AVANCE CETTE POSITION, A GAUCHE DE LA ROUTE (DE SMOLENSK A MOSCOU) ET FORMANT AVEC ELLE PRESQUE UN ANGLE DROIT, DE BORODINO A OUTITSA, AU LIEU MÊME OU SE DÉROULA LA BATAILLE.

EN AVANT DE CETTE POSITION, ON AURAIT ÉTABLI SUR LE MAMELON DE CHEVARDINO UN AVANT-POSTE FORTIFIÉ POUR OBSERVER L'ENNEMI. LE 24, NAPOLÉON ATTAQUA CET AVANT-POSTE ET S'EN EMPARA; LE 26, IL ATTAQUAIT TOUTE L'ARMÉE RUSSE DANS LA PLAINE DE BORODINO.

Ainsi parlent les historiens; or tout cela est entièrement faux, comme peut aisément s'en convaincre quiconque voudra bien aller jusqu'au fond des choses.

Les Russes ne cherchaient aucunement la meilleure position; au contraire, au cours de leur retraite ils négligèrent maintes positions supérieures à celle de Borodino. Ils ne s'y arrêtèrent pas, parce que Koutouzov ne voulait pas d'une position qu'il n'eût pas choisie lui-même, parce que la volonté patriotique de livrer bataille ne s'était pas manifestée avec une force suffisante, parce que Miloradovitch n'avait pas encore amené son corps de milice, et pour bien d'autres raisons encore, innombrables. Le fait est en tout cas que les positions précédentes étaient plus fortes et que celle de Borodino (où fut livrée la bataille) non seulement n'était pas forte mais n'était pas plus une position que n'importe quel point de l'empire de Russie qu'on aurait marqué au hasard d'une épingle sur la carte.

Non seulement les Russes n'avaient pas fortifié la position de la plaine de Borodino, à gauche, à angle droit de la route (c'est-à-dire là où fut livrée la bataille), mais avant le 25 août 1812, il ne leur était jamais venu à l'esprit qu'une bataille pourrait avoir lieu en cet endroit. La preuve en est, premièrement que non seulement il n'avait pas été fortifié avant le 25, mais que les travaux de fortification commencés le 25 n'étaient pas terminés le 26; et deuxièmement, la situation même de la redoute de Chevardino : en effet, la redoute de Chevardino, en avant du lieu où se déroula la bataille, n'avait pas le moindre sens. Pour quelles raisons cette redoute avait-elle été fortifiée plus que tout autre point? Et pour quelles raisons s'épuisa-t-on à la défendre le 24 jusque tard dans la nuit au prix de six mille tués? Pour observer les mouvements de l'ennemi, un détachement de cosaques eût suffi. Troisièmement, ce qui prouve que la position où fut acceptée la bataille n'avait pas été prévue et que la redoute de Chevardino n'était pas le point avancé de cette position, c'est que Barclay de Tolly et Bagration étaient persuadés jusqu'au 25 que la redoute de Chevardino constituait le flanc GAUCHE de la position et que Koutouzov lui-même, dans son rapport écrit sous l'impression encore toute fraîche du combat, l'appelle le flanc GAUCHE de la position. C'est beaucoup plus tard seulement que les rapports de Borodino rédigés à tête reposée inventèrent une version étrange et fausse (destinée sans doute à dissimuler les erreurs du commandant en chef qui doit être infaillible), à savoir que la redoute de Chevardino était un poste AVANCÉ (alors qu'il n'était qu'un point fortifié du flanc gauche) et que nous avions accepté la bataille de Borodino sur une position fortifiée et choisie à l'avance, alors qu'elle se déroula à un endroit imprévu et à peine fortifié.

Les choses en réalité s'étaient évidemment passées ainsi : la position fut choisie sur la rivière Kolotcha qui coupe la grand' route non pas à angle droit mais à angle aigu, de sorte que le flanc gauche se trouvait à Chevardino, le flanc droit près de la bourgade Novoïé, et le centre à Borodino, au confluent de la Kolotcha et de la Voïna. Pour une armée se proposant d'arrêter un ennemi qui avance vers Moscou sur la route de Smolensk, cette position couverte par la Kolotcha présente des avantages qui apparaissent clairement à quiconque examine le champ de bataille de Borodino en oubliant comment l'affaire s'est passée.

En se dirigeant le 24 vers Valouïévo, Napoléon ne vit pas (disent les historiens) la position des Russes d'Outitsa à Borodino (et il ne pouvait la voir puisqu'elle n'existait pas) et leur poste avancé, mais en poursuivant l'arrière-garde russe il se heurta au flanc gauche des Russes, la redoute de Chevardino, et fit passer la Kolotcha à ses troupes, alors que ses adversaires ne s'y attendaient pas. Les Russes pris de court ramenèrent leur flanc gauche de la position qu'ils comptaient occuper et en occupèrent une autre qui n'était ni prévue ni fortifiée. Étant passé sur la rive gauche de la Kolotcha, à gauche de la route, Napoléon déplaça tout le dispositif de la future bataille de droite à gauche (du côté russe) et le transporta dans la plaine entre Outitsa, Sémionovskoïé et Borodino (cette plaine qui ne présentait pas plus d'avantages que n'importe quelle autre plaine en Russie), et c'est là qu'eut lieu la bataille du 26. Voici ci-après et en gros le plan de la bataille supposée et de la bataille réelle.

Si Napoléon n'était pas arrivé le 24 au soir sur la Kolotcha et n'avait pas donné l'ordre d'attaquer sur-le-champ la redoute, mais avait remis l'attaque au lendemain matin, personne n'eût eu le moindre doute que Chevardino constituait notre flanc gauche et la bataille se serait déroulée comme nous nous y attendions. Dans ce cas, nous eussions probablement défendu plus opiniâtrement encore la redoute de Chevardino, notre flanc gauche, et attaqué Napoléon au centre ou sur la droite, et la bataille générale aurait eu lieu le 24 sur la position prévue et fortifiée. Mais comme l'attaque sur notre flanc gauche se produisit le soir à la suite du repli de notre arrière-garde, c'est-à-dire aussitôt après le combat de Gridniévo, et comme les généraux russes ne voulurent pas ou ne purent engager la bataille générale le soir même du 24, la première et la plus importante action de la bataille de Borodino fut perdue dès le 24, ce qui ne pouvait manquer d'entraîner la défaite du 26.

Après la perte de la redoute de Chevardino, le matin du 25, notre flanc gauche se trouvait en l'air et nous fûmes contraints de le ramener en arrière et de le fortifier hâtivement et n'importe comment.

Mais il est peu de dire que le 26 les troupes russes ne disposaient que de retranchements insuffisants, inachevés; ce qui aggrava leur situation, c'est que leurs chefs ne se rendirent pas suffisamment compte du fait accompli (la perte de la position du flanc gauche et l'orientation nouvelle de la bataille de droite à gauche) et conservèrent leur position étirée du village de Novoïé à Outitsa, ce qui les obligea à faire passer les troupes de droite à gauche au cours de l'action. Ainsi tout au long du combat, les Russes ne purent opposer aux Français attaquant avec toutes leurs forces le flanc gauche que des effectifs deux fois

PLAN DE LA BATAILLE DE BORODINO
d'après un croquis de Tolstoï.

1. — Disposition supposée des Français.
2. — Disposition supposée des Russes.
3. — Disposition réelle des Français pendant la bataille.
4. — Disposition réelle des Russes pendant la bataille.

plus faibles (les actions de Poniatowski contre Outitsa et d'Ouvarov sur le flanc droit des Français ne furent que des opérations épisodiques, indépendantes de la marche générale de la bataille).

La bataille de Borodino se déroula donc tout autrement qu'on ne la décrit (en essayant de dissimuler les fautes de nos généraux et par suite en réduisant la gloire de l'armée et du peuple russes). La bataille de Borodino ne fut pas livrée sur une position choisie à l'avance et fortifiée contre un adversaire quelque peu supérieur en nombre; à la suite de la perte de la redoute de Chevardino, elle fut acceptée par les Russes deux fois plus faibles que les Français sur un terrain découvert, à peine fortifié, c'est-à-dire dans des conditions telles qu'il était impensable non seulement que la lutte pût durer dix heures et demeurer indécise, mais qu'il fût possible de tenir ne fût-ce que trois heures sans subir un désastre total.

XX

Le 25 au matin, Pierre partit de Mojaïsk. Sur la route qui par une longue pente raide et tortueuse mène hors de la ville en passant devant la cathédrale à droite, où dans des sonneries de cloches se célébrait la messe, Pierre quitta sa voiture et fit le chemin à pied. Chanteurs en tête, un régiment de cavalerie descendait la pente derrière lui. Un convoi de blessés dans l'affaire de la veille gravissait la côte à sa rencontre. Les conducteurs fouettaient les chevaux et les encourageaient à grands cris en courant d'un côté à l'autre de la route. Les charrettes où les blessés étaient assis ou couchés par trois, par quatre, rebondissaient sur les pierres qui parsemaient, en guise de pavés, la pente raide. Les blessés enveloppés de loques, pâles, les lèvres serrées, les sourcils froncés, tressautaient, se heurtaient, cramponnés aux ridelles. Presque tous considéraient avec une curiosité naïve le chapeau blanc et l'habit vert de Pierre.

Le cocher de Pierre criait aux conducteurs du convoi de se ranger d'un côté. Le régiment de cavalerie qui descendait la côte en chantant, repoussa la voiture et obstrua le passage. Pierre s'arrêta et se serra contre le bord de la route creusée dans la colline; le soleil qui se levait derrière celle-ci ne parvenait pas encore à atteindre la route encaissée et il y faisait froid et humide. Au-dessus de la tête de Pierre, la matinée d'août était lumineuse et les cloches carillonnaient joyeusement. Une charrette chargée de blessés s'arrêta au bord de la route, tout près de Pierre. Le conducteur en chaussons de tille accourut, essoufflé, cala avec des pierres les roues de derrière, sans bandages, et arrangea les harnais de son petit cheval éreinté.

Un vieux soldat blessé, le bras bandé, qui marchait derrière la charrette, la saisit de sa main valide et regarda Pierre.

— Alors, mon pays, c'est-y ici qu'on nous laisse, ou va-t-on jusqu'à Moscou? demanda-t-il.

Pierre était si plongé dans ses pensées qu'il n'entendit pas la question. Il regardait tantôt le régiment qui maintenant croisait le convoi, tantôt la charrette près de laquelle il se tenait et où deux blessés étaient assis et un troisième couché. L'un des deux qui étaient assis avait sans doute été blessé au visage; sa tête était entièrement entourée de loques; une de ses joues, enflée, était aussi grosse qu'une tête d'enfant, le nez et la bouche étaient déjetés. Ce soldat regardait la cathédrale et se signait. L'autre, un jeune garçon, une recrue, blond et le teint si blanc qu'on eût dit qu'il n'avait plus une goutte de sang dans son mince visage, considérait Pierre avec un bon sourire qui ne quittait pas ses lèvres. Le troisième était étendu à plat ventre et on ne voyait pas son visage. Les chanteurs du régiment à cheval passaient juste au-dessus de la charrette en scandant une chanson à danser :

« Ah! C'en est fait d'elle... la tête rasée [1]... en pays étranger... »

Comme leur faisant écho, mais sur un autre mode joyeux, les sons métalliques des cloches s'éparpillaient dans les hauteurs. Et répandant une autre joie encore, les brûlants rayons du soleil inondaient le talus opposé de la route. Mais sous le talus où était arrêtée la charrette et où Pierre se tenait près du petit cheval essoufflé, il faisait humide, sombre et triste.

Le soldat à la joue enflée regardait d'un œil irrité les chanteurs.

— Voyez-les, ces fringants! dit-il avec humeur.

— Aujourd'hui, je n'ai pas vu que des soldats, j'ai vu des paysans. Les paysans, on les ramasse aussi, dit le vieux soldat qui marchait derrière la charrette, en s'adressant à Pierre. Aujourd'hui on n'y regarde pas de si près... c'est avec tout le peuple qu'on veut tomber dessus. Moscou, c'est tout dire. On veut en finir une bonne fois.

Bien que le soldat s'exprimât de façon peu claire, Pierre

comprit ce qu'il voulait dire et l'approuva d'un signe de tête.

La route était devenue libre, il descendit la pente et poursuivit son chemin.

Il avançait en regardant à droite et à gauche, cherchant à apercevoir des visages connus, mais ne rencontrant que les visages inconnus de militaires de toutes les armes qui considéraient tous avec le même étonnement son chapeau blanc et son habit vert.

Ayant parcouru près de quatre verstes, il aperçut quelqu'un qu'il connaissait et le héla joyeusement. C'était un des médecins-chefs de l'armée; accompagné d'un jeune adjoint, il suivait la route en sens inverse de Pierre; ayant reconnu celui-ci, il fit arrêter sa voiture que conduisait un cosaque.

— Comte! Excellence! Comment êtes-vous ici?

— J'avais envie de voir...

— Oui, il y aura bien des choses à voir...

Pierre mit pied à terre et lui expliqua qu'il voulait prendre part à la bataille.

Le médecin lui conseilla de s'adresser directement au Sérénissime.

— Pourquoi rester perdu Dieu sait où pendant le combat, sans rien savoir, dit-il en échangeant un regard avec son jeune collègue. Le Sérénissime vous connaît tout de même et vous accueillera aimablement. Faites donc ainsi.

Le médecin paraissait fatigué et pressé.

— Vous croyez?... Je voulais encore vous demander, où donc est en somme notre position? dit Pierre.

— La position? répéta le médecin. Cela n'est plus de mon ressort. Passez à Tatarinovo. on y creuse ferme, semble-t-il. Vous monterez sur le mamelon... De là-haut, on voit bien...

— On voit de là?... Si vous pouviez...

Mais le médecin l'interrompit et dit en rejoignant sa voiture :

— Je vous aurais conduit volontiers, mais vraiment... jusque-là (il désigna sa gorge)... Je cours chez le commandant de corps. Vous savez comment cela se passe chez nous... Demain, comte, on va se battre et il faut compter qu'il y aura bien vingt mille blessés sur une armée de cent mille hommes. Or nous n'avons même pas pour six mille hommes de civières, de lits de camp, d'infirmiers, de médecins. Nous avons bien dix mille charrettes, mais il faut aussi autre chose. Arrange-toi comme tu veux !

La pensée étrange que sur ces milliers d'êtres vivants, bien portants, jeunes et vieux, qui regardaient avec un étonnement amusé son chapeau, vingt mille sûrement étaient voués aux blessures et à la mort (ceux-là mêmes qu'il avait croisés peut-être), cette pensée frappa Pierre.

« Peut-être vont-ils mourir... Comment donc peuvent-ils penser à autre chose qu'à la mort? » Et soudain, par un mystérieux enchaînement d'idées, il revit nettement la descente de Mojaïsk, les charrettes chargées de blessés, les rayons obliques du soleil, il entendit les cloches, la chanson des cavaliers.

« Ces cavaliers vont au combat et rencontrent des blessés, et ils ne réfléchissent pas une minute à ce qui les attend, passent devant et clignent de l'œil aux blessés. Et de tous ceux-là, vingt mille sont voués à la mort, et ils regardent curieusement mon chapeau... Étrange », songeait Pierre en poursuivant son chemin vers Tatarinovo.

Des voitures, des fourgons, une foule d'ordonnances et de sentinelles stationnaient devant une maison de maître, à gauche de la route. C'était là que logeait Koutouzov. Mais il était absent lorsque Pierre arriva, ainsi que tous les officiers de son état-major. Ils assistaient à un office. Pierre se dirigea vers Gorki.

Ayant gravi une côte, il s'engagea dans la petite rue du village et aperçut pour la première fois des paysans-miliciens en blouses blanches, une croix à leur bonnet. Riant bruyamment et causant, animés et en sueur, ils s'affairaient sur un énorme mamelon envahi d'herbe, à droite de la route.

Les uns, armés de pelles, y creusaient des tranchées; d'autres transportaient la terre dans des brouettes sur des planches, d'autres encore restaient là à ne rien faire.

Deux officiers les surveillaient, debout sur le mamelon. A la vue de ces paysans que manifestement amusait encore leur nouvel état militaire, Pierre se souvint une fois de plus des blessés de Mojaïsk et il comprit ce qu'avait voulu exprimer le soldat en disant qu'on voulait « tomber dessus avec tout le peuple ». Le spectacle de ces paysans barbus travaillant sur le champ de bataille dans leurs lourdes bottes, de leurs nuques ruisselantes de sueur, la blouse déboutonnée de certains laissant voir des clavicules osseuses et hâlées, tout cela fit sentir à Pierre, plus que tout ce qu'il avait observé et entendu jusque-là, la solennité et la gravité de l'heure.

Pierre descendit de voiture et passant devant les miliciens au travail, monta sur le mamelon d'où, comme le lui avait dit le médecin, on pouvait embrasser le champ de bataille.

Il était environ onze heures du matin. Le soleil, un peu à gauche de Pierre et derrière lui, illuminait dans l'air pur et léger l'immense panorama de la région qui s'étageait en amphithéâtre.

Coupant cet amphithéâtre, sur la gauche, serpentait la grande route de Smolensk qui traversait un village avec une église blanche, située à cinq cents pas en avant du mamelon et en contrebas (c'était Borodino). La route passait sous le village sur un pont, puis montant et descendant, elle s'élevait en tournant de plus en plus haut vers la bourgade de Valouïevo (où se trouvait Napoléon) qu'on apercevait à quelque six verstes. Au-delà de Valouïévo, la route se perdait à l'horizon dans une forêt jaunissante de bouleaux et de sapins où, à droite, le clocher et la croix du monastère de la Kolotcha brillaient au loin sous le soleil. Tout le long de ces lointains bleutés, à droite et à gauche de la route et de la forêt, on apercevait à différents endroits les fumées des feux de camp et les masses indistinctes de nos troupes et de celles de l'ennemi. A droite, le long de la Kolotcha et de la Moskva, le terrain accidenté était coupé de ravins entre lesquels on distinguait au loin les villages de Bezzoubovo et de Zakharino. A gauche, le terrain était plus plat, il y avait des champs de blé, et un village incendié, Sémionovskoïé, fumait encore.

Tout ce que voyait Pierre tant à droite qu'à gauche était si vague que son imagination demeurait insatisfaite. Au lieu du champ de bataille qu'il s'attendait à voir, c'étaient des champs, des prairies, des troupes, des forêts, des fumées de bivouacs, des villages, des mamelons, des ruisseaux, et il avait beau s'appliquer, il ne parvenait pas à voir où se trouvait, dans ce paysage vivant, la position et ne pouvait même distinguer notre armée de celle de l'ennemi.

« Il faut que j'interroge ceux qui sont au courant », se dit-il, et il s'adressa à l'un des officiers qui considérait avec curiosité cet homme massif d'aspect bien peu militaire.

— Dites-moi, je vous prie, quel est ce village devant nous? demanda Pierre.

— Bourdino, je crois. Ou comment? répondit l'officier en se tournant vers son camarade.

— Borodino, corrigea celui-ci.

Heureux visiblement de pouvoir bavarder un peu, l'officier s'approcha de Pierre.

— Ce sont les nôtres? demanda Pierre.

— Oui, et un peu plus loin, ce sont les Français. Les voilà, on les voit.

— Où donc?

— On les voit à l'œil nu. Là-bas.

L'officier désigna de la main les fumées au-delà et à gauche de la rivière, et son visage prit cette expression sérieuse et sévère que Pierre avait déjà remarquée chez nombre de ceux qu'il avait rencontrés.

— Ah, ce sont les Français! Et là?... — Pierre désigna à gauche un mamelon près duquel on apercevait des troupes.

— Ce sont les nôtres.

— Ah, oui... Et là-bas? — Pierre indiquait un autre mamelon au loin, avec un grand arbre, près d'un village dans un ravin d'où s'élevait la fumée des bivouacs et où l'on apercevait des taches noires.

— C'est encore LUI, dit l'officier (c'était la redoute de Chevardino). Hier c'était nous, et aujourd'hui c'est LUI.

— Et notre position alors?

— Notre position? — L'officier eut un sourire satisfait. — Je puis vous la décrire clairement, parce que j'ai construit presque toutes les fortifications. Notre centre, vous voyez, est à Borodino, là-bas. — Il désigna le village avec l'église blanche en face d'eux. — Là c'est le passage de la Kolotcha. Là, où il y a encore en contre-bas des rangées de foin coupé, vous voyez un pont. C'est notre centre. Le flanc droit, le voilà (il désigna d'un geste brusque un ravin escarpé à l'extrême droite). C'est la Moskva; nous y avons construit trois redoutes, très fortes. Le flanc gauche... — L'officier s'interrompit. — Voyez-vous, c'est difficile à vous expliquer. Hier notre flanc gauche était là-bas, à Chevardino, là où est le chêne; et maintenant nous avons ramené notre aile gauche en arrière; elle est là où vous voyez le village et la fumée, c'est Sémionovskoïé, et ici. — Il indiqua le mamelon Raïevsky. — Mais il est peu probable qu'on se batte par là. S'IL a fait passer ses troupes de ce côté, ce n'est qu'une feinte; IL va sans doute opérer un mouvement tournant à droite de la Moskva. Quoi qu'il en soit, beaucoup manqueront à l'appel demain.

Un vieux sous-officier, qui s'était approché de son supérieur, attendait en silence qu'il eût achevé ses explications; mais visiblement mécontent des derniers mots de l'officier, il l'interrompit :

— Il faut aller chercher des gabions, dit-il d'un ton sévère.

L'officier parut gêné comme s'il avait compris qu'on pouvait penser à part soi que beaucoup manqueraient à l'appel le lendemain, mais qu'il ne fallait pas en parler.

— Bon, envoie encore la troisième compagnie, dit-il précipitamment :

— Et qui êtes-vous? Un des médecins?

— Non, je suis venu comme ça..., répondit Pierre.

Il redescendit et passa de nouveau devant les miliciens.

— Ah, les diables! s'exclama l'officier qui le suivait; et, se bouchant le nez, il passa au milieu d'eux au pas de course.

— Les voilà!... Ils arrivent; ils la portent! La voilà!... firent tout à coup des voix, et officiers, soldats, miliciens se précipitèrent sur la route.

Une procession venant de Borodino gravissait la colline, précédée d'un détachement d'infanterie qui marchait en bon ordre sur la route poussiéreuse, tête nue, armes basses. Derrière eux s'élevaient des chants liturgiques.

Dépassant Pierre, soldats et miliciens tête nue couraient audevant de la procession.

— On porte notre Mère!... La Miséricordieuse... notre Mère, l'icone d'Ibérie...

— Notre Mère de Smolensk, rectifia un autre.

Les miliciens, ceux qui étaient dans le village et ceux qui travaillaient à la batterie, jetaient leurs pelles et accouraient. Derrière le bataillon d'infanterie venaient le clergé de la paroisse en chasubles, un petit vieux coiffé d'un capuce et des chantres. A leur suite des officiers et des soldats portaient une grande icone au visage noirci dans son revêtement d'argent. C'était l'icone qu'on avait emportée de Smolensk et qui depuis suivait l'armée. Derrière l'icone, autour d'elle, devant elle, marchaient, couraient, se prosternaient des foules de militaires tête nue.

Ayant atteint le sommet de la côte, l'icone s'arrêta; les hommes qui la portaient sur des linges, la passèrent à d'autres. Les sacristains rallumèrent les encensoirs et l'office commença.

Les rayons brûlants du soleil tombaient d'aplomb, une légère brise fraîche jouait dans les cheveux des têtes découvertes et les rubans qui ornaient l'icone. Les chants résonnaient faiblement en plein air. La foule immense des officiers, des soldats, des miliciens, entourait tête nue l'icone. Les personnages importants se tenaient dans un espace laissé libre derrière le clergé. Un général chauve, la croix de Saint-Georges au cou, debout bien droit juste derrière le prêtre et sans se signer (c'était un Allemand évidemment), attendait patiemment la fin de l'office auquel il jugeait nécessaire d'assister sans doute pour exalter le patriotisme du peuple russe. Un autre général gardait une attitude martiale et se signait distraitement en jetant des regards autour de lui. Debout parmi les paysans, Pierre avait aperçu dans ce groupe quelques figures de connaissance, mais il ne les regardait pas, son attention étant entièrement absorbée par l'expression sérieuse des visages de ces soldats et miliciens qui tous contemplaient l'icone avec la même avidité. Dès que les chantres fatigués. (c'était leur vingtième office) entonnèrent paresseusement et machinalement « Sauve, Mère de Dieu, tes serviteurs » et que le prêtre et le diacre répondirent « Car tous en Dieu nous avons recours à Toi, muraille inébranlable », la pleine conscience de la solennité de cette minute éclaira aussitôt tous les visages; c'était cette même expression que Pierre avait déjà remarquée à Mojaïsk et, par moments, sur tant d'autres visages aperçus au cours de la matinée. Et les têtes alors s'inclinaient plus bas, les cheveux flottant au vent, et l'on entendait des soupirs et les poitrines résonner sous des signes de croix violemment frappés.

La foule entourant l'icone s'ouvrit soudain et bouscula Pierre. Quelqu'un, un personnage très important sans doute à en juger par la hâte avec laquelle on s'écartait devant lui, s'approchait de l'icone.

C'était Koutouzov qui, ayant inspecté la position, s'était arrêté sur le chemin de Tatarinovo pour assister à l'office. Pierre le reconnut immédiatement à sa silhouette si particulière.

Son énorme corps au dos voûté enveloppé d'une longue redingote, sa tête chenue découverte, son œil blanc dans son visage bouffi, Koutouzov entra dans le cercle de sa démarche plongeante et balancée et s'arrêta derrière le prêtre. Il se signa d'un geste coutumier, se courba jusqu'à toucher la terre de ses doigts et ayant poussé un long soupir inclina sa tête blanche. Bennigsen et la suite l'accompagnaient. La présence du commandant en chef avait attiré l'attention de tous les officiers supérieurs, mais les soldats et les miliciens continuèrent de prier sans le regarder.

L'office terminé, Koutouzov s'approcha de l'icone, s'agenouilla pesamment, se prosterna et fut long à se relever en raison de sa corpulence et de sa faiblesse; sa tête blanche tressaillait sous l'effort. S'étant redressé enfin, il avança les lèvres de façon enfantine, baisa l'icone et s'inclina derechef en touchant la terre des doigts. Les généraux suivirent son exemple, puis les officiers, puis, se poussant, se bousculant, s'écrasant les uns les autres et soufflant, les miliciens et les soldats, le visage ému.

XXII

Ballotté par la foule qui l'enserrait, Pierre regardait autour de lui.

— Comte, Pierre Kirilytch, comment êtes-vous ici? fit une voix.

Pierre se retourna. Boris Droubetskoï, souriant, venait à lui en essuyant de la main ses genoux salis (lui aussi avait probablement baisé l'icone). Il était habillé avec une sorte d'élégance martiale et, comme Koutouzov, portait une longue redingote et un fouet en bandoulière.

Cependant Koutouzov se dirigea vers le village et s'assit à l'ombre de la première maison sur un banc que se hâta de lui apporter un cosaque et qu'un autre recouvrit d'un petit tapis. Une nombreuse et brillante suite entoura le commandant en chef.

L'icone se remit en route toujours accompagnée de soldats et de miliciens.

Pierre s'entretenait avec Boris à une trentaine de pas de Koutouzov. Il lui disait qu'il avait l'intention d'assister à la bataille et qu'il aurait voulu se rendre compte de la position.

— Voilà ce que nous allons faire, dit Boris. *Je vous ferai les honneurs du camp.* C'est de l'endroit où se tiendra le comte Bennigsen que vous verrez le mieux. Je suis attaché à sa personne. Je lui en parlerai. Si vous voulez parcourir la position, venez avec nous; nous partons immédiatement pour le flanc gauche. Ensuite nous reviendrons et je serai heureux de vous offrir l'hospitalité pour la nuit. On pourrait organiser une partie.

Vous connaissez certainement Dimitri Serguéiévitch? Il loge ici. — Boris désigna la troisième maison de Gorki.

— Mais j'aurais voulu voir le flanc droit; il paraît qu'il est très puissant, dit Pierre. J'aurais voulu parcourir toute la position à partir de la Moskva.

— Vous pourrez le faire plus tard. L'essentiel c'est le flanc gauche.

— Bon, bon. Et où se trouve le régiment du prince Bolkonsky? Pourriez-vous me l'indiquer?

— Le régiment d'André Nicolaïévitch? Nous passerons devant; je vous y mènerai.

— Eh bien, le flanc gauche? demanda Pierre.

— A parler franchement, *entre nous*, le flanc gauche est dans Dieu sait quel état, dit à mi-voix Boris d'un ton confidentiel. Le comte Bennigsen proposait tout autre chose, il proposait de fortifier ce mamelon là-bas; mais tout autrement; cependant... — Boris haussa les épaules — le Sérénissime n'a pas consenti, ou bien on lui a monté la tête, car... — Boris n'acheva pas : Kaïssarov, l'aide de camp de Koutouzov, s'était approché de Pierre. — Ah, Païssi Serguéiévitch, dit Boris à Kaïssarov avec un sourire désinvolte. J'étais justement en train d'expliquer notre position au comte. Comme le Sérénissime a percé les intentions des Français! C'est étonnant.

— Vous parlez du flanc gauche? demanda Kaïssarov.

— Précisément. Notre flanc gauche est maintenant très, très fort.

Bien que Koutouzov eût mis à la porte de l'état-major tous les inutiles, Boris avait réussi à se maintenir au quartier général; il s'était fait attacher au comte Bennigsen. Celui-ci, comme tous ceux auprès desquels Boris avait servi, voyait en Droubetskoï un collaborateur inappréciable.

Le quartier général se divisait en deux partis bien tranchés : le parti de Koutouzov et celui de Bennigsen, le chef d'état-major. Boris appartenait au second et, tout en manifestant un respect servile à Koutouzov, personne ne savait faire entendre comme lui que le vieux était un incapable et que Bennigsen dirigeait tout. On était à présent à la veille de la bataille décisive qui renverserait Koutouzov et ferait passer le pouvoir aux mains de Bennigsen, ou bien, si même Koutouzov était vainqueur, ferait voir à tous que la victoire était due à Bennigsen. En tout cas, la journée du lendemain serait suivie d'une grande distribution de récompenses et porterait au premier rang des hommes nouveaux. Aussi Boris était-il dans une extrême agitation.

Après Kaïssarov, d'autres personnes que Pierre connaissait s'approchèrent de lui, si bien qu'il avait à peine le temps de répondre aux questions sur Moscou dont on l'accablait et d'écouter les récits qu'on lui faisait. L'animation et l'inquiétude se lisaient sur tous les visages; mais il semblait à Pierre que cette animation chez certains tenait bien plutôt à des préoccupations d'ordre personnel, et il ne pouvait oublier cette autre émotion qu'il avait observée sur d'autres visages et qui reflétait non plus des préoccupations personnelles mais une question plus générale, la question de la vie et de la mort. Koutouzov remarqua la silhouette de Pierre et le groupe qui s'était formé autour de lui.

— Demandez-lui de venir près de moi, dit-il.

Un aide de camp transmit l'invitation du Sérénissime et Pierre se dirigea vers le petit banc; mais il fut devancé par un simple milicien. C'était Dolokhov.

— Comment est-il ici, celui-là? s'enquit Pierre.

— Il se glisse partout, cet animal, répondit-on à Pierre. Il a été une fois de plus dégradé. Il lui faut s'en sortir maintenant. Il a présenté on ne sait quels projets et a réussi à s'introduire de nuit dans les lignes ennemies... Quel gaillard!

Pierre se découvrit et s'inclina respectueusement devant Koutouzov.

— J'ai pensé que si j'exposais mon affaire à Votre Altesse, disait Dolokhov, vous pouviez ou me chasser ou me répondre que je ne vous apprends rien de neuf : dans un cas comme dans l'autre, je n'y perdrais rien...

— Bon... bon...

— Mais si j'ai raison, je me rendrai utile à ma patrie pour laquelle je suis prêt à mourir.

— Bon... bon...

— Si Votre Altesse avait besoin d'un homme qui ne tient pas à sa peau, qu'elle daigne se souvenir de moi... Je pourrais être utile à Votre Altesse.

— Bon... bon..., répétait Koutouzov tout en regardant Pierre d'un œil rieur.

A ce moment Boris, toujours habile courtisan, parvint à se placer à côté de Pierre, tout près du grand chef, et dit à Pierre de l'air le plus naturel, à mi-voix, comme s'il poursuivait une conversation :

— Les miliciens, eux, ont mis des chemises blanches, propres, pour se préparer à la mort... Quel héroïsme, comte!

Boris avait évidemment dit cela à Pierre pour que le Sérénissime l'entendît; il était sûr d'attirer l'attention de Koutouzov, et celui-ci, en effet, lui demanda :

— Qu'as-tu dit des miliciens?

— Pour se préparer à la journée de demain, à la mort, ils ont mis des chemises blanches, Votre Altesse.

— Ah!... Quel peuple merveilleux, incomparable! dit Koutouzov, et fermant son œil unique, il hocha la tête. — Incomparable! répéta-t-il en soupirant.

— Vous voulez humer l'odeur de la poudre? dit-il à Pierre. Oui, c'est une odeur agréable. J'ai l'honneur de compter parmi les adorateurs de votre épouse, comment se porte-t-elle? Mon bivouac est à votre disposition.

Et ainsi qu'il arrive fréquemment aux vieillards, Koutouzov jeta autour de lui des regards distraits comme s'il avait oublié ce qu'il voulait dire ou faire.

S'étant rappelé ce qu'il cherchait, il appela André Serguéiévitch Kaïssarov, le frère de son aide de camp.

— Comment, comment sont ces vers de Marine, hein? Ces vers qu'il a écrits sur Guérakov : « Tu seras professeur à l'École militaire... » Dis-les moi, dis-les moi! insista Koutouzov, se préparant évidemment à rire.

Kaïssarov récita les vers. Koutouzov souriait et hochait la tête en cadence.

Quand Pierre se fut éloigné de Koutouzov, Dolokhov vint à lui et le prit par le bras.

— Je suis heureux de vous rencontrer ici, comte, lui dit-il à haute voix sans se soucier de la présence d'étrangers et d'un ton particulièrement ferme et solennel. La veille d'un jour où Dieu sait qui de nous survivra, je suis heureux d'avoir l'occasion de vous dire que je regrette nos malentendus et voudrais que vous ne me gardiez pas rancune. Je vous demande de me pardonner.

Pierre ne sachant que lui répondre le regardait en souriant. Dolokhov, les larmes aux yeux, l'étreignit et l'embrassa.

Boris dit quelques mots à son chef, et Bennigsen proposa à Pierre de l'accompagner le long de la ligne des troupes.

— Cela vous intéressera, lui dit-il.

— Oui, certainement, répondit Pierre.

Une demi-heure plus tard, Koutouzov retourna à Tatarinovo, et Bennigsen avec sa suite, y compris Pierre, partit inspecter la position.

XXIII

De Gorki, Bennigsen descendit par la grand'route vers le pont que l'officier avait désigné à Pierre du haut du mamelon comme étant le centre de la position et près duquel s'étalait sur la rive de l'herbe fraîchement coupée fleurant le foin. Ayant passé le pont, Bennigsen et sa suite traversèrent le village de Borodino, puis tournèrent à gauche, passèrent devant une masse énorme de soldats et de canons et arrivèrent devant un grand mamelon où des miliciens creusaient des tranchées. Cette redoute qui n'avait pas encore reçu de nom fut dite plus tard la redoute de Raïevsky ou la batterie de mamelon.

Pierre ne lui accorda pas une attention particulière; il ne se doutait pas qu'aucun des points du champ de bataille ne se graverait aussi profondément dans sa mémoire que ce mamelon. Ils gagnèrent ensuite par un ravin Sémionovskoïé où des soldats emportaient les dernières poutres des isbas et des granges. Puis, montant et descendant, ils traversèrent des seigles qu'on eût dit hachés par la grêle, en suivant un chemin que l'artillerie avait frayé dans les sillons d'un champ labouré; il les mena aux flèches que l'on était également en train encore de creuser.

Bennigsen s'arrêta aux flèches et considéra la redoute de Chevardino qui était en face (la veille elle était encore à nous), où l'on apercevait quelques cavaliers. Des officiers assuraient que c'était Napoléon ou Murat et tous regardaient avidement ce petit groupe. Pierre essayait de deviner qui d'entre eux pouvait être Napoléon, mais on les distinguait à peine. Enfin, les cavaliers descendirent du mamelon et disparurent.

Bennigsen se mit à expliquer à un général qui s'était approché la position de nos troupes. Pierre l'écoutait, concentrant toutes les forces de son intelligence pour comprendre le thème de la future bataille, mais il sentait avec dépit qu'il en était incapable. Il ne comprenait rien. Ayant terminé, Bennigsen se tut et remarquant l'attitude de Pierre lui demanda brusquement :

— Cela ne vous intéresse sans doute pas?

— Au contraire, c'est très intéressant, répondit peu sincèrement Pierre.

Ils quittèrent les flèches et prirent encore plus à gauche une route qui serpentait à travers un bois épais de petits bouleaux. Au milieu du bois, un lièvre brun aux pattes blanches surgit devant eux et effrayé par le piétinement des nombreux chevaux s'affola à tel point qu'il continua de sauter sur la route, provoquant l'hilarité générale et ne s'en écarta pour disparaître dans les fourrés que lorsqu'on se mit à crier après lui. Ayant parcouru deux verstes à travers le bois, ils débouchèrent dans une clairière occupée par le corps de Toutchkov qui devait défendre le flanc gauche.

Ici, à l'extrémité du flanc gauche, Bennigsen parla longuement et avec animation et prit des mesures très importantes, sembla-t-il à Pierre. Devant le corps de Toutchkov s'élevait une éminence; elle n'avait pas été occupée par nos troupes et Bennigsen releva à haute voix cette erreur : « C'était insensé, disait-il, de laisser inoccupée une hauteur qui commandait la région et de disposer les troupes en dessous. » Certains généraux partageaient cette opinion; l'un surtout déclara avec une impétuosité toute militaire qu'on les envoyait ici à l'abattoir. Bennigsen déplaça les troupes de sa propre autorité et leur fit occuper la hauteur.

Cette mesure renforça encore en Pierre le sentiment de ne rien comprendre à l'art de la guerre. En écoutant Bennigsen et les autres généraux qui critiquaient qu'on eût disposé les troupes au pied de la hauteur, il les comprenait et partageait entièrement leur opinion; et c'est pourquoi précisément il ne parvenait pas à comprendre comment celui qui avait placé le corps de Toutchkov en bas avait pu commettre une erreur aussi évidente, aussi grossière.

Pierre ignorait que ces troupes avaient été placées là non pour défendre la position comme le croyait Bennigsen, mais qu'on les avait dissimulées pour tendre un piège, pour les faire tomber à l'improviste sur l'ennemi en marche. Bennigsen ne le savait pas et déplaça le corps de Toutchkov selon son idée, sans en aviser le commandant en chef.

XXIV

En cette claire soirée du 25 août, le prince André, appuyé sur un coude, était allongé dans un hangar démoli du village de Kniazkovo, à l'extrême limite de la position qu'occupait son régiment. A travers une brèche du mur il contemplait des bouleaux trentenaires aux branches basses coupées, alignés le long de la clôture, des gerbes d'avoine éparpillées dans un champ et des broussailles au-dessus desquelles s'élevait la fumée des cuisines militaires.

Si étroite, si inutile à qui que ce fût, si pénible que lui parût à présent son existence, le prince André se sentait à la veille de cette bataille ému et agité comme il l'avait été sept ans auparavant à Austerlitz.

Il avait reçu et donné les ordres pour la bataille du lendemain. Il n'avait plus rien à faire; cependant, les pensées les plus simples, les plus claires et en raison de cela même les plus angoissantes, ne le laissaient pas en paix. Il savait que la bataille du lendemain serait la plus terrible de toutes celles auxquelles il avait pris part, et pour la première fois de sa vie la pensée d'une mort possible, presque certaine, surgit devant lui nettement, dans toute sa simplicité et son horreur, en dehors de tout rapport avec l'existence quotidienne, en dehors de toute considération sur les répercussions que cette mort pourrait avoir sur les autres, mais uniquement pour autant qu'elle le concernait lui-même, qu'il s'agissait de son âme à lui. Et du haut de cette vision tout ce qui autrefois le préoccupait et le tourmentait s'éclairait brusquement d'une lumière froide, blanche, sans ombre, qui supprimait toute perspective, effaçait tous les contours. Il lui apparut que jusqu'à présent il avait toujours contemplé sa vie projetée sur un écran et à la lumière artificielle d'une lanterne magique. Il voyait maintenant directement à la vive clarté du jour ces images grossièrement bariolées. « Oui, oui, les voilà, ces images menteuses qui m'émouvaient, me séduisaient et me torturaient! » se disait-il, repassant en esprit les principaux tableaux de sa vie qu'avait projetés la lanterne magique et les considérant dans cette lumière blanche et froide, la claire pensée de la mort. « Les voilà ces figures

207

grossièrement enluminées qui me semblaient admirables et mystérieuses! La gloire, le bien public, l'amour d'une femme, la patrie elle-même! Comme tout cela paraissait grand, plein d'une signification profonde! Et comme tout cela est simple, pâle et grossier à la lumière blanche et froide de ce matin qui, je le pressens, se lève pour moi! » Son attention se portait particulièrement sur les trois plus grandes douleurs qu'il eût connues dans sa vie : son amour, la mort de son père et l'invasion des Français qui occupaient déjà la moitié de la Russie. « L'amour... cette fillette qui m'apparaissait pleine de forces mystérieuses... Eh oui, je l'aimais, j'échafaudais des projets poétiques d'amour, de bonheur... Oh, le gentil petit garçon! s'écria-t-il soudain rageusement. Comment donc, je croyais à je ne sais quel amour idéal qui devait me la garder fidèle pendant ma longue absence. Comme la douce colombe de la fable elle devait dépérir dans l'attente... Et tout cela était bien plus simple... affreusement simple et vil! »

« Mon père, lui aussi, bâtissait à Lyssya Gory et se figurait que c'était à lui, que c'était sa terre, son air, ses paysans; et voilà que Napoléon est arrivé et ignorant son existence, l'a balayé comme un fétu sur sa route, et Lyssya Gory et toute son existence se sont écroulés... Et la princesse Marie dit que c'est une épreuve envoyée du Ciel. Pourquoi une épreuve, puisqu'il n'est plus et ne sera plus, plus jamais? Il n'existe pas. Pour qui donc cette épreuve?... La patrie, la perte de Moscou... Et demain on me tuera, même pas un Français, un des nôtres, comme ce soldat qui a déchargé hier son fusil à mon oreille... Et les Français viendront, me prendront par les pieds et par la tête et me jetteront dans un trou pour que je ne les empuantisse pas. Et d'autres conditions de vie se constitueront qui paraîtront aux autres tout aussi naturelles, et moi je ne saurai rien de cette existence, je ne serai plus. »

Il regarda la rangée des bouleaux, leur feuillage immobile jauni, leur écorce blanche qui brillait sous le soleil. « Mourir... Il se peut que je sois tué... demain... que je ne sois plus... Et tout cela sera, et moi je ne serai plus. » Il se représenta intensément son absence de cette vie. Et ces bouleaux, leur lumière et leur ombre, et ces nuages floconneux et la fumée des bivouacs, tout cela se transforma instantanément à ses yeux en quelque chose de menaçant, de terrible Un frisson glacé parcourut son dos. Il se redressa brusquement, sortit du hangar et fit quelques pas.

Des voix retentirent derrière le hangar.

— Qui est là? cria le prince André.

Le capitaine au nez rouge, Timokhine, l'ancien commandant de compagnie de Dolokhov, devenu commandant de bataillon vu le manque d'officiers, entra timidement dans le hangar, suivi de l'aide de camp et du trésorier du régiment.

Le prince se leva en hâte, écouta ce que les officiers avaient à lui communiquer touchant le service, leur donna encore quelques ordres et s'apprêtait à les congédier quand, de derrière le hangar, lui parvint une voix chuintante familière.

— *Que diable!* dit l'homme qui s'était cogné.

Le prince André jeta un coup d'œil à l'extérieur et aperçut Pierre qui avait failli tomber en butant contre une perche. La vue des gens de son monde était en général désagréable au prince André, et il lui était particulièrement pénible de revoir Pierre qui lui rappelait les heures douloureuses qu'il avait vécues lors de son dernier séjour à Moscou.

— Comment! dit-il. Par quel hasard? Je ne m'attendais vraiment pas...

Ses yeux, son visage, tandis qu'il prononçait ces mots, avaient une expression plus que sèche, une expression hostile que Pierre remarqua aussitôt. Il arrivait plein d'entrain, mais l'attitude du prince André le mit mal à l'aise.

— Je suis venu... comme ça... vous savez... je suis venu... c'est intéressant, bredouilla Pierre qui avait déjà répété tant de fois au cours de la journée ce mot « intéressant ». — Je voulais voir la bataille.

— Oui oui. Et les frères maçons, que disent-ils de la guerre? Comment l'éviter? demanda le prince André d'un ton railleur. et que se passe-t-il à Moscou? Quelles nouvelles des miens? Sont-ils enfin à Moscou? ajouta-t-il sérieusement.

— Ils sont arrivés. Julie Droubetskoï me l'a dit. Je suis allé les voir, mais je ne les ai pas trouvés.

XXV

Les officiers voulaient se retirer, mais comme s'il ne désirait pas rester en tête à tête avec Pierre, le prince André les retint et leur proposa de prendre du thé. On apporta des bancs et le thé. Les officiers regardaient non sans étonnement la grande et lourde silhouette de Pierre et l'écoutaient parler de Moscou, de nos positions qu'il venait de visiter. Le prince André se taisait et son attitude était si revêche que Pierre s'adressait de préférence au candide Timokhine.

— Alors, tu as compris la disposition des troupes? l'interrompit le prince André.

— Oui, c'est-à-dire..., répondit Pierre. Étant un civil, je ne puis prétendre avoir tout compris, mais j'ai tout de même compris l'ensemble.

— *Eh bien, vous êtes plus avancé que qui que ce soit*, dit le prince André.

— Ah! s'exclama Pierre surpris en le regardant à travers ses lunettes. — Et que dites-vous de la nomination de Koutouzov?

— J'en suis fort heureux, c'est tout ce que je sais.

— Et quelle est votre opinion sur Barclay de Tolly? Dieu sait quels bruits courent à Moscou sur son compte. Que pensez-vous de lui?

— Demande-le à eux, répondit le prince André en désignant ses officiers.

Pierre regarda interrogativement Timokhine avec ce sourire légèrement condescendant qu'avait tout le monde en s'adressant au capitaine.

— C'est le jour après la nuit, Excellence, depuis l'arrivée du Sérénissime, répondit Timokhine en ne cessant de jeter des regards timides à son colonel.

— Et pourquoi cela? insista Pierre.

— Eh bien, voilà, ne fût-ce que pour ce qui est du bois et du fourrage. Nous battons en retraite depuis Swienciany, et toi tu n'oses pas toucher une brindille ou du foin ou n'importe quoi. Nous nous replions, et c'est à LUI que ça profite, n'est-il pas vrai, Votre Altesse? demanda-t-il à son prince. Mais toi tu n'oses pas y toucher. Deux officiers de notre régiment ont passé en jugement pour des choses pareilles. Et depuis que le Sérénissime est arrivé, tout se passe très simplement. C'est le jour après la nuit.

— Et pourquoi était-ce interdit?

Timokhine regardait autour de lui d'un air embarrassé, ne sachant comment et quoi répondre à cette question. Pierre la posa alors au prince André.

— Pour ne pas dévaster le pays que nous abandonnions à l'ennemi, répondit Bolkonsky avec un sourire méchant. C'était très raisonnable; on ne pouvait permettre aux troupes de piller le pays et de prendre l'habitude de la maraude. Et à Smolensk aussi il a jugé avec raison que les Français étaient supérieurs en nombre et pouvaient nous tourner. Mais il était incapable de comprendre, s'écria soudain le prince André d'une voix aiguë qu'il sembla ne pouvoir dominer, il était incapable de comprendre que là-bas nous nous battions pour la première fois pour notre terre natale, que les troupes étaient animées d'une ardeur comme je n'en ai jamais encore vu, que nous avions deux jours de suite repoussé les Français et que ce succès avait décuplé nos forces. Il ordonna la retraite et tous nos efforts et nos pertes furent vains. Il ne songeait pas à trahir, il tâchait de faire tout pour le mieux, il pesait tout; et c'est précisément pour cela qu'il ne nous convient pas. Il ne nous convient pas maintenant, justement parce qu'il prévoit tout très soigneusement et minutieusement, ainsi que doit le faire un Allemand. Comment te l'expliquer?... Voilà, ton père a un domestique allemand, un excellent domestique qui satisfait tous ses besoins mieux que toi; qu'il le serve donc! Mais si ton père est à la mort, tu chasseras le domestique et de tes mains maladroites, inexpérimentées, tu soigneras ton père, tu l'apaiseras mieux qu'un homme habile mais étranger. C'est ainsi qu'on a agi avec Barclay. Tant que la Russie était en bonne santé, un étranger pouvait la servir, et c'était un excellent ministre. Mais maintenant qu'elle est en danger, il lui faut un homme de chez nous, un homme de notre sang. Vous autres, au Club, vous avez inventé que c'est un traître. En le calomniant ainsi, il en résultera qu'ayant honte plus tard de ces fausses accusations, du traître on fera brusquement un héros ou un génie, ce qui sera encore plus injuste. C'est tout simplement un honnête et très méticuleux Allemand...

— On assure cependant que c'est un habile chef de guerre, dit Pierre.

— Je ne comprends pas ce que cela signifie, un chef habile, dit le prince André d'un ton sarcastique.

— Un chef de guerre habile, dit Pierre, eh bien, c'est celui qui prévoit toutes les éventualités... qui devine les intentions de l'ennemi.

— Mais c'est impossible, rétorqua le prince André comme s'il s'agissait d'une chose depuis longtemps réglée.

Pierre le regarda, surpris.

— Cependant, reprit-il, on dit bien que la guerre est semblable à une partie d'échecs.

— Oui, mais avec cette petite différence qu'aux échecs tu peux réfléchir sur chaque coup tant que cela te plaît, que tu es en dehors des conditions de temps; et avec cette différence encore qu'un cheval est toujours plus fort qu'un pion et deux pions toujours plus forts qu'un; tandis qu'à la guerre un bataillon est parfois plus fort qu'une division et parfois plus faible qu'une compagnie. Personne ne peut savoir quelle est la force relative des troupes. Crois-moi, si les choses dépendaient des ordres des états-majors, j'y serais et je donnerais des ordres; au lieu de cela, j'ai l'honneur de commander un régiment avec ces messieurs et je considère que c'est de nous que dépendra effectivement la journée de demain, et non pas des états-majors. Le succès n'a jamais dépendu et ne dépendra jamais ni de la position ni de l'armement, ni même du nombre, et surtout pas de la position.

— Et de quoi dépend-il alors?

— De ce sentiment qui est en moi, en lui. — Il désigna Timokhine. — En chaque soldat.

Le prince André jeta un coup d'œil à Timokhine qui regardait son commandant, effrayé et perplexe. Au début réservé et silencieux, le prince André paraissait maintenant ému; il ne pouvait visiblement refréner les pensées qui surgissaient en lui.

— Celui-là gagne la bataille qui veut fermement la gagner. Pourquoi avons-nous été battus à Austerlitz? Nos pertes étaient à peu près égales à celles des Français, mais nous nous sommes dit trop tôt que nous étions battus et nous avons été battus. Et nous nous le sommes dit parce que là-bas nous n'avions nulle raison de nous battre et que nous voulions quitter au plus tôt le champ de bataille. « C'est perdu, alors fuyons! » Et nous avons fui. Si nous avions attendu jusqu'au soir pour nous le dire, Dieu sait comment les choses auraient tourné. Mais demain nous ne le dirons pas. Tu dis : « Notre position, le flanc gauche est faible, le flanc droit est trop étendu... Sottises que tout cela, tout cela n'existe pas. Qu'est-ce qui nous attend demain? Cent millions d'éventualités diverses qui se résoudront instantanément selon que ce sera eux ou nous qui fuirons, qu'un tel ou un tel sera tué. Et tout ce qui se fait maintenant n'est qu'une amusette. La vérité, c'est que ceux avec qui tu as parcouru la position non seulement ne contribuent pas à la marche générale des opérations, mais l'entravent. Ils ne sont occupés que de leurs petits intérêts personnels.

— En un tel moment? dit Pierre indigné.

— OUI, EN UN TEL MOMENT, répéta le prince André. Pour eux, ce moment leur donne l'occasion de saper la situation d'un adversaire ou d'obtenir un petit ruban, une croix de plus. Demain, pour moi, voici ce que c'est : une armée russe de cent mille hommes et une armée française de cent mille hommes sont face à face, et ces deux cent mille hommes vont se battre, et celui qui combattra le plus rageusement et se ménagera le moins, celui-là sera vainqueur. Et veux-tu que je te dise? Quoi qu'il arrive, quoi qu'on fasse là-haut, nous gagnerons demain. Demain, quoi qu'il arrive, nous gagnerons la bataille.

— Oui, Altesse, c'est la vérité, la vérité vraie, approuva Timokhine. Pourquoi se ménager à présent? Les soldats de mon bataillon, le croiriez-vous? n'ont pas voulu de vodka. Ce n'est pas le jour, disaient-ils.

Il y eut un silence. Les officiers se levèrent. Le prince André les suivit derrière le hangar pour donner ses dernières instructions à l'aide de camp. Lorsqu'ils furent partis, Pierre s'approcha de son ami, voulant reprendre leur conversation, quand sur la route, non loin du hangar, retentit le bruit des sabots de trois chevaux; ayant jeté un coup d'œil dans cette direction, le prince André reconnut Wolzogen et Clausewitz, accompagnés d'un cosaque; ils passèrent à proximité en continuant de s'entretenir et Pierre et Bolkonsky entendirent involontairement les phrases suivantes :

— *Der Krieg muss im Raum verlegt werden. Der Ansicht kann ich nicht genug Preis geben*, disait l'un [1].

— *O, ja*, répondit l'autre voix, *der Zweck ist nur den Feind zu schwächen, so kann man gewiss nicht den Verlust der Privat-Personen in Achtung nehmen* [2].

— *O, ja*, approuva la première voix.

— Oui, *im Raum verlegen*, répéta en reniflant coléreusement le prince André quand ils furent passés. *Im Raum*, j'ai laissé mon père et mon fils et ma sœur à Lyssya Gory. Que lui importe! C'est précisément ce que je te disais. Demain, ces messieurs les Allemands ne gagneront pas la bataille, mais gâcheront tout tant qu'ils pourront; car leur tête d'Allemand n'est remplie que de raisonnements qui ne valent même pas un œuf gobé, et n'ont pas dans le cœur ce dont précisément nous aurons besoin demain, et qu'a Timokhine. Ils lui ont livré toute l'Europe et viennent maintenant nous donner des leçons! De jolis professeurs, ma foi! — Sa voix redevint stridente.

— Vous croyez donc que nous gagnerons la bataille demain? demanda Pierre.

— Oui, oui, répondit distraitement le prince André. Si je disposais du pouvoir, reprit-il, voilà ce que je ferais, je ne ferais pas de prisonniers. Les prisonniers, c'est de la chevalerie ; les Français ont pillé ma maison et vont piller Moscou, ils m'ont outragé et m'outragent à tout moment. Ce sont mes ennemis, tous des criminels, à mon sens. Et c'est ce que pensent Timokhine et toute l'armée. Il faut les exécuter. S'ils sont mes ennemis, ils ne peuvent être mes amis, en dépit des beaux discours qu'ils ont fait à Tilsitt.

— Oui, oui, approuva Pierre. Ses yeux brillaient. — Je suis d'accord avec vous, complètement d'accord.

La question qui depuis la descente de Mojaïsk et tout au long de la journée avait troublé Pierre lui apparut maintenant parfaitement et entièrement résolue. Il comprenait à présent toute l'importance et la signification de cette guerre et de la bataille imminente. Tout ce qu'il avait vu au cours de cette journée, les visages graves, sévères, aperçus rapidement, tout cela s'éclaira d'une lumière nouvelle. Il comprit cette chaleur cachée, *latente* comme on dit en physique, la chaleur du patriotisme, que recélaient en eux tous ceux qu'il avait rencontrés, et qui lui expliquait comment ils pouvaient se préparer à la mort avec calme et même avec une certaine insouciance.

— Ne pas faire de prisonniers, poursuivit le prince André. Cela seul transformerait la guerre et la rendrait moins cruelle. Autrement, nous jouons à la guerre, et c'est là le mal. Nous faisons les magnanimes, et ainsi de suite. Cette magnanimité et cette sensiblerie ressemblent à celles de la dame qui se sent mal en voyant tuer un veau ; elle est si bonne qu'elle ne supporte pas la vue du sang, mais elle mange avec appétit ce même veau accommodé à la sauce. On nous parle des lois de la guerre, des sentiments chevaleresques, du respect des parlementaires, d'humanité à l'égard des malheureux. Sottises que tout cela ! J'ai vu en 1805 cet esprit chevaleresque, ce respect des parlementaires ; on nous a bernés, nous avons berné. Ils pillent, émettent de faux assignats. Pis encore, ils tuent mes enfants, mon père, et parlent après cela des lois de la guerre et de la générosité à l'égard des ennemis. Ne pas faire de prisonniers, mais tuer et marcher à la mort. Celui qui en est arrivé là comme moi, en passant par les mêmes souffrances...

Le prince André qui s'imaginait qu'il lui était indifférent qu'on prît ou non Moscou comme on avait pris Smolensk, s'arrêta brusquement, saisi d'un spasme à la gorge. Il fit quelques pas en silence, mais ses yeux brillaient de fièvre et ses lèvres tremblaient quand il reprit la parole.

— Si l'on ne mêlait pas ces prétendus beaux sentiments à la

guerre, nous ne marcherions que lorsqu'il vaudrait la peine de marcher à la mort, comme aujourd'hui. Et alors on ne ferait pas la guerre pour la seule raison que Pavel Ivanytch a offensé Mikhaïl Ivanytch. Mais s'il s'agit d'une guerre comme celle-ci, on se bat. Et alors tous ces Westphaliens et ces Hessois que conduit Napoléon ne l'auraient pas suivi en Russie et nous ne serions pas allés nous battre en Autriche et en Prusse, sans savoir nous-mêmes pourquoi. La guerre, ce n'est pas un échange d'amabilités, mais la plus abominable des choses, et il faut la comprendre et ne pas jouer à la guerre. Il faut accepter gravement et avec sérieux cette terrible nécessité. Tout est là : rejeter le mensonge, la guerre c'est la guerre, ce n'est pas un jouet. Alors que maintenant la guerre est l'amusement préféré des oisifs et des frivoles. La classe militaire est la plus honorée de toutes. Qu'est-ce que la guerre? Que faut-il pour obtenir le succès à la guerre? Quels sont les mœurs de la société militaire? Le but, c'est le meurtre; les moyens : l'espionnage, la trahison, la ruine des habitants, le pillage, le vol pour assurer le ravitaillement de l'armée, la tromperie et le mensonge baptisés ruses de guerre; les mœurs de la classe militaire? — L'absence de liberté, c'est-à-dire la discipline, l'oisiveté, l'ignorance, la cruauté, la débauche, l'ivrognerie. Et en dépit de tout, c'est la classe supérieure que tous honorent. Tous les souverains, sauf l'empereur de Chine, portent l'uniforme militaire, et celui qui a tué le plus de monde obtient la plus haute récompense.

On se rencontre, comme on le fera demain, pour se massacrer; on tue, on mutile des dizaines de milliers d'hommes et ensuite on célèbre des services d'actions de grâces pour avoir tué beaucoup de gens (dont on exagère encore le nombre), et on proclame sa victoire, considérant que plus on a massacré de gens, plus le mérite est grand. Comment Dieu les regarde-t-il et les écoute-t-il de là-haut! s'écria le prince André d'une voix aiguë. — Ah, mon ami, vivre m'est pénible ces derniers temps. Je vois que je commence à comprendre trop de choses. Et il ne convient pas à l'homme de goûter des fruits de l'arbre de la science du bien et du mal... D'ailleurs, ce n'est plus pour longtemps... Mais, tu dors, et pour moi aussi il est grand temps. Rentre à Gorki, ajouta-t-il subitement.

— Oh, non, répondit Pierre en le regardant avec une sympathie inquiète.

— Va, va! Il faut bien dormir avant la bataille, répéta le prince André.

Il alla rapidement vers Pierre, l'étreignit et l'embrassa.

— Adieu, pars! cria-t-il. Nous reverrons-nous ou non? — Il se détourna rapidement et entra dans le hangar.

Il faisait déjà nuit et Pierre ne put voir si l'expression du visage du prince André était méchante ou affectueuse.

Pierre se tint quelque temps debout en silence, se demandant s'il allait rejoindre son ami ou rentrer à Gorki. « Non, il n'a pas besoin de moi, se dit-il, et je sais que c'est notre dernière entrevue... » Il soupira profondément et partit pour Gorki.

Le prince André s'étendit dans le hangar sur un petit tapis, mais ne trouva pas le sommeil.

Il ferma les yeux. Les images succédaient aux images. Il s'arrêta longuement, avec ravissement, sur l'une d'elles. C'était un soir, à Pétersbourg. Natacha, le visage animé, ému, lui racontait qu'étant allée cueillir des champignons dans la forêt, elle s'était égarée; elle lui décrivait en phrases décousues la forêt obscure, et ce qu'elle ressentait et sa conversation avec un éleveur d'abeilles qu'elle avait rencontré; et interrompant à chaque moment son récit, elle disait : « Non, je ne peux pas, ce n'est pas ça du tout, non, vous ne comprenez pas », bien que le prince André la rassurât, lui répétant qu'il comprenait. Et en effet, il comprenait tout ce qu'elle tentait de dire. Natacha était mécontente de ses explications, elle sentait se dérober la poésie de l'émotion qu'elle avait éprouvée ce jour-là et qu'elle tentait d'extérioriser. « Ce vieillard était si délicieux... et il faisait si noir dans la forêt... et il avait des yeux si bons... non, je ne sais pas raconter », disait-elle, agitée et rougissante. Le prince André eut maintenant ce même sourire ravi qu'il avait eu alors en la regardant dans les yeux. « Je la comprenais, songeait-il; non seulement je la comprenais, mais c'est précisément cette force qui animait son âme, cette sincérité, cette ouverture de l'âme, cette âme même qui semblait liée à son corps, c'est cette âme que j'aimais si fort en elle... » Et brusquement il se rappela comment s'était terminé cet amour. « LUI, il n'avait nul besoin de tout cela. Il ne voyait rien et ne comprenait rien de tout cela. Il ne voyait en elle qu'une fraîche et jolie fillette avec laquelle il ne daigna pas lier son sort. Et moi?... Et il vit toujours et il est gai. »

Comme sous l'effet d'une brûlure soudaine, le prince André sauta sur ses pieds et se mit de nouveau à faire les cent pas devant le hangar.

XXVI

Le 25 août, la veille de la bataille de Borodino, M. de Beausset, préfet du palais de l'empereur de France, et le colonel Fabvier arrivèrent, l'un de Paris, l'autre de Madrid, au camp de Napoléon à Valouïévo.

Ayant revêtu son uniforme de cour, M. de Beausset fit porter devant lui le colis qu'il avait à remettre à l'empereur et entra dans le premier compartiment de la tente de Napoléon où tout en causant avec les aides de camps, il se mit en devoir d'ouvrir la caisse.

Fabvier resté dehors, à l'entrée de la tente, engagea la conversation avec des généraux qu'il connaissait.

L'empereur n'était pas encore sorti de sa chambre à coucher et terminait sa toilette. S'ébrouant et soufflant, il présentait tantôt son large dos, tantôt sa grasse poitrine velue à la brosse avec laquelle on le frictionnait; un valet de chambre, le doigt sur le goulot d'un flacon, aspergeait d'eau de Cologne le corps bien soigné de son maître, et sa mine donnait à entendre qu'il était seul à savoir où et comment il fallait l'asperger. Les cheveux courts de Napoléon étaient humides et emmêlés sur le front. Mais son visage, bien que jaune et bouffi, exprimait une satisfaction physique. « *Allez ferme, allez toujours* », répétait-il en se secouant et en s'ébrouant, au valet qui le frictionnait. Un aide de camp entra dans la chambre pour informer l'empereur du nombre de prisonniers fait au cours de l'engagement de la veille; sa mission remplie, il attendit près de la porte qu'on le congédiât. Fronçant les sourcils, Napoléon le regarda par en dessous.

— *Point de prisonniers*, dit-il en répétant les paroles de l'aide de camp. *Ils se font démolir. Tant pis pour l'armée russe. Allez toujours, allez ferme*, dit-il en se courbant et en présentant ses épaules grasses.

— *C'est bien! Faites entrer M. de Beausset, ainsi que Fabvier*, dit-il à l'aide de camp avec un signe de tête.

— *Oui, Sire*, et l'aide de camp sortit.

Les deux valets de chambre habillèrent prestement Sa Majesté qui, en uniforme bleu de la garde, passa d'un pas ferme et rapide dans la pièce de réception.

Cependant M. de Beausset installait en hâte sur deux chaises le cadeau de l'impératrice qu'il avait apporté, juste en face de la porte par laquelle l'empereur devait entrer; mais celui-ci s'était habillé si rapidement et son entrée avait été si inattendue que Beausset n'avait pas eu le temps d'achever ses préparatifs. Napoléon remarqua aussitôt ce qu'on était en train de faire et devina qu'on n'était pas prêt. Il ne voulut pas les priver du plaisir de lui faire une surprise. Il fit semblant de ne pas voir M. de Beausset et fit venir Fabvier. Il écouta en silence et le visage sévère, renfrogné, ce que Fabvier lui disait du courage et du dévouement de ses troupes qui se battaient à Salamanque, à l'autre bout de l'Europe, et n'avaient qu'une pensée, se montrer dignes de leur empereur, une seule crainte, le mécontenter. L'issue de la bataille avait été malheureuse. Napoléon interrompit à plusieurs reprises le récit de Fabvier par des remarques ironiques, comme pour laisser entendre que les affaires ne pouvaient prendre une autre tournure en son absence.

— Il faudra que je répare cela à Moscou, dit-il. *A tantôt*, ajouta-t-il, et il appela Beausset qui ayant eu le temps de préparer la surprise, l'avait installée sur des chaises et recouverte d'un voile.

M. de Beausset fit un profond salut, ce salut de la cour de France que seuls savaient exécuter les vieux serviteurs des Bourbons, s'approcha et tendit une enveloppe.

Napoléon l'accueillit gaiement et lui tira légèrement l'oreille.

— Vous vous êtes dépêché, j'en suis enchanté. Alors, que dit Paris? dit-il, et son visage sévère prit instantanément une expression des plus affables.

— *Sire, tout Paris regrette votre absence*, répondit comme il se devait M. de Beausset.

Bien que Napoléon sût que Beausset devait répondre cela ou quelque chose d'approchant, bien qu'il sût dans ses moments de clairvoyance que c'était faux, il lui était agréable de l'entendre dire. Il daigna effleurer de nouveau l'oreille de Beausset.

— *Je suis fâché de vous avoir fait faire tant de chemin*, dit-il.

— *Sire, je ne m'attendais pas à moins qu'à vous trouver aux portes de Moscou*, répondit Beausset.

Napoléon sourit et redressant distraitement la tête jeta un regard à droite. L'aide de camp s'approcha d'une démarche plongeante et présenta une tabatière d'or; Napoléon la prit.

— Oui, cela s'arrange bien pour vous, reprit-il en portant à son nez la tabatière ouverte. Vous aimez les voyages; dans trois jours, vous verrez Moscou. Vous ne vous attendiez certainement pas à voir la capitale asiatique. Vous ferez un voyage agréable.

Beausset le remercia en s'inclinant de cette attention pour son goût des voyages (qu'il ne se connaissait pas jusqu'à présent).

— Et qu'est-ce donc? demanda Napoléon ayant remarqué que tous regardaient l'objet recouvert d'un voile.

Sans tourner le dos, avec la dextérité d'un parfait courtisan, M. de Beausset fit deux pas en arrière en même temps qu'il enlevait le voile, et dit :

— Un cadeau à Votre Majesté, de la part de l'impératrice.

C'était, peint par Gérard en couleurs vives, le portrait du petit garçon né de Napoléon et de la fille de l'empereur d'Autriche, que tout le monde — on ne sait pourquoi — appelait le roi de Rome.

Le très bel enfant bouclé, dont le regard rappelait celui de l'Enfant Jésus de la Madone Sixtine, était représenté jouant au bilboquet; la boule figurait le globe terrestre et le bâtonnet dans l'autre main, le sceptre.

Bien qu'on ne comprît pas très bien ce qu'avait voulu exprimer le peintre en représentant le prétendu roi de Rome perçant le globe terrestre d'un bâtonnet, néanmoins cette allégorie parut évidemment claire et plut à Napoléon et à son entourage, comme à ceux qui avaient déjà admiré le tableau à Paris.

— *Le roi de Rome!* dit Napoléon, désignant le portrait d'un geste gracieux. *Admirable!*

Il s'approcha du portrait et avec cette faculté qu'ont les Italiens de modifier à volonté l'expression de leur visage, il prit un air tendre et rêveur. Il sentait que ce qu'il allait dire et faire en ce moment appartiendrait à l'histoire, et il lui sembla que rien ne pouvait souligner davantage sa grandeur, à lui dont le fils jouait au bilboquet avec le monde, que de manifester la tendresse paternelle la plus simple. Ses yeux s'embuèrent, il s'approcha, chercha du regard une chaise (et la chaise se trouva instantanément sous lui) et s'assit en face du portrait. Il lui suffit d'un geste, et tout le monde sortit sur la pointe des pieds, laissant le grand homme à lui-même et à ses sentiments.

Au bout de quelque temps, après avoir effleuré de la main sans s'en rendre compte la rugosité des rehauts, il se leva et appela M. de Beausset et l'officier de service. Il donna l'ordre d'installer le portrait devant la tente, afin que la vieille garde qui campait à proximité ne fût pas privée de la joie de contempler le roi de Rome, le fils et l'héritier de son empereur adoré.

Tandis qu'il déjeunait avec M. de Beausset, très honoré de cette faveur, comme il s'y attendait, devant la tente s'élevèrent des clameurs enthousiastes des officiers et des soldats de la vieille garde accourus pour voir le portrait.

— *Vive l'empereur! Vive le roi de Rome! Vive l'empereur!* criait-on.

Après le déjeuner, Napoléon dicta en présence de M. de Beausset son ordre du jour à l'armée.

— *Courte et énergique*, dit-il, ayant relu sa proclamation écrite d'un seul jet, sans une rature. Elle disait :

« Soldats! Voilà la bataille que vous avez tant désirée. Désormais, la victoire dépend de vous; elle nous est nécessaire; elle nous donnera l'abondance, de bons quartiers d'hiver et un prompt retour dans la Patrie! Conduisez-vous comme à Austerlitz, à Friedland, à Vitebsk et à Smolensk, et que la postérité la plus reculée cite votre conduite dans cette journée. Que l'on dise de vous : il était à la grande bataille sous les murs de Moscou. »

— *De la Moskova!* répéta Napoléon et ayant invité M. de Beausset, qui aimait tant les voyages, à l'accompagner, il sortit de la tente et se dirigea vers les chevaux sellés.

— *Votre Majesté a trop de bonté*, dit Beausset en réponse à l'invitation de l'empereur : il avait envie de dormir, il ne savait pas monter à cheval et avait peur.

Mais Napoléon fit un signe de tête au voyageur, et Beausset fut obligé de le suivre. A la vue de l'empereur, les acclamations des soldats de la garde devant le portrait devinrent plus bruyantes encore. Napoléon se rembrunit.

— Enlevez-le, dit-il en désignant le portrait d'un geste gracieusement majestueux. Il est encore trop jeune pour voir un champ de bataille.

Fermant les yeux et inclinant la tête, M. de Beausset poussa un profond soupir, faisant ainsi entendre à quel point il comprenait et appréciait les paroles de l'empereur.

XXVII

Comme le rapportent ses historiens, Napoléon passa toute la journée du 25 août [1] à cheval, examinant le terrain, discutant les plans que lui soumettaient ses maréchaux et donnant personnellement ses ordres aux généraux.

A la suite de la prise, le 24 août, de la redoute de Chevardino par les Français, la ligne primitive des positions de l'armée russe le long de la Kolotcha avait été brisée et une partie de cette ligne, le flanc gauche précisément, avait été reportée en arrière. Cette partie de la ligne n'était pas fortifiée; la rivière ne la protégeait plus, et c'est devant ce secteur seulement que s'étendait un espace découvert et plat. Que ce fût précisément là que devaient attaquer les Français était évident pour le premier venu, fût-il ou non militaire. Cela ne semblait pas exiger de la part de l'empereur et des maréchaux tant de réflexions, de soucis, d'allées et venues, et moins encore ce don particulier, le génie militaire, que l'on attribue si volontiers à Napoléon. Mais les historiens qui plus tard relatèrent ces événements, les gens qui entouraient Napoléon et Napoléon lui-même pensaient différemment.

Napoléon parcourait la plaine, examinait le terrain d'un air absorbé, se parlait à lui-même avec des hochements de tête approbateurs ou hésitants, et sans faire part aux généraux qui l'entouraient des profondes considérations qui guidaient ses pensées, il ne leur en communiquait que les conclusions sous forme d'ordres. Davout, que l'on appelait le prince d'Eckmühl, ayant proposé de tourner l'aile gauche des Russes, Napoléon répondit que ce n'était pas à faire, sans expliquer pourquoi il ne fallait pas le faire. Mais il approuva la proposition du général Compans (il devait attaquer les flèches) de faire passer sa division par la forêt. Napoléon y consentit, bien que celui que l'on appelait le duc d'Elchingen, c'est-à-dire Ney, se fût permis de dire que ce mouvement à travers la forêt présentait des dangers et risquait d'introduire le désordre dans la division.

Ayant inspecté le terrain devant la redoute de Chevardino, Napoléon réfléchit quelque temps en silence et indiqua l'emplacement des deux batteries destinées à agir le lendemain contre les fortifications, et l'endroit où, près de ces batteries, devait s'aligner l'artillerie de campagne.

Après avoir donné ces ordres et d'autres encore, il regagna son quartier général et dicta le dispositif de la bataille.

Voici ce dispositif dont les historiens français parlent avec enthousiasme et les autres avec un profond respect.

« A la pointe du jour, les deux nouvelles batteries, installées au cours de la nuit sur le plateau du prince d'Eckmühl, ouvriront le feu contre les deux batteries ennemies opposées.

« Au même moment, le général Pernety, commandant l'artillerie du premier corps, avec les trente pièces de la division Compans et tous les obusiers des divisions Dessaix et Friant qui se porteront en avant, ouvrira le feu et écrasera d'obus la batterie ennemie qui aura ainsi contre elle :

24 pièces de la garde
30 de la division Compans
8 des divisions Dessaix et Friant

Total : 62 pièces.

« Le général Foucher, commandant l'artillerie du 3e corps, se postera avec tous les obusiers du 3e et du 8e corps, au nombre de seize, autour de la batterie qui bat la redoute de gauche, ce qui fera quarante bouches à feu contre cette redoute.

« Le général Sorbier sera prêt au premier commandement à se détacher avec tous les obusiers de la garde contre l'une ou l'autre redoute.

« Pendant cette canonnade, le prince Poniatowski se portera vers le village par la forêt et tournera la position ennemie.

« Le général Compans longera la forêt pour enlever la première redoute.

« Le combat ainsi engagé, les ordres seront donnés selon les dispositions de l'ennemi.

« La canonnade sur le flanc gauche commencera au même moment que commencera la canonnade de droite. Une forte fusillade de tirailleurs sera engagée par la division Morand et par les divisions du vice-roi aussitôt qu'ils verront l'attaque de droite commencée.

« Le vice-roi [1] s'emparera du village *, débouchera par ses trois ponts sur la hauteur, dans le temps que les généraux Morand et Gérard déboucheront sous les ordres du vice-roi pour s'emparer de la redoute de l'ennemi et former la ligne de l'armée.

« Le tout se fera avec ordre et méthode et en ayant soin de tenir toujours une grande quantité de réserves.

« Au camp impérial, près Mojaïsk, le 6 septembre 1812. »

Ce dispositif qui apparaît confus et embrouillé si l'on se permet de considérer les ordres de Napoléon sans ressentir de terreur sacrée devant son génie, comportait quatre points, quatre dispo-

* Borodino.

sitions. Aucune de ces dispositions ne pouvait être et ne fut exécutée.

L'ordre de bataille prescrivait en premier lieu QUE LES BATTE- RIES MISES EN PLACE AUX POINTS CHOISIS PAR NAPOLÉON, AINSI QUE LES PIÈCES DE PERNETY ET DE FOUCHER QUI DEVAIENT S'ALIGNER A LEURS COTÉS, CENT DEUX PIÈCES AU TOTAL, OUVRI- RAIENT LE FEU ET ÉCRASERAIENT SOUS LEURS PROJECTILES LES FLÈCHES RUSSES ET LA REDOUTE. Cela ne pouvait être fait, car des points choisis par Napoléon les projectiles n'atteignaient pas les défenses russes et ces cent deux pièces tirèrent inutile- ment jusqu'au moment où leur chef direct les fit avancer contrai- rement aux ordres de Napoléon.

La deuxième disposition prescrivait à Poniatowski DE SE POR- TER VERS LE VILLAGE PAR LA FORÊT POUR TOURNER L'AILE GAUCHE DES RUSSES. Cela ne pouvait être et ne fut pas exécuté, parce qu'en se dirigeant vers le village par la forêt, Poniatowski se heurta à Toutchkov qui lui barrait le chemin et il ne put tourner et ne tourna pas l'aile gauche russe.

Troisième disposition : LE GÉNÉRAL COMPANS LONGERA LA FORÊT POUR S'EMPARER DES PREMIERS RETRANCHEMENTS RUSSES. La division Compans ne s'empara pas des premiers retranche- ments; elle fut repoussée parce qu'en débouchant de la forêt, elle dut se reformer sous la mitraille, ce que Napoléon n'avait pas prévu.

Quatrième disposition : LE VICE-ROI S'EMPARERA DU VILLAGE (Borodino) ET TRAVERSERA LA RIVIÈRE SUR SES TROIS PONTS EN SE MAINTENANT A LA HAUTEUR DES DIVISIONS MORAND ET FRIANT (dont il n'était pas dit dans quelle direction et quand elles se mettraient en marche) QUI SOUS SON COMMANDEMENT SE DIRIGERONT VERS LA REDOUTE ET ENTRERONT EN LIGNE AVEC LES AUTRES TROUPES.

Pour autant qu'on puisse en juger, non pas d'après cette phrase confuse mais d'après les tentatives que fit le vice-roi pour exécu- ter les ordres reçus, il devait traverser Borodino et marcher sur la redoute par la gauche, tandis que les divisions Morand et Friant devaient l'attaquer en même temps de front.

Cet ordre, lui aussi, ne fut pas et ne pouvait pas être exécuté. Ayant traversé Borodino, le vice-roi fut repoussé sur la Kolotcha et ne parvint pas à avancer; quant aux divisions Morand et Friant, elles ne prirent pas la redoute, elles furent rejetées, et la redoute fut enlevée à la fin de la bataille par la cavalerie (chose invraisemblable à laquelle Napoléon ne s'attendait sans doute pas). Ainsi aucune des prescriptions du dispositif ne fut et ne pouvait être exécutée. Mais le dispositif dit que la bataille engagée, des ordres seraient donnés selon les mouvements de l'ennemi. On pouvait donc présumer que Napoléon prendrait au cours du combat les dispositions nécessaires; or il ne le fit pas et il ne pouvait le faire, car il se trouvait si loin du champ de bataille qu'il lui était impossible de suivre la marche des événements (comme cela se confirma par la suite), et qu'aucun des ordres qu'il donna pendant la bataille ne put être exécuté.

XXVIII

Nombre d'historiens expliquent que la bataille de Borodino n'a pas été gagnée par les Français parce que Napoléon était enrhumé; s'il n'avait pas eu un rhume de cerveau, ses dispositions avant et au cours de la bataille eussent été encore plus géniales et la Russie eût été perdue *et la face du monde eût été changée.* Pour les historiens qui admettent que la Russie s'est constituée par la volonté d'un seul homme, Pierre le Grand, que de République la France s'est transformée en Empire et que les armées françaises sont entrées en Russie par la volonté d'un seul homme, Napoléon, le raisonnement selon lequel la Russie est demeurée puissante parce que Napoléon avait un fort rhume, ce raisonnement est d'une logique inattaquable.

S'il dépendait de la volonté de Napoléon de livrer ou de ne pas livrer la bataille de Borodino et s'il dépendait de sa volonté de prescrire telle ou telle disposition, il est évident que le rhume qui eut une influence sur les manifestations de sa volonté pouvait être la cause du salut de la Russie et qu'en conséquence le valet de chambre, qui oublia de présenter à Napoléon le 24 des bottes imperméables, fut le sauveur de la Russie. Si l'on s'engage dans une telle voie, cette conclusion est incontestable, aussi incontestable que l'affirmation de Voltaire qui dit en plaisantant (sans savoir lui-même ce qu'il raillait) que la Saint-Barthélemy fut due à une indigestion de Charles IX. Mais pour ceux qui n'admettent pas que la Russie se soit constituée par la volonté d'un seul homme, Pierre Ier, et que l'empire français se soit formé et que la guerre avec la Russie ait été déclenchée par la volonté d'un seul homme, Napoléon, pour ceux-là, un tel raisonnement est non seulement faux, absurde, mais contraire à la nature humaine. A la question : quelle est la cause des événements historiques? il est une autre réponse qui dit que le déroulement des événements de ce monde est prédéterminé d'En-Haut, qu'il dépend de la coïncidence des volontés libres de tous ceux qui prennent part à ces événements et que l'influence des Napoléon sur leur marche n'est qu'apparente et fictive.

Si étrange que paraisse au premier abord l'assertion que la Saint-Barthélemy ordonnée par Charles IX n'a pas été le fait de sa volonté, mais qu'il crut seulement l'avoir ordonnée et que le massacre de quatre-vingt mille hommes à Borodino n'a pas été le fait de la volonté de Napoléon (qui cependant donna le signal et régla la marche de la bataille), mais qu'il s'imaginait seulement l'avoir ordonné, si étrange que paraisse une telle assertion, la dignité humaine qui me dit que chacun de nous, s'il n'est pas plus n'est certainement pas moins un homme que le grand Napoléon, m'oblige à admettre cette solution de la question, que confirment abondamment les recherches historiques.

A la bataille de Borodino, Napoléon ne tira sur personne et ne tua personne. Ce sont les soldats qui firent cela. Ce n'est donc pas Napoléon qui a tué des gens.

Les soldats de l'armée française allaient tuer des soldats russes à Borodino, non pas parce qu'on le leur avait ordonné, mais de leur plein gré. Toute l'armée — Français, Italiens, Allemands, Polonais, affamés, déguenillés, épuisés, — sentait, en face de l'armée qui lui barrait la route de Moscou, que *le vin est tiré et qu'il faut le boire.* Si Napoléon leur avait maintenant interdit de se battre contre les Russes, ils l'auraient tué et seraient allés se battre contre les Russes, parce que cela leur était indispensable.

Quand ils écoutèrent l'ordre du jour de Napoléon qui leur promettait, en dédommagement des blessures et de la mort, que les générations futures diraient d'eux qu'ils avaient été eux aussi de la bataille sous les murs de Moscou, ils crièrent : « *Vive l'empereur !* » exactement comme ils criaient « *Vive l'empereur !* » devant l'image du petit garçon qui perçait le globe terrestre avec une baguette de bilboquet, comme ils auraient crié « *Vive l'empereur !* » à n'importe quelle ineptie qu'on leur eût dite. Il ne leur restait rien à faire qu'à crier « *Vive l'empereur !* » et à aller se battre pour trouver à Moscou la nourriture et le repos des vainqueurs. Ce n'est donc pas en vertu de l'ordre de Napoléon qu'ils tuaient leurs semblables.

Et ce n'est pas Napoléon qui dirigeait le déroulement de la bataille, car aucune des prescriptions de son dispositif ne fut exécutée et il ignorait pendant la bataille ce qui se passait devant lui. En conséquence, ces centaines de milliers d'hommes s'entretuaient à leur façon, pas comme le voulait Napoléon mais indépendamment de sa volonté, comme ils le voulaient eux-mêmes. Mais IL SEMBLAIT à Napoléon que tout se faisait conformément à sa volonté. Aussi la question de savoir si Napoléon eut ou non un rhume n'a pas plus d'intérêt pour l'histoire que le rhume du dernier de ses soldats du train.

Le rhume de Napoléon eut d'autant moins d'importance en cette journée du 26 août que les historiens qui avancent qu'à cause de ce rhume son ordre de bataille et les dispositions qu'il prit au cours du combat ont été moins bons que dans les batailles précédentes, se trompent complètement.

Le dispositif que nous avons cité n'était pas plus mauvais, il était supérieur même aux dispositifs avec lesquels on avait obtenu tant de victoires. Les prétendus ordres donnés au cours de la bataille, eux non plus, n'étaient pas plus mauvais qu'à l'ordinaire, ils étaient semblables à ceux de toujours. Mais ces dispositifs et ces ordres paraissent moins bons uniquement parce que la bataille de Borodino fut la première que Napoléon ne gagna pas. Les dispositifs et les ordres les mieux combinés, les plus profondément médités, semblent très mauvais et n'importe quel savant tacticien les critique d'un air entendu quand ils n'ont pas donné la victoire; et les pires dispositifs, les mesures les plus contestables paraissent excellents, et des gens sérieux consacrent des volumes à prouver leurs mérites, quand le gain de la bataille s'en est suivi.

Le dispositif de Weirother à Austerlitz était un modèle de perfection parmi les travaux de ce genre; on l'a cependant condamné en raison précisément de sa perfection, de sa minutie.

A la bataille de Borodino, Napoléon remplit son rôle de représentant de l'autorité aussi bien et mieux encore qu'au cours des batailles précédentes. Il ne fit rien qui fût nuisible à la marche des opérations, il accepta les suggestions raisonnables, il n'embrouilla pas les choses, ne se contredit pas, n'eut pas peur, ne s'enfuit pas du champ de bataille, mais avec son grand tact et son expérience de la guerre il remplit calmement et dignement son personnage fictif de chef suprême.

XXIX

Au retour de sa seconde et minutieuse inspection du front, Napoléon dit :

— Les pièces sont en place sur l'échiquier, la partie commencera demain.

Après s'être fait servir du punch, il fit appeler Beausset et l'entretint de Paris et des quelques changements qu'il voulait apporter à la *maison de l'Impératrice*, surprenant le préfet par sa connaissance des moindres détails des choses de la cour.

Il s'intéressait à des vétilles, plaisantait Beausset sur son goût des voyages, bavardait avec désinvolture, ainsi qu'un chirurgien célèbre, sûr de lui, connaissant son métier, qui retrousse ses manches et met son tablier, tandis qu'on attache le patient sur un lit de camp. « Tout est entre mes mains et dans ma tête, clair et précis; quand viendra le moment de passer à l'action, je le ferai comme personne, et maintenant je peux plaisanter, et vous devez être d'autant plus sûrs et tranquilles et en admiration devant mon génie que je suis plus calme et de bonne humeur. »

Ayant achevé son second verre de punch, Napoléon alla se reposer avant l'affaire sérieuse qui, lui semblait-il, l'attendait le lendemain.

Cette affaire qui lui incombait le préoccupait à tel point qu'il ne put dormir et bien que l'humidité nocturne eût aggravé son rhume, à trois heures du matin il passa en se mouchant bruyamment dans le grand compartiment de sa tente. Il demanda si les Russes n'étaient pas tous partis. On lui répondit que les feux des ennemis étaient toujours là. Il fit un signe de tête approbateur.

L'aide de camp de service entra dans la tente.

— *Eh bien, Rapp, croyez-vous que nous ferons de bonnes affaires aujourd'hui?* lui demanda Napoléon.

— *Sans aucun doute, Sire,* répondit Rapp.

Napoléon continuait de le regarder.

— *Vous rappelez-vous, Sire, ce que vous m'avez fait l'honneur de me dire à Smolensk?* reprit Rapp. *Le vin est tiré, il faut le boire.* L'empereur se rembrunit et resta un long moment assis en silence, la tête appuyée sur sa main.

— *Cette pauvre armée,* dit-il soudain, *elle a bien diminué depuis*

Smolensk. La fortune est une franche courtisane, Rapp; je le disais toujours, et je commence à l'éprouver. Mais la garde, Rapp? La garde est intacte? ajouta-t-il d'un ton interrogateur.

— *Oui, Sire,* répondit Rapp.

Napoléon prit une pastille, la mit dans sa bouche et consulta sa montre. Il n'avait pas sommeil, il y avait loin encore jusqu'au matin et il ne savait que faire pour tuer le temps : il n'y avait plus de dispositions à prendre, tous les ordres étant donnés et en voie d'exécution.

— *A-t-on distribué les biscuits et le riz aux régiments de la garde?* demanda-t-il d'un air sévère.

— *Oui, Sire.*

— *Mais le riz?*

Rapp répondit qu'il avait transmis l'ordre de l'empereur concernant le riz, mais Napoléon eut un hochement de tête mécontent comme s'il doutait de l'exécution de son ordre. Un domestique apporta du punch; Napoléon lui fit apporter un second verre pour Rapp et but en silence quelques gorgées du sien.

— Je n'ai ni goût ni odorat, dit-il en flairant le verre. Ce rhume est insupportable. On ne cesse de parler de la médecine. Qu'est-ce donc que cette médecine qui ne peut guérir un simple rhume! Corvisart m'a donné ces pastilles, mais elles ne me font aucun effet. Que peuvent-ils guérir? On ne peut guérir les gens. *Notre corps est une machine à vivre. Il est organisé pour cela, c'est de nature; laissez-y la vie à son aise, qu'elle s'y défende elle-même : elle fera plus que si vous la paralysez en l'encombrant de remèdes. Notre corps est comme une montre parfaite qui doit aller un certain temps; l'horloger n'a pas la faculté de l'ouvrir, il ne peut la manier qu'à tâtons et les yeux bandés. Notre corps est une machine à vivre, voilà tout.*

Et en se lançant dans la voie de ces *définitions* qu'il aimait tant, il en fit brusquement une autre :

— Savez-vous, Rapp, ce que c'est que l'art militaire? L'art d'être plus fort que l'ennemi à un certain moment. *Voilà tout.*

Rapp garda le silence.

— *Demain, nous allons avoir affaire à Koutouzov,* dit Napoléon. Nous verrons bien! Vous souvenez-vous? A Braunau où il commandait l'armée, pas une fois en trois semaines il n'est monté à cheval pour inspecter les défenses... Nous verrons!

Il consulta sa montre. Il n'était que quatre heures. Il n'avait pas sommeil, le punch était bu et il n'y avait toujours rien à faire.

Il se leva, fit quelques pas, mit une redingote chaude et un chapeau et sortit. La nuit était obscure et humide; une brume à peine perceptible tombait du ciel. Tout proches, les feux de la garde brûlaient sans éclat et d'autres au loin brillaient faiblement à travers la fumée le long des lignes russes. Tout était calme et l'on entendait distinctement le bruit sourd des pas des régiments français qui s'étaient déjà mis en marche pour occuper leurs positions.

Napoléon fit quelques pas devant la tente, regarda les feux, tendit l'oreille aux piétinements. Passant devant un grand grenadier de la garde qui, en faction devant la tente sous son bonnet à poil, se raidit tel un poteau noir à l'apparition de l'empereur, il s'arrêta devant lui.

— Combien d'années de service? demanda-t-il avec cette rude cordialité militaire qu'il affectait toujours en s'adressant aux soldats.

Le grenadier répondit.

— *Ah, un des vieux!* Avez-vous reçu du riz au régiment? -

— On l'a reçu, Votre Majesté.

Napoléon fit un signe de tête et s'éloigna.

A cinq heures et demie, Napoléon gagna à cheval le village de Chevardino.

Il commençait à faire jour, le ciel s'était éclairci. Il ne restait plus qu'un nuage suspendu à l'Orient. Les feux de camp achevaient de se consumer dans la pâle lumière du matin.

Sur la droite retentit un coup de canon, dense et solitaire; il résonna et mourut dans le silence général. Quelques instants s'écoulèrent. Un deuxième, un troisième coup éclatèrent. L'air s'agita; un quatrième, un cinquième grondèrent solennellement, tout proches, quelque part à droite. Les premières détonations n'avaient pas fini de résonner que d'autres éclatèrent encore et encore, se chevauchant et se confondant.

Parvenu à Chevardino avec sa suite, Napoléon mit pied à terre. La partie était engagée.

XXX

Rentré à Gorki après avoir quitté le prince André, Pierre donna l'ordre à son écuyer de tenir prêts les chevaux et de le réveiller de grand matin, et il s'endormit immédiatement, derrière une cloison, dans un coin que lui avait cédé Boris.

Quand il s'éveilla le lendemain matin, il n'y avait plus personne dans l'isba. Les vitres des petites fenêtres tremblaient. L'écuyer, debout, le secouait.

— Excellence, Excellence, Excellence! répétait-il obstinément sans regarder Pierre, en le tirant par l'épaule et ayant visiblement perdu tout espoir de le réveiller.

— Quoi? C'est commencé? Il est temps? demanda Pierre.

— Votre Excellence entend la canonnade, dit l'écuyer, un soldat retraité. Tous ces messieurs sont déjà partis... Le Sérénissime lui-même est parti depuis longtemps.

Pierre s'habilla en hâte et courut sur le perron. Il faisait clair et gai dans la cour, il y avait de la rosée, l'air était frais. Par-dessus les toits en face, le soleil, qui venait de s'échapper du nuage qui le cachait, éclaboussa de ses rayons encore déviés par le nuage la poussière de la route humide de rosée, les murs des maisons, les fenêtres, la palissade et les chevaux de Pierre devant l'isba. Le grondement du canon s'entendait plus distinctement dans la cour. Un aide de camp suivi d'un cosaque passa au trot dans la rue.

— Il est temps, comte, il est temps! cria-t-il.

Pierre dit à l'écuyer de le suivre avec son cheval et prit la rue en direction du mamelon d'où la veille il avait contemplé le champ de bataille. Il y avait sur ce mamelon une foule de militaires, on entendait parler français les officiers d'état-major et on distinguait la tête blanche de Koutouzov, sa casquette blanche à bande rouge, sa nuque grise engoncée dans ses épaules. Il regardait à la longue-vue devant lui, dans la direction de la grand'route.

Ayant gravi les marches qui menaient au mamelon, Pierre regarda autour de lui et la beauté du spectacle le frappa d'admiration. C'était le même panorama qu'il avait contemplé la veille du haut de ce mamelon; mais à présent toute la région sur laquelle s'étendaient des traînées de fumée était couverte de troupes, et les rayons obliques du soleil éclatant qui se levait derrière et à gauche de Pierre, répandaient sur ce panorama dans l'air pur du matin une lumière pénétrante aux reflets dorés et roses, et striée de longues ombres noires. On apercevait à l'horizon la ligne courbe des forêts lointaines qui encadraient le paysage; taillées, semblait-il, dans quelque matière précieuse d'un vert-jaune, elles étaient coupées au-delà de Valouïevo par la grand'route de Smolensk encombrée de troupes. Plus près brillaient des champs dorés et des bouquets d'arbres. On voyait des troupes partout, à droite, à gauche, devant. Tout était animé, grandiose et inattendu. Mais ce qui frappa le plus Pierre, ce fut l'aspect du champ de bataille proprement dit, de Borodino et de la vallée au-dessus de la Kolotcha, de part et d'autre de la rivière.

Au-dessus de la Kolotcha, à Borodino et à gauche et à droite du village, mais surtout à sa gauche, là où entre des rives marécageuses la Voïna se jette dans la Kolotcha, s'étendait un de ces brouillards qui fondent, s'écoulent et deviennent translucides à l'apparition d'un soleil éclatant, et confèrent une teinte et des contours magiques à tout ce qui transparaît à travers eux. La fumée des coups de feu se mêlait au brouillard et dans le brouillard et dans cette fumée, la lumière matinale allumait partout de furtifs éclairs; ils scintillaient tantôt sur l'eau, tantôt sur la rosée, tantôt sur les baïonnettes des soldats qui se pressaient le long des rives et dans Borodino. A travers le brouillard on apercevait l'église blanche, çà et là les toits des isbas du village, ailleurs des masses compactes de soldats, des caissons d'artillerie peints en vert, des canons. Et tout cela était ou semblait en mouvement à cause du brouillard et de la fumée répandue sur tout cet espace. Aussi bien dans ces bas-fonds envahis de brume autour de Borodino que plus haut et surtout à gauche, tout le long de la ligne, au-dessus des bois, des champs, dans les vallées, sur les hauteurs, naissaient sans cesse comme d'elles-mêmes, spontanément, des tourbillons de fumée tantôt isolés, tantôt groupés, tantôt espacés, tantôt rapprochés, qui grossissaient, se gonflaient, s'éparpillaient et se confondaient. C'étaient ces fumées et, chose étrange à dire, les détonations qui les accompagnaient qui conféraient une beauté particulière à ce spectacle.

« Pouff! » Et l'on voyait soudain surgir une fumée ronde, dense, aux reflets lilas, gris et d'un blanc laiteux, et « Boum! » entendait-on une seconde plus tard, le bruit du coup de feu.

« Pouff, pouff! » Et les deux fumées montaient, se heurtaient et se confondaient, et « Boum, boum! » Le bruit des coups confirmait ce que voyait l'œil.

Pierre se retournait vers la première fumée qu'il avait laissée ronde et compacte comme une balle, et elle avait déjà fait place à des volutes qui s'étiraient; et « Pouff! » (un arrêt) « Pouf, pouff! » Et trois, quatre fumées naissaient encore, et à chacune répondaient, à intervalles réguliers, les beaux coups fermes et précis, « Boum, boum! » Ces fumées semblaient tantôt fuir, tantôt s'immobiliser, cependant que bois, champs, baïonnettes étincelantes défilaient rapidement devant elles. Sur la gauche, le long des champs et des broussailles, naissaient sans cesse ces grosses fumées aux échos solennels; mais plus près, au-dessus des bas-fonds et des bois surgissaient les petites fumées des coups de fusil, qui, elles, n'avaient pas le temps de s'arrondir et n'étaient suivies que de faibles échos. « Ta-ta-ta-ta-ta », claquaient les fusils, crépitait la fusillade nourrie, mais irrégulière et pauvre comparée à la canonnade.

Pierre avait envie d'être là où s'élevaient ces fumées, où brillaient ces baïonnettes, au milieu de ces bruits, de ces mouvements. Il se retourna vers Koutouzov et sa suite pour confronter ses impressions avec les leurs. Tous, comme lui et, lui semblat-il, avec les mêmes sentiments que lui, contemplaient le champ de bataille. Cette *chaleur latente* de l'émotion, que Pierre avait observée la veille et dont il avait compris la signification après sa conversation avec le prince André, rayonnait sur tous les visages.

— Va, mon ami, va, que Dieu te garde, dit Koutouzov, sans quitter des yeux le champ de bataille, au général qui se tenait près de lui.

Le général passa devant Pierre pour descendre du mamelon.

— Au passage de la rivière, répondit-il d'un ton sévère et sec à un officier qui lui demandait où il se rendait.

« Je vais avec lui », se dit Pierre et il suivit le général.

Tandis que celui-ci enfourchait le cheval que lui avait amené un cosaque, Pierre s'approcha de son écuyer qui tenait les chevaux, lui demanda lequel était le plus paisible, se mit en selle, s'accrocha à la crinière et serra entre ses talons le ventre de sa monture; se rendant compte qu'il perdait ses lunettes mais n'osant pas lâcher la crinière et les rênes, il partit au galop derrière le général, provoquant les sourires des officiers qui le regardaient du haut du mamelon.

XXXI

Ayant dévalé la pente, le général que Pierre suivait au galop tourna brusquement à gauche; Pierre le perdit de vue et fit irruption dans les rangs de fantassins qui marchaient devant lui. Il essaya de se dégager en les dépassant, en obliquant tantôt à droite, tantôt à gauche, mais partout ce n'était que soldats aux visages uniformément soucieux, absorbés par quelque tâche invisible, mais évidemment importante. Tous, ils regardaient d'un air mécontent et interrogateur ce gros homme en chapeau blanc dont le cheval les bousculait sans raison.

— Que vient-il faire au milieu du bataillon? cria l'un d'eux.

Un autre donna un coup de crosse au cheval; celui-ci fit un écart et Pierre cramponné à l'arçon et parvenant difficilement à retenir sa monture, réussit à dépasser les soldats; la route était libre.

Il aperçut un pont devant lui et près du pont d'autres soldats qui tiraient. Il s'approcha d'eux. Sans s'en douter, il avait atteint le pont sur la Kolotcha, entre Gorki et Borodino, que les Français (s'étant emparés de Borodïno) avaient attaqué au cours de la première phase du combat. Pierre voyait un pont devant lui, et à droite et à gauche du pont, sur la prairie qu'il avait remarquée la veille à travers la fumée, des soldats qui s'affairaient parmi des tas de foin; mais en dépit de la fusillade ininterrompue qui faisait rage à cet endroit, il ne se doutait nullement que c'était justement là le champ de bataille. Il n'entendait pas le bruit des balles qui sifflaient de tous côtés et des boulets qui passaient au-dessus de sa tête; il ne voyait pas l'ennemi sur l'autre rive et il fut longtemps sans voir les morts et les blessés, cependant que beaucoup tombaient non loin de lui. Il regardait tout autour avec un sourire qui ne le quittait pas.

— Qu'a-t-il à se promener en avant des lignes, celui-là! cria de nouveau quelqu'un.

— Prends à gauche! A droite! criait-on.

Pierre prit à droite et tomba inopinément sur un aide de camp du général Raïevsky, qu'il connaissait. L'aide de camp lui jeta un regard irrité, prêt évidemment lui aussi à l'interpeller, mais l'ayant reconnu il lui fit un signe de tête.

— Comment êtes-vous là? dit-il, et il poursuivit sa course.

Ne se sentant pas à sa place, ne sachant que faire et craignant de gêner encore quelqu'un, Pierre le rattrapa au galop.

— Que se passe-t-il donc ici? Puis-je vous accompagner? demanda-t-il.

— Un moment, un moment, répondit l'aide de camp; ayant rejoint un gros colonel debout dans la prairie, il lui transmit un ordre et seulement alors se tourna vers Pierre.

— Comment vous trouvez-vous ici, comte? dit-il en souriant. Toujours curieux?

— Oui, oui, dit Pierre.

Mais ayant fait pivoter son cheval, l'aide de camp poursuivait déjà son chemin.

— Ici, ça va, Dieu merci! dit-il. Mais sur le flanc gauche, chez Bagration, cela chauffe terriblement.

— Vraiment? Où est-ce? s'enquit Pierre.

— Venez avec moi sur le mamelon. On voit tout de chez nous. Sur notre batterie, il fait encore supportable. Eh bien, vous venez?

— Oui, je viens, répondit Pierre en cherchant des yeux son écuyer.

C'est seulement alors qu'il aperçut les blessés qui se traînaient à pied ou que l'on portait sur des civières. Dans cette même prairie qu'il avait traversée la veille, au milieu des tas de foin odorant, gisait immobile un soldat, la tête chavirée, son shako à terre.

— Et celui-là, pourquoi ne l'a-t-on pas relevé? commença Pierre. Mais à la vue du visage sévère de l'aide de camp qui s'était tourné du même côté, il s'interrompit.

Il ne découvrit pas son écuyer et se dirigea avec l'aide de camp vers le mamelon de Raïevsky, en traversant une dépression. Le cheval de Pierre qui le secouait en cadence, ne parvenait pas à suivre l'allure de son compagnon.

— Vous n'avez sans doute pas l'habitude du cheval, comte? dit l'officier.

— Non, ça ne va pas trop mal, mais qu'a-t-il à sautiller ainsi? dit Pierre perplexe.

— Eh!... Mais il est blessé, dit l'aide de camp, à l'antérieur droit, au-dessus du genou. Une balle certainement. Je vous félicite, comte. *Le baptême du feu.*

Ayant longé dans la fumée le sixième corps, derrière l'artillerie placée en avant, dont le tir était assourdissant, ils atteignirent un petit bois; il y faisait frais, paisible et cela sentait l'automne. Pierre et son compagnon descendirent de cheval pour gravir le mamelon à pied.

— Le général est-il ici? demanda l'aide de camp parvenu au pied du mamelon.

— Il était ici il y a un instant; il est parti par là, lui répondit-on en désignant la droite.

L'aide de camp jeta un regard vers Pierre comme s'il se demandait ce qu'il allait faire de lui.

— Ne vous inquiétez pas, dit Pierre, je vais aller sur le mamelon. On peut?

— Oui, allez-y. On voit tout de là et c'est moins dangereux. Je passerai vous prendre.

Il partit et Pierre se dirigea vers la batterie. Ils ne se revirent plus, et beaucoup plus tard seulement Pierre apprit que l'aide de camp avait eu ce jour-là le bras arraché.

Le mamelon où se trouvait Pierre (connu plus tard chez les Russes sous le nom de batterie du mamelon ou batterie Raïevsky, et chez les Français, sous celui de *grande redoute, de redoute fatale* ou *redoute du centre*) était ce point devenu célèbre que les Français considéraient comme la clef de la position et autour duquel tombèrent des dizaines de milliers d'hommes.

La redoute consistait en tranchées creusées sur trois côtés du mamelon; entourés de ces tranchées, dix canons tiraient par les embrasures du parapet.

A droite et à gauche du mamelon s'alignaient d'autres canons qui tiraient eux aussi sans arrêt. Des troupes d'infanterie étaient massées derrière. En montant sur ce mamelon, Pierre ne se doutait aucunement que cet endroit entouré de fossés peu profonds et où tiraient quelques canons était le point le plus important de la bataille.

Au contraire, il semblait à Pierre que cet endroit (et précisément parce qu'il s'y trouvait) était un des moins importants.

S'étant assis à un bout de la tranchée encadrant la batterie, il regardait avec un sourire inconsciemment joyeux ce qu'on faisait autour de lui. De temps à autre il se levait, toujours avec le même sourire, et se promenait dans la batterie, tout en tâchant de ne pas gêner les soldats qui chargeaient et manœuvraient les pièces et passaient continuellement devant lui avec des sacs et des gargousses. Les canons tiraient sans arrêt les uns après les autres, assourdissant de leur fracas les alentours et les couvrant de fumée.

Alors que l'on sentait chez les soldats des troupes de couverture une sourde angoisse, ici, sur la batterie, où un petit nombre d'hommes absorbés par leur tâche étaient enfermés, séparés des autres par un fossé, on sentait que régnait une animation qu'on eût pu dire familiale.

L'apparition de la silhouette si peu militaire de Pierre avec son chapeau blanc, commença par surprendre désagréablement ces hommes. En passant devant lui, les soldats le regardaient du coin de l'œil, étonnés et même effrayés. Le commandant de la batterie, grand, le visage grêlé, les jambes longues, sous prétexte de vérifier le fonctionnement de la pièce du bout, s'approcha de Pierre et le regarda curieusement.

Un petit officier rondelet, tout jeune, presqu'un enfant, frais émoulu de l'École des Cadets évidemment, qui surveillait plein de zèle deux pièces à lui confiées, dit sévèrement à Pierre :

— Permettez-moi, monsieur, de vous prier de vous écarter. On ne peut rester ici.

Les soldats considéraient Pierre avec des hochements de tête désapprobateurs. Mais lorsque tous ils constatèrent que cet homme en chapeau blanc non seulement ne faisait rien de mal mais se tenait bien tranquille, assis sur le parapet, ou bien s'effaçant poliment devant eux avec un sourire timide, se promenait dans la batterie, sous les projectiles, aussi calmement que sur un boulevard, peu à peu l'hostilité et la perplexité firent place à une sympathie amusée et affectueuse, comme celle que les soldats ressentent pour leurs animaux, chiens, coqs, boucs, pour toutes les bêtes en général qu'ils emmènent avec eux. Ils adoptèrent tacitement Pierre, le considérant comme de la famille et lui donnèrent un sobriquet : ils l'appelaient « notre monsieur » et riaient gentiment en parlant de lui entre eux.

Un boulet laboura le sol à deux pas de Pierre ; tout en secouant la terre que le boulet avait fait rejaillir sur ses vêtements, il regarda autour de lui en souriant.

— Comment n'avez-vous pas peur, monsieur ? lui dit en découvrant des dents blanches et solides un artilleur aux larges épaules, la trogne enluminée.

— Mais aurais-tu peur, toi ? demanda Pierre.

— Et comment donc ! répondit le soldat en riant. Ça ne pardonne pas. Ça te tombe dessus, et voilà tes boyaux dehors... Comment n'aurait-on pas peur !

Quelques soldats s'étaient arrêtés devant Pierre et le considéraient avec une cordialité amusée. On eût dit qu'ils ne s'attendaient pas à ce qu'il parlât comme tout le monde et que cette découverte les réjouissait.

— C'est notre métier à nous autres, soldats. Mais un monsieur, c'est étonnant. En voilà un monsieur !

— A vos pièces ! cria le petit officier aux soldats réunis autour de Pierre.

Cet officier remplissait visiblement ses fonctions pour la première ou la seconde fois ; et c'est pourquoi il employait avec ses hommes et ses supérieurs un ton précis, officiel.

Le feu roulant des canons et des fusils s'intensifiait sur toute l'étendue du champ de bataille et surtout à gauche, où étaient les flèches de Bagration. Mais de l'endroit où se tenait Pierre, on ne voyait presque plus rien à cause de la fumée. D'ailleurs son attention était absorbée par le petit groupe en quelque sorte familial (séparé des autres) qui l'entourait sur la batterie. Son excitation inconsciemment joyeuse du début, suscitée par le spectacle et les bruits du combat, avait fait place maintenant à un autre sentiment, et surtout depuis qu'il avait vu ce soldat gisant abandonné dans la prairie. Assis sur le talus du fossé, il observait les visages qui l'entouraient.

Vers dix heures, une vingtaine d'hommes avaient déjà été évacués de la batterie; deux canons étaient hors de service; les boulets tombaient de plus en plus dru, ainsi que les balles perdues qui arrivaient bourdonnant et sifflant. Cependant les hommes de la batterie semblaient ne pas prêter attention à cela; ce n'étaient de tous côtés que gais propos et plaisanteries.

— Elle est jolie celle-là! criait un soldat à l'approche d'un obus qui passa en sifflant.

— Pas pour nous, pour les fantassins! cria un autre en éclatant de rire, s'étant aperçu que l'obus était tombé sur les troupes de couverture.

— Alors quoi, c'est une connaissance? disait un troisième à un paysan milicien qui se courbait jusqu'à terre sous un boulet.

Quelques soldats derrière le parapet cherchaient à voir ce qui se passait devant eux.

— Tiens! On a ramené les lignes, on a reculé, dit l'un en pointant le doigt par-dessus le parapet,

— Occupe-toi de ton affaire! lui cria un vieux sous-officier. On a reculé, c'est donc qu'on avait quelque chose à faire derrière.

Et le sous-officier saisit l'un des soldats par l'épaule et le poussa du genou. Des rires fusèrent.

— Cinquième pièce! Ramenez! commanda-t-on.

— Tous ensemble, en mesure, comme les haleurs! criaient les hommes s'affairant autour du canon.

— Aïe! le chapeau de « notre monsieur » a failli être arraché! dit en riant de toutes ses dents le plaisantin à la trogne enluminée. — Eh, le maladroit! s'écria-t-il à l'adresse d'un boulet qui venait de frapper une roue et la jambe d'un homme.

— Allons, vous, les renards! lança un autre aux miliciens qui montaient en se courbant à la batterie pour enlever le blessé.

— Alors quoi, la soupe n'est pas à votre goût? Ah, les corbeaux! Ils renâclent! criait-on aux miliciens hésitant devant l'homme à la jambe arrachée. — Ben, oui, ben, non, mon gars. disait-on contrefaisant leur parler. — Ça ne leur plaît vraiment pas!

Pierre remarquait qu'après chaque boulet, après chaque perte, l'animation générale montait.

Comme des éclairs sillonnant une nuée d'orage qui approche rapidement, sur les visages de tous ces hommes (défiant, eût-on dit, ce qui se passait autour d'eux) éclataient de plus en plus fréquentes, de plus en plus claires, les flammes du feu qui couvait en eux.

. Pierre ne regardait pas devant lui le champ de bataille et ne s'intéressait pas à ce qui se passait là-bas, plongé qu'il était dans la contemplation de ce feu qui embrasait son âme à lui aussi (il le sentait).

A dix heures, les fantassins devant la batterie, dans les broussailles, le long de la Kamenka, reculèrent. De la batterie on les voyait passer en courant, emportant leurs blessés sur des fusils. Un général monta avec sa suite sur le mamelon et ayant échangé quelques mots avec le colonel et lancé à Pierre un regard irrité, descendit et donna l'ordre aux troupes de couverture massées derrière la batterie de se coucher à plat ventre pour être moins exposées au feu. Un moment après, dans les rangs de l'infanterie à droite de la batterie retentit un roulement de tambour, des commandements se firent entendre, et l'on vit les fantassins se porter en avant.

Pierre regardait par-dessus le parapet; un visage frappa en particulier ses yeux, celui, tout pâle, d'un jeune officier qui marchait à reculons, l'épée abaissée, et jetait autour de lui des regards inquiets.

Les fantassins disparurent dans la fumée; on entendit leur cri prolongé et une fusillade nourrie. Quelques minutes après, on vit revenir quantité de blessés et de civières. Les boulets tombaient encore plus dru sur la batterie. Des corps gisaient qu'on n'enlevait plus. Les hommes s'affairaient davantage autour des canons. Personne ne prêtait plus attention à Pierre. Une ou deux fois, on l'interpella brutalement pour qu'il se rangeât. Le commandant de la batterie, l'air sombre, allait à grandes enjambées rapides d'une pièce à l'autre. Le petit officier, dont le visage avait encore rougi, lançait des ordres, plus zélé que jamais. Les soldats passaient les boulets, se retournaient, chargeaient, s'appliquant à s'acquitter crânement de leur besogne, allant et venant d'un pas élastique, comme sur des ressorts.

La nuée d'orage était toute proche, et sur tous les visages brillait cette flamme dont Pierre suivait les progrès. Il se tenait près du commandant de la batterie quand le petit officier accourut la main au shako.

— J'ai l'honneur de vous informer, mon colonel, qu'il ne reste plus que huit charges. Faut-il continuer le feu? demanda-t-il.

— A mitraille! cria sans lui répondre directement le colonel qui regardait par-dessus le parapet.

Soudain, il se passa quelque chose : le petit officier fit « ah! » et s'affaissa à terre, replié sur lui-même, comme un oiseau frappé en plein vol. Tout devint étrange, confus et sombre aux yeux de Pierre.

Les uns après les autres, les boulets arrivaient en sifflant et frappaient le parapet, les soldats, les canons. Pierre, qui au début n'entendait pas ces bruits, maintenant n'entendait plus que ces bruits. Sous le mamelon à droite, des soldats en criant « Hourra! » couraient non pas en avant, mais en arrière, lui sembla-t-il.

Un boulet tomba sur le bord du parapet devant lequel se tenait Pierre et le couvrit de terre; une boule noire passa devant ses yeux et au même instant il y eut un choc mou. Les miliciens qui allaient entrer dans la batterie prirent la fuite.

— Toutes les pièces à mitraille! cria le colonel.

Un sous-officier courut vers lui et lui murmura, effrayé, qu'il n'y avait plus de munitions (comme une maître d'hôtel aurait annoncé pendant le repas au maître de maison que le vin manquait).

— Les bandits! Que font-ils donc! s'écria l'officier en se tournant vers Pierre. Son visage était rouge et couvert de sueur; ses yeux brillaient sous ses sourcils froncés.

— Cours aux réserves, amène des caissons, dit-il au soldat en évitant Pierre du regard.

— J'irai, dit Pierre.

L'officier s'éloigna à grands pas sans lui répondre.

— Ne pas tirer... Attendre! criait-il.

Le soldat chargé d'amener les munitions se heurta à Pierre.

— Eh, monsieur, ce n'est pas ta place ici, dit-il et il descendit en courant.

Pierre courut derrière lui en évitant l'endroit où était affalé le petit officier.

Un boulet, un autre, un troisième passèrent au-dessus de lui, tombèrent en avant, à côté, derrière. Il descendit la pente. « Où vais-je? » se demanda-t-il subitement comme il arrivait déjà près des caissons peints en vert. Il s'arrêta, indécis; allait-il avancer ou revenir sur ses pas?... Soudain un choc terrible le rejeta en arrière, à terre. Au même instant, il fut ébloui par une violente lumière et assourdi par un fracas de tonnerre suivi de craquements et de sifflements.

Revenu à lui, il se trouva assis sur son séant, s'appuyant des deux mains à terre. Le caisson près de lui avait disparu; il n'en restait que quelques planches vertes calcinées, quelques chiffons éparpillés sur l'herbe roussie; un cheval traînant après lui des débris de brancards passa au galop; un autre, étendu à terre comme Pierre, poussait des hennissements prolongés, déchirants.

XXXII

Pierre sauta sur ses pieds, éperdu de terreur, et se précipita de nouveau vers la batterie, comme vers l'unique refuge contre les abominations qui l'environnaient.

En s'engageant dans la tranchée, il s'aperçut que la batterie ne tirait plus, mais que des gens s'y agitaient. Qui étaient ces hommes? Il n'eut pas le temps de s'en rendre compte. Il vit le colonel allongé à plat ventre sur le remblai comme s'il examinait quelque chose en bas, et il reconnut un soldat qui, s'arrachant aux mains des gens qui le tenaient par les bras, criait « A moi, frères! » Et il vit encore d'autres choses étranges.

Mais il n'eut pas le temps de comprendre que le colonel était mort, que le soldat qui criait « A moi! frères! » était fait prisonnier, tandis qu'un autre tombait sous ses yeux, transpercé d'un coup de baïonnette dans le dos. A peine s'était-il engagé dans la tranchée que surgissait un homme en uniforme bleu, maigre, jaune, en sueur, qui l'épée à la main accourait dans sa direction en criant. Pierre étendit instinctivement les bras pour éviter le choc, car ils arrivaient l'un sur l'autre, et saisit l'homme (un officier français) d'une main à l'épaule, de l'autre à la gorge; l'officier, laissant tomber son épée, l'empoigna par le collet.

Pendant quelques instants chacun d'eux, terrifié, considéra ce visage étranger qui lui faisait face, ni l'un ni l'autre ne comprenant ce qu'ils faisaient et ne sachant ce qu'ils devaient faire. « Est-ce moi son prisonnier ou est-il le mien? » se demandait chacun. Cependant l'officier était visiblement enclin plutôt à admettre que c'était lui le prisonnier car, mue par la terreur, la puissante main de Pierre le serrait de plus en plus fort à la gorge. Le Français allait parler quand un boulet rasa presque leurs têtes avec un sifflement terrifiant, et Pierre crut la tête de l'officier arrachée tant il l'abaissa rapidement.

Pierre abaissa la tête lui aussi et lâcha son adversaire. Sans plus se demander qui des deux était prisonnier de l'autre, le Français courut dans la batterie, et Pierre dévala la pente, trébuchant sur les morts et les blessés qui l'attrapaient, lui semblait-il, par les pieds. Mais il n'était pas encore parvenu en bas qu'apparurent, venant à sa rencontre, des masses compactes de fantassins russes qui, trébuchant, se bousculant et criant, se ruaient joyeusement sur la batterie (c'était l'attaque dont Ermolov s'attribuait le mérite, assurant que seuls, son courage et sa chance avaient rendu possible pareil exploit, cette attaque au cours de laquelle, à l'en croire, il jetait sur le mamelon les croix de Saint-Georges qui se trouvaient dans sa poche).

Les Français qui occupaient la batterie s'enfuirent; nos troupes, poussant des « hourra! » les poursuivirent si loin au-delà du mamelon qu'on eut peine à les arrêter.

On descendit de la batterie les prisonniers, dont un général français blessé que nos officiers entourèrent. Des foules de blessés, dont Pierre connaissait certains, russes et français, les visages décomposés par la souffrance, descendaient de la batterie; les uns marchaient, d'autres rampaient, d'autres encore étaient allongés sur des civières. Pierre remonta sur le mamelon où il avait passé plus d'une heure; de ce petit cercle familial qui l'avait adopté, il ne retrouva personne de vivant. Parmi le grand nombre de morts inconnus, il en reconnut pourtant quelques-uns. Le petit officier était toujours assis, replié sur lui-même, dans une mare de sang, au bord du parapet. Le soldat à la trogne enluminée tressaillait encore, mais on ne l'emportait pas.

Pierre resdescendit rapidement.

« Non, maintenant, ils vont cesser, ils vont être horrifiés de ce qu'ils ont fait », se disait Pierre en suivant sans but précis les civières emmenant les blessés du champ de bataille.

Mais le soleil voilé de fumée était encore haut dans le ciel et en avant, et surtout à gauche, du côté de Sémionovskoïé, on distinguait à travers la fumée comme un bouillonnement, et le grondement de l'artillerie et la fusillade non seulement ne diminuaient pas, mais s'exaspéraient jusqu'au paroxysme comme quelqu'un qui, n'en pouvant plus, crie de ses dernières forces.

XXXIII

L'action principale de la bataille de Borodino se déroula sur un espace de deux verstes entre Borodino et les flèches de Bagration (en dehors de cet espace, la cavalerie d'Ouvarov fit une démonstration vers le milieu de la journée et, d'autre part, Poniatowski se heurta derrière Outitsa à Toutchkov; mais ce furent des combats isolés et sans importance en comparaison de ce qui se passait au centre). Cette action se déroula de la façon la plus simple, la plus ordinaire, dans la plaine entre Borodino et les flèches, près de la forêt, sur un espace découvert et exposé à la vue des deux côtés.

La bataille débuta de part et d'autre par une canonnade mettant en jeu plusieurs centaines de bouches à feu. Puis, quand la fumée eut recouvert toute la plaine, les divisions Dessaix et Compans se mirent en marche à travers cette fumée à droite (du côté français) vers les flèches, tandis que les régiments du vice-roi, à gauche, allaient sur Borodino.

De la redoute de Chevardino où se tenait Napoléon, les flèches étaient distantes d'une verste et Borodino, de plus de deux verstes à vol d'oiseau. Napoléon ne pouvait donc voir ce qui se passait là-bas, d'autant plus que la fumée jointe au brouillard cachait toute la région. La division Dessaix dans sa marche vers les flèches ne demeura visible que jusqu'au moment où elle fut descendue au fond du ravin qui précédait les flèches. Dès qu'elle y fut descendue, la fumée de la canonnade et de la fusillade se fit si épaisse sur les flèches qu'elle engloutit le versant opposé du ravin. A travers la fumée, on distinguait par moments des taches noires, des hommes probablement, et parfois l'éclair des baïonnettes; mais se déplaçaient-ils ou restaient-ils immobiles, était-ce des Russes ou des Français? De la redoute de Chevardino, il était impossible de le savoir.

Le soleil s'était levé, éclatant, et ses rayons obliques frappaient en plein visage Napoléon qui regardait les flèches en s'abritant les yeux de la main. La fumée s'étendait devant les flèches et il semblait que c'était tantôt la fumée qui se déplaçait, tantôt les troupes. A travers la fusillade on entendait parfois crier les hommes, mais on ne pouvait savoir ce qu'ils faisaient là-bas.

Debout sur le mamelon, Napoléon regardait dans une longue-vue et dans ce petit cercle il voyait de la fumée et des hommes, des Français parfois et parfois des Russes, mais où se passait ce qu'il voyait, il ne le savait pas lorsqu'il regardait à l'œil nu.

Il descendit du mamelon et fit les cent pas.

De temps à autre, il s'arrêtait, tendait l'oreille aux coups de feu, scrutait du regard le champ de bataille.

Non seulement de l'endroit en bas où il marchait, non seulement du mamelon où se tenaient maintenant certains de ses généraux, mais des flèches même où à présent soldats russes et français — morts, blessés, vivants, terrorisés, pris de folie — se trouvaient confondus ou apparaissaient tour à tour, on ne parvenaient pas à se rendre compte de ce qui s'y passait. Des heures durant, dans le fracas ininterrompu des canons et des fusils, Français et Russes se succédaient, fantassins, cavaliers surgissaient, tombaient, tiraient, se bousculaient, sans savoir au juste ce qu'ils devaient faire, criaient et refluaient.

Les aides de camp envoyés par l'empereur et les ordonnances que lui dépêchaient ses maréchaux arrivaient sans cesse du champ de bataille et l'informaient de la marche des opérations; mais tous ces rapports étaient faux, et parce qu'il est impossible dans le feu du combat de dire ce qui se passe à un moment donné, et parce que beaucoup de ces aides de camp n'allaient pas jusqu'au lieu du combat et rapportaient ce qu'ils avaient entendu dire; de plus, tandis que l'aide de camp parcourait les deux ou trois verstes qui le séparaient de Napoléon, la situation avait changé et les renseignements qu'il apportait à l'empereur n'étaient plus exacts. Ainsi un aide de camp du vice-roi vint annoncer la prise de Borodino, et que le pont sur la Kolotcha était aux mains des Français, et il demanda si les troupes devaient traverser la rivière; Napoléon donna l'ordre aux troupes de prendre position sur l'autre rive et d'attendre. Cependant, bien avant que Napoléon eût donné cet ordre, alors que l'aide de camp venait seulement de quitter Borodino, les Russes avaient repris et brûlé le pont au cours de ce combat auquel avait assisté Pierre, tout au début de la bataille.

Un aide de camp, arrivant des flèches au triple galop, le visage blême, effrayé, informa Napoléon que l'attaque avait été repoussée, que Compans était blessé et Davout tué. Or les flèches avaient été occupées entre temps par d'autres troupes, et Davout n'était que légèrement contusionné. Tenant compte de ces rapports nécessairement faux, Napoléon prenait des mesures qu'on avait déjà prises avant qu'il les eût ordonnées, ou bien qui s'avéraient inexécutables.

Les maréchaux et les généraux qui étaient plus près du champ de bataille, mais qui, tout comme Napoléon, ne prenaient pas part au combat lui-même et à de rares moments seulement pénétraient dans la zone de feu, prenaient leurs dispositions sans en référer à Napoléon, donnaient l'ordre de faire ceci ou cela, d'avancer ou de reculer, d'engager la cavalerie ou l'infanterie. Néanmoins, leurs ordres, comme ceux de Napoléon n'étaient exécutés que rarement et dans une faible mesure. La plupart du temps les mouvements des troupes ne se conformaient pas à ce qu'on leur avait commandé de faire. Pris sous la mitraille, les soldats qui avaient reçu l'ordre de se porter en avant, reculaient; ceux qui devaient rester sur place se trouvant brusquement, sans s'y attendre, en présence des Russes, ou bien lâchaient pied ou bien se jetaient sur eux, et la cavalerie, sans qu'on lui en donnât l'ordre, galopait à la poursuite de l'ennemi en fuite. C'est ainsi que deux régiments de cavalerie descendirent à fond de train le ravin de Sémionovskoïé et à peine parvenus en haut du versant opposé tournèrent bride et revinrent ventre à terre. Les fantassins, de même, couraient parfois là où personne ne leur avait dit d'aller. S'agissait-il de déplacer les canons, d'envoyer les fantassins tirer ou la cavalerie piétiner les Russes, toutes ces mesures étaient prises par les officiers qui étaient dans les rangs des troupes, sans consulter non seulement Napoléon mais Ney, Murat ou Davout. Et ces officiers ne craignaient pas d'être punis pour n'avoir pas exécuté les ordres ou avoir agi de leur propre initiative: car ce qui est en jeu dans le combat, c'est ce que l'homme a de plus précieux, sa propre vie, et il semble parfois que le salut consiste à fuir en arrière et parfois à fuir en avant; et dans le feu du combat, ces hommes agissaient selon l'humeur du moment. En somme, tous ces mouvements en avant et en arrière ne modifiaient ni n'amélioraient la situation des troupes. Toutes leurs courses çà et là, leurs attaques désordonnées ne leur causaient presque pas de mal; la mort, les mutilations provenaient des boulets, des balles qui volaient de partout dans cet espace où se démenaient les hommes. Aussitôt qu'ils sortaient de la zone où volaient balles et boulets, les chefs qui se tenaient derrière les reformaient, rétablissaient la discipline et parvenaient ainsi à les introduire de nouveau dans la zone de feu où ils échappaient de nouveau (sous l'action de la peur de la mort) à la discipline et s'abandonnaient à l'humeur changeante des foules.

XXXIV

Les généraux de Napoléon — Davout, Ney et Murat — qui se trouvaient à proximité de la zone de feu et parfois même y pénétraient, avaient à plusieurs reprises introduit dans cet espace des masses énormes de troupes en bon ordre. Cependant, contrairement à ce qui s'était toujours passé lors des précédentes batailles, on ne venait pas annoncer, comme on s'y attendait, que l'ennemi était en fuite, mais les troupes parties en bon ordre revenaient DE LA-BAS débandées, terrifiées. Elles étaient de nouveau reformées, mais leur nombre diminuait. Vers le milieu de la journée, Murat envoya un aide de camp à l'empereur, réclamant des renforts.

Napoléon assis au pied du mamelon buvait du punch lorsqu'arriva l'aide de camp qui l'assura que les Russes seraient écrasés si Sa Majesté voulait bien donner encore une division.

— Des renforts? répéta Napoléon et, comme s'il ne comprenait pas ce qui venait d'être dit, il regarda d'un air surpris et sévère l'aide de camp, un jeune et joli garçon aux longs cheveux noirs bouclés (comme ceux de Murat).

« Des renforts, songea Napoléon. Qu'ont-ils à demander des renforts, alors qu'ils disposent de la moitié de l'armée contre une position faible, non fortifiée? »

— *Dites au roi de Naples*, dit d'un ton sévère Napoléon, *qu'il n'est pas midi et que je ne vois pas encore clair sur mon échiquier. Allez...*

La main toujours à la visière, le joli aide de camp à la longue chevelure soupira profondément et retourna au galop là où l'on tuait des hommes.

Napoléon se leva, fit appeler Caulaincourt et Berthier et s'entretint avec eux de choses étrangères à la bataille.

Au beau milieu de la conversation qui commençait à intéresser Napoléon, les yeux de Berthier se tournèrent vers un général qui arrivait à fond de train avec sa suite et dont le cheval était couvert d'écume. C'était Belliard. Il mit pied à terre, s'approcha d'un pas rapide de l'empereur et hardiment, d'une voix forte, entreprit de lui prouver qu'il était indispensable d'envoyer des renforts. Il donnait sa parole que les Russes seraient anéantis si l'empereur donnait encore une division.

Napoléon haussa les épaules, ne répondit pas et reprit sa promenade. Belliard se mit à parler avec véhémence et sans baisser la voix aux généraux qui l'entouraient.

— Vous êtes trop ardent, Belliard, dit Napoléon en revenant auprès de lui. Il est facile de se tromper dans le feu du combat. Allez, examinez bien tout et venez ensuite me trouver.

Belliard était à peine hors de vue que d'un autre côté accourait au galop un nouvel envoyé du champ de bataille.

— *Eh bien, qu'est-ce qu'il y a?* dit Napoléon du ton d'un homme irrité par d'incessants obstacles.

— *Sire, le prince...,* commença l'aide de camp.

— Demande des renforts? acheva Napoléon, et il eut un geste de colère.

L'aide de camp inclina affirmativement la tête et voulut s'expliquer; mais Napoléon se détourna, fit deux pas, s'arrêta, revint en arrière et appela Berthier.

— Il faut faire appel aux réserves, dit-il en écartant légèrement les bras. Qui enverrons-nous là-bas? Qu'en pensez-vous? demanda-t-il à Berthier, à cet *oison que j'ai fait aigle,* comme il le dit plus tard.

— Sire, envoyez la division Claparède, répondit Berthier qui connaissait par cœur toutes les divisions, tous les régiments et les bataillons.

Napoléon approuva d'un signe de tête.

L'aide de camp rejoignit la division Claparède, et quelques minutes plus tard la jeune garde massée derrière le mamelon se mettait en marche. Napoléon regardait en silence dans leur direction.

— Non, dit-il subitement à Berthier. Je ne puis envoyer Claparède, envoyez la division Friant.

Bien qu'il n'y eût aucun avantage à envoyer la division Friant en place de celle de Claparède et qu'il devait même en résulter des inconvénients et une perte de temps, puisqu'il fallait arrêter Claparède et alerter Friant, néanmoins l'ordre fut ponctuellement exécuté. Napoléon ne se rendait pas compte qu'il jouait à l'égard de ses troupes le rôle du médecin dont les remèdes aggravent le mal, rôle qu'il comprenait si bien et condamnait chez autrui.

La division Friant disparut comme les autres dans la fumée. Des aides de camp continuaient d'arriver de différents côtés et tous, comme s'ils s'étaient donné le mot, répétaient la même chose. Tous demandaient des renforts, tous disaient que les Russes se maintenaient sur leurs positions et faisaient *un feu d'enfer* sous lequel fondait l'armée française.

Napoléon restait pensif sur son pliant.

M. de Beausset, l'amateur de voyages, qui n'avait rien pris depuis le matin, s'approcha de l'empereur et lui proposa respectueusement de déjeuner.

— J'espère, dit-il, que je puis dès maintenant féliciter Votre Majesté d'avoir remporté la victoire.

Napoléon secoua négativement la tête en silence. Supposant que cette dénégation concernait la victoire et non le déjeuner, M. de Beausset se permit de faire remarquer d'un ton respectueusement enjoué que rien jamais n'empêche de déjeuner quand on peut le faire.

— *Allez-vous...*, lui lança soudain Napoléon et il se détourna, le visage sombre.

Un sourire béat de regret, de repentir et de ravissement s'épanouit sur le visage de M. de Beausset; il s'éloigna de son pas glissant et rejoignit les autres généraux.

Napoléon éprouvait une sensation pénible semblable à celle du joueur constamment heureux qui a toujours risqué follement son argent, a toujours gagné et qui, soudain, alors justement qu'il a mis toutes les chances de son côté, voit qu'il perd d'autant plus sûrement qu'il a mieux calculé son coup.

Les troupes étaient les mêmes, les généraux étaient les mêmes, les mêmes mesures, le même ordre de bataille, la même *proclamation courte et énergique;* lui aussi était le même, il le savait; il savait qu'il était même beaucoup plus expérimenté et habile qu'autrefois. Et l'ennemi n'avait pas changé non plus : c'était

247

celui d'Austerlitz, de Friedland. Mais son bras terrible retombait impuissant, ensorcelé.

Tous les moyens qui autrefois étaient immanquablement couronnés de succès — et la concentration du feu de l'artillerie, et l'attaque des réserves pour rompre les lignes, et la charge de la cavalerie, *des hommes de fer* — tous ces moyens avaient déjà été utilisés, et non seulement on n'obtenait pas la victoire, mais il s'agissait toujours, dans les renseignements qui affluaient de tous côtés, de généraux tués ou blessés, de besoins de renforts, de la résistance des Russes et de la désorganisation des troupes.

Autrefois, il suffisait de prendre deux ou trois dispositions, de prononcer deux ou trois phrases, les maréchaux, les aides de camp, le visage épanoui, apportaient leurs félicitations et annonçaient les trophées : des corps entiers de prisonniers, *des faisceaux de drapeaux et d'aigles ennemis*, et des canons, et des fourgons de bagages; et Murat demandait l'autorisation de lancer la cavalerie pour s'emparer des convois. Il en avait été ainsi à Lodi, à Marengo, à Arcole, à Iéna, à Austerlitz, à Wagram, etc. Et maintenant, quelque chose d'étrange était arrivé à son armée.

En dépit de la nouvelle de la prise des flèches, Napoléon voyait que ce n'était pas ainsi, pas du tout ainsi que les choses se passaient dans les précédentes batailles; il voyait que ceux qui l'entouraient et qui avaient tous l'expérience de la guerre partageaient son sentiment. Les visages étaient sombres, on évitait de se regarder. Seul Beausset était incapable de comprendre la situation. Napoléon, lui, savait fort bien, avec sa grande expérience, ce que signifiait une bataille où, après huit heures d'efforts, l'assaillant n'a pu obtenir la victoire, il savait que c'était une bataille presque perdue et que, maintenant, dans cette situation d'équilibre instable, le moindre incident pouvait lui être fatal, à lui et à son armée.

Lorsqu'il repassait en imagination cette étrange campagne de Russie au cours de laquelle il n'avait pas gagné une seule bataille, n'avait pris en deux mois ni drapeaux, ni canons, ni fait prisonniers des régiments entiers, lorsqu'il regardait les visages secrètement soucieux de son entourage et apprenait que les Russes continuaient de résister, une terreur le saisissait, pareille à celle qu'on éprouve en rêve, et tous les malheureux hasards qui pouvaient le perdre lui venaient à l'esprit. Les Russes pouvaient tomber sur son aile gauche, rompre son centre, un boulet perdu pouvait le tuer, lui. Tout cela était possible. Au cours de ses précédentes batailles, il n'envisageait que les incidents heureux, et maintenant il se représentait des éventualités malheureuses, en nombre incalculable, qui pouvaient se produire, et il les attendait toutes. Oui, c'était comme en rêve lorsque, voyant approcher un assassin, vous prenez votre élan pour le frapper dans un effort gigantesque qui devrait l'anéantir, et que vous sentez votre bras retomber mou comme une loque et la terreur d'une mort inéluctable vous envahir.

Cette terreur, Napoléon l'éprouva à la nouvelle que les Russes attaquaient le flanc gauche de l'armée française. Il était assis en silence sur un pliant au bas du mamelon, la tête baissée, les coudes aux genoux. S'étant approché de lui, Berthier lui proposa de parcourir les lignes afin de se rendre compte de la situation.

— Comment? Que dites-vous? Oui, qu'on m'amène un cheval, dit Napoléon.

Il monta en selle et se dirigea vers Sémionovskoïé.

Tout le long du chemin qu'il suivait, au milieu de la fumée qui se dissipait lentement, gisaient dans des mares de sang des chevaux et des soldats morts, isolés ou en tas. Ni Napoléon ni aucun de ses généraux n'avaient encore contemplé un spectacle aussi horrible, une telle accumulation de cadavres sur un espace aussi réduit. Le grondement des canons, qui ne s'était pas arrêté un instant depuis près de dix heures et éprouvait douloureusement les oreilles, conférait à ce spectacle une solennité particulière (comme la musique aux tableaux vivants). Napoléon gagna la hauteur de Sémionovskoïé et aperçut à travers la fumée des rangées d'hommes vêtus d'uniformes dont la couleur ne lui était pas familière. C'était des Russes.

Les Russes se tenaient en rangs serrés au-delà de Sémionovskoïé et du mamelon, et leurs pièces ne cessaient de tonner et de fumer le long de leur ligne. Ce n'était plus une bataille. C'était une tuerie qui se poursuivait et qui ne pouvait plus mener à rien, ni les Russes ni les Français. Napoléon arrêta sa monture et retomba dans la songerie dont Berthier l'avait tiré. Il ne pouvait arrêter l'action qui s'accomplissait devant lui et autour de lui, qui passait pour dépendre de lui et qu'il était censé diriger; et pour la première fois, du fait de son échec, cette action lui apparaissait inutile et atroce.

S'étant approché de lui, un des généraux se permit de lui proposer d'engager la vieille garde. Ney et Berthier, qui se tenaient près de Napoléon, se regardèrent et n'eurent qu'un sourire méprisant pour cette proposition absurde.

Napoléon baissa la tête et resta un long moment silencieux.

— *A huit cents lieues de France, je ne ferai pas démolir ma garde*, dit-il et faisant faire demi-tour à son cheval, il retourna à Chevardino.

XXXV

Koutouzov, sa tête chenue baissée, son lourd corps affaissé, était assis sur ce même banc recouvert d'un tapis où Pierre l'avait vu le matin. Il ne donnait aucun ordre, il acceptait ou n'acceptait pas ce qu'on lui proposait.

« Oui, oui, faites ça », approuvait-il. « Oui, vas-y, mon ami, regarde », disait-il à l'un ou l'autre de ses familiers. Ou bien : « Non, il ne faut pas, attendons encore plutôt. » Il écoutait les renseignements qu'on lui communiquait et disait ce qu'il y avait à faire quand ses subordonnés le lui demandaient; mais en écoutant il s'intéressait, semblait-il, non pas tant au sens des paroles qu'on lui disait qu'à quelque chose d'autre qui perçait dans l'expression du visage, dans le ton de celui qui faisait son rapport. Une longue expérience militaire lui avait appris, et son intelligence de vieillard lui avait fait comprendre, qu'il n'était pas au pouvoir d'un seul de diriger des centaines de milliers d'hommes qui luttaient contre la mort, et il savait que ce qui décide de l'issue des batailles, ce ne sont pas les dispositions que prend le général en chef, ce n'est pas la position qu'occupent les troupes, le nombre des canons et des morts, mais cette force insaisissable qu'on nomme le moral de l'armée; et il surveillait cette force et agissait sur elle pour autant qu'il était en son pouvoir.

Le visage de Koutouzov exprimait une attention calme, concentrée et une tension qui surmontait difficilement la fatigue d'un corps vieux et débile.

A 11 heures, on l'informa que les flèches qui avaient été occupées par les Français étaient de nouveau en nos mains, mais que le prince Bagration était blessé. Koutouzov poussa une exclamation et hocha la tête.

— Va auprès du prince Piotr Ivanovitch et renseigne-toi exactement sur son état, dit-il à l'un de ses aides de camp. Puis il se tourna vers le prince de Wurtemberg qui se tenait près de lui.

— Plairait-il à Votre Altesse de prendre le commandement de la deuxième armée?

Bientôt après le départ du prince, avant même qu'il eût pu atteindre Sémionovskoïé, son aide de camp revint et dit au Séréiissime que le prince demandait des renforts.

Koutouzov fit la grimace et envoya à Dokhtourov l'ordre de prendre le commandement de la deuxième armée; quant au prince, dont il ne pouvait, déclara-t-il, se passer en un moment aussi grave, il le pria de revenir auprès de lui. Quand on lui annonça que Murat était prisonnier, les officiers de son état-major félicitèrent Koutouzov, mais celui-ci sourit :

— Attendez un peu, messieurs, dit-il. La bataille est gagnée et la prise de Murat n'a rien d'extraordinaire. Mais attendons avant de nous réjouir.

Cependant il chargea son aide de camp de répandre cette nouvelle parmi les troupes.

Lorsque Chtcherbinine arriva au galop du flanc gauche et lui annonça que les Français avaient pris les flèches et Sémionovskoïé, Koutouzov devina d'après les bruits du champ de bataille et le visage de Chtcherbinine que la situation était mauvaise; il se leva comme pour se dégourdir les jambes, prit Chtcherbinine par le bras et l'emmena à l'écart,

— Va là-bas, mon cher, dit-il à Ermolov, vois ce qu'on peut faire.

Koutouzov était, à Gorki, au centre de la position russe. Les attaques lancées par Napoléon contre notre flanc gauche avaient été repoussées à plusieurs reprises. Au centre, les Français n'avaient pas avancé au-delà de Borodino. A l'extrémité du flanc gauche, la cavalerie d'Ouvarov avait mis l'ennemi en fuite.

Vers trois heures, les attaques des Français cessèrent. Sur tous les visages, aussi bien de ceux qui arrivaient du champ de bataille que de ceux qui entouraient Koutouzov, se lisait une tension qui avait atteint son point extrême. Koutouzov était satisfait du résultat de la journée, qui dépassait son attente; mais ses forces physiques l'abandonnaient. Sa tête retomba à plusieurs reprises sur sa poitrine; il s'assoupissait. On lui servit son dîner.

Il était en train de manger quand survint l'aide de camp de

l'empereur, Wolzogen, celui-là même qui, passant non loin du prince André, disait que la guerre devait être *im Raum verlegen* et que détestait tellement Bagration. Barclay l'avait chargé de rendre compte de la situation sur le flanc gauche. Voyant fuir les foules de blessés et la désorganisation des troupes de l'arrière, le sage Barclay de Tolly conclut, tout bien pesé, que la bataille était perdue et c'est ce qu'il envoya dire par son favori au général en chef.

Tout en mâchant avec difficulté sa poule rôtie, Koutouzov leva sur Wolzogen un œil amusé.

Wolzogen se dégourdit d'un air désinvolte les jambes et s'approcha, un sourire légèrement dédaigneux aux lèvres, en effleurant de la main sa visière.

Il traitait le Sérénissime avec une certaine négligence affectée en voulant montrer que, si les Russes se faisaient une idole de ce vieil homme inutile, lui, un militaire de haute valeur, savait à qui il avait affaire. « *Der alte Herr* (c'est ainsi que les Allemands entre eux appelaient Koutouzov) *macht sich ganz bequem* [1] » se dit Wolzogen, et ayant regardé sévèrement les assiettes disposées devant le général en chef, il se mit à exposer au vieux monsieur la situation du flanc gauche telle que la considérait Barclay, et telle qu'il l'avait lui-même vue et comprise.

— Tous les points de notre position sont aux mains de l'ennemi et nous ne pouvons pas le repousser parce qu'il n'y a plus de troupes, elles fuient et il est impossible de les arrêter, déclara-t-il.

Koutouzov cessa de mâcher et dévisagea Wolzogen avec surprise comme s'il ne comprenait pas ce qu'on lui disait. Ayant remarqué l'émotion *des alten Herrn* [2], Wolzogen poursuivit en souriant :

— J'ai considéré que je n'avais pas le droit de dissimuler à Votre Altesse ce que j'ai vu. Les troupes sont en pleine déroute...

— Vous l'avez vu? Vous l'avez vu? s'écria Koutouzov en fronçant les sourcils. Il se leva brusquement et marcha sur Wolzogen. — Comment... Comment osez-vous!... — Il étouffait de colère et ses mains tremblantes faisaient des gestes menaçants. — Comment osez-vous, monsieur, me dire cela à moi! Vous ne savez rien. Dites de ma part au général Barclay que ses renseignements sont inexacts et qu'en tant que commandant en chef, je sais mieux que lui comment se déroule la bataille.

Wolzogen voulut répliquer, mais Koutouzov lui coupa la parole.

— L'ennemi est repoussé au flanc gauche et battu au flanc droit. Si vous avez mal vu, monsieur, ne vous permettez pas de dire ce que vous ignorez. Veuillez rejoindre le général Barclay et prévenez-le que j'ai la ferme intention d'attaquer demain l'ennemi, déclara-t-il d'un ton sévère.

Tout le monde se taisait et l'on n'entendait que la lourde respiration du vieillard haletant.

— Ils sont repoussés partout et j'en rends grâces à Dieu et à notre courageuse armée. L'ennemi est vaincu, et demain nous le chasserons de la sainte terre russe, dit Koutouzov en se signant, et soudain il ravala un sanglot et ses yeux se remplirent de larmes.

Haussant les épaules, Wolzogen s'éloigna en silence avec un sourire sarcastique, très étonné *über diese Eingenommenheit des alten Herrn* [1].

— Mais le voilà, mon héros, dit Koutouzov s'adressant à un général beau et robuste, aux cheveux noirs, qui gravissait à ce moment le mamelon.

C'était Raïevsky qui n'avait pas quitté de toute la journée le point le plus important de la bataille de Borodino.

Il annonça que les troupes occupaient fermement leurs positions et que les Français n'osaient plus attaquer.

L'entendant parler ainsi, Koutouzov lui dit en français :

— *Vous ne pensez donc pas comme les autres que nous sommes obligés de nous retirer?*

— *Au contraire, Votre Altesse, dans les affaires indécises, c'est le plus opiniâtre qui reste victorieux, et mon opinion...*

— Kaïssarov! appela Koutouzov. Assieds-toi là et écris l'ordre du jour pour demain. Et toi, dit-il à un autre, parcours les lignes et annonce que demain nous attaquons.

Le commandant en chef dictait l'ordre du jour, quand Wolzogen revint de chez Barclay et dit que le général Barclay de Tolly serait désireux d'avoir une confirmation par écrit de l'ordre qui lui avait été transmis.

Sans regarder Wolzogen, Koutouzov fit rédiger cet ordre qu'à juste raison voulait avoir l'ancien commandant en chef pour couvrir sa responsabilité.

Et en vertu de ce lien impondérable, mystérieux, qui maintenait dans toute l'armée le même état d'esprit, ce qu'on appelle son moral, qui est le nerf principal de la guerre, les paroles de Koutouzov, son ordre du jour pour le lendemain, se répandirent immédiatement parmi les troupes.

Ce ne furent pas les paroles elles-mêmes, ce ne fut pas l'ordre du jour qui se transmirent jusqu'au dernier maillon de ce lien. Loin de là : il n'y avait même rien de commun entre la rumeur qui courait d'un bout de l'armée à l'autre et ce qu'avait dit Koutouzov. Mais le sens de ce qu'il avait dit se répandit partout, parce que ce qu'il avait dit n'était pas le produit de raisonnements subtils, mais émanait du sentiment qui habitait l'âme du commandant en chef comme celle de chaque Russe.

En apprenant que nous allions attaquer l'ennemi le lendemain, confirmés dans ce qu'ils voulaient croire par les chefs de l'armée, les hommes épuisés, hésitants, reprenaient confiance et courage.

XXXVI

Le régiment du prince André faisait partie des réserves qui, jusqu'à deux heures, restèrent inactives derrière Sémionovskoïé sous le feu violent de l'artillerie. Vers les deux heures, le régiment qui avait déjà perdu plus de deux cents hommes reçut l'ordre d'avancer dans un champ d'avoine piétinée, entre Sémionovskoïé et la batterie du mamelon, dans cet espace où des milliers d'hommes avaient été fauchés ce jour-là et sur lequel était concentré le feu de plusieurs centaines de canons ennemis.

Sans quitter cet endroit et sans avoir tiré un seul coup, le régiment perdit encore le tiers de ses effectifs. En avant et surtout vers la droite, les canons tonnaient au milieu d'une fumée qui ne se dissipait pas, et de cette région mystérieuse remplie de fumée stagnante, accouraient sans arrêt des boulets dans un bref sifflement chuintant et des obus aux sifflements prolongés. Parfois, comme s'ils accordaient un répit, tous les boulets et les obus dépassaient le but pendant un quart d'heure; mais parfois en l'espace d'une minute, ils arrachaient des rangs plusieurs hommes et l'on traînait sans arrêt les morts et l'on emportait les blessés.

Avec chaque coup, ceux qui n'avaient pas encore été tués voyaient diminuer leurs chances de survivre. Le régiment était déployé en colonnes par bataillons à intervalles de trois cents pas, et néanmoins, un même état d'esprit régnait parmi tous les hommes. Tous ils étaient également sombres et silencieux. De rares rumeurs parcouraient les rangs et ces rumeurs cessaient

chaque fois que retentissaient un coup au but et le cri « civières ! »
Sur l'ordre de leurs chefs, les hommes restaient la plupart du
temps assis par terre. Celui-ci ayant enlevé son shako en défaisait et refaisait soigneusement la coulisse ; celui-là nettoyait sa
baïonnette avec de l'argile sèche réduite en poudre entre ses
mains ; un autre retendait les courroies de son harnachement ;
un autre encore déroulait et enroulait minutieusement les
bandes de toile qui lui servaient de chaussettes et se rechaussait.
Quelques-uns élevaient des maisonnettes avec les cailloux des
labours ou tressaient des brindilles de paille. Tous semblaient
complètement absorbés par leurs occupations. Quand des
hommes étaient tués ou blessés, quand les civières se suivaient,
quand les nôtres reculaient, quand on apercevait à travers la
fumée les masses denses de l'ennemi, personne n'y prêtait attention ; mais quand l'artillerie, la cavalerie se portaient en avant,
quand on voyait notre infanterie se déployer, alors on échangeait
de toutes parts des remarques d'approbation. C'étaient cependant des incidents n'ayant aucun rapport avec la bataille qui
éveillaient le plus d'intérêt, comme si l'attention de ces hommes
moralement épuisés se détendait en s'attachant à ces petits
événements ordinaires, quotidiens. Une batterie d'artillerie
passa devant le front du régiment ; le bricolier d'un des caissons
se prit la jambe dans les traits. « Eh ! le bricolier !... Arrange ça !
Il va tomber ! Ah, ils ne voient pas ! »... criait-on dans les rangs
tout le long du régiment.

Une autre fois, l'attention générale fut attirée par un petit
chien brun : surgi on ne sait d'où, la queue en trompette, il
trottinait d'un air préoccupé entre les rangs, quand un boulet
tomba soudain à proximité ; le chien poussa un gémissement
plaintif et s'enfuit la queue entre les jambes. Ce furent dans tout
le régiment des cris, des éclats de rire. Mais les divertissements
de ce genre duraient une minute ; et il y avait plus de huit heures
que ces hommes étaient là, affamés, inactifs, sous la terreur
incessante de la mort ; et les visages pâles et renfrognés devenaient plus pâles encore et plus renfrognés.

Le prince André, pâle et sombre comme les autres, arpentait
la prairie devant le champ d'avoine ; il allait et venait d'une
dérayure à l'autre, la tête baissée, les mains derrière le dos.
Il n'avait rien à faire, rien à ordonner. Tout se faisait de soi-même.
On traînait les morts à l'arrière, on emportait les blessés, on
reformait les rangs. Si des soldats les quittaient, ils revenaient
aussitôt en hâte. Au début, considérant qu'il était de son devoir

de stimuler le courage des soldats, de leur montrer l'exemple, le prince André parcourait les rangs; mais ensuite il reconnut qu'il n'avait rien à leur apprendre. Comme en chacun de ses soldats, toutes les forces de son âme étaient tendues vers un seul but : s'interdire de contempler l'horreur de la situation dans laquelle on se trouvait. Il arpentait la prairie, traînant les pieds, foulant l'herbe, examinant la poussière qui recouvrait ses bottes. Il marchait tantôt à grandes enjambées en essayant de mettre ses pieds dans les traces laissées par les moissonneurs, tantôt il comptait ses pas, calculait combien de fois il lui fallait aller d'une dérayure à l'autre pour parvenir à faire une verste; tantôt il arrachait les armoises qui poussaient dans les dérayures, écrasait les fleurs entre ses paumes et aspirait leur odeur forte et amère. Il ne restait rien du travail que sa pensée avait accompli la veille; il ne pensait à rien. Il prêtait une oreille lasse aux bruits, toujours les mêmes, distinguant le sifflement de la course du projectile du coup sourd de son départ. Il regardait de temps à autre les visages qu'il ne connaissait que trop bien des hommes du premier bataillon et il attendait. « Le voilà... Celui-là est de nouveau pour nous... », se disait-il en écoutant le sifflement de quelque chose qui accourait de cette région recouverte de fumée. « Un autre! Un autre!... Encore! En plein! » Il s'arrêta et parcourut des yeux les rangs. « Non, passé!... Mais celui-ci, au but!... » Et il reprenait sa marche, s'efforçant de faire de grandes enjambées pour atteindre la dérayure suivante en seize pas. Un sifflement, un choc! A cinq pas de lui un boulet fit voler la terre sèche et disparut. Un frisson glacé parcourut son dos. Il se tourna de nouveau vers les soldats; beaucoup avaient été touchés sans doute. Un attroupement s'était formé près du deuxième bataillon.

— Monsieur l'aide de camp! cria-t-il. Dites-leur de se disperser!

L'aide de camp ayant transmis l'ordre se dirigeait vers le prince André tandis que de l'autre côté arrivait à cheval le commandant du bataillon.

— Gare! fit la voix épouvantée d'un soldat, et pareil à un oiseau qui en un vol rapide se pose à terre en sifflant, à deux pas du prince André, près du cheval du commandant du bataillon, un obus à mitraille tomba doucement. Le cheval, en premier, ne se demandant pas s'il convenait ou non de manifester sa peur, s'ébroua, se cabra, faillit jeter à bas son cavalier et partit au galop. La terreur de l'animal se communiqua aux hommes.

— Couchez-vous! cria l'aide de camp en se jetant à terre.

Le prince André, debout, hésitait. L'obus fumant tournait comme une toupie entre lui et l'aide de camp, à la limite de la prairie et du champ, près d'une touffe d'armoise.

« Est-ce vraiment la mort? se dit le prince André en considérant d'un regard neuf, envieux, l'herbe, l'armoise et le filet de fumée qui s'élevait de la balle noire tourbillonnante. Je ne peux pas, je ne veux pas mourir, j'aime la vie, j'aime cette herbe, cette terre et l'air. » Tout en se disant cela, il n'oubliait pas qu'on le regardait.

— C'est honteux, monsieur l'officier, dit-il à l'aide de camp. Quel...

Il n'acheva pas. Il y eut simultanément une explosion, le tintement des éclats comme d'une vitre brisée, une odeur étouffante de poudre, et le prince André se rejeta violemment de côté et, levant le bras, s'abattit face contre terre.

Des officiers accoururent auprès de lui. Une coulée de sang se répandait de son flanc droit sur l'herbe.

Les miliciens appelés aussitôt s'arrêtèrent avec leur civière derrière les officiers. Le prince André allongé sur le ventre, le visage dans l'herbe, respirait péniblement en hoquetant.

— Eh bien, qu'attendez-vous? Approchez!

Les paysans s'approchèrent et soulevèrent le blessé par les épaules et par les jambes, mais il gémit lamentablement, et les paysans ayant échangé un regard, le reposèrent à terre.

— Allons, prenez-le! Ça revient au même! fit une voix.

On le saisit de nouveau par les bras et les jambes et on le déposa sur la civière.

— Ah, mon Dieu! Mon Dieu! Qu'est-ce donc? — Au ventre! C'est la fin! Ah, mon Dieu! s'exclamaient les officiers.

— Elle a passé à un cheveu de mon oreille, dit l'aide de camp.

Ayant affermi la civière sur leurs épaules, les miliciens s'engagèrent en hâte dans le sentier qu'ils avaient frayé et qui menait au poste de secours.

— Allez au pas, espèces de brutes! leur cria un officier en saisissant par les épaules les paysans qui avançaient n'importe comment et secouaient la civière.

— Mets-toi au pas, eh, Féodor! Entends-tu? dit celui qui marchait en tête.

— Voilà, ça va, fit joyeusement celui de derrière en attrapant le pas.

— Votre Altesse, prince! dit d'une voix tremblante Timokhine accouru en hâte, en se penchant sur la civière.

Le blessé ouvrit les yeux et du fond de la civière où il gisait, la tête rejetée en arrière, il regarda celui qui lui parlait et il abaissa de nouveau les paupières.

Les miliciens transportèrent le prince André jusqu'au bois de bouleaux où se trouvaient le poste de secours et ses fourgons. Le poste consistait en trois tentes aux pans relevés déployées à l'orée du bois. Fourgons et chevaux stationnaient sous bois. Les chevaux mangeaient leur avoine dans des sacs et des moineaux voletaient autour d'eux et picoraient les graines répandues. Des corbeaux flairant le sang volaient d'un arbre à l'autre en croassant d'impatience. Autour des tentes, sur un espace de plus de deux déciatines, des hommes de toutes armes, ensanglantés, étaient debout, assis, couchés. Ils étaient entourés d'une foule de brancardiers qui les considéraient avec une morne attention et que les officiers chargés de maintenir l'ordre essayaient en vain de disperser. Ils n'écoutaient pas les officiers et debout, appuyés aux civières, ils regardaient fixement ce qui se passait devant eux comme s'ils cherchaient à saisir le sens de ce spectacle difficilement compréhensible. Des tentes parvenaient des cris violents, sauvages, des gémissements plaintifs. Des infirmiers parfois en sortaient en courant pour chercher de l'eau, et ils désignaient ceux qui devaient être transportés à l'intérieur. Dans l'attente de leur tour, les blessés râlaient, gémissaient, pleuraient, criaient, juraient, réclamaient de la vodka. Certains déliraient. En sa qualité de commandant de régiment, le prince André fut transporté à travers les rangs des blessés non encore pansés, près d'une des tentes, et ses porteurs attendirent les ordres. Il ouvrit les yeux et fut long à se rendre compte de ce qui se passait autour de lui. La prairie, l'armoise, les labours, la boule noire qui tournoyait, son désir passionné de vivre, tout cela lui revint à la mémoire. A deux pas de lui, parlant haut et attirant tous les regards, un sous-officier, un grand et beau gaillard aux cheveux noirs, se tenait debout appuyé à une souche, la tête bandée. Il avait été blessé par des balles à la tête et aux jambes. Une foule de blessés et de brancardiers s'était rassemblée autour de lui et l'écoutait avidement discourir.

— Quand nous les avons flanqués dehors là-bas, ils ont tout lâché, même qu'on a ramassé leur roi, criait-il en parcourant son auditoire de ses yeux noirs enflammés. Il ne restait plus rien d'eux... Si seulement les réserves étaient arrivées au bon moment. Oui, les gars, aussi vrai que je vous le dis...

Comme tous ceux qui écoutaient le sous-officier, le prince André fixait sur lui un regard brillant et se sentait réconforté. « Cependant, que m'importe cela à présent? se dit-il. Mais qu'y aura-t-il là-bas et qu'est-ce qu'il y avait ici? Pourquoi m'était-il si pénible de quitter la vie? Il y avait quelque chose dans cette vie que je ne comprenais pas et que je ne comprends toujours pas. »

XXXVII

Un des médecins sortit de la tente. Son tablier, ses mains, petites, étaient ensanglantés; dans l'une d'elles, il tenait un cigare entre le petit doigt et le médium (pour ne pas le salir). Il leva la tête et regarda autour de lui, mais par-dessus les blessés. Il voulait évidemment se reposer un peu. Ayant tourné la tête à droite et à gauche, il soupira et abaissa les yeux.

— Oui, tout de suite, dit-il à l'infirmier qui lui désignait le prince André et il donna l'ordre de le transporter dans la tente.

Un murmure s'éleva parmi les blessés.

— Faut croire que dans l'autre monde aussi il n'y a place que pour les messieurs, dit l'un d'eux.

On apporta le prince André et on le déposa sur une table qui venait d'être libérée et qu'un infirmier rinçait pour en enlever on ne sait quelles traces. Le prince André fut incapable de distinguer en détail ce qu'il y avait dans la tente; les gémissements qui s'élevaient de différents côtés, la douleur térébrante qu'il ressentait à la hanche, au ventre et au dos, absorbaient toute son attention. Tout ce qu'il voyait autour de lui se confondait en une impression unique de chair humaine dénudée et ensanglantée; elle semblait remplir cette tente basse comme elle avait rempli quelques semaines auparavant, par une chaude journée d'août, un étang fangeux sur la route de Smolensk. Oui, c'était la même *chair à canon* dont la vue déjà alors lui avait fait horreur, comme si elle annonçait ce qui allait se produire.

Il y avait trois tables dans la tente; deux étaient occupées, le prince André avait été déposé sur la troisième. On le laissa seul quelque temps et il vit involontairement ce qui se passait sur les deux autres tables. Sur la plus proche était assis un

Tartare, un cosaque à en juger par l'uniforme jeté à côté. Quatre soldats le maintenaient. Un médecin à lunettes taillait dans son dos brun et musclé.

— Ouh, ouh, ouh, grognait comme un porc le Tartare; et soudain, levant son visage basané aux pommettes saillantes, au nez camus et découvrant ses dents blanches, il se débattit avec des cris stridents, prolongés. Sur l'autre table autour de laquelle se pressaient beaucoup de gens, un homme grand et fort était couché sur le dos, la tête rejetée en arrière (ses cheveux bouclés, leur teinte, la forme de la tête parurent étrangement familiers au prince André). Plusieurs infirmiers maintenaient cet homme en pesant de tout leur poids sur sa poitrine. Une de ses jambes, grande, blanche et grasse, était parcourue sans arrêt de tressaillements rapides, spasmodiques. L'homme sanglotait convulsivement et hoquetait. Deux médecins — l'un était blême et tremblait — faisaient en silence quelque chose à l'autre jambe de cet homme, celle-là rouge. En ayant fini avec le Tartare qu'on recouvrit de sa capote, le médecin à lunettes s'essuya les mains et s'approcha du prince André.

Il jeta un coup d'œil à son visage et se détourna rapidement.

— Déshabillez-le! Qu'avez-vous à rester là? cria-t-il aux infirmiers d'un ton irrité.

Sa toute première enfance revint à la mémoire du prince André tandis que l'infirmier, les manches retroussées, les gestes rapides, déboutonnait ses vêtements et les lui enlevait. Le médecin se pencha sur la plaie, la palpa et soupira profondément. Puis il fit signe à quelqu'un, et une atroce douleur au ventre fit perdre connaissance au prince André. Lorsqu'il revint à lui, les fragments du fémur étaient extraits, les lambeaux de chair coupés et la plaie pansée. On lui aspergeait le visage d'eau froide. Aussitôt qu'il eut ouvert les yeux, le médecin se pencha sur lui, le baisa silencieusement aux lèvres et s'éloigna en hâte.

Après les souffrances qu'il venait de subir, le blessé ressentait une béatitude depuis longtemps inconnue. Les plus heureux moments de son existence et surtout de sa lointaine enfance, quand on le déshabillait et le couchait dans son petit lit, quand sa nounou le berçait en chantonnant, quand la tête enfouie dans l'oreiller, la seule conscience de vivre suffisait à sa joie, tous ces moments se présentaient à son imagination, et non même comme révolus mais comme présents, réels.

Auprès du blessé qu'il lui semblait connaître, les médecins s'empressaient; on le relevait, on le calmait.

— Montrez-la-moi... Ooooh! Ooooh! gémissait-il d'une voix horrifiée, entrecoupée de sanglots, s'abandonnant sans force à sa souffrance.

En écoutant ces gémissements, le prince André avait envie de pleurer; était-ce parce qu'il mourait obscurément, était-ce parce qu'il regrettait de quitter la vie, était-ce à cause de ces souvenirs d'une enfance à jamais disparue, était-ce parce qu'il souffrait et que d'autres souffraient et que cet homme gémissait si lamentablement, mais il avait envie de pleurer, de verser de douces larmes d'enfant, presque joyeuses.

On montra au blessé sa jambe coupée, dans sa botte couverte de sang coagulé.

— Oooooh! gémit-il et il éclata en sanglots comme une femme.

Le médecin qui se tenait près du blessé et cachait son visage, s'écarta.

— Mon Dieu! Qu'est-ce donc? Comment est-il ici? se demanda le prince André.

Dans ce malheureux, sanglotant, épuisé, auquel on venait d'enlever la jambe, il avait reconnu Anatole Kouraguine. On le soutenait sous les bras et on lui donnait à boire de l'eau dans un verre dont il ne parvenait pas à saisir le bord de ses lèvres tuméfiées et tremblantes. Il hoquetait péniblement. « Oui, c'est lui... Oui, quelque chose nous lie, étroitement, douloureusement cet homme et moi », songeait le prince André qui ne se rendait pas encore nettement compte de ce qu'il avait sous les yeux. « Comment est-il lié à mon enfance, à ma vie? » se demandait-il sans trouver de réponse. Et brusquement un nouveau souvenir surgit en son esprit, le souvenir inattendu d'un monde d'amour pur, enfantin. Il se rappela Natacha telle qu'il l'avait vue pour la première fois au bal, en 1810, avec son cou et ses bras minces, son visage effrayé, heureux, au seuil du ravissement. Et il ressentit pour elle une tendresse plus intense, plus vivante que jamais. Il se rappela alors quel était ce lien entre lui et cet homme qui, à travers les larmes qui embuaient ses yeux gonflés, posait sur lui un regard trouble. Le prince André se souvint de tout et une pitié et un amour exalté pour cet homme remplirent son cœur heureux.

Il fut incapable de se contenir davantage et laissa couler ses larmes de tendresse et d'amour; il pleurait sur les hommes, sur lui-même, sur leurs égarements et sur les siens.

« Oui, la pitié, l'amour, aimer nos frères, aimer ceux qui nous aiment et ceux qui nous haïssent, nos ennemis..., oui c'est l'amour qu'enseignait Dieu sur la terre, que m'apprenait la princesse Marie et que je ne comprenais pas... Voilà ce qui me faisait regretter la vie, voilà ce qui me resterait si je devais encore vivre. Mais il est trop tard maintenant, je le sais. »

XXXVIII

L'aspect terrifiant du champ de bataille couvert de cadavres et de blessés, la perte de vingt généraux tués ou blessés, le sentiment que son bras autrefois si fort retombait impuissant, la lourdeur qu'il éprouvait à la tête, tout cela agit de façon inattendue sur Napoléon qui aimait d'ordinaire à examiner les morts et les blessés pour mettre à l'épreuve (croyait-il) sa force d'âme. Mais cette fois, le spectacle du champ de bataille eut raison de la force d'âme qu'il s'attribuait, dont il s'enorgueillissait et qui devait témoigner de sa grandeur. Il quitta précipitamment le champ de bataille et retourna au mamelon de Chevardino. Jaune, bouffi, lourd, les yeux troubles, le nez rouge et la voix rauque, il était assis sur son pliant et, les yeux baissés, prêtait involontairement l'oreille au bruit des détonations. Il attendait avec angoisse la fin de cette action à laquelle il croyait participer mais qu'il ne pouvait arrêter. Un sentiment humain, intime, prit un moment le dessus sur le mirage de cette existence artificielle, fantomatique, à laquelle il était asservi depuis si longtemps. Il reprenait à son compte les souffrances et la mort qui lui étaient apparues sur le champ de bataille. Sa tête lourde, sa poitrine oppressée lui rappelaient qu'il pouvait lui aussi souffrir et mourir. A cette minute, il ne désirait plus Moscou, ni la victoire ni la gloire (de quelle gloire avait-il encore besoin!) il ne désirait maintenant rien d'autre que le repos, le calme, la liberté. Mais quand il était arrivé sur les hauteurs de Sémionovskoïé, le commandant de l'artillerie lui avait proposé d'y installer quelques batteries pour renforcer celles qui tenaient déjà sous leur feu les troupes russes massées devant Kniazkovo. Napoléon avait accepté et donné l'ordre qu'on lui rendît compte du résultat de l'intervention de ces nouvelles batteries.

Un aide de camp vint l'informer que selon les ordres de Sa Majesté deux cents pièces tiraient sur les Russes, mais que ceux-ci ne bougeaient toujours pas.

— Notre feu arrache des rangs entiers, mais ils restent sur place, dit l'aide de camp.

— *Ils en veulent encore !...* dit Napoléon d'une voix enrouée.

— *Sire?* demanda l'aide de camp qui n'avait pas bien entendu.

— *Ils en veulent encore,* répéta Napoléon en fronçant les sourcils. *Donnez-leur-en.*

Ce qu'il voulait s'accomplissait sans même qu'il en donnât l'ordre, et s'il ordonnait quelque chose c'était uniquement parce qu'il croyait qu'on attendait ses instructions. Et il se transporta de nouveau dans son univers artificiel de grandeur fallacieuse, et de nouveau (tel un cheval qui faisant tourner une roue motrice, s'imagine qu'il le fait pour lui-même), il reprit docilement ce rôle cruel, triste et pénible, inhumain, qui lui était dévolu.

Et ce n'est pas en ce jour seulement et à cette heure que furent obscurcies l'intelligence et la conscience de cet homme sur lequel pesait plus que sur tous les autres participants le poids de ce qui s'accomplissait; mais jusqu'à la fin de sa vie, il ne comprit jamais ce qu'est le bien, la vérité, la beauté et quel était le sens de ses actions : elles étaient trop opposées au bien et à la vérité, trop étrangères à tout sentiment humain, pour qu'il fût en état d'en comprendre le sens. Il ne pouvait renier ses actions que glorifiait la moitié du globe et devait donc renier le bien, la vérité et tout sentiment humain.

Ce n'est pas ce jour-là seulement que, parcourant le champ de bataille couvert de morts et de mutilés (parce qu'il l'avait voulu, croyait-il) et regardant ces hommes, il calculait combien il était tombé de Russes pour un Français et se leurrant lui-même trouvait motif à se réjouir parce qu'il y avait cinq Russes pour un Français. Ce n'est pas ce jour-là seulement qu'il écrivait à Paris : *le champ de bataille a été superbe,* parce que cinquante mille cadavres y étaient couchés; mais à Sainte-Hélène, dans le calme de la solitude où il avait l'intention, disait-il, de consacrer ses loisirs au récit des grandes choses qu'il avait accomplies, il écrivait :

« *La guerre de Russie eût dû être la plus populaire des temps modernes : c'était celle du bon sens et des vrais intérêts, celle du repos et de la sécurité de tous ; elle était purement pacifique et conservatrice.*

C'était pour la grande cause, la fin des hasards et le commencement de la sécurité. Un nouvel horizon, de nouveaux travaux, allaient se dérouler, tout plein du bien-être et de la prospérité de tous. Le système européen se trouvait fondé; il n'était plus question que de l'organiser.

Satisfait sur ces grands points et tranquille partout, j'aurais eu aussi mon Congrès et ma Sainte-Alliance. Ce sont des idées qu'on m'a volées. Dans cette réunion de grands souverains, nous eussions traité de nos intérêts en famille et compté de clerc à maître avec les peuples.

L'Europe n'eût bientôt fait de la sorte véritablement qu'un même peuple, et chacun, en voyageant partout, se fût trouvé toujours dans la patrie commune. J'eusse demandé toutes les rivières navigables pour tous, la communauté des mers, et que les grandes armées permanentes fussent réduites désormais à la seule garde des souverains.

De retour en France, au sein de la patrie, grande, forte, magnifique, tranquille, glorieuse, j'eusse proclamé ses limites immuables; toute guerre future, purement DÉFENSIVE; *tout agrandissement nouveau* ANTINATIONAL. *J'eusse associé mon fils à l'empire; ma* DICTATURE *eût fini, et son règne constitutionnel eût commencé...*

Paris eût été la capitale du monde, et les Français l'envie des nations!...

Mes loisirs ensuite et mes vieux jours eussent été consacrés en compagnie de l'impératrice et durant l'apprentissage royal de mon fils, à visiter lentement et en vrai couple campagnard, avec nos propres chevaux, tous les recoins de l'Empire, recevant les plaintes, redressant les torts, semant de toutes parts et partout les monuments et les bienfaits. »

Lui à qui le destin avait imposé le triste rôle servile de bourreau des nations, se persuadait que ses actes avaient pour but le bien des peuples et qu'il pouvait régler le sort de millions d'hommes et d'autorité les combler de ses bienfaits!

« *Des 400 000 hommes qui passèrent la Vistule,* écrivait-il plus loin, à propos de la guerre de Russie, *la moitié était Autrichiens, Prussiens, Saxons, Polonais, Bavarois, Wurtembourgeois, Mecklembourgeois, Espagnols, Italiens, Napolitains. L'armée impériale proprement dite était pour un tiers composée de Hollandais, Belges, habitants des bords du Rhin, Piémontais, Suisses, Genevois, Toscans, Romains, habitants de la 32e division militaire, Brême, Hambourg, etc.; elle comptait à peine 140 000 hommes parlant français. L'expédition de Russie coûta moins de 50 000 hommes à la France actuelle; l'armée russe dans la retraite de Wilna à Moscou, dans les différentes batailles, a perdu quatre fois plus que l'armée française ; l'incendie de Moscou a coûté la vie à 100 000 Russes, morts de froid et de misère dans les bois ; enfin, dans sa marche de Moscou à l'Oder, l'armée russe fut aussi atteinte par l'intempérie de la saison ; elle ne comptait à son arrivée à Vilna que 50 000 hommes et à Kalisch moins de 18 000. »*

Il s'imaginait que la guerre avec la Russie avait eu lieu parce qu'il l'avait voulue, et l'horreur de ce qui s'était accompli ne bouleversait pas son âme. Il prenait hardiment sur lui la responsabilité de l'événement, et son esprit enténébré voyait sa justification dans le fait que parmi les centaines de milliers d'hommes qui avaient péri, il y avait moins de Français que de Hessois et de Bavarois.

XXXIX

Dans les attitudes et les uniformes les plus divers, quelques dizaines de milliers d'hommes gisaient morts dans les champs et les prairies des Davydov et des paysans de la Couronne, ces champs et ces prairies où depuis des centaines d'années les habitants des villages de Borodino, Gorki, Chevardino et Sémionovskoïé faisaient la moisson et menait paître leur bétail. Dans un rayon d'une déciatine [1] autour des postes de secours, la terre et l'herbe étaient imbibées de sang. Des foules terrorisées de soldats blessés ou valides de diverses unités cheminaient lentement vers l'arrière, les uns retournaient à Mojaïsk, d'autres à Valouïévo. D'autres foules encore, affamées, harassées, se dirigeaient sous la conduite de leurs chefs en avant. D'autres encore restaient sur place et continuaient de tirer.

Sur toute cette plaine qui avait été si belle, si joyeuse, avec l'éclair des baïonnettes et les fumées sous le soleil matinal, régnait maintenant une obscurité imprégnée d'humidité et de fumée, et planait une étrange odeur acide de sang et de salpêtre... De petits nuages s'étaient amassés, et une pluie fine commençait à s'égoutter sur les morts, les blessés, sur les hommes accablés, effrayés, en proie au doute : « Assez, assez, hommes ! semblait-elle leur dire... Arrêtez-vous !... Revenez à vous !... Que faites-vous ? »

Les soldats harassés, privés de nourriture et de sommeil, de l'une et l'autre armée commençaient à se demander s'ils devaient vraiment continuer à se massacrer les uns les autres, et la même hésitation se marquait sur tous ces visages, et en chacun de ces hommes surgissait la même question : « Pour quoi, pour qui me faut-il tuer et être tué? Tuez tant que vous voulez, faites ce que vous voulez, pour moi j'en ai assez! » Vers le soir, cette pensée avait mûri en chacun. A tout instant, ces hommes épouvantés de ce qu'ils faisaient étaient prêts à tout abandonner et à se sauver n'importe où.

Et cependant, bien qu'à la fin déjà de la bataille ils eussent senti toute l'horreur de leurs actes et qu'ils eussent été heureux de s'arrêter, on ne sait quelle force incompréhensible, mystérieuse, continuait à les dominer, et, trempés de sueur, dans la poudre et le sang, les artilleurs survivants, un sur trois, bien que titubants et haletants d'épuisement, apportaient les gargousses, chargeaient, pointaient, allumaient la mèche, toujours aussi rapides et cruels, et réduisaient en bouillie le corps des hommes. Et cette chose terrible continuait à s'accomplir, cette chose qui s'accomplit non par la volonté des hommes mais par la volonté de Celui qui dirige les hommes et les mondes.

Quiconque aurait observé les arrières en désordre de l'armée russe aurait jugé qu'il eût suffi aux Français d'un seul petit effort pour que l'armée russe disparût; et quiconque aurait observé les arrières français aurait jugé qu'il eût suffit aux Russes de faire encore un petit effort, et les Français eussent été anéantis. Mais ni les Français, ni les Russes ne faisaient cet effort et la flamme du combat s'éteignait lentement.

Les Russes ne faisaient pas cet effort parce que ce n'étaient pas eux qui avaient pris l'initiative de l'attaque. Au début de la bataille, ils se bornaient à se maintenir sur la route de Moscou pour la barrer, et à la fin de la bataille ils y étaient toujours. Mais quand bien même le but des Russes eût été de disperser les Français, ils ne pouvaient faire ce dernier effort parce que toutes leurs troupes étaient désorganisées, parce qu'ils ne disposaient pas d'une seule unité qui n'eût été éprouvée dans la bataille et que l'armée russe en restant sur ses positions avait perdu LA MOITIÉ de ses effectifs.

Les Français qui étaient soutenus par le souvenir des victoires remportées depuis quinze ans, convaincus de l'invincibilité de Napoléon, conscients d'être maîtres d'une partie du champ de bataille, de n'avoir perdu qu'un quart de leurs effectifs et de pouvoir encore compter sur les vingt mille hommes de la garde intacte, auraient pu, eux, faire aisément cet effort. Les Français qui attaquaient l'armée russe pour la rejeter de ses positions devaient faire cet effort, parce que tant que les Russes barraient la route de Moscou tout comme avant le combat, le but des Français n'était pas atteint et tous leurs efforts et leurs pertes étaient vains. Et cependant ils n'accomplirent pas cet effort. Certains historiens prétendent qu'il eût suffi à Napoléon de faire donner sa vieille garde intacte pour que la bataille fût gagnée. Parler de ce qui se fût produit si Napoléon avait fait donner sa garde revient à se demander ce qui se passerait si l'automne devenait le printemps. Cela ne pouvait se faire. Napoléon n'a pas fait donner sa garde non parce qu'il ne l'a pas voulu mais parce que c'était impossible. Les généraux, les officiers, les soldats de l'armée française savaient que c'était impossible, étant donné le bas moral des troupes.

Napoléon n'était pas le seul à éprouver le sentiment que son bras terrible retombait impuissant, comme il arrive en rêve; tous les généraux, tous les soldats de l'armée française ayant ou non participé à l'action, qui avaient l'expérience des batailles précédentes (quand des efforts dix fois moindres suffisaient à mettre l'adversaire en fuite), éprouvaient le même effroi devant cet ennemi qui ayant perdu LA MOITIÉ de son armée demeurait aussi menaçant à la fin de la bataille qu'il l'avait été au début. La force morale de l'armée attaquante, l'armée française, était épuisée. La victoire, non pas celle qui se mesure à la prise d'un certain nombre de bouts d'étoffe attachés à des bâtons, appelés drapeaux, non pas à l'espace qu'occupaient et qu'occupent à la fin du combat les troupes, mais la victoire morale, celle qui convainc l'ennemi de la supériorité morale de l'adversaire et de sa propre impuissance, cette victoire-là a été remportée à Borodino par les Russes.

Telle une bête furieuse touchée mortellement dans sa course, l'envahisseur sentait qu'il était perdu, mais il ne pouvait pas s'arrêter, tout comme l'armée russe deux fois plus faible ne pouvait pas ne pas s'écarter. Après l'élan qui lui avait été imprimé, l'armée française était encore capable de rouler jusqu'à Moscou; mais là, sans que l'armée russe eût eu à faire de nouveaux efforts, elle devait périr, perdant son sang par la blessure mortelle reçue à Borodino. La conséquence directe de la bataille de Borodino, ce fut la fuite irraisonnée de Napoléon de Moscou, la retraite par la vieille route de Smolensk, l'anéantissement de l'armée d'invasion forte de cinq cent mille hommes, la fin de la France napoléonienne sur laquelle à Borodino s'était appesanti pour la première fois le bras d'un adversaire moralement supérieur.

TROISIÈME PARTIE

I

La continuité absolue du mouvement est incompréhensible pour l'esprit humain. L'homme ne parvient à comprendre les lois de n'importe quel mouvement que lorsqu'il l'a fractionné en unités arbitrairement choisies. Mais c'est précisément de ce fractionnement arbitraire du mouvement continu en unités discontinues que proviennent la plupart des erreurs humaines.

Selon le sophisme bien connu des Anciens, Achille ne rattrapera jamais la tortue qui est devant lui, bien qu'Achille soit dix fois plus rapide que la tortue, car tandis qu'Achille couvre la distance qui le sépare de la tortue, celle-ci en parcourt un dixième; Achille franchit ce dixième, la tortue un centième, et ainsi de suite, à l'infini. Ce problème paraissait insoluble aux Anciens. L'absurdité de la solution (Achille ne rattrapera jamais la tortue) tenait uniquement à ce que le mouvement était divisé en unités discontinues, alors que le mouvement d'Achille et celui de la tortue étaient continus.

En adoptant des unités de mouvement de plus en plus petites, nous nous approchons de la solution, mais ne l'atteignons jamais. Ce n'est qu'en admettant une unité infiniment petite et sa progression ascendante jusqu'à un dixième et en faisant la somme de cette progression géométrique que nous obtiendrons la solution du problème. La nouvelle branche des mathématiques qui est parvenue à opérer avec les grandeurs infiniment petites fournit des réponses à des questions touchant le mouvement, plus compliquées encore et qui semblaient insolubles.

En introduisant dans l'examen des questions relatives au mouvement des grandeurs infinitésimales, ce qui rétablit la condition essentielle du mouvement (son absolue continuité), cette nouvelle branche des mathématiques corrige l'erreur inévitable que l'esprit humain ne peut s'empêcher de commettre, de substituer au mouvement continu des unités discontinues.

C'est exactement ce qui se passe dans l'étude des lois du mouvement historique.

Ce mouvement qui est la somme d'un nombre incalculable de décisions individuelles, libres, s'accomplit de façon continue.

La connaissance des lois de ce mouvement est le but de l'histoire. Mais pour connaître les lois de ce mouvement continu, somme de toutes les décisions libres, l'intelligence humaine le fragmente en unités discontinues. Le premier procédé de l'histoire consiste à choisir une série quelconque d'événements continus et à l'examiner en dehors des autres séries, alors qu'aucun événement n'a et ne peut avoir de commencement, mais que tout événement découle toujours de façon continue d'un autre. Le second procédé consiste à considérer l'activité d'un homme, un souverain, un chef d'armée, comme étant le produit des décisions libres des individus, alors que le produit de ces décisions ne s'exprime jamais dans les actes d'un seul personnage historique.

En se développant, la science historique adopte des unités de plus en plus réduites, cherchant par ce moyen à se rapprocher davantage de la vérité. Mais si petites que soient devenues ces unités, nous sentons qu'admettre des unités séparées les unes des autres, qu'un événement a UN COMMENCEMENT et que les décisions de tous les hommes trouvent leur expression dans les actes d'un personnage historique, est complètement faux.

Les conclusions de l'histoire obtenues sans le moindre effort critique tombent en poussière, ne laissent après elles aucune trace, pour la simple raison que l'historien prend pour objet des unités discontinues plus ou moins grandes, choisies arbitrairement ainsi qu'il en a le droit.

Ce n'est qu'en prenant pour objet de nos investigations une unité infinitésimale, la différentielle de l'histoire, c'est-à-dire les tendances, les aspirations communes des hommes, et en apprenant à l'intégrer, c'est-à-dire à faire la somme de ces unités infinitésimales, c'est alors seulement que nous pourrons espérer connaître les lois de l'histoire.

Tout au long des quinze premières années du XIXᵉ siècle, l'Europe offre le spectacle extraordinaire de millions d'hommes en mouvement. Ces hommes abandonnent leurs occupations habituelles, se précipitent d'un bout de l'Europe à l'autre, pillent, s'entretuent, triomphent et désespèrent : et tout le cours de la vie animée d'un mouvement rapide s'en trouve transformé pour plusieurs années. Ce mouvement va d'abord en s'intensifiant, puis il s'apaise. Quelles en étaient les causes et quelles en étaient les lois, s'interroge l'esprit humain.

Répondant à cette question, les historiens nous exposent ce qu'ont fait et ce qu'ont dit quelques dizaines de personnes dans tel édifice de Paris, en donnant à ces actes et à ces discours le nom de Révolution ; après quoi ils présentent une biographie détaillée de Napoléon et de quelques personnages parmi ses partisans et ses adversaires, parlent de l'influence que ces gens exercèrent les uns sur les autres et nous disent pour finir : voilà quelles furent les causes de ce mouvement et voilà quelles furent ses lois.

Cependant l'esprit humain non seulement refuse d'admettre ces explications, mais déclare sans ambages que le procédé lui-même est faux, car il explique l'événement le plus important par le moins important. Et la Révolution et Napoléon ont été le produit de la somme de volontés humaines libres et c'est la somme uniquement de ces volontés qui les a soutenus, puis supprimés.

« Pourtant, chaque fois qu'il y eut des conquêtes, il y eut des conquérants, chaque fois que des bouleversements se sont produits dans un État, il y eut de grands hommes », disent les historiens. En effet, toutes les fois qu'apparaissaient des conquérants, il y avait des guerres, répond l'esprit humain, mais cela ne prouve pas que les conquérants soient la cause des guerres et que l'examen des actes d'un homme puisse nous permettre de découvrir les lois de la guerre. Toutes les fois que, consultant ma montre, je vois que l'aiguille a atteint le chiffre dix, j'entends sonner les cloches de l'église voisine ; mais du fait que toutes les fois que l'aiguille est sur dix les cloches sonnent, je n'ai pas le droit de conclure que la position de l'aiguille est la cause du mouvement des cloches.

Toutes les fois que je vois une locomotive en marche, j'entends un sifflet, je vois s'ouvrir les soupapes et tourner les roues ; mais je n'ai pas le droit d'en conclure que le sifflet et le mouvement des roues sont la cause de la marche de la locomotive.

Les paysans disent qu'il souffle à la fin du printemps un vent froid parce que les bourgeons du chêne se déploient; et en effet, à chaque printemps souffle un vent froid quand le chêne se couvre de feuilles; mais bien que j'ignore la cause de ce vent froid qui souffle alors que les bourgeons s'épanouissent, je ne puis admettre avec les paysans que le vent froid est causé par l'épanouissement des bourgeons, et cela pour la bonne raison que la force du vent est en dehors de l'influence des bourgeons. Je constate seulement la coïncidence de certaines conditions comme cela se produit dans tous les phénomènes de la vie et je vois que, si attentivement et si méticuleusement que j'observe l'aiguille de la montre, la soupape et les roues de la locomotive et les bourgeons du chêne, jamais je ne connaîtrai la cause de la sonnerie des cloches, du mouvement de la locomotive et du vent printanier. Pour le savoir, il me faut complètement modifier mon point de vue et étudier les lois du mouvement de la vapeur, des cloches et du vent. L'histoire doit procéder de même. Quelques tentatives ont déjà été faites dans ce sens.

La connaissance des lois de l'histoire exige que nous modifiions radicalement l'objet de notre examen en laissant en paix les rois, les ministres, les généraux, et en étudiant les éléments homogènes infinitésimaux qui régissent les masses. Nul ne peut dire jusqu'où cette méthode nous permettra d'avancer dans la compréhension des lois de l'histoire, mais il est évident qu'il ne nous sera possible de saisir lesdites lois qu'en passant par cette voie et que nous n'avons pas encore accompli dans la direction qu'elle nous indique la millionième partie des efforts qu'ont dépensés les historiens pour décrire les actes des rois, chefs de guerre et ministres, et exposer les considérations que leur ont inspirées ces actes.

II

Les forces de douze nations européennes font irruption en Russie. Les troupes et la population russes se retirent, évitant le combat, jusqu'à Smolensk, puis de Smolensk à Borodino. L'armée française dont l'élan ne cesse de croître fonce sur Moscou, but de son mouvement. A mesure qu'elle se rapproche du but, cet élan devient plus impétueux, de même que s'accélère la vitesse d'un corps en chute libre à mesure qu'il se rapproche de la terre. Derrière, sur des milliers de verstes, un pays affamé, hostile. Devant, quelques dizaines de verstes jusqu'au but. C'est ce que sent chacun des soldats de l'armée napoléonienne, et l'invasion progresse d'elle-même par la seule force de son élan.

La haine de l'ennemi embrase de plus en plus l'armée russe à mesure qu'elle recule; sa colère se concentre et augmente au cours de sa retraite. Le choc se produit à Borodino. Ni l'une ni l'autre des deux armées ne se désagrège. Mais aussitôt après le choc, l'armée russe recule tout aussi nécessairement qu'une balle qu'a heurtée une autre, animée d'une impulsion plus forte, est rejetée en arrière; et tout aussi nécessairement, la balle qui l'a heurtée continue de rouler encore quelque temps, emportée par son élan (bien qu'elle ait perdu dans le choc toute sa force).

Les Russes se replient à cent vingt verstes au-delà de Moscou; les Français atteignent Moscou et s'y arrêtent. Aucune bataille n'a lieu au cours des cinq semaines qui suivent. Les Français ne bougent pas. Comme une bête mortellement blessée qui, perdant son sang, lèche ses plaies, ils restent cinq semaines à Moscou sans rien entreprendre. Et brusquement, alors qu'il ne s'est rien produit de nouveau, ils s'enfuient de Moscou, se précipitent sur la route de Kalouga et après une victoire (car à Malo-Iaroslavetz [1] ils restent de nouveau maîtres du champ de bataille), ils fuient vers Smolensk, toujours plus vite, sans plus livrer de combats sérieux; puis au-delà de Smolensk, au-delà de Vilna, au-delà de la Bérézina et plus loin encore.

Le soir du 26 août, et Koutouzov et l'armée étaient persuadés que la bataille de Borodino était gagnée; et c'est ce que Koutouzov écrivit à l'empereur. Il donna l'ordre de se préparer à une nouvelle bataille pour achever l'ennemi. Non qu'il eût voulu tromper quiconque, mais parce qu'il savait que l'ennemi était vaincu, comme le savaient tous ceux qui avaient pris part au combat.

Mais le soir même et le lendemain, des rapports affluèrent de pertes inouïes : l'armée avait perdu la moitié de ses effectifs, et il apparut qu'il était matériellement impossible de livrer à nouveau bataille.

Il était impossible de livrer bataille alors qu'on manquait encore de renseignements complets, que les blessés n'avaient pas été évacués, les munitions complétées, les morts dénombrés, les chefs tués remplacés, et que les hommes n'avaient ni mangé ni dormi. Et cependant, aussitôt après le combat, dès le lendemain matin, l'armée française (obéissant à son élan irrésistible qui augmentait en quelque sorte en raison inverse du carré des distances) se mettait déjà d'elle-même en marche contre l'armée russe. Koutouzov voulait attaquer le lendemain, toute l'armée le voulait. Mais pour attaquer il ne suffit pas d'en avoir le désir, il faut qu'il y ait possibilité de le faire, et cette possibilité n'existait pas. Il était impossible de ne pas reculer d'une étape, et ensuite d'une deuxième, d'une troisième étape. Enfin, le 1er septembre, quand l'armée eut atteint Moscou, en dépit de l'ardeur qui animait les troupes, la force des choses obligea les Russes à se replier au-delà de Moscou. Ils reculèrent encore d'une étape, la dernière, et abandonnèrent Moscou à l'ennemi.

Les gens qui croient que les chefs d'armée dressent les plans des guerres et des batailles comme chacun de nous pourrait le faire dans son cabinet devant une carte, en examinant les dispositions qu'il eût fallu prendre dans telle ou telle bataille, ces gens se demandent pourquoi Koutouzov en se repliant n'a pas fait ceci ou cela, pourquoi il n'a pas pris position avant Fili, pourquoi il ne s'est pas replié sur la route de Kalouga aussitôt après l'abandon de Moscou, etc. Ceux qui pensent ainsi oublient ou ignorent les conditions dans lesquelles s'exerce inévitablement l'activité d'un général en chef. Cette activité n'a rien de commun avec l'image que nous nous en faisons lorsqu'assis paisiblement dans notre cabinet, nous étudions sur la carte une campagne quelconque, connaissant le nombre des troupes de chaque camp et la région, et considérant l'événement comme ayant commencé à tel moment déterminé. Les conditions dans lesquelles est placé le général en chef sont toutes différentes : il ne se trouve pas AU COMMENCEMENT mais toujours au milieu d'une série mouvante d'événements, et de telle sorte que jamais, à aucun moment, il n'est en état de saisir toute la signification de ce qui se passe. La signification se dessine progressivement, insensiblement, de façon continue, se précisant de minute en minute; et à chaque moment de cette progression, le général en chef se trouve au centre d'un jeu complexe d'intrigues, de préoccupations, d'influences, d'autorités diverses, de projets, de conseils, de menaces, de mensonges, et est constamment obligé de répondre aux innombrables questions qu'on lui pose, souvent contradictoires.

Les théoriciens militaires nous disent le plus sérieusement du monde que, bien avant Fili, Koutouzov aurait dû se replier sur la route de Kalouga, que quelqu'un même le lui avait proposé. Mais ce n'est pas un, c'est dix projets à la fois qu'a devant lui le commandant en chef, surtout dans les moments difficiles. Et tous ces projets basés sur des considérations stratégiques et tactiques, s'opposent les uns aux autres. La tâche du commandant consiste uniquement, semble-t-il, à choisir l'un d'eux. Pourtant, même cela il ne peut le faire. Les événements ne lui en laissent pas le temps.

Le 28 on lui propose, supposons, de passer sur la route de Kalouga, mais à ce moment arrive au galop un aide de camp qui demande de la part de Miloradovitch s'il faut engager immédiatement le combat avec les Français ou se replier. Koutouzov doit donner des ordres à l'instant même. Or le repli nous détourne de la route de Kalouga. Après l'aide de camp, c'est le tour de l'intendant qui demande dans quelle direction il doit acheminer les vivres; puis c'est le chef des ambulances qui s'enquiert où vont être évacués les blessés. Et voici un courrier de Pétersbourg; il apporte une lettre de l'empereur qui n'admet pas que l'on abandonne Moscou. Cependant le rival du général en chef, celui qui intrigue contre lui (il y en a toujours un et plusieurs même parfois) propose un nouveau plan, diamétralement opposé à celui de la retraite sur Kalouga. Les forces du général en chef exigent le sommeil, le repos, mais un respectable général vient se plaindre d'un passe-droit, les habitants implorent protection, l'officier chargé d'examiner le terrain présente un rapport qui contredit celui de l'officier qui l'avait précédé, un éclaireur, un prisonnier et un général parti en reconnaissance, décrivent chacun de façon différente la position de l'armée ennemie. Les gens qui oublient ou ignorent les conditions dans lesquelles nécessairement s'exerce l'activité de n'importe quel général en chef, nous exposent par exemple la position de l'armée devant Fili en supposant que le 1er septembre Koutouzov pouvait résoudre en toute liberté la question de l'abandon ou de la défense de Moscou, alors que cette question ne pouvait même se poser, car les troupes russes ne se trouvaient, ce jour-là, qu'à cinq verstes de la ville. Quand donc cette question fut-elle tranchée? Et sur la Drissa, et sous Smolensk, et de la façon la plus tangible le 24 à Chevardino, et le 26 à Borodino, et tous les jours de la retraite de Borodino à Fili, à chaque heure, à chaque minute.

III

S'étant repliés après Borodino, les Russes se trouvaient à Fili; ayant inspecté le terrain, Ermolov rejoignit le maréchal.

— Impossible de se battre sur cette position, lui déclara-t-il.

Koutouzov le considéra avec étonnement et lui fit répéter ses paroles; après quoi il avança la main :

— Donne-moi un peu ta main, lui dit-il, et l'ayant tournée de façon à lui tâter le pouls, il ajouta : — Tu n'es pas bien portant, mon ami. Réfléchis à ce que tu viens de dire.

Koutouzov descendit de voiture et s'assit sur un banc au bord de la route sur le mont Poklonny, à six verstes de la barrière de Dorogomilov. Des généraux en foule s'étaient assemblés autour de lui: le comte Rostoptchine arrivé de Moscou s'était joint à eux. Cette brillante société discutait par petits groupes des avantages et des inconvénients de la position, de la situation des troupes, des divers plans proposés, de l'état où se trouvait Moscou, bref de questions militaires. Chacun sentait que bien qu'il n'eût pas été convoqué à un conseil de guerre, ces mots n'ayant pas été prononcés, c'était pourtant de cela précisément qu'il s'agissait. Les conversations se maintenaient sur le terrain des questions générales. Si l'on se communiquait des nouvelles personnelles, c'était à mi-voix et pour revenir presque aussitôt aux sujets d'ordre général. Personne parmi tous ces gens ne plaisantait, ne riait, ne souriait même. Non sans effort visiblement, tous cherchaient à se maintenir au niveau des circonstances. Et tout en poursuivant leurs conversations, les membres des différents groupes tâchaient de rester a proximité du commandant en chef (son banc constituait le centre de l'assemblée) et parlaient de façon qu'il pût entendre. Koutouzov écoutait et parfois se faisait répéter ce qu'on disait autour de lui, mais il ne prenait pas part aux conversations et n'exprimait pas son opinion; la plupart du temps, ayant écoute ce qu'on disait dans un groupe, il se détournait d'un air déçu comme si l'on ne parlait pas de ce qu'il désirait savoir. Les uns s'entretenaient de la position choisie, critiquant non pas tant cette position que la compétence de ceux qui l'avaient choisie. D'autres assuraient que l'erreur remontait plus haut, qu'il eût fallu livrer bataille dès l'avant-veille. D'autres encore parlaient de la bataille de Salamanque que décrivait un Français en uniforme espagnol, Crossart, arrivé tout récemment (ce Crossart avait étudié, avec un des princes allemands servant dans l'armée russe, le siège de Saragosse et prévoyait que la défense de Moscou pouvait être assurée par des moyens analogues). Dans un quatrième groupe, le comte Rostoptchine déclarait qu'il était prêt à mourir avec les milices moscovites sous les murs de la ville mais ne pouvait tout de même s'empêcher de regretter qu'on l'eût laissé dans l'ignorance et que s'il avait été prévenu plus tôt, c'eût été bien autre chose... Étalant la profondeur de ses conceptions stratégiques, un cinquième groupe discutait de la direction qu'auraient à prendre les troupes. Le sixième se livrait à des considérations parfaitement absurdes. Koutouzov paraissait de plus en plus soucieux et triste. De tous ces propos ne se dégageait pour lui qu'une chose : la défense de Moscou était MATÉRIELLEMENT IMPOSSIBLE dans toute la force de ce terme. A tel point impossible que si un commandant en chef eût été assez fou pour donner l'ordre de livrer bataille, une confusion totale s'en serait suivie et la bataille n'aurait tout de même pas lieu; elle n'aurait pas lieu parce que tous les officiers supérieurs non seulement considéraient la position comme indéfendable, mais ne s'entretenaient que de ce qu'on ferait après l'abandon inévitable de cette position. Comment auraient-ils pu mener leurs troupes au combat dans ces conditions? Les officiers subalternes et même les soldats (qui réfléchissent eux aussi) jugeaient la position intenable et ne pouvaient évidemment combattre avec la certitude de la défaite. Si Bennigsen insistait pour que l'on défendît cette position et que d'autres continuaient d'en discuter, la question elle-même n'avait plus aucune importance, elle n'était que prétexte à discussions et à intrigues. C'est ce que comprenait Koutouzov.

Bennigsen, qui avait choisi la position, faisait parade de son patriotisme russe (ce que Koutouzov ne pouvait entendre sans faire la grimace) et insistait sur la défense de Moscou. Son jeu était clair comme le jour pour Koutouzov : en cas d'échec, faire retomber la faute sur Koutouzov qui avait ramené les troupes sans combattre jusqu'aux Monts des Moineaux; en cas de succès, se l'attribuer, et si l'on refusait de l'écouter, il serait lavé du crime d'avoir abandonné Moscou. Mais le vieil homme ne se souciait pas maintenant de ces intrigues. Une question terrible le poursuivait. Et rien de ce qu'il avait entendu n'apportait de réponse à cette question : « Est-il possible que ce soit moi qui aie laissé Napoléon atteindre Moscou, et quand donc ai-je fait cela? Quand cela s'est-il décidé? Est-il possible que ce fût hier, quand j'ai donné l'ordre à Platov de se replier? Ou avant-hier soir quand je me suis assoupi et ai dit à Bennigsen de prendre les dispositions nécessaires? Ou bien avant encore... Mais quand, quand s'est décidée cette chose affreuse?... Moscou doit être abandonnée, l'armée doit se replier et il faut en donner l'ordre. » Donner cet ordre terrible équivalait pour lui à renoncer à son commandement. Or non seulement il aimait le pouvoir, en avait pris l'habitude (les honneurs qu'on rendait au prince Prozorovsky, auprès duquel il était attaché en Turquie, l'avaient irrité), mais il était convaincu qu'il était destiné à sauver la Russie, et que c'était uniquement pour cela que, contre la volonté de l'empereur et par la volonté du peuple, il avait obtenu le commandement suprême. Il était convaincu qu'il était le seul à pouvoir se maintenir dans ces circonstances difficiles à la tête de l'armée, qu'il était le seul au monde qui fût capable d'affronter sans effroi l'invincible Napoléon, et la pensée de l'ordre qu'il devait donner l'épouvantait. Il fallait prendre une décision cependant, il fallait mettre fin à ces conversations autour de lui, qui prenaient un tour trop libre.

Il fit venir auprès de lui les généraux les plus anciens en grade.

— *Ma tête, fût-elle bonne ou mauvaise, n'a qu'à s'aider d'elle-même,* dit-il en se levant de son banc et il alla à Fili où stationnaient ses équipages.

IV

Le conseil se réunit à deux heures dans la spacieuse isba du paysan André Savostianov [1]. Toute la famille, hommes, femmes et enfants, s'était entassée dans la chambre sans poêle, de l'autre côté de l'entrée. Seule une petite fille d'André Savostianov, Malacha, âgée de six ans, à qui le Sérénissime après l'avoir caressée avait donné en prenant le thé un morceau de sucre, s'était installée sur le poêle de la grande chambre. Intimidée et ravie, elle regardait de là-haut les visages, les uniformes, les décorations des généraux qui entraient les uns après les autres et s'asseyaient sur de larges bancs sous les icones. Le grand-père, comme Malacha à part soi appelait Koutouzov, était assis un peu à l'écart, dans un coin obscur, en retrait du poêle. Tassé dans un fauteuil pliant, il ne cessait de soupirer en se raclant la gorge et arrangeait le col de sa tunique qui, quoique déboutonnée, semblait lui serrer le cou. Ceux qui entraient allaient le saluer; il serrait la main des uns, faisait un signe de tête aux autres. Son aide de camp, Kaïssarov, voulut écarter le rideau de la fenêtre en face de Koutouzov, mais celui-ci eut un geste d'impatience et Kaïssarov comprit que le Sérénissime ne voulait pas qu'on vît son visage.

Tant de monde s'était rassemblé autour de la table rustique de sapin, couverte de plans, de cartes, de papiers, de crayons, que les ordonnances apportèrent et placèrent près de la table un banc de plus où s'installèrent Ermolov, Kaïssarov et Toll, arrivés en dernier. Barclay de Tolly, la croix de Saint-Georges au cou, était assis juste sous les icones, à la place d'honneur; son visage au haut front prolongé par une calvitie était d'une pâleur maladive. Il souffrait de la fièvre depuis deux jours et en ce moment même il frissonnait et se sentait courbaturé. Assis près de lui, Ouvarov lui parlait à voix basse (tout le monde parlait bas) avec des gestes vifs. Le petit et rond Dokhtourov prêtait l'oreille à ce qu'il disait, les sourcils relevés, les mains croisées sur le ventre. De l'autre côté, le comte Ostermann-Tolstoï, sa grande tête aux traits énergiques, aux yeux brillants, appuyée sur sa main, semblait plongé dans ses pensées. Faisant boucler sur les tempes ses cheveux noirs d'un geste coutumier, Raïevsky lançait des regards impatients tantôt vers la porte tantôt vers Koutouzov. Un sourire doux et malicieux éclairait le beau visage ferme et bon de Konovnitsyne. Son regard ayant croisé celui de Malacha, il lui clignait de l'œil, ce qui la faisait sourire.

On attendait Bennigsen qui, sous prétexte d'examiner une fois de plus la position, terminait son succulent dîner. On l'attendit de quatre heures à six heures sans ouvrir la séance et pendant tout ce temps on s'entretint de choses et d'autres à voix basse.

Quand Bennigsen entra, alors seulement Koutouzov se redressa dans son fauteuil et se rapprocha de la table, mais de façon à éviter la lumière des bougies qu'on avait apportées.

Bennigsen ouvrit la séance en posant la question : « Faut-il abandonner sans livrer bataille l'antique et sainte capitale de la

Russie, ou la défendre? » Il y eut un long silence. Tous les visages s'assombrirent et on entendit les toussotements et les grognements irrités de Koutouzov. Tous les yeux se portèrent vers lui. Malacha elle aussi regardait le grand-père; elle était plus près de lui que les autres et vit son visage se contracter comme s'il allait pleurer. Mais cela ne dura pas.

— L'ANTIQUE ET SAINTE CAPITALE DE LA RUSSIE! dit soudain Koutouzov, répétant d'un ton agacé les paroles de Bennigsen, pour marquer qu'elles rendaient un son faux. Permettez-moi de vous dire, Excellence, que cette question n'a pas de sens pour un Russe (il se pencha en avant de tout son corps massif). On ne peut poser une telle question et elle n'a pas de sens. La question pour laquelle j'ai demandé à ces messieurs de se réunir, est une question militaire, c'est la question suivante : « Le salut de la Russie est dans son armée. Est-il plus avantageux de risquer la perte de Moscou et de l'armée en acceptant la bataille ou de livrer Moscou sans combat? » Telle est la question sur laquelle je désire connaître votre opinion (il se rencogna dans son fauteuil).

Le débat s'engagea. Bennigsen ne jugeait pas la partie perdue. Tout en admettant avec Barclay et d'autres qu'on ne pouvait livrer une bataille défensive à Fili, plein d'ardeur patriotique et d'amour pour Moscou il proposait de faire passer pendant la nuit les troupes du flanc droit au flanc gauche et de tomber le lendemain sur l'aile droite des Français. Les avis se partagèrent; on discuta des avantages et des inconvénients de ce plan. Ermolov, Raïevsky et Dokhtourov appuyaient Bennigsen. Guidés par le sentiment de la nécessité d'un sacrifice avant l'abandon de Moscou, ou mus par d'autres considérations d'ordre personnel, toujours est-il que ces généraux semblaient ne pas comprendre que ce conseil de guerre ne pouvait changer la marche inéluctable des événements et que Moscou en fait était déjà abandonnée. Les autres généraux s'en rendaient compte et laissant de côté la question de Moscou parlaient de la direction que devrait prendre l'armée en retraite. Malacha, qui ne perdait rien de ce qui se passait sous ses yeux, comprenait les choses à sa façon. Pour elle toute l'affaire se réduisait à une lutte entre « grand-père » et « Longues Basques », comme elle appelait Bennigsen. Elle voyait qu'ils se parlaient méchamment et, dans le fond de son cœur, elle tenait pour grand-père. Au milieu de la discussion, elle saisit le rapide et malicieux regard que Koutouzov lança à Bennigsen, et ensuite remarqua à sa grande joie que le grand-père ayant dit quelque chose à Longues Basques, celui-ci parut soudain décontenancé; il rougit et arpenta la pièce, visiblement vexé. Ce qui l'avait vexé, c'était ce qu'avait dit Koutouzov, sans élever la voix, calmement, des avantages et des inconvénients de la proposition de Bennigsen de faire passer la nuit les troupes du flanc droit au flanc gauche pour attaquer le flanc droit des Français :

— Je ne puis approuver, messieurs, le plan du comte. Des mouvements de troupes à proche distance de l'ennemi sont toujours dangereux et l'histoire militaire le confirme. Ainsi, par exemple..., (Koutouzov fit mine de réfléchir comme cherchant quelque exemple, en considérant Bennigsen d'un regard clair, candide). Prenons la bataille de Friedland que le comte, je pense, se rappelle bien. Ce ne fut pas... tout à fait un succès pour la seule raison que nos troupes se regroupèrent à trop courte distance de l'ennemi.

— Suivit un silence d'une minute qui parut à tous fort long.

La discussion reprit, mais elle s'arrêtait fréquemment; on sentait qu'on n'avait plus rien à se dire.

Lors d'une de ces interruptions, Koutouzov soupira lourdement comme s'il voulait parler. Tout le monde se tourna vers lui.

— *Eh bien, messieurs! Je vois que c'est moi qui paierai les pots cassés*, dit-il, et s'étant levé lentement, il s'approcha de la table.

— J'ai écouté vos opinions, messieurs. Certains ne seront pas d'accord avec moi, mais... (il fit une pause) en vertu des pouvoirs qui m'ont été conférés par mon souverain et ma patrie, je donne l'ordre de la retraite.

Après cela, les généraux se dispersèrent comme on se sépare après un enterrement, avec une discrétion solennelle.

Certains dirent quelques mots au commandant en chef, à mi-voix et sur un tout autre ton qu'au cours du conseil.

Malacha, qu'on attendait depuis longtemps pour souper, descendit précautionneusement en s'accrochant de ses petits pieds nus aux saillies du poêle et se faufilant entre les jambes des généraux, elle se précipita vers la porte.

Ayant donné congé aux généraux, Koutouzov demeura longtemps assis, accoudé à la table; il ne cessait de tourner et retourner la même question terrible : « Quand donc s'est décidé l'abandon de Moscou? Quand fut commise l'erreur qui rendit l'abandon inéluctable? Et qui en est responsable? »

— Non, je ne m'attendais pas à cela, dit-il à son aide de camp, Schneider, qui vint le retrouver déjà tard dans la nuit. — Non, je ne m'y attendais pas. Je n'y avais jamais pensé...

— Vous devriez vous reposer, Votre Altesse, dit Schneider.

— Eh bien, non! Ils boufferont du cheval, comme les Turcs! cria sans répondre Koutouzov en frappant la table de son poing gras. Ils en boufferont eux aussi, pourvu seulement que...

V

Dans ce même temps, Rostoptchine qui nous apparaît comme le grand responsable d'un événement plus important encore que la retraite sans combat de l'armée, c'est-à-dire l'abandon de Moscou par ses habitants et l'incendie de la ville, Rostoptchine agissait à l'opposé de Koutouzov.

Cet événement, l'abandon de Moscou et son incendie, était aussi inévitable que la retraite de l'armée au-delà de Moscou, après la bataille de Borodino.

N'importe quel Russe aurait pu prédire ce qui s'est produit, non par déduction logique mais guidé par ce sentiment qui vit en nous comme il vivait en nos pères.

A partir de Smolensk, dans toutes les villes et les villages de la terre russe il se passa ce qui se passa à Moscou, sans que Rostoptchine et ses affiches y fussent pour rien. Les habitants attendaient l'ennemi avec insouciance, ne s'agitaient pas, ne se mutinaient pas, n'écharpaient personne, mais acceptaient tranquillement leur sort, sachant qu'ils trouveraient en eux la force d'accomplir au moment critique ce qu'il y aurait à faire. Et dès l'approche de l'ennemi, les éléments les plus riches de la population partaient, abandonnant leurs biens; les plus pauvres demeuraient sur place et brûlaient et détruisaient ce qui restait.

Le sentiment qu'il en serait ainsi, qu'il en serait toujours ainsi, était et est enraciné dans l'âme russe. Et le sentiment ou mieux le pressentiment que Moscou serait abandonnée habitait également la société moscovite de 1812. Ceux qui quittaient Moscou déjà en juillet et au début d'août, montraient par là qu'ils s'y attendaient. Ceux qui partaient en emportant ce qu'ils pouvaient, abandonnant leurs maisons et la moitié de leurs biens, le faisaient mus par ce patriotisme secret *(latent)* qui s'exprime non par des phrases et le sacrifice des enfants sur l'autel de la patrie et autres actes contre nature, mais sans ostentation, simplement, naturellement, et qui pour autant précisément est toujours efficace.

« C'est une honte de fuir le danger; les lâches seuls s'enfuient de Moscou », disait-on aux habitants. Rostoptchine et ses affiches s'efforçaient de leur inculquer qu'il était infamant de fuir. Ils avaient honte d'être traités de lâches, honte de partir, et ils partaient tout de même, sachant qu'il le fallait. Pourquoi partaient-ils? On ne peut supposer que les récits de Rostoptchine des horreurs commises par Napoléon dans les régions occupées leur eussent fait peur. En premier partirent les riches, les gens instruits qui savaient fort bien que Vienne et Berlin n'avaient aucunement souffert, que sous l'occupation napoléonienne les habitants avaient fort agréablement passé leur temps en compagnie de ces séduisants Français que les Russes, et en particulier les dames, appréciaient tellement en ce temps.

Ils partaient parce que pour les Russes la question de savoir si l'on serait bien ou mal à Moscou sous la domination des Français, cette question ne se posait pas. Il était impossible de vivre sous la domination des Français : c'eût été pire que tout. L'exode avait déjà commencé avant Borodino et il s'accéléra après la bataille, en dépit des appels à la défense de Moscou, en dépit des déclarations du gouverneur militaire de Moscou qui annonçait qu'il allait lever l'icone d'Ibérie [1] et se battre, en dépit des ballons qui devaient anéantir les Français et de toutes les sornettes que Rostoptchine débitait dans ses affiches. Ils savaient que c'était à l'armée de se battre et que si elle en était incapable, ce n'était pas à eux d'aller avec leurs filles et leurs domestiques combattre Napoléon sur les Trois Monts [2]. En conséquence, ils partaient, si douloureux que ce fût de livrer ses biens au pillage. Ils partaient et ne songeaient pas à l'immense signification qu'acquérait l'abandon de cette vaste et opulente cité livrée au feu (car une grande ville en bois abandonnée par ses habitants devait immanquablement brûler). Ils partaient, chacun ne s'occupant que de soi, et c'est pourtant parce qu'ils sont partis que s'est accompli l'événement grandiose qui restera à jamais la plus haute gloire du peuple russe. Telle grande dame qui, dès juin, quittait Moscou avec ses nègres et ses bouffons, pour se rendre dans son domaine de la province de Saratov, sentant confusément qu'elle ne courberait pas le front devant Napoléon et craignant que Rostoptchine ne l'empêchât de partir, participait simplement, tout naturellement, à la grande œuvre commune qui sauva la Russie. Alors que Rostoptchine, lui, tantôt faisait honte à ceux qui partaient, tantôt faisait évacuer les administrations, tantôt distribuait des armes hors d'usage à une populace ivre, tantôt levait les icones, tantôt interdisait au métropolite Augustin d'évacuer reliques et icones, tantôt réquisitionnait tous les chariots de Moscou, tantôt en attribuait cent trente à Leppich pour le transport de son ballon, tantôt laissait entendre qu'il incendierait Moscou, tantôt racontait qu'il avait mis le feu à sa propre maison et adressé aux Français une proclamation leur reprochant solennellement d'avoir saccagé son orphelinat, tantôt s'attribuait la gloire de l'incendie de Moscou, tantôt la rejetait, tantôt donnait l'ordre au peuple d'arrêter les espions et de les lui amener, tantôt lui reprochait de le faire, tantôt expulsait de Moscou tous les Français, tantôt y laissait Mme Aubert-Chalmé dont la maison était le centre de toute la colonie française et faisait arrêter sans motif et exilait un vieil homme respectable, le directeur des postes Klioutchariov [1], tantôt convoquait le peuple aux Trois Monts pour se battre contre les Français, tantôt, pour se débarrasser de ce peuple, lui livrait un homme et tandis qu'on le massacrait, lui-même s'esquivait par la porte de service, tantôt assurait qu'il ne survivrait pas aux malheurs de Moscou, tantôt écrivait dans des albums des vers en français sur la part qu'il y avait prise *. Cet homme ne comprenait pas la signification de l'événement, mais voulait seulement faire quelque chose par lui-même, étonner, accomplir quelque action patriotique, héroïque, et il folâtrait comme un gamin autour de cet événement grandiose et inéluctable qu'était l'abandon et l'incendie de Moscou et s'efforçait de sa petite main tantôt d'accélérer, tantôt de freiner le déferlement de l'immense torrent populaire qui l'emportait lui même.

VI

Hélène, qui était revenue avec la cour de Vilna à Pétersbourg, se trouvait dans une situation embarrassante.

Elle jouissait à Pétersbourg de la protection particulière d'un haut personnage qui occupait une des charges les plus importantes de l'Empire. A Vilna, elle s'était liée avec un jeune prince

* Je suis né Tartare.
Je voulus être Romain,
Les Français m'appelèrent barbare,
Les Russes — George Dandin.

étranger. Elles les retrouva tous deux à Pétersbourg et tous deux firent état de leurs droits; un problème se posa pour elle, tout nouveau dans sa carrière : comment demeurer intime avec les deux sans blesser l'un ou l'autre?

Ce qui eût paru à une autre difficile, impossible même, ne donna pas un instant à réfléchir à la comtesse Bézoukhov. Elle ne jouissait évidemment pas en vain de la réputation d'une femme des plus intelligentes. Si elle avait commencé à dissimuler et ruser pour se sortir d'une situation embrouillée, elle aurait du même coup gâté son affaire, ayant reconnu ses torts; mais Hélène, au contraire, comme un véritable grand homme qui peut tout ce qu'il veut, invoqua immédiatement et en toute sincérité son bon droit, les coupables étant les autres.

La première fois que le jeune prince étranger se permit de lui faire des reproches, elle redressa fièrement sa belle tête et, se tournant à demi vers lui, dit fermement :

— *Voilà l'égoïsme et la cruauté des hommes ! Je ne m'attendais pas à autre chose. La femme se sacrifie pour vous, elle souffre et voilà sa récompense. Quel droit avez-vous, Monseigneur, de me demander compte de mes amitiés, de mes affections? C'est un homme qui a été plus qu'un père pour moi.*

Le prince tenta de répondre, mais Hélène l'interrompit :

— *Eh bien, oui, peut-être qu'il a pour moi d'autres sentiments que ceux d'un père, mais ce n'est pas une raison pour que je lui ferme ma porte. Je ne suis pas un homme pour être ingrate. Sachez, Monseigneur, pour tout ce qui a rapport à mes sentiments intimes, je ne rends compte qu'à Dieu et à ma conscience,* déclara-t-elle en posant la main sur sa belle poitrine palpitante d'émotion et en levant les yeux au ciel.

— *Mais, écoutez-moi, au nom de Dieu !*

— *Épousez-moi et je serai votre esclave.*

— *Mais c'est impossible.*

— *Vous ne daignez pas descendre jusqu'à moi, vous...* — Hélène se mit à pleurer.

Le prince essaya de la calmer; Hélène disait à travers ses larmes (comme s'abandonnant à son émotion) que rien ne pouvait l'empêcher de se marier, qu'il y avait des exemples (à cette époque il y en avait encore peu, mais elle cita Napoléon et d'autres grands personnages), qu'elle n'avait jamais été la femme de son mari, qu'elle avait été sacrifiée.

— Cependant, les lois, la religion..., dit le prince prêt déjà à se rendre.

— Les lois, la religion... A quoi bon auraient-elles été faites si elles ne pouvaient servir dans des cas pareils!

Le prince fut étonné qu'un raisonnement aussi simple ne lui fût pas venu à l'esprit et demanda conseil aux saints pères de la Compagnie de Jésus avec lesquels il entretenait de bonnes relations.

Quelques jours plus tard, après l'une de ces délicieuses fêtes qu'Hélène donnait dans sa villa de Kamenny Ostrov [1], on lui présenta un homme plus tout jeune, séduisant, aux cheveux blancs comme neige, aux yeux brillants, *M. de Jobert, un jésuite à robe courte*. Il s'entretint longuement avec Hélène dans le jardin illuminé, aux sons de la musique, de l'amour de Dieu, du Christ, du Cœur de la Sainte Vierge et des consolations que procure dans cette vie et dans l'autre la seule vraie religion, la religion catholique. Hélène fut touchée et à plusieurs reprises leurs yeux à tous deux s'emplirent de larmes et leur voix trembla. Un des cavaliers d'Hélène, étant venu l'inviter à danser, interrompit sa conversation avec son futur *directeur de conscience*. Le lendemain, M. de Jobert vint seul, le soir, chez Hélène et dès lors il lui rendit de fréquentes visites.

Un jour, il conduisit la comtesse dans une église catholique; elle s'y agenouilla devant l'autel où il l'avait amenée. Le séduisant Français d'un certain âge lui imposa les mains et, ainsi qu'elle le raconta plus tard, elle sentit comme un souffle frais pénétrer dans son âme. On lui expliqua que c'était *la grâce*.

Ensuite vint un abbé *à robe longue;* il la confessa et lui donna l'absolution. Le lendemain on lui apporta une boîte avec les Saintes Espèces qu'on lui laissa pour qu'elle communiât. Quelques jours plus tard, Hélène apprit avec satisfaction qu'elle faisait maintenant partie de la vraie église catholique et que le Pape lui-même en serait bientôt informé et lui enverrait une lettre.

Tout ce qui se passait ces jours-là autour d'elle, tous ces soins dont elle était l'objet, l'attention que lui portaient tant de gens intelligents et qui s'exprimaient de façon si agréable, si raffinée, et la pureté de colombe dans laquelle elle baignait à présent (pendant cette période, elle portait des robes blanches garnies de rubans blancs), tout cela lui faisait grand plaisir, mais ce plaisir ne lui faisait pas perdre un instant de vue le but qu'elle poursuivait. Et comme lorsqu'il s'agit de ruser, un sot arrive toujours à berner plus intelligent que lui, Hélène comprit que tous ces discours et ces soins qui devaient la convertir au catholicisme visaient essentiellement à lui prendre de l'argent au profit des institutions des jésuites (on lui avait déjà fait des allusions à ce sujet). Mais avant de s'exécuter, elle insistait pour qu'on fît le nécessaire pour la délivrer de son mari. Dans son esprit, toute religion n'avait d'autre raison d'être que de permettre aux humains de satisfaire leurs désirs tout en observant certaines convenances. Aussi, au cours d'un de ses entretiens avec son confesseur, elle exigea avec insistance qu'il lui dît dans quelle mesure elle était liée par son mariage.

Ils étaient assis dans le salon près d'une fenêtre. C'était au crépuscule. Le parfum des fleurs pénétrait dans la pièce par la fenêtre ouverte. Hélène portait une robe blanche qui laissait transparaître sa poitrine et ses épaules. Bien nourri, les joues rebondies soigneusement rasées, la bouche fermement dessinée, les mains blanches modestement jointes sur les genoux, un fin sourire aux lèvres, l'abbé assis près d'Hélène posait parfois sur son beau visage un regard paisiblement admiratif et exposait son point de vue sur la question qui les occupait. Souriant avec inquiétude, Hélène considérait les cheveux bouclés de l'abbé, ses joues rondes légèrement bleutées, et s'attendait à tout moment à ce que la conversation prît une tournure différente. Cependant, bien qu'il goûtât fort la beauté de son interlocutrice, l'abbé était absorbé par le souci de mener à bien son affaire.

Le *directeur de conscience* raisonnait de la façon suivante : ignorant la signification de ce que vous faisiez, vous avez juré fidélité à un homme qui, de son côté, vous ayant épousée sans croire à la valeur religieuse du mariage, a commis un sacrilège. Votre mariage n'avait pas la double signification qu'il devait avoir. Malgré cela, votre promesse vous liait. Vous l'avez rompue. Qu'avez-vous commis en agissant ainsi? *Un péché véniel* ou *un péché mortel? Un péché véniel* parce que vous avez agi sans mauvaise intention. Si vous contractiez à présent un nouveau mariage dans le but d'avoir des enfants, ce péché pourrait vous être pardonné. Mais la chose présente de nouveau un double aspect. En premier...

— Mais je pense, interrompit soudain avec son sourire enjôleur Hélène qui commençait à s'ennuyer, — je pense qu'ayant embrassé la vraie religion, je ne puis être liée par les engagements que m'a imposés la fausse religion.

Le directeur de conscience fut stupéfait de voir la question se présenter sous un aspect aussi simple que l'œuf de Christophe Colomb. Il était ravi des extraordinaires progrès de son élève, mais il ne pouvait renoncer à sa construction logique, édifiée à grands efforts.

— *Entendons-nous, comtesse,* dit-il en souriant, et il se mit à démolir le raisonnement de sa fille spirituelle.

VII

Hélène comprenait que du point de vue de l'Église, l'affaire était très simple et facile, et que les difficultés soulevées par ses guides tenaient uniquement à ce qu'ils craignaient que le pouvoir temporel prît mal les choses.

Hélène décida en conséquence qu'il fallait préparer l'opinion publique. Elle commença par éveiller la jalousie de son vieux protecteur et lui dit ce qu'elle avait dit au jeune prince, en lui déclarant qu'il ne pourrait acquérir des droits sur elle qu'en l'épousant. Au premier moment, le haut dignitaire fut stupéfait, tout comme le jeune soupirant, qu'on lui proposât d'épouser une femme en puissance de mari. Cependant, l'imperturbable assurance d'Hélène selon qui un tel mariage était aussi simple et naturel que le mariage d'une jeune fille, agit également sur lui. Si Hélène avait laissé paraître le moindre signe d'hésitation, de confusion ou de duplicité, la partie eût été sans doute perdue. Or non seulement elle ne montrait rien de tel, mais elle racontait avec simplicité et candeur à ses amis intimes (et c'était tout Pétersbourg) que le prince et le vieux seigneur avaient tous deux demandé sa main, qu'elle les aimait tous deux et craignait de peiner l'un ou l'autre.

Le bruit se répandit aussitôt à Pétersbourg non pas qu'Hélène avait l'intention de divorcer (pareil bruit aurait dressé nombre de gens contre une intention aussi illégale), mais que la malheureuse et délicieuse Hélène se trouvait dans une pénible perplexité, ne sachant qui des deux épouser. La question n'était plus de savoir si la chose était réellement possible, mais quel parti offrait plus d'avantages et quelle serait l'attitude de la cour. Il y avait certes des personnes routinières incapables de se hausser au niveau de la question; à leurs yeux, ce projet était une profanation du sacrement du mariage. Mais ces gens étaient peu nombreux et ils se taisaient; la majorité ne s'intéressait qu'au bonheur échu à Hélène et au choix qu'elle allait faire. Était-ce bien ou mal de se marier du vivant de son mari, de cela on ne parlait guère, car cette question était déjà évidemment tranchée dans l'esprit de gens plus intelligents que vous et moi (comme on disait), et mettre en doute la justesse de la réponse, c'était se faire prendre pour un sot ou un homme ignorant les usages du monde.

Seule Maria Dimitrievna Akhrossimov, qui était venue en été à Pétersbourg pour voir l'un de ses fils, se permit d'exprimer sans ambages sa pensée, contraire à l'opinion générale. Ayant rencontré Hélène à un bal, elle l'arrêta au milieu de la salle et dans le silence général, lui dit de sa voix rude : « Alors, il paraît que l'on se marie chez vous du vivant de son mari? Peut-être crois-tu que tu as inventé là quelque chose de nouveau? On t'a devancé, ma petite. On l'a inventé depuis longtemps. C'est ce qu'on fait dans tous les... » Sur ces mots, Maria Dimitrievna retroussa selon son habitude ses larges manches d'un geste menaçant et traversa la salle en parcourant l'assistance d'un regard sévère.

Mais tout en craignant Maria Dimitrievna, on la jugeait à Pétersbourg un peu toquée; aussi ne retint-on de ses paroles que le mot grossier; on se le répétait à voix basse supposant que c'était en lui que se trouvait tout le sel du discours.

Le prince Basile qui, les derniers temps, oubliait trop souvent ce qu'il avait dit et répétait cent fois les mêmes choses, disait à sa fille toutes les fois qu'il la voyait :

— *Hélène, j'ai un mot à vous dire;* — il l'emmenait à l'écart et tirant son bras vers le bas, il poursuivait : — *J'ai eu vent de certains projets relatifs à... Vous savez. Eh bien, ma chère enfant, vous savez que mon cœur de père se réjouit de vous savoir... Vous avez tant souffert... Mais, chère enfant, ne consultez que votre cœur. C'est tout ce que je vous dis.*

Et, dissimulant toujours la même émotion, il pressait sa joue contre celle de sa fille et s'éloignait.

Bilibine qui avait gardé sa réputation du plus intelligent des hommes et était l'ami désintéressé d'Hélène, un de ces amis comme en ont toujours les femmes brillantes, qui jamais ne peuvent jouer le rôle d'amoureux, Bilibine un jour, *en petit comité*, exposa à son amie Hélène son point de vue sur toute l'affaire.

— *Écoutez, Bilibine* (Hélène appelait toujours les amis du genre de Bilibine par leur nom de famille). Elle posa sa main blanche couverte de bagues sur la manche de son frac. — *Dites-moi comme vous diriez à une sœur, que dois-je faire? Lequel des deux?*

288

Bilibine plissa la peau de son front au-dessus des sourcils et réfléchit un moment, un sourire aux lèvres.

— *Vous ne me prenez pas au dépourvu, vous savez*, dit-il. *Comme véritable ami, j'ai pensé et repensé à votre affaire. Voyez-vous, si vous épousez le prince* (c'était le jeune homme), — il plia un doigt, — *vous perdez pour toujours la chance d'épouser l'autre et puis vous mécontentez la cour (comme vous savez il y a une espèce de parenté). Mais si vous épousez le vieux comte, vous faites le bonheur de ses derniers jours, et puis, comme veuve du grand... le prince ne fait plus de mésalliance en vous épousant.* — Bilibine déplissa son front.

— *Voilà un véritable ami !* s'exclama Hélène rayonnante; sa main se posa de nouveau sur la manche de Bilibine. — *Mais c'est que j'aime l'un et l'autre, je ne voudrais pas leur faire de chagrin. Je donnerais ma vie pour leur bonheur à tous deux.*

Bilibine haussa les épaules, laissant ainsi entendre qu'en l'occurrence il était incapable, même lui, de lui venir en aide.

« *Une maîtresse femme ! Voilà ce qui s'appelle poser carrément la question. Elle voudrait épouser tous les trois à la fois* », songea Bilibine.

— Mais dites-moi, comment votre mari va-t-il prendre la chose ? demanda-t-il, ne craignant pas, vu sa solide réputation, de se compromettre en posant une question aussi naïve. — Sera-t-il d'accord ?

— *Ah, il m'aime tant !* dit Hélène; il lui semblait, on ne sait pourquoi, que Pierre l'aimait lui aussi. — *Il fera tout pour moi.*

Bilibine plissa son front, se préparant à *faire un mot.*

— *Même le divorce ?* demanda-t-il.

Hélène rit.

La mère d'Hélène, la princesse Kouraguine, était du nombre de ceux qui se permettaient de mettre en doute la légalité du mariage projeté. L'envie qu'elle portait à sa fille l'avait toujours torturée et maintenant elle ne pouvait se faire à l'idée que le projet de sa fille réussît. Elle consulta un prêtre russe et lui demanda dans quelle mesure on pouvait divorcer et s'il était permis de se remarier du vivant de son mari; le prêtre répondit que c'était interdit et à la grande joie de la princesse lui indiqua le texte de l'Évangile qui rejette catégoriquement (semblait-il au prêtre) la possibilité de contracter un tel mariage.

Armée de cet argument qui lui paraissait irréfutable, la princesse se rendit chez sa fille le matin de bonne heure pour la trouver seule.

Ayant écouté les objections de sa mère, Hélène eut un sourire doucement railleur.

— Cependant c'est dit clairement : celui qui épousera une femme divorcée..., commença la princesse.

— *Ah, maman, ne dites pas de bêtises. Vous ne comprenez rien. Dans ma position, j'ai des devoirs*, dit Hélène, passant du russe au français, car il lui semblait toujours que son affaire présentait quelque obscurité en russe.

— *Mais, mon amie...*

— *Ah, maman, comment est-ce que vous ne comprenez pas que le Saint-Père qui a le droit de donner des dispenses...*

A ce moment, la dame de compagnie d'Hélène vint la prévenir que Son Altesse était dans le salon et désirait la voir.

— *Non, dites-lui que je ne veux pas le voir, que je suis furieuse contre lui parce qu'il m'a manqué de parole.*

— *Comtesse, à tout péché miséricorde*, dit en entrant un jeune homme au long visage et au long nez.

La vieille princesse se leva respectueusement et fit la révérence. Le jeune homme ne lui prêta pas attention. La princesse fit un signe de tête à sa fille et se dirigea dignement vers la porte.

« Oui, elle a raison, songeait la vieille dame dont toutes les convictions s'étaient écroulées à l'apparition de Son Altesse. — Elle a raison. Mais comment ne savions-nous pas cela au temps de notre jeunesse à jamais disparue? Et c'était pourtant bien simple », se disait-elle en montant dans sa voiture.

Au début d'août, l'affaire d'Hélène était en bonne voie et elle écrivit à son mari (qui l'aimait tant, croyait-elle), l'informant qu'elle avait l'intention d'épouser N.N. et qu'elle s'était convertie à la seule vraie religion ; elle lui demandait de remplir les formalités nécessaires au divorce, que lui indiquerait le porteur de la lettre.

« *Sur ce, je prie Dieu, mon ami, de vous avoir en Sa Sainte et puissante garde. Votre amie Hélène.* »

Cette lettre fut apportée chez Pierre alors qu'il se trouvait sur le champ de bataille de Borodino.

VIII

S'étant pour la seconde fois enfui de la batterie Raïevsky tout à la fin de la bataille, Pierre se dirigea en suivant un ravin avec une foule de soldats vers Kniazkovo. Il atteignit un poste de secours, mais ne put supporter la vue du sang, les cris, les gémissements, et repartit en hâte, se mêlant de nouveau à la foule des soldats.

De toutes les forces de son âme, Pierre ne désirait maintenant qu'une chose, s'évader au plus vite des atroces impressions dans lesquelles il avait été plongé ce jour-là, retrouver les conditions habituelles de son existence et dormir paisiblement dans son lit, dans sa chambre. Il sentait que c'était dans ces conditions habituelles seulement qu'il parviendrait à voir clair en lui-même et à comprendre tout ce qu'il avait vu et éprouvé. Mais ces conditions ne se retrouvaient pas.

Les boulets et les balles ne sifflaient plus sur la route qu'il suivait, et pourtant, ce qu'il voyait autour de lui était tout pareil à ce qu'il avait vu sur le champ de bataille ; c'étaient les mêmes visages epuisés, décomposés par la souffrance, et parfois étrangement indifférents, c'étaient le même sang, les mêmes capotes, les mêmes détonations, qui, bien que plus éloignées, répandaient la même terreur ; à quoi venaient s'ajouter la chaleur et la poussière.

Après avoir parcouru encore trois verstes dans la direction de Mojaïsk, il s'assit sur le bord de la route.

Le crépuscule descendait sur la terre ; le grondement de l'artillerie s'était tu. Pierre s'allongea et resta longtemps ainsi, appuyé sur son coude, à regarder les ombres qui défilaient devant lui dans l'obscurité. Il croyait à tout moment entendre un boulet foncer sur lui avec un sifflement terrifiant ; il tressaillait et se redressait. Il ne put se rappeler plus tard combien de temps il resta à cet endroit. Au milieu de la nuit, trois soldats qui traînaient des branches sèches s'installèrent à côté de lui et firent du feu.

Tout en regardant parfois Pierre du coin de l'œil, ils posèrent sur le feu une petite marmite, y émiettèrent des biscuits et y ajoutèrent du lard. La senteur agréable d'une soupe grasse se mêla à l'odeur de la fumée. Pierre se redressa en soupirant. Les soldats (ils étaient trois) mangeaient sans faire attention à lui et causaient entre eux.

— Et toi, qui es-tu donc? lui demanda soudain un des soldats. Comme le comprit Pierre, la question dans l'esprit du soldat sous-entendait évidemment : si tu veux manger, nous te donnerons, mais dis seulement si tu es un honnête homme.

— Moi? Moi? dit Pierre sentant qu'il lui fallait rabaisser autant que possible sa situation sociale afin de se rapprocher de ses compagnons et d'en être compris. — Je suis un officier de la milice, mais mon détachement n'est pas ici, j'étais à la bataille et j'ai perdu mes camarades.

— Voyez-moi ça, dit un des soldats.

Un autre hocha la tête.

— Eh bien, mange, si tu veux de notre tambouille, dit le premier, et il tendit à Pierre une cuillère de bois, l'ayant au préalable léchée.

Pierre se rapprocha du feu et se mit à manger ce qu'il y avait dans la marmite, et il lui parut que de sa vie il n'avait jamais rien mangé d'aussi bon.

Tandis que penché sur la marmite il enfournait avidement dans sa bouche de grandes cuillerées et mâchait, le visage éclairé par les flammes, les soldats le considéraient attentivement.

— Et alors, où dois-tu aller? Dis? interrogea de nouveau l'un d'eux.

— A Mojaïsk.

— Ainsi, tu es un monsieur?

— Oui.

— Et comment te nommes-tu?

— Piotr Kirilovitch.

— Eh bien, Piotr Kirilovitch, allons-y. Nous te conduirons.

Les soldats et Pierre se mirent en marche dans l'obscurité complète. Les coqs chantaient déjà quand ils atteignirent Mojaïsk et s'engagèrent sur la côte abrupte menant à la ville. Pierre suivait les soldats, ayant complètement oublié que son auberge se trouvait au bas de la colline et qu'il l'avait dépassée. Il ne s'en serait pas souvenu (tant il était désemparé) s'il ne s'était pas heurté à mi-côte à son écuyer qui, parti à sa recherche en ville, retournait maintenant à l'auberge. L'écuyer reconnut Pierre dans les ténèbres à son chapeau blanc.

— Excellence, lui dit-il. Nous désespérions déjà. Pourquoi êtes-vous à pied? Où allez-vous ainsi? Venez.

— Ah, oui, dit Pierre.

Les soldats s'arrêtèrent.

— Alors, tu as retrouvé les tiens, dit l'un d'eux. Eh bien, adieu, Piotr Kirilovitch. Hein?

— Adieu, Piotr Kirilovitch, firent deux autres voix.

— Adieu, dit Pierre et il se dirigea avec son écuyer vers l'auberge.

« Il faudrait leur donner quelque chose », songea-t-il en mettant la main à la poche. « Non, il ne faut pas », lui souffla une voix intérieure.

Toutes les chambres de l'auberge étaient occupées; on n'y pouvait trouver la moindre place. Pierre passa dans la cour et se coucha dans sa voiture, son manteau ramené sur la tête.

IX

A peine Pierre eut-il posé la tête sur le coussin qu'il s'assoupit, mais il entendit soudain aussi nets qu'en réalité le boum-boum-boum des coups de canons, les gémissements, les cris, le choc des projectiles contre le sol, et sentit l'odeur du sang et de la poudre; l'horreur le saisit et la terreur de la mort... Il ouvrit les yeux et sortit la tête de dessous le manteau. Tout était calme dans la cour. Devant le portail passait en pataugeant dans la boue une ordonnance qui parlait au portier. Au-dessus de Pierre, des pigeons, effarouchés par son mouvement, battaient des ailes. Dans toute la cour régnait la forte odeur des cours d'auberge, pacifique et si réconfortante pour Pierre en ce moment, l'odeur du foin, du fumier et du goudron. Entre deux auvents noirs, on apercevait le ciel pur étoilé.

« Grâce à Dieu, tout cela est fini », se dit-il en ramenant de nouveau son manteau sur sa tête. « Ah, comme la terreur est affreuse, et comme je m'y suis abandonné honteusement! Et EUX... Ils ont été jusqu'au bout fermes, calmes... »

EUX, dans l'esprit de Pierre, c'était les soldats, ceux qui étaient dans la batterie, et ceux qui l'avaient nourri, et ceux qui priaient devant l'icône. EUX, ces gens étranges qui lui étaient inconnus jusqu'à ce jour, se détachaient nettement des autres hommes dans sa pensée et tranchaient sur eux.

« « Être soldat, simple soldat, songeait Pierre en s'endormant.

Participer de tout son être à cette vie commune, s'imprégner de ce qui rend ces hommes précisément tels qu'ils sont. Mais comment rejeter ce fardeau inutile, diabolique qu'est l'homme extérieur? Il fut un temps où j'aurais pu être soldat; j'aurais pu fuir de chez mon père comme je le voulais. Et après le duel avec Dolokhov, j'aurais pu être condamné à servir comme simple soldat. » Et ce dîner au Club où il avait provoqué Dolokhov surgit dans son imagination, et aussitôt après, sa rencontre avec le bienfaiteur à Torjok; puis, une séance solennelle de la Loge; cette séance se tient au Club Anglais. Quelqu'un qu'il connaît, qui lui est proche, qui lui est cher, est assis au bout de la table. C'est lui! C'est le bienfaiteur. « Mais n'est-il pas mort? se dit Pierre. Oui, il est mort, mais j'ignorais qu'il fût vivant. Et comme je regrette qu'il soit mort, et comme je suis heureux qu'il soit de nouveau vivant! » D'un côté de la table sont assis Anatole, Dolokhov, Nesvitsky, Dénissov et d'autres, leurs pareils (la catégorie à laquelle appartiennent ces gens est aussi précise dans le rêve de Pierre que la catégorie de ceux qu'il appelle EUX). Et ces gens, Anatole, Dolokhov, crient et chantent; cependant à travers leurs voix perce la voix du bienfaiteur parlant sans arrêt. Et le son de ses paroles est aussi continu et plein de sens que le grondement du champ de bataille, mais agréable et réconfortant. Pierre ne comprend pas ce que dit le bienfaiteur, mais il sait (ses pensées sont, elles aussi, parfaitement délimitées dans son rêve) qu'il parle du bien, qu'il est possible de devenir ce qu'ils sont, EUX. Et ils entourent de toutes parts le bienfaiteur avec leurs visages simples, bons et fermes. Mais si bons qu'ils soient, ils ne regardent pas Pierre, ils l'ignorent. Pierre veut attirer leur attention et leur parler. Il se dresse, mais au même moment ses jambes se dénudent et il sent le froid.

Il a honte et recouvre de la main ses jambes d'où le manteau a effectivement glissé. Tout en arrangeant le manteau, il ouvrit un moment les yeux et vit les mêmes auvents, les mêmes poteaux, la même cour; mais le tout plus clair maintenant, dans une lueur bleuâtre, pailletée de rosée ou de gelée blanche.

« Le jour vient, se dit Pierre, mais il ne s'agit pas de cela. Il me faut écouter et comprendre les paroles du bienfaiteur. » Il remonta le manteau, mais la loge et le bienfaiteur avaient disparu, laissant la place à des pensées formulées en paroles que quelqu'un prononçait clairement, ou que Pierre se disait en lui-même.

Bien qu'elles fussent inspirées par les impressions de la journée, ne se rappelant plus celles-ci, Pierre demeura convaincu qu'elles ne venaient pas de lui mais d'un autre. Jamais, lui semblait-il, il n'avait été capable de penser et de s'exprimer ainsi en état de veille.

« La guerre est la soumission la plus difficile de la liberté de l'homme aux lois de Dieu. La simplicité est la soumission à Dieu. On n'échappe pas à Lui. Et EUX ils ne parlent pas, ils agissent. La parole prononcée est d'argent, celle qui n'est pas prononcée est d'or. L'homme n'a pouvoir sur rien tant qu'il a peur de la mort. Et celui qui n'a pas peur de la mort possède tout. Si la souffrance n'existait pas, l'homme ne se connaîtrait pas de limites, il ne se connaîtrait pas lui-même. Le plus difficile (continuait d'entendre ou de penser en dormant Pierre) c'est de savoir réunir en son âme le sens de tout. Tout réunir? se demanda Pierre. Non, non pas réunir; on ne peut réunir des pensées. Les atteler ensemble, voilà ce qu'il faut! Oui, ATTELER ENSEMBLE, ATTELER ENSEMBLE! » répétait Pierre émerveillé, sentant que ces mots, et seuls ces mots exprimaient ce qu'il voulait exprimer et résolvaient la question qui le tourmentait.

— Oui, il faut atteler, il est temps d'atteler.

— Il faut atteler, il est temps d'atteler, Votre Excellence! Votre Excellence! disait une voix. Il est temps d'atteler.

C'était la voix de l'écuyer qui était venu réveiller son maître. Le soleil frappait en plein le visage de Pierre. Il regarda la cour malpropre au milieu de laquelle des soldats faisaient boire leurs chevaux efflanqués autour d'un puits; des chariots sortaient par le portail. Pierre se détourna, dégoûté, ferma les yeux et se laissa retomber sur les coussins de la calèche. « Non, je ne veux pas ça, je ne veux pas voir et comprendre ça; je veux comprendre ce qui m'a été découvert dans mon sommeil. Une seconde encore, et j'aurais tout compris... Que dois-je faire, maintenant, unir tout? Mais comment? » Et Pierre sentit, désespéré, que le sens de tout ce qu'il avait vu et pensé en dormant était détruit.

L'écuyer, le cocher et le portier racontèrent à Pierre qu'un officier avait apporté la nouvelle que les Français s'étaient avancés jusqu'à Mojaïsk et que les nôtres battaient en retraite.

Pierre se leva, donna l'ordre d'atteler et de le suivre; lui-même entra dans la ville à pied.

Les troupes traversaient Mojaïsk en y laissant près de dix mille blessés. On les voyait aux fenêtres des maisons, dans les cours ou se pressant dans les rues. Autour des charrettes qui devaient les transporter, on criait, on s'injuriait, on échangeait des coups. Sa calèche l'ayant rattrapé, Pierre y offrit une place à un général blessé de sa connaissance et l'emmena à Moscou. Au cours du trajet, il apprit la mort de son beau-frère et celle du prince André.

X

Pierre rentra à Moscou le 30 août. Près de la barrière, il rencontra un aide de camp du comte Rostoptchine.

— Nous vous cherchons partout, dit l'aide de camp. Le comte a absolument besoin de vous voir. Il vous demande de venir immédiatement pour une affaire très grave.

Sans passer chez lui, Pierre prit un fiacre et se rendit chez le gouverneur militaire.

Rostoptchine venait d'arriver à Moscou le matin même de sa villa de Sokolniki. Une foule de fonctionnaires, qu'il avait convoqués ou qui étaient venus demander ses instructions, se pressait dans l'antichambre et la salle de réception. Vassiltchikov et Platov avaient déjà vu le comte et lui avaient expliqué qu'il était impossible de défendre Moscou et qu'elle allait être abandonnée. Cette nouvelle que l'on cachait encore aux habitants était déjà connue des fonctionnaires et des chefs des différentes administrations qui savaient comme Rostoptchine que Moscou tomberait aux mains de l'ennemi. Désireux de dégager leur responsabilité, tous ces gens étaient venus s'informer auprès du gouverneur de ce qu'ils devaient faire des services qui leur étaient confiés.

Pierre entra dans l'antichambre juste au moment où un courrier de l'armée quittait le cabinet de Rostoptchine. Le courrier traversa la salle en se contentant de répondre par un geste de découragement aux questions qu'on lui posait.

Dans l'attente d'être reçu, Pierre parcourait de ses yeux fatigués les fonctionnaires jeunes et vieux, civils et militaires, qui se trouvaient là. Tous paraissaient soucieux et mécontents. Pierre s'approcha d'un groupe où il avait aperçu quelqu'un qu'il connaissait. On le salua et la conversation reprit.

— Le renvoyer, puis le faire revenir, ce ne serait pas un mal; mais dans la situation actuelle on ne peut répondre de rien.

— Pourtant il écrit ici..., dit un autre, montrant l'imprimé qu'il tenait à la main.

— C'est une autre affaire; il le faut pour le peuple, répliqua le premier.

— Qu'est-ce donc? demanda Pierre.

— C'est sa dernière affiche.

Pierre prit l'affiche et se mit à lire.

« Pour rejoindre au plus vite les troupes qui vont à sa rencontre, le prince Sérénissime a traversé Mojaïsk et s'est solidement installé sur une position où l'ennemi ne pourra pas l'attaquer de sitôt. On lui a envoyé d'ici quarante-huit canons avec leurs munitions, et le Sérénissime dit que l'armée défendra Moscou jusqu'à la dernière goutte de son sang et qu'il est prêt s'il le faut à combattre dans les rues. Et vous, frères, ne vous inquiétez pas que les administrations aient fermé leurs portes; il faut les mettre à l'abri. Quant à nous, nous réglerons son compte au bandit. Le moment venu, j'aurai besoin de solides gaillards, de la ville et de la campagne. Je lancerai un appel deux jours avant, pour le moment c'est inutile et c'est pourquoi je me tais. On fera bien d'emporter une hache, l'épieu ce n'est pas mal non plus, mais une fourche à trois pointes c'est ce qu'il y a de mieux. Le Français n'est pas plus lourd qu'une gerbe de seigle. Demain, après le dîner, je porte en procession l'icône d'Ibérie aux blessés, à l'hôpital Catherine. Là nous bénirons l'eau; ils guériront plus vite. Je vais bien maintenant; j'avais mal à un œil, et maintenant ils sont bien ouverts tous les deux. »

— Et pourtant, objecta Pierre, les militaires m'assuraient qu'il était impossible de se battre dans les rues et que la position...

— Mais oui, c'est de cela justement que nous parlions, dit un fonctionnaire.

— Et qu'est-ce que cela signifie : j'avais mal à un œil et maintenant ils sont bien ouverts tous les deux? demanda Pierre.

— Le comte avait un orgelet, expliqua l'aide de camp avec un sourire, et quand je lui ai dit que le peuple venait demander ce qu'il avait, il a été très inquiet... A propos, comte, dit-il subitement à Pierre en souriant, nous avons entendu dire que vous aviez des ennuis de famille, que la comtesse, votre épouse...

— Je ne sais rien, répondit avec indifférence Pierre. Qu'avez-vous entendu?

— Oh, vous savez, on invente souvent. Je répète ce que j'ai entendu...

— Mais qu'avez-vous donc entendu?

— Il paraît, dit l'aide de camp toujours avec le même sourire, que la comtesse, votre épouse, se prépare à partir pour l'étranger, des bavardages sans doute.

— Il se peut, dit Pierre en regardant distraitement autour de lui. — Et qui est celui-là? — Il désignait un homme âgé, de petite taille, vêtu d'un caftan bleu foncé tout propre; il avait un teint coloré, une barbe et des sourcils blancs comme la neige.

— Celui-là, c'est un marchand, c'est-à-dire un aubergiste, Vérechtchaguine. Vous êtes probablement au courant de l'histoire de cette proclamation.

— Ah! Ainsi donc c'est Vérechtchaguine, dit Pierre en scrutant le visage calme et ferme du vieux marchand, cherchant à y lire la traîtrise.

— Non, ce n'est pas lui, c'est son fils qui a écrit la proclamation, expliqua l'aide de camp. Ce fils est au cachot, et cela finira mal pour lui, je crois.

Un petit vieux dont la poitrine s'ornait d'une décoration, et un autre fonctionnaire, un Allemand, une décoration au cou, s'approchèrent des interlocuteurs.

— Voyez-vous, poursuivit l'aide de camp, c'est une histoire compliquée. Il y a deux mois à peu près paraît cette proclamation. On informa le comte. Il ordonna une enquête. C'est Gavrilo Ivanovitch que voilà qui a mené l'enquête. La proclamation est passée exactement par soixante-trois mains. Nous allons chez l'un : De qui la tenez-vous? D'un tel. Nous allons chez celui-là : Et vous, de qui? Et ainsi de suite. Nous parvenons jusqu'à Vérechtchaguine... un de ces jeunes fils de marchand sans instruction, du vent dans la tête, vous connaissez le genre... — L'aide de camp sourit. — On l'interroge : « Et toi, de qui la tiens-tu? — Notez que nous savions bien qui la lui avait passée. Il ne pouvait l'avoir reçue que du directeur des postes, Klioutchariov. Mais ils s'étaient évidemment entendus à l'avance. Il répond : Je ne l'ai reçue de personne, je l'ai écrite moi-même. — Supplications, menaces, rien n'y fait. Il n'en démord pas : — Je l'ai rédigée moi-même. — On a informé le comte. Le comte l'a fait venir. « Qui t'a passé la proclamation? — Je l'ai écrite moi-même. » — Vous connaissez le comte. — L'aide de camp eut un sourire gai et fier. — Il s'est emporté. Songez donc; quelle impudence, quel mensonge et quelle obstination!...

— Ah, je comprends, dit Pierre, le comte avait besoin qu'il désignât Klioutchariov.

— Pas du tout, s'exclama l'aide de camp effrayé. Klioutchariov avait d'autres petits péchés sur la conscience et c'est pourquoi il a été déporté. Mais le comte était profondément indigné. « Comment as-tu pu l'écrire toi-même? » Et il prend sur la table la Gazette de Hambourg : « La voilà ta proclamation. Tu ne l'as pas rédigée, tu l'as traduite, et mal traduite parce que tu ne sais pas le français non plus, imbécile! — Eh bien, qu'en dites-vous? — Non, dit-il, je n'ai lu aucune gazette, j'ai rédigé moi-même. — Si c'est ainsi, tu es un traître et je te ferai juger et on te pendra. Avoue, de qui l'as-tu reçue? — Je n'ai lu aucune gazette, j'ai écrit moi-même. » — On en est resté là. Le comte a fait venir le père. Rien à faire. On l'a jugé et condamné, je crois, aux travaux forcés. Le père est venu implorer pour son fils. Mais c'est un vilain gamin, il fait le faraud, un coureur de jupons; il a suivi je ne sais quel cours et se figure maintenant que le roi n'est pas son cousin! Vous voyez le genre. Son père tient un cabaret près du pont Kamenny, et il y avait là une grande icone de Dieu le Père tenant d'une main le sceptre, de l'autre le globe. Eh bien, il a pris l'icone chez lui pour quelques jours, et qu'a-t-il fait, imaginez-vous! Il a déniché un peintre, une crapule...

XI

Au milieu de ce récit, Pierre fut appelé chez le gouverneur.

Lorsque Pierre entra, Rostoptchine, l'air sombre, se frottait de la main le front et les yeux. Quelqu'un, de petite taille, était en train de lui parler; à la vue de Pierre, il se tut et quitta la pièce.

— Ah, bonjour, grand guerrier, dit Rostoptchine dès que l'autre fut sorti. J'ai entendu parler de vos *prouesses*. Mais il ne s'agit pas de cela. *Mon cher, entre nous*, vous êtes maçon? dit le comte d'un ton sévère, comme si c'était un crime qu'il était d'ailleurs prêt à pardonner. Pierre se taisait. — *Mon cher, je suis bien informé*, mais je sais qu'il y a maçon et maçon, et j'espère que vous n'êtes pas de ceux qui, sous prétexte de sauver l'humanité, veulent la perte de la Russie.

— Oui, je suis maçon, répondit Pierre.

— Vous voyez donc, mon cher. Sans doute, vous n'ignorez pas que messieurs Spéransky et Magnitsky ont été expédiés là où il fallait; il en a été de même pour Klioutchariov, ainsi que pour d'autres encore qui, sous couvert de bâtir le temple de Salomon, essayaient de détruire le temple de leur patrie. Vous devez comprendre qu'il y avait des raisons à cela et que je n'aurais pas déporté le directeur des postes s'il n'avait pas été un homme dangereux. Et maintenant, j'apprends que vous avez mis à sa disposition votre équipage pour quitter la ville et même qu'il vous a donné à garder certains papiers. J'ai de l'affection pour vous et je ne vous veux aucun mal; et comme j'ai deux fois votre âge, je vous conseille comme un père de cesser toutes relations avec des gens de cet acabit et de partir le plus vite possible.

— Mais quel est le crime de Klioutchariov, comte?

— C'est mon affaire et ce n'est pas à vous de m'interroger! s'écria Rostoptchine.

— Si on l'accuse d'avoir répandu des proclamations de Napoléon, ce n'est pas prouvé, dit Pierre (sans lever les yeux sur le gouverneur) et Vérechtchaguine....

— *Nous y voilà!* interrompit Rostoptchine élevant encore la voix, les sourcils froncés. — Vérechtchaguine est un traître, un Judas, qui aura la mort qu'il mérite! cria le gouverneur du ton rageur de celui qui se souvient brusquement d'une offense personnelle. Mais je ne vous ai pas convoqué pour discuter de mes affaires, mais pour vous donner un conseil ou un ordre si vous préférez. Je vous demande de mettre fin à vos relations avec des gens comme Klioutchariov et de partir. Et moi, je saurai leur faire passer leur folie à tous, quels qu'ils soient. — Et s'avisant probablement qu'il s'en prenait à Bézoukhov qui n'avait encore rien fait de mal, il ajouta amicalement en prenant Pierre par le bras : — *Nous sommes à la veille d'un désastre public, et je n'ai pas le temps de dire des gentillesses à tous ceux qui ont affaire à moi. J'en ai parfois le vertige. Eh bien, mon cher, qu'est-ce que vous faites, vous, personnellement?*

— *Mais rien*, dit Pierre, les yeux baissés et l'air toujours absent.

Le comte fronça de nouveau les sourcils.

— *Un conseil d'ami, mon cher. Décampez, et au plus tôt, c'est tout ce que je vous dis. A bon entendeur, salut!* Adieu, mon cher. Ah, cria-t-il à Pierre par la porte entr'ouverte : Est-il vrai que la comtesse est tombée entre les pattes *des saints pères de la société de Jésus?*

Pierre ne répondit mot et quitta Rostoptchine, sombre et furieux comme on ne l'avait jamais encore vu.

L'obscurité tombait déjà quand il rentra chez lui. Quelque huit personnes vinrent le trouver ce soir-là : le secrétaire du comité, le commandant de son régiment, son régisseur, son majordome et différents solliciteurs. Tous avaient des questions à régler avec Pierre. Il ne comprenait rien, ne s'intéressait pas à ces questions et ne cherchait qu'à se débarrasser de tous ces gens. Resté seul, il décacheta la lettre de sa femme et la lut.

« Eux, les soldats de la batterie... Le prince André est mort... Le vieillard... la simplicité est la soumission à Dieu... Il faut souffrir... Le sens de tout!... Il faut atteler ensemble... Ma femme se marie... Oublier et comprendre... » S'étant approché de son lit, il se laissa tomber dessus sans se déshabiller et s'endormit immédiatement.

Quand il se réveilla le lendemain matin, la majordome vint le prévenir que Rostoptchine avait dépêché un policier pour s'informer si le comte Bézoukhov était parti ou se disposait à partir.

Une dizaine de personnes venues pour affaire l'attendaient au salon. Pierre s'habilla en hâte et au lieu d'aller les retrouver, il gagna l'escalier de service et franchit le portail.

A partir de ce moment et jusqu'à la fin de l'occupation de Moscou, personne de l'entourage de Bézoukhov ne le revit et ne sut, en dépit de toutes les recherches, ce qu'il était devenu.

XII

Les Rostov restèrent à Moscou jusqu'au 1er septembre, c'est-à-dire jusqu'à la veille de l'entrée des Français dans la ville [1].

Depuis l'incorporation de Pétia dans le régiment des cosaques d'Obolensky et son départ pour Biélaïa Tserkov où se formait le régiment, la comtesse était en proie à la terreur. La pensée que ses deux fils étaient à la guerre, qu'ils étaient sortis de dessous son aile, qu'aujourd'hui, demain, l'un d'eux, tous les deux peut-être, pourraient être tués, comme l'avaient été les trois fils d'une amie, cette pensée s'était pour la première fois présentée cet été à son esprit avec une précision cruelle. Elle essaya de faire revenir Nicolas et voulut se rendre elle-même auprès de Pétia et lui obtenir un poste quelconque à Pétersbourg; mais l'une et l'autre tentatives s'avérèrent impossibles. Pétia ne pouvait revenir qu'avec son régiment ou en se faisant muter dans un autre régiment. Nicolas était à l'armée on ne savait où; après la lettre où il décrivait en détail sa rencontre avec la princesse Marie, il n'avait plus donné signe de vie. La comtesse n'en dormait plus et quand il lui arrivait de s'assoupir elle voyait en rêve ses fils tués. Après bien des conciliabules et des tractations, le comte trouva enfin le moyen de tranquilliser sa femme. Il fit transférer Pétia du régiment d'Obolensky à celui de Bézoukhov qu'on formait dans les environs de Moscou. Pétia était toujours dans le service armé, mais grâce à son transfert, la comtesse avait la consolation de garder au moins l'un de ses fils sous son aile et conservait l'espoir de ne plus lâcher son petit Pétia et de le faire nommer à des emplois où il ne risquerait pas de participer à une bataille.

Tant que seul Nicolas était en danger, il semblait à la comtesse (et même elle se le reprochait) qu'elle aimait son aîné plus que tous les autres enfants; mais quand le cadet, l'espiègle Pétia, qui travaillait mal, cassait tout dans la maison, agaçait tout le monde, ce Pétia au nez retroussé, aux yeux noirs rieurs, avec ses fraîches joues roses qu'ombrait à peine un léger duvet, se trouva parmi ces hommes robustes, terribles, cruels qui livraient quelque part là-bas ON NE SAVAIT QUELLES BATAILLES et y trouvaient plaisir, — alors il semblait à la mère que c'était précisément Pétia qu'elle aimait plus, beaucoup plus que ses autres enfants. A mesure que le retour attendu de Pétia à Moscou se faisait plus proche, l'inquiétude de la comtesse augmentait; elle avait l'impression que ce bonheur n'arriverait jamais. La présence non seulement de Sonia, mais même de Natacha qu'elle aimait tant, même de son mari, ne cessait d'irriter la comtesse. « Que m'importent-ils! Je n'ai besoin que de Pétia! » songeait-elle.

Dans les derniers jours d'août, les Rostov reçurent une nouvelle lettre de Nicolas; il écrivait du gouvernement de Voronège où il avait été envoyé pour la remonte. Cette lettre ne tranquillisa pas la comtesse : de savoir un de ses fils hors de danger ne fit qu'augmenter ses craintes au sujet de Pétia.

Bien que dès le 20 août, presque tous ceux que connaissaient les Rostov eussent déjà quitté Moscou, bien que tout le monde conseillât à la comtesse de partir au plus vite, elle ne voulait pas entendre parler de départ tant que son trésor, son Pétia adoré ne serait pas revenu. Il arriva le 28 août. La tendresse passionnée, maladive, avec laquelle sa mère l'accueillit, indisposa l'officier de seize ans. Bien que la comtesse lui eût caché son intention de le garder désormais auprès d'elle, Pétia la devina, et craignant instinctivement de se laisser amollir, de s'efféminer (comme il disait à part soi), il la traita avec froideur, l'évita et durant tout son séjour resta presque exclusivement en compagnie de Natacha à qui il avait toujours voué une tendresse fraternelle particulière, presque amoureuse.

Par suite de l'insouciance habituelle du comte, le 28 août rien n'était encore prêt pour le départ, et les charrettes, qu'on avait fait venir du domaine de Riazan et de celui des environs de Moscou pour tout emporter, n'arrivèrent que le 30.

Du 28 au 31 août, tout Moscou s'agita et s'affaira. Des files de charrettes amenaient chaque jour par la barrière de Dorogomilovo [1] des milliers de blessés de Borodino qu'on répartissait dans la ville; et des milliers de véhicules chargés de civils et de bagages quittaient Moscou par les autres barrières. En dépit des affiches de Rostoptchine, indépendamment d'elles ou à cause d'elles, les rumeurs les plus contradictoires et les plus étranges circulaient en ville. Selon les uns, il était interdit de partir; selon les autres, au contraire, on levait les icones de toutes les églises et on expulsait toute la population. Celui-ci affirmait qu'il y avait eu une seconde bataille après Borodino et que les Français avaient été complètement défaits; celui-là assurait que l'armée russe avait été anéantie. La milice de Moscou, le clergé en tête, allait se rendre aux Trois Monts, rapportait un troisième. D'autres encore colportaient tout bas que le métropolite Augustin n'avait pas été autorisé à partir, qu'on avait arrêté des traîtres, que les paysans se mutinaient et pillaient ceux qui partaient. Mais ce n'était que bavardages; en réalité, aussi bien ceux qui partaient que ceux qui restaient, tous sentaient (bien que le conseil de Fili où l'on devait décider d'abandonner Moscou n'eût pas encore eu lieu), tout en ne le montrant pas, que Moscou ne serait pas défendue et qu'il fallait décamper au plus vite et sauver ce qu'on possédait. On avait le sentiment que tout devait brusquement s'écrouler et changer. Jusqu'au 1er septembre, rien ne changea. Tel un criminel que l'on mène au supplice et qui sait que dans un instant il va mourir, regarde tout de même autour de lui et rajuste son bonnet posé de travers, Moscou continuait involontairement à mener son existence ordinaire, tout en sachant que le moment de sa chute approchait, quand se rompraient les conventions auxquelles on avait l'habitude de se soumettre.

Durant les trois jours qui précédèrent l'occupation de Moscou, les Rostov furent absorbés par les soucis domestiques. Le chef de la famille, le vieux comte, ne cessait de parcourir la ville et de recueillir tous les bruits qui y circulaient. Rentré chez lui, il prenait précipitamment des dispositions pour le départ, mais elles étaient toujours vagues et insuffisantes.

La comtesse surveillait les rangements, était mécontente de tout, poursuivait Pétia qui la fuyait, et était jalouse de Natacha avec qui Pétia passait tout son temps. Sonia seule s'occupait des questions pratiques, telles que l'emballage des objets, mais elle était particulièrement triste et silencieuse les derniers temps. La lettre où Nicolas parlait de sa rencontre avec la princesse Marie avait suscité en présence de Sonia de joyeuses réflexions de la comtesse qui voyait dans cette rencontre la main de la Providence.

— Je ne me réjouissais pas, dit la comtesse, lorsque Bolkonsky était le fiancé de Natacha, mais j'ai toujours désiré que Nicolas épouse la princesse, et je pressens qu'il en sera ainsi. Ah, comme ce serait bien!

Sonia sentait qu'elle avait raison, qu'un riche mariage était le seul moyen d'arranger les affaires des Rostov et que la princesse était un excellent parti. Mais cela lui était fort amer. Malgré son chagrin, ou peut-être à cause précisément de son chagrin, elle avait pris sur elle la responsabilité de tous les travaux d'emballage et de rangement, et était fort occupée toute la journée. C'est à elle que le comte et la comtesse s'adressaient lorsqu'il fallait donner des ordres aux domestiques. Pétia et Natacha, bien au contraire, non seulement n'aidaient pas leurs parents, mais la plupart du temps gênaient et agaçaient tout le monde. La maison retentissait constamment de leurs cris, de leurs galopades et de leurs rires sans raison. Ils riaient et se réjouissaient non pas parce qu'il y avait de quoi rire et se réjouir, mais parce que leur âme débordait de joie et de gaieté; aussi tout ce qui arrivait était prétexte à la joie et au rire. Pétia était gai parce qu'ayant quitté la maison enfant, il y était revenu homme, un gaillard (comme on le lui disait); il était gai parce qu'il se retrouvait chez lui, parce que de Biélaïa Tserkov [1] où il y avait peu de chances de se battre prochainement, il était rentré à Moscou où on allait se battre d'un jour à l'autre; et il était gai surtout parce que Natacha l'était et que l'humeur de sa sœur déteignait toujours sur lui. Quant à Natacha, elle était gaie parce qu'elle avait été trop longtemps triste, que rien ne lui rappelait maintenant la cause de cette tristesse et qu'elle était en bonne santé. Et puis, elle était gaie parce qu'il y avait quelqu'un pour l'admirer (l'admiration d'autrui était aussi indispensable au bon fonctionnement de sa machine que la graisse aux roues d'une charrette), c'est-à-dire Pétia. Mais par-dessus tout, ils étaient gais parce que la guerre était aux portes de Moscou, qu'on allait se battre à la barrière, qu'on distribuait des armes, que tout le monde fuyait, partait Dieu sait où, qu'il se passait en général des choses extraordinaires, ce qui exalte toujours les hommes et surtout la jeunesse.

XIII

Le samedi 31 août, la maison des Rostov paraissait sens dessus dessous. Toutes les portes étaient ouvertes, les meubles enlevés ou déplacés, les glaces, les tableaux, décrochés. Des malles encombraient les pièces où traînaient de la paille, du papier d'emballage, des cordes... Les paysans et les domestiques qui portaient les caisses, martelaient les parquets de leurs pas lourds. Les charrettes des paysans encombraient la cour, les unes déjà chargées à pleins bords et cordées, d'autres encore vides.

Le brouhaha des voix et des pas de l'énorme domesticité et des paysans qui avaient amené les charrettes, emplissait la cour et la maison. Le comte était parti on ne sait où dès le matin; la comtesse qui avait mal à la tête à cause du bruit et de l'agitation, était étendue dans le fumoir, des compresses de vinaigre sur le front. Pétia n'était pas à la maison (il était allé chez un camarade avec lequel il comptait passer de la milice dans l'armée active). Sonia assistait dans le grand salon à l'emballage des cristaux et de la porcelaine. Assise sur le plancher dans sa chambre dévastée parmi des robes, des rubans, des écharpes éparpillées, Natacha tenait entre ses mains une vieille robe de bal, celle-là même (déjà démodée) qu'elle portait à son premier bal à Pétersbourg. Natacha était honteuse de ne rien faire dans la maison alors que tous étaient si occupés, et depuis le matin elle avait essayé à plusieurs reprises de se mettre à un travail quelconque, mais elle n'avait pas le cœur à l'ouvrage; or, elle ne savait faire que ce qui lui tenait à cœur, à quoi elle pouvait se vouer entièrement. Elle avait assisté un moment à l'emballage de la porcelaine aux côtés de Sonia et voulu lui donner un coup de main, mais y avait renoncé aussitôt et était allée empaqueter ses affaires. Elle avait eu plaisir tout d'abord à distribuer robes et rubans aux femmes de chambre, mais ensuite, quand il fallut tout de même emballer le reste, cela l'ennuya.

— Douniacha, ma chère, tu feras bien les paquets, n'est-ce pas? — Et lorsque Douniacha lui eut volontiers promis de faire le nécessaire, elle s'assit par terre, prit en main la vieille robe de bal et se mit à songer non pas à ce qui aurait dû l'occuper en ce moment mais à tout autre chose... Elle fut tirée de sa songerie par les voix des servantes dans leur chambre qui était voisine et un bruit de pas précipités entre cette chambre et l'escalier de service. Natacha se releva et regarda par la fenêtre. Un grand convoi de blessés était arrêté dans la rue.

Des servantes, des valets, l'économe, la vieille bonne, des cuisiniers, des cochers, des postillons, des marmitons s'étaient rassemblés devant le portail et considéraient les blessés.

Natacha mit sur ses cheveux un mouchoir de poche blanc et, le maintenant des deux mains par les pointes, descendit dans la rue.

L'ancienne économe, la vieille Mavra Kouzminichna, se détacha de la foule qui se pressait au portail, s'approcha d'une charrette surmontée d'une bâche en écorce et se mit à causer avec un jeune officier tout pâle, allongé sous la bâche. Natacha avança timidement de quelques pas, s'arrêta et tout en maintenant son mouchoir, écouta ce que disait l'économe.

— Ainsi donc vous n'avez personne à Moscou? demanda Mavra Kouzminichna. Vous seriez plus au calme si vous logiez chez quelqu'un, chez nous, par exemple. Les maîtres partent.

— Je ne sais si on m'autorisera..., répondit l'officier d'une voix faible. Voilà le chef... demandez-lui. — Il désigna un gros major qui revenait en longeant la file des charrettes.

Natacha jeta un regard effrayé sur le visage du blessé et alla aussitôt au-devant du major.

— Les blessés peuvent-ils loger chez nous? lui demanda-t-elle.
Le major porta en souriant la main à sa visière.

— Que désirez-vous, mam'zelle? dit-il en plissant les yeux
et toujours souriant.

Natacha répéta calmement sa question, et son visage, son
attitude étaient si sérieux, bien qu'elle continuât de maintenir
son mouchoir des deux mains, que le major cessa de sourire,
réfléchit un moment comme s'il se demandait si la chose était
possible, et répondit affirmativement.

— Oui, pourquoi pas? On peut.

Natacha inclina légèrement la tête et rejoignit d'un pas rapide
Mavra Kouzminichna qui se tenait près de l'officier et lui parlait
d'un air apitoyé.

— On peut, il a dit qu'on pouvait! lui murmura Natacha.

La charrette avec l'officier entra dans la cour des Rostov et
des dizaines de charrettes chargées de blessés se dirigèrent
vers les portails des maisons voisines de la rue Povarskaïa sur
l'invitation de leurs habitants. Natacha prenait visiblement
plaisir à entrer en contact avec des gens nouveaux, en dehors
des conditions de la vie quotidienne. Avec Mavra Kouzminichna,
elle tâchait de faire entrer dans la cour le plus de blessés possible.

— Il faudrait tout de même avertir votre père, dit Mavra
Kouzminichna.

— Pourquoi? Quelle importance? Nous pouvons pour un jour
déménager au salon. On peut leur céder entièrement notre
aile.

— Vous en avez des idées, mademoiselle! Même si on les installe dans le pavillon ou dans les communs, ou dans la chambre
de la nourrice, il faut une permission.

— Bien, je vais la demander.

Natacha rentra en courant dans la maison et franchit sur la
pointe des pieds la porte entr'ouverte du fumoir où flottait
l'odeur du vinaigre de toilette et des gouttes d'Hoffmann.

— Vous dormez, maman?

Dormir? Comment serait-ce possible? répondit en se réveillant la comtesse qui venait de s'assoupir.

— Maman, ma chérie, dit Natacha en s'agenouillant devant sa
mère et en approchant son visage du sien. — Pardonnez-moi,
je ne le ferai plus, je vous ai réveillée... C'est Mavra Kouzminichna qui m'a envoyée. On a amené des blessés, des officiers.
Vous permettez? Ils n'ont où loger. Je sais que vous permettrez.

Elle parlait précipitamment, sans reprendre souffle.

— Quels officiers? Qui a-t-on amené? Je ne comprends rien, dit la comtesse.

Natacha se mit à rire; sa mère sourit faiblement.

— Je sais que vous permettrez... C'est ce que je dirai.

Et Natacha embrassa sa mère, se releva et sortit.

Elle rencontra dans le salon son père qui rentrait en rapportant de mauvaises nouvelles.

— Nous n'avons que trop tardé, dit-il involontairement avec dépit. Le Club est fermé, la police est dans les rues.

— Papa, j'ai invité des blessés à s'installer chez nous; vous n'avez rien contre cela?

— Rien du tout, bien entendu..., répondit distraitement le comte. Mais il ne s'agit pas de ça. Je demande qu'on ne s'occupe plus de vétilles, mais que tout le monde se mette au travail : il faut partir, partir dès demain...

Et le comte donna au majordome et aux domestiques les mêmes instructions. Au dîner, Pétia rapporta ce qu'il avait entendu.

Il raconta que dans la journée on avait distribué au Kremlin des armes au peuple, et que, bien que Rostoptchine dans ses affiches eût dit qu'il lancerait son appel deux jours à l'avance, l'ordre avait déjà été donné de se rendre en armes aux Trois Monts où aurait lieu une grande bataille.

Tandis que Pétia parlait, la comtesse jetait des regards timides et horrifiés sur le visage animé et joyeux de son fils. Elle savait que si elle disait le moindre mot à Pétia pour lui demander de ne pas aller à cette bataille (elle savait que c'était précisément l'attente de la bataille qui l'excitait), il se répandrait avec son entêtement masculin en propos absurdes sur les devoirs de l'homme, l'honneur, la patrie, auxquels il n'y aurait rien à répliquer, et tout serait perdu; aussi garda-t-elle le silence, espérant s'arranger de façon à partir avant la bataille et à emmener Pétia en qualité de protecteur et de défenseur. Après le repas, elle prit le comte à l'écart et le supplia en pleurant de la faire partir au plus vite, la nuit même si possible. Avec cette ruse instinctive féminine qu'inspire l'amour, elle, qui s'était montrée jusqu'alors complètement indifférente au danger, assurait qu'elle mourrait de peur si l'on ne partait pas cette nuit même. Et elle ne feignait pas, elle avait effectivement peur de tout à présent.

XIV

Mme Schoss qui était allée voir sa fille renforça encore les craintes de la comtesse en racontant ce qu'elle venait de voir dans la rue Miasnitskaïa, près du dépôt d'alcool. Ne pouvant rentrer par cette rue à cause de la foule d'ivrognes qui menaient grand tapage aux alentours du dépôt, elle avait pris un fiacre et rejoint sa maison par une ruelle ; et le cocher lui avait dit que le peuple brisait les tonneaux dans le dépôt et le faisait sur ordre.

Après le dîner, toute la maisonnée saisie d'une hâte frénétique se plongea dans les emballages et les derniers préparatifs de départ. Pris subitement d'ardeur, le vieux comte allait sans arrêt de la cour à la maison et retour, et gourmandait à tort et à travers les domestiques qui se dépêchaient, mais insuffisamment selon lui. Pétia dirigeait les opérations dans la cour. Sonia ne savait où donner de la tête, aux prises avec les ordres contradictoires du comte. Criant et se disputant, les domestiques couraient dans la maison et dans la cour. Avec l'ardeur qu'elle mettait en toute chose, Natacha, elle aussi, se mit soudain à l'ouvrage. Au début, son intervention fut accueillie avec suspicion. On s'attendait de sa part à des espiègleries et on refusait de l'écouter, mais elle exigeait obstinément, passionnément, qu'on lui obéît, se fâchait, pleurait presque de se voir écartée, et obtint finalement qu'on lui fît confiance. Son premier exploit, qui lui coûta de grands efforts mais établit son autorité, fut l'emballage des tapis. Le comte possédait de précieux *Gobelins* et des tapis persans. Lorsque Natacha prit l'affaire en main, deux caisses étaient ouvertes dans la salle : l'une était presque remplie de porcelaines, l'autre contenait des tapis. Des porcelaines encombraient encore les tables et on continuait d'en apporter de la réserve. Il fallait commencer une troisième caisse et on était allé la chercher.

— Sonia, attends, nous pourrons tout faire entrer ici, dit Natacha.

— Impossible, mademoiselle, nous avons déjà essayé, dit le maître d'hôtel.

— Non, attends, je t'en prie.

Et Natacha se mit à retirer de la caisse les plats et les assiettes enveloppés de papier.

— Les plats, il faut les mettre ici, dans les tapis, déclara-t-elle.

— Mais Dieu donne qu'on parvienne à caser le reste des tapis dans trois caisses, répliqua le domestique.

— Non, attends, je t'en prie. — Prompte et adroite, Natacha triait déjà les objets. — On n'a pas besoin de ça, disait-elle en mettant de côté les assiettes de Kiev. Et cela... oui, on le roulera dans les tapis, ajoutait-elle en désignant les plats de Saxe.

— Laisse, Natacha, cela suffit, nous emballerons, disait d'un ton de reproche Sonia.

— Eh, mademoiselle! fit le majordome.

Mais Natacha ne se rendait pas; ayant retiré rapidement tous les objets, elle recommença l'emballage, jugeant qu'il ne valait pas la peine d'emporter les tapis ordinaires et la vaisselle inutile. Lorsque tout fut enlevé, on procéda à une nouvelle répartition et ce qui ne valait pas la peine d'être emporté ayant été écarté, tous les objets de prix trouvèrent effectivement place dans les deux caisses. On ne parvenait pourtant pas à fermer la caisse des tapis. On aurait pu en sortir quelques-uns; mais Natacha tenait à son idée. Elle déplaçait, tassait, commandait au sommelier et à Pétia qu'elle avait entraîné dans son sillage, de presser sur le couvercle, et faisait elle-même des efforts désespérés.

— Assez, Natacha, disait Sonia. Je le vois, tu avais raison; mais sors donc le tapis de dessus.

— Je ne veux pas. criait Natacha retenant d'une main ses cheveux répandus sur son visage en sueur, de l'autre tassant les tapis. — Presse donc, Pétia, presse! Vassilitch, plus fort!

Les tapis furent compressés et le couvercle se ferma. Natacha battit des mains, poussa des cris aigus de triomphe et des larmes jaillirent de ses yeux. Mais cela ne dura qu'une seconde. Elle entreprit immédiatement une autre besogne; et on lui faisait confiance maintenant, et le comte ne se fâchait plus quand on lui disait que Natalia Ilinïchna avait annulé son ordre, et les domestiques venaient demander à Natacha si telle charrette était suffisamment chargée, s'il fallait ou non la corder. Grâce aux dispositions prises par Natacha, le travail avançait. Les objets inutiles étaient abandonnés, on n'emballait, en les tassant le plus possible, que les choses les plus précieuses.

Cependant, quelque diligence qu'on eût déployée jusque tard dans la nuit, tout n'était pas encore complètement terminé. La comtesse s'était endormie et le comte, ayant remis le départ au matin, alla se coucher.

Sonia et Natacha dormirent sans se déshabiller dans le fumoir.

Cette nuit-là, une voiture transportant un nouveau blessé s'engagea dans la rue Povarskaïa, et Mavra Kouzminichna qui se tenait devant le portail la fit entrer dans la cour des Rostov. Ce blessé, se dit Mavra Kouzminichna, devait être un homme important. Il était couché dans une calèche dont le tablier était relevé et la capote complètement baissée. Un vieux valet de chambre d'aspect respectable était assis sur le siège à côté du cocher. Une charrette suivait avec un médecin et deux soldats.

— Entrez chez nous, je vous en prie, entrez. Les maîtres partent, la maison est entièrement vide, disait la vieille économe au valet de chambre.

— Ah! nous n'espérons même pas le ramener chez lui en vie! Nous avons notre maison à Moscou, mais c'est loin encore et personne n'y habite.

— Venez chez nous, nous vous en prions, nos maîtres ont de tout en abondance, entrez, répétait Mavra Kouzminichna. — Et alors, il est très mal? ajouta-t-elle.

Le valet de chambre eut un geste découragé.

— Nous n'espérons pas le ramener vivant. Il faut demander au docteur.

Il descendit du siège et s'approcha de la carriole.

— Je veux bien, dit le docteur.

Le valet retourna à la calèche, jeta un regard sous la capote, hocha la tête, ordonna au cocher de tourner dans la cour et s'arrêta près de Mavra Kouzminichna.

— Seigneur Jésus-Christ! murmura-t-elle.

Elle proposa d'installer le blessé dans la maison.

— Les maîtres ne diront rien, répétait-elle.

Mais il fallait éviter de monter l'escalier; c'est pourquoi on transporta le blessé dans le pavillon et on le déposa dans l'ancienne chambre de Mme Schoss. Ce blessé était le prince André Bolkonsky.

XV

Le dernier jour de Moscou se leva. Il faisait un temps d'automne clair et gai. C'était un dimanche. Et comme tous les dimanches, les cloches de toutes les églises sonnaient pour la messe. Personne, semblait-il, ne pouvait encore comprendre ce qui attendait Moscou...

Deux indices seulement permettaient de se rendre compte de la situation dans laquelle se trouvait Moscou : l'attitude de la populace, c'est-à-dire de la classe la plus pauvre, et les prix. Une foule énorme d'ouvriers, de domestiques, de paysans auxquels s'étaient joints des fonctionnaires, des nobles, des séminaristes, se mit en marche de bon matin pour les Trois Monts. Elle y resta un certain temps, puis ayant attendu vainement Rostoptchine et compris que Moscou allait être livrée à l'ennemi, cette foule se répandit à travers la ville dans les auberges et les cabarets. La variation des prix ce jour-là était non moins révélatrice. Le prix des armes, de l'or, des charrettes, des chevaux, ne cessait de monter, tandis que celui des assignats et des articles manufacturés baissait, si bien que vers le milieu de la journée on vit des marchandises de valeur, du drap par exemple, se vendre à moitié prix, alors qu'une charrette de paysans coûtait cinq cents roubles; quant aux meubles, aux glaces, aux bronzes, on les avait pour rien.

Dans la vieille et respectable demeure des Rostov, la dissolution des anciennes conditions de vie se fit peu sentir. De l'énorme domesticité, trois hommes seulement disparurent dans la nuit, mais rien ne fut volé. Les trente charrettes arrivées de la campagne représentaient toute une fortune; beaucoup les envoyaient aux Rostov et leur en offraient de grosses sommes. Et non seulement on était prêt à les payer très cher, mais dans la soirée déjà et de bonne heure le matin du 1er septembre, des ordonnances, des serviteurs envoyés par des officiers blessés affluèrent dans la cour où se traînaient aussi les blessés qui logeaient chez les Rostov ou dans les maisons voisines. Tous ces gens pressés de quitter la ville imploraient les domestiques du comte d'intervenir auprès de lui pour qu'il leur donnât des charrettes. Tout en ayant pitié d'eux, la majordome écartait résolument leurs demandes, disant qu'il n'oserait même pas les transmettre à son maître. La situation des blessés abandonnés était certes pitoyable, mais si on cédait une charrette, il n'y avait évidemment aucune raison de ne pas leur en céder une seconde, puis toutes, et finalement les équipages des maîtres. Les trente charrettes n'auraient pas suffi à sauver tous les blessés; or dans le malheur de tous, il fallait tout de même songer à soi, à sa famille. C'est ainsi que raisonnait le majordome, du point de vue de son maître.

S'étant levé le 1er au matin, le comte quitta discrètement la chambre à coucher pour ne pas troubler le sommeil de la comtesse qui s'était endormie tard, et sortit sur le perron dans sa robe de chambre de soie violette. Les charrettes encordées stationnaient dans la cour, les voitures étaient avancées. Le majordome causait près du portail avec une ordonnance — un vieux soldat — et un jeune officier pâle, le bras en écharpe. A la vue du comte, il prit un air sévère et leur fit signe de s'éloigner.

— Alors, tout est prêt, Vassilitch? demanda le comte en passant la main sur sa calvitie; il considéra l'ordonnance et l'officier avec bonhommie et leur fit signe de la tête (il aimait les nouveaux visages).

— On peut atteler dès à présent, Votre Excellence.

— C'est parfait. Sitôt que la comtesse se réveillera, en route..., à la grâce de Dieu!... Et vous, messieurs? Vous logez chez moi? demanda-t-il à l'officier.

L'officier s'approcha, le visage brusquement empourpré.

— Comte, je vous en prie... permettez-moi... au nom du ciel... de monter sur une de vos charrettes, n'importe où... ça m'est égal... Je n'ai rien avec moi...

Il n'avait pas encore terminé que l'ordonnance présentait déjà la même requête au nom de son maître.

— Ah, oui, oui, oui! répondit précipitamment le comte... Je suis très heureux, très heureux. Vassilitch, arrange ça, débarrasse une ou deux charrettes... ou bien... oui, fais ce qu'il faut..., disait le comte restant comme toujours dans le vague.

Mais la portée de ses paroles fut immédiatement confirmée par une expression d'ardente gratitude sur le visage de l'officier. Le comte promena les yeux autour de lui : dans la cour, devant le portail, aux fenêtres du pavillon, il voyait des blessés, des ordonnances, et tous le regardaient et s'approchaient du perron.

— Que Votre Excellence veuille bien passer dans la galerie, dit le majordome. Quels sont vos ordres pour les tableaux...

Le comte suivi du majordome rentra dans la maison en répétant qu'on devait emmener les blessés qui désiraient partir.

— On pourrait enlever quelques caisses, ajouta-t-il à mi-voix, d'un ton mystérieux, comme s'il craignait d'être entendu.

A neuf heures, la comtesse se réveilla, et Matriona Timoféievna, son ancienne femme de chambre, qui remplissait auprès d'elle le rôle de chef des gendarmes, vint informer sa maîtresse que Maria Karlovna était très mécontente et qu'on ne pouvait absolument pas abandonner les robes d'été des demoiselles. La comtesse, s'étant enquise des raisons du mécontentement de Mme Schoss, apprit que sa malle avait été enlevée d'une charrette, que toutes les charrettes étaient décordées, qu'on les déchargeait pour faire place aux blessés que le comte, dans sa candeur, avait donné l'ordre d'emmener. La comtesse fit appeler son mari.

— Qu'est-ce que j'apprends, mon ami, on défait de nouveau les bagages?

— Vois-tu, *ma chère*, je voulais te dire... *ma chère* petite comtesse, un officier est venu me trouver, il demandait quelques charrettes pour les blessés... Toutes ces affaires, on peut les racheter, tandis que les blessés... Songe un peu à leur situation s'ils restent ici!... Ils sont chez nous, nous les avons invités, ces officiers... Tu sais, je pense vraiment, *ma chère*... Voilà, *ma chère*, on devrait les emmener. Pourquoi se presser?

Le comte parlait timidement comme il parlait toujours quand il s'agissait de questions d'argent. La comtesse était depuis longtemps habituée à ce ton, présage certain de quelque entreprise ruineuse, telle que construction d'une galerie, d'une serre, organisation de spectacles, de concerts, elle y était habituée et considérait comme son devoir de s'opposer à tout ce qu'annonçait ce ton timide.

Elle prit son air soumis et plaintif et dit :

— Écoute, comte, tu t'y es si bien pris que personne n'achète notre maison, et maintenant tu veux abandonner tout ce que nous avons, le bien DES ENFANTS! Tu as dit toi-même que nous avions ici pour cent mille roubles d'objets. Je ne suis pas d'accord, mon ami, je ne consens pas. A ton aise, mais c'est au gouvernement à s'occuper des blessés; il sait ce qu'il faut faire. Vois, les Lopoukhine, en face, dès avant-hier, ils ont tout vidé et emporté. Voilà comment agissent les gens. Nous sommes seuls à faire les imbéciles. Si tu n'as pas pitié de moi, aie au moins pitié des enfants!

Le comte agita les bras et sortit sans mot dire.

— Papa, de quoi s'agit-il? demanda Natacha qui l'avait suivi dans la chambre de la comtesse.

— De rien. Ce n'est pas ton affaire, grogna le comte.

— Si, j'ai entendu. Pourquoi maman refuse-t-elle?

— Ça ne te regarde pas! cria le comte.

Natacha alla à la fenêtre, l'air pensif.

— Voilà Berg, papa, dit-elle en regardant par la fenêtre.

XVI

Berg, le gendre des Rostov, était déjà colonel et décoré des ordres de Sainte-Anne et de Saint-Vladimir, et il occupait toujours le poste tranquille et agréable d'adjoint au chef d'état-major du premier bureau de l'état-major du deuxième corps.

Il était arrivé de l'armée à Moscou le 1er septembre.

Il n'avait rien à faire à Moscou mais, ayant remarqué que tout le monde à l'armée demandait à se rendre à Moscou pour y faire on ne sait quoi, il trouva bon de demander lui aussi une permission pour affaires de famille.

Il arriva chez son beau-père dans sa voiture bien astiquée, attelée d'une paire de rouans bien nourris, pareils exactement à ceux d'un certain prince. Il regarda attentivement les charrettes dans la cour, et tout en montant le perron sortit un mouchoir propre et y fit un nœud.

De l'antichambre, il gagna d'un pas élastique et rapide le salon, serra dans ses bras le comte, baisa la main de Natacha puis de Sonia et s'empressa de s'enquérir de la santé de la comtesse.

— Il s'agit bien de santé maintenant! dit le comte. Mais raconte. Qu'en est-il des troupes? Se replient-elles ou y aura-t-il encore une bataille?

— Dieu seul sait quel sera le sort de la patrie, papa! Les armées brûlent d'une ardeur héroïque, et les chefs se sont réunis en quelque sorte en conseil. Qu'adviendra-t-il, on l'ignore. Mais je dois vous dire, d'une façon générale, qu'il n'y a pas de mots pour décrire l'héroïsme véritablement digne de l'antiquité des armées russes qu'ils... (il se reprit) qu'elles ont montré ou manifesté dans cette bataille du 26... Je vous dirai, papa (il se frappa la poitrine comme il l'avait vu faire à un général qui racontait le combat en sa présence, mais c'était un peu tard, car il fallait se frapper sur les mots « armées russes »), je vous dirai franchement que nous, les chefs, non seulement n'étions pas obligés de pousser les soldats, ou de faire quelque chose de ce genre, mais nous pouvions à peine retenir ces... oui, ces exploits courageux, antiques, ajouta-t-il précipitamment. Le général Barclay de Tolly risquait sa vie en tête des troupes. Je vous le dis! Notre corps occupait une position au flanc d'une hauteur, imaginez-vous cela!

Et Berg se mit à raconter tout ce qu'il avait retenu des récits qu'il avait entendus les derniers temps. Natacha ne quittait pas Berg des yeux, ce qui le troublait, comme si elle cherchait sur son visage une réponse à quelque question.

— On ne peut se représenter l'héroïsme qu'ont montré les soldats russes et on ne peut assez l'admirer, dit Berg et, avec un coup d'œil à Natacha, il ajouta en souriant en réponse à son regard obstiné, comme s'il voulait se concilier ses bonnes grâces : « La Russie n'est pas à Moscou, mais dans le cœur de ses fils », n'est-il pas vrai, papa?

A ce moment, la comtesse sortit du fumoir, lasse et maussade. Berg se leva précipitamment, baisa la main de sa belle-mère, s'enquit de sa santé, exprima par un hochement de tête combien il compatissait à ses ennuis et resta debout près d'elle.

— Oui, maman, je vous le dis. Les temps sont durs et tristes pour tous les Russes. Mais pourquoi s'inquiéter tellement? Vous avez le temps de partir...

— Je ne comprends pas ce que font nos gens, dit la comtesse à son mari. On vient de me dire que rien n'est prêt encore. Il faut tout de même que quelqu'un prenne les choses en main. On en vient à regretter Mitégnka. Cela n'en finira pas.

Le comte voulut répliquer, mais se contint, se leva et se dirigea vers la porte.

Berg sortit son mouchoir de sa poche comme pour se moucher et à la vue du nœud prit un air songeur et eut un hochement de tête significatif.

— J'ai une grande prière à vous adresser, papa, dit-il.

— Hum, fit le comte.

— Je passais tout à l'heure devant la maison des Ioussoupov, dit Berg en riant. L'intendant, que je connais, sort en courant et me dit : « Ne voulez-vous pas acheter quelque chose? » Je suis entré, vous savez, par curiosité. Il y avait là une petite chiffonnière avec une table de toilette. Vous savez comme Véra en avait envie et les discussions que nous avons eues à ce propos (Berg prit volontairement un ton joyeux en parlant de la chiffonnière et de la toilette qui lui rappelèrent la bonne organisation de son intérieur). Et quelle merveille! Avec des tiroirs et une serrure à secret anglaise, vous savez? Ma petite Véra avait envie depuis longtemps d'un tel meuble, et je voudrais lui faire la surprise. J'ai vu que vous aviez beaucoup de ces paysans dans la cour, donnez m'en un, je vous prie, je le payerai bien et je...

Le comte fit la grimace et se racla la gorge.

— Demandez à la comtesse, c'est elle qui commande ici.

— Si c'est difficile, alors, je vous en prie, il ne faut pas, reprit Berg. Je voulais seulement le faire pour ma petite Véra.

— Ah, allez-vous-en tous au diable! Au diable! Au diable et au diable! cria le vieux comte. J'en perds la tête. — Il sortit. La comtesse se mit à pleurer.

— Oui, oui, maman, les temps sont bien durs, dit Berg.

Natacha qui était sortie avec son père, le suivit d'abord, paraissant réfléchir, puis descendit en courant.

Pétia se tenait sur le perron; il distribuait des armes à ceux qui quittaient Moscou. Les charrettes attelées stationnaient toujours dans la cour; deux d'entre elles étaient décordées et un officier grimpait dans l'une, soutenu par son ordonnance.

— Sais-tu pour quelle raison? demanda Pétia à Natacha.

Natacha comprit que Pétia voulait dire : pour quelle raison nos parents se sont disputés? — Elle ne répondit pas.

— Parce que papa voulait donner toutes les charrettes aux blessés, reprit Pétia. Vassilitch me l'a dit. Selon moi...

— Selon moi, cria soudain Natacha en tournant vers Pétia son visage furieux, selon moi, c'est une telle abomination, une telle ignominie, une telle!... je ne sais... Sommes-nous des Allemands quelconques?...

Des sanglots convulsifs serrèrent sa gorge, et craignant de faiblir, de décharger pour rien la rage accumulée en elle, elle fit demi-tour et remonta précipitamment l'escalier.

Berg assis près de la comtesse lui offrait respectueusement ses consolations filiales. La pipe à la main, le comte marchait de long en large quand Natacha, le visage décomposé par la fureur, fit irruption dans la pièce comme un ouragan et courut vers sa mère.

— C'est une vilenie! C'est une abomination! cria-t-elle. Vous n'avez pas pu ordonner une chose pareille!... — La comtesse et Berg la regardaient surpris et effrayés. Le comte s'arrêta près de la fenêtre et tendit l'oreille.

— Maman, c'est impossible! Voyez ce qui se passe dans la cour! continuait-elle de crier. On les abandonne!

— Qu'est-ce qui t'arrive? De qui s'agit-il? Qu'est-ce qu'il te faut?

— Les blessés... C'est impossible, ma petite maman! Inima-

ginable!... Non, maman, ma chérie, cela ne se peut... pardonnez-
moi, je vous en supplie!... Mais qu'avons-nous besoin de tout ce
que nous emportons!... Voyez donc ce qui se passe dans la cour...
Maman, c'est impossible!

Debout près de la fenêtre, le comte écoutait sa fille sans se
retourner. Soudain il renifla et rapprocha encore son visage de la
vitre. La comtesse regarda sa fille dont le visage reflétait la honte
qu'elle éprouvait pour sa mère, vit son trouble, comprit pourquoi
le comte lui tournait le dos et promena autour d'elle un regard
égaré.

— Ah, faites donc ce que vous voulez! Est-ce que je vous en
empêche? dit-elle, ne se rendant pas encore.

— Maman, chérie, pardonnez-moi!

Mais la comtesse écarta sa fille et s'approcha de son mari.

— *Mon cher*, prends les dispositions nécessaires... Tu sais, je
n'y connais rien, dit-elle en baissant les yeux d'un air coupable.

— Les œufs... les œufs donnent des leçons à la poule, balbutia
le comte à travers des larmes de bonheur et il étreignit la comtesse
heureuse de dissimuler sa confusion sur la poitrine de son mari.

— Papa, maman, alors je peux donner des ordres? Je peux?...
demanda Natacha. Nous emporterons tout de même l'indispensable.

Le comte fit un signe de tête affirmatif, et Natacha prit sa
course comme elle le faisait lorsqu'elle jouait aux barres et se
précipita dans l'antichambre, et de là dans la cour.

Les domestiques réunis autour d'elle se refusèrent à croire aux
ordres étranges qu'elle leur transmettait, jusqu'à ce que le comte
vînt les confirmer au nom de sa femme et dit de mettre toutes les
charrettes à la disposition des blessés et de retransporter les
malles dans les chambres de débarras. Ayant compris, les gens se
mirent avec entrain à cette nouvelle besogne. Loin de leur paraître
étrange maintenant, il leur semblait au contraire qu'on ne
pouvait agir différemment; de même qu'un quart d'heure auparavant personne n'avait trouvé étrange qu'on abandonnât les
blessés pour emporter les affaires, mais considérait qu'il ne pouvait en être autrement.

Comme pour rattraper le temps perdu, tous les habitants de la
maison se hâtaient d'installer les blessés. Ceux-ci se traînaient
hors de leurs chambres, et pâles mais heureux entouraient les
charrettes. Le bruit s'était également répandu dans les maisons
voisines qu'on disposait de voitures, et des blessés des alentours
arrivèrent dans la cour des Rostov. Beaucoup insistaient pour

qu'on n'enlevât pas les bagages, demandant seulement qu'on les aidât à monter dessus. Mais le déchargement une fois commencé, on ne pouvait s'arrêter. Abandonner tout ou la moitié revenait au même. La cour était encombrée de caisses remplies de porcelaine, de bronzes, de tableaux, de glaces, qu'on avait soigneusement emballées la nuit précédente, et on parvenait toujours à enlever ceci ou cela pour libérer d'autres charrettes.

— On peut en prendre encore quatre, dit le régisseur. Je donne ma voiture. Que faire d'eux autrement?

— Prenez la voiture où sont mes affaires, dit la comtesse. Douniacha montera dans la mienne.

Les malles de la comtesse furent enlevées et on alla chercher quelques blessés deux maisons plus loin. Maîtres et serviteurs, tous étaient pleins d'entrain. Quand à Natacha, elle éprouvait dans son animation une sorte de joie solennelle qu'elle n'avait plus connue depuis longtemps.

— Comment le faire tenir? demandaient les domestiques en essayant de placer un coffre sur la banquette étroite à l'arrière de la calèche. Il faudrait tout de même garder ne fût-ce qu'une charrette.

— Et qu'y a-t-il dans ce coffre? s'enquit Natacha.

— Des livres du comte.

— Laissez-les. Vassilitch les rangera. On n'en a pas besoin, déclara Natacha.

La britchka était bondée. On se demandait où pourrait s'asseoir Piotr Ilitch.

— Sur le siège. Tu monteras bien sur le siège, n'est-ce pas, Pétia? cria Natacha.

Sonia s'affairait elle aussi, mais dans un sens opposé à Natacha. Elle rangeait les objets qu'on laissait, en faisait la liste selon le désir de la comtesse, et essayait d'en emporter le plus possible.

XVII

A deux heures, les quatre équipages des Rostov attelés et chargés stationnaient devant le perron; les charrettes avec les blessés sortaient l'une après l'autre dans la rue.

Sonia eut son attention attirée par la calèche du prince André qui passa devant le perron alors qu'elle était en train de préparer avec une servante le siège que devait occuper la comtesse dans sa haute et large berline.

— A qui donc est cette calèche? demanda Sonia, la tête à la portière de la berline.

— Comment, vous ne le savez pas, mademoiselle? répondit la servante. C'est le prince, il est blessé. Il a logé chez nous et il voyage avec nous.

— Mais qui est-ce donc? Comment s'appelle-t-il?

— C'est notre ancien fiancé, le prince Bolkonsky, dit en soupirant la servante. Il est à la mort, on dit.

Sonia sauta de la voiture et courut auprès de la comtesse; celle-ci déjà habillée pour le voyage, ayant son châle et son chapeau, allait et venait d'un air las dans le salon où elle attendait que la famille se réunît pour s'asseoir, les portes étant fermées, et prier avant le départ [1]. Natacha n'était pas là.

— *Maman*, dit Sonia, le prince André est ici, blessé, mourant. Il part avec nous.

La comtesse ouvrit des yeux effrayés et saisissant Sonia par le bras, regarda autour d'elle.

— Natacha? interrogea-t-elle.

Et la comtesse et Sonia ne saisirent au premier moment qu'un aspect de la situation : elles connaissaient leur Natacha, et leur effroi à l'idée de ce qu'elle éprouverait en apprenant la nouvelle étouffait en l'une comme en l'autre toute compassion pour un homme que toutes deux aimaient beaucoup.

— Natacha ne le sait pas encore, mais il voyage avec nous, dit Sonia.

— Il est à la mort, dis-tu?

Sonia inclina la tête.

La comtesse l'étreignit et ses yeux s'emplirent de larmes. « Les voies du Seigneur sont insondables », songeait-elle, sentant que la main du Tout-Puissant, cachée auparavant aux regards des hommes, commençait à apparaître dans tout ce qui se passait alors.

— Allons, maman, tout est prêt. De quoi parliez-vous? demanda Natacha accourue dans le salon, le visage animé.

— De rien, répondit la comtesse. Tout est prêt, partons donc.

Elle se pencha sur son réticule pour dissimuler son visage bouleversé. Sonia s'approcha de Natacha et l'embrassa.

Natacha la regarda interrogativement.

— Qu'as-tu? Qu'est-il arrivé?

— Mais rien... rien.

— Quelque chose de très mauvais, me concernant? insista Natacha, intuitive comme toujours.

Sonia soupira sans répondre. Le comte, Mme Schoss, Pétia, Mavra Kouzminichna et Vassilitch entrèrent au salon et les portes ayant été fermées, tous s'assirent et restèrent ainsi en silence quelques instants sans se regarder.

Le comte se leva le premier et poussant un profond soupir, se signa devant l'icone. Les autres firent de même. Ensuite le comte embrassa Mavra Kouzminichna et Vassilitch qui restaient à Moscou, et tandis qu'ils essayaient de lui prendre la main et le baisaient à l'épaule, il leur tapotait le dos en bredouillant quelques mots affectueux et réconfortants. La comtesse passa dans son oratoire et Sonia la retrouva à genoux devant les quelques icônes qui étaient encore çà et là sur le mur (on emportait les plus précieuses, celles qui constituaient des souvenirs de famille).

Sur le perron et dans la cour, les hommes qui partaient, armés par Pétia de coutelas et de sabres, les pantalons rentrés dans leurs bottes, et leur ceinture de cuir ou de laine bien serrée, faisaient leurs adieux à ceux qui restaient.

Comme il arrive toujours au moment du départ, il se trouva qu'on avait oublié maintes choses, que d'autres avaient été mal emballées, et les deux valets de pied qui se tenaient de chaque côté de la portière ouverte et du marchepied de la berline, prêts à aider la comtesse à monter en voiture, attendirent longtemps tandis que les servantes chargées de coussins et de petits paquets couraient de la maison à la berline, à la calèche ou à la britchka.

— Elles oublient toujours tout, disait la comtesse. Tu sais bien pourtant que je ne puis être assise ainsi.

Douniacha, sans dire mot, les dents serrées et l'air mécontent, se précipita dans la berline pour arranger les coussins.

— Ah, quels gens! dit le comte en hochant la tête.

Juché sur son haut siège, le vieux cocher Éfime, le seul auquel la comtesse fît confiance, ne se retournait même pas pour voir ce qui se passait derrière lui. Trente ans d'expérience lui avaient appris qu'on ne lui dirait pas de sitôt : « En route, à la garde de Dieu! » et qu'après le lui avoir dit, on s'arrêterait encore deux fois pour faire apporter quelque paquet oublié. Puis il y aurait encore un nouvel arrêt et la comtesse elle-même mettrait la tête à la portière et lui demanderait pour l'amour du Christ d'être prudent dans les descentes. Il savait tout cela, aussi se montrait-il plus patient que ses chevaux (que l'alezan de gauche surtout, Sokol, qui frappait du pied et rongeait son mors) et attendait-il ce qui allait venir. Quand tout le monde fut enfin casé, on releva les marchepieds, les portières claquèrent, on envoya encore chercher une cassette, la comtesse mit la tête à la portière et prononça la phrase rituelle. Éfime alors se découvrit lentement et se signa. Le postillon et tous les domestiques firent de même. « A la garde de Dieu », dit Éfime, et il remit son chapeau. « Vas-y », dit-il; le postillon toucha l'attelage, le timonier de droite tira sur son collier, les hauts ressorts grincèrent, la caisse de la berline oscilla. Le valet de pied sauta en marche sur le siège. En passant de la cour sur les pavés inégaux de la rue, la berline cahota et les voitures qui la suivaient cahotèrent elles aussi, et la file des équipages s'engagea dans la rue montante. Lorsqu'on passa devant l'église qui se trouvait en face, tous se signèrent dans la berline, la britchka et la calèche. Les domestiques qui restaient à Moscou accompagnaient les voitures des deux côtés de la rue.

Natacha avait connu rarement une joie comme celle qu'elle éprouvait maintenant, assise dans la berline, près de la comtesse, à voir défiler lentement les murs de cette ville qu'on abandonnait à son angoisse. De temps à autre, elle se penchait à la portière et parcourait des yeux le long convoi de blessés qui les précédait. En tête, on distinguait la capote baissée de la calèche du prince André. Natacha ignorait qui l'occupait, et chaque fois qu'elle essayait de se rendre compte de la longueur du convoi, elle cherchait des yeux cette calèche qui, elle le savait, était en tête.

A Koudrino, venant des boulevards Nikitsky et Podnovinsky, et de la Presnia, d'autres convois de blessés rejoignirent celui des Rostov, et dans la rue Sadovaïa [1] on avançait déjà sur deux rangs [2].

On contournait la tour de Soukharev [3] quand Natacha, qui regardait curieusement la foule des voitures et des piétons, s'écria soudain avec une joyeuse surprise :

— Mon Dieu! Maman, Sonia, voyez! C'est lui!

— Qui? Qui?

— Voyez! ma parole, c'est Bézoukhov! — La tête à la portière, Natacha regardait un homme grand et gros, en caftan de cocher, un monsieur déguisé évidemment à en juger par son maintien et sa démarche; il était accompagné d'un petit vieux jaune et glabre, en manteau de drap. Ils s'approchaient de l'arc de la tour de Soukharev.

— Je vous jure, c'est Bézoukhov, en caftan, avec une sorte de vieux gamin, ma parole! répétait Natacha. Regardez, regardez!

— Mais non, ce n'est pas lui. Est-il possible de dire de telles sottises!

— Maman, cria Natacha, je vous donne ma tête à couper. J'en suis sûre. Arrête, arrête! cria-t-elle au cocher.

Mais le cocher ne pouvait s'arrêter car d'autres charrettes, d'autres équipages débouchaient de la rue Mestchanskaïa et l'on criait aux Rostov d'avancer, de ne pas gêner la circulation.

Bien qu'il se fût déjà éloigné, tous les Rostov finirent par reconnaître Pierre, à moins que ce ne fût quelqu'un qui lui ressemblât étrangement; vêtu d'un caftan de cocher, il avançait la tête penchée, le visage sérieux, à côté d'un petit vieux glabre, un domestique apparemment. Le petit vieux remarqua le visage penché à la portière; il effleura respectueusement le coude de Pierre et lui dit quelques mots en désignant la berline. Pierre fut long à comprendre ce qu'on lui disait, tant il était plongé dans ses pensées. Ayant compris enfin, il regarda dans la direction indiquée, reconnut Natacha et cédant à son premier mouvement se dirigea rapidement vers la berline. Mais ayant fait une dizaine de pas, il s'arrêta, s'étant visiblement rappelé quelque chose.

Une expression à la fois tendre et moqueuse éclairait le visage de Natacha penchée à la portière.

— Piotr Kirilovitch, venez donc! Nous vous avons reconnu. C'est vraiment extraordinaire! criait-elle en lui tendant la main. Que faites-vous là? Pourquoi êtes-vous ainsi?

Pierre prit la main qu'on lui tendait et tout en marchant (vu que la berline continuait d'avancer) la porta gauchement à ses lèvres.

— Que vous arrive-t-il, comte? demanda la comtesse étonnée, surprise et apitoyée.

— Quoi? Quoi? Pourquoi? Ne m'interrogez pas, dit Pierre se tournant vers Natacha dont le regard lumineux et joyeux (qu'il sentait sans lever les yeux sur elle) l'enveloppait de son charme.

— Alors, vous restez à Moscou?

Il garda un moment le silence.

— A Moscou? répéta-t-il d'un ton interrogateur. Oui, à Moscou. Adieu.

— Ah, comme je voudrais être un homme! Je serais restée avec vous. Comme c'eût été bien! dit Natacha. Maman, permettez-moi de rester.

Pierre la regarda distraitement et voulut dire quelque chose, mais la comtesse lui coupa la parole :

— Vous avez pris part à la bataille, avons-nous appris.

— Oui. Demain, il y en aura une autre..., commença-t-il... — Natacha l'interrompit.

— Mais qu'avez-vous, comte? Vous ne vous ressemblez plus...

— Ah, ne me le demandez pas, ne me le demandez pas! Je ne sais rien moi-même. Demain... Mais non. Adieu, adieu. Les temps sont terribles!

Se laissant dépasser par la voiture, il monta sur le trottoir.

Natacha resta encore longtemps à la portière, le suivant en souriant d'un regard caressant et un peu moqueur.

XVIII

Depuis qu'il avait disparu de chez lui deux jours auparavant, Pierre habitait dans l'appartement vide de feu Bazdéiev. Voici ce qui s'était passé.

S'étant réveillé le lendemain de son retour à Moscou et de l'entrevue avec Rostoptchine, Pierre fut long à comprendre où il se trouvait et ce qu'on lui voulait. Quand on lui apprit que parmi les personnes qui l'attendaient au salon il y avait un Français porteur d'une lettre de la comtesse Hélène Vassilievna, il sombra brusquement dans cette agitation confuse et cette détresse auxquelles il était enclin. Soudain, il lui parut que tout était fini maintenant, que tout s'était confondu et détruit, qu'il n'y avait ni juste ni coupable, qu'il n'y aurait plus jamais rien et que cette situation était absolument sans issue. Marmottant avec un sourire forcé des paroles indistinctes, tantôt il s'asseyait sur le divan dans une attitude accablée, tantôt il se levait, s'approchait de la porte et regardait par le trou de la serrure ce qui se passait dans le salon, tantôt il revenait sur ses pas en gesticulant et prenait un livre. Le majordome vint de nouveau lui dire que le Français venu de la part de la comtesse désirait beaucoup le voir, ne fût-ce qu'une minute, et que la veuve de Bazdéiev avait envoyé demander s'il voulait bien se charger des livres du défunt vu qu'elle-même était partie pour la campagne.

— Ah oui, tout de suite, attends... ou bien, non, dis que je viens tout de suite, répondit Pierre.

Mais le majordome à peine sorti, Pierre saisit son chapeau sur la table et quitta son cabinet par la porte de derrière. Il n'y avait personne dans le corridor. Pierre le suivit jusqu'à l'escalier, et les sourcils froncés, se frottant le front des deux mains, il descendit jusqu'au premier palier. Le suisse se tenait debout devant l'entrée principale. Du palier qu'avait atteint Pierre un autre escalier menait à la porte de service. Pierre le prit et sortit dans la cour. Personne ne l'avait vu. Mais lorsqu'il eut franchi le portail, le concierge et les cochers qui stationnaient avec les voitures aperçurent leur maître et se découvrirent. Sentant ces regards posés sur lui, Pierre se conduisit à la façon de l'autruche qui cache sa tête dans un buisson pour ne pas être vue ; il baissa la tête et s'engagea dans la rue.

De toutes les affaires dont il avait à s'occuper ce jour-là, le classement des livres et des papiers de Joseph Alexéiévitch lui paraissait la plus importante.

Il prit le premier fiacre qu'il rencontra et se fit conduire aux Étangs du Patriarche [1] où était la maison de la veuve de Bazdéiev.

Se retournant constamment sur les convois qui, débouchant de partout, quittaient la ville, et essayant de caler son gros corps de façon à ne pas glisser du vieux drojki grinçant, Pierre qui se sentait joyeux comme un gamin qui fait l'école buissonnière, se mit à causer avec le cocher.

Le cocher racontait qu'on distribuait le jour même des armes au Kremlin et que le lendemain le peuple se porterait en masse aux Trois Monts où il y aurait une grande bataille.

Parvenus aux Étangs du Patriarche, Pierre retrouva la maison de Bazdéiev où il n'avait plus été depuis longtemps. Il frappa à la poterne ; Guérassime, ce même petit vieux glabre que Pierre avait vu cinq ans auparavant à Torjok avec Joseph Alexéiévitch, sortit à son appel.

— Y a-t-il quelqu'un ? demanda Pierre.

— Vu les circonstances, Sophia Danilovna est partie avec les enfants pour sa terre de Torjok, Votre Excellence.

— J'entre quand même, dit Pierre, je dois trier les livres.

— Je vous en prie, soyez le bienvenu. Le frère du défunt — que Dieu ait son âme ! — Makar Alexéiévitch, est resté ici ; mais comme vous le savez, il est faible d'esprit, dit le vieux domestique.

Makar Alexéiévitch, le frère de Joseph Alexéiévitch, était, Pierre le savait, à moitié fou et buvait.

— Oui, oui, je sais. Allons, dit Pierre et il entra dans la maison.

Un vieil homme de haute taille, chauve et le nez rouge, en robe de chambre, les pieds nus dans des galoches, était debout dans l'antichambre. A la vue de Pierre, il bredouilla quelque chose d'un air grognon et s'éloigna dans le corridor.

— C'était une grande intelligence, et maintenant, vous le voyez, il est tout affaibli, dit Guérassime. Désirez-vous passer dans le cabinet? — Pierre fit un signe de tête affirmatif. — Les scellés y sont encore; Sophia Danilovna m'a donné l'ordre de vous remettre les livres si l'on venait de votre part.

Pierre pénétra dans cette pièce sombre où il n'entrait qu'en tremblant du vivant du bienfaiteur. Maintenant, poussiéreuse, abandonnée depuis la mort de Joseph Alexéiévitch, elle paraissait encore plus lugubre.

Guérassime ouvrit un volet et sortit sur la pointe des pieds. Pierre fit le tour du cabinet, s'approcha de l'armoire remplie de manuscrits et en prit un, considéré comme l'une des reliques les plus précieuses de l'ordre : c'était les actes écossais authentiques annotés et commentés par le bienfaiteur.

Pierre s'assit à la table de travail couverte de poussière et étala dessus les manuscrits. Il les ouvrit et les referma plusieurs fois de suite et enfin les écarta et s'absorba dans ses pensées, la tête dans les mains.

Guérassime vint à plusieurs reprises jeter un regard discret sur Pierre; il le trouvait chaque fois dans la même attitude. Deux heures s'étant écoulées ainsi, Guérassime se permit de faire un peu de bruit sur le seuil pour attirer l'attention de Pierre mais celui-ci ne l'entendit pas.

— Dois-je renvoyer le fiacre?

— Ah, oui, dit Pierre reprenant ses esprits. Il se leva en hâte.

— Écoute, poursuivit-il en tenant Guérassime par le bouton de sa redingote et en abaissant sur lui ses yeux brillants, remplis de larmes d'enthousiasme. — Écoute, tu sais qu'il y aura demain une grande bataille?

— On le dit, répondit Guérassime.

— Je te prie de ne dire à personne qui je suis. Et fais ce que je te demande...

— A vos ordres, répondit Guérassime. Vous désirez manger?

— Non, il me faut autre chose. Il me faut un vêtement de paysan et un pistolet, dit Pierre, et tout à coup il rougit.

— A vos ordres, répéta Guérassime après un moment de réflexion.

Pierre passa le reste de la journée dans le cabinet du bienfaiteur, et Guérassime l'entendait marcher de long en large d'un pas inquiet, en se parlant à lui-même.

Quand vint la nuit, il s'allongea sur un lit qu'on lui dressa dans cette même pièce.

Guérassime, avec l'habitude du serviteur qui a vu bien des choses étranges au cours de son existence, admit sans étonnement la présence de Pierre; il semblait même heureux d'avoir quelqu'un à servir. Ne se demandant pas pourquoi c'était nécessaire, le soir même il apporta à Pierre un caftan et un bonnet et promit de lui procurer le lendemain un pistolet. Ce soir-là, Makar Alexéiévitch s'approcha par deux fois de la porte du cabinet en faisant claquer ses galoches et regarda obséquieusement Pierre, mais aussitôt que celui-ci se tournait vers lui, il s'enveloppait dans sa robe de chambre d'un air confus et irrité et s'éloignait en hâte. Pierre avait rencontré les Rostov quand, vêtu du caftan que Guérassime avait passé à la vapeur, il était allé acheter un pistolet à la tour de Soukharev.

XIX

Dans la nuit du 1er septembre, Koutouzov donna l'ordre à l'armée russe de traverser Moscou pour se replier sur la route de Riazan.

Les premiers régiments se mirent en marche la nuit même, sans se presser, posément; mais quand à l'aube ils atteignirent le pont de Dorogomilovo [1], ils virent devant eux, sur le pont, sur l'autre rive, des masses énormes de troupes qui bloquaient les rues et les ruelles, tandis que d'autres les poussaient par-derrière. Une agitation, une hâte irraisonnée s'emparèrent des soldats. Tous se précipitaient vers le pont, les gués ou les barques. Renonçant à traverser la ville, Koutouzov la contourna.

Le 2 septembre, à dix heures du matin, seule l'arrière-garde encombrait encore le faubourg de Dorogomilovo. Le gros de l'armée était déjà à l'autre extrémité de Moscou et au-delà de Moscou.

A cette même heure, le 2 septembre, Napoléon se tenait avec ses troupes sur le mont Poklonnaïa [2] et contemplait le spectacle qu'il avait sous les yeux. A partir du 26 août et jusqu'au 2 septembre, à partir de la bataille de Borodino et jusqu'à l'entrée de l'ennemi dans Moscou, tout au long de cette semaine angoissante et mémorable, il fit ce temps d'automne exceptionnel qui surprend toujours, quand le soleil bas est plus chaud qu'au printemps, quand tout brille à tel point dans l'air pur, raréfié, qu'on en a mal aux yeux, quand la poitrine allégée et raffermie aspire les senteurs automnales, quand les nuits même sont tièdes et que dans ces nuits sombres et tièdes pleuvent des étoiles d'or, inquiétantes et joyeuses.

C'était précisément ce temps-là qu'il faisait le 2 septembre à dix heures du matin.

L'éclat du ciel était féerique. Du haut du mont Poklonnaïa, Moscou s'étendait largement, avec sa rivière, ses jardins, ses églises, et semblait vivre de sa propre vie, ses coupoles étincelant comme des étoiles sous les rayons du soleil.

A la vue de cette ville étrange aux architectures surprenantes, Napoléon éprouvait cette curiosité quelque peu inquiète et envieuse que nous ressentons devant des formes de vie qui nous sont étrangères et qui nous ignorent. Il était évident que l'élaboration de sa propre vie absorbait toutes les forces de cette ville. A ces signes vagues qui permettent sans erreur de distinguer à grande distance le vivant du mort, Napoléon percevait la palpitation de la vie de la cité et sentait comme la respiration de ce beau corps immense.

Tout Russe sent en voyant Moscou qu'elle est mère; tout étranger qui la regarde et ignore sa signification maternelle doit ressentir sa nature féminine. Et c'est ce que ressentait Napoléon.

— *Cette ville asiatique aux innombrables églises, Moscou la sainte. La voilà donc enfin, cette fameuse ville! Il était temps,* dit Napoléon et, ayant mis pied à terre, il fit déployer devant lui le plan de Moscou et appela le traducteur Lelorme d'Ideville. « *Une ville occupée par l'ennemi ressemble à une fille qui a perdu son honneur* », pensait-il (comme il l'avait dit à Toutchkov, à Smolensk), et c'est de ce point de vue qu'il considérait la beauté orientale étendue devant lui, mais qu'il ne connaissait pas encore. Lui-même était surpris que se fût enfin accompli son ancien désir, désir irréalisable, lui semblait-il. Dans la claire lumière du matin, vérifiant tous les détails, il regardait tantôt le plan, tantôt la ville, et la certitude de la possession l'émouvait et l'effrayait.

« Mais pouvait-il en être autrement? se disait-il. Voilà donc cette capitale à mes pieds dans l'attente de son sort. Où est maintenant Alexandre et que pense-t-il? Ville étrange, belle, majestueuse! Et étrange et solennelle est cette minute! Sous quel jour me voient-ils, eux, se demandait-il en pensant à ses soldats. La voilà la récompense de tous ces hommes de peu de foi (songeait-il en parcourant du regard les troupes qui l'entouraient et celles qui approchaient et se rangeaient en bon ordre). Un mot, un geste de ma main, et cette antique capitale *des Czars est anéantie. Mais ma clémence est toujours prompte à descendre sur les vaincus.* Je dois me montrer magnanime et véritablement grand... Non, ce n'est pas vrai, je ne suis pas à Moscou! (lui vint-il soudain à l'esprit). Pourtant la voici à mes pieds, avec ses croix et ses coupoles dont l'or joue et rutile sous les rayons du soleil. Mais je l'épargnerai. Je graverai sur les antiques monuments de la barbarie et du despotisme les grands mots de Justice et de Miséricorde... C'est ce qui sera le plus douloureux pour Alexandre, je le connais (la signification de ce qui se passait se ramenait aux yeux de Napoléon à une lutte entre Alexandre et lui). Du haut du Kremlin — oui, c'est bien le Kremlin, oui! — je leur donnerai des lois justes, je leur montrerai ce qu'est une vraie civilisation, j'obligerai des générations de boyards à garder avec amour le souvenir de leur vainqueur. Je déclarerai à leur députation que je ne voulais pas et que je ne veux pas la guerre, que je ne faisais la guerre que contre la mensongère politique de leur cour, que j'aime et estime Alexandre et que les conditions de la paix que je conclurai à Moscou seront dignes de moi et de mes peuples. Je ne veux pas profiter de mes succès pour abaisser un souverain respecté.

« Boyards, dirai-je, je ne veux pas la guerre, je veux la paix et le bonheur de tous mes sujets. D'ailleurs, je sais que leur présence m'inspirera et je leur parlerai comme je parle toujours : de façon claire, solennelle, avec majesté. Mais est-il possible que je sois à Moscou?... Oui, la voilà! »

— *Qu'on m'amène les boyards*, dit-il se tournant vers sa suite.

Un général partit aussitôt avec une brillante escorte à la recherche des boyards.

Deux heures s'écoulèrent. Napoléon déjeuna et reprit sa place sur le mont Poklonnaïa dans l'attente de la députation. Son discours aux boyards avait maintenant pris forme dans son esprit : il était empreint de dignité et de cette grandeur que Napoléon comprenait. Il finit par se laisser prendre lui-même à cette attitude généreuse qu'il comptait adopter à Moscou. Il fixait déjà en imagination les jours de *réunion dans le palais des Czars* où les grands seigneurs russes se rencontreraient avec les hauts dignitaires impériaux. Il nommait déjà le gouvernement qui saurait se rendre populaire. Ayant appris qu'il y avait un grand nombre d'institutions de bienfaisance à Moscou, il décida qu'il les comblerait de ses bienfaits. Il croyait que de même qu'en Afrique il fallait se rendre à la mosquée en burnous, il fallait à Moscou se montrer charitable comme les tsars. Et pour toucher définitivement le cœur des Russes, incapable comme tout Français de se laisser gagner par l'attendrissement sans évoquer le souvenir de *ma chère, ma tendre, ma pauvre mère*, il résolut de faire graver en grandes lettres sur toutes ces institutions : « *Dédié à ma chère Mère* ». Non, décida-t-il plus simplement : « *Maison de ma Mère* ». — « Mais suis-je vraiment à Moscou? Oui, la voici devant moi. Mais pourquoi la députation de la ville tarde-t-elle tant? » se demandait-il.

Derrière lui cependant, maréchaux et généraux se consultaient avec inquiétude à voix basse. Ceux qu'on avait chargés d'amener la députation avaient rapporté la nouvelle que Moscou était vide; tout le monde avait fui. Les visages étaient pâles, consternés. Ce n'était pas l'abandon de la ville par ses habitants qui faisait peur à l'entourage de l'empereur (si grave que parût l'événement), mais ils se demandaient avec crainte comment annoncer la chose à l'empereur, comment lui dire sans mettre Sa Majesté dans la terrible situation appelée par les Français *ridicule*, qu'il avait en vain attendu si longtemps les boyards, qu'il ne restait à Moscou que des bandes d'ivrognes... Les uns disaient qu'il fallait à tout prix réunir une députation quelconque, n'importe laquelle; les autres s'y opposaient et assuraient qu'il valait mieux dire la vérité à l'empereur après l'y avoir habilement préparé.

— *Il faudra le lui dire tout de même*, disait-on. *Mais, messieurs...*
La situation était d'autant plus pénible que l'empereur, tout à ses projets généreux, faisait patiemment les cent pas devant le plan, et mettant parfois la main en visière devant ses yeux, parcourait du regard la route de Moscou avec un sourire fier et joyeux.

— *Mais c'est impossible*, répétaient en haussant les épaules ces messieurs de la suite, n'osant pas prononcer le mot terrible, sous-entendu : *le ridicule*.

L'empereur pourtant, fatigué de sa longue attente et sentant avec son flair d'acteur qu'en se prolongeant trop longtemps la minute grandiose commençait à perdre de sa grandeur, fit un signe de la main. Un coup de canon isolé retentit et à ce signal les troupes qui investissaient Moscou de plusieurs côtés se mirent en marche vers les barrières de Dorogomilovo [1], de Tver et de Kalouga [1]. De plus en plus vite, se dépassant les uns les autres, au pas de course ou au trot, les régiments disparaissaient dans les nuages de poussière qu'ils soulevaient, et emplissaient l'air de leurs cris confus.

Entraîné par l'élan de ses soldats, Napoléon atteignit avec eux la barrière de Dorogomilovo, mais là il s'arrêta de nouveau, descendit de cheval et se promena longtemps le long du rempart du Collège de la Chambre, dans l'attente de la députation.

XX

Moscou était vide. Il y avait encore des gens à Moscou; la cinquantième partie de ses habitants était restée. Et pourtant, Moscou était vide, vide comme l'est une ruche qui achève de mourir, sa reine l'ayant abandonnée.

Il n'y a plus de vie dans une ruche privée de reine, mais pour un regard superficiel, elle est aussi vivante que les autres.

Dans le chaud soleil de midi, les abeilles volent toujours autour d'elle aussi joyeusement qu'autour des autres, les vivantes; elle répand au loin la même odeur de miel; les abeilles y entrent et en sortent comme toujours. Mais il suffit de l'observer attentivement pour se rendre compte que la vie a abandonné cette ruche. Ce n'est pas ainsi que volent les abeilles dans les ruches vivantes, ce ne sont pas les mêmes odeurs, les mêmes sonorités que perçoit l'apiculteur. Au coup qu'il frappe sur la paroi de la ruche, il n'obtient pas en réponse le bruissement instantané et unanime de dizaines de milliers d'abeilles menaçantes qui contractent leur arrière-train et produisent en battant rapidement des ailes un son aérien, vivant; il n'entend que des bourdonnements isolés qui se répercutent çà et là dans la ruche vide. Ce n'est plus la douce senteur alcoolisée du miel jointe à la légère odeur du venin que répand avec la tiédeur la ruche pleine, mais l'odeur du miel se confond avec celle du vide et de la pourriture. On ne voit plus à l'entrée ces gardes sonnant l'alarme qui, l'arrière-train dressé, se préparent à périr pour la défense de la communauté. On n'entend plus ce son doux et régulier, le frémissement du labeur semblable à un bouillonnement, mais le bruit du désordre, irrégulier, confus. Des abeilles pillardes, longues et noires, barbouillées de miel, se glissent timidement dans la ruche et en sortent; elles ne piquent pas et fuient le danger. Auparavant, les abeilles ne pénétraient dans la ruche que chargées de butin, pour en sortir à vide, maintenant elles en sortent chargées. L'apiculteur ouvre le tiroir du bas et examine le fond de la ruche. Au lieu des grappes, pendant jusqu'en bas, d'abeilles sombres, apaisées par le travail, gorgées de miel, qui, se tenant les unes aux autres par les pattes, secrétaient leur cire dans un bruissement continu, des ouvrières somnolentes, desséchées, errent sans but sur les parois et le fond. Ce fond n'est plus un plancher soigneusement enduit de propolis et balayé par les éventails des ailes, il est couvert de parcelles de cire, d'excréments, d'abeilles à demi mortes qui remuent à peine les pattes, ou de cadavres qu'on n'a pas enlevés.

L'apiculteur ouvre le compartiment du haut et examine le corps de la ruche. Au lieu des abeilles qui en rangs serrés, bouchant tous les interstices, réchauffaient le couvain, il distingue la structure savante et complexe des rayons, mais elle n'offre plus cet aspect virginal qu'elle avait auparavant. Tout est à l'abandon et souillé. Les abeilles pillardes furètent rapidement çà et là; les ouvrières ratatinées, engourdies, comme vieillies, errent lentement, ne se mêlant de rien, ne désirant rien, ayant perdu le goût de la vie. Des bourdons, des taons, des papillons se heurtent dans leur vol incohérent aux parois. Parmi les rayons de miel parsemés de couvain mort, on entend parfois un bourdonnement irrité. Obéissant à une vieille habitude, deux ouvrières nettoient le nid de la ruche et traînent à grands efforts une compagne morte ou un bourdon, sans savoir pourquoi elles le font. Dans un autre coin, deux vieilles abeilles se battent paresseusement, à moins qu'elles ne se nettoient ou se nourrissent l'une l'autre, ne sachant si elles sont amies ou ennemies; plus loin, une troupe d'abeilles s'acharnent en se bousculant sur on ne sait quelle victime; étouffée, écrasée, elle tombe lentement, légère comme un souffle sur le tas de cadavres. L'apiculteur écarte les deux rayons du milieu pour voir le nid. Au lieu des milliers d'abeilles disposées en cercle, noires, compactes, dos à dos, veillant à l'accomplissement des plus hauts mystères de l'œuvre commune, il voit des abeilles mornes, endormies; la plupart sont mortes sans s'en apercevoir sur ce trésor sacré qu'elles gardaient et qui n'est plus là. Elles exhalent une odeur de pourriture et de mort. Quelques-unes remuent, se soulèvent, volent lourdement et se posent sur le bras de l'ennemi, n'ayant pas la force de mourir en le piquant; les autres, mortes, pareilles à des écailles de poisson, tombent en pluie au fond. L'apiculteur referme la ruche, la marque à la craie et quand il en a le temps, la brise et la brûle.

C'est ainsi qu'était vide Moscou, alors que Napoléon, fatigué, inquiet et sombre, arpentait le rempart de la Chambre du Collège, attendant que soient respectées, du moins en apparence, les règles d'un cérémonial à son avis indispensable : l'arrivée d'une députation.

Çà et là, à Moscou, obéissant à de vieilles habitudes, des gens s'agitaient encore sans comprendre ce qu'ils faisaient.

Quand on informa Napoléon avec les précautions requises que Moscou était vide, il jeta un regard mécontent au porteur de cette nouvelle, se détourna et reprit sa promenade silencieuse.

— Ma voiture! dit-il.

Il monta en compagnie de l'aide de camp de service dans la calèche qui s'engagea dans les faubourgs.

« *Moscou déserte! Quel événement invraisemblable!* » se disait-il.

Il n'entra pas dans la ville, mais s'arrêta dans une auberge du faubourg de Dorogomilov.

Le coup de théâtre avait raté.

XXI

La traversée de Moscou par nos troupes, qui entraînèrent avec elles les derniers habitants et les blessés, avait duré de deux heures du matin à deux heures de l'après-midi. Au cours de leur marche, la plus grande presse se produisit sur les ponts de Pierre, de la Moskva et de la Iaouza.

Alors que s'étant divisées en deux colonnes pour contourner le Kremlin, les troupes s'entassaient sur les ponts de Pierre et de la Moskva, quantité de soldats, profitant de la cohue et de l'arrêt, revenaient sur leurs pas, passaient furtivement devant la basilique de Basile le Bienheureux et par la porte Borovitsky atteignaient la Place Rouge; leur flair les avait avertis qu'on pouvait facilement y faire main basse sur le bien d'autrui. Une foule aussi dense qu'aux jours de vente au rabais se pressait dans les galeries et les corridors du Gostinny Dvor [1]. Mais on n'entendait pas les voix douceâtres et engageantes des commis, on ne voyait pas de colporteurs ni d'acheteurs aux vêtements bigarrés, mais uniquement des soldats sans armes, en capote ou en uniforme, qui entraient dans les galeries les mains vides et en sortaient chargés. Les marchands et leurs commis (peu nombreux) circulaient comme perdus parmi les soldats, ouvraient et fermaient leurs boutiques et, avec l'aide de portefaix, enlevaient leurs marchandises pour les mettre en lieu sûr. Des tambours battirent le rappel sur la Place Rouge. Mais loin d'accourir au bruit du tambour, les soldats se dispersaient en l'entendant. Des individus en caftan gris, à la tête rasée [1], commençaient à se mêler aux soldats. Deux officiers, dont l'un, l'uniforme barré d'une écharpe, montait un maigre cheval gris foncé, l'autre, en capote, était à pied, se tenaient au coin de la rue Ilinka et causaient entre eux. Un troisième officier les rejoignit au galop.

— Le général a donné l'ordre de chasser tout ce monde coûte que coûte. C'est inadmissible. La moitié des hommes s'est débandée.

— Où vas-tu?... Où allez-vous? cria-t-il à trois fantassins qui relevant les pans de leur capote, se faufilaient devant lui dans les galeries. Arrêtez, canailles!

— Essayez un peu de les rassembler, dit un officier. C'est impossible. Il faut avancer plus vite, sinon ils fileront jusqu'au dernier.

— Comment avancer? On est entassé sur le pont, on ne bouge pas. Faudra-t-il tendre une chaîne pour empêcher de fuir les derniers?

— Mais allez donc là-bas, mettez-les à la porte! cria l'officier supérieur.

L'officier à l'écharpe descendit de cheval, appela le tambour et entra avec lui sous les arcades. Une bande de soldats prit la fuite. Un marchand dont le visage bien nourri, parsemé de boutons rouges près du nez, n'exprimait que la ruse et le calcul, s'approcha vivement de l'officier d'un air fringant en agitant les bras.

— Votre Noblesse, dit-il, soyez bon, protégez-nous. Nous ne sommes pas regardants, nous sommes toujours prêts à rendre service. Entrez, je vous prie, je vais vous sortir une pièce de drap, deux même pour un homme d'honneur, avec le plus grand plaisir, car nous comprenons les choses... Mais cela, c'est du brigandage. Entrez, je vous prie. Peut-être faudrait-il mettre une garde pour que nous puissions fermer nos boutiques?

Quelques marchands entourèrent l'officier.

— Eh, assez de bavardages! dit l'un d'eux, un homme maigre au visage sévère. Quand la tête est coupée, on ne pleure pas les cheveux. Qu'ils prennent ce qu'ils veulent! — Il souligna ces mots d'un geste énergique et se détourna de l'officier.

— Tu en parles à ton aise, Ivan Sidorytch, reprit le premier avec humeur. Entrez, je vous prie, Votre Noblesse.

— A mon aise? s'écria le maigre. J'ai ici dans mes trois boutiques pour cent mille roubles de marchandises! Comment les garder, alors que l'armée n'est plus là? Ah, quels gens! « Contre Dieu nul ne peut ». [1]

— Venez, Votre Noblesse, répéta le premier marchand, avec force saluts.

L'officier demeurait perplexe; visiblement, il hésitait.

— Mais que m'importe après tout! s'écria-t-il brusquement, et il s'engagea à grands pas dans la galerie.

D'une boutique ouverte parvenaient des injures, des bruits de coups. L'officier s'en approchait quand un homme en caftan gris, la tête rasée, en fut vivement expulsé.

Courbé en deux, l'homme fila devant les marchands et l'officier; celui-ci se précipita sur les soldats qui se trouvaient dans la boutique. Mais à ce moment, les clameurs terrifiantes d'une foule énorme parvinrent du pont de la Moskva, et l'officier retourna en courant sur la place.

— Qu'est-ce qu'il y a? Qu'est-ce qu'il y a? demanda-t-il. Mais son camarade galopait déjà dans la direction des cris le long de la cathédrale de Basile le Bienheureux.

L'officier monta en selle et le suivit. Parvenu au pont, il aperçut deux canons enlevés de leurs avant-trains, l'infanterie qui traversait le pont, des charrettes renversées, des visages épouvantés, des soldats riant aux éclats. Auprès des canons stationnait une charrette attelée de deux chevaux, derrière laquelle, tout contre les roues, se serraient quatre lévriers attachés par leurs colliers. Une montagne d'objets s'élevait sur la charrette, et juchée tout en haut, près d'une chaise d'enfant renversée les pieds en l'air, une femme poussait des cris déchirants. On expliqua à l'officier que les clameurs de la foule et les cris de la femme étaient dus à l'intervention du général Ermolov. Ayant appris que les soldats se dispersaient dans les boutiques et que la foule bloquait le pont, il avait donné l'ordre d'enlever les canons de leurs avant-trains et de faire mine de tirer sur le pont. Renversant les charrettes, se bousculant et hurlant, la foule avait dégagé le pont et les troupes s'étaient remises en marche.

XXII

Dans la ville, c'était le vide cependant. Les rues étaient presque désertes. Les boutiques, les portails étaient clos. Çà et là, près des cabarets, on entendait des cris isolés, des chants d'ivrogne. Pas de voiture, quelques rares piétons. La Povarskaïa était complètement silencieuse et déserte. L'immense cour des Rostov était jonchée de débris de foin et de crottin et on n'y voyait personne. Dans la maison où les Rostov avaient abandonné toutes leurs richesses, deux personnes se tenaient dans le grand salon : le portier Ighnat et le petit valet Michka resté avec son grand-père Vassilitch. Ayant ouvert le clavicorde, Michka jouait dessus avec un doigt. Debout devant une glace, le portier, les poings aux hanches, souriait joyeusement.

— Vois comme c'est bien! Hein, oncle Ighnat? disait le gamin se mettant brusquement à taper les touches des deux mains.

— Voyez-moi ça! répondit Ighnat, regardant avec émerveillement son sourire s'épanouir dans la glace.

— Ah, les effrontés! Ils n'ont pas honte! fit derrière eux la voix de Mavra Kouzminichna entrée sans bruit. — Voyez-moi cette grosse gueule qui rigole de toutes ses dents. Vous n'êtes bons qu'à ça! Et là-bas, rien n'est en ordre, Vassilitch ne sait où donner de la tête. Attendez un peu!...

Ighnat rajusta sa ceinture, cessa de sourire et baissant humblement les yeux, sortit du salon.

— Petite tante, je jouerai doucement, dit le gamin.

— Je t'en donnerai, moi, du doucement, polisson! cria Mavra Kouzminichna levant la main d'un geste menaçant. Va préparer le samovar pour ton grand-père.

Elle épousseta le clavicorde et le referma, puis soupirant profondément quitta le salon et en ferma la porte à clef.

Sortie dans la cour, Mavra Kouzminichna réfléchit à ce qu'elle allait faire : irait-elle prendre du thé avec Vassilitch dans le pavillon ou ranger dans la resserre les affaires qui y étaient encore en désordre?

Des pas rapides résonnèrent dans la rue silencieuse; ils s'arrêtèrent devant la poterne, et le loquet cliqueta sous la main qui essayait de l'ouvrir.

Maria Kouzminichna s'approcha de la poterne.

— Qui demandez-vous?

— Le comte, le comte Ilia Andréiévitch Rostov.

— Qui êtes-vous?

— Un officier. J'ai besoin de le voir, fit une voix russe agreable, la voix d'un monsieur.

Mavra Kouzminichna ouvrit la poterne et un officier de dix-huit ans environ entra dans la cour; les traits de son visage rond rappelaient ceux des Rostov.

— Ils sont partis, monsieur. Hier dans la soirée, dit Mavra Kouzminichna d'un ton affable.

Le jeune homme debout dans la porte hésita et claqua de la langue, comme s'il se demandait s'il devait entrer ou non.

— Ah, que c'est vexant!... dit-il. J'aurais dû venir hier. Quel dommage.

Cependant, Mavra Kouzminichna examinait avec une attention pleine de sympathie le visage du jeune homme dans lequel elle retrouvait les traits familiers des Rostov, et aussi la capote déchirée et les bottes éculées qu'il portait.

— Pourquoi aviez-vous besoin de voir le comte? demanda-t-elle.

— Oh, rien à faire maintenant, répondit avec dépit l'officier, et il posa la main sur le loquet comme pour sortir.

Mais il hésitait toujours.

— Voyez-vous, commença-t-il soudain, je suis un parent du comte et il s'est toujours montré très bon pour moi. Alors vous voyez (il considéra avec un bon et gai sourire son manteau et ses bottes), je suis en loques et n'ai pas d'argent du tout. Je voulais donc demander au comte...

Mavra Kouzminichna ne le laissa pas achever.

— Attendez un instant, mon petit père, rien qu'un instant, dit-elle.

Et dès que l'officier eut lâché la porte, elle fit demi-tour et, à petits pas rapides de vieille femme elle gagna par la cour de service son pavillon.

Tandis que Mavra Kouzminichna courait chez elle, l'officier se promenait dans la cour la tête baissée, en regardant ses bottes avec un léger sourire. « Quel dommage que je n'aie pas trouvé mon oncle! Quelle brave petite vieille! Où est-elle allée? Comment savoir quelles rues prendre maintenant pour rattraper vite le régiment qui doit déjà s'approcher de la Rogojskaïa [1]? » songeait-il. — L'air à la fois craintif et résolu, Mavra Kouzminichna réapparut au coin de la cour; elle tenait à la main un mouchoir à carreaux noué. A quelques pas de l'officier, elle défit le mouchoir et en sortit un assignat de vingt-cinq roubles qu'elle lui tendit.

— Si Son Excellence était ici, il aurait naturellement agi en parent... Mais peut-être que... actuellement...

Elle s'interrompit, toute confuse. Mais sans protester et sans se presser, l'officier prit le billet et la remercia.

— Si le comte avait été chez lui..., répéta Mavra Kouzminichna en continuant de s'excuser. — Que le Christ vous garde, mon petit père, dit-elle en le saluant et en le reconduisant jusqu'à la porte.

L'officier qui souriait et hochait la tête comme s'il se moquait de lui-même, se lança presqu'au trot dans les rues vides pour rattraper son régiment au pont de la Iaouza.

Mavra Kouzminichna, les yeux humides, resta encore un long moment devant la porte, secouant pensivement la tête, saisie soudain d'un élan de tendresse maternelle et de pitié pour ce petit officier inconnu.

XXIII

Des cris, des chants d'ivrognes résonnaient dans un cabaret au rez-de-chaussée d'une maison inachevée de la Varvarka [2]. Dans la pièce, petite et sale, une dizaine d'ouvriers étaient assis sur des bancs devant des tables. Tous ivres, en sueur, la bouche grande ouverte, les yeux troubles, ils chantaient de façon discordante, péniblement, avec effort, non pour le plaisir de chanter évidemment, mais pour bien montrer qu'ils étaient ivres et faisaient la noce. L'un d'eux, un grand gars blond en sarrau bleu, se tenait debout; son visage au nez mince et droit eût été beau sans ses lèvres minces et serrées constamment en mouvement et le regard lourd de ses yeux fixes et troubles. Il dominait les chanteurs et prenant visiblement son rôle au sérieux, il agitait au-dessus de leurs têtes d'un geste anguleux et solennel son bras blanc nu jusqu'au coude, en écartant le plus possible ses doigts sales. La manche relevée de son sarrau retombait sans cesse et il ne cessait de la remonter soigneusement de la main gauche, comme s'il avait été particulièrement important que ce bras blanc et musclé qui battait la mesure fût nu. Au milieu de la chanson, des cris, des bruits de coups éclatèrent dans l'entrée, sur le perron. Le grand gaillard agita la main.

— Suffit ! cria-t-il d'un ton de commandement. On se bat, les enfants ! — Et retroussant sa manche, il sortit sur le perron.

Les ouvriers le suivirent. Ces ouvriers, qui ce matin-là buvaient sous la conduite du grand gars, avaient apporté au cabaretier du cuir de la fabrique, et en avaient obtenu en échange de l'eau-de-vie, des forgerons de la forge voisine ayant entendu leur vacarme et croyant qu'on mettait le cabaret à sac, voulaient s'y introduire de force. Une rixe avait éclaté.

Le cabaretier se battait sur le seuil avec un forgeron et au moment où les ouvriers sortirent, le forgeron échappant au cabaretier tomba face contre les pavés.

Voulant franchir la porte, un autre forgeron fonça sur le cabaretier.

Tout en continuant d'avancer, le gars à la manche retroussée frappa en plein visage le forgeron aux prises avec le cabaretier et hurla :

— On bat les nôtres, les gars !

Au même moment, le premier forgeron se releva et, étalant le sang de son visage meurtri, cria d'une voix lamentable :

— Au secours ! On tue !.. On m'a tué, frères !

— Oh, mon Dieu, on a tué, on a tué à mort un homme ! cria une femme surgie d'une cour voisine.

La foule s'amassa autour du forgeron ensanglanté.

— Alors, ça ne te suffit pas de ruiner les gens, de leur enlever jusqu'à la chemise, dit quelqu'un au cabaretier. Voilà que tu tues maintenant, bandit !

Debout sur le perron, le gars blond regardait de ses yeux troubles tantôt le cabaretier, tantôt les forgerons, comme s'il se demandait avec qui il allait se battre à présent.

— Assassin ! cria-t-il soudain au cabaretier. Ligotez-le, les enfants !

— Comment donc, essayez un peu ! cria le cabaretier, et ayant repoussé les hommes qui s'étaient rués sur lui, il arracha son bonnet de sa tête et le jeta à terre.

Comme si ce geste avait une signification mystérieuse, menaçante, les ouvriers s'écartèrent indécis.

— Je connais la loi, frère, je la connais bien, dit-il. J'irai jusqu'au commissaire. Tu crois que j'aurais peur ? Aujourd'hui, il n'est permis à personne de piller. — Il ramassa son bonnet.

— Eh bien, allons-y, voyons un peu... Allons-y... Voyons un peu..., répétaient l'un après l'autre le cabaretier et le grand gars blond, et ils s'engagèrent ensemble dans la rue. Le forgeron ensanglanté se joignit à eux; les ouvriers et les curieux les suivaient en discutant à grands cris.

A l'angle de la Marosseïka [1], devant une grande maison aux volets clos portant l'enseigne d'un cordonnier, stationnaient une vingtaine d'ouvriers cordonniers, mornes, hâves, exténués, vêtus de caftans et de sarraux en loques.

— Qu'il nous règle comme il se doit, disait l'un d'eux, un homme maigre à la barbiche clairsemée, les sourcils froncés. — Il a sucé notre sang et il se croit quitte. Il nous a traînés, toute la semaine, et maintenant que nous voilà à la dernière extrémité, il a filé.

A la vue du forgeron en sang et de son cortège, il se tut, et tous les cordonniers se joignirent avec une curiosité empressée à la foule en marche.

— Où vont ces gens?

— Où veux-tu qu'ils aillent? Chez les autorités.

— Alors les nôtres n'ont pas eu le dessus? C'est vrai?

— Et que croyais-tu? Écoute un peu ce que dit le peuple.

Questions et réponses se croisaient. Profitant de l'excitation générale, le cabaretier ralentit le pas et retourna à son cabaret.

Le grand gars, qui n'avait pas remarqué la disparition de son ennemi, ne cessait de discourir avec de grands gestes de son bras nu, attirant ainsi l'attention de tous. C'était autour de lui principalement que se pressaient les gens comme s'ils attendaient de lui la solution des questions qui les préoccupaient.

— Qu'on nous dise ce qu'il faut faire. Qu'on nous indique la loi. C'est pour ça qu'elles sont là, les autorités! N'ai-je pas raison, chrétiens? disait le grand gars en souriant presque imperceptiblement.

— Il se figure, lui, qu'il n'y a pas d'autorités. Est-ce possible, sans autorités!... Des amateurs de pillage, il n'en manque pas.

— Sornettes que tout ça, disait-on dans la foule. Comment abandonneraient-ils ainsi Moscou? On se moquait de toi, et toi tu l'as cru. Nos troupes arrivent, et on le laisserait entrer? Voyez-moi ça! A quoi bon les autorités alors... Écoute un peu ce que dit le peuple, répétait-on en désignant le blond.

Près du mur de Kitaï-Gorod [1], un petit groupe entourait un homme en manteau de drap qui tenait à la main un papier.

— Une ordonnance! On lit une ordonnance! On lit une ordonnance, firent des voix, et la foule reflua aussitôt vers le lecteur.

L'homme au manteau lisait l'affiche du 31 août. Quand il se vit entouré par la foule, il parut perdre contenance, mais sur les instances du grand gars qui était parvenu jusqu'à lui, il recommença à lire l'affiche depuis le début, la voix légèrement tremblante.

« Je vais demain matin de bonne heure chez le Sérénissime (le Sérénissime! répéta solennellement le grand gars souriant des lèvres et fronçant les sourcils), pour me concerter avec lui, agir et aider l'armée à exterminer les scélérats. Nous aussi nous allons faire sauter ces visiteurs et les envoyer au diable. — Le lecteur s'interrompit un moment. (Tu as entendu, cria triomphalement le gars. Il va les arranger!) — Je reviendrai pour le dîner et nous nous mettrons à l'ouvrage; nous le terminerons et en terminerons avec les scélérats. »

Les derniers mots tombèrent dans un silence complet. Le gars baissa tristement la tête. Personne évidemment ne comprit ces mots, et la phrase « Je reviendrai demain pour le dîner », déçut manifestement le lecteur et les auditeurs. Dans l'état d'exaltation où était le peuple, il avait besoin de paroles nobles, solennelles, et ce qu'il entendait était trop simple et quotidien; c'était ce qu'aurait pu dire chacun et que ne pouvait donc dire une ordonnance des autorités suprêmes.

Tout le monde gardait un morne silence. Le grand gars serrait les lèvres et se balançait d'un pied sur l'autre.

— Il faudrait lui demander à lui... Et le voilà!... Comment donc, essaye un peu!... Et pourquoi pas?... firent des voix dans les derniers rangs de la foule, et l'attention générale se porta sur la voiture du maître de police qui débouchait sur la place, escortée de deux dragons à cheval.

Sur l'ordre du comte Rostoptchine, le maître de police était allé le matin même incendier des barques, et il rapportait de cette expédition une forte somme qui se trouvait maintenant dans sa poche. Apercevant la foule qui se dirigeait vers lui, il fit arrêter sa voiture.

— Qu'est-ce?... Qu'est-ce que c'est?... demanda-t-il aux gens qui s'approchaient de la voiture un à un, timidement.

— Qu'est-ce que c'est que cet attroupement? Je vous le demande, répéta-t-il, ne recevant pas de réponse.

— Votre Honneur, dit le fonctionnaire au manteau de drap, Votre Honneur, ce n'est pas une émeute quelconque, mais conformément aux ordres de Son Excellence le comte, ils veulent servir et sont prêts à donner leur vie.

— Le comte n'est pas parti; il est ici, et il donnera ses instructions vous concernant, déclara le maître de police. — Va, dit-il au cocher.

S'étant arrêtée autour de ceux qui avaient entendu, la foule regardait la voiture qui s'éloignait.

A ce moment, le maître de police jeta derrière lui un coup d'œil craintif, dit quelques mots à son cocher, et les chevaux accélérèrent leur allure.

— Mensonges, frères! Allons droit chez le comte lui-même!

— Ne le laissez pas partir, celui-là! Il doit nous rendre compte! Arrêtez-le! firent des voix et le peuple courut derrière la voiture.

Il s'engagea à sa suite dans la Loubianka [1] en menant grand tapage.

—. Les seigneurs et les marchands sont partis, et nous autres nous devons périr! Sommes-nous des chiens? criait-on de plus en plus fort.

XXIV

Le soir du 1er septembre, après son entrevue avec Koutouzov, Rostoptchine, blessé qu'on ne l'eût pas invité au conseil de guerre, peiné que Koutouzov n'eût prêté aucune attention à la proposition qu'il lui avait faite de participer à la défense de la capitale, et frappé du nouvel état d'esprit qui régnait au camp où la question de la sécurité de Moscou et de son ardeur patriotique non seulement passait au second plan mais était écartée comme tout à fait insignifiante, — peiné, blessé et stupéfait, Rostoptchine rentra à Moscou. Ayant soupé, il s'étendit tout habillé sur un canapé et fut réveillé vers une heure du matin par un courrier qui lui remit une lettre de Koutouzov. Koutouzov demandait au comte de dépêcher auprès des troupes qui devaient se retirer au-delà de Moscou, sur la route de Kazan, des officiers de police qui les guideraient dans la traversée de la ville. La nouvelle n'était pas inattendue pour Rostoptchine : il savait que Moscou serait abandonnée, il le savait non seulement depuis son entrevue avec Koutouzov sur le mont Poklonnaïa, mais déjà depuis la bataille de Borodino et les déclarations des généraux venus à Moscou qui affirmaient unanimement l'impossibilité d'une nouvelle bataille, et depuis que nuit après nuit on évacuait avec son autorisation les administrations et les biens de l'État, et que les habitants quittaient la ville. Néanmoins, cette nouvelle transmise par un simple billet et sous forme d'ordre, en pleine nuit, surprit et irrita Rostoptchine tiré de son premier sommeil.

Lorsqu'il expliqua par la suite son action au cours de cette période, le comte Rostoptchine écrivit à plusieurs reprises dans ses Mémoires qu'il poursuivait alors deux buts importants : il s'agissait *de maintenir la tranquillité à Moscou et d'en faire partir les habitants.* Si on admet ce double but, la conduite de Rostoptchine apparaît irréprochable. Pourquoi n'a-t-il pas évacué de Moscou les icônes, les armes, les cartouches, la poudre, les réserves de blé, pourquoi des milliers de gens auxquels on avait promis que Moscou ne serait pas abandonnée, ont-ils été trompés et ruinés? — Pour maintenir le calme, explique Rostoptchine. Pourquoi a-t-on évacué des ballots de papiers administratifs, le ballon de Leppich et bien d'autres choses inutiles? — Afin de vider complètement la ville, explique Rostoptchine. Il suffit seulement d'admettre que ceci ou cela risquait de troubler le calme de la population, pour justifier n'importe quel acte.

Toutes les atrocités de la Terreur étaient uniquement motivées par le souci de la tranquillité publique.

Pourquoi donc le comte Rostoptchine craignait-il des troubles populaires à Moscou en 1812? Quelles raisons avait-il de croire que le peuple fût disposé à se soulever? Les habitants partaient, les troupes en retraite remplissaient Moscou. Pourquoi dans ces conditions le peuple se serait-il mutiné?

Rien de tel ne s'était produit dans aucune ville de Russie à l'entrée de l'ennemi. Le 1er et le 2 septembre, il restait encore à Moscou plus de dix mille personnes, et en dehors de la foule qui s'amassa dans la cour du gouverneur et qu'il attira lui-même, il n'y eut aucun incident. Si après Borodino, quand l'abandon de Moscou apparut inévitable ou du moins probable, au lieu d'agiter le peuple en distribuant des armes et en répandant des affiches, Rostopotchine avait pris des mesures pour évacuer les icônes, la poudre, les cartouches et l'argent et avait franchement déclaré au peuple que Moscou allait être abandonnée, il est évident qu'il y aurait eu encore moins de raisons de craindre un soulèvement.

Rostoptchine, un homme emporté et sanguin, avait toujours

gravité dans les hautes sphères de l'administration; bien qu'ardent patriote, il n'avait pas la moindre idée du peuple qu'il croyait gouverner. Dès l'entrée de l'ennemi à Smolensk, il s'était attribué en imagination le rôle de guide du sentiment patriotique du « cœur de la Russie ». Il lui semblait (comme à tout administrateur) qu'il pouvait non seulement régir la vie extérieure des habitants de Moscou, mais aussi agir sur leur état d'esprit par ses proclamations et ses affiches rédigées dans ce langage trivial que le peuple méprise, l'entend-il dans son propre milieu, et qu'il ne comprend pas quand il vient d'en haut. Le beau rôle de guide du sentiment populaire plut à tel point à Rostoptchine, il s'y identifia si bien que la nécessité de renoncer à ce rôle, la nécessité d'abandonner Moscou sans le moindre geste héroïque, le prit au dépourvu, et il sentit se dérober soudain sous ses pieds le sol sur lequel il se tenait et ne sut absolument plus que faire. Tout en sachant que Moscou serait abandonnée, dans l'intime de son cœur il refusa d'y croire jusqu'au dernier moment et ne prit aucune des mesures qui s'imposaient. Les habitants partirent contre son gré; on évacua les administrations parce que les fonctionnaires l'exigèrent, et le comte ne céda qu'à contre-cœur. Il n'était préoccupé que du rôle qu'il s'était créé. Comme il arrive fréquemment aux gens doués d'une imagination exubérante, il savait depuis longtemps que Moscou serait abandonnée, mais il le savait uniquement par raisonnement; dans le fond de son être, il ne pouvait y croire, ne parvenant pas à se transporter en imagination dans cette situation nouvelle.

Toute son activité, appliquée et énergique (à quel point elle fut utile et eut prise sur le peuple, c'est une autre question), toute son activité visait uniquement à exciter chez les habitants les sentiments que lui-même éprouvait : la haine des Français et la confiance en soi.

Mais quand l'événement prit ses véritables dimensions historiques, quand il se trouva qu'il ne suffisait pas d'exprimer en paroles sa haine des Français, qu'il était impossible de lui donner libre cours dans une bataille; quand la confiance en soi s'avéra inopérante lorsque le sort de Moscou fut en question, quand toute la population abandonnant tous ses biens prit la route comme un seul homme, manifestant ainsi sous une forme négative toute la force de son patriotisme, alors le rôle que s'était créé Rostoptchine apparut soudain absurde. Il se sentit brusquement seul, faible et ridicule, et perdit pied.

Au reçu du billet sec et impératif de Koutouzov, Rostoptchine réveillé en sursaut se sentit d'autant plus furieux qu'il se sentait davantage coupable. Ce qui restait à Moscou, c'était précisément ce dont il avait la responsabilité, c'étaient les biens de l'État qui auraient dû être évacués. Et il était impossible maintenant de tout sauver.

« A qui la faute? Qui a laissé les choses en arriver là? se demandait-il. Ce n'est pas moi, bien entendu. J'avais tout préparé et avais Moscou bien en main. Voilà où ils nous ont amenés! Scélérats, traîtres! » se disait-il sans préciser quels étaient ces scélérats et ces traîtres, mais éprouvant le besoin de haïr ces mystérieux traîtres qui étaient responsables de la fausse et ridicule situation où il se trouvait.

Tout au long de cette nuit, Rostoptchine ne s'arrêta pas de donner des ordres qu'on venait lui demander de tous côtés. Ses familiers ne l'avaient jamais vu aussi sombre et irrité.

« Votre Excellence, le directeur du département des apanages demande... envoie demander... On vient demander du Consistoire... du Sénat... de l'Université... de la Maison d'éducation... de la part de l'évêque... Ils envoient... Ils demandent... Quels sont vos ordres pour les pompiers?... Le directeur de la prison sollicite... Le directeur de l'asile de fous... » — Il en fut ainsi toute la nuit.

A toutes ces questions, le comte répondait d'un ton bref, irrité, qui voulait montrer que ses ordres étaient maintenant inutiles, que quelqu'un avait gâché tout ce qu'il avait soigneusement préparé et que ce quelqu'un porterait la responsabilité de tout ce qui pourrait arriver maintenant.

— Eh bien, dis à cet imbécile, répondit-il à la demande d'instruction du directeur des apanages, qu'il monte la garde devant ses papiers. Pourquoi me poser des questions stupides à propos des pompiers? Ils ont des chevaux, qu'ils partent donc pour Vladimir [1]; on ne va pas les laisser aux Français.

— Votre Excellence, le surveillant de l'asile d'aliénés est là. Que lui répondre?

— Que lui répondre? Qu'ils partent tous. Quant aux fous, il n'a qu'à les lâcher dans la ville. Si les fous commandent aujourd'hui nos armées, ceux-là en sont bien capables eux aussi.

Le surveillant de la prison ayant demandé ce qu'on ferait des détenus dans les fers au cachot, il lui cria, furieux :

— Alors quoi, il te faut encore deux bataillons pour les convoyer? Je ne les ai pas. Lâche-les, et c'est tout!

— Votre Excellence, il y a des détenus politiques : Méchkov, Vérechtchaguine.

— Vérechtchaguine? Il n'est pas encore pendu? cria Rostoptchine. Qu'on me l'amène.

XXV

Vers neuf heures du matin, alors que les troupes traversaient déjà Moscou, personne ne vint plus demander les instructions du comte. Tous ceux qui étaient en mesure de partir, partaient d'eux-mêmes; ceux qui restaient décidaient seuls de ce qu'ils devaient faire.

Ayant donné l'ordre d'atteler pour se rendre à Sokolniki, Rostoptchine, jaune, sombre et silencieux, attendait dans son cabinet, assis, les bras croisés.

Quand les temps sont calmes, tout administrateur se figure que la vie de la population qui lui est confiée dépend uniquement de ses soins, et c'est principalement dans la conscience qu'il a de son rôle indispensable qu'il trouve la récompense de son travail, de ses efforts. Tant que l'océan de l'histoire demeure paisible, on comprend que l'administrateur-pilote qui, dans son frêle esquif, s'appuie de la gaffe à l'énorme vaisseau de l'État et bouge avec lui, puisse croire que le vaisseau avance grâce à ses efforts. Mais il suffit que le vent s'élève, que l'océan devienne houleux, entraînant le vaisseau, et il n'est plus possible de se tromper : le vaisseau poursuit sa course imposante, indépendante, la gaffe ne l'atteint plus, et le pilote passe soudain de la situation de chef, source de toute énergie, à celle d'un pauvre homme faible et inutile.

C'est cela qu'éprouvait Rostoptchine, et c'est cela qui l'irritait.

Le maître de police, celui qu'avait poursuivi la foule, entra dans le cabinet en même temps que l'aide de camp qui venait prévenir le comte que la voiture était avancée Tous deux étaient pâles; le maître de police rendit compte de sa mission et prévint le gouverneur qu'une foule immense avait envahi la cour et voulait le voir.

Rostoptchine se leva sans mot dire et entra d'un pas rapide dans son salon clair et luxueux, s'approcha de la porte du balcon, saisit la poignée, la lâcha et se dirigea vers une fenêtre d'où l'on voyait mieux la foule. Le grand gaillard, le visage sévère, discourait dans les premiers rangs en agitant le bras. Le forgeron au visage ensanglanté se tenait à côté de lui, l'air sombre. On entendait le grondement des voix à travers les fenêtres fermées.

— La voiture est avancée? demanda Rostoptchine en s'éloignant de la fenêtre.

— Oui, Votre Excellence, répondit l'aide de camp.

Rostoptchine s'approcha de nouveau de la porte du balcon.

— Mais qu'est-ce qu'ils veulent? demanda-t-il au maître de police.

— Votre Excellence, ils disent qu'ils se sont rassemblés pour marcher contre les Français selon vos ordres, ils crient qu'on les a trahis. C'est une foule déchaînée, je lui ai échappé à grand-peine... Je me permets de prévenir Votre Excellence...

— Vous pouvez vous retirer; je sais ce que j'ai à faire! cria Rostoptchine furieux.

Il se tenait devant la porte du balcon et considérait la foule. « Voilà ce qu'ils ont fait de la Russie, voilà ce qu'ils m'ont fait, à moi! » songeait Rostoptchine, sentant monter en lui une colère irrepressible contre quelqu'un, ce quelqu'un à qui l'on pouvait attribuer tout ce qui se passait. Comme il arrive souvent aux gens emportés, la colère le dominait déjà, mais elle se cherchait un objet. « *La voilà, la populace, la lie du peuple,* se dit-il en regardant la foule, *la plèbe qu'ils ont soulevée par leur sottise. Il leur faut une victime,* » lui vint-il à l'esprit à la vue du grand gaillard qui gesticulait. Et cela lui vint à l'esprit parce que lui-même avait besoin d'une victime, parce que sa colère se cherchait un objet.

— La voiture est avancée? demanda-t-il une fois de plus.

— Oui, Excellence. Quels sont vos ordres concernant Vérechtchaguine? Il attend près du perron, répondit l'aide de camp.

— Ah! s'écria Rostoptchine comme frappé subitement d'un souvenir.

Et, ayant brusquement ouvert la porte, il sortit d'un pas résolu sur le balcon. Le grondement des voix se tut aussitôt, les têtes se découvrirent et tous les yeux se levèrent sur le comte.

— Bonjour, mes enfants, dit-il rapidement d'une voix forte. Je vous remercie d'être venus. Je vous rejoins à l'instant, mais avant tout il faut en finir avec un scélérat. Il nous faut châtier le scélérat qui a causé la perte de Moscou. Attendez-moi!

Et le comte rentra en hâte en claquant violemment la porte du balcon.

Une rumeur de satisfaction parcourut la foule. « C'est donc qu'il va régler leur compte à toutes les canailles... Et toi tu dis : un Français! Il connaît la loi, lui », disaient les gens entre eux comme s'ils se reprochaient mutuellement leur manque de confiance.

Au bout de quelques minutes. un officier sortit hâtivement de la porte d'honneur, donna un ordre et les dragons se mirent au garde-à-vous. Quittant des yeux le balcon, la foule se porta avidement vers le perron. Rostoptchine sortit d'une démarche énergique, coléreuse et regarda autour de lui comme s'il cherchait quelqu'un.

— Où est-il? demanda le comte.

Au même moment, du coin de la maison déboucha entre deux dragons une jeune homme au long cou frêle; il avait la moitié du crâne rasé [1], mais ses cheveux y repoussaient déjà. Il portait un touloupe de renard recouvert de drap bleu, naguère élégant sans doute, maintenant râpé, et des pantalons crasseux de détenu en toile de chanvre, rentrés dans des bottes fines, mais maculées et sales. De lourdes chaînes pendaient à ses jambes grêles et faibles, entravant sa marche incertaine.

— Ah! dit Rostoptchine (il détourna précipitamment son regard du jeune homme au touloupe de renard et dit en désignant la marche inférieure du perron :) — Amenez-le, là.

Faisant tinter ses chaînes, le jeune homme monta péniblement la marche, passa son doigt dans le col de sa pelisse qui le serrait, tourna deux fois son long cou, et poussant un soupir, croisa sur son ventre d'un geste résigné ses mains fines, des mains qui n'avaient pas l'habitude du travail.

Tandis qu'il prenait place sur la marche, il y eut un silence de quelques secondes, troublé seulement par des toussotements, des chuchotements, des raclements de pieds dans les derniers rangs de la foule qui convergeait vers un seul point, cependant que Rostoptchine, les sourcils froncés, se passait la main sur le visage.

— Mes enfants, dit-il d'une voix sonore, métallique. Cet homme Vérechtchaguine, est ce scélérat qui a causé la perte de Moscou.

Le jeune homme au touloupe de renard se tenait un peu courbé dans une attitude résignée, les mains croisées sur son ventre. Son maigre visage accablé que défigurait son crâne rasé, était baissé. Aux premières paroles du comte, il redressa lentement la tête et le regarda de bas en haut comme s'il voulait lui dire quelque chose ou rencontrer du moins ses yeux. Mais Rostoptchine ne le regardait pas. Une veine bleuit et se tendit comme une corde derrière l'oreille, sur le cou du jeune homme, et soudain son visage rougit.

Tous les yeux convergeaient vers lui. Il regarda la foule et comme encouragé par l'expression qu'il lisait sur les visages de tous ces gens, il eut un sourire timide et triste et baissant de nouveau la tête, il se remit d'aplomb sur la marche.

— Il a trahi son empereur et sa patrie; il s'est vendu à Bonaparte, il est le seul Russe qui ait souillé le nom russe, et c'est à cause de lui que périt Moscou. — Rostoptchine parlait d'une voix dure, égale, et soudain il jeta un regard rapide à Vérechtchaguine au-dessous de lui, toujours debout dans la même attitude résignée. Comme si cette vue le faisait exploser, Rostoptchine levant la main, hurla presque à la foule :

— Faites-vous justice vous-mêmes! Je vous le donne!

La foule se taisait, mais se tassait de plus en plus. Se tenir ainsi serrés les uns contre les autres, respirer cet air empoisonné, ne pas pouvoir remuer et attendre quelque chose d'inconnu, d'incompréhensible et de terrible, devenait intolérable. Ceux qui, dans les premiers rangs, avaient vu et entendu tout ce qui se passait, tous, les yeux écarquillés, horrifiés, la bouche ouverte, s'arc-boutaient de toutes leurs forces pour résister à la pression de ceux qui pesaient sur eux.

— Frappez-le!... Que périsse le traître, qu'il cesse de déshonorer le nom russe! criait Rostoptchine. Tapez dessus! Je l'ordonne!

Entendant non pas les paroles mais les sons de la voix furieuse de Rostoptchine, la foule poussa une sorte de gémissement et s'avança, mais s'arrêta aussitôt.

— Comte, proféra soudain la voix timide et en même temps théâtrale de Vérechtchaguine dans le silence qui était de nouveau tombé, comte, Dieu seul voit... — Il redressa la tête et la grosse veine de son cou frêle se gonfla de nouveau de sang, et le rouge envahit rapidement son visage pour l'abandonner aussitôt.

Il n'acheva pas ce qu'il voulait dire.

— Frappez-le! Je l'ordonne! hurla Rostoptchine qui pâlit brusquement comme Vérechtchaguine.

— Sabre au clair! cria l'officier aux dragons, et il dégaina lui-même.

Une nouvelle vague, plus forte encore, courut à travers la foule et parvenue aux premiers rangs les secoua et les porta, chancelants, jusqu'aux marches du perron. Le grand gaillard, le visage pétrifié, le bras dressé, se tenait maintenant à côté de Vérechtchaguine.

— Frappe! commanda presque dans un murmure l'officier de dragons.

Et un des soldats, le visage crispé de fureur, frappa la tête de Vérechtchaguine du plat de son sabre.

— Ah! s'exclama Vérechtchaguine surpris, et il se retourna comme pour voir pourquoi on lui faisait cela. La même exclamation de surprise et d'épouvante retentit dans la foule. « Seigneur! » fit une voix apitoyée.

Mais, après cette exclamation de surprise, Vérechtchaguine laissa échapper un cri plaintif de douleur, et ce cri le perdit. La foule tendue à l'extrême rompit brusquement le barrage des sentiments qui la retenait jusqu'alors. Le crime amorcé devait nécessairement s'achever. Le rugissement menaçant de la foule submergea le cri plaintif. Pareille à cette septième et dernière vague qui brise les vaisseaux, une vague irrésistible monta du fond de la foule, emporta les premiers rangs, les culbuta et engloutit tout. Le dragon qui avait frappé en premier voulut répéter son geste; Vérechtchaguine, se protégeant la tête de ses bras, se précipita vers la foule en criant; le grand gaillard qu'il heurta s'agrippa à son cou frêle avec un cri sauvage et tous deux roulèrent sous les pieds de la foule hurlante qui tombait sur eux.

Les uns battaient Vérechtchaguine et lui arrachaient ses vêtements, les autres s'acharnaient sur le grand gaillard. Et les cris des gens écrasés et de ceux qui essayaient de sauver le grand gaillard ne faisaient qu'exciter la rage du peuple. Les soldats furent longs à dégager l'ouvrier en sang, à demi-mort. Et en dépit de la hâte furieuse que mettait la foule à terminer ce qu'elle avait commencé, les hommes qui battaient, étranglaient et mettaient en pièces Vérechtchaguine, furent longs à le tuer, car la foule les pressant de toutes parts, formant avec eux un seul bloc qui oscillait d'un côté et de l'autre, ne leur permettait ni d'en finir avec leur victime, ni de l'abandonner.

— A coups de hache peut-être... Alors, on l'a étranglé?... Traître! Judas!... Encore vivant?... Il a la vie dure... Il n'a que ce qu'il mérite... Un bon coup de hache... Comment, il vit encore?...

Ce ne fut que lorsque Vérechtchaguine cessa de se débattre et que ses cris firent place à un râle régulier que la foule se déplaça en s'écartant hâtivement du corps ensanglanté; chacun s'approchait, considérait ce qui avait été fait et reculait avec une expression d'étonnement, d'effroi et de reproche.

— Oh, mon Dieu!... Le peuple, une vraie bête... Comment aurait-il pu en réchapper?... disait-on çà et là. — Et jeune encore... fils de marchand sans doute... Ah, quand le peuple s'y met!... Il paraît que ce n'est pas celui-là... Pas celui-là?... Seigneur! C'est un autre qu'on a battu... Il respire à peine... Ah, le peuple!... Qui ne craint pas le péché..., disaient maintenant ces mêmes hommes douloureusement apitoyés en contemplant le cadavre au visage violacé, barbouillé de sang et maculé de poussière, au long cou grêle brisé.

Un officier de police zélé, jugeant inconvenante la présence d'un cadavre dans la cour de Son Excellence, ordonna aux dragons de l'emporter dans la rue. Les deux dragons le saisirent par ses jambes cassées et le traînèrent dehors. La tête rasée, souillée de sang et de terre, sautillait et battait le sol au bout du long cou.

Lorsque Vérechtchaguine était tombé et que la foule mugissante l'avait recouvert de sa masse agitée, Rostoptchine avait blêmi, et au lieu de se diriger vers le perron de service où l'attendait sa voiture, il longea d'un pas rapide, la tête baissée, sans savoir où il allait, un corridor qui menait aux pièces du rez-de-chaussée. Le visage blême, il ne parvenait pas à arrêter le tremblement de sa mâchoire inférieure.

— Excellence, par ici... Où voulez-vous aller?... Par ici, je vous prie, disait derrière lui une voix tremblante, effrayée.

N'ayant pas la force de répondre, Rostoptchine fit docilement demi-tour et prit la direction qu'on lui indiquait. Sa calèche l'attendait devant l'escalier de service. Le grondement de la foule en furie s'entendait encore ici. Le comte monta précipitamment en voiture et se fit conduire à sa maison de campagne de Sokolniki.

Parvenu à la Miasnitskaïa [1] et n'entendant plus la foule, il commença à ressentir des remords. Il se souvint du trouble et de l'effroi qu'il avait manifestés devant ses subordonnés. « *La populace est terrible, elle est hideuse*, se disait-il en français. *Ils sont comme des loups qu'on ne peut apaiser qu'avec de la chair.* » — Soudain, il se rappela les paroles de Vérechtchaguine, « Comte, Dieu seul voit... », et un frisson glacé parcourut son dos. Mais cette sensation passa instantanément et Rostoptchine eut pour lui-même un sourire de dédain. « *J'avais d'autres devoirs*, songea-t-il. *Il fallait apaiser le peuple. Bien d'autres victimes ont*

351

péri et périront pour le bien public. » Et il se mit à réfléchir à ses devoirs envers sa famille, sa capitale (celle qui lui avait été confiée), envers lui-même, non pas en tant que Feodor Bassiliévitch Rostoptchine (il considérait que Feodor Vassiliévitch Rostoptchine se sacrifiait au *bien public*), mais en tant que gouverneur militaire de Moscou, représentant du pouvoir et délégué de l'empereur. « Si je n'étais que Feodor Vassiliévitch, *ma ligne de conduite eût été tout autrement tracée*, mais je devais sauvegarder et la vie et la dignité du gouverneur. »

S'abandonnant au moelleux balancement des souples ressorts de la voiture et n'entendant plus le grondement de la foule, Rostoptchine se sentit physiquement apaisé, et comme il arrive toujours en pareil cas, l'intelligence ne manqua pas de lui fournir des raisons d'apaisement moral. La pensée qui apaisa Rostoptchine n'avait rien de nouveau. Depuis que le monde existe et que les hommes s'entretuent, jamais personne n'a commis un crime contre son semblable sans avoir recours à cette pensée tranquillisante. Cette pensée est *le bien public*, le bien supposé des autres.

L'homme qui n'est pas en proie à la passion ignore toujours le bien des autres, mais l'homme qui commet un crime sait toujours avec certitude en quoi consiste ce bien. Et Rostoptchine le savait à présent lui aussi.

En raisonnant, non seulement il parvenait à ne pas se reprocher ce qu'il avait fait, mais il trouvait moyen d'être satisfait de lui-même pour avoir agi *avec à propos* en châtiant un criminel et en apaisant en même temps le peuple.

« « Vérechtchaguine avait été jugé et condamné à la peine de mort, se disait Rostoptchine (en réalité Vérechtchaguine n'avait été condamné par le Sénat qu'aux travaux forcés). C'était un traître, un Judas ; je ne pouvais le laisser impuni, et puis *je faisais d'une pierre deux coups :* je livrais une victime au peuple pour le calmer et je châtiais un scélérat. »

Arrivé à sa maison de campagne, il eut à prendre différentes dispositions et se sentit complètement tranquillisé.

Un demi-heure plus tard, Rostoptchine traversait la plaine de Sokolniki au trot rapide de ses chevaux, ne songeant déjà plus à ce qui s'était passé, ne pensant à présent qu'à ce qui allait arriver. Il se rendait au pont de la Iaouza où devait se trouver Koutouzov, lui avait-on dit.

Il préparait en imagination les reproches indignés et cinglants qu'il ferait à Koutouzov pour l'avoir trompé. Il ferait comprendre à ce courtisan, à ce vieux renard, que la responsabilité de tous les malheurs qu'entraînaient l'abandon de Moscou et la ruine même de la Russie (comme le croyait Rostoptchine) retomberait uniquement sur sa tête, la tête d'un vieillard tombé en enfance Réfléchissant à l'avance à ce qu'il allait lui dire, le comte s'agitait dans sa calèche et jetait autour de soi des regards irrités.

La plaine de Sokolniki était déserte; tout au bout seulement près de l'hospice et de l'asile d'aliénés, on apercevait des petits groupes en vêtements blancs et quelques hommes en blanc eux aussi qui marchaient isolément en criant et en gesticulant.

L'un d'eux courait au-devant de la calèche et le comte, son cocher et les dragons, tous regardaient avec un sentiment confus de curiosité et d'effroi ces fous mis en liberté et surtout celui qui courait vers la voiture.

Vacillant sur ses longues jambes maigres, il fonçait dans sa robe de chambre flottante sans quitter des yeux Rostoptchine et lui criait on ne sait quoi d'une voix rauque en lui faisant signe de s'arrêter. Son visage maigre et jaune envahi d'une barbe broussailleuse avait une expression sombre et solennelle. Dans le blanc safrané de ses yeux, ses prunelles noires, pareilles à des agates, couraient çà et là avec inquiétude.

— Halte! Arrête, je te dis! vociférait-il d'une voix stridente puis, haletant, il recommençait à crier on ne sait quoi avec des intonations et des gestes impérieux.

Ayant atteint la calèche, il courait maintenant à côté.

« Tué trois fois, trois fois ressuscité des morts! Ils m'ont lapidé crucifié... Je ressusciterai... Je ressusciterai... Je ressusciterai! Ils ont déchiré mon corps. Le Royaume de Dieu sera détruit... Je le détruirai trois fois et je le rétablirai trois fois! » hurlait-il, et sa voix devenait de plus en plus aiguë.

Le comte Rostoptchine blêmit soudain, comme il avait blêmi quand la foule s'était ruée sur Vérechtchaguine. Il se détourna.

« Va! Plus... plus vite! » cria-t-il au cocher d'une voix tremblante.

Le cocher lança les chevaux à fond de train, mais les hurlements sauvages du fou retentirent encore longtemps, s'éloignant peu à peu, aux oreilles de Rostoptchine, tandis que surgissait devant ses yeux le visage ensanglanté, surpris et épouvanté, du traître en touloupe de renard.

Si récent que fût ce souvenir, Rostoptchine sentait maintenant qu'il avait profondément pénétré dans son cœur, jusqu'à le faire saigner. Il sentait clairement à présent que la marque de ce souvenir ne se cicatriserait jamais, mais que cet affreux souvenir ne cesserait, au contraire, de vivre en lui jusqu'à ses derniers jours et de le tourmenter de plus en plus cruellement. Il entendait, lui semblait-il maintenant, le son de ses propres paroles : « Frappez-le! Vous répondrez de lui sur vos têtes!

— Pourquoi ai-je dit cela? Comme ça, sans le vouloir... J'aurais pu ne pas les prononcer, songeait-il. Alors il ne serait RIEN arrivé. » Il vit le visage d'abord effrayé, puis rageur du dragon et le regard de reproche silencieux et timide que lui avait jeté ce gamin en touloupe de renard. « Mais ce n'est pas pour moi que je l'ai fait. Je devais le faire. *La plèbe... le traître... le bien public...* »

Les troupes se pressaient toujours au pont de la Iaouza. Assis sur un banc près du pont, Koutouzov, le visage sombre, remuait le sable du bout de son fouet quand une voiture s'arrêta devant lui avec fracas; un homme en descendit, en uniforme de général, coiffé d'un chapeau à plumes, les yeux à la fois inquiets et irrités, et se mit à lui parler en français. C'était le comte Rostoptchine. Il dit qu'il était venu parce que Moscou n'existait plus; il ne restait que l'armée.

— C'eût été tout autre chose, poursuivit-il, si Votre Altesse ne m'avait pas affirmé qu'elle n'abandonnerait pas Moscou sans avoir livré une seconde bataille.

Koutouzov regardait Rostoptchine et, comme s'il ne comprenait pas le sens de ses paroles, s'efforçait de découvrir quelque chose de particulier qui devait s'inscrire en cet instant sur le visage de l'homme qui parlait.

Rostoptchine se troubla et se tut. Koutouzov hocha la tête et sans quitter le visage du comte de son regard scrutateur, il dit à mi-voix :

— Mais je n'abandonnerai pas Moscou sans livrer bataille.

Koutouzov pensait-il à tout autre chose en prononçant ces mots, les proféra-t-il sachant qu'ils étaient absurdes? Quoi qu'il en fût, Rostoptchine ne répondit mot et s'éloigna aussitôt.

Et chose étrange, le gouverneur de Moscou, l'orgueilleux comte Rostoptchine prit un fouet, s'approcha du pont et se mit à disperser à grands cris les charrettes qui l'encombraient.

XXVI

Vers quatre heures de l'après-midi, les troupes de Murat firent leur entrée dans Moscou. En tête venait un détachement de hussards de Würtemberg, précédant le roi de Naples à cheval suivi d'une nombreuse escorte.

Vers le milieu de l'Arbat [1], près de l'église de Saint-Nicolas-Révélé, Murat fit halte dans l'attente des renseignements que le détachement de hussards devait lui fournir sur l'état de la citadelle, *le Kremlin* [2].

Des habitants demeurés dans la ville s'assemblèrent autour de Murat. Ils contemplaient avec un timide étonnement cet étrange personnage à la longue chevelure, emplumé et chamarré.

— Est-ce lui, l'empereur? Il n'est pas mal, disait-on à voix basse.

L'interprète s'approcha du petit groupe.

— Enlève ton bonnet... ton bonnet..., chuchotait-on dans la foule.

L'interprète se tourna vers un vieux concierge et lui demanda si le Kremlin était encore loin. Le portier prêtait l'oreille, perplexe, à l'accent polonais de l'interprète et se refusant à prendre ces sons pour des mots russes, il ne comprit pas et se réfugia derrière les autres.

Murat s'approcha de l'interprète et lui ordonna de demander où se trouvaient les troupes russes. Quelqu'un dans la foule comprit la question et subitement on répondit à l'interprète de différents côtés. Un officier du détachement de tête revint et rapporta à Murat que les portes de la forteresse étaient fermées et que des hommes y étaient sans doute en embuscade. « Bon », dit Murat et s'adressant à l'un des officiers de son escorte, il donna l'ordre de se porter en avant avec quatre pièces légères et d'ouvrir le feu sur la porte.

L'artillerie se détacha au trot de la colonne qui suivait Murat, prit l'Arbat, et ayant descendu jusqu'au bout de la Vozdvijenka, s'arrêta et prit position sur la place. Les officiers donnaient des ordres aux artilleurs, faisaient mettre les pièces en batterie et examinaient le Kremlin avec des lunettes d'approche.

Les cloches sonnaient au Kremlin pour les vêpres et ces sonneries inquiétaient les Français; ils supposaient que c'était un appel aux armes. Quelques fantassins coururent vers la porte Koutafiev [1] que barricadaient des madriers et des boucliers de bois. Deux coups de fusils partirent de la porte dès que les fantassins et leur officier s'en furent approchés. Le général, qui se tenait debout près des canons, cria quelque chose à l'officier qui revint au pas de course avec ses hommes.

Trois coups de fusil partirent encore de la porte. Un soldat français fut atteint à la jambe et des cris étranges retentirent derrière la barricade. Les visages du général, des officiers et des soldats français, jusqu'alors gais et calmes, prirent soudain en même temps, comme au commandement, l'expression obstinée et concentrée de ceux qui s'attendent à lutter et à souffrir. Pour tous, à commencer par le maréchal et jusqu'au dernier soldat, cet endroit n'était plus la Vozdvijenka, la Mokhovaïa [1], les portes Koutafiev ou de la Trinité, c'était un lieu nouveau, le lieu d'une nouvelle bataille, probablement sanglante. Et tous se préparèrent au combat. Les cris derrière la porte s'étaient tus. Les pièces furent avancées; les artilleurs ranimèrent la flamme des boutefeux; l'officier commanda : « *Feu!* », et deux boîtes à mitraille sifflèrent l'une après l'autre. Les balles claquèrent contre les pierres de la porte, les madriers et les boucliers, et deux nuages de fumée se déployèrent au-dessus de la place.

Quelques instants après que se furent éteints les échos des détonations à travers les bâtiments du Kremlin, un bruit étrange retentit au-dessus des Français. Une immense nuée de choucas s'éleva de l'enceinte et se mit à tournoyer dans le ciel, dans des croassements et le bruissement de milliers d'ailes. Au même moment, un cri parvint de la porte et un homme apparut dans la fumée, en caftan et tête nue; il tenait un fusil dont il visait les Français. « *Feu!* » commanda dè nouveau l'officier, et le coup de fusil et les deux coups de canon éclatèrent en même temps. La fumée recouvrit de nouveau la porte.

Plus rien ne bougeait derrière les madriers; les soldats français et leurs officiers s'approchèrent de la porte et y trouvèrent trois blessés et quatre morts. Deux hommes en caftan fuyaient par le bas le long de l'enceinte vers la Znamenka.

— *Enlevez-moi ça*, dit un officier en désignant les madriers et les cadavres, et les Français ayant achevé les blessés, jetèrent les corps en bas, par-dessus le mur.

Qui étaient ces hommes, personne ne le sut. « *Enlevez-moi ça* », c'est tout ce qui fut dit sur leur compte, et on les jeta, puis on les enleva pour éviter la puanteur. Seul Thiers a consacré à leur mémoire quelques lignes éloquentes : « *Ces misérables avaient envahi la citadelle sacrée, s'étaient emparés des fusils de l'arsenal et tiraient (ces misérables) sur les Français. On en sabra quelques-uns et on purgea le Kremlin de leur présence.* »

On annonça à Murat que la voie était libre. Les Français franchirent la porte et installèrent leur camp sur la place du Sénat. Les soldats jetèrent des chaises par les fenêtres du Sénat et allumèrent des feux.

D'autres détachements traversaient le Kremlin pour aller camper dans la Morosséïka, la Loubianka, la Pokrovka. D'autres encore s'engageaient dans la Vozdvijenka, la Znamenka, la Nikolskaïa, la Tverskaïa. Les maisons étant vides, les Français s'installaient partout, non pas comme une armée qui prend ses quartiers dans une ville, mais comme une armée qui établit son camp en pleine ville.

Bien que déguenillées, affamées, épuisées et réduites à la moitié de leurs effectifs, les troupes françaises entrèrent à Moscou en bon ordre. C'était une armée fatiguée, affaiblie, et cependant encore combative et redoutable. Mais ce ne fut une armée que jusqu'à la minute où les soldats se dispersèrent dans les maisons. Dès que les hommes commencèrent à s'établir dans les riches demeures vides, c'en fut fini à jamais de l'armée. Ce n'étaient plus ni des citadins ni des soldats, mais quelque chose d'intermédiaire, ce qu'on appelle des maraudeurs. Lorsque cinq semaines plus tard ces hommes quittèrent Moscou, ils ne formaient plus une armée; c'était une foule de maraudeurs, chacun portait sur lui ou transportait en voiture quantité d'objets qui lui semblaient précieux ou nécessaires. Leur but à tous en quittant Moscou n'était pas de conquérir, comme autrefois, mais de garder ce qu'ils avaient pris. Comme un singe qui, ayant introduit sa main dans l'étroit col d'une cruche et saisi une poignée de noix, se refuse à ouvrir son poing pour ne pas lâcher ce qu'il a saisi, et par là périt, ainsi les Français devaient périr parce qu'ils traînaient avec eux leur butin, et qu'abandonner ce butin leur était aussi impossible qu'au singe de lâcher la poignée de noix. Dix minutes après l'installation d'un régiment dans un quartier quelconque de Moscou, il n'y avait plus un officier, plus un soldat. On voyait par les fenêtres des hommes en manteau, chaussés de bottines, déambuler en riant à travers les pièces; dans les caves et les resserres, s'adjuger les provisions; ouvrir ou défoncer dans les cours les portes des hangars et des écuries; faire du feu dans les cuisines, les manches retroussées, pétrir, cuire, rôtir, effrayer, faire rire, caresser les femmes et les enfants. Partout, dans les maisons, dans les boutiques, ces hommes étaient en nombre, mais d'armée il n'y en avait plus.

Ce même jour, les autorités françaises lancèrent ordre sur ordre pour interdire aux troupes françaises de se disperser dans la ville, de molester les habitants et de marauder; un appel général fut prescrit pour le même soir. Cependant, en dépit de toutes les mesures, ces hommes, qui la veille encore constituaient une armée, se répandaient à travers cette riche ville déserte qui leur offrait d'abondantes provisions et le confort. De même qu'un troupeau affamé reste groupé sur une plaine dénudée, mais s'égaille aussitôt qu'il découvre un gras pâturage, l'armée s'éparpillait dans la cité opulente.

Moscou était inhabitée, et comme l'eau boit le sable, elle absorbait les soldats qui s'infiltraient partout en rayonnant autour du Kremlin où ils avaient pénétré en premier. Des cavaliers s'introduisaient dans une maison de marchand d'où rien n'avait été déménagé, et y trouvaient dans les écuries plus de stalles qu'il ne leur en fallait pour leurs chevaux; mais cela ne les empêchait pas d'occuper encore la maison voisine qui leur plaisait davantage. Beaucoup s'adjugeaient plusieurs immeubles qu'ils marquaient à la craie de leur nom, ce qui provoquait parfois des disputes et mêmes des bagarres avec d'autres détachements. Sans même prendre le temps de s'installer, les soldats couraient par les rues pour voir la ville et, apprenant que les habitants avaient tout abandonné, se précipitaient là où l'on pouvait faire main basse sur des objets de valeur. Les officiers tentaient de les arrêter, mais se laissaient entraîner malgré eux à agir de même. Les hangars de la Galerie des Carrossiers [1] contenaient encore des voitures, et les généraux s'y pressaient et choisissaient des calèches et des carrosses. Des habitants restés sur place invitaient les officiers à loger chez eux, espérant ainsi échapper au pillage. Si grande était l'abondance des richesses qu'on n'en voyait pas la fin. Tout autour des quartiers qu'occupaient les Français, d'autres s'étendaient, encore inexplorés, qui devaient recéler des richesses plus fabuleuses encore, croyaient les Français. Et Moscou les absorbait de jour en jour davantage. Lorsqu'on verse de l'eau sur une terre desséchée, et l'eau et la terre sèche disparaissent; ainsi l'armée affamée s'étant introduite dans la cité déserte et opulente, et l'armée et la ville disparurent; il n'y eut plus que boue, incendies et maraudages.

Les Français ont attribué l'incendie de Moscou *au patriotisme féroce de Rostoptchine;* Les Russes, à la sauvagerie des Français. En réalité, si l'on prétend par là imputer cet incendie à l'initiative d'un ou plusieurs individus, il faut dire qu'il n'eut pas de cause et ne pouvait en avoir. Moscou brûla parce qu'elle se trouvait dans des conditions où n'importe quelle ville bâtie de bois devait brûler, qu'elle disposât ou non de quelque cent trente pompes en mauvais état. Moscou devait brûler parce que ses habitants l'avaient quittée, exactement comme doit inévitablement s'enflammer un tas de copeaux sur lequel pleuvent plusieurs jours durant des étincelles. Une ville bâtie en bois où éclatent presque quotidiennement des incendies bien qu'elle soit habitée et que la police y soit présente, ne peut manquer de brûler quand, désertée par ses habitants, elle est occupée par des troupes qui fument la pipe, entretiennent des feux sur la place du Sénat avec des chaises du Sénat et cuisent deux fois par jour leur repas. Il suffit en temps de paix qu'une troupe prenne ses quartiers dans les villages d'une certaine région pour que les incendies s'y multiplient. Combien devaient augmenter les risques d'incendie dans une ville occupée par l'ennemi! Le *patriotisme féroce de Rostoptchine* et la sauvagerie des Français n'y ont été absolument pour rien. C'est aux pipes, aux cuisines, aux feux de bivouac, à la négligence des soldats ennemis campant dans des maisons qui ne leur appartenaient pas, c'est à tout cela qu'a été dû l'embrasement de Moscou. S'il y eut des incendiaires (et c'est fort douteux, car personne n'avait de raisons de mettre le feu, et c'était compliqué et dangereux), on ne peut les mettre en cause : qu'il y en eût ou non, ç'aurait été de même.

Si flatteur qu'il fût pour les Français d'accuser le féroce Rostoptchine, et pour les Russes le criminel Bonaparte, puis de remettre l'héroïque flambeau aux mains du peuple lui-même, il faut reconnaître qu'on ne peut en appeler à une cause de ce genre. Moscou devait brûler comme doit brûler n'importe quel village, n'importe quelle fabrique ou maison qu'ont abandonnés leurs propriétaires, et où des étrangers se conduisent en maîtres et font leur cuisine. Moscou a été incendiée par ses habitants, c'est exact, non par ceux qui y étaient restés mais par ceux qui s'y étaient introduits. Moscou occupée par l'ennemi n'est pas demeurée intacte comme Vienne, Berlin et d'autres villes, pour l'unique raison qu'au lieu d'offrir aux Français le pain et le sel et les clefs de leur ville, les Moscovites sont partis.

XXVII

Ce fut le 2 septembre, vers le soir seulement, que les Français rayonnant autour du centre de la ville s'infiltrèrent dans le quartier qu'habitait à présent Pierre.

Après ces deux derniers jours passés dans la solitude et des conditions exceptionnelles, Pierre se trouvait dans un état proche de la folie. Une idée obsédante s'était emparée de tout son être. Il ne savait pas comment et quand cela s'était produit, mais cette idée le dominait maintenant à tel point qu'il ne gardait plus aucun souvenir du passé et ne comprenait rien au présent, et que tout ce qu'il voyait et entendait se déroulait devant lui comme en rêve.

Pierre n'était parti de chez lui que pour échapper aux exigences embrouillées de la vie dans lesquelles il était pris et qu'il était incapable de dénouer vu son état d'alors. Il avait gagné l'appartement de Joseph Alexéiévitch sous prétexte de classer les livres et les papiers du défunt, mais en réalité parce qu'il voulait échapper à toute agitation, et que le souvenir de Joseph Alexéiévitch était lié pour lui à tout un monde d'idées sereines, solennelles et éternelles, à l'opposé de l'angoissante confusion où il se sentait embourbé. Il aspirait à un calme abri et il l'avait effectivement trouvé dans le cabinet de travail du bienfaiteur. Quand, dans un silence de mort, il s'était accoudé à la table empoussiérée du défunt, l'un après l'autre, lentement, chargés de sens, les souvenirs de ces derniers jours s'étaient mis à défiler devant lui, ceux de la bataille de Borodino surtout et de la sensation irrésistible qu'il avait éprouvée de son néant, de son mensonge en face de la vérité, de la simplicité, de la force de ces hommes dont l'image s'était gravée en lui, ces hommes qu'il appelait EUX. Quand Guérassime l'avait tiré de sa méditation, l'idée lui était venue de prendre part à la défense de Moscou à laquelle, il le savait, se préparait le peuple. Et c'est dans ce dessein qu'il avait demandé à Guérassime de lui procurer un caftan et un pistolet, et l'avait prévenu qu'il comptait rester dans la maison de Joseph Alexéiévitch en cachant son nom. Ensuite, au cours de la première journée passée dans la solitude et l'oisiveté (Pierre avait à plusieurs reprises vainement essayé de concentrer son attention sur les documents maçonniques), il se rappela confusément plusieurs fois le lien cabalistique qu'il avait établi entre son nom et celui de Bonaparte; mais la pensée que lui, *l'Russe Besuhof*, était prédestiné à mettre un terme au règne de la Bête, ne lui venait encore que comme une de ces rêveries qui surgit on ne sait pourquoi dans l'imagination pour disparaître aussitôt sans laisser de trace.

Quand, ayant acheté le caftan (uniquement pour prendre part à la défense de Moscou), Pierre avait rencontré les Rostov et que Natacha lui avait dit : « Vous restez? Ah, comme c'est bien!-» l'idée lui était venue brusquement que même si Moscou tombait, il ferait bien en effet d'y rester et d'accomplir ce à quoi il était prédestiné.

Le lendemain, il se rendit à la barrière des Trois Monts avec la seule pensée de ne pas se ménager et de se montrer en tout digne d'eux. Mais quand il rentra chez lui convaincu cette fois que Moscou ne serait pas défendue, il sentit soudain que ce qui lui apparaissait avant comme possible seulement, devenait une nécessité inéluctable. Il devait rester à Moscou sous un nom d'emprunt, rencontrer Napoléon et le tuer, et ainsi soit périr, soit mettre fin aux malheurs de l'Europe entière, dont l'unique cause, selon lui, était Napoléon.

Pierre connaissait tous les détails de l'attentat d'un étudiant allemand contre la vie de Napoléon à Vienne, en 1809, et il savait que l'étudiant avait été fusillé. Mais le danger que comportait son projet ne faisait que l'exalter davantage.

Deux sentiments également puissants entraînaient Pierre à accomplir sa mission. En premier lieu, le besoin de se sacrifier et de souffrir que suscitait en lui le malheur des temps, ce même sentiment qui, le 25, l'avait conduit à aller à Mojaïsk et à se jeter en plein cœur de la bataille, et maintenant à fuir sa maison, à renoncer au confort habituel et au luxe de son existence pour dormir tout habillé sur un divan étroit et dur et manger la même nourriture que Guérassime. C'était ensuite le sentiment indéfinissable, spécifiquement russe, de mépris pour tout ce qui est conventionnel, artificiel, d'origine uniquement humaine, pour tout ce que la plupart des hommes considèrent comme le bien suprême. Pierre avait pour la première fois connu ce sentiment étrange, enivrant, au palais Slobodsky, quand il découvrit subitement que seule la jouissance que l'on éprouve à y renoncer confère une certaine valeur à la richesse, et au pouvoir, et à la vie, à tout ce que les hommes s'efforcent d'acquérir et de sauvegarder.

C'est ce même sentiment qui entraîne l'engagé volontaire à boire jusqu'à son dernier kopek, le noceur à briser sans aucune raison les glaces et les vitres en sachant fort bien que cela lui coûtera tout ce qu'il possède, ce sentiment qui pousse l'homme à des actes insensés (aux yeux du vulgaire), comme pour éprouver son pouvoir et sa force, en affirmant ainsi l'existence d'un Tribunal Suprême qui juge la vie sans tenir compte des conventions humaines.

Depuis le jour où Pierre avait eu la révélation de ce sentiment au palais Slobodsky, il n'avait cessé de subir son action; mais c'était maintenant seulement qu'il lui devenait possible de le satisfaire pleinement. Enfin, les premiers pas que Pierre avait déjà faits dans cette voie le confirmaient à présent dans son dessein et l'empêchaient de l'abandonner. Sa fuite de chez lui, et le caftan, et le pistolet, et sa déclaration aux Rostov qu'il resterait à Moscou, tout cela non seulement n'aurait plus eu de sens mais aurait été méprisable et ridicule (ce à quoi Pierre était fort sensible) si ensuite il avait quitté Moscou comme les autres.

L'état physique de Pierre, ainsi qu'il arrive toujours, correspondait à son état mental. Une nourriture grossière à laquelle il n'était pas habitué, la vodka qu'il buvait ces derniers jours, l'absence de vin et de cigares, le linge sale qu'il était obligé de porter, deux nuits presque sans sommeil sur un divan trop court, sans literie, tout cela maintenait Pierre dans un état d'excitation voisin de la folie.

Il était près de deux heures de l'après-midi. Les Français avaient déjà fait leur entrée à Moscou. Pierre le savait, mais au lieu d'agir il se contentait de réfléchir à son entreprise en en repassant les moindres détails. Il ne se représentait nettement ni comment il frapperait, ni la mort de Napoléon, mais avec une extraordinaire vivacité et une volupté morose sa propre mort et son courage héroïque.

« Oui, je dois accomplir... ou périr seul pour tous! Oui, je m'approcherai..., puis, brusquement... D'un seul coup de pistolet ou de poignard? Qu'importe d'ailleurs!... Ce n'est pas moi, c'est la main de la Providence qui te châtie, dirai-je..., songeait Pierre, imaginant les paroles qu'il prononcerait en frappant Napoléon. — Eh bien, prenez-moi, exécutez-moi », poursuivait-il en lui-même, le visage triste mais résolu, la tête baissée.

Tandis que Pierre debout au milieu de la pièce réfléchissait de la sorte, la porte s'ouvrit et sur le seuil surgit Makar Alexéiévitch, non plus timide comme toujours mais complètement transformé.

Sa robe de chambre était ouverte, son visage, rouge et hideux. Il était évidemment ivre. A la vue de Pierre, il parut au premier moment troublé, mais s'étant aperçu que Pierre l'était aussi, il retrouva aussitôt son assurance et s'avança en vacillant sur ses jambes maigres.

— Ils ont eu peur, dit-il d'une voix rauque sur un ton de confidence. Je le déclare, je ne me rendrai pas... Je le déclare. N'est-il pas vrai, monsieur?

Il resta un moment songeur et, soudain, ayant aperçu le pistolet sur la table, il le saisit d'un geste inattendu, rapide, et s'enfuit dans le couloir.

Le portier et Guérassime qui le suivaient l'arrêtèrent dans l'antichambre et essayèrent de lui enlever le pistolet. Pierre, sorti dans le corridor, considérait avec une pitié mêlée de dégoût ce vieillard dément.

Le visage crispé par l'effort, Makar Alexéiévitch tenait le pistolet et criait de sa voix enrouée, s'imaginant sans doute vivre une minute capitale :

— Aux armes! A l'abordage!... Non, tu ne me l'arracheras pas!

— Suffit, je vous en prie, suffit. Soyez bon, donnez-le moi. Faites-moi la grâce, monsieur, disait Guérassime en essayant avec précaution de prendre le vieillard par les coudes et de le pousser vers la porte.

— Qui es-tu? Bonaparte! criait toujours Makar Alexéiévitch.

— Ce n'est pas bien, monsieur. Veuillez rentrer, vous allez vous reposer. Le pistolet, s'il vous plaît.

— Arrière, méprisable esclave! Ne me touche pas!... Regarde ça! cria l'ivrogne en agitant le pistolet. — A l'abordage!

— Empoigne-le, murmura Guérassime au portier.

On saisit Makar Alexéiévitch par les bras et on l'entraîna vers la porte.

L'antichambre s'emplit aussitôt des bruits répugnants de la lutte et du halètement rauque de l'ivrogne.

Un autre cri éclata soudain sur le perron, le cri perçant d'une femme, et la cuisinière fit irruption dans l'antichambre.

— Les voilà !... Ah, mon Dieu ! C'est eux, je le jure ! Quatre, à cheval ! hurlait-elle.

Guérassime et le portier lâchèrent Makar Alexéiévitch et dans le brusque silence de l'antichambre, on entendit distinctement des mains tambouriner à la porte d'entrée.

XXVIII

Pierre qui avait décidé en lui-même que, jusqu'à l'exécution de son dessein, il tairait son nom et sa connaissance du français, se tenait dans la porte entr'ouverte du couloir, se préparant à disparaître dès l'entrée des Français ; mais les Français entrés, Pierre ne bougea pas de la porte : une curiosité incoercible l'y retenait.

Ils étaient deux : l'un, un officier, grand et bel homme à l'air martial ; l'autre, un soldat évidemment ou une ordonnance, courtaud, maigre, hâlé, les joues creuses, avait une expression bornée. L'officier qui boitait et s'appuyait sur une canne, entra le premier. Il fit quelques pas et s'arrêta ; puis, comme s'il avait jugé que ce logis lui convenait, il se retourna et d'une voix forte, habituée au commandement, il ordonna aux soldats restés sur le seuil d'amener les chevaux dans la cour. Cela fait, l'officier leva très haut son coude d'un geste crâne, lissa ses moustaches et porta la main à son shako.

— *Bonjour la compagnie !* dit-il gaiement en souriant et en regardant autour de lui.

Personne ne lui répondit.

— *Vous êtes le bourgeois ?* demanda-t-il à Guérassime.

Guérassime le regardait d'un air effrayé et interrogateur.

— *Quartire, quartire, logement,* dit l'officier considérant du haut de sa taille le petit homme avec indulgence et bonhomie. — *Les Français sont de bons enfants. Que diable ! Voyons ! Ne nous fâchons pas, mon vieux,* ajouta-t-il en tapotant l'épaule de Guérassime, intimidé et silencieux.

— *Ah ça ! Dites donc, on ne parle donc pas français dans cette boutique,* reprit-il. Il parcourut des yeux l'antichambre et croisa le regard de Pierre. Pierre s'écarta de la porte.

L'officier s'adressa de nouveau à Guérassime, exigeant qu'on lui montrât les chambres.

— Maître pas... comprends pas... mon vous..., disait Guérassime, essayant de rendre ses paroles compréhensibles en les prononçant de travers.

Le Français, souriant, fit un large geste des bras sous le nez de Guérassime, comme pour lui dire que lui non plus ne le comprenait pas, et se dirigea en boitillant vers la porte près de laquelle se tenait Pierre. Celui-ci voulut s'en éloigner pour se cacher, mais à ce moment il vit apparaître à la porte ouverte de la cuisine Makar Alexéiévitch, le pistolet à la main.

Avec cet air rusé qu'ont les fous, Makar Alexéiévitch regarda le Français, leva son pistolet et visa.

— A l'abordage! cria-t-il en tâtant du doigt la gâchette. L'officier se retourna à ce cri, et au même instant Pierre se précipita sur l'ivrogne, le ceintura et releva le pistolet, cependant que les doigts de Makar Alexéiévitch parvenaient à presser la gâchette. Un coup de feu retentit qui assourdit et enveloppa de fumée ceux qui étaient là. L'officier pâlit et se rejeta en arrière.

Ayant arraché et jeté le pistolet, Pierre, oubliant qu'il voulait dissimuler sa connaissance du français, courut à l'officier et lui demanda dans cette langue :

— *Vous n'êtes pas blessé?*

— *Je crois que non*, répondit l'officier en se tâtant, *mais je l'ai manqué belle cette fois-ci.* — Il montra le plâtre éraflé du mur. — *Quel est cet homme?* demanda-t-il à Pierre avec un regard sévère.

— *Ah, je suis vraiment au désespoir de ce qui vient d'arriver*, dit Pierre rapidement, oubliant complètement son rôle. — *C'est un fou, un malheureux qui ne savait pas ce qu'il faisait.*

L'officier s'approcha de Makar Alexéiévitch et le saisit au collet. Makar Alexéiévitch, la lèvre tombante, comme sur le point de s'endormir, titubait appuyé au mur.

— *Brigant, tu me le payeras*, dit l'officier et il le lâcha.

— *Nous autres, nous sommes cléments après la victoire; mais nous ne pardonnons pas aux traîtres*, ajouta-t-il avec une sombre solennité et un beau geste énergique.

Pierre continua de supplier l'officier en français de ne pas s'en prendre à cet homme, un ivrogne et un dément. L'officier l'écoutait sans mot dire, toujours sombre.

Et soudain, il sourit à Pierre, continuant pendant quelques instants encore de le regarder en silence. Son beau visage prit une expression tendre et pathétique, et il tendit la main à Pierre.

— *Vous m'avez sauvé la vie ! Vous êtes Français*, dit-il. Pour un Français, cette conclusion était indubitable. Accomplir une grande action, seul un Français en était capable, et sauver la vie de *M. Ramballe, capitaine du 13e léger*, était sans aucun doute le plus grand exploit.

Mais si indubitable que fût cette conclusion pour l'officier, Pierre jugea indispensable de le décevoir.

— *Je suis Russe*, dit-il vivement.

— Tu-tu-tu, *à d'autres*, dit le Français en agitant sa main devant son nez et en souriant. *Tout à l'heure, vous allez me conter tout ça. Charmé de rencontrer un compatriote. Eh bien ! qu'allons-nous faire de cet homme?* ajouta-t-il en s'adressant à Pierre déjà comme à son frère. A supposer que Pierre ne fût pas Français, s'étant vu décerner ce titre, le plus haut qui fût, il ne pouvait tout de même pas le refuser, disait l'expression du visage et le ton de l'officier. Répondant à la dernière question, Pierre expliqua de nouveau qui était Makar Alexéiévitch et que, juste avant leur arrivée, ce dément ivre avait dérobé un pistolet chargé qu'on n'avait pas eu le temps de lui enlever; Pierre pria de ne pas le punir.

L'officier bomba le torse et fit de la main un geste royal.

— *Vous m'avez sauvé la vie. Vous êtes Français. Vous me demandez sa grâce? Je vous l'accorde. Qu'on emmène cet homme*, prononça-t-il d'un ton énergique, et, prenant par le bras Pierre promu Français, il l'entraîna à l'intérieur de la maison.

Ayant entendu le coup de feu, les soldats accoururent de la cour et s'enquirent de ce qui s'était passé, prêts à châtier les coupables. Mais l'officier les arrêta sévèrement.

— *On vous demandera quand on aura besoin de vous*, dit-il. Les soldats sortirent. L'ordonnance, qui avait eu le temps de visiter la cuisine, s'approcha de l'officier.

— *Capitaine, ils ont de la soupe et du gigot de mouton dans la cuisine*, dit-il. *Faut-il vous l'apporter?*

— *Oui, et le vin*, répondit le capitaine.

XXIX

Quand le capitaine et Pierre furent entrés dans la première pièce, le salon, Pierre crut de son devoir de déclarer une fois de plus à l'officier qu'il n'était pas Français, et voulut se retirer, mais l'autre ne l'entendit pas de cette oreille. Il était à tel point aimable, bon enfant et sincèrement reconnaissant, que Pierre n'eut pas le courage de refuser de s'asseoir avec lui dans le salon. A la déclaration de Pierre qu'il n'était pas Français, le capitaine qui, évidemment, ne comprenait pas que l'on pût refuser une promotion aussi flatteuse, se contenta de hausser les épaules et dit que si Pierre tenait absolument à passer pour Russe, soit, mais que de toute manière, Pierre lui ayant sauvé la vie, il lui serait à jamais reconnaissant.

Si cet homme eût été le moins du monde capable de comprendre les sentiments des autres et eût pu deviner ce qu'éprouvait Pierre, sans doute celui-ci se fût-il éloigné, mais le voyant impénétrable à tout ce qui ne le concernait pas personnellement et plein d'entrain, Pierre céda.

— *Français ou prince russe incognito*, dit le capitaine après un coup d'œil au linge, sale mais fin, de Pierre et à la bague qu'il portait au doigt, *je vous dois la vie et je vous offre mon amitié. Un Français n'oublie jamais ni une insulte ni un service. Je vous offre mon amitié. Je ne vous dis que ça.*

Dans le son de la voix, dans l'expression du visage, dans les gestes de cet homme, il y avait tant de bonhomie et de noblesse (dans l'acception française du mot) que Pierre, répondant inconsciemment par un sourire à celui de l'officier, serra la main qui lui était tendue.

— *Capitaine Ramballe du* 13e *léger, décoré pour l'affaire du sept,* déclara le Français avec un sourire irrésistible de vanité qui plissait ses lèvres sous ses moustaches. *Voudrez-vous bien me dire à présent à qui j'ai l'honneur de parler aussi agréablement au lieu de rester à l'ambulance avec la balle de ce fou dans le corps.*

Pierre répondit en rougissant qu'il ne pouvait dire son nom, et tout en s'efforçant d'en inventer un, allait lui expliquer pour quelles raisons il devait le taire; mais le capitaine l'interrompit aussitôt :

— *De grâce,* dit-il, *je comprends vos raisons, vous êtes officier... officier supérieur, peut-être. Vous avez porté les armes contre nous. Ce n'est pas mon affaire. Je vous dois la vie. Cela me suffit. Je suis tout à vous. Vous êtes gentilhomme?* ajouta-t-il avec une nuance d'interrogation. Pierre inclina la tête. — *Votre nom de baptême, s'il vous plaît? Je ne demande pas davantage. M. Pierre, dites-vous... Parfait. C'est tout ce que je désire savoir.*

Quand on eut apporté le gigot, l'omelette, le samovar, la

vodka et le vin d'une cave russe, que les Français avaient apportée avec eux, Ramballe invita Pierre à prendre part au repas et se mit lui-même à manger avec hâte et avidité, comme un homme en bonne santé et affamé, mâchant rapidement de ses fortes dents, faisant claquer ses lèvres et répétant : *excellent, exquis !* Son visage rougit et se couvrit de sueur. Pierre avait faim et il mangea avec plaisir. Morel, l'ordonnance, apporta une casserole d'eau tiède et y plaça une bouteille de vin rouge. Il apporta aussi une bouteille de kvass, qu'il avait prise à l'essai à la cuisine. Cette boisson était déjà connue des Français qui lui avaient donné un nom : ils appelaient le kvass *limonade de cochon*, et Morel vantait cette *limonade de cochon* qu'il avait trouvée à la cuisine. Mais comme le capitaine avait du vin qu'il s'était procuré en traversant Moscou, il abandonna le kvass à Morel et s'empara de la bouteille de bordeaux. Il l'enveloppa jusqu'au goulot dans une serviette et emplit son verre et celui de Pierre. La faim assouvie et le vin animèrent encore plus le capitaine, et il n'arrêta pas de parler pendant tout le repas.

— *Oui, mon cher monsieur Pierre, je vous dois une fière chandelle de m'avoir sauvé... de cet enragé... J'en ai assez, voyez-vous, de balles dans le corps. En voilà une* (il désigna son côté) *à Wagram et de deux à Smolensk* (il montra une cicatrice sur sa joue). *Et cette jambe, comme vous voyez, qui ne veut pas marcher. C'est à la grande bataille du 7 à la Moskowa que j'ai reçu ça. Sacré Dieu, c'était beau. Il fallait voir ça, c'était un déluge de feu. Vous nous avez taillé une rude besogne ; vous pouvez vous en vanter, nom d'un petit bonhomme. Et ma parole, malgré la toux que j'y ai gagnée, je serais prêt à recommencer. Je plains ceux qui n'ont pas vu ça.*

— *J'y ai été,* dit Pierre.

— *Bah, vraiment ! Eh bien, tant mieux,* poursuivit le capitaine. *Vous êtes de fiers ennemis, tout de même. La grande redoute a été tenace, nom d'une pipe. Et vous nous l'avez fait crânement payer. J'y suis allé trois fois, tel que vous me voyez. Trois fois nous étions sur les canons et trois fois on nous a culbutés, et comme des capucins de cartes. Oh ! c'était beau, monsieur Pierre. Vos grenadiers ont été superbes, tonnerre de Dieu. Je les ai vus six fois de suite serrer les rangs, et marchèr comme à une revue. Les beaux hommes ! Notre roi de Naples, qui s'y connaît, a crié : bravo ! Ah, ah ! soldats comme nous autres !* dit-il après une minute de silence. *Tant mieux, tant mieux, monsieur Pierre. Terribles en bataille... galants...* — Il fit un clin d'œil en souriant, — *avec les belles, voilà les Français, monsieur Pierre, n'est-ce pas?*

La gaieté du capitaine était à tel point naïvement simple, il montrait tant de bonhomie et de satisfaction de soi, que Pierre faillit lui aussi cligner de l'œil en le regardant joyeusement. Le mot « *galant* » amena sans doute le capitaine à évoquer la situation de Moscou.

— *A propos, dites donc, est-ce vrai que toutes les femmes ont quitté Moscou? Une drôle d'idée! Qu'avaient-elles à craindre?*

— *Est-ce que les dames françaises ne quitteraient pas Paris si les Russes y entraient?* dit Pierre.

— *Ah, ah, ah!...* Le Français partit d'un joyeux éclat de rire d'homme sanguin en tapotant l'épaule de Pierre. *Ah! elle est forte celle-là*, s'exclama-t-il. *Paris?... Mais Paris... Paris...*

— *Paris, la capitale du monde...,* dit Pierre achevant la phrase.

Le capitaine regarda Pierre. Il avait l'habitude de s'arrêter au milieu de la conversation et de regarder attentivement son interlocuteur de ses yeux rieurs et affables.

— *Eh bien, si vous ne m'aviez pas dit que vous êtes Russe, j'aurais parié que vous êtes Parisien. Vous avez ce je ne sais quoi, ce...* — Et ayant fait ce compliment, il regarda de nouveau Pierre en silence.

— *J'ai été à Paris, j'y ai passé des années,* dit Pierre.

— *Oh, ça se voit bien. Paris!... Un homme qui ne connaît pas Paris est un sauvage. Un Parisien, ça se sent à deux lieues. Paris, c'est Talma, la Duchesnois, Potier, la Sorbonne, les boulevards,* — et, sentant que cette dernière phrase était moins forte que la précédente, il ajouta précipitamment : *Il n'y a qu'un Paris au monde. Vous avez été à Paris, et vous êtes resté Russe. Eh bien, je ne vous en estime pas moins.*

Sous l'effet du vin qu'il venait de boire et après des journées de solitude avec ses sombres pensées, Pierre prenait malgré lui plaisir à causer avec cet homme gai et aimable.

— *Pour en revenir à vos dames, on les dit bien belles. Quelle fichue idée d'aller s'enterrer dans les steppes, quand l'armée française est à Moscou. Quelle chance elles ont manquée, celles-là. Vos moujiks, c'est autre chose, mais vous autres gens civilisés, vous devriez nous connaître mieux que ça. Nous avons pris Vienne, Madrid, Naples, Rome, Varsovie, toutes les capitales du monde... On nous craint, mais on nous aime. Nous sommes bons à connaître. Et puis, l'Empereur,* commença-t-il, mais Pierre lui coupa la parole.

— *L'Empereur*, répéta Pierre, et son visage eut soudain une expression triste et embarrassée. *Est-ce que l'Empereur...*

— *L'Empereur? C'est la générosité, la clémence, la justice, l'ordre, le génie, voilà l'Empereur! C'est moi, Ramballe, qui vous le dis. Tel que vous me voyez, j'étais son ennemi il y a encore huit ans. Mon père a été comte émigré... Mais il m'a vaincu, cet homme. Il m'a empoigné. Je n'ai pas pu résister au spectacle de grandeur et de gloire dont il couvrait la France. Quand j'ai compris ce qu'il voulait, quand j'ai vu qu'il nous faisait une litière de lauriers, voyez-vous, je me suis dit: voilà un souverain, et je me suis donné à lui. Eh voilà! Oh oui, mon cher, c'est le plus grand homme des siècles passés et à venir.*

— *Est-il à Moscou?* demanda Pierre en hésitant, et d'un air coupable.

Le capitaine regarda ce visage de coupable et sourit.

— *Non, il fera son entrée demain,* dit-il et il reprit ses récits

Leur conversation fut interrompue par des cris poussés près du portail, et par Morel qui venait annoncer au capitaine que des hussards de Würtemberg voulaient installer leurs chevaux dans la cour où se trouvaient déjà les siens. La difficulté tenait surtout à ce que les hussards ne comprenaient pas ce qu'on leur disait.

Le capitaine fit appeler le maréchal des logis et lui demanda d'une voix sévère à quel régiment il appartenait, qui en était le commandant et de quel droit il prétendait occuper un appartement déjà occupé. Aux deux premières questions, le sous-officier qui comprenait mal le français, répondit en nommant son régiment et son commandant, mais à la dernière question, ne l'ayant pas comprise et mêlant à ses phrases des mots français estropiés, il répondit qu'il était chargé de loger son régiment, et qu'il avait l'ordre d'occuper toutes les maisons les unes après les autres. Pierre qui connaissait l'allemand, traduisit au capitaine ce que disait le hussard et transmit à ce dernier la réponse du capitaine. Ayant compris ce qu'on lui disait, le hussard n'insista pas et emmena ses hommes. Le capitaine sortit sur le perron et donna quelque ordres d'une voix forte.

Quand il rentra, Pierre était assis à la même place, la tête dans les mains. Son visage exprimait la souffrance. Il souffrait en effet à cette minute. Le capitaine étant sorti, Pierre, resté seul, revint tout à coup à lui et prit conscience de la situation dans laquelle il se trouvait. Ce n'était pas l'occupation de Moscou et que ses heureux vainqueurs y fassent la loi et le protègent lui, bien qu'il le ressentît cruellement, ce n'était pas cela qui le tourmentait à cette minute : c'était la conscience de sa propre faiblesse. Quelques verres de vin, une conversation avec cet homme débonnaire avaient détruit l'état d'esprit sombre et concentré dans lequel Pierre avait vécu ces derniers jours, et qui était indispensable à l'accomplissement de son dessein. Le pistolet, le poignard et le caftan étaient prêts, Napoléon arrivait demain. Pierre considérait toujours comme aussi utile et méritoire de tuer le scélérat, mais il sentait à présent qu'il ne le ferait pas. Pourquoi? Il l'ignorait, mais il avait comme un pressentiment qu'il n'exécuterait pas son projet. Il luttait contre sa faiblesse, mais sentait confusément qu'il ne pourrait la vaincre, que le monde de sombres pensées de meurtre, de vengeance et de sacrifice s'était dissipé en fumée au contact du premier homme rencontré.

Le capitaine rentra dans la pièce en boitillant et en sifflotant.

Le bavardage du Français qui avait jusqu'alors amusé Pierre lui parut odieux. Et la chanson qu'il sifflotait, et sa démarche et le geste avec lequel il frisait ses moustaches, tout lui paraissait maintenant offensant.

« Je vais partir immédiatement, je ne lui dirai plus un mot », pensait Pierre. Il le pensait et ne bougeait pourtant pas. Une étrange sensation de faiblesse le rivait à sa chaise; il voulait et ne pouvait pas se lever et partir.

Le capitaine semblait très gai au contraire. Il parcourut deux fois la chambre. Ses yeux brillaient et ses moustaches frémissaient légèrement comme s'il avait souri en lui-même à quelque idée amusante.

— *Charmant*, dit-il soudain, *le colonel de ces Würtembourgeois! C'est un Allemand, mais brave garçon s'il en fût. Mais Allemand.*

Il s'assit en face de Pierre.

— *A propos, vous savez donc l'allemand, vous?*

Pierre le regarda en silence.

— *Comment dites-vous asile en allemand?*

— *Asile?* répéta Pierre. *Asile en allemand? — Unterkunft.*

— *Comment dites-vous?* redemanda rapidement le capitaine d'un ton incrédule.

— *Unterkunft*, répéta Pierre.

— *Onterkoff*, dit le capitaine, et il considéra un moment Pierre de ses yeux rieurs. *Les Allemands sont de fières bêtes. N'est-ce pas, monsieur Pierre?* conclut-il.

— *Eh bien, encore une bouteille de ce bordeaux moscovite, n'est-ce pas? Morel, va nous chauffer encore une petite bouteille. Morel!* cria gaiement le capitaine.

Morel apporta les bougies et une bouteille de vin. Le capitaine regarda Pierre à la lumière et fut visiblement frappé par le visage bouleversé de son interlocuteur. Il s'approcha et se pencha sur lui, plein de sympathie, sincèrement chagriné.

— *Eh bien, nous sommes triste*, dit-il en touchant la main de Pierre. *Vous aurais-je fait de la peine? Non, vrai, avez-vous quelque chose contre moi?* redemanda-t-il. *Peut-être rapport à la situation?*

Pierre ne répondit pas, mais il regarda affectueusement le Français droit dans les yeux. Sa manifestation de sympathie lui était agréable.

— *Parole d'honneur, sans parler de ce que je vous dois, j'ai de l'amitié pour vous. Puis-je faire quelque chose pour vous? Disposez de moi. C'est à la vie et à la mort. C'est la main sur le cœur que je vous le dis*, dit-il en se frappant la poitrine.

— *Merci*, dit Pierre.

Le capitaine considéra attentivement Pierre comme lorsqu'il avait appris comment on disait « asile » en allemand, et son visage s'illumina soudain.

— *Ah! dans ce cas, je bois à notre amitié!* s'écria-t-il gaiement en remplissant deux verres de vin. Pierre prit le sien et le but. Ramballe fit de même, serra encore une fois la main de Pierre et s'accouda à la table dans une attitude mélancolique et pensive.

— *Oui, mon cher ami, voilà les caprices de la fortune*, commença-t-il. *Qui m'aurait dit que je serais soldat et capitaine de dragons au service de Bonaparte, comme nous l'appelions jadis? Et cependant me voilà à Moscou avec lui. Il faut vous dire, mon cher*, poursuivit-il de la voix grave et mesurée d'un homme qui s'apprête à raconter une longue histoire, *que notre nom est l'un des plus anciens de la France.*

Et avec la naïve et superficielle franchise française, le capitaine raconta à Pierre l'histoire de ses ancêtres, son enfance, son adolescence et son âge mûr, tout ce qui concernait sa famille et sa situation de fortune. « *Ma pauvre mère* » jouait, il va sans dire, un rôle important dans ce récit.

— *Mais tout ça n'est que la mise en scène de la vie, le fond c'est l'amour. L'amour! N'est-ce pas, monsieur Pierre?* dit-il en s'animant.

— *Encore un verre?*

Pierre but et se versa un troisième verre.

— *Oh ! les femmes, les femmes !* Et le capitaine, regardant Pierre avec des yeux noyés, se mit à parler de l'amour et de ses aventures amoureuses. Elles étaient très nombreuses, et on l'en croyait facilement à voir le beau visage satisfait de l'officier et l'enthousiasme avec lequel il parlait des femmes. Bien que toutes ces aventures amoureuses eussent ce caractère grivois où résident pour les Français le charme unique et la poésie de l'amour, le capitaine racontait ses histoires si sincèrement convaincu qu'il était le seul à avoir connu et éprouvé toutes les délices de l'amour, et décrivait les femmes de manière si séduisante que Pierre l'écoutait avec curiosité.

Il était évident que *l'amour* qu'appréciait tant Ramballe n'était ni cet amour bas et fruste que Pierre avait éprouvé autrefois pour sa femme, ni cet amour romantique qu'il portait à Natacha et attisait lui-même (Ramballe méprisait également ces deux genres d'amour : l'un était *l'amour des charretiers*, l'autre, *l'amour des nigauds*) ; l'amour auquel le Français vouait un culte se ramenait principalement à des relations artificielles avec la femme et des situations compliquées qui faisaient tout le charme de ce sentiment.

Ainsi, le capitaine raconta la touchante histoire de son double amour pour une séduisante marquise de trente-cinq ans et pour la fille de la séduisante marquise, une délicieuse et innocente enfant de dix-sept ans. Le combat de générosité entre la mère et la fille, qui s'était terminé par le sacrifice de la mère, celle-ci ayant offert sa fille en mariage à son amant, émouvait encore le capitaine, bien que ce souvenir fût ancien. Puis il raconta un épisode où le mari avait joué le rôle de l'amant, et lui (l'amant), le rôle du mari, et plusieurs épisodes comiques de *ses souvenirs d'Allemagne*, où *asile* se dit *Unterkunft*, où *les maris mangent de la choucroute* et où *les jeunes filles sont trop blondes*.

Il en arriva enfin à sa dernière aventure en Pologne, encore toute fraîche dans sa mémoire, qu'il raconta avec force gestes et un visage enflammé. Il avait sauvé la vie à un certain Polonais (en général, on sauvait constamment la vie de quelqu'un dans les récits du capitaine) et ce Polonais lui avait confié sa séduisante épouse *(Parisienne de cœur)* tandis que lui-même prenait du service dans l'armée française. Le capitaine avait été heureux, la séduisante Polonaise voulait fuir avec lui ; mais, magnanime, le capitaine avait rendu sa femme au mari, en disant : « *Je vous ai sauvé la vie et je sauve votre honneur !* » Ayant répété ces mots, le capitaine se frotta les yeux et se secoua, comme s'il chassait loin de lui la faiblesse qui l'avait envahi à ce touchant souvenir.

Comme cela arrive fréquemment tard dans la nuit et sous l'influence du vin, Pierre tout en écoutant le capitaine, en suivant ce qu'il disait et en le comprenant, Pierre était attentif au déroulement de ses propres souvenirs qui, soudain, on ne sait pourquoi, s'étaient présentés à son imagination. Tandis qu'il écoutait le récit de ces aventures amoureuses, son amour pour Natacha lui était brusquement revenu à la mémoire et repassant les images de cet amour, il les comparait en pensée aux récits de Ramballe. L'épisode de la lutte entre le devoir et l'amour fit surgir devant lui les moindres détails de sa dernière rencontre avec Natacha près de la tour de Soukharev. Sur le moment, cette rencontre n'avait pas eu d'influence sur lui; pas une fois même il ne se l'était rappelée. Et maintenant il lui semblait qu'elle avait eu quelque chose de très significatif et de très poétique.

« Piotr Kirilovitch, venez ici, je vous ai reconnu. » Il entendait à présent les paroles qu'elle avait prononcées, et il voyait devant lui ses yeux, son sourire, son bonnet de voyage d'où s'échappait une mèche... et quelque chose de touchant et d'attendrissant lui apparut dans tout cela.

Ayant achevé l'histoire de la charmante Polonaise, le capitaine demanda à Pierre s'il avait jamais éprouvé ce sentiment d'oubli de soi par amour, et de jalousie pour le mari légitime.

Provoqué par cette question, Pierre leva la tête et sentit qu'il lui fallait absolument exprimer les pensées qui l'occupaient; il se mit à expliquer qu'il comprenait l'amour quelque peu autrement. Il dit qu'il n'aimait depuis toujours qu'une seule femme et que cette femme ne pourrait jamais être à lui.

— *Tiens !* dit le capitaine.

Pierre expliqua qu'il avait aimé cette femme depuis son adolescence, mais n'osait penser à elle parce qu'elle était trop jeune, et qu'il était, lui, un fils naturel qui n'avait même pas de nom. Que, plus tard, quand il eut hérité du nom et de la fortune de son père, il n'avait pas osé penser à elle parce qu'il l'aimait trop, la plaçait trop haut, au-dessus de tous, et, bien entendu, de lui-même. Arrivé à ce point de son récit, Pierre demanda au capitaine s'il comprenait cela.

Le capitaine fit un geste qui signifiait que, même s'il ne comprenait pas, Pierre devait néanmoins poursuivre.

— *L'amour platonique, les nuages...*, marmonna-t-il.

Était-ce le vin qu'il avait bu, ou le besoin de s'épancher, ou l'idée que cet homme ne connaissait pas et ne connaîtrait aucun des personnages de son histoire ou tout cela à la fois qui délia la langue de Pierre? D'une bouche pâteuse, les yeux noyés, perdus au loin, il raconta toute son histoire : et son mariage, et l'amour de Natacha pour son meilleur ami, et la trahison de la fiancée, et ses rapports sans complications avec elle. Provoqué par les questions de Ramballe, il lui révéla aussi ce qu'il avait d'abord dissimulé, sa situation sociale, et même son nom.

Ce qui frappa le plus le capitaine dans tout cela, ce fut que Pierre était très riche, qu'il possédait deux palais à Moscou, qu'il avait tout abandonné et qu'au lieu de quitter Moscou, il était resté, dissimulant son nom et son titre.

Ils sortirent ensemble dans la rue à une heure avancée de la nuit, une nuit tiède et claire. A gauche de la maison, au-dessus de la Pétrovka [1], montait la lueur du premier des incendies de Moscou. A droite, haut dans le ciel, brillait le mince croissant de la nouvelle lune, et à l'opposé de la lune était suspendue cette lumineuse comète qui dans l'âme de Pierre était liée à son amour. Près du portail se tenaient Guérassime, la cuisinière et deux Français. On les entendait rire et parler, chacun dans sa langue sans se comprendre. Ils contemplaient la lueur de l'incendie.

Un incendie, lointain et sans gravité, n'avait rien d'effrayant dans une ville immense.

En regardant le haut ciel étoilé, le croissant de lune, la comète et la lueur de l'incendie, Pierre éprouvait un attendrissement joyeux. « Voilà, comme c'est bien! Que faut-il encore? » se dit-il. Et soudain, se rappelant son projet, il eut le vertige, il se sentit si mal qu'il dut s'appuyer au mur pour ne pas tomber.

Sans prendre congé de son nouvel ami, Pierre s'éloigna d'un pas incertain du portail et, rentré dans sa chambre, il se coucha sur le divan et s'endormit aussitôt.

XXX

Des routes différentes qu'ils suivaient, les Moscovites qui fuyaient à pied ou en voiture et les troupes en retraite contemplaient avec des sentiments divers les lueurs du premier incendie qui avait éclaté le 2 septembre.

Le convoi des Rostov logeait cette nuit-là aux Mytichtchi [1], à vingt verstes de Moscou. Ils étaient partis si tard le 1er septembre, la route était si encombrée de convois et de troupes, on avait oublié tant de choses qu'il fallut envoyer chercher, qu'on avait décidé de passer la première nuit à cinq verstes de Moscou. Le lendemain matin, on s'éveilla tard, et il y eut encore tant d'arrêts qu'on ne put dépasser les Grandes Mytichtchi. A dix heures, les Rostov et les blessés qui voyageaient avec eux, s'installèrent dans les cours et les isbas du gros bourg. Les gens des Rostov, leurs cochers, les ordonnances des blessés ayant installé leurs maîtres, soupèrent, donnèrent du fourrage aux chevaux et sortirent sur le perron.

L'aide de camp de Raïevsky, le poignet brisé, était couché dans la maison voisine, et l'atroce douleur qu'il éprouvait lui arrachait des gémissements ininterrompus qui résonnaient lugubrement dans l'obscurité de la nuit d'automne. La nuit précédente, l'aide de camp avait dormi dans la même maison que les Rostov, et la comtesse s'était plainte de n'avoir pu fermer l'œil à cause de ces gémissements; aussi s'était-elle installée aux Mytichtchi dans une isba moins grande, uniquement pour être plus loin du blessé.

Par-dessus la haute caisse de la berline arrêtée près du portail, une ordonnance remarqua dans les ténèbres nocturnes la faible lueur d'un incendie. On en voyait déjà un depuis longtemps, et tout le monde savait que c'étaient les Petites Mytichtchi qui brûlaient, incendiées par les cosaques de Mamonov.

— Eh, mais c'est un autre incendie, frères! dit l'ordonnance.

Tous regardèrent attentivement la lueur.

— Mais on disait que les cosaques de Mamonov avaient incendié les Petites Mytichtchi...

— Non, ce n'est pas les Mytichtchi, c'est plus loin.

— Vois donc, on dirait que c'est à Moscou.

Deux hommes descendirent du perron, firent le tour de la voiture et s'assirent sur le marche-pied.

— C'est plus à gauche, les Mytichtchi c'est par là, et ça c'est d'un autre côté.

D'autres se joignirent au groupe.

— Voyez si ça flambe! dit l'un d'eux. Ça, mes amis, c'est à Moscou, ou dans la Souchtchevskaïa, ou bien dans la Rogojskaïa.

Personne ne répondit à cette remarque. Tous ces gens continuèrent encore pendant un bon moment à regarder l'incendie lointain qui s'étendait.

Le vieux valet de chambre du comte, Danilo Térentitch s'approcha du groupe et héla Michka :

— Qu'as-tu à regarder là, petit sot!... Le comte appellera et il n'y aura personne... Va, occupe-toi des habits.

— Mais je ne suis sorti que pour aller chercher de l'eau, répondit Michka.

— Et vous, qu'en pensez-vous, Danilo Térentitch, c'est bien à Moscou, cet incendie? dit un domestique.

Danilo Térentitch ne répondit pas et tout le monde demeura longtemps silencieux. La lueur palpitait, s'étendait de plus en plus.

— Que Dieu ait pitié de nous!... le vent et la sécheresse..., dit une voix.

— Regardez donc comme ça flambe! Oh, mon Dieu, on aperçoit même les choucas!... Mon Dieu, aie pitié de nous, pécheurs!

— Ils finiront bien par l'éteindre.

— Qui l'éteindra? fit la voix de Danilo Térentitch qui s'était tu jusque-là (sa voix était lente et calme). C'est bien Moscou, frères, la Mère toute blan...[1] — Sa voix se brisa et il eut un sanglot de vieillard. Et comme si tous n'attendaient que cela pour comprendre la signification qu'avait pour eux cette lueur lointaine, on entendit des soupirs, des prières se mêler aux pleurs du vieux valet de chambre du comte.

XXXI

Rentré auprès du comte, Danilo Térentitch lui annonça que Moscou brûlait. Le comte mit une robe de chambre et sortit sur le perron. Sonia qui ne s'était pas encore déshabillée et Mme Schoss l'accompagnèrent. Natacha et la comtesse restèrent seules (Pétia n'était plus là : il était parti en avant avec son régiment qui se rendait au monastère de la Trinité[2]).

La comtesse se mit à pleurer en apprenant l'incendie de Moscou. Natacha, assise sur un banc sous les icones, pâle, les yeux fixes (à la même place où elle s'était assise en arrivant), ne fit pas attention aux paroles de son père. Elle écoutait les gémissements ininterrompus de l'aide de camp qui s'entendaient à trois maisons de distance.

— Ah, quelle horreur! dit Sonia en rentrant de la cour, transie et effrayée. Je crois que tout Moscou va brûler, quelle terrible lueur! Natacha, regarde, maintenant on la voit même d'ici par la fenêtre, dit-elle à sa sœur, dési ant évidemment la distraire de quelque manière. Mais Natacha la regarda comme si elle ne comprenait pas ce qu'on lui disait, et fixa de nouveau l'angle du poêle. Natacha était dans cet état de prostration depuis le matin, depuis le moment où Sonia, à la surprise et au grand mécontentement de la comtesse, avait trouvé bon, on ne sait pourquoi, de parler à Natacha de la blessure du prince André et de sa présence dans le convoi de blessés. La comtesse s'était fâchée contre Sonia comme cela lui était rarement arrivé. Sonia pleura et demanda pardon, et maintenant, cherchant à effacer sa faute, elle était aux petits soins pour sa cousine.

— Regarde, Natacha, comme le feu s'étend, dit-elle.

— Qu'est-ce qui brûle? demanda Natacha. Ah oui, Moscou.

Et comme pour ne pas froisser Sonia par un refus et s'en débarrasser, elle avança la tête vers la fenêtre et regarda, mais n'ayant évidemment rien pu voir, elle se rassit dans la même attitude.

— Mais tu n'as pas vu?

— Si, vraiment, j'ai vu, dit-elle d'une voix qui suppliait qu'on la laissât en paix.

Et la comtesse et Sonia comprenaient que Moscou, l'incendie de Moscou, ou quoi que ce fût, ne pouvait naturellement rien signifier pour Natacha.

Le comte rentra et se coucha derrière la cloison. La comtesse s'approcha de Natacha, toucha sa tête du dos de la main, comme elle le faisait quand sa fille était malade, puis effleura son front de ses lèvres, comme pour savoir si elle avait de la fièvre, et elle l'embrassa.

— Tu as froid? Tu es toute tremblante, tu devrais te coucher, dit-elle.

— Me coucher? Oui, bien, je me couche. Je vais tout de suite me coucher, dit Natacha.

Quand on avait dit le matin à Natacha que le prince André était gravement blessé et voyageait avec eux, elle avait posé au premier moment quantité de questions : Où était-il blessé? Était-ce dangereux? Pouvait-elle le voir? Mais après qu'on lui eut dit qu'elle ne pouvait pas le voir, qu'il était gravement blessé mais que sa vie n'était pas en danger, ne croyant évidemment pas ce qu'on lui disait, mais convaincue qu'à toutes ses questions on lui répondrait toujours de même, elle cessa d'interroger et se tut. Durant tout le trajet, Natacha, avec dans ses grands yeux cette expression que la comtesse connaissait bien et craignait tant, était demeurée immobile au fond de la berline dans l'attitude qu'on lui voyait maintenant sur le banc où elle s'était assise. Elle méditait quelque chose, elle était en train de prendre une décision, elle l'avait même déjà prise intérieurement; cela, la comtesse le savait, mais ce qu'était cette décision, elle l'ignorait, et c'était ce qui l'effrayait et la tourmentait.

— Natacha, déshabille-toi, ma chérie, couche-toi dans mon lit, (seule la comtesse disposait d'un lit, Mme Schoss et les deux jeunes filles devaient coucher par terre, sur du foin).

— Non, maman, je me coucherai ici, par terre, répondit Natacha avec humeur; elle s'approcha de la fenêtre et l'ouvrit. Les gémissements de l'aide de camp se firent plus distincts par la fenêtre ouverte. Natacha avança la tête dans l'air humide de la nuit, et la comtesse vit son mince cou secoué de sanglots battre contre le châssis. Natacha savait que ce n'était pas le prince André qu'elle entendait gémir. Elle savait que le prince André se trouvait dans l'isba qui n'était séparée de la leur que par un couloir, mais elle ne pouvait pas s'empêcher de pleurer en entendant ces gémissements affreux, continus. La comtesse et Sonia échangèrent un regard.

— Couche-toi, ma colombe, couche-toi, ma chérie, dit la comtesse en touchant légèrement l'épaule de Natacha. Allons, couche-toi donc.

— Ah, oui... je me couche tout de suite, dit Natacha. Elle se déshabilla hâtivement, arrachant les cordons de sa jupe. Ayant enlevé sa robe et passé une camisole, elle s'assit les jambes repliées sur son lit de foin, et ayant ramené par-devant sa natte mince et pas très longue, elle la défit pour la tresser à nouveau. Les longs doigts effilés accomplissaient rapidement et adroitement les gestes coutumiers, séparant les cheveux, les tressant et attachant la natte. La tête de Natacha se penchait d'un mouvement automatique, tantôt d'un côté, tantôt de l'autre, mais ses yeux fiévreux, dilatés, demeuraient fixes. Quand sa toilette de nuit fut terminée, Natacha s'allongea doucement sur le foin couvert d'un drap, tout au bord, du côté de la porte.

— Natacha, couche-toi au milieu, dit Sonia.

— Je suis bien là, répondait Natacha. Mais couchez-vous donc, ajouta-t-elle avec dépit. Et elle enfouit sa tête dans l'oreiller.

La comtesse, Mme Schoss et Sonia se déshabillèrent rapidement et se couchèrent. On ne laissa allumée qu'une seule veilleuse. Mais la cour était éclairée par la lueur de l'incendie des Petites Mytich-tchi à deux verstes de distance; de l'autre côté de la rue, du cabaret pillé par les cosaques de Mamonov parvenaient les cris nocturnes des buveurs, et on entendait toujours les gémissements de l'aide de camp.

Natacha prêta longtemps l'oreille aux bruits venant de l'intérieur et de l'extérieur. Elle entendit d'abord sa mère faire sa prière et soupirer, et le craquement du lit sous le poids de son corps, puis le ronflement sifflant, qu'elle connaissait bien, de Mme Schoss, la respiration légère de Sonia. Puis la comtesse appela Natacha. Natacha ne répondit pas.

— Je crois qu'elle dort, maman, dit Sonia tout bas.

Au bout d'un moment, la comtesse appela de nouveau, mais personne ne lui répondit plus.

Peu après, Natacha entendit la respiration régulière de sa mère. Natacha ne bougeait toujours pas, bien que son petit pied sorti de dessous la couverture se refroidît sur le plancher.

Comme pour fêter sa victoire sur les humains, un grillon stridula dans une fente. Un coq chanta au loin, un autre, tout proche, lui répondit. Les cris des ivrognes s'étaient apaisés; seuls s'entendaient encore les gémissements de l'aide de camp. Natacha se souleva.

— Sonia, tu dors? Maman? chuchota-t-elle. Personne ne répondit.

Natacha se leva lentement et précautionneusement, se signa et posa doucement la plante étroite et souple de son pied sur le plancher sale et froid. Les lattes craquèrent. Elle fit quelques pas rapides, légers, telle une chatte, et saisit le loquet glacé de la porte.

Il lui semblait que quelque chose de lourd battant régulièrement, frappait les murs de l'isba : c'était son cœur qui battait, déchiré de peur, d'angoisse et d'amour.

Elle ouvrit la porte, franchit le seuil et posa le pied sur le sol humide et glacé de l'entrée. Le froid qui la saisit la ranima. Elle heurta de son pied un homme endormi, l'enjamba et ouvrit la porte de l'isba où était le prince André. Il y faisait sombre. Au fond, dans un coin, près d'un lit où était allongé quelqu'un, sur un banc brûlait une chandelle de suif qui avait coulé et formait une sorte de champignon.

Depuis qu'elle avait été prévenue le matin de la présence et de la blessure du prince André, Natacha avait décidé qu'elle devait le voir. Elle ne savait pas pourquoi il le fallait, mais elle savait que l'entrevue serait douloureuse et elle était d'autant plus convaincue qu'elle était nécessaire.

Elle avait vécu toute la journée dans l'unique espoir qu'elle le verrait cette nuit. Et maintenant que la minute était arrivée, la terreur de ce qu'elle allait voir l'oppressait. Était-il mutilé? Que restait-il de lui? Était-il comme cet aide de camp qui ne cessait de gémir? Oui, sans aucun doute. Dans son imagination il était l'incarnation même de cet atroce gémissement. Quand elle aperçut dans le coin une masse indistincte et prit ses genoux relevés sous la couverture pour ses épaules, elle se représenta un corps monstrueux et s'arrêta saisie d'horreur. Mais une force irrésistible la poussait en avant. Elle fit avec précaution un pas, un autre, et se trouva au milieu d'une petite pièce encombrée. Sur un banc, sous les icones, un homme était étendu (c'était Timokhine), deux autres étaient couchés par terre (c'étaient le médecin et le valet de chambre).

Le valet de chambre se souleva et murmura quelque chose. Timokhine que sa jambe blessée empêchait de dormir regardait de tous ses yeux l'étrange apparition de cette jeune fille en chemise blanche, camisole et bonnet de nuit. Les paroles qu'avait bredouillées le valet de chambre effrayé — « Que voulez-vous? Que voulez-vous? Que faites-vous ici? » — ne firent qu'inciter Natacha à s'approcher au plus vite de ce qui était là, dans le coin.

Bien que cela ne ressemblât nullement à un être humain, elle devait le voir. Elle contourna le valet de chambre; le champignon brûlé de la chandelle tomba, et Natacha vit distinctement le prince André couché, les mains allongées sur la couverture, et tel qu'elle l'avait toujours vu.

Il était le même que toujours, mais son visage enflammé par la fièvre, ses yeux brillants fixés sur elle avec ravissement, et surtout son cou délicat, enfantin, qui se dégageait du col rabattu de la chemise, lui donnaient un air particulier, doux, innocent, qu'elle ne lui avait jamais connu. Elle s'approcha de lui et d'un mouvement rapide, souple et jeune, s'agenouilla.

Il sourit et lui tendit la main.

XXXII

Sept jours s'étaient écoulés depuis le moment où le prince André était revenu à lui au poste de secours, sur le champ de bataille de Borodino. Au cours de cette semaine, il n'avait repris conscience qu'à de rares instants. De l'avis du médecin qui l'accompagnait, la fièvre et l'inflammation des intestins due à sa blessure devaient l'emporter. Pourtant, le septième jour il mangea avec plaisir un morceau de pain et but du thé, et le médecin constata que la fièvre avait baissé. Au matin, le prince André était revenu à lui. La première nuit après le départ de Moscou ayant été tiède, le blessé l'avait passée dans la voiture; mais aux Mytichtchi, il avait exigé qu'on le portât dans l'isba et qu'on lui donnât du thé. La douleur que lui causa son transport lui arracha de bruyants gémissements et lui fit perdre de nouveau connaissance. Quand on l'eut étendu sur le lit de camp, il demeura longtemps immobile, les yeux fermés; puis il les ouvrit et dit à voix basse : « Eh bien, le thé ? » Cette mémoire précise des petits détails de l'existence quotidienne surprit le médecin. Il lui tâta le pouls et remarqua, avec étonnement et aussi déplaisir, qu'il était meilleur. Il le remarqua avec déplaisir parce qu'il était convaincu, par sa longue expérience, que le prince André ne pouvait pas guérir et que s'il ne mourait pas maintenant il mourrait un peu plus tard dans de grandes souffrances. On transportait avec le prince André l'officier au petit nez rouge, Timokhine, blessé à la jambe à la même bataille de Borodino. Ils étaient accompagnés, en plus du médecin, par le valet de chambre du prince, son cocher et deux ordonnances.

On donna du thé au prince André. Il le but avidement, ses yeux fiévreux fixant droit devant lui la porte, comme s'il cherchait à se rappeler et à comprendre quelque chose.

— Je n'en veux plus. Timokhine est-il ici? demanda-t-il. Timokhine rampa vers lui en se tenant au banc.

— Je suis là, Votre Altesse.

— Comment va ta plaie?

— La mienne? Pas mal. Mais vous?

Le prince André parut de nouveau chercher à réveiller ses souvenirs.

— Pourrait-on me procurer un livre? dit-il.

— Quel livre?

— Un évangile, je n'en ai pas.

Le docteur promit de lui en procurer un et lui posa quelques questions sur son état. Il répondit à ces questions à contre-cœur, mais raisonnablement, puis demanda que l'on glissât sous lui un traversin, car il était mal installé et souffrait beaucoup. Le docteur et le valet de chambre soulevèrent le manteau qui le recouvrait et examinèrent l'horrible plaie en faisant la grimace à cause de la pénible odeur de chair putréfiée qu'elle répandait. Le docteur parut très mécontent de quelque chose, refit le pansement et retourna le blessé qui en éprouva une douleur si forte qu'il recommença à gémir, perdit de nouveau connaissance et se mit à délirer, répétant qu'il fallait lui apporter ce livre au plus vite et le poser sous lui.

— Qu'est-ce que cela vous coûte! Je ne l'ai pas, apportez-le et posez-le là un instant, répétait-il d'une voix pitoyable.

Le docteur sortit dans l'entrée pour se laver les mains.

— Ah, vous n'avez pas de conscience! dit-il au valet de chambre qui lui versait de l'eau sur les mains. Il a suffi que je m'éloigne un instant... Mais c'est une douleur telle que je m'étonne qu'il y résiste.

— Il me semble pourtant que nous avons fait ce qu'il fallait, Seigneur Jésus-Christ! répondit le valet de chambre.

Le prince André avait compris pour la première fois où il était et ce qui lui était arrivé, et s'était souvenu qu'il avait été blessé et comment, lorsque la voiture s'étant arrêtée aux Mytichtchi, il avait demandé à être transporté dans une isba. Mais la douleur lui brouilla les idées et il ne revint à lui que quand il but du thé. Alors, ayant repassé dans sa mémoire tout ce qui lui était arrivé, il s'était représenté une fois encore, plus nettement que jamais, la minute où, au poste de secours, à la vue des souffrances de l'homme qu'il haïssait, de nouvelles pensées avaient surgi en son esprit, lui promettant le bonheur. Bien que vagues et indéterminées, elles s'emparèrent de son âme et il se souvint qu'il possédait un nouveau bonheur lié de quelque façon à l'Évangile. Et c'est pourquoi il avait demandé un évangile. Mais la douleur qu'il éprouva quand en le retournant on froissa sa plaie, lui fit encore perdre connaissance. Il ne revint à la vie une troisième fois que dans le profond silence de la nuit. Tous dormaient autour de lui, un grillon stridulait dans l'entrée; quelqu'un criait et chantait dans la rue, les cafards bruissaient sur la table, les icônes et les murs; une grosse mouche se cognait contre la tête de son lit et tournoyait autour de la chandelle de suif qui avait formé en coulant un gros champignon.

Son âme n'était pas dans un état normal. Un homme en bonne santé pense couramment, sent et se remémore un nombre incalculable de choses à la fois, mais ayant choisi telle suite de pensées ou de faits, il a le pouvoir et la force d'y fixer son attention. Absorbé dans de profondes réflexions, il est capable d'adresser une parole aimable à la personne qui entre et de reprendre le cours de ses réflexions. Mais le prince André n'était pas dans un état normal à cet égard. Son esprit était plus actif et lucide que jamais, mais ses facultés échappaient à son contrôle. Les idées et les images les plus disparates s'emparaient simultanément de lui. A certains moments, sa pensée se mettait soudain à travailler avec une force, une précision, une profondeur qu'elle n'avait jamais atteintes quand il était en bonne santé; puis, elle s'arrêtait brusquement, en plein travail, quelque image inattendue surgissait et il ne pouvait renouer le fil rompu.

« Oui, un nouveau bonheur m'a été dévoilé, qui ne peut être ravi à l'homme, songeait-il étendu dans l'isba silencieuse, à demi-obscure et regardant droit devant lui de ses yeux fiévreux grands ouverts. Un bonheur indépendant des forces matérielles, indépendant des circonstances extérieures, la félicité de l'âme, uniquement, la félicité de l'amour. Comprendre cela, tout homme le peut, mais le connaître et l'enseigner, Dieu seul l'a pu. Mais comment a-t-il enseigné cette loi? Comment le Fils?... » Le cours de ses pensées s'arrêta subitement et le prince André entendit (ne sachant s'il délirait ou entendait réellement) une voix douce qui chuchotait en mesure, sans arrêt : « I - piti - piti - piti », puis « I - titi », et de nouveau « I - piti - piti - piti » et « I - titi ». Le prince André sentait en même temps qu'au-dessus de son visage, juste au milieu, s'élevait aux sons de cette musique chuchotante un étrange édifice aérien de fines aiguilles ou de minces copeaux. Il sentait qu'il lui fallait (bien que cela lui fût pénible) maintenir soigneusement son équilibre afin que cet édifice en construction ne s'écroulât pas; mais il s'écroulait tout de même et s'élevait de nouveau lentement aux sons de la musique chuchotante et régulière. « Ça s'étire, ça s'étire, ça s'allonge et ça s'étire toujours », se disait le prince André. Tout en prêtant l'oreille au chuchotement et en suivant attentivement la montée de l'édifice de fines aiguilles, il voyait par moments la lueur rougeâtre de la chandelle et entendait le bruissement des cafards, et la mouche se cognait à son oreiller et à son visage. Et chaque fois qu'elle lui effleurait le visage, il avait une sensation de brûlure et s'étonnait que la mouche en volant ne détruisît pas l'édifice en construction. Il y avait encore autre chose d'important : c'était une forme blanche près de la porte, c'était la statue d'un sphinx qui elle aussi l'oppressait.

« Mais peut-être est-ce ma chemise sur la table, se disait le prince André. Et ça, ce sont mes jambes, et ça, c'est la porte. Mais pourquoi tout cela ne cesse-t-il de s'étirer et de s'étendre, et pourquoi piti - piti - piti et titi?... Assez, arrête, je t'en prie, laisse », suppliait-il pitoyablement on ne sait qui. Et soudain, pensées et sentiments émergèrent de nouveau avec une force, une vivacité extraordinaires.

« Oui, l'amour (pensait-il de nouveau parfaitement lucide). Mais pas cet amour qui aime pour quelque chose ou à cause de quelque chose, mais l'amour que j'ai ressenti la première fois lorsque, mourant, j'ai vu mon ennemi et l'ai aimé. J'ai ressenti alors cet amour qui est l'essence même de l'âme et qui n'a pas besoin d'objet. Et je ressens encore maintenant cette béatitude. Aimer ses proches, aimer ses ennemis. Aimer tout. Aimer Dieu dans toutes ses manifestations. Un être qui vous est cher, on peut l'aimer. On peut aimer d'un amour humain un être qui vous est cher, mais aimer son ennemi, c'est aimer uniquement d'un amour divin. C'est pourquoi j'ai connu une telle joie quand j'ai senti que j'aimais cet homme. Qu'est-il devenu? Vit-il? Lorsqu'on aime d'un amour humain on peut passer de l'amour à la haine; l'amour divin, lui, ne peut changer. Rien, la mort même, rien ne peut le détruire. Il est l'essence même de l'âme. Que de gens j'ai haïs dans ma vie! Et de tous ces êtres, je n'ai aimé et haï personne autant qu'elle. » Et il se représenta vivement Natacha, non pas telle qu'il la voyait auparavant, quand il était ravi uniquement par son charme, mais pour la première fois il se représenta son âme. Et il comprit ses sentiments, sa souffrance, sa honte, son repentir. Il comprit pour la première fois toute la cruauté de sa propre attitude, la cruauté de sa rupture. « S'il m'était possible de la voir, ne fût-ce qu'une fois encore! De lui dire une fois seulement, en la regardant dans les yeux... »

Et « piti - piti - piti » et « titi ». Et « boum! » fit la mouche en le heurtant. Et son attention se tourna soudain vers un autre monde réel et délirant où se passait quelque chose de particulier : dans ce monde, l'édifice continuait toujours de se construire et de s'écrouler, la chandelle répandait toujours une lueur rougeâtre, la même chemise-sphinx était à la porte; cependant il y eut encore en plus de tout cela un léger craquement, un souffle d'air frais et un nouveau sphinx apparut debout devant la porte, et ce sphinx avait un visage pâle et les yeux brillants de cette Natacha qu'il venait d'évoquer.

« Oh, que ce délire continuel est pénible! » se disait le prince André, essayant de chasser ce visage de son imagination. Mais il était là, devant lui, avec toute la force de la réalité, et il approchait. Le prince André voulut retrouver le monde qu'il venait de quitter, celui de la pure pensée, mais il n'y parvint pas : le délire l'entraînait dans son cercle. La voix chuchotante poursuivait son murmure régulier, quelque chose d'oppressant grandissait. L'étrange visage se tenait devant lui. Le prince André réunit toutes ses forces pour se ressaisir; il remua et soudain ses oreilles tintèrent, ses yeux se troublèrent et comme un homme qui sombre dans l'eau, il perdit connaissance. Quand il revint à lui, cette Natacha, qu'entre tous les êtres il voulait aimer de ce nouvel et pur amour qui lui avait été révélé, Natacha était à genoux devant lui. Il comprit que c'était bien la vivante, la vraie Natacha, et ne fut pas surpris, mais ressentit une douce joie. Natacha à genoux le regardait avec effroi, rivée à lui (elle était incapable de bouger) et ravalait ses sanglots. Quelque chose frémissait au bas de son visage pâle et immobile.

Le prince André poussa un soupir de soulagement, sourit et lui tendit la main.

— Vous? dit-il. Quel bonheur!

D'un mouvement rapide, mais avec précaution, Natacha, toujours à genoux, se rapprocha de lui, prit doucement sa main, se pencha dessus et se mit à la baiser, l'effleurant à peine de ses lèvres.

— Pardonnez-moi, prononça-t-elle tout bas, en levant la tête et en le regardant. Pardonnez-moi!

— Je vous aime, dit le prince André.

— Pardonnez-moi...

— Pardonner quoi?

— Pardonnez-moi ce que... j'ai... fait, dit-elle dans un murmure entrecoupé, à peine perceptible, et les légers baisers qu'elle déposait sur sa main se firent plus rapides.

— Je t'aime plus et mieux qu'autrefois, dit-il en relevant de la main le visage de Natacha pour la regarder dans les yeux.

Ces yeux remplis de larmes de bonheur le considéraient timidement, avec compassion, joie et amour. Le visage de Natacha, pâle et maigre, aux lèvres enflées, était plus que laid, il était effrayant. Mais le prince André ne voyait pas ce visage; il voyait les yeux rayonnants qui étaient beaux. Des voix s'élevèrent derrière eux.

Piotr, le valet de chambre, complètement réveillé, avait alerté le docteur. Timokhine, que sa jambe blessée empêchait de dormir, voyait depuis longtemps ce qui se passait et, recouvrant soigneusement son corps dévêtu, il se recroquevillait sur son banc.

— Qu'est-ce que cela signifie? dit le docteur, se soulevant de sa couche. Veuillez sortir, mademoiselle.

A ce moment, une servante frappa à la porte, dépêchée par la comtesse qui s'était aperçue de la disparition de sa fille.

Comme une somnambule réveillée en plein sommeil, Natacha quitta la chambre et rentrée dans son isba, se laissa tomber sur son lit en pleurant.

A partir de ce jour, durant tout le reste du voyage, Natacha ne quitta plus le blessé aux haltes et aux étapes, et le docteur dut reconnaître qu'il n'aurait jamais cru qu'une jeune fille fût capable de soigner les blessés avec autant de fermeté et de savoir-faire.

Si peur qu'eût la comtesse que le prince mourût au cours du voyage entre les bras de Natacha (ce qui était fort possible, au dire du docteur), elle ne put s'opposer à la volonté de sa fille. Bien que le rapprochement qui s'était opéré entre le prince André et Natacha pût faire supposer qu'en cas de guérison du blessé, ils pourraient renouveler leurs fiançailles, personne n'en parlait, et Natacha et le prince André moins que quiconque. La question de vie ou de mort suspendue non seulement au-dessus de Bolkonsky mais sur la Russie, éclipsait toutes les autres préoccupations.

XXXIII

Pierre s'éveilla tard le 3 septembre. Il avait mal à la tête, les vêtements dans lesquels il avait dormi sans se déshabiller lui pesaient et il avait vaguement conscience d'avoir commis la veille quelque chose de honteux; cette chose honteuse, c'était sa conversation avec le capitaine Ramballe.

Sa montre marquait onze heures, mais il faisait, semblait-il, particulièrement sombre dehors. Pierre se leva, se frotta les yeux et apercevant le pistolet à la crosse incrustée que Guérassime avait reposé sur la table à écrire, il se souvint de l'endroit où il se trouvait et de ce qui l'attendait précisément ce jour-là.

« Ne suis-je pas déjà en retard? se demanda Pierre. Non, il ne fera probablement pas son entrée à Moscou avant midi. » Pierre s'interdisait de réfléchir à ce qu'il devait faire et cependant il avait hâte d'agir.

Ayant mis de l'ordre dans ses vêtements, il prit son pistolet et se disposa à partir. Mais ici une question se présenta à lui pour la première fois : qu'allait-il faire du pistolet? Il ne pouvait tout de même pas circuler dans les rues l'arme à la main. Et si large que fût son caftan, il était difficile d'y cacher ce grand pistolet. Et impossible de le porter à la ceinture ou sous son bras sans qu'on s'en aperçût. De plus, le pistolet était déchargé, et Pierre n'avait pas eu le temps de le charger. « Qu'importe! Le poignard! » songea Pierre, bien qu'à plusieurs reprises il se fût dit, réfléchissant à son projet, que la principale erreur de l'étudiant en 1809 avait été d'avoir voulu tuer Napoléon d'un coup de poignard. Mais comme si le vrai but de Pierre était non pas d'accomplir l'acte prémédité, mais de se prouver à soi-même qu'il ne renonçait pas à cet acte et faisait tout pour l'exécuter, Pierre prit en hâte le poignard émoussé et ébréché dans sa gaine verte qu'il avait acheté à la tour de Soukharev avec le pistolet, et le dissimula sous son gilet.

Ayant bien serré sa ceinture autour de son caftan et enfoncé son bonnet sur les yeux, tâchant de ne pas faire de bruit pour ne pas tomber sur le capitaine, Pierre prit le couloir et sortit dans la rue.

L'incendie, qu'il avait considéré la veille avec tant d'indifférence, s'était beaucoup étendu au cours de la nuit. Moscou brûlait maintenant de différents côtés. Le feu avait gagné les Galeries des Carrossiers, le quartier au-delà de la Moskva, le Gostiny Dvor, la Povarskaïa, les péniches sur la rivière, le Marché au Bois près du pont de Dorogomilovo.

Le chemin que suivait Pierre le menait par de petites ruelles à la Povarskaïa, puis, par l'Arbat, à l'église Saint-Nicolas: c'était l'endroit qu'il s'était fixé depuis longtemps en imagination pour accomplir son dessein. Les portes et les fenêtres de la plupart des maisons étaient closes; les rues et les ruelles étaient désertes. L'air sentait le brûlé et la fumée. De temps en temps, on rencontrait des Russes timides et inquiets, et des Français qui marchaient au milieu de la rue et dont l'allure, tranchant sur celle des citadins, reflétait encore la vie de camp. Les uns et les autres considéraient Pierre avec étonnement, et cela non seulement à cause de sa haute taille et de son épaisse carrure, de l'expression sombre, concentrée et tourmentée de son visage et de toute sa silhouette, mais les Russes dévisageaient Pierre en se demandant quelle pouvait bien être sa condition sociale, et les Français le suivaient des yeux avec étonnement parce qu'à la différence des autres Russes qui les regardaient avec crainte et curiosité, Pierre ne faisait aucune attention à eux. A la porte d'une maison, trois Français, qui ne parvenaient pas à se faire comprendre de quelques Russes, arrêtèrent Pierre pour lui demander s'il parlait français.

Pierre secoua négativement la tête et poursuivit son chemin. Dans une autre ruelle, il fut interpellé par un soldat en faction devant un caisson peint en vert, et ce n'est qu'en l'entendant répéter son cri menaçant et armer son fusil que Pierre comprit qu'il devait prendre l'autre trottoir. Il ne voyait et n'entendait rien de ce qui se passait autour de lui. Se hâtant épouvanté, il portait en lui son projet comme quelque chose d'affreux qui lui était étranger, mais qu'il craignait, instruit par l'expérience de la veille, de laisser échapper. Il n'était pas dit, pourtant, qu'il le porterait intact jusqu'à l'endroit qu'il s'était assigné. Du reste, même si rien ne l'avait retenu en chemin, il n'aurait pu accomplir son dessein, car il y avait déjà plus de quatre heures que Napoléon était passé par l'Arbat en allant du faubourg de Dorogomilovo au Kremlin où, assis dans le cabinet impérial dans l'état d'esprit le plus sombre, il donnait des ordres détaillés sur les mesures à prendre pour éteindre au plus vite les incendies, empêcher la maraude et tranquilliser les habitants. Mais Pierre l'ignorait; complètement absorbé par ce qui l'attendait, il souffrait comme souffrent les gens qui poursuivent obstinément une tâche impossible, non pas en raison de ses difficultés mais parce qu'elle est contraire à leur nature. La peur le tourmentait de faiblir à l'instant décisif et de perdre ainsi tout respect de soi-même.

Bien qu'il ne vît et n'entendît rien, guidé par son instinct, il ne se trompait pas de route et suivait les petites rues qui le menaient à la Povarskaïa.

A mesure qu'il s'en approchait, la fumée devenait plus dense, et la chaleur de l'incendie se faisait déjà sentir. Des flammes s'élevaient parfois au-dessus des toits; il y avait plus de gens dans les rues, et ces gens paraissaient inquiets. Mais tout en sentant que quelque chose d'extraordinaire se passait autour de lui, Pierre ne se rendait pas compte qu'il s'approchait de l'incendie. En suivant un sentier à travers un terrain vague entre la Povarskaïa d'un côté et les jardins du prince Grouzinsky de l'autre, il entendit soudain tout proches les cris perçants d'une femme. Il s'arrêta comme brusquement réveillé et leva la tête.

Au-delà du sentier, sur l'herbe sèche et poussiéreuse, s'amoncelaient des objets de ménage : matelas, samovar, icones, coffres. Près des coffres était assise par terre une femme maigre, plus très jeune, avec de longues dents qui pointaient hors de sa bouche, en rotonde noire et petit bonnet. Se balançant d'un côté et de l'autre, elle sanglotait en prononçant des paroles entrecoupées. Deux fillettes de dix à douze ans, au visage pâle, vêtues de robes courtes et sales et de petits manteaux, regardaient leur mère, perplexes et effrayées. Un garçonnet dans les sept ans, affublé d'un bonnet beaucoup trop grand pour sa tête, pleurait, sur les bras d'une vieille bonne. Assise sur un coffre, une fillette malpropre, pieds nus, défaisait sa natte d'un blond fade, en retirait les cheveux roussis par le feu et les flairait. Le mari, un petit homme légèrement voûté, en uniforme de fonctionnaire, avec des favoris en collier et des cheveux bien lissés sur les tempes que laissait voir sa casquette plantée bien droit, déplaçait, le visage indifférent, les coffres posés les uns sur les autres et en sortait des vêtements.

La femme se jeta presque aux pieds de Pierre lorsqu'elle l'aperçut.

— Frère, chrétien! Sauvez-nous, aidez-nous! Venez à notre secours! répétait-elle à travers ses sanglots. — Mon enfant, ma petite fille... Ma cadette... On l'a laissée là-bas... elle est brûlée... Oh, oh, oh! Est-ce pour cela que je t'ai... Oh. oh, oh!...

— Allons, allons, Maria Nicolaïevna, dit le mari sans élever la voix, rien que pour se justifier devant un étranger évidemment. Ta sœur l'a certainement prise avec elle. Sinon, où serait-elle?

— Brute! Misérable! cria la femme furieuse, cessant brusquement de pleurer — Tu n'as pas de cœur, tu n'as pas pitié de ton propre enfant! Un autre aurait plongé dans le feu pour la retirer. Mais ce n'est pas un homme, un père! Il est là comme une statue!.. Vous êtes un homme de cœur, dit-elle précipitamment à Pierre, hoquetant et avalant ses mots. — Le feu a pris à côté, il a passé chez nous. La servante a crié : au feu! on s'est précipité, on a rassemblé nos affaires, on s'est sauvé avec ce qu'on avait sur le dos... Voilà tout ce que nous avons emporté... Les icones, le lit de ma dot. Et tout le reste est perdu. Et les enfants? Je regarde, Katia n'est pas là! Oh, oh, oh! Seigneur! — Elle recommença à sangloter. — Ma chère petite enfant, brûlée, brûlée vive!

— Mais où est-elle? Où est-elle restée? interrogea Pierre.

A l'expression soudain animée de son visage, la femme comprit que cet homme pouvait lui venir en aide.

— Oh, mon père! s'écria-t-elle en s'accrochant à ses jambes, mon bienfaiteur! Apaise au moins mon cœur. Aniska, sale fille, va, conduis-le! cria-t-elle rageusement à la servante, ouvrant largement la bouche et découvrant encore davantage ses longues dents.

— Conduis-moi, conduis... Je... je... ferai..., bredouilla hâtivement Pierre.

La servante malpropre descendit du coffre, arrangea sa natte, soupira et partit en avant pieds nus sur le sentier. Pierre semblait soudain revenu à la vie après un long évanouissement. Sa tête s'était redressée, ses yeux brillaient de l'éclat de la vie. Il suivit d'un pas rapide la servante, la dépassa et déboucha sur la Pôvarskaïa. Des nuages de fumée noire emplissaient toute la rue, traversée çà et là de langues de feu. La foule se pressait aux abords de l'incendie. Au milieu de la rue, un général français parlait à ceux qui l'entouraient. Pierre accompagné de la servante allait se diriger vers le général, quand les soldats l'arrêtèrent.

— *On ne passe pas*, dit une voix.

— Par ici, petit oncle! cria la servante. Nous passerons par les ruelles, par la cour des Nikouline.

Pierre fit demi-tour et repartit à grandes enjambées afin de ne pas perdre de vue son guide. La servante traversa la rue, tourna à gauche dans une ruelle, longea trois maisons et entra à droite sous une porte cochère.

— C'est ici, tout près, dit-elle et ayant traversé rapidement la cour, elle ouvrit la poterne d'une palissadé, s'arrêta et désigna à Pierre un petit pavillon en bois qui brûlait d'une flamme claire, répandant une chaleur intense. Un des côtés s'était écroulé, un autre flambait et des flammes s'échappaient des fenêtres et de dessous le toit.

Quand Pierre franchit la poterne, l'air brûlant le saisit et il s'arrêta malgré lui.

— Laquelle? Laquelle est votre maison? demanda-t-il.

— Ooooh! hurla la fille en désignant le pavillon. La voilà! La voilà, notre maison! Tu as brûlé, notre trésor, Katégnka, ma demoiselle adorée! criait Aniska à la vue de l'incendie, jugeant indispensable de manifester ses sentiments, elle aussi.

Pierre courut vers le pavillon, mais la chaleur était si forte qu'involontairement il le contourna, et il se trouva devant une grande maison dont brûlait seulement une partie du toit et près de laquelle s'agitaient quantité de Français. Au premier moment, Pierre ne comprit pas ce que faisaient ces Français qui traînaient toutes sortes d'objets. Mais ayant vu l'un d'eux frapper du plat de son sabre un paysan et lui enlever sa pelisse de renard, il se rendit vaguement compte qu'on pillait la maison. Mais il était trop pressé pour s'arrêter à cela.

Le fracas des murs et des plafonds qui croulaient, le sifflement et le grondement des flammes, les cris de la foule, la vue des nuages de fumée qui tantôt roulaient en vagues épaisses et noires, tantôt s'élevaient en tourbillons plus clairs pailletés d'étincelles, et des flammes jaillissant en nappes ou en gerbes, ici rouges, là rampant le long des murs en les recouvrant d'écailles d'or, la sensation de chaleur et de fumée, l'agitation, tout cela eut sur Pierre l'effet excitant que produit généralement l'incendie. Pierre y fut particulièrement sensible parce que ce spectacle le libéra brusquement des pensées qui le tourmentaient. Il se sentit jeune, gai, alerte et résolu. Il contourna en courant le pavillon du côté de la maison et allait entrer dans la partie encore debout, quand juste au-dessus de lui il entendit des cris et aussitôt après un craquement et le sentiment d'une lourde masse qui tombait tout près de lui.

Il se retourna et aperçut aux fenêtres de la maison les Français qui venaient de jeter le tiroir d'une commode rempli d'objets métalliques. Quelques soldats qui se tenaient en bas s'approchèrent du tiroir.

— *Eh bien, qu'est-ce qu'il veut, celui-là?* cria l'un d'eux se tournant vers Pierre.

— *Un enfant dans cette maison. N'avez-vous pas vu un enfant?* demanda Pierre.

— *Tiens, qu'est-ce qu'il chante, celui-là? Va te promener!* fit une voix, et un des soldats craignant visiblement que Pierre ne voulût lui disputer l'argenterie et les bronzes qui se trouvaient dans le tiroir, s'avança vers lui d'un air menaçant.

— *Un enfant?* cria d'en haut un Français. — *J'ai entendu*

piailler quelque chose au jardin. Peut-être c'est son moutard au bonhomme. Faut être humain, voyez-vous...

— *Où est-il? Où est-il?* insistait Pierre.

— *Par ici! Par ici!* cria le Français par la fenêtre en indiquant le jardin derrière la maison. *Attendez, je vais descendre.*

Et en effet, une minute plus tard le Français, un garçon aux yeux noirs, la joue marquée d'une tache, en bras de chemise, sauta d'une fenêtre du rez-de-chaussée, frappa Pierre à l'épaule et courut avec lui au jardin. — *Dépêchez-vous, vous autres*, cria-t-il à ses camarades. *Commence à faire chaud.*

Ils prirent derrière la maison un chemin sablé et soudain le Français tira Pierre par le bras et lui montra une plate-bande : une petite fille de trois ans en robe rose gisait sous un banc.

— *Voilà votre moutard. Ah, une petite, tant mieux*, dit le soldat. *A revoir, mon gros. Faut être humain. Nous sommes tous mortels, voyez-vous*, dit le soldat à la joue tachée, et il courut rejoindre ses camarades.

Haletant de joie, Pierre courut vers l'enfant et voulut la prendre dans ses bras, mais à la vue d'un visage étranger, l'enfant qui ressemblait à sa mère, était maladive, scrofuleuse et produisait une impression désagréable, s'enfuit en hurlant. Pierre la rattrapa cependant et la souleva. Elle se mit à pousser des cris aigus, rageurs, en mordant Pierre de sa bouche morveuse, ses petites mains essayant de lui faire lâcher prise. Pierre fut saisi de la sensation d'horreur et de dégoût qu'il éprouvait au contact de quelque petit animal. Il fit pourtant un effort sur lui-même pour ne pas abandonner l'enfant et courut avec lui vers la grande maison. Mais on ne pouvait déjà plus revenir par le même chemin; Aniska n'était plus là, et Pierre, en proie à la pitié et au dégoût, serrant contre lui aussi tendrement que possible la fillette toute mouillée qui hoquetait plaintivement, traversa précipitamment le jardin à la recherche d'une autre issue.

XXXIV

Quand après maints détours par des ruelles et des cours, Pierre revint avec son fardeau au jardin du prince Grouzinsky, il ne reconnut pas au premier moment l'endroit d'où il était parti à la recherche de l'enfant. La foule l'encombrait, et des tas d'objets sortis des maisons. Parmi les familles russes entourées de leurs effets qui s'étaient réfugiées ici, on voyait quelques soldats français dans les vêtements les plus divers; Pierre n'y fit pas attention. Il avait hâte de retrouver la famille du fonctionnaire pour rendre la fillette à sa mère et tenter de sauver encore quelqu'un. Il lui semblait qu'il avait encore beaucoup à faire, et au plus vite. Excité par la chaleur de l'incendie et la course, il se sentait plus jeune encore, plus fort, plus résolu que lorsqu'il s'était précipité pour sauver l'enfant. La fillette s'était calmée à présent; assise sur le bras de Pierre, elle s'accrochait de ses petites mains à son caftan et regardait autour d'elle comme un petit animal sauvage. Pierre lui jetait parfois un coup d'œil en souriant légèrement. Il croyait découvrir dans ce petit visage effrayé et maladif quelque chose de touchant et de candide.

Le fonctionnaire et sa femme n'étaient plus à l'endroit où il les avait quittés. Il circulait entre les groupes d'un pas pressé, en dévisageant les gens qu'il rencontrait. Son attention fut attirée par une famille géorgienne ou arménienne composée d'un très vieil homme au beau visage de type oriental vêtu d'un touloupe neuf et chaussé de bottes neuves, d'une vieille femme du même type et d'une jeune femme. Celle-ci, très jeune, parut à Pierre le modèle même de la beauté orientale avec ses sourcils noirs dessinant un arc parfait, et son visage allongé d'une carnation extraordinairement délicate, dénué de toute expression. Parmi les objets éparpillés dans cette foule sur la place, elle évoquait avec son riche manteau de satin et le fichu violet vif qui recouvrait sa tête, quelque fragile plante de serre jetée dans la neige. Assise sur des baluchons un peu en arrière de la vieille, elle fixait le sol de ses grands yeux noirs en amande bordés de longs cils. Elle connaissait visiblement sa beauté et avait peur pour elle. Son visage frappa Pierre qui se tourna à plusieurs reprises vers elle, en longeant la palissade. Parvenu au bout de la palissade et n'ayant toujours pas aperçu ceux qu'il cherchait, il s'arrêta et promena son regard autour de lui.

La silhouette de cet homme avec un enfant sur le bras se faisait encore plus remarquer qu'auparavant, et quelques Russes, des hommes, des femmes, l'entourèrent.

— Aurais-tu perdu quelqu'un, cher homme? Ne seriez-vous pas un noble? A qui est l'enfant? lui demandait-on.

Pierre répondit que l'enfant appartenait à une femme en manteau noir qui. était assise avec ses enfants à cet endroit, et il demanda si quelqu'un la connaissait et où elle était allée.

— Ce doit être les Anférov, dit un vieux diacre à une paysanne grêlée. Seigneur, aie pitié de nous, Seigneur, aie pitié de nous, ajouta-t-il de sa voix basse coutumière.

— Les Anférov? dit la paysanne. Les Anférov sont déjà partis ce matin, et celle-là, elle est à Maria Nicolaïevna ou bien aux Ivanov.

— Mais il parle d'une femme et Maria Nicolaïevna est une dame, intervint un domestique.

— Vous la connaissez donc, maigre, de longues dents, dit Pierre.

— C'est bien Maria Nicolaïevna. Ils sont allés dans le jardin dès que ces loups sont tombés sur nous, dit la paysanne, désignant les Français. Par ici!

— Seigneur, aie pitié de nous! ajouta de nouveau le diacre.

— Prenez donc par ici. C'est là qu'ils sont. Oui, c'est bien elle. Elle ne cessait de se tourmenter, de pleurer, reprit la paysanne. C'est bien elle... Voilà, par ici...

Mais Pierre n'écoutait pas les femmes. Depuis un moment déjà, il ne quittait pas des yeux ce qui se passait à quelque pas de lui. Il regardait la famille arménienne et les deux soldats qui s'étaient approchés d'elle; l'un, un petit homme remuant, portait un manteau bleu ceinturé d'une corde. Il était nu-pieds et coiffé d'un bonnet pointu. L'autre, qui avait particulièrement frappé Pierre, était long, maigre, voûté, blond; ses mouvements étaient lents, son visage, stupide. Il portait une robe de chambre, des pantalons bleus et de grandes bottes à l'écuyère déchirées. S'étant approché des Arméniens, le petit aux pieds nus, au manteau bleu, dit quelques mots et saisit les jambes du vieux, et aussitôt le vieux enleva en hâte ses bottes. L'autre, en robe de chambre, debout devant la belle Arménienne, la considérait, immobile, les mains dans les poches.

— Prends, prends l'enfant, dit Pierre d'un ton impérieux et impatient à la paysanne en lui tendant la petite fille. Rends-la, porte-la leur! cria-t-il presque, et déposant à terre l'enfant qui se mit à hurler, il se tourna de nouveau vers les soldats et la famille arménienne. Le vieux était déjà déchaussé. Le petit soldat lui enleva sa seconde botte et frappa les deux bottes l'une contre l'autre. Le vieux marmotta quelque chose en sanglotant, mais Pierre ne jeta qu'un bref coup d'œil à cette scène; toute son attention était concentrée sur le Français en robe de chambre qui, en ce même moment, s'approchait de la jeune femme en se balançant lentement d'une jambe sur l'autre; il sortit ses mains de ses poches et la saisit au cou.

La belle Arménienne restait toujours assise, immobile dans la même attitude, ses longs cils baissés, et semblait ne pas voir, ne pas sentir ce que lui faisait le soldat.

Avant que Pierre eût fait les quelques pas qui le séparaient des Français, le long en robe de chambre avait déjà arraché le collier que portait la jeune femme; serrant son cou entre ses mains, elle poussa un cri strident.

— *Laissez cette femme !* gronda Pierre d'une voix étranglée par la rage, et il saisit le long par les épaules et le repoussa violemment. Le soldat tomba, se releva et s'enfuit; mais son camarade laissa tomber les bottes, tira son sabre et marcha sur Pierre d'un air menaçant.

— *Voyons, pas de bêtises !* cria-t-il.

Pierre était dans cette extase de la fureur où il ne se connaissait plus et qui décuplait ses forces. Il se précipita sur le Français nu-pieds et avant que celui-ci eût le temps de dégainer, il l'avait déjà jeté à terre et le martelait de ses poings. Des cris approbateurs s'élevèrent dans la foule; mais à ce moment, une patrouille de uhlans à cheval déboucha du coin de la rue. Les uhlans s'approchèrent au trot et entourèrent Pierre et le Français. Pierre ne garda pas le souvenir de ce qui se passa ensuite. Il se rappelait seulement qu'il avait battu quelqu'un, qu'on l'avait battu, que, pour finir, il avait senti que ses mains étaient liées, et que les soldats français qui l'entouraient fouillaient ses vêtements.

— *Il a un poignard, lieutenant.* — Ce furent les premières paroles qu'il comprit.

— *Ah, une arme !* dit l'officier, et il se tourna vers le soldat nu-pieds arrêté en même temps que Pierre.

— *C'est bon, vous direz tout cela au conseil de guerre,* lui dit-il. Puis, il s'adressa à Pierre : *Parlez-vous français, vous?*

Pierre promenait autour de lui ses yeux injectés de sang et ne répondait pas. Sans doute son visage était-il effrayant, car l'officier donna un ordre à voix basse et quatre uhlans se détachèrent de la patrouille et encadrèrent Pierre.

— *Parlez-vous français?* répéta l'officier, se tenant à distance de Pierre. *Faites venir l'interprète.*

Un petit homme en costume civil russe sortit des rangs. A ses vêtements et à son parler, Pierre le reconnut immédiatement pour un commis français d'un magasin de Moscou.

— *Il n'a pas l'air d'un homme du peuple*, dit l'interprète, ayant considéré Pierre.

— *Oh, oh! Ça m'a bien l'air d'un des incendiaires*, dit l'officier. *Demandez-lui ce qu'il est*, ajouta-t-il.

— Qui es-tu? demanda l'interprète. Tu dois répondre aux autorités.

— *Je ne vous dirai pas qui je suis, Je suis votre prisonnier. Emmenez-moi*, dit subitement Pierre en français.

— *Ah! Ah!* fit l'officier en fronçant les sourcils. *Marchons!*

La foule s'était amassée autour des uhlans. La paysanne grêlée avec l'enfant se trouvait la plus proche de Pierre. Quand la patrouille se mit en marche elle s'avança :

— Où t'emmène-t-on, cher homme? dit-elle. Et la petite? La petite, que vais-je en faire si elle n'est pas à eux?

— *Qu'est-ce qu'elle veut, cette femme?* s'enquit l'officier.

Pierre était comme ivre. Son exaltation grandit encore à la vue de l'enfant qu'il avait sauvée.

— *Ce qu'elle dit?* répondit-il. *Elle m'apporte ma fille que je viens de sauver des flammes. Adieu!* Et ne sachant pas lui-même comment ce mensonge absurde avait pu lui échapper, il se mit en marche au milieu des Français, d'un pas décidé et solennel.

Cette patrouille était une de celles que Durosnel avait envoyées dans les rues de Moscou pour mettre un terme à la maraude et surtout pour arrêter les incendiaires, l'opinion s'étant répandue ce jour-là parmi les hautes autorités françaises que les Russes mettaient délibérément le feu à la ville. Ayant parcouru plusieurs rues, la patrouille arrêta encore cinq suspects, — un boutiquier, deux séminaristes, un paysan et un domestique, — ainsi que plusieurs maraudeurs. Mais le plus suspect de tous paraissait Pierre. Quand on les amena pour la nuit dans une grande bâtisse près du rempart de Zoubovo, où était installé un corps de garde, Pierre fut séparé des autres et tout spécialement surveillé.

LIVRE QUATRIÈME

PREMIÈRE PARTIE

I

A Pétersbourg cependant, dans la haute société, la lutte compliquée entre les partisans de Roumiantsev, des Français, de l'impératrice Maria Feodorovna, du grand-duc héritier et d'autres encore, se poursuivait toujours aussi âpre, sous le bourdonnement comme à l'ordinaire des frelons de la cour. Et néanmoins, la vie pétersbourgeoise nourrie uniquement des mirages, des fantômes de la réalité, continuait comme par le passé, tranquille et fastueuse. Aussi fallait-il faire un grand effort pour se rendre compte du danger et de la situation difficile du peuple russe. C'étaient toujours les mêmes réceptions, les mêmes bals, le même théâtre français, les mêmes intrigues, les mêmes soucis de carrière, les mêmes combats d'intérêts. Seules les plus hautes sphères faisaient quelque effort pour faire comprendre les dangers de la situation. On racontait à voix basse que les deux impératrices se conduisaient dans des circonstances aussi difficiles de façon opposée. Soucieuse de sauvegarder les établissements d'éducation et de bienfaisance qui lui étaient confiés, l'impératrice Maria Feodorovna avait donné l'ordre de préparer leur transfert à Kazan et tous les biens meubles de ces établissements étaient déjà emballés. Quant à l'impératrice Elisaveta Alexéievna, comme on lui demandait quelles étaient ses instructions, elle avait bien voulu répondre dans cet esprit patriotique qui lui était propre, qu'en ce qui concernait les services de l'État elle n'avait à donner aucun ordre, cela étant du ressort de l'empereur, et que pour ce qui dépendait personnellement d'elle, elle serait la dernière à quitter Pétersbourg.

Le 26 août, le jour même de la bataille de Borodino, Anna Pavlovna donnait une soirée dont la pièce de résistance devait être la lecture de la lettre de Son Éminence [1] à l'empereur, accompagnant l'envoi d'une icone de saint Serge. Cette lettre passait pour un modèle d'éloquence patriotique et religieuse; elle devait être lue par le prince Basile lui-même, réputé pour son talent de lecteur (il lui arrivait de lire chez l'impératrice). L'art en l'occurrence, estimait-on, consistait à enfiler les mots d'une voix chantante en passant du hurlement au doux murmure sans le moindre souci du sens des paroles, si bien que c'était par hasard que le hurlement tombait sur tel mot et que tel autre était murmuré. Cette lecture, comme toutes les soirées d'Anna Pavlovna, avait une signification politique. Devaient y assister quelques personnages importants auxquels il s'agissait de faire sentir qu'il était honteux de fréquenter le théâtre français et dont il fallait réchauffer le patriotisme. L'assemblée était déjà assez nombreuse, mais Anna Pavlovna ne voyait pas encore dans son salon tous ceux dont elle avait précisément besoin; c'est pourquoi elle retardait la lecture et organisait des conversations générales.

La nouvelle du jour à Pétersbourg était la maladie de la comtesse Bézoukhov. La comtesse était tombée subitement malade quelques jours plus tôt; elle avait manqué plusieurs réunions dont elle était l'ornement, ne recevait personne, et au lieu de faire appel aux médecins réputés qui la soignaient d'ordinaire, s'était, paraît-il, confiée à un certain docteur italien qui la traitait selon on ne sait quelle méthode nouvelle, extraordinaire.

Tout le monde savait fort bien que la maladie de la délicieuse comtesse était due à la difficulté qu'il y avait à épouser deux hommes à la fois, et que le traitement de l'Italien avait pour but d'écarter ces difficultés; pourtant, en présence d'Anna Pavlovna, personne n'osait y songer et l'on faisait mine de tout ignorer de cette affaire.

— *On dit que la pauvre comtesse est très mal. Le médecin dit que c'est l'angine pectorale.*

— *L'angine? Oh, c'est une maladie terrible!*

— *On dit que les rivaux se sont réconciliés grâce à l'angine...* On prenait un extrême plaisir à répéter le mot *angine*.

— *Le vieux comte est touchant, à ce qu'on dit. Il a pleuré comme un enfant quand le médecin lui a dit que le cas était dangereux.*

— *Oh, ce serait une perte terrible. C'est une femme ravissante.*

— *Vous parlez de la pauvre comtesse*, intervint Anna Pavlovna qui s'était approchée. *J'ai envoyé savoir de ses nouvelles. On m'a dit qu'elle allait un peu mieux. Oh, sans doute, c'est la plus charmante femme du monde*, ajouta-t-elle, souriant de son propre enthousiasme. *Nous appartenons à des camps différents, mais cela ne m'empêche pas de l'estimer comme elle le mérite. Elle est bien malheureuse.*

Supposant qu'en parlant ainsi Anna Pavlovna levait légèrement le voile de mystère recouvrant la maladie de la comtesse, un jeune homme imprudent se permit d'exprimer son étonnement que la comtesse fût soignée non pas par de grands médecins, mais par un charlatan qui pouvait lui donner des médicaments dangereux.

— *Vos informations peuvent être meilleures que les miennes*, répliqua brusquement Anna Pavlovna d'un ton venimeux au jeune homme inexpérimenté. — *Mais je sais de bonne source que ce médecin est un homme très savant et très habile. C'est le médecin intime de la reine d'Espagne.* — Ayant ainsi anéanti le jeune homme, Anna Pavlovna se tourna vers Bilibine qui, dans un autre groupe, plissait son front pour le déplisser en faisant *un mot ;* on parlait des Autrichiens.

— *Je trouve que c'est charmant*, disait-il à propos d'un document diplomatique qui accompagnait le renvoi à Vienne des drapeaux autrichiens pris par Wittgenstein, *le héros de Pétropol* (comme on l'appelait à Pétersbourg).

— Comment? Comment dites-vous? lui demanda Anna Pavlovna pour arrêter les conversations et permettre d'entendre *le mot* qu'elle connaissait déjà.

Et Bilibine répéta les termes mêmes de la dépêche diplomatique qu'il avait rédigée :

— *L'Empereur renvoie les drapeaux autrichiens, drapeaux amis et égarés qu'il a trouvés hors de la route.* — Et Bilibine relâcha la peau de son front.

— *Charmant, charmant*, s'exclama le prince Basile.

— *C'est la route de Varsovie peut-être*, dit soudain à voix haute le prince Hippolyte.

Tout le monde le regarda, ne comprenant pas ce qu'il avait voulu dire. Et lui-même promena autour de soi un regard de joyeuse surprise. Tout comme les autres, il ne comprenait pas ce que signifiaient ses paroles. Au cours de sa carrière diplomatique, il avait remarqué plus d'une fois que des paroles lancées ainsi brusquement se trouvaient être très spirituelles, et il avait lâché à tout hasard les premiers mots qui lui étaient venus aux lèvres. « Peut-être que cela réussira, se disait-il. Sinon, ils arrangeront bien ça. » Et en effet, alors que tombait un silence gêné, le personnage insuffisamment patriotique qu'attendait pour le convertir Anna Pavlovna, fit son entrée, et aussitôt, souriant et menaçant du doigt Hippolyte, elle invita le prince Basile à s'asseoir à la table, lui apporta deux bougies et le manuscrit et lui demanda de commencer. Tous se turent.

« Très gracieux Souverain et Empereur! » proclama le prince Basile, et il parcourut l'auditoire d'un regard sévère, comme pour demander si personne n'avait d'objections à faire. Mais personne ne dit mot. « Moscou, notre première capitale, la Nouvelle Jérusalem, reçoit son Christ » (il accentua soudain le mot « son ») « comme une mère accueille dans ses bras ses fils fervents et distinguant à travers les ténèbres qui se répandent la gloire lumineuse de ton règne, chante avec transport : Hosanna, béni soit celui qui vient! »

Le prince Basile prononça ces derniers mots d'une voix larmoyante.

Bilibine examinait attentivement ses ongles; beaucoup se sentaient visiblement inquiets, ayant l'air de se demander en quoi ils étaient coupables. Devançant le lecteur, comme une vieille qui dit à l'avance la prière de la communion, Anna Pavlovna murmurait déjà : « Que le téméraire et impudent Goliath... »

Le prince Basile continua en effet :

« Que le téméraire et impudent Goliath qui vient des confins de la France répande sur la terre russe ses horreurs meurtrières, la foi humble, cette fronde du David russe, abattra soudain la tête de son orgueil assoiffé de sang. Cette image du Bienheureux Serge, zélateur ardent du bien de notre partie, est offerte à Votre Majesté Impériale. Je regrette que mes forces déclinantes me privent du bonheur de contempler votre très gracieuse personne. J'adresse au Ciel de brûlantes prières : que le Tout-Puissant élève la race des justes et exauce les désirs de Votre Majesté pour le bien. »

— *Quelle force! Quel style!* s'exclamait-on de différents côtés, les louanges s'adressant tant au lecteur qu'à l'auteur.

Émus par ce discours, les invités d'Anna Pavlovna parlèrent encore longtemps de la situation du pays, se livrant à diverses suppositions sur l'issue de la bataille qui devait avoir incessamment lieu.

— *Vous verrez,* dit Anna Pavlovna, que demain, jour de naissance de l'empereur, nous aurons des nouvelles. J'ai de bons pressentiments.

II

Les pressentiments d'Anna Pavlovna se trouvèrent justifiés. Le lendemain, au cours du *Te Deum* au palais à l'occasion de l'anniversaire de l'empereur, le prince Volkonsky fut appelé dehors et on lui remit une lettre de la part de Koutouzov. C'était le rapport du généralissime rédigé à Tatarinovo le soir même de la bataille. Koutouzov écrivait que les Russes n'avaient pas reculé d'une semelle, que les pertes des Français étaient de beaucoup supérieures aux nôtres, qu'il écrivait son rapport en hâte, sur le champ de bataille, sans perdre le temps de rassembler les derniers renseignements. C'était donc une victoire. Et immédiatement, sans quitter l'église, on chanta un office d'actions de grâces au Créateur pour l'aide qu'Il avait accordée et la victoire.

Les pressentiments d'Anna Pavlovna s'étaient réalisés, et tout au long de cette matinée, il régna dans la ville une joyeuse atmosphère de fête. Tout le monde parlait de la victoire comme d'un fait accompli. Le bruit courait même de la capture de Napoléon, de sa déposition et de l'élection d'un nouveau chef d'État en France.

Loin de l'action et dans les conditions de vie de la cour, les événements conservent difficilement toute leur force et leur plein sens. Sans même qu'on le veuille, les événements d'intérêt général se trouvent rattachés à quelque fait particulier. Ainsi la joie des courtisans était-elle due non pas tant à la victoire même qu'au fait que la nouvelle de cette victoire était parvenue précisément le jour de l'anniversaire de l'empereur. C'était comme une surprise parfaitement réussie. Le rapport de Koutouzov mentionnait également les pertes russes, citant entre autres les noms de Toutchkov, Bagration, Koutaïssov. Et pour la société pétersbourgeoise la tristesse de ces nouvelles se trouva concentrée, elle aussi, autour d'un seul fait, la mort de Koutaïssov. Tout le monde le connaissait, l'empereur l'aimait, il était jeune et séduisant. En se rencontrant ce jour-là, les gens se disaient :

— Quel étrange hasard! Au beau milieu de l'office! Et quelle perte, Koutaïssov! Ah, comme c'est triste!

— Qu'est-ce que je vous disais de Koutouzov? répétait maintenant le prince Basile, fier de ses dons prophétiques. J'ai toujours dit qu'il était seul de force à vaincre Napoléon.

Mais le lendemain, on ne reçut pas de nouvelles de l'armée, et l'inquiétude gagna les esprits. Les courtisans souffraient de l'ignorance dont souffrait l'empereur.

« Quelle situation que celle de l'empereur! » disaient-ils, et ils ne chantaient plus les louanges de Koutouzov comme l'avant-veille, mais lui reprochaient sévèrement de causer de l'inquiétude à l'empereur. Le prince Basile, ce jour-là, ne se vantait plus de son *protégé* Koutouzov, mais gardait le silence lorsqu'on parlait de lui. Du reste, on eût dit que tout s'était conjugué le soir de ce jour pour plonger les habitants dans le trouble et la crainte. Une nouvelle affreuse s'étant répandue : la comtesse Hélène Bézoukhov venait brusquement de mourir de cette terrible maladie dont le nom était si agréable à prononcer. Quand on se trouvait en grande société, tout le monde disait que la comtesse Bézoukhov était morte d'une terrible crise d'*angine pectorale*, mais dans les cercles intimes, on racontait en détail que *le médecin intime de la Reine d'Espagne* avait prescrit à Hélène de petites doses d'un médicament destiné à produire un certain effet, mais qu'Hélène tourmentée par les soupçons du vieux comte et ne recevant pas de réponse à la lettre qu'elle avait envoyée à son mari (Pierre, ce malheureux débauché), avait pris une énorme dose dudit médicament et était morte dans d'horribles souffrances avant qu'on eût pu la secourir. On racontait que le prince Basile et le vieux comte avaient voulu s'en prendre à l'Italien, mais que celui-ci avait en main des billets de la malheureuse défunte d'un caractère tel qu'il fallut immédiatement le relâcher.

La conversation générale se concentra sur trois événements pénibles : l'ignorance dans laquelle était tenu l'empereur, la mort de Koutaïssov et la mort d'Hélène.

Le surlendemain du rapport de Koutouzov, un propriétaire terrien arriva à Pétersbourg de Moscou, et la nouvelle de l'abandon de Moscou aux Français se répandit par toute la ville. C'était épouvantable! Vous vous imaginez la situation de l'empereur! Koutouzov était un traître, et au cours des *visites de condoléances* que recevait le prince Basile à l'occasion du décès de sa fille, il disait, parlant de ce Koutouzov auparavant encensé (mais il était excusable d'oublier dans son chagrin ce qu'il avait dit précédemment) qu'on ne pouvait rien attendre d'autre d'un vieillard aveugle et débauché.

— Je m'étonne seulement qu'on ait pu remettre le sort de la Russie entre les mains d'un tel homme.

Tant que la nouvelle n'était pas officielle, on pouvait encore en douter, mais le lendemain, on reçut du comte Rostoptchine le rapport suivant :

« L'aide de camp du prince Koutouzov m'a remis une lettre par laquelle il me demande d'envoyer des officiers de police pour conduire l'armée sur la route de Riazan. Il dit qu'à son grand regret il abandonne Moscou. Sire, l'acte de Koutouzov décide du sort de la capitale et de votre empire. La Russie frémira d'horreur en apprenant l'abandon de la ville où est concentrée la grandeur de la Russie et où reposent les cendres de vos aïeux. Je pars à la suite de l'armée. J'ai fait tout évacuer, et il me reste à pleurer le destin de ma patrie. »

Au reçu de ce rapport, l'empereur envoya à Koutouzov, par le prince Volkonsky, le rescrit suivant :

« Prince Mikhaïl Ilarionovitch! Je n'ai reçu aucun rapport de vous depuis le 29 août. Le 1er septembre cependant, j'ai reçu du gouverneur général de Moscou, par Iaroslavl, la triste nouvelle que vous aviez pris la décision d'abandonner la ville. Vous pouvez aisément vous représenter l'effet que m'a produit cette nouvelle, et votre silence renforce mon étonnement. La présente vous sera remise par mon général aide de camp prince Volkonsky qui est chargé d'apprendre de vous dans quelle situation se trouve l'armée et quelles sont les raisons qui vous ont amené à prendre une aussi pénible décision. »

III

Neuf jours après la chute de Moscou, un envoyé de Koutouzov apporta à Pétersbourg la nouvelle officielle de l'abandon. Cet envoyé était le Français Michaux qui ne parlait pas le russe mais était *quoique étranger, Russe de cœur et d'âme*, ainsi qu'il le disait lui-même.

L'empereur le reçut immédiatement dans son cabinet de travail du palais de Kamenny-Ostrov. Michaux qui n'avait jamais vu Moscou avant la guerre et ne savait pas le russe, se sentit pourtant ému lorsqu'il parut devant *notre très gracieux souverain* (comme il l'a écrit plus tard) avec la nouvelle de l'incendie de Moscou, *dont les flammes éclairaient sa route.*

Bien que le *chagrin* de M. Michaux n'eût pas la même source que celui qu'éprouvaient les Russes, Michaux avait un visage si affligé lorsqu'il fut introduit dans le cabinet de l'empereur que celui-ci lui demanda :

— *M'apportez-vous de tristes nouvelles, colonel?*

— *Bien tristes, Sire*, répondit Michaux avec un soupir en baissant les yeux : *l'abandon de Moscou.*

— *Aurait-on livré mon ancienne capitale sans se battre?* demanda précipitamment l'empereur dans un brusque mouvement de colère.

Michaux transmit respectueusement à l'empereur le message dont l'avait chargé Koutouzov, à savoir qu'il était impossible de se battre sous les murs de Moscou et qu'ayant à choisir entre la perte et de la ville et de l'armée, ou la perte de la ville seule, le feld-maréchal avait dû se décider pour l'abandon de Moscou.

L'empereur écoutait en silence, sans regarder Michaux.

— *L'ennemi est-il entré en ville?* demanda-t-il.

— *Oui, Sire, et elle est en cendres à l'heure qu'il est. Je l'ai laissée toute en flammes*, dit résolument Michaux, mais ayant regardé l'empereur, il fut effrayé de ce qu'il avait fait.

L'empereur haletait, sa lèvre inférieure tremblait et ses beaux yeux bleus s'étaient embués de larmes.

Mais cela ne dura qu'un moment. L'empereur fronça les sourcils comme mécontent de sa faiblesse et, redressant la tête, dit d'une voix ferme :

— *Je vois, colonel, par tout ce qui nous arrive, que la Providence exige de grands sacrifices de nous... Je suis prêt à me soumettre à toutes Ses volontés; mais dites-moi, Michaux, comment avez-vous laissé l'armée, en voyant ainsi sans coup férir abandonner mon ancienne capitale? N'avez-vous pas aperçu du découragement?*

Voyant son *très gracieux Souverain* reprendre son calme, Michaux se calma lui aussi; mais il n'avait pas eu le temps de préparer une réponse à la question directe, essentielle, de l'empereur, laquelle exigeait une réponse également directe.

— *Sire, me permettrez-vous de vous parler franchement en loyal militaire?* demanda-t-il pour gagner du temps.

— *Colonel, je l'exige toujours*, dit l'empereur. *Ne me cachez rien. Je veux savoir absolument ce qu'il en est.*

— *Sire*, commença Michaux, avec un fin sourire, presque imperceptible, ayant eu le temps de préparer sa réponse sous la forme d'un jeu de mots à la fois léger et respectueux. — *Sire, j'ai laissé toute l'armée depuis les chefs jusqu'au dernier soldat, sans exception, dans une crainte épouvantable, effrayante...*

— *Comment ça?* interrompit sévèrement l'empereur, le visage rembruni. — *Mes Russes se laisseront-ils abattre par le malheur... Jamais!*

Michaux n'attendait que cela pour placer son jeu de mots :

— *Sire*, dit-il avec un enjouement respectueux, *ils craignent seulement que Votre Majesté, par bonté de cœur, ne se laisse persuader de faire la paix. Ils brûlent de combattre*, continua le plénipotentiaire du peuple, *et de prouver à Votre Majesté par le sacrifice de leur vie, combien ils lui sont dévoués...*

— Ah! dit l'empereur rassuré, avec une lueur amicale dans les yeux, et il tapota l'épaule de Michaux. *Vous me tranquillisez, colonel.*

L'empereur baissa la tête et garda quelque temps le silence.

— *Eh bien, retournez à l'armée,* dit-il à Michaux avec un geste affable et majestueux en se redressant de toute sa taille. — *Et dites à nos braves, dites à tous mes bons sujets, partout où vous passerez, que quand je n'aurai plus aucun soldat, je me mettrai moi-même à la tête de ma chère noblesse, de mes bons paysans et j'userai ainsi jusqu'à la dernière ressource de mon empire. Il m'en offre encore plus que mes ennemis ne pensent*, poursuivit-il s'animant de plus en plus. — *Mais si jamais il fut écrit dans les décrets de la Divine Providence* (il leva au ciel ses beaux yeux doux, brillants d'émotion) *que ma dynastie dût cesser de régner sur le trône de mes ancêtres, alors, après avoir épuisé tous les moyens qui sont en mon pouvoir, je me laisserai croître la barbe jusqu'ici* (l'empereur montra le milieu de sa poitrine), *et j'irai manger des pommes de terre avec le dernier de mes paysans plutôt que de signer la honte de ma patrie et de ma chère nation, dont je sais apprécier les sacrifices!...*

Ayant dit ces mots d'une voix émue, l'empereur se détourna brusquement, comme s'il voulait cacher à Michaux les larmes qui lui étaient montées aux yeux, et s'éloigna jusqu'au fond de son cabinet. Il y resta debout quelques instants, revint à grands pas vers Michaux et lui serra vigoureusement le bras au-dessous du coude. Son beau et doux visage s'était empourpré et la résolution et la colère brillaient dans ses yeux.

— *Colonel Michaux, n'oubliez pas ce que je vous dis ici; peut-être qu'un jour nous nous le rappellerons avec plaisir... Napoléon ou moi,* dit-il en posant la main sur sa poitrine. *Nous ne pouvons plus régner ensemble. J'ai appris à le connaître, il ne me trompera plus...*

Et l'empereur, le visage assombri, se tut. Ayant entendu ces paroles, ayant vu l'expression de ferme détermination dans les yeux de l'empereur, Michaux, *quoique étranger, mais Russe de cœur et d'âme,* se sentit en cet instant solennel *enthousiasmé par tout ce qu'il venait d'entendre* (comme il le dit par la suite), et il exprima ses propres sentiments et ceux du peuple russe dont il se considérait comme le porte-parole, dans les termes suivants:

— *Sire, Votre Majesté signe dans ce moment la gloire de sa nation et le salut de l'Europe !*

L'empereur congédia Michaux d'un signe de tête.

IV

La moitié de la Russie était conquise, les habitants de Moscou s'enfuyaient dans de lointaines provinces, on levait des armées pour la défense de la patrie, et nous nous figurons tout naturellement, nous qui n'avons pas vécu en ce temps, que tous les Russes, du plus grand au plus petit, ne songeaient qu'à se sacrifier, qu'à sauver la patrie ou bien se lamentaient sur ses malheurs. Dans tous les récits et les descriptions de cette époque, il ne s'agit que des sacrifices, de l'amour de la patrie, du désespoir, de la douleur et de l'héroïsme des Russes. En réalité, ce n'était pas ainsi. Nous avons cette impression parce que nous ne saisissons du passé que les intérêts généraux de l'époque et perdons de vue la multitude des intérêts personnels des individus. Or ces intérêts individuels ont sur le moment une importance tellement plus grande que l'intérêt général qu'ils empêchent de se rendre compte de celui-ci (on ne le remarque même pas). La majorité des gens de cette époque ne prêtait aucune attention à la marche générale des événements, étant uniquement préoccupée de leurs intérêts particuliers. Et c'est précisément l'activité de ces gens-là qui s'avéra la plus efficace.

Quant à ceux qui s'appliquaient à comprendre la marche

générale des événements et qui dans un élan d'abnégation et d'héroïsme voulaient y prendre part, ceux-là étaient les plus inutiles des membres de la société. Ils voyaient tout de travers et tout ce qu'ils faisaient pour le bien commun se trouvait finalement vain et absurde. Il en fut ainsi des régiments de Pierre et de Mamonov, qui pillaient les villages, de la charpie que préparaient les dames et qui ne parvint jamais aux blessés, etc. Et ceux qui, tenant à faire parade de leur intelligence et à exprimer leurs sentiments, discouraient de la situation de la Russie, introduisaient malgré eux dans leurs discours l'hypocrisie et le mensonge, ou bien condamnaient inutilement et méchamment certaines personnes pour des faits dont nul ne pouvait être tenu pour responsable. C'est sur le plan des événements historiques que l'interdiction de goûter des fruits de l'arbre de la science prend tout son sens. Seule l'activité inconsciente est féconde et l'homme qui joue un rôle dans les événements historiques ne comprend jamais leur signification. S'il essaye de les comprendre, il est frappé de stérilité.

La signification de ce qui se passait alors en Russie était d'autant moins perceptible qu'on y participait de plus près. A Pétersbourg et dans les régions éloignées de Moscou, les dames et les messieurs en uniforme de miliciens se lamentaient sur le sort de la Russie, parlaient de sacrifier leur vie, etc.; mais dans l'armée qui avait abandonné Moscou, on ne parlait pas de Moscou et on n'y pensait presque pas, et à la vue de ses incendies, personne ne se jurait de tirer vengeance des Français, mais on songeait à la solde du trimestre suivant, à la prochaine étape, à Matriochka la vivandière, et ainsi de suite.

Nicolas Rostov prenait une part active et continue à la défense de la patrie non dans le dessein de se sacrifier, mais tout simplement parce que la guerre avait éclaté alors qu'il était au service; et en conséquence, il considérait ce qui se passait sans s'abandonner au désespoir et à de sombres pensées. Si on lui avait demandé ce qu'il pensait de la situation et de la Russie, il aurait répondu qu'il n'avait pas à y penser, qu'il y avait pour cela Koutouzov et d'autres, mais qu'il avait entendu dire qu'on complétait les régiments, qu'il était donc à supposer qu'on continuerait à se battre encore longtemps et que, dans ces conditions, il se pourrait bien qu'il obtienne un régiment dans deux ans.

Considérant les choses de ce point de vue, quand il apprit qu'il ne participerait pas à la dernière bataille mais allait être envoyé à Voronège[1] pour la remonte de sa division, loin d'en être désolé il en fut très satisfait, ce qu'il ne cacha pas et ce que comprirent parfaitement ses camarades.

Quelques jours avant la bataille de Borodino, Nicolas reçut l'argent et les papiers nécessaires, envoya à Voronège un détachement de hussards et s'y rendit lui-même en voiture de poste.

Seul celui qui est passé par là, c'est-à-dire qui a vécu plusieurs mois de suite dans l'atmosphère de la guerre, peut comprendre le plaisir qu'éprouva Nicolas lorsqu'il s'échappa de la zone qu'occupaient les troupes avec leurs fourrageurs, leurs convois de vivres, leurs ambulances. Quand il ne vit plus de soldats, de fourgons, les traces malpropres des bivouacs, mais des paysans et des paysannes dans les villages, des maisons seigneuriales, des champs où paissaient des troupeaux, des relais de poste avec leurs surveillants ensommeillés, il en fut émerveillé comme s'il voyait toutes ces choses pour la première fois. Les femmes surtout ne cessaient de l'étonner et de l'enchanter; jeunes, saines, aucune d'elles n'était entourée d'une dizaine d'officiers empressés, et elles étaient heureuses et flattées qu'un officier de passage plaisantât avec elles.

Nicolas était de l'humeur la plus joyeuse en arrivant de nuit à l'hôtel à Voronège; il commanda tout ce dont il avait été si longtemps privé à l'armée, et le lendemain, soigneusement rasé et ayant revêtu sa grande tenue qu'il n'avait plus mise depuis longtemps, il alla se présenter aux autorités.

Le chef de la milice était un civil ayant rang de général qui, visiblement, prenait grand plaisir à son uniforme et à son grade militaire; il accueillit Nicolas d'un air rébarbatif (supposant que telle devait être l'attitude d'un militaire) et l'interrogea d'un ton important comme s'il en avait le droit, jugeant les événements, approuvant et désapprouvant. Nicolas était si gai qu'il en fut seulement amusé.

Il se rendit ensuite chez le gouverneur. Le gouverneur était un petit homme vif, très simple et affable. Il indiqua à Nicolas les haras où il pouvait se procurer des chevaux, lui recommanda un maquignon en ville et un propriétaire à une vingtaine de verstes de Voronège qui avaient les meilleurs chevaux, et promit tout son concours.

— Vous êtes le fils du comte Ilia Andréiévitch? Ma femme était très liée avec votre mère; on se réunit chez moi tous les jeudis; c'est aujourd'hui jeudi, venez, je vous en prie, en toute simplicité, dit le gouverneur en prenant congé de lui.

En sortant de chez le gouverneur, Nicolas loua une voiture de poste et, accompagné de son maréchal des logis, se rendit chez le propriétaire qui possédait un haras à vingt verstes. Les premiers temps de son séjour à Voronège, tout paraissait à Nicolas amusant et facile, et ainsi qu'il arrive quand on est bien disposé soi-même, tout en effet s'arrangeait et marchait comme sur des roulettes.

Le propriétaire qu'allait voir Nicolas était un officier de cavalerie en retraite, célibataire endurci, grand connaisseur en chevaux et chasseur; il avait des bêtes splendides, un atelier de tapis, des liqueurs vieilles d'un siècle et du vieux Tokay.

Nicolas acheta sans discuter pour six mille roubles dix-sept étalons de choix, destinés à présenter sa remonte sous le meilleur jour, disait-il. Ayant bien dîné et bu un peu trop de Tokay, ayant embrassé le propriétaire qu'il tutoyait déjà, Rostov, toujours très gai, rentra au triple galop à Voronège par une route détestable en ne cessant de presser le cocher pour arriver à la soirée du gouverneur.

S'étant changé, parfumé et arrosé la tête d'eau froide, il se présenta un peu en retard chez le gouverneur, tenant toute prête la phrase : « *Vaut mieux tard que jamais.* »

Ce n'était pas un bal et l'on n'avait pas dit qu'on danserait, mais tout le monde savait que Katérina Pétrovna jouerait au clavecin des valses et des écossaises et qu'on danserait et, comptant là-dessus, les dames étaient en toilette de bal.

La vie de province en 1812 était la même que toujours, avec cette différence pourtant que la ville était plus animée à cause de la présence de nombreuses familles riches de Moscou et aussi parce qu'il régnait alors dans la vie russe une sorte de désinvolture particulière : advienne que pourra! De plus, les conversations banales, inévitables entre les gens, qui auparavant se limitaient à la pluie et au beau temps et aux relations communes, avaient maintenant pour sujet Moscou, l'armée, Napoléon.

La crème de la société de Voronège était réunie ce soir-là chez le gouverneur.

Les dames étaient très nombreuses; Nicolas en connaissait quelques-unes de Moscou. Mais aucun des messieurs n'eût pu songer à rivaliser même de loin avec le comte Rostov, brillant hussard, chevalier de l'ordre de Saint-Georges, et qui, de plus, était charmant et avait d'excellentes manières. Parmi les hommes se trouvait un prisonnier italien, officier de l'armée française.

Et Nicolas sentait que la présence de ce prisonnier rehaussait encore son propre prestige, le prestige du héros russe : c'était en quelque sorte un trophée. Nicolas le sentait et il lui semblait que tout le monde considérait de même l'Italien; il se montra envers lui d'une gentillesse pleine de dignité et de réserve.

Aussitôt que Nicolas dans sa grande tenue de hussard eut fait son entrée, répandant autour de lui les senteurs des parfums et du vin, et eut prononcé lui-même et entendu prononcer plusieurs fois la phrase : « *Vaut mieux tard que jamais* », on l'entoura; tous les regards convergèrent sur lui, et il sentit immédiatement qu'il était l'objet de la faveur générale; cette situation qui lui revenait de droit en province, est certes toujours agréable, mais ayant été longtemps privé de satisfactions de ce genre, il en éprouvait à présent un plaisir grisant. Aux relais, dans les auberges, chez le propriétaire collectionneur de tapis, les servantes s'étaient déjà montrées flattées de ses attentions, mais à la soirée du gouverneur il y avait un nombre inépuisable (semblait-il du moins à Nicolas) de jeunes femmes et de jolies jeunes filles qui n'attendaient avec impatience qu'un regard de lui. Dames et demoiselles faisaient les coquettes avec lui, tandis que les vieilles personnes se demandaient déjà comment s'y prendre pour marier et ranger ce brave hussard, ce charmant mauvais sujet. De ce nombre était la femme du gouverneur qui l'accueillit comme un proche parent, l'appela « *Nicolas* » et le tutoya.

Katérina Pétrovna se mit en effet à jouer des valses et des écossaises, les danses commencèrent et Nicolas séduisit encore davantage la société provinciale par son adresse; il l'étonna même par sa façon désinvolte de danser. Elle le surprit quelque peu lui-même d'ailleurs : jamais il n'avait dansé ainsi à Moscou, il eût considéré pareille désinvolture comme inconvenante et de *mauvais genre*. Mais il éprouvait ici le besoin d'étonner tous ces gens, de faire des choses extraordinaires qu'ils devaient croire couramment admises dans les capitales, mais encore inconnues en province.

Tout au long de la soirée, Nicolas accorda une attention particulière à une jolie blonde grassouillette aux yeux bleus, la femme d'un fonctionnaire de Voronège. Avec la conviction naïve des jeunes gens de joyeuse humeur que les femmes d'autrui sont faites pour eux. Rostov ne quittait pas cette dame et traitait amicalement son mari comme s'ils étaient de connivence, comme si tous deux savaient déjà sans qu'il fût besoin d'en parler qu'ils — c'est-à-dire Nicolas et l'épouse de ce mari — s'entendaient on ne peut mieux. Le mari cependant ne paraissait pas de cet avis et s'efforçait de montrer de la froideur à Rostov. Mais si infinie était la naïve bonhomie de Nicolas que le mari se laissait parfois gagner par sa gaieté. Pourtant, à la fin de la soirée, tandis que le visage de la jeune femme s'empourprait et s'animait, celui du mari devenait plus sérieux et plus triste : on eût dit qu'ils avaient à se partager une certaine dose d'animation, et qu'à mesure qu'elle augmentait chez la femme, elle baissait chez le mari.

V

Assis de biais dans son fauteuil, Nicolas, toujours souriant, se penchait de près sur la dame blonde et lui débitait des compliments mythologiques.

Croisant et décroisant élégamment ses jambes que moulait une culotte de cheval, répandant des effluves de parfum, admirant sa dame, s'admirant lui-même, fier de ses bottes bien ajustées, il disait à la jolie blonde qu'il voulait enlever une dame à Voronège.

— Qui donc?

— Une dame exquise, divine. Elle a des yeux... (Nicolas regarda son interlocutrice) bleus. Sa bouche... du corail. Une blancheur... (il regarda ses épaules), une taille de Diane.

Le mari s'approcha d'eux et s'enquit, l'air sombre, de quoi ils parlaient.

— Ah, Nikita Ivanytch! s'exclama Nicolas en se levant poliment.

Et comme s'il voulait que Nikita Ivanytch eût sa part de ses plaisanteries, il lui confia à lui aussi son intention d'enlever une jolie blonde.

Le mari souriait jaune, la femme, gaiement. La maîtresse de maison qui avait bon cœur s'approcha d'eux l'air visiblement désapprobateur.

— Anna Ignatievna voudrait te voir, *Nicolas*, dit-elle en soulignant de telle façon ce nom, « Anna Ignatievna », que Rostov comprit aussitôt qu'il s'agissait d'une personne très importante.

— Viens, *Nicolas.* Tu me permets, n'est-ce pas, de t'appeler ainsi?

— Oh oui, *ma tante.* Qui est-ce?

— Anna Ignatievna Malvintsev. Elle a entendu parler de toi par sa nièce que tu as sauvée... Tu devines?...

— J'en ai tellement sauvé!

— Sa nièce, la princesse Bolkonsky. Elle est ici, à Voronège, avec sa tante. Oh! Oh! Comme tu rougis. Est-ce que...

— Je n'y songeais même pas. Voyons, *ma tante!*

— Bon, bon!... Voilà donc comme tu es!

Elle le conduisit auprès d'une vieille femme grande et très forte, coiffée d'une toque bleue, qui venait d'achever sa partie de cartes avec les plus hauts personnages de la ville. C'était Mme Malvintsev, la tante de la princesse Marie du côté maternel; veuve, riche, sans enfants, elle habitait toute l'année à Voronège. Elle était debout en train de payer ses dettes de jeu quand Rostov s'approcha. L'ayant considéré en plissant les paupières d'un air important, elle continua de s'en prendre à un général qui l'avait battue au jeu.

— Je suis très heureuse, dit-elle à Nicolas en lui tendant la main. Venez me voir.

Après avoir parlé brièvement de la princesse Marie et de feu son père que manifestement Mme Malvintsev n'aimait pas, et s'être informée du prince André qui, lui non plus, ne paraissait pas jouir de sa bienveillance, l'imposante vieille dame renouvela son invitation et congédia Nicolas.

Il promit de venir et rougit de nouveau en saluant Mme Malvintsev. En entendant parler de la princesse Marie, il éprouvait un sentiment qu'il ne comprenait pas lui-même, de timidité, de crainte même.

Ayant quitté Mme Malvintsev, Rostov voulut se remettre à danser, mais la femme du gouverneur posa sur sa manche sa main potelée, lui dit qu'elle avait à lui parler et l'emmena au fumoir que quittèrent aussitôt par discrétion ceux qui s'y trouvaient.

— Sais-tu, *mon cher,* commença-t-elle, et son bon petit visage prit une expression sérieuse. — C'est tout juste le parti qu'il te faut. Veux-tu que je m'occupe de ça?

— De qui parlez-vous, *ma tante?*

— De la princesse. Katérina Pétrovna dit que c'est Lili, et à mon avis, non, c'est la princesse. Veux-tu? Je suis sûre que ta *maman* me remerciera. Quelle jeune fille! une merveille! Et elle n'est pas si laide que cela.

— Mais, pas du tout! protesta Nicolas comme vexé. Moi, ma tante, ainsi qu'il sied à un soldat, je ne m'impose nulle part et je ne refuse rien, continua-t-il avant même d'avoir réfléchi à ce qu'il disait.

— Alors, penses-y. Ce n'est pas une plaisanterie.

— Une plaisanterie? Certes non.

— Oui, oui, reprit-elle comme se parlant à elle-même. Et puis, *mon cher, entre autres, vous êtes trop assidu auprès de l'autre, la blonde.* Le mari fait pitié, vraiment.

— Ah, non! Nous sommes de bons amis, dit Nicolas dans la simplicité de son cœur. Il ne lui venait pas à l'esprit qu'un passe-temps si agréable pour lui pût n'être pas agréable pour un autre.

« Quelle sottise ai-je donc dite à la femme du gouverneur! se rappela subitement Nicolas pendant le souper. Elle va me fiancer. Et Sonia?... » Et quand il fit ses adieux à la maîtresse de maison qui lui répéta en souriant : « Alors, penses-y », il la prit à part.

— Voilà, *ma tante*, à vous dire vrai...

— Qu'y a-t-il, mon ami? Viens, asseyons-nous ici.

Nicolas ressentit soudain le désir, la nécessité de confier toutes ses pensées intimes (celles qu'il n'eût pas dites à sa mère, à sa sœur, à un ami) à cette femme, presque une étrangère. Quand il lui arrivait plus tard de se rappeler cet élan de franchise immotivé, incompréhensible, qui eut pourtant de suites si importantes, il lui semblait (comme il arrive toujours) que ce n'était qu'un coup de tête. Or cet élan de sincérité joint à divers menus faits devait avoir pour lui et pour toute sa famille d'immenses conséquences.

— Voilà ce qu'il en est, *ma tante... Maman* désire depuis long-temps que j'épouse une jeune fille riche, mais cette seule idée me répugne : épouser pour de l'argent...

— Oh, oui, je comprends.

— Mais la princesse Bolkonsky, c'est autre chose. Tout d'abord je dois vous le dire, elle me plaît beaucoup, elle est selon mon cœur; ensuite, l'ayant rencontrée dans des circonstances si étranges, il m'est souvent venu à l'esprit : c'est le destin. Songez à ceci surtout : *maman* pensait souvent à elle, mais je n'avais pas l'occasion de la rencontrer, les choses ne s'arrangeaient jamais, on ne s'est pas rencontré. Et quand ma sœur Natacha était fiancée avec son frère, je ne pouvais même pas songer à l'épouser. Il a fallu que je la rencontre alors précisément que les fiançailles de Natacha étaient rompues. Et puis encore... oui, encore une chose... Je ne l'ai dite et ne le dirai à personne, à vous seulement.

La femme du gouverneur lui serra le coude en signe de gratitude.

— Vous connaissez Sophie, ma cousine? Je l'aime, j'ai promis de l'épouser et je l'épouserai... Vous voyez donc qu'il ne peut plus en être question, conclut Nicolas de façon quelque peu incohérente, et il rougit.

— *Mon cher, mon cher*, comment raisonnes-tu?... Mais Sophie n'a rien et tu dis toi-même que les affaires de ton papa vont très mal. Et ta *maman?* Cela la tuera. Et d'un. Ensuite, Sophie : si elle a du cœur, que sera sa vie? Ta mère au désespoir, ta situation compromise... Non, *mon cher*, toi et Sophie, vous devez comprendre ces choses.

Nicolas se taisait. Ce raisonnement lui était agréable à entendre.

— Tout de même, *ma tante*, ce n'est pas possible, dit-il après un moment de silence en soupirant. Et d'ailleurs, la princesse voudra-t-elle de moi? Et puis, elle est en deuil maintenant. Peut-on penser à cela!

— Mais est-ce que tu te figures que je vais te marier, comme ça, tout de suite? *Il y a manière et manière*, dit la femme du gouverneur.

— Quelle marieuse vous faites, *ma tante*, lui dit Nicolas en baisant sa main potelée.

VI

A Moscou où elle était arrivée après sa rencontre avec Rostov, la princesse Marie trouva son neveu avec son précepteur, et une lettre du prince André qui lui indiquait son itinéraire pour se rendre à Voronège, chez sa tante Malvintsev. Les soucis du voyage, l'inquiétude au sujet de son frère, l'installation dans un nouveau lieu, les nouveaux visages, l'éducation du petit Nicolas, tout cela étouffait le sentiment, la sorte de tentation qui l'avait torturée au cours de la maladie et après la mort du vieux prince, et surtout à la suite de sa rencontre avec Rostov. Elle était triste : la douleur de la perte de son père qui se confondait pour elle avec les malheurs de la patrie, maintenant qu'elle vivait depuis un mois dans le calme, se faisait de plus en plus vive. Elle était angoissée : la pensée des dangers que courait son frère, le seul être proche qui lui restât, ne cessait de la poursuivre. Elle était préoccupée par l'éducation de son neveu, se sentant inférieure à sa tâche. Cependant dans le fond de son âme, elle était en paix avec elle-même, ayant conscience d'avoir réussi à écraser les rêves et les espoirs qu'avait fait lever en elle l'apparition de Rostov.

Le lendemain de la soirée, la femme du gouverneur vint chez Mme Malvintsev et lui fit part de ses projets (en ayant soin d'indiquer que si dans les circonstances présentes on ne pouvait songer à des fiançailles officielles, on pouvait tout de même réunir les deux jeunes gens pour leur permettre de se connaître). Puis, ayant obtenu l'approbation de la tante, la femme du gouverneur se mit à parler de Nicolas devant la princesse Marie, fit son éloge et raconta comment il avait rougi en entendant prononcer le nom de la princesse. Loin d'en être heureuse, la princesse Marie éprouva en l'écoutant un sentiment pénible : elle n'était plus en paix avec elle-même, et de nouveau, désirs, doutes, remords et espoirs se levaient en elle.

Pendant les deux jours qui s'écoulèrent entre cette visite et celle de Rostov, la princesse Marie ne cessa de réfléchir à la conduite qu'elle devait tenir à son égard. Tantôt elle décidait qu'elle n'irait pas au salon quand il viendrait chez sa tante, qu'étant en grand deuil il ne lui convenait pas de recevoir des visites; tantôt elle se disait que ce serait grossier après ce qu'il avait fait pour elle; tantôt il lui venait à l'esprit que sa tante et la femme du gouverneur avaient certaines vues les concernant, elle et Rostov (leurs regards, quelques-uns de leurs propos semblaient confirmer cette supposition). Ou bien elle se disait qu'il fallait avoir son esprit pervers pour leur attribuer de telles pensées : elles ne pouvaient tout de même pas oublier que dans sa situation, alors qu'elle n'avait pas encore enlevé ses voiles de crêpe, ces projets matrimoniaux seraient offensants et pour elle et pour la mémoire de son père. Prévoyant qu'elle irait au salon, elle imaginait ce qu'ils se diraient, et tantôt ses paroles lui paraissaient d'une froideur non méritée, tantôt trop lourdes de sens. Ce qu'elle craignait le plus, c'était le trouble qui, à la vue de Nicolas, s'emparerait d'elle, elle le savait, et la trahirait.

Mais quand, le dimanche après la messe, le laquais vint annoncer au salon le comte Rostov, la princesse Marie ne montra aucun trouble; ses joues seulement se colorèrent et ses yeux brillèrent d'un éclat nouveau.

— Vous l'avez vu, ma tante? dit-elle d'une voix posée, ne

comprenant pas elle-même comment elle pouvait être extérieurement si calme, si naturelle.

Quand Rostov entra, la princesse baissa un instant la tête comme pour donner le temps au visiteur de saluer Mme Malvintsev, puis, au moment même où il se tournait vers elle, elle releva la tête et son regard rayonnant rencontra celui de Nicolas. Elle se souleva d'un mouvement plein de dignité et de grâce, lui tendit avec un joyeux sourire sa main fine et douce, et se mit à parler d'une voix où vibrèrent des notes nouvelles, des notes féminines, profondes. Mlle Bourienne qui se trouvait au salon regardait la princesse, étonnée et perplexe. Coquette experte elle-même, elle n'aurait pu mieux manœuvrer devant un homme à qui il fallait plaire.

« Est-ce le noir qui lui va si bien ou aurait-elle tellement embelli sans que je m'en aperçoive? se demandait Mlle Bourienne. Et surtout quel tact, quelle grâce! »

Si la princesse Marie eût été alors capable de réfléchir, plus encore que Mlle Bourienne elle aurait été étonnée du changement survenu en elle. Dès qu'elle avait vu ce charmant visage, ce visage aimé, de nouvelles forces vitales s'étaient emparées d'elle et la faisaient agir et parler indépendamment de sa volonté. A la vue de Rostov, son visage s'était d'un coup transfiguré. De même que les lignes compliquées, tracées par un habile artiste sur les vitres d'une lanterne paraissent grossières, sombres et absurdes, mais surprennent par leur beauté saisissante, aussitôt la lanterne allumée, ainsi se transfigura soudain le visage de la princesse Marie. Tout ce travail spirituel qui avait nourri jusqu'alors sa vie, apparut au jour; toute sa vie intérieure qui lui causait tant de tourments, ses souffrances, ses aspirations vers le bien, son humilité, son amour, son abnégation, tout cela apparaissait maintenant dans ses yeux rayonnants, dans son fin sourire, dans chaque trait de son délicat visage.

Rostov vit cela aussi clairement que s'il avait connu toute son existence. Il sentait que l'être qu'il avait devant lui était tout différent des autres, meilleur que tous ceux qu'il avait rencontrés jusqu'à présent et surtout meilleur que lui-même.

La conversation était des plus simples et des plus insignifiantes. Ils parlèrent de la guerre, exagérant malgré eux, comme tout le monde, le chagrin que leur causaient les événements; ils parlèrent de leur première rencontre, et Nicolas chercha à faire dévier la conversation; ils parlèrent de la gentille femme du gouverneur, des parents de Nicolas et de la princesse Marie.

La princesse ne parlait pas de son frère, changeant de conversation chaque fois que sa tante faisait allusion au prince André. On voyait qu'elle pouvait parler des malheurs de la Russie de façon conventionnelle, mais que son frère lui était trop proche pour qu'elle pût et voulût en parler superficiellement. Nicolas le remarqua comme d'ailleurs il remarquait avec une perspicacité qui n'était pas dans sa nature, toutes les nuances du caractère de la princesse Marie, qui, toutes, le confirmaient dans la conviction qu'elle était un être exceptionnel, extraordinaire. De même que la princesse Marie rougissait quand on évoquait en sa présence Nicolas, Nicolas rougissait et se troublait quand il entendait parler de la princesse Marie, et même lorsqu'il pensait à elle, mais en sa présence il se sentait parfaitement libre et disait non pas ce qu'il avait préparé, mais ce qui lui venait instantanément et toujours à propos à l'esprit.

Au cours de cette brève visite, il y eut un moment de silence, et comme on le fait toujours là où il y a des enfants, Nicolas eut recours au fils du prince André; il lui demanda en le cajolant s'il voulait être hussard, puis le prit dans ses bras, le fit sauter et jeta un coup d'œil vers la princesse Marie. Elle suivit d'un regard attentif, heureux et timide, l'enfant qu'elle aimait dans les bras de l'homme aimé. Cela aussi Nicolas le nota et, comme s'il comprenait ce que signifiait ce regard, il rougit de plaisir et embrassa joyeusement l'enfant.

La princesse Marie ne sortait pas en raison de son deuil, et Rostov ne jugeait pas convenable de multiplier ses visites. Cependant la femme du gouverneur poursuivait son entreprise matrimoniale. Ayant transmis à Nicolas les choses flatteuses que la princesse avait dites sur lui et réciproquement, elle insista auprès de Rostov pour qu'il eût une explication avec la jeune fille, et elle leur arrangea pour cette explication une entrevue chez l'archiprêtre, avant la messe.

Tout en la prévenant qu'il n'aurait pas d'explication avec la princesse Marie, Nicolas promit de venir.

De même qu'à Tilsitt, Rostov ne s'était pas permis de mettre en doute ce que tous approuvaient, de même maintenant, après une courte mais sincère lutte entre le désir d'organiser sa vie à son idée et la soumission docile aux circonstances, il choisit ce dernier parti et s'abandonna à cette force qui (il le sentait) l'entraînait irrésistiblement. Il savait qu'après la promesse faite à Sonia, déclarer ses sentiments à la princesse Marie aurait été ce qu'il appelait une lâcheté. Et il savait qu'il ne commettrait jamais une lâcheté. Mais il savait également (ou plus exactement il sentait au fond de son âme) qu'en s'abandonnant aux circonstances et aux gens qui le guidaient, non seulement il ne faisait rien de mal, mais faisait une chose extrêmement importante, la plus importante qu'il eût jamais faite.

Bien qu'après son entrevue avec la princesse, sa façon de vivre n'eût pas changé en apparence, il ne trouvait plus de charme à ses plaisirs d'autrefois, et il pensait fréquemment à la princesse Marie. Cependant, jamais il ne pensait à elle comme à toutes les demoiselles, sans exception, qu'il avait rencontrées dans le monde, ni comme il avait longtemps pensé avec ravissement à Sonia. Comme tout jeune homme honnête, lorsqu'il lui arrivait de penser à l'une de ces jeunes filles, il voyait en elle sa future épouse, il la plaçait dans les conditions de la vie conjugale : il l'évoquait en robe de chambre blanche, devant le samovar, en voiture, avec ses enfants, et *maman* et *papa*, leurs rapports, etc. Et il trouvait plaisir à ces images. Mais lorsqu'il pensait à la princesse Marie qu'on voulait lui faire epouser, il ne parvenait jamais à se représenter sa future vie conjugale ; s'il s'y essayait, tout devenait toujours incohérent et faux, et il en était angoissé.

VII

La terrible nouvelle de la bataille de Borodino, de nos pertes en morts et en blessés, et la nouvelle plus terrible encore de l'abandon de Moscou parvinrent à Voronège au milieu de septembre. Ayant appris par les journaux la blessure de son frère, et ne sachant rien de précis sur son état, la princesse Marie décida de partir à sa recherche, comme l'apprit par ouï-dire Nicolas (qui lui-même ne l'avait pas revue).

Au reçu de la nouvelle de la bataille de Borodino et de l'abandon de Moscou, Rostov n'éprouva pas à proprement parler du désespoir, de la fureur ou le besoin de vengeance et d'autres sentiments de ce genre, mais brusquement tout lui devint ennuyeux, agaçant à Voronège. Il avait honte en quelque sorte, il n'était pas à son aise. Les conversations qu'il entendait sonnaient faux à ses oreilles. Il ne savait ce qu'il fallait penser de ce qui se passait, et sentait que tout ne lui serait de nouveau clair que lorsqu'il retrouverait son régiment. Il se hâtait d'en finir avec la remonte et souvent s'en prenait sans raison à son maréchal des logis et à son domestique.

Quelques jours avant son départ, il y eut un office religieux à la cathédrale à l'occasion de la victoire de l'armée russe, et Nicolas se rendit à la messe. Il se plaça un peu en arrière du gouverneur et assista à l'office avec la gravité qui convenait, en réfléchissant aux choses les plus diverses. L'office terminé, la femme du gouverneur l'appela auprès d'elle.

— As-tu vu la princesse? demanda-t-elle en lui indiquant d'un signe de tête une personne en noir derrière le chœur.

Nicolas reconnut immédiatement la princesse Marie, non pas tant à son profil qu'on apercevait sous son chapeau qu'à ce sentiment de timidité, de crainte et de pitié qui le saisit aussitôt. La princesse, visiblement plongée dans ses pensées, faisait ses derniers signes de croix avant de quitter l'église.

Nicolas considérait son visage avec surprise; c'était le visage qu'il connaissait, il reflétait toujours le subtil travail spirituel qui se poursuivait en elle, mais il était éclairé différemment; il avait une expression touchante de tristesse, de supplication, d'espoir. Ainsi qu'il était déjà arrivé à Nicolas en sa présence, il ne demanda pas conseil à la femme du gouverneur; il ne se demanda pas s'il était poli, convenable de parler à la princesse à l'église; il s'approcha d'elle et lui dit qu'il avait appris son malheur et le partageait de toute son âme. A peine eût-elle entendu sa voix qu'une lumière éclaira son visage, illuminant à la fois et son chagrin et sa joie.

— Je ne voulais vous dire qu'une chose, princesse, dit Rostov. Le prince André Nikolaïévitch étant commandant de régiment, s'il n'était plus en vie, les journaux l'auraient déjà annoncé.

La princesse le regardait sans le comprendre, mais heureuse de la douloureuse compassion qu'elle lisait sur ce visage.

— Et je sais d'après maints exemples que les blessures dues à des éclats de bombe (les journaux parlaient d'obus) sont légères si elles ne tuent pas sur le coup, poursuivit Nicolas.

— Il faut espérer, et je suis sûr...

La princesse l'interrompit.

— Oh, ce serait effr..., commença-t-elle, mais l'émotion lui coupa la parole; ayant incliné la tête avec cette grâce qu'elle avait toujours en sa présence, elle lui jeta un regard de gratitude et suivit sa tante.

Ce soir-là, Rostov ne sortit pas; il resta chez lui afin de mettre à jour ses comptes avec les marchands de chevaux. Quand il eut terminé, il était trop tard pour aller chez quelqu'un mais trop tôt pour se coucher, et Nicolas arpenta longtemps sa chambre, réfléchissant et repassant en pensée sa vie, ce qui lui arrivait rarement.

La princesse Marie lui avait produit une impression agréable, lors de leur première rencontre; et les circonstances de cette rencontre et le fait que la comtesse lui avait déjà parlé de la princesse comme d'un riche parti, l'avaient amené à penser à elle avec une attention particulière. A Voronège, lors de sa visite, l'impression ne fut pas seulement agréable, elle fut profonde. Nicolas avait été frappé par la beauté morale qu'il avait cette fois-là découverte en la jeune fille. Cependant il se disposait à partir, et il ne songeait pas à regretter qu'il n'eût plus l'occasion de la voir. Mais après la rencontre de ce jour à l'église (Nicolas le sentait), l'image de la princesse Marie s'était gravée dans son cœur plus profondément qu'il n'aurait pu s'y attendre, plus profondément qu'il ne l'eût voulu pour sa tranquillité. Ce fin visage pâle et douloureux, ce regard rayonnant, ces mouvements doux et gracieux, et surtout ce chagrin profond que reflétait chacun de ses traits, tout cela troublait Nicolas et exigeait qu'il y répondît. Cette vie supérieure, spirituelle, Nicolas ne pouvait en souffrir l'expression chez les hommes (et c'est pourquoi il n'aimait pas le prince André), il la traitait avec mépris de philosophie, de rêvasserie; mais il en sentait l'attrait irrésistible chez la princesse Marie, et précisément dans cette tristesse qui révélait toute la profondeur d'un monde spirituel qui lui était étranger.

« Ce doit être une jeune fille merveilleuse! Vraiment un ange! se disait-il. Pourquoi ne suis-je pas libre, pourquoi ai-je agi si vite avec Sonia? » Et il les comparait involontairement : la pauvreté de l'une et l'abondance chez l'autre de ces dons spirituels qu'il appréciait d'autant plus que lui-même en était dépourvu. Il chercha à se représenter ce qui serait arrivé s'il avait été libre. Comment aurait-il fait sa demande et comment serait-elle devenue sa femme? Non, il ne parvenait pas à se le représenter. Il était pris d'angoisse et ne voyait rien de précis. Il s'était depuis longtemps tracé l'image de son avenir avec Sonia; mais il lui était impossible de se représenter son avenir avec la princesse Marie parce qu'il ne la comprenait pas et se bornait à l'aimer.

Rêver à Sonia, c'était une sorte de jeu amusant. Mais penser à la princesse Marie était toujours difficile et un peu effrayant.

« Comme elle priait! songeait-il. On voyait qu'elle mettait toute son âme dans cette prière. Oui, c'est la prière qui déplace les montagnes, et je suis sûr que sa prière sera exaucée. Pourquoi est-ce que je ne prie pas pour obtenir ce dont j'ai besoin? Et de quoi ai-je besoin? D'être libre, de ne plus être lié, d'être délié de mon engagement avec Sonia. Elle disait vrai, songea-t-il, se rappelant les paroles de la femme du gouverneur. Si j'épouse Sonia, il n'en résultera que du malheur. Le gâchis, le désespoir de *maman*... les affaires... un gâchis, un terrible gâchis... Et d'ailleurs je ne l'aime pas! Oui, je ne l'aime pas comme il faut. Mon Dieu, et il commença soudain à prier, sors-moi de cette terrible situation sans issue!... Oui, la prière déplace les montagnes, mais il faut avoir la foi et ne pas prier comme nous le faisions étant enfants avec Natacha, quand nous demandions que la neige devienne du sucre et que nous courions dehors goûter cette neige changée en sucre... Mais je ne prie pas pour des bagatelles à présent », se dit-il et ayant posé sa pipe dans un coin, il alla se placer devant l'icone les mains jointes. Et touché comme il l'était par le souvenir de la princesse Marie, il pria comme il ne l'avait plus fait depuis longtemps. Des larmes étaient montées à ses yeux et à sa gorge quand Lavrouchka entra avec des papiers à la main.

— Imbécile! Que viens-tu faire ici quand on ne t'appelle pas? dit Nicolas changeant vivement d'attitude.

— De la part du gouverneur, répondit Lavrouchka d'une voix ensommeillée. Un courrier est arrivé, des lettres pour vous.

— Bien, merci, va!

Nicolas prit les lettres; l'une était de sa mère, l'autre de Sonia. Il les reconnut à l'écriture et ouvrit d'abord la lettre de Sonia. A peine en eut-il lu les premières lignes que son visage pâlit et que ses yeux s'agrandirent, à la fois effrayés et joyeux.

— Non, ce n'est pas possible! fit-il à voix haute.

Incapable de rester en place, il se mit à arpenter sa chambre la lettre à la main; il la parcourut, puis la lut, puis la relut. Enfin il s'arrêta au milieu de la pièce, les épaules relevées, les bras largement écartés, la bouche ouverte, les yeux fixes. La prière qu'il venait d'adresser à Dieu avec la certitude d'être entendu, était exaucée; mais Nicolas en était stupéfait comme s'il y avait là quelque chose d'extraordinaire, comme s'il ne s'y était absolument pas attendu, et comme si la rapidité avec laquelle les choses s'étaient arrangées prouvait que c'était un effet du hasard et non pas de l'intervention de Dieu qu'il avait sollicitée.

Ainsi le nœud impossible à dénouer qui liait la liberté de Nicolas se trouvait dénoué par cette lettre imprévisible (semblait-il à Nicolas) de Sonia que rien n'avait provoquée. Sonia écrivait que les récents malheurs, la perte de presque toute la fortune des Rostov à Moscou, et le désir maintes fois exprimé par la comtesse de voir son fils épouser la princesse Bolkonsky, et d'autre part le silence qu'il avait gardé et la froideur qu'il lui avait témoignée les derniers temps, que tout cela l'avait décidée à le délier de sa promesse et à lui rendre son entière liberté.

« Il m'était trop pénible de penser que je pusse être la cause de chagrins et de dissensions dans une famille à laquelle je dois tant, écrivait Sonia, et mon amour n'a d'autre but que le bonheur de ceux que j'aime. C'est pourquoi je vous supplie, *Nicolas*, de vous considérer comme libre et de vous souvenir qu'en dépit de tout, personne ne peut vous aimer davantage que votre Sonia. »

Les deux lettres venaient de Troïtsa [1]; l'autre était de la comtesse qui décrivait les derniers jours des Rostov à Moscou, leur départ, l'incendie, la perte de toute leur fortune. La comtesse écrivait entre autres choses que parmi les blessés qui voyageaient avec eux se trouvait le prince André. Son état était très grave, mais le médecin disait qu'il y avait maintenant quelque espoir. Sonia et Natacha le soignaient comme des gardes-malades.

Le lendemain, Nicolas se rendit avec cette lettre chez la princesse. Ni elle ni lui ne firent la moindre allusion à ce que pouvaient signifier les mots : « Natacha le soigne »; cependant cette lettre les rapprocha et ils se sentirent presque parents.

Le jour suivant, la princesse Marie partit pour Iaroslavl et quelques jours plus tard Nicolas rejoignit son régiment.

VIII

La lettre de Sonia qui apportait la liberté à Nicolas avait été écrite à Troïtsa. Voici ce qui avait provoqué son envoi. La pensée de faire épouser à son fils une riche héritière ne cessait de poursuivre la vieille comtesse. Elle savait que le principal obstacle était Sonia, et les derniers temps, et surtout après la lettre de Nicolas qui décrivait sa rencontre à Bogoutcharovo avec la princesse Marie, la vie de Sonia devenait de plus en plus difficile. La comtesse profitait de la moindre occasion pour lancer à Sonia des allusions offensantes ou cruelles.

Mais quelques jours avant le départ de Moscou, la comtesse, émue et troublée par tout ce qui se passait, fit appeler Sonia et au lieu de lui faire des reproches et d'exiger, la supplia en pleurant de se sacrifier, de rompre ses liens avec Nicolas, en reconnaissance de tout ce qu'on avait fait pour elle.

— Je ne serai tranquille que quand tu m'auras fait cette promesse.

Sonia éclata en sanglots, répondit à travers ses larmes qu'elle ferait tout, qu'elle était prête à tout, mais ne donna pas de promesse formelle, au fond d'elle-même ne pouvant se résoudre à ce qu'on exigeait d'elle. Il fallait se sacrifier pour le bonheur de la famille qui l'avait nourrie et élevée. Se sacrifier à autrui lui était habituel. Étant donné sa situation dans la maison, ce n'était qu'en suivant la voie du sacrifice qu'elle pouvait donner sa mesure, et elle y était habituée et elle aimait à se dévouer. Mais auparavant, lorsqu'elle se sacrifiait, elle se rendait compte avec joie qu'elle grandissait à ses propres yeux et aux yeux des autres et devenait plus digne de *Nicolas* qu'elle aimait plus que tout au monde. Et maintenant, son sacrifice devait consister à renoncer à ce qui la récompensait de tous ses sacrifices, à ce qui donnait un sens à sa vie. Et elle ressentit pour la première fois de l'amertume envers ces gens qui l'avaient comblée de bienfaits pour la mieux tourmenter; elle ressentit de la jalousie envers Natacha qui, elle, n'avait jamais rien connu de pareil, qui n'avait jamais dû se sacrifier, qui obligeait les autres à se sacrifier à elle et que tout le monde aimait pourtant. Et Sonia avait pris pour la première fois conscience que du fond de son calme et pur amour jaillissait une passion ardente qui était au-delà et des règles, et de la vertu, et de la religion. C'était sous l'influence de ce sentiment que Sonia, rendue malgré elle dissimulée par sa situation dépendante, avait répondu à la comtesse par des paroles vagues, évité d'autres explications et décidé d'attendre le retour de Nicolas, non pas dans l'intention de lui rendre sa liberté, mais au contraire pour s'attacher à lui à jamais.

Les tracas et les angoisses des dernières journées passées à Moscou avaient étouffé les sombres pensées qui tourmentaient Sonia; elle avait été heureuse de trouver un dérivatif dans les travaux matériels. Mais quand elle eut appris la présence du prince André, tout en ayant sincèrement pitié et de lui et de Natacha, elle fut saisie d'une joie superstitieuse à la pensée que Dieu ne voulait évidemment pas la séparer de Nicolas. Elle savait que Natacha n'aimait que le prince André et n'avait jamais cessé de l'aimer; elle savait que, réunis à présent dans de si effroyables circonstances, ils s'aimeraient de nouveau et qu'alors Nicolas ne pourrait épouser la princesse Marie, vu leurs liens de parenté. En dépit de toute l'horreur des derniers jours à Moscou et des premiers jours de voyage, ce sentiment, cette pensée de l'intervention de la providence dans ses affaires personnelles réjouissaient Sonia.

C'est au couvent de la Trinité que les Rostov s'arrêtèrent la première fois pour toute une journée.

L'hôtellerie leur avait réservé trois grandes pièces dont l'une fut attribuée au prince André. Il se sentait beaucoup mieux ce jour-là; Natacha était assise près de lui. Le comte et la comtesse s'entretenaient respectueusement dans la chambre contiguë avec le père prieur qui était venu voir ses anciens amis et bienfaiteurs. Sonia était là aussi et, tourmentée par la curiosité, se demandait ce que pouvaient bien se dire Natacha et le prince André dont les voix lui parvenaient à travers la porte. Cette porte s'ouvrit et Natacha sortit de la chambre du prince André toute émue; sans voir le moine qui s'était soulevé et avait relevé la large manche de son bras droit pour la bénir, elle alla directement à Sonia et lui prit la main.

— Natacha, que fais-tu? Viens ici, dit la comtesse.

Natacha s'approcha, reçut la bénédiction du prieur qui l'engagea à implorer le secours de Dieu et de son saint [1].

Aussitôt après le départ du prieur, Natacha prit sa cousine par la main et l'emmena dans la chambre inoccupée.

— Sonia, oui? Il vivra? dit-elle. Sonia, comme je suis heureuse, et comme je suis malheureuse! Sonia, ma chérie, tout est comme avant. Pourvu seulement qu'il vive!... Il ne peut pas... parce que... parce que... — Et Natacha se mit à pleurer.

— Oui, je le savais. Dieu soit loué! dit Sonia. Il vivra!

Sonia était émue des craintes et du chagrin de son amie, mais aussi de ses propres pensées qu'elle cachait à tous. Elle embrassait Natacha en sanglotant et la consolait. « Pourvu seulement qu'il vive », se disait-elle. Ayant pleuré et causé et essuyé leurs larmes, elles s'approchèrent de la porte du prince André. L'ayant entrebâillée avec précaution, Natacha jeta un coup d'œil dans la chambre; Sonia se tenait debout à côté d'elle sur le seuil.

Le prince André reposait appuyé sur trois oreillers qui haussaient sa tête. Son pâle visage était calme, ses yeux clos et l'on voyait qu'il respirait régulièrement.

— Ah, Natacha! cria presque Sonia en saisissant le bras de sa cousine, et elle s'écarta de la porte.

— Quoi? Qu'as-tu? demanda Natacha.

— C'est cela, cela même..., dit Sonia pâle et les lèvres tremblantes.

Natacha referma doucement la porte et s'approcha de la fenêtre avec Sonia sans comprendre encore ce que celle-ci disait.

— Te souviens-tu? demanda Sonia à la fois apeurée et solennelle. Te souviens-tu? Quand j'ai regardé pour toi dans un miroir... à Otradnoïé, à la Noël... Tu te rappelles ce que j'ai vu?...

— Oui, oui, répondit Natacha en ouvrant de grands yeux. Elle se souvenait vaguement que Sonia avait alors dit quelque chose au sujet du prince André qu'elle avait vu allongé.

— Te souviens-tu? reprit Sonia. J'ai vu alors et je vous l'ai dit à toutes, à toi, à Douniacha. Je l'ai vu couché dans un lit. — Et elle soulignait chaque détail d'un geste de la main, un doigt levé. — Et j'ai vu qu'il avait les yeux fermés et qu'il était enveloppé dans une couverture rose et avait les mains jointes, continuait Sonia de plus en plus convaincue, à mesure qu'elle multipliait les détails, de les avoir effectivement vus.

Elle n'avait rien vu alors mais raconté ce qui lui était passé par la tête; mais ce qu'elle avait imaginé sur le moment lui semblait maintenant aussi vrai que n'importe quel souvenir. Ce qu'elle avait dit alors : qu'il l'avait regardée en souriant, qu'il était enveloppé de rouge, non seulement elle se le rappelait mais était fermement convaincue qu'elle l'avait déjà dit et que c'était bien une couverture rose, précisément rose, et que ses yeux étaient clos.

— Oui, oui, précisément rose, confirma Natacha qui à présent croyait, elle aussi, se rappeler qu'il s'agissait d'une couverture rose, et c'était justement ce qui faisait à ses yeux l'étrangeté et le mystère de ce présage.

— Mais qu'est-ce que cela signifie? se demanda rêveusement Natacha.

— Ah, je ne sais pas. Comme tout cela est extraordinaire! dit Sonia en se prenant la tête.

Quelques minutes plus tard, le prince André sonna et Natacha entra chez lui. Sonia, troublée et attendrie comme elle l'avait rarement été, continua de réfléchir près de la fenêtre à l'étrangeté de tout cela.

L'occasion se présenta ce jour-là d'envoyer des lettres à l'armée et la comtesse écrivit à son fils.

— Sonia, dit-elle en relevant la tête comme sa nièce passait devant elle. Sonia, nécriras-tu pas à Nicolas? demanda-t-elle d'une voix douce, tremblante.

Dans ces yeux fatigués qui la regardaient à travers des lunettes, Sonia lut tout ce que sous-entendait la comtesse. Ces yeux exprimaient et la supplication, et la crainte d'un refus, et la honte d'être obligée de supplier, et la haine toute proche et sans retour en cas de refus.

Sonia s'approcha de la comtesse, s'agenouilla et lui baisa la main.

— J'écrirai, *maman*, dit-elle.

Sonia était émue et attendrie par tout ce qui s'était passé dans la journée, surtout par la mystérieuse réalisation de sa prémonition qu'elle venait de constater. Maintenant qu'elle savait que les liens entre le prince André et Natacha s'étant renoués, Nicolas ne pourrait épouser la princesse Marie, elle sentit avec joie le réveil en elle de cet esprit de sacrifice dans lequel elle se plaisait à vivre et qui lui était habituel. Et consciente d'accomplir joyeusement une action généreuse, interrompue a plusieurs reprises par les larmes qui embuaient ses yeux noirs veloutés, elle écrivit cette lettre qui bouleversa Nicolas.

IX

L'officier et les soldats qui avaient amené Pierre au corps de garde, bien qu'hostiles, lui témoignaient quelques égards. Leur attitude reflétait à la fois leurs doutes (n'était-il pas un personnage important?) et leur rancune au souvenir encore frais de la lutte qu'ils avaient eu à soutenir contre lui.

Mais quand le lendemain matin, il y eut la relève, Pierre s'aperçut aussitôt que pour la nouvelle garde, — officiers et soldats — il n'était plus ce qu'il avait été pour ceux qui l'avaient arrêté. Cet homme grand et gros, en caftan de paysan, n'était plus aux yeux des nouveaux venus l'homme vigoureux qui s'était furieusement battu avec les maraudeurs et la patrouille et qui avait proféré une phrase si solennelle à propos d'un enfant sauvé des flammes; il n'était que le numéro dix-sept de la liste des Russes détenus, on ne savait pour quelles raisons, sur l'ordre du haut commandement. S'il y avait en Pierre quelque chose de particulier, c'était son air méditatif, concentré, aucunement intimidé et sa connaissance de la langue française qu'il parlait avec une perfection surprenante pour les Français. Néanmoins, on l'enferma le jour même avec les autres suspects, un officier ayant eu besoin de la chambre qu'il occupait.

Les Russes détenus avec Pierre étaient tous de la plus basse condition. Et, ayant reconnu en lui un monsieur, tous le tenaient à l'écart d'autant plus qu'il parlait français. Pierre les entendait avec tristesse se moquer de lui.

Le lendemain soir, Pierre apprit que tous (et lui aussi sans doute) allaient être jugés comme incendiaires. Le surlendemain, on conduisit Pierre et les autres dans un local où siégeaient un général à la moustache blanche, deux colonels et quelques Français avec des brassards. Sur ce ton clair et précis qu'on emploie d'ordinaire avec les accusés et qui prétend dominer de haut les faiblesses humaines, on posa à Pierre et aux autres les questions habituelles : Qui était-il? Où allait-il? Dans quel but?

Ces questions qui laissaient de côté l'essentiel de l'affaire et excluaient toute possibilité de le découvrir, ces questions, comme toutes celles que l'on pose au tribunal, n'avaient d'autre but que de placer cette gouttière qui devait faire dériver les réponses dans le sens voulu par les juges, c'est-à-dire vers la condamnation. Aussitôt que l'accusé commençait à dire des choses qui n'allaient pas dans ce sens, on enlevait la gouttière et l'eau coulait où il lui plaisait. Pierre éprouva de plus ce qu'éprouvent tous les accusés dans les tribunaux : la perplexité. Pourquoi lui posait-on toutes ces questions? Il avait l'impression qu'on n'avait recours au subterfuge de la gouttière que par une sorte de condescendance et de politesse. Il savait qu'il était au pouvoir de ces gens, que c'était la force qui l'avait amené ici, que seule cette force leur donnait le droit d'exiger ses réponses à leurs questions, que cette assemblée n'avait d'autre but que de le condamner. Et comme ils avaient le pouvoir et le désir de le condamner, le subterfuge de l'interrogatoire et du jugement n'était aucunement nécessaire. Toutes les réponses devaient évidemment conduire à la condamnation. A la question : « Que faisait-il? » il répondit d'un ton quelque peu tragique qu'il rapportait à ses parents *un enfant qu'il avait sauvé des flammes* ».

A la question « Pourquoi se battait-il avec les maraudeurs? » il répondit qu'il « défendait une femme, que la défense d'une femme outragée était le devoir de tout homme, que... » On l'arrêta : cela ne se rapportait pas à l'affaire. « Pourquoi était-il dans la cour d'une maison en flammes où l'avaient vu des témoins? » Il répondit qu'il était sorti pour voir ce qui se passait à Moscou. On l'arrêta de nouveau : on ne lui demandait pas où il allait, mais pourquoi il se trouvait à proximité de l'incendie. « Qui était-il? lui demanda-t-on pour la seconde fois; Pierre qui avait déjà refusé de répondre une première fois, répéta qu'il ne pouvait pas le dire.

— Inscrivez. C'est grave, très grave, dit sévèrement le général à la moustache blanche et au visage coloré.

Quatre jours plus tard, le feu prenait aux maisons du rempart de Zoubovo.

Les accusés, y compris Pierre, furent conduits au gué de Crimée et enfermés dans la remise d'un marchand. En passant dans les rues, Pierre fut suffoqué par la fumée qui semblait envelopper toute la ville. Des maisons brûlaient de tous côtés. Pierre ne comprenait pas encore ce que signifiait l'incendie de Moscou et il était horrifié de ce qu'il voyait.

Pierre passa quatre jours dans la remise du gué de Crimée. Les propos des soldats français lui apprirent que le sort de tous ceux qui étaient détenus là dépendait de la décision imminente du maréchal. De quel maréchal, Pierre ne put le savoir des soldats. Ce maréchal était évidemment pour eux le représentant le plus élevé du pouvoir suprême.

Ces journées qui précédèrent le 8 septembre, quand les prisonniers subirent un deuxième interrogatoire, furent les plus pénibles pour Pierre.

X

Le 8 septembre, un officier sans doute très important, à en juger par les marques de respect des factionnaires, vint voir les prisonniers. Cet officier, qui devait appartenir à l'état-major, fit d'après une liste l'appel des Russes, en appelant Pierre *celui qui n'avoue pas son nom*. Les ayant parcourus d'un regard indifférent et indolent, il donna l'ordre à l'officier de garde de les vêtir convenablement avant de les emmener devant le maréchal. Une heure plus tard, une compagnie d'infanterie conduisit Pierre et les treize autres accusés au Champ des Vierges [1].

La journée était claire, ensoleillée et après la pluie l'air était extraordinairement pur. La fumée ne s'étalait pas en nappes comme le jour où on avait transféré Pierre du corps de garde au rempart de Zoubovo : elle montait en colonnes dans l'air pur. On ne voyait pas de flammes, mais de tous côtés rien que ces colonnes de fumée; la ville tout entière, ce que pouvait en apercevoir Pierre, n'était que décombres. Des terrains vagues parsemés de débris de cheminées et de poêles, et parfois de pans de murs calcinés. Pierre regardait attentivement ces lieux désolés et ne reconnaissait pas les quartiers familiers. Quelques églises avaient été épargnées. Le Kremlin, intact, se détachait au loin en blanc avec ses tours et le clocher d'Ivan le Grand [2]. Plus près, la coupole du monastère Novo-Diévitchy [3] brillait joyeusement et le tintement de ses cloches était particulièrement sonore. Elles rappelèrent à Pierre que ce jour était un dimanche et la fête de la Nativité de la Mère de Dieu. Mais il ne se trouvait personne, semblait-il, pour célébrer cette fête, les ruines s'étalaient partout et l'on ne rencontrait que de rares passants, apeurés, en loques, qui se cachaient à la vue des Français.

Le nid russe était évidemment ruiné, anéanti; mais Pierre sentait, sans en prendre conscience, que l'ordre de la vie russe ayant été détruit, un autre ordre s'établissait, un ordre français, rigoureux. Il le sentait à l'allure gaie et martiale des soldats qui, gardant l'alignement, les escortaient, lui et les autres prisonniers; il le sentait à l'attitude du haut fonctionnaire français qui les croisa dans sa calèche à deux chevaux que conduisait un soldat; il le sentait aux airs entraînants d'une musique militaire qui lui parvenaient du côté gauche du Champ des Vierges. Mais il l'avait déjà senti et compris lorsque ce matin même, l'officier, sa liste à la main, avait fait l'appel des prisonniers : Pierre avait été arrêté par des soldats, conduit dans un lieu, puis dans un autre en compagnie de dizaines de gens; il eût été facile de l'oublier, de le confondre avec d'autres. Eh bien, non; les réponses qu'il avait données à l'interrogatoire lui étaient revenues sous la forme : *celui qui n'avoue pas son nom.* Et c'était sous cette désignation qui terrifiait Pierre qu'on le menait quelque part, et, à l'air assuré de ceux qui les escortaient, Pierre voyait qu'ils n'avaient pas le moindre doute que tous ces prisonniers, et Pierre lui aussi, étaient précisément ceux dont on avait besoin et qu'ils étaient conduits là où il le fallait. Pierre avait l'impression de n'être plus qu'un éclat de bois happé par les rouages d'une machine inconnue, mais fonctionnant correctement.

Les prisonniers furent conduits jusqu'à une grande maison blanche avec un immense jardin situé du côté droit du Champ des Vierges, non loin du couvent. C'était la maison du prince Chtcherbatov où Pierre était venu fréquemment et qu'occupait à présent, d'après les propos des soldats, le maréchal prince d'Eckmühl.

On les fit approcher du perron pour les introduire dans la maison un à un. Pierre fut le sixième. A travers la galerie vitrée, le vestibule, l'antichambre, si familiers à Pierre, on le fit entrer dans un long cabinet bas de plafond, à la porte duquel se tenait un aide de camp. Davout était assis au bout de la pièce derrière une table, le nez chaussé de lunettes. Pierre s'approcha de lui. Davout ne leva pas les yeux et continua de consulter un papier étalé devant lui. Les yeux toujours baissés, il demanda à mi-voix : *Qui êtes-vous?*

Pierre se taisait, incapable de prononcer un mot. Davout pour lui n'était pas un général français quelconque, Davout était un homme connu pour sa cruauté. En considérant le visage froid de Davout qui, tel un maître sévère, consentait encore à patienter et à attendre une réponse, Pierre sentait qu'une seconde d'atermoiement pouvait lui coûter la vie; mais il ne savait que répondre. Répéter ce qu'il avait dit au premier interrogatoire, il ne pouvait s'y résoudre; révéler son nom et sa situation était gênant et dangereux. Pierre gardait le silence. Mais avant qu'il se fût décidé, Davout redressa la tête, releva ses lunettes sur son front et dévisagea Pierre en plissant les yeux.

— Je connais cet homme, dit Davout d'une voix froide et mesurée dans l'intention évidente de faire peur à Pierre. Le froid qui courait déjà le long de son dos saisit Pierre à la tête comme des tenailles.

— *Mon général, vous ne pouvez pas me connaître, je ne vous ai jamais vu...*

— *C'est un espion russe,* interrompit Davout en s'adressant à un général qui se trouvait dans la pièce et que Pierre n'avait pas remarqué.

Davout se détourna. Pierre se mit subitement à parler très vite, avec des éclats de voix inattendus.

— *Non, Monseigneur,* dit-il, se souvenant tout à coup que Davout était prince. *Non, Monseigneur, vous n'avez pas pu me connaître. Je suis un officier militionnaire et je n'ai pas quitté Moscou.*

— *Votre nom?* répéta Davout.

— *Bézoukhof.*

— *Qu'est-ce qui me prouve que vous ne mentez pas?*

— *Monseigneur!* s'écria Pierre d'un ton non pas offensé mais suppliant.

Davout leva les yeux et considéra attentivement Pierre. Ils se regardèrent quelques secondes et ce regard sauva Pierre. A travers ce regard, par-delà la guerre et la justice des tribunaux, des rapports humains s'établirent entre ces deux hommes. L'un et l'autre vécurent obscurément en cette minute mille choses et comprirent qu'ils étaient tous deux enfants de l'humanité, qu'ils étaient frères.

Pour le premier regard de Davout, quand il avait levé la tête de la liste où les hommes et leur vie figuraient sous la forme de numéros, Pierre n'était que l'un d'eux, et Davout aurait pu le faire fusiller sans se charger la conscience d'une mauvaise action. Mais à présent, il voyait en Pierre un homme. Il réfléchit un moment.

— *Comment me prouverez-vous la vérité de ce que vous me dites?* redemanda-t-il froidement.

Pierre se souvint de Ramballe et indiqua son régiment et son nom de famille, et la rue où se trouvait la maison.

— *Vous n'êtes pas ce que vous dites,* répéta Davout.

Pierre avança encore quelques preuves d'une voix tremblante et entrecoupée.

Mais un aide de camp entra à ce moment et dit quelques mots à Davout.

Davout s'épanouit à la nouvelle apportée par l'aide de camp et reboutonna rapidement son uniforme. Il avait manifestement oublié Pierre.

Quand l'aide de camp lui rappela son prisonnier, son visage se rembrunit, il fit signe de la tête en direction de Pierre et dit de l'emmener. Mais où devait-on l'emmener, Pierre l'ignorait : dans l'ancien baraquement ou au lieu d'exécution que lui avaient indiqué ses camarades en traversant le Champ des Vierges?

Il se retourna et vit que l'aide de camp demandait des précisions.

— *Oui, sans doute!* répondit Davout. Mais que signifiait ce « oui », Pierre l'ignorait.

Dans un état de totale inconscience et d'abrutissement, mettant un pied devant l'autre sans rien voir autour de lui,

Pierre marchait avec ses compagnons; lorsqu'ils s'arrêtèrent, il s'arrêta lui aussi, sans se rendre compte ni de la longueur du trajet ni de l'endroit où l'on était arrivé.

Une seule pensée l'avait poursuivi pendant tout ce temps : qui, qui donc l'avait condamné à mort? Ce n'étaient pas les gens qui l'avaient interrogé à la commission; aucun d'eux ne le voulait évidemment et ne le pouvait. Ce n'était pas Davout qui l'avait regardé si humainement; une minute encore et Davout aurait compris qu'ils agissaient mal, mais cette minute avait été coupée par l'entrée de l'aide de camp. L'aide de camp, lui non plus, ne lui voulait aucun mal, mais il aurait pu ne pas entrer, qui donc finalement le condamnait, le tuait, le privait de la vie, lui, Pierre, avec tous ses souvenirs, ses élans, ses espoirs, ses pensées? Qui faisait cela? Et Pierre sentait que ce n'était personne.

C'était un certain ordre, un certain concours de circonstances. On ne sait quel ordre tuait Pierre, lui enlevait la vie, l'anéantissait.

XI

De la maison du prince Chtcherbatov on conduisit les condamnés à travers le Champ des Vierges à gauche du couvent, vers un potager où se dressait un poteau. Derrière le poteau, il y avait une grande fosse entourée d'une terre fraîchement remuée, et une grande foule cernait en demi-cercle le poteau et la fosse. La foule comprenait un petit nombre de Russes et beaucoup de soldats de l'armée napoléonienne qui n'avaient rien de mieux à faire : Allemands, Italiens, Français en uniformes variés. A droite et à gauche du poteau, un détachement de troupes françaises en armes était aligné, capotes bleues avec épaulettes rouges, guêtres et shakos.

Ayant été rangés dans l'ordre où ils figuraient sur la liste (Pierre était le sixième), on les amena près du poteau. Des roulements de tambour retentirent soudain des deux côtés, et il sembla à Pierre que ces sons lui arrachaient toute une partie de son âme. Il perdit la capacité de penser, de comprendre. Il ne pouvait qu'entendre et voir; et il n'avait qu'un désir : que s'accomplisse au plus vite cette chose terrible qui devait s'accomplir. Tourné vers ses compagnons, il les considérait avec attention.

Les deux premiers étaient des forçats au crâne rasé; l'un grand, maigre, l'autre, un noiraud velu, musclé, le nez épaté. Le troisième était un domestique de quarante-cinq ans à peu près, grisonnant, au corps replet, bien nourri. Le quatrième était un paysan, très beau, avec une large barbe blonde et des yeux noirs. Le cinquième, un ouvrier, devait avoir dix-huit ans; il portait un sarrau.

Pierre entendait les Français se concerter : allait-on les fusiller un par un ou deux par deux? « Par couple », trancha calmement et froidement l'officier. Il y eut un mouvement dans les rangs des soldats; tout le monde visiblement se hâtait, et non pas comme on se hâte lorsqu'on accomplit une besogne que tout le monde comprend, mais comme on se hâte pour en finir au plus vite avec une besogne inévitable, mais pénible et incompréhensible.

Un fonctionnaire français, un brassard au bras, se plaça à la droite de la rangée des condamnés et lut à haute voix le jugement en russe et en français.

Ensuite, quatre soldats, deux par deux, se dirigèrent sur l'ordre de l'officier vers les deux premiers hommes de la rangée et les conduisirent au poteau. Tandis qu'on apportait les sacs, les forçats devant le poteau regardaient autour d'eux comme une bête blessée regarde le chasseur qui s'approche d'elle. L'un d'eux ne cessait de se signer, l'autre se grattait le dos et ses lèvres bougeaient comme s'il souriait. Avec des gestes rapides les soldats leur bandèrent les yeux, leur recouvrirent la tête d'un sac et les attachèrent au poteau.

Douze hommes, le fusil à la main, sortirent des rangs d'un pas ferme et cadencé et s'arrêtèrent à huit pas du poteau. Pierre se détourna pour ne pas voir ce qui allait se produire. Un fracas éclata soudain qui parut à Pierre plus formidable que les plus violents coups de tonnerre et Pierre se retourna. Il y avait des traînées de fumée, et les Français, pâles et les mains tremblantes, s'affairaient près du poteau. On amena deux autres condamnés; et ces deux regardaient tout le monde avec les mêmes yeux, suppliant silencieusement en vain qu'on les secourût, et ne comprenant manifestement pas ce qui allait se passer et ne pouvant y croire. Ils ne pouvaient y croire parce qu'ils étaient seuls à savoir ce que signifiait pour eux leur vie, et parce qu'ils ne comprenaient pas et n'admettaient pas qu'on pût la leur enlever.

Pierre se détourna de nouveau pour ne pas voir, et une explosion formidable frappa de nouveau ses oreilles, et il vit au même moment de la fumée, du sang, et les visages pâles et effrayés des Français qui, les mains tremblantes, s'affairaient de nouveau près du poteau en se bousculant. Pierre regardait autour de lui, respirant avec peine comme s'il se demandait : que se passe-t-il donc? La même question se lisait dans tous les regards que croisait Pierre.

Sur les visages des Russes, des Français, soldats et officiers, sur tous sans exception, il lisait le même effroi, la même horreur et le même combat intérieur. « Mais qui donc finalement fait cela? Ils souffrent comme moi! Qui donc? Qui? » La question jaillit en lui comme l'éclair.

« *Tirailleurs du 86e, en avant!* » cria quelqu'un. On prit le cinquième de la rangée, le voisin de Pierre. Pierre ne comprit pas qu'il était sauvé, que lui et les autres n'avaient été amenés là que pour les faire assister à l'exécution. Plus horrifié encore, n'éprouvant ni joie ni soulagement, il regardait ce qui se passait. Le cinquième était l'ouvrier en sarrau. A peine l'eût-on touché qu'il bondit, terrifié, et s'accrocha à Pierre (Pierre sursauta et s'arracha à lui). L'ouvrier était incapable d'avancer. On le traîna sous les bras, et il criait. Quand on l'eut conduit au poteau, il cessa tout à coup de crier comme s'il avait brusquement compris quelque chose. Était-ce parce qu'il avait compris qu'il était inutile de crier ou parce qu'il ne croyait pas que ces hommes fussent capables de le tuer; en tout cas, il se tint devant le poteau attendant qu'on lui bandât les yeux et qu'on l'attachât, regardant autour de lui avec des yeux luisants de bête blessée.

Pierre cette fois ne put prendre sur soi de se détourner et de fermer les yeux. Sa curiosité et son émotion, comme celles de toute la foule, atteignirent à leur comble dans l'attente de ce cinquième meurtre. A l'exemple des autres, ce cinquième condamné semblait calme maintenant : il s'enveloppait dans son sarrau et frottait l'un contre l'autre ses pieds nus.

Quand on lui banda les yeux, il arrangea lui-même le nœud qui le blessait à la nuque; puis, quand on l'appuya au poteau ensanglanté, il se renversa en arrière et, comme cette position ne lui était pas commode, il la rectifia, se redressa, aligna ses deux pieds et s'adossa. Pierre ne le quittait pas des yeux, ne laissant échapper aucun de ses gestes.

Il y eut sans doute un commandement et après le commandement le fracas de huit fusils tirant ensemble, — mais en rassemblant plus tard ses souvenirs, Pierre, quoi qu'il fît, ne put jamais se rappeler le moindre bruit de détonation. Il vit seulement l'ouvrier s'affaisser tout à coup, on ne sait pourquoi, dans ses liens, il vit surgir du sang à deux endroits, les cordes se détendre sous le poids du corps et l'homme s'asseoir, la tête bizarrement penchée, une jambe retournée sous lui. Pierre accourut. Personne ne le retint. Des gens pâles, effrayés, s'agitaient autour de l'ouvrier. Un vieux soldat à grosses moustaches détachait la corde et sa mâchoire inférieure tremblait. Le corps tomba. Les soldats, se dépêchant, le traînèrent avec des gestes maladroits derrière le poteau pour le basculer dans la fosse.

Il était évident que tous savaient parfaitement qu'ils étaient des assassins et devaient effacer au plus vite les traces de leur crime.

Pierre jeta un regard dans la fosse et vit que l'ouvrier gisait les genoux dressés tout contre la tête, une épaule plus haute que l'autre. Et cette épaule se levait convulsivement et s'abaissait. Mais déjà des pelletées de terre recouvraient le corps. Un des soldats cria à Pierre d'une voix rageuse et douloureuse de retourner à sa place; mais Pierre ne comprit pas; il restait près du poteau, et personne ne l'en chassait.

Quand la fosse fut comblée, un commandement retentit. Pierre fut ramené à sa place, et les soldats rangés des deux côtés du poteau firent demi-tour et défilèrent au pas cadencé devant le poteau. Les vingt-quatre tirailleurs qui, leurs armes déchargées, se tenaient au milieu du cercle, couraient reprendre leur place dans les rangs quand passait leur compagnie.

Pierre suivait d'un regard vide ces tirailleurs qui, deux à deux, sortaient du cercle au pas de course. Tous rejoignirent leur compagnie, sauf un. Pâle comme un mort, ce jeune soldat, le shako sur la nuque, le fusil abaissé, restait debout devant la fosse à l'endroit même d'où il avait tiré; il chancelait comme ivre, faisait quelques pas tantôt en avant tantôt en arrière, essayant de maintenir en équilibre son corps prêt à tomber. Un vieux sous-officier sortit en courant des rangs, l'empoigna à l'épaule et le ramena dans sa compagnie. La foule des Russes et des Français commença à se disperser. Tous marchaient en silence, la tête baissée.

— *Ça leur apprendra à incendier*, dit l'un des Français.

Pierre se tourna vers lui : c'était un soldat qui, pour se tranquilliser, cherchait sans y parvenir quelque excuse à ce qui venait de se passer. Il n'acheva pas, fit un geste de la main et s'éloigna.

Après l'exécution, on sépara Pierre des autres et on le laissa seul dans une petite église pillée et souillée.

Vers le soir, le sous-officier de garde, accompagné de deux soldats, entra dans l'église et annonça à Pierre qu'il était gracié et allait être transféré dans les baraquements des prisonniers de guerre. Ne comprenant pas ce qu'on lui disait, Pierre se leva et suivit les soldats. On le conduisit à des baraquements construits au haut d'une esplanade avec des poutres et des planches à demi-calcinées et des voliges, et on l'introduisit dans l'un d'eux. Il y faisait sombre. Une vingtaine d'hommes entourèrent Pierre. Il les regardait et ne comprenait pas qui étaient ces gens, ce qu'ils faisaient là et pourquoi ils l'entouraient. Il entendait les paroles qu'on lui adressait et n'en tirait aucune conclusion, n'en faisait aucune application : il ne comprenait pas leur sens. Lui-même répondait aux questions qu'on lui posait mais sans se rendre compte à qui il répondait et si on le comprenait. Il regardait ces visages et tous lui apparaissaient également vides.

Depuis que Pierre avait assisté à cet affreux assassinat commis par des hommes qui ne désiraient pas l'accomplir, on eût dit qu'on avait brusquement extrait de son âme le ressort qui maintenait tout et rendait tout vivant, et que tout s'était écroulé et ne formait plus qu'un tas de détritus. Il ne s'en rendait pas compte, mais sa foi était détruite, la foi en l'harmonie du monde, en l'humanité, en l'existence de son âme, la foi en Dieu. Cet état, Pierre l'avait déjà connu autrefois, jamais cependant avec autant de force qu'à présent. Auparavant, quand de tels doutes s'emparaient de Pierre, ils tenaient à ce qu'il s'était rendu coupable de quelque faute; et dans le tréfonds de son âme, Pierre sentait alors que le remède contre ce désespoir et ces doutes était en lui. Et maintenant il sentait que leur source n'était pas en lui, que ce n'était pas sa faute si le monde s'était écroulé à ses yeux, ne laissant que des ruines absurdes. Il sentait qu'il n'était pas en son pouvoir de retrouver sa foi en la vie.

Des gens se tenaient autour de lui dans l'obscurité : il les intéressait sans doute pour une raison quelconque. Ils lui racontèrent diverses choses, lui posèrent quantité de questions, puis l'emmenèrent et Pierre se trouva finalement dans un coin du baraquement avec d'autres gens qui causaient entre eux et riaient.

— Et alors, frères... ce même prince QUI, fit une voix dans l'angle opposé du baraquement en accentuant fortement le mot « qui ».

Assis immobile et en silence contre le mur, sur de la paille, Pierre fermait et ouvrait alternativement les yeux. Mais aussitôt qu'il les fermait, il revoyait le visage terrifiant — terrifiant surtout dans sa simplicité — de l'ouvrier, et les visages, plus terrifiants encore dans leur trouble, de ses assassins involontaires. Et il rouvrait les yeux et regardait stupidement autour de lui, dans le noir.

A côté de lui était assis, courbé, un petit homme dont Pierre décela tout d'abord la présence à la forte odeur de sueur qu'il dégageait à chacun de ses mouvements. Cet homme faisait quelque chose dans l'ombre avec ses pieds et, bien que Pierre ne pût distinguer son visage, il sentait que l'autre levait sans cesse les yeux sur lui. Ayant regardé plus attentivement, Pierre comprit que l'homme était en train de se déchausser, et Pierre s'intéressa à la façon dont il procédait.

Ayant déroulé les bandes qui entouraient une des jambes, il les enroula soigneusement et passa immédiatement à l'autre jambe, tout en jetant de brefs regards à Pierre. Tandis qu'une de ses mains suspendait les bandes, l'autre dénouait déjà la seconde jambe. Ainsi, avec des mouvements arrondis, rapides, adroits, qui se succédaient régulièrement, le petit homme s'étant déchaussé, suspendit ses chaussures de tille à des chevilles de bois plantées au-dessus de sa tête, sortit un petit couteau, coupa quelque chose, le replia, le rangea à la tête du banc et s'étant assis plus à l'aise, entoura ses genoux relevés de ses bras et regarda Pierre bien en face. Les mouvements adroits de l'homme, son petit ménage bien installé dans le coin, son odeur même produisaient sur Pierre une impression agréable, apaisante, l'impression de quelque chose de rond, et il ne le quittait pas des yeux.

— Vous en avez vu des misères, monsieur? Hein? dit soudain le petit homme. Et il y avait tant de simplicité et de gentillesse dans sa voix chantante que Pierre voulut et ne put répondre : sa mâchoire se mit à trembler et il sentit ses yeux s'humecter. Sans laisser à Pierre le temps de manifester son trouble, l'homme reprit aussitôt de la même voix agréable :

— Eh, mon faucon, ne te désole pas, dit-il à la manière caressante et chantante des vieilles paysannes russes. Ne te désole pas, ami cher : on souffre une heure et on vit un siècle! C'est comme ça, mon ami. Et ici, grâce à Dieu, nous ne vivons pas trop mal. Ce sont des hommes, que veux-tu! Il y en a des bons et il y en a des mauvais.

Tout en parlant, il abaissa les genoux d'un mouvement souple, se leva et s'éloigna en toussotant.

— Voyez-moi, le coquin, il est revenu! dit la même voix caressante à l'autre bout du baraquement. Il est revenu, le coquin, il se souvient! Allons, ça va, ça va. — Repoussant un petit chien qui sautait autour de lui, le soldat revint et se rassit à sa place. Il tenait en main quelque chose enveloppé dans un chiffon.

— Voilà, mangez un peu, monsieur, dit-il, reprenant son ton respectueux du début, et déroulant le chiffon; il tendit à Pierre quelques pommes de terre cuites sous la cendre. — Pour dîner, on a eu de la soupe, mais les pommes de terre sont fameuses!

Pierre n'avait pas mangé de toute la journée, et l'odeur des pommes de terre lui parut extrêmement agréable. Il remercia le soldat et se mit à manger.

— Alors, c'est comme ça que tu fais, toi? dit le soldat en souriant et il prit une pomme de terre. — Mais fais donc comme ça...

Il sortit de nouveau son couteau de poche, coupa sur sa paume la pomme de terre en deux moitiés égales, les saupoudra de sel qu'il puisa dans le chiffon et les offrit à Pierre.

— Fameuses, les pommes de terre, répéta-t-il. Mange donc ainsi.

Il semblait à Pierre qu'il n'avait jamais rien mangé de meilleur de sa vie.

— Non, tout me serait égal, dit Pierre, mais pourquoi ont-ils fusillé ces malheureux!... Le dernier avait une vingtaine d'années...

— Ts, ts..., dit le petit homme. Que de péchés, que de péchés!... ajouta-t-il rapidement, et comme si les paroles étaient déjà toutes prêtes dans sa bouche et s'envolaient sans qu'il le voulût, il poursuivit : Alors, monsieur, comme ça, vous êtes resté à Moscou?

— Je ne pensais pas qu'ils arriveraient si vite. Je suis resté sans le vouloir, répondit Pierre.

— Mais comment t'ont-ils pris, mon petit faucon? Dans ta maison?

— Non, j'étais allé voir les incendies, et eux, ils m'ont pris et m'ont jugé comme incendiaire.

— Là où est le jugement, là est l'injustice, intervint le petit homme.

— Et toi, il y a longtemps que tu es ici? dit Pierre en terminant sa dernière pomme de terre.

— Moi? On m'a pris dimanche dernier à l'hôpital à Moscou.

— Qui es-tu? Un soldat?

— Un soldat du régiment d'Apchéron. Je mourais de la fièvre. On ne nous avait rien dit. Nous étions une vingtaine, couchés. On ne s'attendait à rien.

— Et alors, tu t'ennuies ici? demanda Pierre.

— Comment ne pas s'ennuyer, mon faucon? Mon nom est Platon; on m'appelle Karataïev, ajouta-t-il évidemment pour faciliter la conversation avec Pierre. Au régiment, on m'avait surnommé « petit faucon ». Comment ne s'ennuierait-on pas! Moscou est la mère de toutes les villes! Comment pourrait-on voir cela sans peine. Mais le ver ronge le chou, et cependant il crève le premier : c'est ainsi que disaient nos vieux, ajouta-t-il rapidement.

— Comment, comment as-tu dis cela? demanda Pierre.

— Moi? Je dis : non pas notre jugement, mais le jugement de Dieu, dit-il, croyant répéter ce qu'il venait de dire. Et il poursuivit immédiatement : Alors, monsieur, vous avez une terre et une maison? Une pleine mesure donc! Et vous avez une ménagère? Et vos vieux parents, ils sont vivants? demandait-il.

Et, bien que Pierre ne pût pas le voir dans l'obscurité, il sentait que les lèvres du soldat se plissaient en un sourire contenu et affable, tandis qu'il posait ces questions. Il fut évidemment peiné d'apprendre que Pierre n'avait plus de parents, de mère en particulier.

— L'épouse, pour le bon conseil, la belle-mère, pour le bon accueil, mais rien de plus aimable que la mère! dit-il. Et des enfants, vous en avez? continuait-il d'interroger. La réponse négative de Pierre le peina visiblement de nouveau, mais il s'empressa d'ajouter :

— Eh bien, vous êtes encore jeune, Dieu vous en accordera. Pourvu qu'on vive en bonne entente...

— A présent, ça m'est égal, lâcha involontairement Pierre.

— Eh! cher homme, répliqua Platon, besace et prison ne se refusent pas. — Il s'installa plus commodément et se racla la gorge, se préparant manifestement à un long récit.

— Voilà, vieux frère, j'habitais encore à la maison paternelle, commença-t-il. Le domaine est grand, la terre est bonne, les paysans vivent bien, et notre maison, Dieu soit loué!... Nous étions six à faucher avec notre père. On vivait bien. On était de vrais chrétiens! Et voilà qu'arrive...

Platon Karataïev raconta une longue histoire : comment il avait été couper du bois dans la forêt d'un autre propriétaire, comment il avait été pris par le garde, passé par les verges, jugé et fait soldat.

— Eh bien, mon faucon, dit-il d'une voix que changeait constamment son sourire, on croyait que c'était un malheur, eh bien, c'était un bonheur! Si je n'avais pas péché, c'était mon frère qui partait. Et mon frère cadet, il a cinq enfants, et moi, vois-tu, je n'ai qu'une femme. J'avais une petite fille, mais Dieu l'a reprise avant que je devienne soldat. Je suis venu en permission et je vois, ils vivent encore mieux qu'avant. Il y a plein de bétail dans la cour, les femmes tiennent la maison, deux frères travaillent au-dehors. Mikhaïl, le plus jeune, est seul à la maison. Et le père dit : « Tous mes enfants sont égaux pour moi; quel que soit le doigt mordu, tous font mal. Si on n'avait pas tondu Platon, c'est Mikhaïl qui aurait dû partir. » Il nous a tous appelés, nous a placés sous les icones, le croiras-tu? « Mikhaïl, qu'il dit, viens ici, salue-le jusqu'à terre, et toi, la femme, salue aussi, et vous, petits enfants, saluez-le. Compris? » qu'il dit. C'est ainsi, mon ami chéri. Le destin cherche des têtes. Et nous sommes là à juger : ça n'est pas bien, ça n'est pas comme il faut. Notre bonheur, ami, c'est comme de l'eau dans une nasse : tu tires, elle se gonfle, tu la sors, et il n'y a rien. C'est comme ça.

Et Platon s'assit sur sa paille.

Après un temps de silence, il se leva.

— Eh bien, je pense que tu as sommeil? dit-il, et il commença à se signer en hâte en marmonnant :

— Seigneur Jésus-Christ, saints Nicolas, Frol et Laur! Seigneur Jésus-Christ, saints Nicolas, Frol et Laur! Seigneur Jésus-Christ, aie pitié de nous et sauve-nous! conclut-il. Il se prosterna jusqu'à terre, se releva, poussa un soupir et s'assit sur sa paille. — Voilà, ainsi! Dépose-moi, Seigneur, comme une petite pierre, relève-moi comme un petit pain, prononça-t-il, et il se coucha en ramenant sur soi sa capote.

— Quelle prière as-tu dite là? demanda Pierre.

— Hein? dit Platon (il allait s'endormir). Ce que j'ai dit? Je priais Dieu. Et toi, est-ce que tu ne pries pas?

— Non, je prie moi aussi, dit Pierre. Mais qu'est-ce que tu disais : Frol et Laur [1]?

— Comment donc! répondit rapidement Platon, c'est les patrons des chevaux. Le bétail, il faut en avoir pitié aussi... Voyez-moi ce coquin qui se pelotonne. Il s'est réchauffé, le fils de chienne, dit-il en tâtant de ses pieds le petit chien, et s'étant retourné, il s'endormit instantanément.

Quelque part, au loin, on entendait des pleurs et des cris; et à travers les fentes du baraquement on apercevait des flammes, mais le baraquement était obscur et paisible. Pierre fut long à s'endormir; couché à sa place dans le noir, les yeux ouverts, il écoutait le ronflement régulier de Platon, allongé à côté de lui, et il sentait que le monde qui s'était écroulé commençait à se réédifier en lui avec une beauté nouvelle, sur des fondements renouvelés, inébranlables.

XIII

Vingt-trois soldats prisonniers, trois officiers et deux fonctionnaires occupaient le baraquement où Pierre avait été amené et où il allait passer quatre semaines.

Plus tard, Pierre se les représentait tous dans une sorte de brouillard, mais Platon Karataïev demeura à jamais le plus fort et le plus précieux de ses souvenirs, et l'incarnation même de tout ce qui est russe, de tout ce qui est bon et grand. Quand le lendemain, à l'aube, Pierre vit son voisin, sa première impression de rondeur se confirma : toute la personne de Platon dans sa capote française, serrée d'une corde en guise de ceinture, sa casquette et ses chaussures de tille, était ronde. La tête était tout à fait ronde, le dos, les épaules, même les bras qu'il portait comme s'il était toujours prêt à étreindre quelque chose, étaient ronds; le sourire agréable et les grands yeux bruns et doux étaient ronds eux aussi.

Platon Karataïev devait avoir dans les cinquante ans, à en juger par ses récits des campagnes auxquelles il avait pris part. Lui-même ne le savait pas et n'arrivait pas à préciser son âge; mais ses dents d'une blancheur éclatante et solides, dont son sourire (et il souriait fréquemment) faisait apparaître les deux demi-cercles, étaient toutes belles et saines; il n'avait pas un fil blanc ni dans sa barbe ni dans ses cheveux et son corps semblait souple et surtout ferme et adroit.

Son visage, bien que marqué de petites rides courbes, avait une expression d'innocence et de jeunesse; sa voix était agréable et chantante. Mais ce qui caractérisait essentiellement sa façon de parler, c'était la spontanéité et l'aisance. Évidemment, il ne réfléchissait jamais à ce qu'il avait dit et à ce qu'il allait dire; aussi y avait-il dans la promptitude de son débit et la justesse de ses intonations une puissance de persuasion particulière, irrésistible.

Ses forces physiques et son agilité étaient telles, les premiers temps de son séjour en prison, qu'il semblait ne pas comprendre ce qu'étaient la fatigue et la maladie. Chaque jour, il disait en se couchant le soir : « Dépose-moi, Seigneur, comme une petite pierre, relève-moi comme un petit pain. » Et le matin, en se levant et en déployant ses épaules : « On se couche, on se pelotonne, on se lève, on se secoue. » Et en effet, à peine couché, il dormait déjà comme une pierre, et à peine éveillé, immédiatement, sans une seconde d'atermoiement, il entreprenait quelque besogne, comme les enfants se mettent à jouer. Il savait tout faire, pas très bien, mais pas mal non plus. Il rôtissait, cuisait, cousait, rabotait, réparait les bottes. Il était toujours occupé et ne se permettait que la nuit venue les conversations qu'il aimait beaucoup, et les chansons. Il chantait des chansons non pas comme les chanteurs qui savent qu'on les écoute, mais il chantait comme chantent les oiseaux, parce qu'il lui était évidemment indispensable de produire ces sons, comme il arrive qu'on ait absolument besoin de s'étirer ou de se démener. Et ces sons étaient toujours fins, délicats, presque féminins, plaintifs, et son visage alors était toujours très sérieux.

Depuis qu'il avait été fait prisonnier et que sa barbe avait poussé, il avait manifestement rejeté tout ce qui lui était étranger et imposé par le métier militaire, et il était revenu involontairement à sa nature première, sa nature d'homme du peuple, de paysan.

« Soldat en permission, chemise étalée sur le pantalon », disait-il.

Il ne parlait pas volontiers de son temps de service, bien qu'il ne se plaignît pas et qu'il répétât souvent qu'il n'avait jamais été battu. Dans ses récits, il évoquait avec prédilection les vieux et manifestement chers souvenirs de sa vie de paysan, de chrétien comme il disait[1]. Les dictons dont il parsemait ses propos n'avaient rien de commun avec les dictons généralement indécents et hardis qu'affectionnent les soldats; c'étaient ces expressions populaires qui paraissent insignifiantes prises à part, et qui acquièrent soudain une profonde sagesse quand elles sont dites à propos.

Souvent il lui arrivait de dire exactement le contraire de ce qu'il avait dit avant, mais l'un et l'autre étaient vrais. Il aimait à parler et parlait bien, émaillant ses propos de diminutifs caressants et de proverbes qu'il inventait lui-même, semblait-il à Pierre; mais le charme principal de ses récits venait de ce que les événements les plus simples, ceux-là même que Pierre voyait sans les remarquer, revêtaient lorsqu'il en parlait une sorte de solennité. Il aimait à écouter les contes que racontait le soir un soldat (toujours les mêmes), mais il aimait plus que tout à écouter les récits de la vie réelle. En les écoutant, il souriait de plaisir, intervenant par un mot ou posant des questions, qui tendaient toujours à lui faire mieux saisir la beauté morale de ce qu'on disait. Karataïev ne connaissait pas l'attachement, l'amitié, l'amour tels que Pierre les concevait, mais il vivait en amitié avec tout ce que la vie mettait en sa présence, et avec les hommes principalement, non pas tel homme en particulier, mais tous ceux qu'il avait sous les yeux. Il aimait son chien, ses camarades, les Français, il aimait Pierre, son voisin; mais Pierre sentait que Karataïev, malgré la caressante gentillesse qu'il lui témoignait (rendant ainsi involontairement hommage à la vie spirituelle de Pierre), n'aurait pas souffert, fût-ce une minute, de leur séparation. Et Pierre commençait à éprouver pour Karataïev le même sentiment.

Pour tous les autres prisonniers, Platon Karataïev était le plus ordinaire des soldats; on l'appelait « petit faucon » ou Platocha, on le taquinait gentiment, on l'envoyait faire des commissions. Mais pour Pierre, il demeura toujours tel qu'il lui apparut la première nuit, incompréhensible, rond, éternelle incarnation de l'esprit de vérité et de simplicité.

Platon Karataïev ne connaissait rien par cœur, sauf sa prière. Quand il faisait ses discours, il ne savait pas, semblait-il, en les commençant comment il les terminerait.

Quand Pierre, parfois stupéfait du sens profond de ses propos, lui demandait de les répéter, Platon ne pouvait se rappeler ce qu'il venait de dire, de même qu'il ne pouvait répéter à Pierre les paroles de sa chanson préférée. Il y était question d'un « petit bouleau chéri » et d'un « cœur qui se languit », mais cela n'avait aucun sens. Il ne comprenait pas et ne pouvait comprendre le sens d'un mot pris isolément. Chacune de ses paroles et chacun de ses gestes étaient la manifestation d'une activité dont il ne se doutait pas et qui était sa vie. Mais sa vie telle qu'il la sentait lui-même, n'avait pas de sens en tant que séparée. Elle n'avait de sens qu'en tant que parcelle d'un tout dont la présence lui était constamment sensible. Ses paroles et ses actes émanaient de lui aussi régulièrement, nécessairement et spontanément que d'une fleur son parfum. Il ne pouvait comprendre ni la valeur, ni la signification d'un acte ou d'une parole pris à part.

XIV

Ayant reçu de Nicolas la nouvelle que le prince André se trouvait avec les Rostov à Iaroslavl, la princesse Marie, bien que sa tante eût essayé de l'en dissuader, décida immédiatement de partir, et non pas seule mais avec son neveu. Était-ce difficile ou facile, possible ou impossible, elle ne se le demandait pas et ne voulait pas le savoir : son devoir était non seulement de rejoindre son frère, peut-être mourant, mais de lui amener son fils, et elle prépara son départ. Si le prince André ne l'avait pas informée lui-même, c'était, se disait-elle, parce qu'il se sentait trop faible pour lui écrire, ou bien parce qu'il jugeait ce long voyage trop difficile et trop dangereux pour elle et pour l'enfant.

La princesse Marie acheva ses préparatifs en quelque jours. Son équipage comprenait la grosse berline du vieux prince dans laquelle elle était venue à Voronège, une britchka et un chariot. Elle emmenait avec elle Mlle Bourienne, le petit Nicolas, son précepteur, la vieille nourrice, trois servantes, Tikhone, un jeune laquais et un valet de pied prêté par sa tante.

Il ne fallait pas songer à prendre la route ordinaire par Moscou. La route que devait suivre la princesse Marie par Lipetsk, Riazan, Vladimir, Chouia, était très longue, très difficile, parce qu'en maints endroits on ne trouvait pas toujours de chevaux de poste, et dangereuse même près de Riazan où, disait-on, se montraient parfois des Français.

Au cours de ce difficile voyage, la princesse Marie surprit Mlle Bourienne, Dessales et les domestiques par sa fermeté d'esprit et son activité. Elle se couchait la dernière, se levait la première, et aucune difficulté ne l'arrêtait. Grâce à son énergie qui gagna ses compagnons, à la fin de la deuxième semaine, ils atteignirent Iaroslavl.

Les derniers temps de son séjour à Voronège, la princesse Marie avait éprouvé le plus grand bonheur de sa vie. Son amour pour Rostov ne la tourmentait plus, ne l'inquiétait déjà plus. Cet amour remplissait toute son âme, il faisait partie de son être et elle ne luttait plus contre lui. Les derniers temps, la princesse Marie s'était convaincue, bien qu'elle ne se le fût jamais dit clairement, qu'elle était aimée et aimait. Elle en avait eu la certitude lors de sa dernière entrevue avec Nicolas, quand il était venu lui annoncer que son frère était avec les Rostov. Nicolas s'était abstenu de la moindre allusion au fait que les anciennes relations entre Natacha et le prince André (au cas où il guérirait) pouvaient se rétablir, mais la princesse Marie avait deviné à son visage qu'il le savait et y pensait. Et cependant, son attitude délicate, tendre et amoureuse n'en avait subi aucun changement; il semblait même heureux que leur parenté lui permît à présent d'exprimer plus librement son amitié amoureuse, comme le pensait souvent la princesse Marie. Elle savait qu'elle aimait pour la première et la dernière fois de sa vie, se sentait aimée, et était heureuse et paisible.

Mais ce bonheur qui éclairait une partie de son âme ne l'empêchait nullement de ressentir dans toute sa force la douleur que lui causait l'état de son frère; au contraire, la paix qu'elle avait acquise d'un côté lui donnait la possibilité de se donner entièrement à son affection pour son frère. Ce sentiment la possédait avec une telle force à son départ de Voronège qu'à la vue de son visage douloureux, tourmenté, ceux qui l'accompagnaient étaient persuadés qu'elle tomberait malade en route.

Mais ce furent précisément les difficultés et les soucis du voyage dont elle se chargea avec tant d'énergie qui la détournèrent pour un temps de sa douleur et raffermirent ses forces.

Comme il arrive généralement dans de tels cas, la princesse Marie, trop absorbée par les soucis du voyage, en oubliait le but. Mais quand approchant de Iaroslavl, elle aperçut de nouveau ce qui l'attendait peut-être, et non plus dans plusieurs jours, mais le soir même, son émotion atteignit son paroxysme.

Lorsque le valet de pied, dépêché à Iaroslavl pour savoir où se trouvaient les Rostov et en quel état était le prince André, revint à la barrière au-devant de la grande berline, il fut effrayé à la vue du visage affreusement pâle de la princesse qui se penchait à la portière.

— J'ai tout appris, Votre Altesse, dit-il. Les Rostov occupent la maison du marchand Bronnikov, sur la place. Ce n'est pas loin, juste au-dessus de la Volga.

La princesse Marie le regardait avec une expression interrogatrice et peureuse, ne comprenant pas pourquoi il ne répondait pas à la question principale : comment était son frère? Mlle Bourienne posa la question pour la princesse.

— Comment est le prince? demanda-t-elle.

— Son Altesse est avec eux, dans la même maison.

« Donc, il est vivant », se dit la princesse, et elle demanda à mi-voix : — Comment va-t-il?

— Les gens disent qu'il est toujours dans le même état.

Que signifiait « dans le même état »? La princesse ne se le demanda pas; ayant jeté à la dérobée un coup d'œil à son neveu âgé de sept ans, qui, assis devant elle, s'amusait au spectacle de la ville, elle baissa la tête et ne la releva plus jusqu'à ce que la lourde voiture, grondant, cahotant et se balançant, se fût arrêtée. Les marche-pieds s'abaissèrent bruyamment.

Les portières s'ouvrirent. A gauche, il y avait de l'eau, un grand fleuve, à droite, un perron; des serviteurs et une jeune fille inconnue aux joues roses et à la grande tresse noire, une jeune fille qui souriait d'un sourire désagréable, apprêté, sembla-t-il à la princesse Marie (c'était Sonia). La princesse monta le perron en courant, la jeune fille au sourire apprêté dit : « Par ici, par ici! », et la princesse se trouva dans l'antichambre, devant une vieille femme de type méridional qui, le visage bouleversé, accourait à sa rencontre. C'était la vieille comtesse. Elle étreignit la princesse Marie et se mit à l'embrasser.

— *Mon enfant!* dit-elle. *Je vous aime et vous connais depuis longtemps.*

Malgré son émotion, la princesse Marie comprit que c'était la comtesse et qu'il fallait lui dire quelque chose. Sans savoir elle-même comment, elle prononça en français quelques mots de politesse sur le même ton et demanda comment il allait.

— Le docteur dit qu'il n'y a pas de danger, répondit la comtesse, mais en disant cela, elle leva les yeux au ciel en soupirant, et la signification de son geste contredisait ses paroles.

— Où est-il? Peut-on le voir? On peut? demanda la princesse.

— Tout de suite, princesse, tout de suite, ma chérie. Est-ce son fils? dit-elle en regardant Nicolas qui entrait avec Dessales. Il y aura de la place pour tous, la maison est grande. Oh, quel charmant petit garçon!

La comtesse fit entrer la princesse au salon. Sonia causait avec Mlle Bourienne. La comtesse caressait l'enfant. Le vieux comte entra dans le salon et souhaita la bienvenue à la princesse. Il avait énormément changé depuis la dernière fois que la princesse l'avait vu. C'était alors un vieillard vif, gai, plein d'assurance; à présent, il avait un aspect pitoyable, égaré. Tout en parlant avec la princesse, il regardait sans cesse autour de lui, comme pour demander à tous s'il faisait bien ce qu'il fallait. Après la chute de Moscou et la perte de sa fortune, sorti de l'ornière de ses habitudes, il n'avait évidemment plus confiance en soi et sentait qu'il n'y avait plus place pour lui dans la vie.

Malgré tout son désir de revoir au plus vite son frère et dépitée qu'en cette minute où ce seul désir comptait pour elle, on crût bon de la distraire en lui faisant des compliments exagérés de son neveu, la princesse remarquait tout ce qui se passait autour d'elle, et sentait qu'il lui fallait se soumettre pour un temps à ce nouvel ordre dans lequel elle était entrée. Elle savait que tout cela était indispensable et bien que ce lui fût pénible, elle ne leur en voulait pas.

— C'est ma nièce, dit le comte en présentant Sonia, vous ne la connaissez pas, princesse?

La princesse se tourna vers Sonia et essayant d'étouffer l'hostilité qui montait en elle contre cette jeune fille, elle l'embrassa. Mais elle se sentait mal à l'aise; l'état d'esprit de tous ces gens était si étranger à ce qui agitait son âme.

— Où est-il? demanda-t-elle encore une fois, s'adressant à tous.

— Il est en bas, Natacha est avec lui, répondit Sonia en rougissant. On est allé prévenir. Je pense que vous êtes fatiguée, princesse?

Des larmes de dépit montèrent aux yeux de la princesse. Elle se détourna et voulut encore une fois demander à la comtesse la permission de se rendre auprès de lui, quand derrière la porte retentirent des pas légers, rapides, joyeux eût-on dit. La princesse se retourna et vit entrer, presque en courant, cette Natacha qui lors de leur première et lointaine entrevue à Moscou, lui avait tant déplu.

Mais à peine la princesse eût-elle jeté un coup d'œil sur le visage de cette Natacha qu'elle comprit que c'était sa sincère compagne de malheur et donc son amie. Elle s'élança à sa rencontre et, la prenant dans ses bras, fondit en larmes sur son épaule.

Dès que Natacha assise au chevet du prince André avait appris l'arrivée de la princesse Marie, elle était sortie doucement de sa chambre, de ce pas rapide qui avait paru joyeux à la princesse Marie, et s'était précipitée vers elle.

Lorsqu'elle entra en courant dans le salon, son visage bouleversé n'exprimait que l'amour, un amour sans limites pour lui, pour Marie, pour tout ce qui touchait à l'homme qu'elle aimait, et la pitié, la compassion pour les autres et le désir passionné de se donner totalement pour leur venir en aide. On voyait qu'en cette minute il ne subsistait en son âme aucune pensée se rapportant à elle-même ou à ses relations avec lui.

Intuitive comme elle l'était, la princesse Marie avait compris tout cela au premier regard et elle pleurait avec une joie douloureuse sur l'épaule de Natacha.

— Allons, allons chez lui, Marie, dit Natacha en l'emmenant dans une autre pièce.

La princesse Marie releva la tête, essuya ses yeux et regarda Natacha. Elle sentait qu'elle allait tout comprendre et tout savoir par elle.

— Comment..., commença-t-elle, mais elle s'arrêta brusquement. Elle sentit qu'on ne pouvait ni interroger ni répondre avec des mots. Les yeux de Natacha devaient tout dire plus clairement et plus profondément.

Natacha la regardait mais paraissait en proie à la peur et au doute : fallait-il lui dire ou non ce qu'elle savait? Devant ces yeux rayonnants qui pénétraient jusqu'au fond de son cœur, elle semblait sentir qu'il était impossible de ne pas dire tout, toute la vérité, telle qu'elle la voyait. La lèvre de Natacha frémit soudain, des rides disgracieuses apparurent autour de sa bouche, et elle éclata en sanglots en couvrant son visage de ses mains.

La princesse Marie comprit tout.

Mais elle espérait tout de même, et elle interrogea avec des mots auxquels elle ne croyait pas.

— Mais sa blessure? En général, dans quel état est-il?

— Vous... vous verrez, put seulement dire Natacha.

Elles s'arrêtèrent quelque temps assises en bas près de sa porte, pour cesser de pleurer et entrer chez lui avec des visages calmes.

— Quelle a été la marche de sa maladie? Y a-t-il longtemps qu'il est plus mal? Comment cela s'est-il produit? demandait la princesse.

Natacha raconta que les premiers temps, il y avait eu danger à cause de l'état fébrile et de la douleur, mais à Troïtsa, il y eut une amélioration et le docteur ne craignait plus qu'une chose, la gangrène; mais ce danger était écarté aussi. Quand ils étaient arrivés à Iaroslavl, la blessure avait commencé à suppurer (Natacha savait tout ce qui concernait la suppuration des plaies, etc.), mais le docteur disait que la suppuration pouvait suivre une évolution favorable. Il eut de la fièvre, et d'après le docteur, cette fièvre n'était pas tellement dangereuse.

— Mais il y a deux jours, poursuivit Natacha, soudain CELA s'est produit. (Elle retint ses sanglots.) Je ne sais pas pourquoi, mais vous allez voir comment il est maintenant.

— Affaibli? Amaigri? demandait la princesse.

— Non, ce n'est pas ça, c'est pire. Vous verrez. Ah, Marie, il est trop merveilleux, il ne peut pas, il ne peut pas vivre, parce que...

XV

Quand Natacha ouvrit la porte d'un geste habituel et laissa passer devant elle la princesse, celle-ci avait déjà la gorge serrée de sanglots. Elle avait eu beau se préparer, s'efforcer de se calmer, elle savait qu'elle n'aurait pas la force de le revoir sans larmes.

La princesse Marie comprenait ce que sous-entendait Natacha par ces mots : CELA S'EST PRODUIT IL Y A DEUX JOURS. Elle comprenait qu'il s'était soudain radouci, et que cette douceur, cet attendrissement étaient les signes de la mort. En approchant de la porte, elle voyait déjà en imagination ce visage du prince André qu'il avait étant enfant, tendre, doux, délicat, qu'il retrouvait si rarement et qui, pour cette raison, impressionnait toujours tellement la princesse Marie. Elle savait qu'il lui dirait des mots affectueux et doux, comme ceux que lui avait dits son père avant de mourir, et qu'elle ne pourrait le supporter et sangloterait en sa présence. Mais il fallait tôt ou tard en passer par là, et elle entra dans la chambre. Les sanglots nouaient de plus en plus sa gorge à mesure que ses yeux myopes le voyaient mieux et distinguaient peu à peu ses traits. Et voici qu'elle vit son visage et croisa son regard.

Il était étendu sur un divan, entouré d'oreillers, dans une robe de chambre garnie de petit-gris. Il était maigre et pâle. Une de ses mains décharnées, d'une blancheur transparente, tenait un mouchoir, de l'autre, il tâtait d'un geste lent de ses doigts ses fines moustaches devenues plus longues. Il les regardait toutes deux.

En voyant son visage et en rencontrant son regard, la princesse Marie ralentit soudain son pas et sentit que ses larmes séchaient, que ses sanglots s'arrêtaient. Ayant saisi l'expression de son visage et de son regard, elle fut subitement intimidée et se sentit coupable.

« Mais de quoi donc suis-je coupable? » se demandait-elle. « De vivre et de penser à la vie, et moi!... » répondirent ses yeux froids, sévères.

Dans ce regard profond tourné non pas vers l'extérieur mais vers l'intérieur, il y avait presque de l'hostilité, quand il posa lentement les yeux sur sa sœur et sur Natacha.

Le frère et la sœur s'embrassèrent en se tenant la main, comme ils en avaient l'habitude.

— Bonjour, Marie, comment donc es-tu arrivée jusqu'ici? dit-il d'une voix aussi égale et lointaine qu'était son regard. S'il avait poussé un cri strident, désespéré, ce cri aurait moins épouvanté la princesse Marie que le son de cette voix.

— Et tu as amené Nicolouchka? dit-il de la même voix lente et régulière avec un visible effort de mémoire.

— Comment vas-tu, à présent? demanda la princesse Marie, étonnée elle-même de ce qu'elle disait.

— Cela, chère amie, il faut le demander au docteur, dit-il; et faisant manifestement un nouvel effort pour se montrer tendre, il dit, des lèvres seulement (on voyait qu'il ne pensait pas du tout ce qu'il disait) :

— *Merci, chère amie, d'être venue.*

La princesse Marie lui serra la main, ce qui lui fit faire une grimace à peine perceptible. Il se taisait et elle ne savait que dire. Elle comprit ce qui lui était arrivé deux jours plus tôt. Dans ses paroles, dans sa voix, dans le regard surtout, froid, presque hostile, on sentait ce détachement de toutes les choses de ce monde qui terrifie un homme en vie. Il comprenait visiblement avec peine le monde des vivants; mais en même temps on devinait qu'il ne comprenait pas la vie non parce qu'il n'avait pas la force de la comprendre, mais parce qu'il comprenait quelque chose de différent, quelque chose que ne pouvaient comprendre et que ne comprennent jamais les vivants, et qui l'absorbait complètement.

— Oui, de quelle étrange façon le destin nous a rapprochés! dit-il interrompant le silence et désignant Natacha. — Elle me soigne tout le temps.

La princesse Marie l'écoutait et ne comprenait pas ce qu'il disait. Lui, le prince André, un être délicat et sensible, comment pouvait-il parler ainsi devant celle qu'il aimait et qui l'aimait : s'il avait pensé qu'il vivrait, il n'aurait pas dit cela de ce ton glacé, blessant. S'il n'avait pas été certain de mourir, comment n'aurait-elle pas eu pitié d'elle, comment aurait-il pu dire cela devant elle! Il n'y avait qu'une explication : cela lui était égal, égal parce que quelque chose d'autre, de beaucoup plus important, lui avait été dévoilé.

La conversation était froide, décousue et s'interrompait à tout moment.

— Marie est venue par Riazan, dit Natacha. — Le prince André ne remarqua pas qu'elle appelait sa sœur Marie. Et, l'ayant appelée ainsi devant lui, Natacha le remarqua elle-même pour la première fois.

— Et alors? dit-il.

— On lui a raconté que Moscou avait complètement brûlé, complètement, et que...

Natacha s'arrêta : on ne pouvait parler. Il était évident qu'il faisait des efforts pour écouter et n'y parvenait pas.

— Oui, il paraît qu'elle a brûlé, dit-il. C'est très dommage.

Il se mit à regarder devant lui, en lissant distraitement des doigts sa moustache.

— Tu as rencontré, Marie, le comte Nicolas? dit-il soudain, voulant évidemment leur dire quelque chose d'agréable. Il a écrit ici que tu lui plaisais beaucoup, poursuivit-il avec calme et simplicité, incapable évidemment de se rendre compte de la signification compliquée qu'avaient de tels propos pour les vivants. — Si tu l'aimais, toi aussi, ce serait bien... que vous vous mariiez, ajouta-t-il un peu plus vite, comme satisfait de trouver enfin les mots qu'il avait longtemps cherchés.

La princesse Marie entendait ces paroles, mais elles ne signifiaient pour elle qu'une chose : à quel point il était loin à présent de tout ce qui était vivant.

— Pourquoi parler de moi, dit-elle calmement, et elle jeta un coup d'œil à Natacha.

Sentant sur elle son regard, Natacha détourna le sien. Il y eut un nouveau silence.

— *André*, tu veux..., dit soudain la princesse Marie d'une voix tremblante, tu veux voir Nicolouchka? Il parle constamment de toi.

Le prince André eut pour la première fois un sourire presque imperceptible. Mais la princesse Marie, qui connaissait bien son visage, comprit avec horreur que ce n'était pas un sourire de joie ou de tendresse pour son fils, mais un sourire gentiment moqueur à l'adresse de sa sœur qui tentait par ce dernier moyen de le ramener à la vie.

— Oui, je serai très content de le voir. Il se porte bien?

Quand on amena l'enfant qui regardait craintivement son père mais ne pleurait pas, parce que personne ne pleurait, le prince André l'embrassa et ne sut visiblement pas que lui dire.

Tandis qu'on emmenait le petit garçon, la princesse Marie s'approcha encore une fois de son frère, l'embrassa et n'ayant plus la force de se contenir, fondit en larmes.

Il la regarda attentivement.

— C'est à cause de Nicolouchka? demanda-t-il.

La princesse Marie, en pleurant, baissa affirmativement la tête.

— Marie, tu sais, l'Évan... — Mais il se tut.

— Que dis-tu?

— Rien. Il ne faut pas pleurer ici, dit-il en la regardant du même regard froid.

Quand la princesse Marie fondit en larmes, il comprit qu'elle pleurait parce que Nicolouchka allait perdre son père. Au prix d'un grand effort sur lui-même, il essaya de revenir vers la vie et de se représenter leur point de vue.

« Oui, cela doit les peiner, pensa-t-il. Et comme c'est simple! »

« Les oiseaux du ciel ne sèment ni ne moissonnent, mais votre Père les nourrit », songea-t-il, et il voulut le dire à la princesse. « Mais non, ils le comprendront à leur manière, ils ne comprendront pas! Ils ne peuvent comprendre cela, que tous ces sentiments auxquels ils tiennent tant, que toutes ces idées qui leur semblent si importantes sont INUTILES. Nous ne pouvons nous comprendre! » Et il s'était tu.

Le fils du prince André avait sept ans. Il savait à peine lire, il n'avait rien appris. Plus tard, la vie devait lui apprendre bien des choses; il élargit ses connaissances, observa, acquit de l'expérience; cependant, possédât-il déjà alors tout ce qu'il acquit par la suite, il n'aurait pu comprendre mieux, plus profondément, toute la signification de la scène à laquelle il assista entre son père, la princesse Marie et Natacha, qu'il ne la comprit à présent. Il avait tout compris et, ayant quitté la chambre sans pleurer, il s'approcha en silence de Natacha sortie derrière lui, la regarda timidement de ses beaux yeux pensifs; sa lèvre supérieure, rouge et un peu relevée, frémit, il appuya sa tête contre Natacha et pleura.

A partir de ce jour, il évita Dessales, il évita la comtesse qui le cajolait, et restait seul, ou bien s'approchait timidement de la princesse Marie et de Natacha qu'il semblait aimer plus encore que sa tante, et se blottissait doucement contre elles.

En sortant de chez son frère, la princesse Marie avait compris pleinement ce que lui avait dit le visage de Natacha. Elles ne parlèrent plus entre elles d'un espoir de guérison. La princesse relayait Natacha auprès du malade et ne pleurait plus, mais ne cessait de prier de toute son âme cet Éternel et Inconcevable dont la présence maintenant était si sensible au-dessus de ce mourant.

XVI

Non seulement le prince André savait qu'il allait mourir, mais il sentait qu'il mourait déjà, qu'il était déjà mort à moitié. Il avait conscience de se détacher de toutes choses terrestres et éprouvait la joyeuse sensation de l'étrange légèreté de son être. Sans hâte et sans inquiétude, il attendait ce qui devait survenir. Cette chose toujours menaçante, inconnue et lointaine, dont il n'avait cessé de ressentir la présence tout le long de sa vie, lui était à présent proche et, à cause de cette étrange légèreté de son être, presque compréhensible et perceptible...

. . . .

Avant, il avait peur de la fin. Il avait par deux fois éprouvé la terreur torturante de la mort, de la fin, et maintenant il ne comprenait plus cette terreur.

La première fois, il l'avait éprouvée lorsque la grenade tournait devant lui comme une toupie et qu'il regardait les blés, les buissons, le ciel, et savait que la mort était là. Quand il était revenu à lui après avoir été frappé et que, dans son âme, instantanément, s'était épanouie, comme libérée du poids de la vie qui pesait sur elle, cette fleur d'amour éternel, libre, indépendant de la vie, il n'avait plus eu peur de la mort et n'y avait plus pensé.

Plus profondément il réfléchissait, pendant les heures de douloureuse solitude et de semi-délire qui suivirent, à ce nouveau principe d'amour éternel qui s'était révélé à lui, plus il se détachait de la vie terrestre sans même s'en rendre compte. Aimer tout, tous, toujours, toujours se sacrifier par amour, signifiait n'aimer personne, signifiait ne plus vivre de cette vie terrestre. Et plus il était pénétré de ce principe d'amour, plus il reniait la vie et détruisait ainsi plus sûrement cette terrible barrière qui (en l'absence d'amour) se dresse entra la vie et la mort. Lorsque, au cours de cette première période, il se rappelait qu'il devait mourir, il se disait : eh bien, tant mieux!

Mais après la nuit aux Mytichtchi, quand dans son demi-délire lui était apparue celle qu'il désirait et qu'appuyant sa main contre ses lèvres, il avait versé de douces larmes de joie, l'amour d'une femme s'insinua de nouveau dans son cœur et le rattacha de nouveau à la vie. Et des pensées joyeuses et inquiètes le visitèrent. En se rappelant cette minute, au poste de pansement, où il avait vu Kouraguine, il ne pouvait plus retrouver le sentiment éprouvé alors, et maintenant la question de savoir s'il vivrait le tourmentait. Et il n'osait le demander.

Sa maladie corporelle suivait son cours, mais cette chose dont Natacha avait parlé en disant : CELA LUI EST ARRIVÉ, survint deux jours avant l'arrivée de la princesse Marie. Ce fut cette dernière lutte morale entre la vie et la mort dans laquelle la mort remporta la victoire. Ce fut la découverte inattendue qu'il tenait encore à la vie que représentait pour lui son amour pour Natacha. Et ce fut le dernier sursaut d'effroi, surmonté, devant l'inconnu.

C'était le soir. Il était, comme toujours après le dîner, dans un état légèrement fièvreux, et ses pensées étaient extrêmement lucides. Sonia était assise près de la table. Il s'assoupit. Soudain, une sensation de bonheur l'envahit.

« Ah, c'est elle qui est entrée! » se dit-il.

En effet, à la place de Sonia était assise Natacha qui venait d'entrer d'un pas silencieux.

Depuis qu'elle avait commencé à le soigner, il ressentait toujours physiquement sa présence. Elle était assise dans un fauteuil, tournée de profil, masquant ainsi la lumière de la bougie, et elle tricotait un bas. (Elle avait appris à tricoter des bas depuis que le prince André lui avait dit que personne ne savait aussi bien soigner les malades que les vieilles nourrices qui tricotaient des bas, et qu'il y a quelque chose de très apaisant dans la vue de quelqu'un qui tricote un bas.) Les fins doigts maniaient rapidement les aiguilles qui s'entrechoquaient parfois, et le profil pensif du visage baissé lui était nettement visible. Elle fit un mouvement, la pelote roula de ses genoux. Elle sursauta, jeta un coup d'œil vers le prince André et, interceptant de la main la lumière de la bougie, se pencha d'un mouvement souple, prudent et précis, ramassa la pelote et se rassit dans la même attitude.

Il la regardait sans bouger, et il vit qu'après le mouvement qu'elle venait de faire elle avait besoin de respirer à pleine poitrine mais ne s'y décidait pas et reprenait son souffle avec précaution.

Au couvent de la Trinité, ils avaient parlé du passé et il lui avait dit que s'il vivait, il remercierait éternellement Dieu de sa blessure qui l'avait de nouveau rapproché d'elle; mais depuis lors, ils n'avaient jamais parlé de l'avenir.

« Cela est-il possible ou non? se disait-il à présent en la regardant et en écoutant le léger tintement métallique des aiguilles. Est-il possible que le destin m'ait si étrangement ramené à elle, uniquement pour mourir?... Est-il possible que la vérité de la vie m'ait été révélée uniquement pour que je vive dans le mensonge? Je l'aime plus que tout au monde. Mais qu'y puis-je si je l'aime? » se dit-il, et il gémit involontairement par une habitude qu'il avait contractée au temps de ses souffrances.

En entendant ce bruit, Natacha posa son bas, s'inclina vers lui et remarquant soudain ses yeux brillants, s'approcha de son pas léger et se pencha.

— Vous ne dormez pas?

— Non, il y a longtemps que je vous regarde; quand vous êtes entrée, je l'ai senti. Personne ne me donne comme vous un si calme silence... une telle lumière. Alors, j'ai envie de pleurer de joie.

Natacha se rapprocha encore de lui. Son visage rayonnait d'une joie débordante.

— Natacha, je vous aime trop. Plus que tout au monde.

— Et moi? — Elle se détourna un instant. — Pourquoi donc trop? demanda-t-elle.

— Pourquoi trop?... Eh bien, que pensez-vous, que sentez-vous tout au fond de votre âme, vivrai-je? Que vous semble-t-il?

— J'en suis sûre, j'en suis sûre! cria presque Natacha, lui prenant les deux mains d'un geste passionné.

Il se tut.

— Comme ce serait bien! — Il lui prit la main et la baisa.

Natacha était heureuse et bouleversée; mais elle se rappela aussitôt qu'il fallait éviter les émotions au malade, qu'il avait besoin de calme.

— Mais vous n'avez pas dormi, dit-elle, refrénant sa joie. Essayez de dormir... je vous en prie.

Il lâcha sa main après l'avoir serrée, et elle revint à la bougie et se rassit dans la même attitude. Elle se retourna par deux fois et rencontra chaque fois ses yeux brillants. Elle se donna une tâche, un certain nombre de mailles, et se promit de ne pas se retourner avant d'avoir fini.

En effet, bientôt après il ferma les yeux et s'endormit. Il ne dormit pas longtemps et s'éveilla brusquement, inquiet, trempé d'une sueur froide.

Il avait pensé en s'endormant toujours à cette même chose à laquelle il ne cessait de réfléchir ces temps derniers : à la vie et à la mort. Plutôt à la mort. Il s'en sentait plus proche.

« L'amour? Qu'est-ce que l'amour? s'était-il demandé. L'amour s'oppose à la mort. L'amour, c'est la vie. Tout, tout ce que je comprends, je ne le comprends que parce que j'aime. Tout est, tout existe uniquement parce que j'aime. Lui seul maintient tout. L'amour, c'est Dieu, et mourir, cela veut dire pour moi, une parcelle d'amour, retourner à la source universelle et éternelle. » Ces pensées lui avaient paru consolantes. Mais ce n'étaient que des pensées. Quelque chose leur manquait; elles avaient quelque chose d'étroitement personnel, de cérébral; il leur manquait l'évidence. Et c'était toujours la même inquiétude et la même confusion. Il s'était endormi.

Il rêva qu'il était couché dans cette même chambre où il était effectivement couché, mais qu'il n'était pas blessé, qu'il était bien portant. Toutes sortes de gens, insignifiants, indifférents, passaient devant lui; il leur parle, discute de choses inutiles. Ils s'apprêtent à partir quelque part. Le prince André se rappelle vaguement que tout cela est futile et qu'il a des préoccupations plus importantes; mais il continue de tenir, à leur étonnement, on ne sait quels propos creux et spirituels.

Peu à peu, imperceptiblement, tous ces gens disparaissent et il ne s'agit plus que de fermer la porte. Il se lève et va vers la porte pour la fermer et pousser le verrou. Aura-t-il ou non le temps de la fermer, de cela dépend TOUT. Il veut y aller, se dépêche, mais ses pieds ne bougent pas et il sait qu'il n'aura pas le temps de fermer la porte, et il tend néanmoins douloureusement toutes ses forces. Et une terreur horrible l'envahit. Et cette terreur est la terreur de la mort : ELLE se tient derrière la porte. Et au moment où épuisé il rampe jusqu'à la porte, cette chose épouvantable, pesant dessus de l'autre côté, la force. Cette chose inhumaine, la mort, force la porte, et il faut la maintenir. Il appuie sur la porte, rassemble ses dernières forces; la refermer, ce n'est plus possible, au moins la maintenir; mais il n'en peut plus, ses gestes sont maladroits, et poussée par l'épouvantable chose, la porte s'ouvre et se referme de nouveau.

Encore une fois, la chose pousse de l'autre côté. Vains sont les derniers efforts surhumains, et la porte s'ouvre sans bruit à deux battants. CELA est entré, et cela c'est LA MORT. Et le prince André meurt.

Mais au moment où il meurt, le prince André se souvient qu'il dort et à l'instant même où il meurt, il fait un effort et s'éveille.

« Oui, c'était la mort. Je suis mort, je suis réveillé. Oui, la mort, c'est le réveil. » La lumière se fit soudain en son âme et le voile qui jusqu'ici cachait l'inconnaissable fut soulevé devant son regard intérieur. Il sentit comme libérée la force auparavant enchaînée en lui; il sentit cette étrange légèreté qui depuis ne le quitta plus.

Quand, s'étant réveillé couvert de sueur froide, il remua sur le divan, Natacha s'approcha de lui et demanda ce qu'il avait. Il ne répondit pas et sans comprendre ce qu'elle disait, il posa sur elle un regard étrange.

C'était cela qui s'était produit deux jours avant l'arrivée de la princesse Marie. A partir de ce jour, comme le dit le docteur, la fièvre épuisante prit une forme pernicieuse, mais Natacha ne s'intéressait pas à ce que disait le docteur; elle constatait ces terribles symptômes moraux, et ils étaient indubitables pour elle.

A partir de ce jour, le prince André commença à s'éveiller de la vie en s'éveillant du sommeil et par rapport à la durée de la vie, ce réveil ne lui semblait pas plus lent que le réveil du sommeil par rapport à la durée du rêve.

Il n'y avait rien d'effrayant ni de brutal dans ce réveil relativement lent.

Rien d'extraordinaire ne marqua ses derniers jours et ses dernières heures; tout se passa simplement. La princesse Marie et Natacha qui ne le quittaient pas s'en rendaient compte. Elles ne pleuraient pas, ne frémissaient pas et sentaient les derniers temps que ce n'était déjà plus lui qu'elles soignaient (il n'était déjà plus là, il était loin d'elles) mais son souvenir le plus proche, son corps. Ce sentiment chez toutes deux était si fort que l'aspect extérieur, terrifiant, de la mort n'avait plus d'effet sur elles, et elles jugeaient inutile de raviver leur douleur. Elles ne pleuraient pas, ni devant lui ni hors de sa présence, mais ne parlaient pas non plus de lui entre elles. Elles sentaient qu'elles ne pouvaient exprimer par des mots ce qu'elles comprenaient.

Toutes deux le voyaient s'enfoncer lentement et calmement de plus en plus profondément, et toutes deux savaient que cela devait être ainsi et que c'était bien.

On le confessa et on le fit communier; tout le monde vint lui dire adieu. Quand on lui amena son fils, il posa ses lèvres sur lui et se détourna, non pas qu'il souffrît de l'abandonner et eût pitié de lui (la princesse Marie et Natacha le comprenaient fort bien), mais simplement parce qu'il supposait que c'était tout ce qu'on exigeait de lui. Mais quand on lui dit de bénir l'enfant, il s'exécuta et regarda autour de lui comme pour demander s'il y avait encore quelque chose à faire.

Quand les derniers soubresauts secouèrent ce corps que l'esprit quittait, la princesse Marie et Natacha étaient là.

— C'est fini? dit la princesse Marie alors que le corps immobile depuis quelques minutes commençait à se refroidir devant elles. Natacha s'approcha, regarda les yeux morts et se hâta de les fermer. Elle les ferma et ne les baisa pas, mais accomplit ce geste intérieurement en évoquant avec révérence son souvenir encore tout proche.

« Où est-il parti? Où est-il à présent?... »

Quand le corps lavé et habillé reposa dans son cercueil sur la table, tous vinrent lui dire adieu et tous pleuraient.

Nicolouchka pleurait, le cœur déchiré d'une douloureuse perplexité. La comtesse et Sonia pleuraient parce qu'elles avaient pitié de Natacha et parce qu'il n'était plus. Le vieux comte pleurait parce qu'il sentait que bientôt lui aussi devrait franchir ce même pas terrible.

Natacha et la princesse Marie pleuraient maintenant elles aussi. Mais ce n'étaient pas des larmes de chagrin personnel: c'étaient des larmes de vénération et d'attendrissement devant le simple et solennel mystère de la mort qui venait de s'accomplir sous leurs yeux.

DEUXIÈME PARTIE

I

L'ensemble des causes d'un phénomène est inaccessible à l'intelligence humaine, mais le besoin de rechercher ces causes est inscrit dans l'âme de l'homme. Et l'intelligence, étant incapable de saisir la multiplicité et la complexité des conditions d'un phénomène, dont chacune peut paraître la cause, s'empare de la plus proche, de la plus facile à comprendre, et déclare : voilà la cause. Lorsqu'il s'agit d'événements historiques (dont l'étude porte sur les actes des hommes), c'est tout d'abord à la volonté des dieux qu'on a eu recours, puis à la volonté des hommes occupant la place la plus en vue dans l'histoire, les héros historiques. Mais il suffit d'aller jusqu'au fond de n'importe quel événement historique, autrement dit l'activité de toute la masse des hommes ayant pris part à l'événement, pour se convaincre que la volonté du héros historique non seulement ne dirige pas les actions des masses, mais qu'elle est elle-même constamment dirigée. Il peut sembler que la façon dont on comprend la signification d'un événement n'a pas d'importance. Mais entre celui qui dit que les peuples de l'Occident partirent vers l'Orient parce que Napoléon le voulut, et celui qui dit que cela s'est accompli parce que cela devait s'accomplir, il y a la même différence qu'entre les gens qui affirmaient que la terre est immobile et que les planètes tournent autour d'elle et ceux qui disent qu'ils ne savent pas ce qui soutient la terre, mais savent qu'il existe des lois qui gouvernent ses mouvements et ceux des autres planètes. Il n'y a pas et ne peut y avoir de causes d'un événement historique en dehors de l'unique cause de toutes les causes. Mais les événements sont gouvernés par des lois en partie inconnues, en partie pressenties par nous. La découverte de ces lois ne sera possible que lorsque nous renoncerons complètement à chercher les causes des événements dans la volonté d'un seul homme, tout comme la découverte des lois qui gouvernent le mouvement des planètes ne devint possible que lorsque les hommes renoncèrent à l'immobilité de la terre.

Après la bataille de Borodino, l'occupation de Moscou par l'ennemi et l'incendie de cette ville, les historiens considèrent que l'épisode le plus important de la guerre de 1812 fut le mouvement de l'armée russe de la route de Riazan à la route de Kalouga vers le camp de Taroutino, ce qu'on a appelé la marche de flanc en arrière de Krasnaïa Pakhra [1]. Les historiens attribuent le mérite de cette géniale opération à diverses personnes et discutent pour savoir à qui exactement il revient. Les historiens étrangers, les Français mêmes, reconnaissent le génie des chefs militaires russes en parlant de cette marche de flanc [2]. Mais on comprend difficilement pourquoi les écrivains militaires, et tout le monde à leur suite, considèrent que cette marche de flanc qui a sauvé la Russie et entraîné la perte de Napoléon, est due à l'initiative d'une seule personne. Tout d'abord, on ne voit pas ce qu'il y avait de particulièrement génial dans cette manœuvre, car il n'est pas besoin d'un grand effort d'esprit pour deviner que le mieux pour une armée (quand on ne l'attaque pas) est de s'installer là où abonde le ravitaillement. N'importe quel gamin de treize ans, fût-il sot, pouvait comprendre sans peine qu'en 1812, après l'abandon de Moscou, la meilleure position de l'armée était sur la route de Kalouga. Ainsi donc, premièrement, on ne comprend pas par quelles savantes déductions les historiens arrivent à voir quelque chose de profond dans cette manœuvre. Deuxièmement, on comprend encore moins pourquoi les historiens attribuent justement à cette manœuvre le salut de la Russie et la perte de Napoléon; car cette marche de flanc, précédée, accompagnée et suivie d'autres circonstances, eût pu entraîner la perte des Russes et le salut de l'armée française. Si à partir de cette manœuvre la situation de l'armée russe commença à s'améliorer, on n'en peut aucunement conclure que ce mouvement en fût la cause.

Non seulement cette marche de flanc ne pouvait procurer des avantages quelconques; elle aurait pu perdre l'armée russe si elle n'avait pas coïncidé avec d'autres circonstances. Que serait-il arrivé si Moscou n'avait pas brûlé? Si Murat n'avait pas perdu contact avec les Russes? Si Napoléon n'était pas resté inactif? Si l'armée russe, comme le conseillaient Bennigsen et Barclay, avait livré bataille à Krasnaïa Pakhra? Que serait-il arrivé si les Français avaient attaqué les Russes alors qu'ils étaient en marche au-delà de la Pakhra? Que serait-il arrivé si, ensuite, Napoléon avait attaqué les Russes aux approches de Taroutino, fût-ce avec le dixième de l'énergie qu'il avait déployée à Smolensk? Que serait-il arrivé si les Français avaient marché sur Pétersbourg?... Dans toutes ces suppositions, la marche de flanc eût pu se transformer en désastre.

En troisième lieu, le plus incompréhensible c'est que les hommes qui étudient l'histoire se refusent délibérément à voir qu'on ne peut attribuer la marche de flanc à la décision d'un seul homme, que personne jamais ne l'avait prévue, que de même que la retraite à Fili, personne sur le moment n'avait envisagé cette opération dans son ensemble, mais qu'elle fut le produit d'actions partielles, un pas en entraînant un autre, en relation avec un nombre incalculable de circonstances diverses; elle n'apparut dans son unité que, lorsqu'ayant été accomplie, elle appartint au passé.

Au conseil de guerre de Fili, l'idée dominante, qui semblait aller de soi, du haut commandement russe, était de battre en retraite en droite ligne, c'est-à-dire en suivant la route de Nijny-Novgorod. La preuve en est que la majorité au conseil se prononça en ce sens et surtout que, lors de l'entretien bien connu qui eut lieu après le conseil de guerre entre Koutouzov et Lanskoï, intendant général, Lanskoï informa le commandant en chef que le ravitaillement de l'armée était principalement concentré le long de l'Oka, dans les gouvernements de Toula et de Kalouga, et qu'en cas de retraite vers Nijny, l'armée se trouverait coupée de ses approvisionnements par une grande rivière, l'Oka, qu'il est parfois impossible de traverser au début de l'hiver. Ce fut le premier indice de la nécessité où on allait se trouver de renoncer à la direction envisagée en premier comme la plus naturelle, la ligne droite vers Nijny. L'armée obliqua plus au sud, sur la route de Riazan, et plus près des réserves de vivres. Par la suite, l'inaction de l'armée française qui avait même perdu contact avec l'armée russe, le souci de la défense des usines de Toula et, surtout, le besoin de se rapprocher encore davantage des réserves de vivres, obligèrent l'armée à obliquer encore plus vers le sud, sur la route de Toula. Ayant atteint, par une marche risquée derrière la Pakhra, la route de Toula, les généraux russes pensaient s'arrêter près de Podolsk, et ne songeaient aucunement à la position de Taroutino : mais de multiples circonstances et la réapparition des troupes françaises qui avaient auparavant perdu de vue les troupes russes, et les projets de bataille, et surtout l'abondance du ravitaillement à Kalouga, obligèrent notre armée à obliquer une fois de plus au sud et à passer de la route de Toula à celle de Kalouga pour s'installer au centre de ses voies de ravitaillement, à proximité de Taroutino. De même qu'on ne peut répondre à la question « quand fut décidé l'abandon de Moscou ? » on ne peut pas répondre à la question « quand et par qui fut prise la décision d'aller à Taroutino ? » C'est seulement lorsque les troupes arrivèrent à Taroutino sous l'action d'innombrables forces différentielles que les hommes se persuadèrent qu'ils l'avaient voulu et prévu depuis long-temps.

II

La fameuse marche de flanc consista seulement en ceci que les troupes russes, qui reculaient toujours en ligne droite sous la pression des Français, s'écartèrent de la direction prise au début, lorsque l'offensive française s'arrêta et, ne se voyant plus poursuivies, se portèrent tout naturellement du côté où les attirait l'abondance de vivres.

A supposer que l'armée russe eût été privée de chefs de génie et même de chefs en général, abandonnée à elle-même, elle n'en eût pas moins effectué ce mouvement de retour vers Moscou en décrivant un arc de cercle à travers des régions mieux fournies, offrant des facilités de ravitaillement.

Ce mouvement de la route de Nijny à celle de Riazan, puis de Toula, puis de Kalouga, était à tel point naturel que les maraudeurs russes avaient déjà poussé dans la même direction et que Pétersbourg exigeait de Koutouzov qu'il la prît. Koutouzov, à Taroutino, reçut presque un blâme de l'empereur, parce qu'il avait conduit l'armée sur la route de Riazan, et on lui désigna cette même position devant Kalouga qu'il occupait déjà à la réception de la lettre de l'empereur.

Après avoir roulé en arrière, telle une boule, dans la direction des chocs subis au cours de la campagne et à Borodino, l'armée russe ne recevant plus de nouveaux chocs, et la force des premiers étant épuisée, occupa la position qui lui était naturelle.

Le mérite de Koutouzov ne résida nullement dans quelque manœuvre stratégique géniale, comme on dit, mais en ce que seul il comprit le vrai sens des événements. Lui seul comprenait déjà alors ce que signifiait l'inaction de l'armée française, lui seul continuait à affirmer que la bataille de Borodino avait été une victoire; lui seul, bien que sa position de commandant en chef eût dû l'inciter à l'offensive, lui seul s'employait de toutes ses forces à empêcher l'armée russe de livrer des batailles inutiles.

La bête blessée à Borodino gisait là-bas, quelque part, là où l'avait laissée, en s'esquivant, le chasseur; mais était-elle vivante, était-elle forte encore, s'était-elle seulement tapie, cela; le chasseur l'ignorait. Et soudain retentit le gémissement de cette bête.

Le gémissement de cette bête blessée, l'armée française, qui révéla sa fin imminente, fut l'envoi de Lauriston auprès de Koutouzov avec des offres de paix.

Dans son assurance qu'était bien non pas ce qui l'était effectivement mais ce qui lui passait par la tête, Napoléon écrivit à Koutouzov les premiers mots qui lui vinrent à l'esprit et n'avaient aucun sens.

« *Monsieur le prince Koutouzov*, écrivait-il, *j'envoie près de vous un de mes aides de camp généraux pour vous entretenir de plusieurs objets intéressants. Je désire que Votre Altesse ajoute foi à ce qu'il lui dira*, SURTOUT LORSQU'IL EXPRIMERA LES SENTIMENTS D'ESTIME ET DE PARTICULIÈRE CONSIDÉRATION QUE J'AI DEPUIS LONGTEMPS POUR SA PERSONNE... *Cette lettre n'étant à autre fin, je prie Dieu, Monsieur le prince Koutouzov, qu'Il vous ait en sa sainte et digne garde.*

Moscou, le 30 octobre 1812.
Signé : Napoléon ».

« *Je serais maudit par la postérité si l'on me regardait comme le premier moteur d'un accommodement quelconque.* TEL EST

465

L'ESPRIT ACTUEL DE MA NATION », répondit Koutouzov, et il continua à user de tout son pouvoir pour empêcher nos troupes de passer à l'offensive.

Au cours de ce mois où, tandis que les Français pillaient Moscou, les Russes restaient cantonnés près de Taroutino, un changement survint dans le rapport des forces des deux armées, tant du point de vue de l'esprit qui les animait que de leur nombre, changement à la suite duquel la balance pencha du côté des Russes. Bien qu'ils fussent dans l'ignorance de la situation de l'armée française et de ses effectifs, dès que le rapport des forces se trouva modifié, mille faits firent apparaître la nécessité d'une offensive : et l'envoi de Lauriston, et l'abondance des vivres à Taroutino, et les renseignements parvenant de tous côtés sur le désordre des Français et leur inaction, et l'arrivée des recrues qui complétaient nos régiments, et le beau temps, et le repos prolongé des soldats, et l'impatience d'achever la tâche pour laquelle elles étaient rassemblées qui s'empare d'ordinaire des troupes à la suite d'un repos prolongé, et la curiosité de ce qui se passait chez l'ennemi depuis si longtemps perdu de vue, et la témérité avec laquelle nos avant-postes s'aventuraient parmi les Français dans la région de Taroutino, et les nouvelles des petits succès remportés sur les Français par des paysans et des partisans, et la jalousie qu'ils suscitaient, et le désir de vengeance qui habita le cœur de chacun tant que les Français occupèrent Moscou, et (par-dessus tout) l'obscure conscience du soldat que le rapport des forces était à présent inversé et que l'avantage se trouvait de notre côté. Le rapport des forces s'étant modifié, l'offensive s'imposait. Et aussi exactement que sonne le carillon d'une horloge quand la grande aiguille a accompli le tour complet du cadran, l'inversion du rapport des forces déclencha immédiatement l'activité des hautes sphères, le grincement des ressorts et la sonnerie du carillon.

III

L'armée russe était dirigée par Koutouzov et son état-major et, de Pétersbourg, par l'empereur. Avant même d'avoir appris l'abandon de Moscou, un plan détaillé de la guerre avait déjà été élaboré à Pétersbourg et envoyé à Koutouzov pour sa gouverne. Bien que ce plan eût été élaboré dans la supposition que nous tenions encore Moscou, il fut approuvé par l'état-major et accepté. Koutouzov se contenta de répondre que les diversions lointaines sont toujours difficiles à exécuter. Et pour résoudre les difficultés qui se présentaient, Pétersbourg lui envoyait continuellement de nouvelles instructions et de nouveaux personnages, chargés de surveiller ce que faisait Koutouzov, et de le rapporter.

D'autre part, l'état-major de l'armée russe était profondément remanié. Il s'agissait de remplacer Bagration qui avait été tué et Barclay qui, vexé, s'était retiré. On examinait très sérieusement ce qu'il valait mieux : mettre A à la place de B, et B à la place de D, ou, au contraire, D à la place de A, etc., comme si cela pouvait avoir d'autre résultat que la satisfaction de A et de B.

Étant donné l'hostilité qui existait entre Koutouzov et son chef d'état-major, Bennigsen, la présence de personnages jouissant de la confiance de l'empereur et les remaniements du commandement, la lutte des partis à l'état-major était plus compliquée que jamais. A intriguait contre B, contre C, etc., dans toutes les combinaisons et permutations possibles. Toutes ces intrigues avaient principalement pour objet les opérations militaires que ces gens se figuraient diriger ; mais elles se déroulaient en dehors d'eux et exactement comme elles le devaient, c'est-à-dire sans jamais coïncider avec ce qu'inventaient les hommes, mais conformément au rapport effectif des masses. Toutes ces combinaisons qui se croisaient et s'enchevêtraient ne faisaient que refléter fidèlement ce qui devait s'accomplir.

« Prince Mikhaïl Ilarionovitch! écrivait l'empereur le 2 octobre, dans une lettre que Koutouzov reçut après la bataille de Taroutino. Depuis le 2 septembre, Moscou est aux mains de l'ennemi. Vos derniers rapports datent du 20 ; et pendant tout ce temps non seulement aucune action n'a été entreprise contre l'ennemi pour la libération de notre première capitale, mais d'après vos derniers rapports vous avez encore reculé. Serpoukhov est déjà occupé par un détachement ennemi, et Toula avec sa fameuse usine, si nécessaire à l'armée, est en danger. Je vois par les rapports du général Wintzingerode qu'un corps ennemi de dix mille hommes avance sur la route de Pétersbourg. Un autre, de plusieurs milliers d'hommes, marche sur Dmitrov. Un troisième s'est avancé sur la route de Vladimir. Un quatrième,

assez important, se tient entre Rouza et Mojaïsk. Quant a Napoléon, il était le 25 à Moscou. Alors que d'après ces renseignements l'ennemi a morcelé ses forces en plusieurs détachements
importants, et que Napoléon se trouve encore a Moscou avec
sa garde, est-il possible que les forces ennemies que vous avez
devant vous soient importantes et que vous ne puissiez les
attaquer? Il est à supposer au contraire qu'il vous poursuit
avec un détachement ou tout au plus un corps d'armée beaucoup plus faible que l'armée qui vous est confiée. Profitant
de ces circonstances, vous pourriez, semble-t-il, attaquer avec
avantage un ennemi plus faible que vous et l'exterminer, ou
tout au moins, l'ayant obligé à battre en retraite, maintenir
entre nos mains une partie importante des provinces occupées
actuellement par l'ennemi et ainsi détourner le danger de Toula
et de nos autres villes de l'intérieur. Vous serez tenu pour responsable si l'ennemi est en mesure de diriger un corps d'armée
important sur Pétersbourg en menaçant cette capitale ou il
n'a pas été possible de conserver beaucoup de troupes, car en
agissant avec décision et énergie, l'armée qui vous est confiée
possède les moyens d'éviter ce nouveau malheur. Rappelez-vous
que vous avez déjà à rendre compte à la patrie outragée de la
perte de Moscou. Vous savez par expérience que je suis toujours
prêt à vous récompenser. Ma bonne volonté ne faiblira pas,
mais moi et la Russie, nous sommes en droit d'attendre de vous
le zèle, l'énergie et les succès que votre intelligence, vos talents
militaires et le courage des armées sous vos ordres nous pro-
mettent. »

Mais avant que cette lettre, qui montrait que le rapport réel
des forces se reflétait déjà à Pétersbourg, eût atteint Koutouzov,
la bataille avait déjà eu lieu, Koutouzov n'ayant pu empêcher
l'armée qu'il commandait de passer à l'offensive.

Le 2 octobre, le cosaque Chapovalov étant en patrouille, tua
d'un coup de fusil un lièvre et en blessa un autre. En poursuivant le lièvre touché, Chapovalov s'enfonça profondément dans
la forêt et tomba sur le flanc gauche de l'armée de Murat qui
n'avait pris aucune mesure de précaution. Le cosaque raconta
en riant à ses camarades comment il avait failli être pris par les
Français. Un sous-lieutenant, ayant entendu ce récit, le rapporta
au commandant.

On appela le cosaque, on l'interrogea : les officiers de cosaques
voulaient profiter de cet incident pour enlever des chevaux, mais
l'un d'eux qui connaissait des officiers supérieurs informa de ce

fait un général de l'état-major. Les derniers temps, la situation était tendue à l'extrême à l'état-major de l'armée. Quelques jours auparavant, Ermolov était venu chez Bennigsen et l'avait supplié d'user de son influence sur le commandant en chef pour le décider à prendre l'offensive.

— Si je ne vous connaissais pas, je croirais que vous ne voulez pas obtenir ce que vous demandez. Il me suffit de conseiller une chose pour que le Sérénissime fasse à coup sûr le contraire, répondit Bennigsen.

Le renseignement fourni par les cosaques, confirmé par les patrouilles, montra définitivement que les événements étaient mûrs. Le ressort se détendit et l'horloge se mit à grincer, le carillon à sonner. En dépit de sa prétendue autorité, de son intelligence, de son expérience, de sa connaissance des hommes, Koutouzov, ayant pris en considération le rapport de Bennigsen, qui correspondait directement avec l'empereur, le souhait de tous les généraux, le désir supposé de l'empereur et les renseignements des cosaques, ne put désormais retenir un mouvement devenu inévitable et, ayant donné l'ordre de faire ce qu'il jugeait inutile et nuisible, approuva le fait accompli.

IV

Le rapport remis par Bennigsen et les renseignements fournis par les cosaques, indiquant que le flanc gauche des Français était découvert, ne furent que les derniers indices de la nécessité où l'on se trouvait de passer à l'offensive, et l'attaque fut décidée pour le 5 octobre.

Le 4 octobre au matin, Koutouzov signa le dispositif, Toll le lut à Ermolov et lui proposa de s'occuper des mesures à prendre.

— Bon, bon, je n'ai pas le temps pour le moment, répondit Ermolov, et il quitta l'isba. Le dispositif rédigé par Toll était excellent. Tout comme dans celui d'Austerlitz il y était dit, mais pas en allemand cette fois :

« *Die erste Colonne marschiert* » là et là, « *die zweite Colonne marschiert* [1] » là et là, etc. Et toutes ces colonnes arrivaient, sur le papier, à l'endroit indiqué au moment voulu, et anéantissaient l'ennemi. Tout était admirablement combiné, comme dans tous les dispositifs, et comme cela se produit avec tous les dispositifs, aucune colonne n'arriva à l'heure désignée ni à l'endroit voulu.

Quand le dispositif fut prêt et recopié en un nombre suffisant d'exemplaires, un officier fut chargé de remettre les papiers à Ermolov pour exécution. Le jeune officier, un chevalier-garde, aide de camp de Koutouzov, se rendit chez Ermolov, tout fier de l'importance de la mission qui lui était confiée.

— Il est sorti, répondit l'ordonnance d'Ermolov. L'officier se rendit chez un général que fréquentait Ermolov.

— Non, il n'est pas là et l'autre général non plus.

L'officier remonta à cheval et alla chez un autre général.

— Non, il est parti.

« Pourvu qu'on ne me rende pas responsable du retard! Quelle malchance! » songeait l'officier. Il parcourut tout le camp. L'un disait qu'on avait vu Ermolov partir avec d'autres généraux on ne savait où, un autre assurait qu'il était sûrement rentré chez lui. L'officier, sans prendre le temps de dîner, le chercha jusqu'à six heures du soir. Ermolov n'était nulle part, et personne ne savait où il se trouvait. L'officier mangea à la hâte un morceau chez un camarade et retourna à l'avant-garde, chez Miloradovitch. Miloradovitch n'était pas chez lui non plus; l'officier apprit qu'il était au bal que donnait le général Kikine et qu'Ermolov y était sans doute aussi.

— Mais où est-ce?

— Là-bas, à Etchkino, dit un officier de cosaques en désignant au loin une maison seigneuriale.

— Là-bas? Mais c'est au-delà de nos lignes!

— La ligne a été renforcée par deux de nos régiments. Ils en font une noce là-bas en ce moment! Deux orchestres, trois chœurs!

L'officier franchit les lignes et alla à Etchkino. Les sons joyeux d'une chanson à danser de soldats lui parvenaient déjà de loin.

« Dans les prés, dans les prés!... » chantait-on avec des sifflements prolongés et un accompagnement de cymbales; des cris couvraient parfois la chanson. L'officier se sentit tout ragaillardi; mais il était inquiet aussi de ne pas avoir encore transmis l'ordre important qui lui avait été confié. Il était près de neuf heures déjà. Il descendit de cheval et gravit le perron d'une vaste maison seigneuriale restée intacte, entre les armées russe et française. Dans l'office et l'antichambre, des laquais s'affairaient, chargés de bouteilles et de plats. Les chanteurs se tenaient sous les fenêtres. On introduisit l'officier, et soudain il aperçut rassemblés les généraux les plus importants de l'armée, et parmi eux l'imposant

Ermolov. L'uniforme déboutonné, le visage cramoisi, ils riaient tous à gorge déployée, debout en demi-cercle. Au milieu d'eux, un général de petite taille, au beau visage enluminé, dansait alertement le trépak.

— Ha, ha, ha! Quel gaillard, ce Nicolas Ivanovitch! ha, ha, ha!...

L'officier sentait qu'en arrivant en un tel moment avec un ordre important, il se trouvait doublement coupable, et il voulut attendre un peu; mais un des généraux l'aperçut et, s'étant informé de la raison de son arrivée, prévint Ermolov. Ermolov, le visage assombri, s'approcha de l'officier et, l'ayant écouté, lui prit le papier sans mot dire.

— Tu crois qu'il était parti par hasard? dit ce même soir à l'officier un camarade d'état-major, en parlant d'Ermolov. C'est un coup monté, c'est fait exprès. C'est pour compromettre Konovnitsyne. Tu verras demain, quelle pagaille!

V

Le lendemain matin, le vieux Koutouzov qui s'était fait éveiller tôt, se leva, fit sa prière, s'habilla et avec le sentiment désagréable de devoir diriger une bataille qu'il n'approuvait pas, monta dans sa calèche et quitta Letachovka, à cinq verstes derrière Taroutino, pour se rendre au point de rassemblement des colonnes d'attaque. Koutouzov s'assoupissait en route, se réveillait et prêtait l'oreille; n'entendait-on pas de coup de feu à droite, l'affaire n'était-elle pas déjà engagée? Mais tout était encore silencieux. L'aube d'un jour d'automne humide et gris se levait à peine. En s'approchant de Taroutino, Koutouzov aperçut des cavaliers qui menaient des chevaux à l'abreuvoir en traversant la route que suivait la voiture. Koutouzov les regarda attentivement, fit arrêter sa calèche et demanda quel était leur régiment. Les cavaliers appartenaient à la colonne qui devait être en embuscade, bien loin en avant. « Une erreur, peut-être », pensa le vieux commandant en chef. Mais peu après, il vit des régiments d'infanterie les fusils en faisceaux; les soldats en caleçon mangeaient leur soupe, ou coupaient du bois. Koutouzov fit appeler un officier. L'officier déclara qu'on n'avait reçu aucun ordre d'attaque.

— Comment est-ce..., commença Koutouzov, mais il se tut aussitôt et fit appeler un officier supérieur. Il descendit de voiture et attendit en allant et venant en silence, la tête baissée, respirant avec peine. Quand arriva l'officier d'état-major convoqué, Eichen, Koutouzov devint écarlate, non pas que cet officier fût responsable de l'erreur commise, mais parce que, vu son importance, le commandant en chef trouvait enfin en lui un objet digne de sa fureur. Et tremblant, étouffant, le vieil homme parvenu à ce degré de rage qui autrefois le faisait se rouler par terre, se précipita sur Eichen, le menaçant de ses poings, hurlant et le couvrant des plus grossières injures. Le capitaine Brosine, survenu par hasard et qui n'était coupable de rien, subit le même sort.

— Quelle est encore cette canaille? Qu'on les fusille! Crapules! criait-il d'une voix rauque, en agitant les bras et en titubant. Il souffrait physiquement. Lui, le commandant en chef, le Sérénissime qui, comme tout le monde l'assurait, disposait d'un pouvoir comme personne jamais n'en avait eu en Russie, il était placé dans une situation ridicule, devenait la risée de toute l'armée. « A quoi bon avoir tant prié pour cette journée? A quoi bon n'avoir pas fermé l'œil de la nuit? se répétait-il. — Quand je n'étais qu'un petit officier, un gamin, personne n'aurait osé se moquer ainsi de moi... Et maintenant! » Il éprouvait une douleur physique, comme après un châtiment corporel, et ne pouvait pas ne pas la manifester par des cris de colère et de souffrance. Mais bientôt ses forces le trahirent et, regardant autour de lui, se rendant compte qu'il avait prononcé beaucoup de mauvaises paroles, il remonta en voiture et rentra en silence chez lui.

La colère déversée ne le reprit plus et, clignant faiblement des yeux, il écoutait les justifications, les explications et les objurgations de Bennigsen, de Konovnitsyne et de Toll (Ermolov, lui, ne se présenta devant Koutouzov que le lendemain) qui insistaient pour que l'opération manquée ce jour-là fût exécutée le lendemain. Et Koutouzov dut de nouveau donner son consentement.

VI

Le lendemain, les troupes étant rassemblées dès le soir aux emplacements désignés, se mirent en marche dans la nuit. C'était une nuit d'automne avec des nuages d'un noir violacé, mais il ne pleuvait pas. Le sol était humide mais non boueux, et les troupes avançaient sans bruit, parfois seulement on entendait les faibles cliquetis métalliques de l'artillerie. On avait interdit de parler à haute voix, de fumer la pipe, de battre le briquet; on empêchait les chevaux de hennir. Le mystère de l'entreprise en augmentait l'attrait. Les hommes marchaient gaiement. Certaines colonnes s'arrêtèrent, formèrent les faisceaux et les hommes s'étendirent sur la terre froide, supposant qu'ils étaient arrivés là où il fallait aller. D'autres colonnes (la plupart) marchèrent toute la nuit et évidemment n'arrivèrent pas là où elles auraient dû se rendre.

Le comte Orlov-Dénissov avec ses cosaques (le détachement le moins important de tous) fut le seul à atteindre l'emplacement désigné, et à l'heure dite ce détachement fit halte à l'extrême lisière de la forêt, sur un sentier qui menait du village de Stromilovo à celui de Dmitrovskoïé.

On réveilla avant l'aube le comte Orlov qui s'était assoupi. On lui amena un déserteur du camp français, un sous-officier polonais du corps de Poniatowski. Ce sous-officier expliqua en polonais qu'il avait déserté parce qu'il avait été victime d'un passe-droit, qu'il aurait dû être depuis longtemps officier, car il était le plus brave d'eux tous, qu'il les avait donc quittés et voulait les punir. Il disait que Murat logeait à une verste de là, et que si on lui donnait une centaine d'hommes il le prendrait vivant. Le comte Orlov-Dénissov consulta ses camarades. La proposition était trop séduisante pour qu'on pût la repousser. Tous étaient prêts à partir, tous conseillaient de tenter la chose. Après maintes discussions et réflexions, le général major Grékov décida de suivre le Polonais avec deux régiments de cosaques.

— Mais souviens-toi, dit le comte Orlov-Dénissov au sous-officier en le laissant aller, que si tu as menti, je te fais pendre comme un chien; si tu as dit vrai, c'est cent pièces d'or.

Le sous-officier, l'air résolu, monta à cheval sans répondre et partit avec Grékov qui s'était préparé en hâte. Ils s'enfoncèrent dans la forêt. Frissonnant sous la fraîcheur de l'aube qui commençait à poindre, le comte Orlov, troublé d'avoir pris la responsabilité de cette entreprise, sortit de la forêt où il avait fait quelques pas avec Grékov, et se mit à examiner le camp ennemi qui, sous la lumière du jour commençant et des feux de bivouac mourants, prenait une apparence trompeuse. Nos colonnes devaient déboucher sur une côte découverte, à la droite du comte Orlov. Il regardait dans cette direction; on aurait dû les apercevoir de loin, mais on ne distinguait rien. Le camp français commençait à s'animer, sembla-t-il au comte Orlov, ce que confirma son aide de camp qui avait une vue perçante.

— Vraiment, il est trop tard, dit le comte Orlov en regardant le camp. Il lui apparut soudain, comme cela arrive souvent quand l'homme à qui nous avons fait confiance n'est plus devant nous, il lui apparut soudain d'une façon claire, évidente, que ce sous-officier était un menteur, qu'il avait tout inventé et que l'absence des deux régiments qu'il allait conduire Dieu sait où risquait de compromettre toute l'affaire. Et comment d'ailleurs aurait-il été possible de s'emparer de Murat au milieu d'un si grand nombre de troupes?

— Vraiment, il a menti, cette canaille, dit le comte.

— On peut les faire revenir, dit quelqu'un de sa suite qui, à la vue du camp, tout comme le comte Orlov-Dénissov n'avait plus confiance en l'entreprise.

— Hein? Vraiment?... Qu'en pensez-vous, les faire revenir peut-être? Ou bien?...

— Ordonnez-vous de les faire revenir?

— Qu'ils reviennent! Qu'ils reviennent, dit soudain le comte Orlov d'un ton décidé. — Il regarda sa montre. — Il va être trop tard, il fait complètement jour.

L'aide de camp s'enfonça au galop dans la forêt à la poursuite de Grékov. Quand Grékov revint, le comte Orlov-Dénissov, ému par cette tentative inachevée, par l'attente vaine des colonnes d'infanterie qui ne se montraient toujours pas, et par la proximité de l'ennemi (tous les hommes du détachement éprouvaient le même sentiment), décida d'attaquer.

Il commanda à voix basse : « En selle! » On se prépara, on se signa... — A la garde de Dieu!

Un « Hourraaaaa! » prolongé retentit dans la forêt et, un escadron après l'autre, comme des grains se répandant d'un sac, les cosaques franchissant le ruisseau foncèrent joyeusement, lances en avant, droit sur le camp.

Au cri d'épouvante poussé par le premier Français qui aperçut les cosaques, tous ceux qui se trouvaient dans le camp, mal éveillés, dévêtus, abandonnèrent canons, fusils, chevaux et s'enfuirent n'importe où.

Si les cosaques avaient poursuivi les Français sans faire attention à ce qu'il y avait derrière eux et autour d'eux, ils se seraient emparés de tout cela et de Murat; c'était précisément ce que voulaient leurs officiers. Mais il fut impossible de faire bouger les cosaques, de les arracher au butin et aux prisonniers. Personne n'écoutait les ordres. On fit sur place mille cinq cents prisonniers, on prit trente-huit canons, des drapeaux et, ce qui importait le plus aux cosaques, des chevaux, des selles, des couvertures et toutes sortes d'objets. Il fallait ranger tout cela, mettre en sûreté les prisonniers, les canons, se partager le butin, crier, échanger même quelques coups : ce fut à cela que s'employèrent les cosaques.

N'étant plus poursuivis, les Français se ressaisirent, se rassemblèrent autour de leurs chefs et se mirent à tirer. Orlov-Dénissov attendait toujours les colonnes et ne poussait pas plus loin.

Cependant, d'après le dispositif « *die erste Colonne marschiert* », etc., l'infanterie des colonnes en retard, que commandait Bennigsen et que dirigeait Toll, s'était mise en marche à l'heure dite et, comme cela se passe toujours, arriva quelque part mais non pas là où il était prévu. Et comme toujours, les hommes partirent joyeusement; mais ensuite, quand on s'arrêta, on se mit à grogner, on eut conscience d'un gâchis et l'on revint sur ses pas. Les aides de camp et les généraux qui passaient au galop criaient, se fâchaient, se disputaient, disaient qu'on n'était pas là où l'on aurait dû être, qu'on était en retard, injuriaient on ne sait qui, etc. Finalement, on y renonça et l'on se remit en marche rien que pour ne pas rester en place : « Nous arriverons bien quelque part! » Et en effet, ils arrivèrent, mais pas là où il fallait. Certains pourtant arrivèrent au bon endroit, mais trop tard, de sorte qu'ils ne furent d'aucune utilité et se trouvèrent là uniquement pour qu'on leur tirât dessus. Toll, qui jouait dans cette bataille le rôle de Weirother à Austerlitz, galopait plein de zèle d'un endroit à l'autre et constatait que tout se passait en dépit du bon sens. C'est ainsi qu'il tomba sur le corps de Bagovout dans la forêt, alors qu'il faisait déjà complètement jour et que ce détachement aurait dû avoir rejoint depuis longtemps Orlov-Dénissov. Bouleversé, blessé de son échec et supposant que quelqu'un devait en être responsable, Toll fonça sur le commandant du corps et s'en prit violemment à lui, criant qu'il méritait d'être fusillé. Le vieux Bagovout, un brave général qui avait gagné tous ses galons sur les champs de bataille, d'un naturel posé, mais harassé lui aussi par les continuels arrêts, la confusion, les ordres contradictoires, à la surprise de tous et contrairement à son caractère, entra brusquement en fureur et dit à Toll quantité de choses désagréables.

— Je ne reçois de leçons de personne et je sais mourir avec

mes hommes aussi bien qu'un autre, dit-il, et il se porta en avant avec une seule division.

Ayant débouché dans la plaine sous le feu des Français, le brave Bagovout, sans se demander si son intervention avec une seule division était à présent de quelque utilité, marcha droit au feu à la tête de ses hommes. Le danger, les boulets, les balles étaient précisément ce qu'exigeait sa fureur. Une des premières balles le tua net; les suivantes abattirent un certain nombre de soldats, et la division resta inutilement quelque temps sous le feu de l'ennemi.

VII

Une autre colonne cependant devait attaquer les Français de front, mais Koutouzov était avec cette colonne et il savait fort bien qu'il ne sortirait rien de bon de cette bataille livrée en dépit de sa volonté. Aussi retenait-il les troupes autant qu'il était en son pouvoir. Il ne bougeait pas.

Immobile et silencieux sur son petit cheval gris, il répondait paresseusement à ceux qui lui proposaient d'attaquer.

— Vous n'avez que le mot d'attaque à la bouche, mais ne voyez-vous pas que nous ne savons pas faire de manœuvres compliquées? dit-il à Miloradovitch qui aurait voulu se porter en avant.

— Vous n'avez pas réussi à prendre vivant Murat ce matin ni à arriver à l'endroit désigné à l'heure dite. Et maintenant, il n'y a rien à faire, répondit-il à un autre.

Quand on avertit Koutouzov que les arrières des Français auparavant dégarnis d'après les renseignements des cosaques, étaient maintenant couverts par deux bataillons polonais, il loucha vers Ermolov qui se tenait derrière lui (il ne lui avait pas adressé la parole depuis la veille) :

— On veut prendre l'offensive, on propose toutes sortes de plans, mais passe-t-on à l'exécution, rien n'est prêt et l'ennemi prévenu à temps prend ses mesures.

Ermolov plissa les yeux et sourit légèrement en entendant ces mots. Il comprit que l'orage s'était dissipé et que Koutouzov se contentait de cette allusion.

— Il s'amuse à mes dépens, dit tout bas Ermolov, en poussant du genou Raïevsky qui était à côté de lui.

Peu après, Ermolov s'avança et dit respectueusement à Koutouzov :

— Il n'est pas trop tard, Votre Altesse, l'ennemi est toujours là. Si vous vouliez bien donner l'ordre d'attaquer? Sinon la garde n'aura même pas flairé la poudre.

Koutouzov ne répondit pas, mais quand on lui apprit que les Français se retiraient, il donna l'ordre d'attaquer; cependant, il faisait faire tous les cents pas une halte de trois-quarts d'heure.

Toute la bataille se limita finalement à l'action des cosaques d'Orlov-Dénissov; les autres troupes perdirent sans aucune utilité quelques centaines d'hommes.

A la suite de cette bataille, Koutouzov reçut une étoile en diamant, Bennigsen des diamants également et cent mille roubles; les autres obtinrent eux aussi des récompenses fort agréables selon leurs grades et l'on procéda à de nouveaux remaniements.

« C'est ainsi que cela se passe TOUJOURS CHEZ NOUS, tout de travers », disaient après la bataille de Taroutino les officiers et les généraux, exactement comme on le dit aujourd'hui, donnant à entendre qu'il y a quelque part un sot qui agit tout de travers, mais que nous autres nous aurions agi tout autrement. Les gens qui parlent ainsi ne connaissent pas les choses dont ils parlent ou bien se leurrent sciemment. Aucune bataille — celle de Taroutino, celle de Borodino, d'Austerlitz, n'importe laquelle — ne se déroule comme l'ont prévu ceux qui en dressent les plans. C'est là un point essentiel.

Des forces libres (car l'homme n'est jamais plus libre que sur le champ de bataille où il y va de la vie et de la mort) agissent en nombre immense sur la direction que prend le combat, qui ne peut jamais être connue à l'avance et ne coïncide jamais avec la direction d'une force unique quelle qu'elle soit.

Si des forces multiples diversement orientées agissent sur un corps quelconque, la direction du mouvement de ce corps ne peut coïncider avec la direction d'une quelconque de ces forces, mais sera la ligne moyenne, la plus courte possible, que la mécanique appelle la diagonale du parallélogramme des forces.

Si les guerres et les batailles que décrivent les historiens, français en particulier, se développent conformément à un plan conçu à l'avance, la seule conclusion que nous pouvons tirer de ces descriptions c'est qu'elles sont fausses.

Le combat de Taroutino ne se déroula évidemment pas comme le voulait Toll dont le dispositif prévoyait l'entrée successive en action de plusieurs colonnes; le combat n'atteignit pas le but que se proposait Orlov-Dénissov : s'emparer de Murat, ni celui que pouvaient se proposer Bennigsen et les autres : détruire d'un seul coup l'armée de Murat, ni celui de l'officier qui voulait prendre part à l'affaire et se distinguer, ni celui du cosaque qui voulait avoir plus de butin qu'il n'en eut, etc. Mais si le but était celui qui fut effectivement atteint et auquel aspiraient tous les Russes (chasser les Français de Russie et détruire leur armée), il est clair que la bataille de Taroutino (et cela justement en raison de son incohérence) fut celle précisément qu'exigeait cette période de la guerre. Il eût été difficile, impossible même, d'imaginer à cette bataille une issue plus favorable. Au prix d'un effort minime et de pertes insignifiantes, on avait obtenu dans le plus grand désordre les plus importants résultats de toute la campagne; on était passé de la retraite à l'offensive, la faiblesse des Français s'était dévoilée, et ce coup qu'attendait seulement pour fuir l'armée de Napoléon, avait été porté.

VIII

Napoléon entre dans Moscou après la brillante victoire *de la Moskova;* la victoire ne fait pas de doute puisque les Français restent maîtres du champ de bataille. Les Russes se retirent et livrent leur capitale. Moscou, qui regorge de vivres, d'armes, de munitions, de richesses incalculables, est aux mains de Napoléon. Deux fois plus faible que l'armée française, l'armée russe ne tente durant un mois aucune attaque. La situation de Napoléon est des plus brillantes. Pour tomber avec des forces doublement supérieures sur les restes de l'armée russe et les anéantir, pour obtenir une paix avantageuse et en cas de refus faire peser une menace sur Pétersbourg, pour se replier même en cas d'échec sur Smolensk ou Vilna, ou bien demeurer à Moscou; bref, pour conserver la brillante situation dans laquelle se trouvait alors l'armée française, il n'était pas besoin, semble-t-il, d'un génie hors pair. Il suffisait de faire la chose la plus simple et la plus facile : empêcher les troupes de se livrer au pillage, préparer des vêtements d'hiver que Moscou pouvait fournir pour toute l'armée, procéder à l'inventaire et à la distribution des vivres qui abondaient à Moscou ; il y en avait pour plus de six mois, au témoignage des historiens français. Or Napoléon, le plus génial des génies et maître absolu de son armée, selon les historiens, ne fit rien de tout cela.

Non seulement il ne fit rien de tout cela, mais il usa au contraire de son pouvoir pour choisir, de toutes les voies qui s'offraient à lui, la plus stupide et la plus néfaste. Napoléon pouvait hiverner à Moscou, marcher sur Pétersbourg, marcher sur Nijny-Novgorod, se retirer plus au Nord ou plus au Sud (en suivant la route que prit plus tard Koutouzov), mais on ne pourrait rien imaginer de plus stupide et de plus néfaste que ce qu'il fit, à savoir : rester à Moscou jusqu'en octobre sans empêcher les troupes de piller la ville; puis quitter la ville en se demandant s'il n'y laisserait pas une garnison, s'approcher de Koutouzov, ne pas livrer bataille, obliquer à droite jusqu'à Malo-Iaroslavets, renoncer une fois de plus à courir la chance d'une percée et, au lieu de prendre la route que suivait Koutouzov, revenir à Mojaïsk par la route de Smolensk, à travers des régions dévastées, — on n'aurait rien pu imaginer de plus stupide, de plus désastreux pour l'armée, comme l'a prouvé la suite des événements.

A supposer que Napoléon n'eût eu d'autre but que la perte de son armée, aucun stratège, si habile fût-il, n'aurait pu imaginer une série d'opérations susceptibles de provoquer plus sûrement et incontestablement la destruction totale de toute l'armée française, et cela indépendamment de tout ce qu'auraient pu entreprendre les Russes.

Le génial Napoléon l'a fait. Mais dire que Napoléon a perdu son armée parce qu'il le voulait ou parce qu'il était très sot, serait aussi faux que de dire que Napoléon a mené ses troupes jusqu'à Moscou parce qu'il le voulait ou était très intelligent et génial.

Dans un cas comme dans l'autre, son action personnelle qui n'avait pas plus d'importance que l'action personnelle de chacun de ses soldats, coïncida tout simplement avec les lois qui régissaient les événements.

Il est absolument faux de prétendre comme font les historiens (parce que les événements n'ont pas justifié les actes de Napoléon) que les forces de Napoléon déclinèrent à Moscou. Comme il l'avait toujours fait, comme il devait le faire plus tard, en 1813, il employait alors toutes ses connaissances et son énergie à agir au mieux de son intérêt et de celui de son armée. Au cours de cette période, Napoléon déploya une activité aussi surprenante qu'en Égypte, en Italie, en Autriche et en Prusse. A quel point elle était effectivement géniale en Égypte où quarante siècles contemplaient sa grandeur, nous l'ignorons, parce que ses exploits ne nous sont décrits que par les Français. Nous ne pouvons non plus juger exactement de son génie en Autriche et en Prusse, parce que nous devons nous contenter des renseignements sur son activité puisés aux sources françaises et allemandes; la stupéfiante reddition sans combat de corps d'armée et de forteresses qui n'étaient même pas assiégées devait inciter les Allemands à attribuer uniquement au génie de Napoléon la tournure qu'avait prise la guerre en Allemagne. Mais, grâce à Dieu, nous n'avons aucune raison de reconnaître son génie pour dissimuler notre honte. Nous avons payé suffisamment cher le droit de regarder simplement les choses en face, et nous ne céderons pas ce droit.

L'activité déployée par Napoléon à Moscou est aussi variée et géniale que partout ailleurs. Ordres et plans se succèdent sans arrêt, depuis le moment de son entrée à Moscou et jus qu'à son départ. L'absence d'habitants et d'une députation, et l'incendie même de la ville ne le troublent pas. Il ne perd de vue ni le bien de son armée, ni les mouvements de l'ennemi, ni le bien des peuples de la Russie, ni la direction des affaires à Paris, ni l'étude des conditions d'une future paix.

IX

Sur le plan militaire, dès son installation à Moscou, Napoléon prescrit au général Sébastiani de suivre attentivement les mouvements de l'armée russe, envoie des corps d'armée dans diverses directions et charge Murat de retrouver Koutouzov. Ensuite, il fait soigneusement fortifier le Kremlin, puis élabore le plan génial d'une future campagne qui doit s'étendre sur toute la Russie.

Sur le plan diplomatique, il fait venir le capitaine Iakovlev [1] qui, ruiné et en guenilles, ne sait comment s'échapper de Moscou, et lui explique sa politique et combien il est généreux, et lui confie une lettre à l'empereur Alexandre où il considère comme son devoir de prévenir son frère et ami Alexandre que Rostoptchine s'est très mal acquitté de sa tâche à Moscou. Ayant éga-

lement exposé ses vues politiques et sa grandeur d'âme à Toutolmine, il envoie aussi ce petit vieux à Pétersbourg en vue
d'entamer des pourparlers.

Sur le plan juridique, dès que les incendies éclatent, l'ordre
est donné de découvrir les coupables et de les exécuter. Et en
punition des méfaits du méchant Rostoptchine, on met le feu
à sa maison.

Sur le plan administratif, une constitution est octroyée à
Moscou, on forme et on installe une municipalité et on publie
la proclamation suivante :

« Habitants de Moscou!

« Vos misères sont cruelles, mais Sa Majesté l'empereur et
roi veut y mettre fin. De terribles exemples vous ont appris
comment il châtie la désobéissance et le crime. Des mesures
sévères sont prises afin de faire cesser le désordre et rétablir
la sécurité de tous. Une administration paternelle élue parmi
vous formera votre municipalité, c'est-à-dire l'administration
de votre ville. Elle s'occupera de vous, de vos besoins, elle
veillera à vos intérêts. Le signe distinctif de ses membres sera
une écharpe rouge qu'ils porteront en sautoir, et le maire aura
en plus une ceinture blanche. Mais en dehors de leurs heures
de service, ils ne porteront qu'un brassard au bras gauche.

« La police municipale est organisée conformément à l'ancien
règlement et grâce à elle un ordre meilleur s'instaure déjà. Le
gouvernement a nommé deux commissaires généraux ou maîtres
de police et vingt commissaires ou officiers de police répartis
dans les divers quartiers de la ville; vous les reconnaîtrez au
brassard blanc qu'ils porteront au bras gauche. Des églises de
différents cultes ont été ouvertes et le service divin y est célébré
sans obstacle. Vos concitoyens regagnent tous les jours leurs
domiciles et les ordres nécessaires sont donnés pour qu'ils
obtiennent l'aide et la protection dues au malheur. Telles sont
les mesures que le gouvernement a prises pour rétablir l'ordre
et alléger votre situation. Mais pour obtenir ce résultat, il faut
que vous joigniez vos efforts aux siens, que vous oubliiez, si
c'est possible, les malheurs qui vous ont frappés, que vous
vous abandonniez à l'espoir d'un sort moins cruel et soyez
convaincus qu'une mort honteuse et inéluctable attend ceux
qui oseront porter la main sur vos personnes et les biens que
vous possédez encore, que vous ne doutiez pas que ceux-ci

481

seront sauvegardés, car telle est la volonté du plus grand et du plus juste de tous les souverains. Soldats et habitants, de quelque nation que vous soyez! Rétablissez la confiance publique qui est la source du bonheur de l'État; vivez en frères, prêtez-vous mutuellement aide et protection; unissez-vous pour combattre les entreprises des criminels; obéissez aux autorités militaires et civiles, et vos larmes cesseront bientôt de couler. »

Sur le plan du ravitaillement, Napoléon prescrivit à toutes les troupes de se rendre à tour de rôle à Moscou *à la maraude* pour s'approvisionner en vivres afin d'assurer pour quelque temps la subsistance de l'armée.

Sur le plan religieux, ordre fut donné de *ramener les popes* et de rétablir les offices dans les églises.

En ce qui concerne le commerce et le ravitaillement de l'armée, Napoléon fit placarder partout l'affiche suivante :

PROCLAMATION

« Vous, paisibles habitants de Moscou, artisans et ouvriers que les malheurs ont éloignés de la ville, et vous, agriculteurs dispersés qu'une crainte non fondée retient encore dans les champs, écoutez! Le calme revient dans cette capitale et l'ordre s'y rétablit. Vos concitoyens sortent sans crainte de leurs retraites, voyant qu'on les respecte. Toute violence exercée contre eux ou leur propriété est sévèrement punie. Sa Majesté l'empereur et roi les protège et ne considère aucun de vous comme ennemi, hors ceux qui n'obéissent pas à ses ordres. Il veut mettre fin à vos malheurs et vous ramener à vos foyers et à vos familles. Conformez-vous donc à ses mesures de protection et venez à nous en toute sécurité. Habitants! regagnez avec confiance vos domiciles : vous trouverez bientôt les moyens de satisfaire vos besoins. Artisans et travailleurs laborieux, revenez à vos métiers! Maisons, boutiques, patrouilles de protection vous attendent, et votre travail sera rémunéré comme il se doit. Et vous enfin, paysans, sortez des forêts où vous vous êtes réfugiés pris de terreur, rentrez sans crainte dans vos isbas avec l'entière assurance d'y trouver protection. Des entrepôts sont ouverts en ville où les paysans peuvent apporter l'excédent de leurs réserves et les produits de leurs potagers. Le gouvernement a pris les mesures suivantes en vue d'assurer leur vente libre :

« 1. A partir de cette date, les paysans, les agriculteurs qui habitent dans les environs de Moscou peuvent sans nul danger apporter en ville leurs produits quels qu'ils soient dans deux entrepôts, c'est-à-dire dans la rue Mokhovaïa et au marché Okhotny;

« 2. Les prix de ces produits seront ceux sur lesquels vendeurs et acheteurs se seront entendus; mais au cas où le vendeur n'aurait pas obtenu le juste prix qu'il exige, il sera libre de remporter ses produits chez lui, et personne n'aura le droit sous aucun prétexte de l'en empêcher;

« 3. Deux fois par semaine, tous les dimanches et les mercredis, auront lieu de grands marchés; c'est pourquoi des troupes en nombre suffisant seront disposées les samedis et mardis sur toutes les grandes routes à une telle distance de la ville qu'elles puissent protéger les convois;

« 4. Les mêmes mesures seront prises afin que les paysans avec leurs chevaux et leurs voitures ne rencontrent pas de difficultés sur le chemin du retour;

« 5. Des mesures vont être prises immédiatement pour rétablir le commerce normal. Habitants de la ville et des villages, et vous, ouvriers et artisans, à quelque nation que vous apparteniez! Vous êtes appelés à exécuter les intentions paternelles de Sa Majesté l'empereur et roi et à collaborer avec lui pour le bien général. Apportez à ses pieds votre respect et votre confiance et hâtez-vous de vous joindre à nous! »

Des revues avaient lieu constamment et des distributions de récompenses, afin de maintenir le moral de l'armée et de la population. L'empereur parcourait à cheval les rues et réconfortait les habitants et, si absorbé qu'il fût par les affaires du gouvernement, il tint à se rendre dans les théâtres ouverts sur son ordre.

Dans le domaine de la bienfaisance, fleuron le plus beau de la couronne princière, Napoléon faisait également tout ce qui dépendait de lui. Il fit inscrire sur les établissements charitables « *Maison de ma mère* », unissant ainsi sa tendresse filiale et la grandeur de sa générosité. Il visita l'orphelinat et après avoir donné à baiser ses blanches mains aux orphelines qu'il avait sauvées, il s'entretint affablement avec Toutolmine. Puis, comme dit éloquemment Thiers, il fit payer la solde de ses troupes avec les faux assignats fabriqués sur son ordre. « *Relevant l'emploi de ces moyens par un acte digne de lui et de l'armée française, il fit distribuer des secours aux incendiés. Mais les vivres étant trop précieux pour être donnés à des étrangers la plupart ennemis, Napoléon aima mieux leur fournir de l'argent afin qu'ils se fournissent au-dehors, et il leur fit distribuer des roubles papiers.* »

En ce qui regarde la discipline de l'armée, on ne cessait de prendre les mesures les plus rigoureuses en vue de mettre fin au pillage et aux infractions dans le service.

X

Chose étrange cependant, toutes ces mesures, toutes ces préoccupations et ces plans, non moins bons que ceux qui avaient été édictés autrefois dans des circonstances analogues, n'atteignaient pas le fond des choses, et comme les aiguilles d'un cadran d'horloge séparé de son mécanisme, tournaient au hasard, inutilement, sans entraîner les rouages.

Au point de vue militaire, le génial plan de campagne dont Thiers dit « *que son génie militaire n'avait jamais rien imaginé de plus profond, de plus habile et de plus admirable* », et que, dans sa polémique avec M. Fain, il date non pas du 4 mais du 15 octobre, ce plan ne fut jamais et ne pouvait être exécuté parce qu'il n'avait aucun contact avec la réalité. La fortification du Kremlin qui aurait nécessité la démolition de *la Mosquée* (c'est ainsi que Napoléon appelait l'église de Basile le Bienheureux) s'avéra parfaitement inutile. La pose de mines sous le Kremlin ne faisait que satisfaire le désir de Napoléon qui voulait en quittant Moscou faire sauter le Kremlin, exactement comme un petit enfant frappe le plancher sur lequel il s'est fait mal en tombant. La poursuite de l'armée russe, qui préoccupait tellement Napoléon, prit une tournure tout à fait extraordinaire. Les généraux français perdirent l'armée russe forte de soixante mille hommes. Et à en croire Thiers, c'est uniquement grâce à l'habileté de Murat, et peut-être aussi à son génie, que l'on retrouva cette épingle, les soixante mille hommes de l'armée russe.

Sur le plan diplomatique, toutes les preuves de sa générosité et de son équité que Napoléon développa devant Toutolmine et devant Iakovlev soucieux avant tout d'obtenir une voiture et un manteau, furent vaines : Alexandre ne reçut pas ces ambassadeurs et ne répondit pas aux propositions qu'ils étaient chargés de lui remettre.

Dans le domaine juridique, après l'exécution des prétendus incendiaires, ce qui restait encore de Moscou brûla à son tour.

Dans le domaine administratif, l'installation d'une municipalité n'arrêta pas le pillage et ne fut avantageuse que pour quelques personnes qui faisaient partie de cette administration et qui, sous prétexte de maintenir l'ordre, pillèrent elles aussi ou s'arrangèrent pour sauvegarder ce qu'elles possédaient.

Dans le domaine religieux, ce qui était facile en Égypte où il suffisait de visiter une mosquée, ici, à Moscou, resta sans résultat. Les deux ou trois prêtres qu'on avait découverts à Moscou tentèrent d'exécuter la volonté de Napoléon, mais l'un d'eux fut giflé pendant l'office par un soldat français, et un fonctionnaire français fit sur un autre le rapport suivant : « *Le prêtre, que j'avais découvert et invité à recommencer à dire la messe, a nettoyé et fermé l'église. Cette nuit on est venu de nouveau enfoncer les portes, casser les cadenas, déchirer les livres et commettre d'autres désordres.* »

Dans le domaine commercial, l'appel lancé aux artisans laborieux et aux paysans demeura sans réponse. Il n'y avait plus d'artisans laborieux; quant aux paysans, ils s'emparaient des commissaires qui s'aventuraient trop loin avec cet appel, et les tuaient.

Dans le domaine des théâtres et des réjouissances publiques, ce fut également un échec. Les théâtres, ouverts au Kremlin et dans la maison Pozniakov, fermèrent presque immédiatement leurs portes, acteurs et actrices ayant été dévalisés.

La bienfaisance elle-même ne donna pas les résultats escomptés. Les assignats vrais et faux inondaient Moscou et n'avaient plus de valeur. Les Français qui amassaient du butin ne voulaient que de l'or. Non seulement les faux assignats que Napoléon distribuait miséricordieusement aux malheureux ne valaient plus rien, mais l'argent s'échangeait contre l'or au-dessous de sa valeur.

Mais les vains efforts que fit Napoléon pour arrêter le pillage et rétablir l'ordre sont l'exemple le plus frappant de l'inefficacité des mesures qu'on prenait alors en haut lieu.

Voici ce que rapportaient les autorités militaires :

« Les pillages se poursuivent en ville, en dépit de l'ordre d'y mettre fin. L'ordre n'est pas encore rétabli et pas un marchand ne commerce légalement. Les vivandiers seuls se risquent à vendre et encore rien que des objets volés. »

« *La partie de mon arrondissement continue à être en proie au pillage des soldats du 3e corps qui, non contents d'arracher aux malheureux réfugiés dans des souterrains le peu qui leur reste, ont même la férocité de les blesser à coups de sabre, comme j'en ai vu plusieurs exemples.* »

« *Rien de nouveau outre que les soldats se permettent de voler et de piller. Le 9 octobre.* »

« *Le vol et le pillage continuent. Il y a une bande de voleurs dans notre district, qu'il faudra faire arrêter par de fortes gardes. Le 11 octobre.* »

« L'empereur est extrêmement mécontent de ce que, malgré les ordres rigoureux d'arrêter le pillage, on voit constamment rentrer au Kremlin des détachements de maraudeurs de la garde. Hier, la nuit dernière et aujourd'hui, les désordres se sont renouvelés dans la vieille garde avec plus de violence que jamais. L'empereur constate avec douleur que les soldats d'élite destinés à veiller sur sa personne et qui devraient donner l'exemple de l'obéissance poussent l'insubordination jusqu'à dévaliser les caves et les magasins de l'armée. D'autres se sont abaissés jusqu'à ne pas écouter les sentinelles et les officiers de garde, à les injurier et à les frapper. »

« *Le grand maréchal du palais se plaint vivement*, écrivait le gouverneur, *que malgré les défenses réitérées, les soldats continuent à faire leurs besoins dans toutes les cours et même jusque sous les fenêtres de l'empereur.* »

Cette armée foulant sous ses pieds, telle un troupeau débandé, la nourriture qui l'aurait sauvée de la faim, de la mort, cette armée se désagrégeait de plus en plus, à mesure que se prolongeait son séjour inutile à Moscou. Et pourtant, elle ne bougeait pas.

Elle ne s'enfuit que sous le coup de la panique provoquée par la prise de convois français sur la route de Smolensk et de la nouvelle du combat de Taroutino. Cette nouvelle, communiquée à Napoléon au cours d'une revue, éveilla en lui le désir de châtier les Russes, comme dit Thiers, et il donna l'ordre de marche que réclamait toute l'armée.

En se sauvant de Moscou, ces hommes emportèrent tout leur butin. Napoléon emportait, lui aussi, son *trésor* personnel. Napoléon fut horrifié (comme s'exprime Thiers) à la vue des convois qui encombraient l'armée; cependant, avec son expérience de la guerre, il ne donna pas l'ordre de mettre le feu à tous les véhicules superflus, ainsi qu'il l'avait fait pour ceux d'un maréchal en approchant de Moscou. Il considéra les calèches, les berlines remplies de soldats et dit que c'était parfait, que toutes ces voitures serviraient au transport des vivres, des malades et des blessés.

La situation de cette armée était semblable à celle d'une bête blessée qui sent qu'elle va périr et ne sait ce qu'elle fait. Étudier les manœuvres habiles et les projets de Napoléon et de son armée, depuis l'entrée de l'armée à Moscou et jusqu'à sa destruction, revient à étudier les bonds et les convulsions d'une bête frappée à mort. L'animal blessé se jette très souvent au moindre bruit sous le feu du chasseur, court en avant, en arrière et précipite sa fin. C'est ce que faisait Napoléon sous la pression de son armée. Le bruit lointain de la bataille de Taroutino avait effrayé la bête qui se jeta en avant; parvenue jusqu'au chasseur, elle rebroussa chemin et, finalement, comme il arrive à tout animal blessé, elle s'enfuit en reprenant le chemin le moins avantageux, le plus dangereux, mais où elle retrouvait ses anciennes traces.

Napoléon qui nous paraît diriger tout ce mouvement (c'est ainsi que les sauvages prennent la figure de proue d'un vaisseau pour la force qui meut ce vaisseau), Napoléon était semblable tout ce temps à un enfant qui, tirant sur les courroies fixées à l'intérieur d'une calèche, s'imagine qu'il conduit la voiture.

XI

Le 6 octobre, tôt le matin, Pierre sortit du baraquement; en y rentrant, il s'arrêta sur le seuil et se mit à jouer avec le petit chien lilas aux courtes pattes torses qui tournait autour de lui. Le petit chien vivait dans leur baraquement et dormait près de Karataïev, mais il s'échappait parfois en ville pour revenir bientôt. Sans doute n'avait-il jamais eu de maître, il n'était à personne maintenant et n'avait même pas de nom. Les Français l'appelaient Azor, le soldat-conteur Femgalka, Karataïev et d'autres le Gris ou Oreille basse. Le petit chien lilas ne semblait aucunement gêné de n'avoir ni maître, ni nom, ni race, ni même une couleur bien définie. Il portait bien droit sa queue qui retombait en panache, ses pattes torses faisaient si bien leur office que souvent, comme dédaignant de les employer toutes les quatre, il levait gracieusement une de ses pattes de derrière et courait adroitement et rapidement sur les trois autres. Tout était pour lui occasion de plaisir. Tantôt il se roulait sur le dos en poussant de petits jappements de joie; tantôt il se chauffait au soleil, l'air méditatif et sérieux; tantôt il jouait avec un copeau, un brin de paille.

Le costume de Pierre consistait à présent en une chemise sale et déchirée, dernier vestige de ses anciens vêtements, en une culotte de soldat attachée aux chevilles par des ficelles pour tenir plus chaud sur le conseil de Karataïev, un caftan et un bonnet de paysan. Pierre avait beaucoup changé physiquement les derniers temps. Il ne paraissait déjà plus si gros, bien qu'il eût gardé sa grande et puissante carrure, ce « grand format » qui caractérisait sa lignée. Barbe et moustache avaient envahi le bas de son visage; ses cheveux longs et emmêlés, pleins de poux, formaient sur sa tête comme un bonnet. Ses yeux avaient une expression ferme, calme, animée et attentive qu'ils n'avaient jamais eue auparavant. Son laisser-aller d'antan qui apparaissait jusque dans son regard, avait fait place à un maintien énergique, prêt à l'action et à la riposte. Il était pieds nus.

Pierre regardait tantôt la plaine en bas où, ce matin, circulaient des charrettes et des cavaliers, tantôt la rivière au loin, tantôt le petit chien qui faisait mine de vouloir le mordre, tantôt ses pieds nus, qu'il changeait avec plaisir de position, remuant ses orteils grands, larges et sales. Et chaque fois qu'il considérait ses pieds nus, un sourire de satisfaction passait sur son visage. La vue de ses pieds nus lui rappelait tout ce qu'il avait vécu et ce qu'il avait compris au cours de cette période, et ce souvenir lui était agréable.

Le temps, depuis quelques jours, était doux et clair, avec de légères gelées blanches le matin; c'était l'été de bonne-femme, comme on dit.

L'air au soleil était tiède, et cette tiédeur, se mêlant à la fraîcheur revigorante de la gelée matinale qu'on sentait encore, était particulièrement agréable.

Tout, les objets proches et les lointains, brillait de cet éclat cristallin et magique que l'on ne voit qu'à cette période de l'automne. On apercevait au loin le mont des Moineaux avec un village, une église et une grande maison blanche. Et les arbres dénudés, et le sable, et les pierres, et les toits des maisons, et le clocher vert de l'église, et les angles de la lointaine maison blanche, tout cela se découpait dans l'air transparent en lignes fines, d'une netteté étrange. Tout près, on voyait les ruines familières d'une maison de maître à moitié brûlée, occupée par des Français, avec des buissons de lilas d'un vert encore foncé, qui poussaient le long de la palissade. Et cette maison, même ruinée et souillée, repoussante de laideur par temps gris, avait à présent, dans la lumière immobile, quelque chose de beau et d'apaisant.

Un caporal français en tenue négligée, coiffé d'un bonnet de police, une courte pipe aux dents, apparut à l'angle du baraquement et s'approcha de Pierre avec un clin d'œil amical.

— *Quel soleil, hein, monsieur Kiril?* (c'est ainsi que tous les Français appelaient Pierre). *On dirait le printemps.* — Et le caporal s'appuya à la porte et offrit une pipe à Pierre, bien que celui-ci eût toujours refusé son offre.

— *Si l'on marchait par un temps comme celui-là...,* commença-t-il.

Pierre lui demanda ce qu'on entendait dire du départ, et le caporal répondit que presque toutes les troupes partaient et qu'on devait recevoir aujourd'hui des ordres concernant les prisonniers. Dans le baraquement où se trouvait Pierre, un soldat, Sokolov, était à la mort, et Pierre dit au caporal qu'il fallait y aviser. Le caporal répondit que Pierre pouvait être tranquille, qu'il y avait des ambulances et des hôpitaux, que des dispositions seraient prises en faveur des malades, et qu'en général tout ce qui pouvait arriver était prévu par le commandement.

— *Et puis, M. Kiril, vous n'avez qu'à dire un mot au capitaine, vous savez. Oh, c'est un... qui n'oublie jamais rien. Dites au capitaine quand il fera sa tournée, il fera tout pour vous...*

Le capitaine dont parlait le caporal causait souvent et longuement avec Pierre et lui accordait toutes sortes de faveurs.

— *Vois-tu, Saint-Thomas, qu'il me disait l'autre jour : Kiril c'est un homme qui a de l'instruction, qui parle français; c'est un seigneur russe qui a eu des malheurs, mais c'est un homme. Et il s'y entend, le... S'il demande quelque chose; qu'il me le dise; il n'y a pas de refus. Quand on a fait ses études, voyez-vous, on aime l'instruction et les gens comme il faut. C'est pour vous que je dis cela, M. Kiril. Dans l'affaire de l'autre jour, si ce n'était grâce à vous, ça aurait fini mal.*

Et, ayant bavardé encore un moment, le caporal partit.

(L'affaire de l'autre jour, à laquelle le caporal venait de faire allusion, était une rixe entre les prisonniers et les Français, dans laquelle Pierre était intervenu pour apaiser ses camarades.) Quelques prisonniers qui avaient assisté à la conversation demandèrent aussitôt à Pierre ce qu'avait dit le caporal. Pierre leur racontait ce qu'il venait d'apprendre au sujet du prochain départ, quand un soldat français, maigre, jaune et en loques, s'approcha de la porte du baraquement. Ayant d'un geste à la fois vif et timide porté les doigts à son front en guise de salut, il demanda à Pierre si le soldat *Platoche*, à qui il avait donné une chemise à coudre, était bien dans ce baraquement.

Une semaine plus tôt, les Français avaient reçu du cuir et de la toile, et ils avaient fait faire aux prisonniers des bottes et des chemises.

— Elle est prête, elle est prête, mon petit faucon, dit Karataïev, en sortant avec la chemise soigneusement pliée.

Profitant du temps chaud, Karataïev pour travailler plus à l'aise ne portait qu'un pantalon et une chemise trouée et noire comme la suie. Ses cheveux étaient retenus sur le front par un ruban de tille, à la façon des artisans, et son visage rond semblait plus rond encore et plus agréable que de coutume.

— Affaire convenue, affaire faite. J'ai dit vendredi, et je l'ai faite pour vendredi, disait Platon en souriant et en dépliant la chemise qu'il avait cousue.

Le Français regarda autour de lui d'un air inquiet et comme s'il surmontait son hésitation, il enleva rapidement son uniforme et mit la chemise. Sous son uniforme, il n'avait pas de chemise, mais ne portait sur son torse jaune et maigre qu'un long gilet crasseux en soie à fleurettes. Le Français craignait évidemment les moqueries des prisonniers qui le regardaient, et il se hâta de passer sa tête dans la chemise. Aucun des prisonniers ne dit mot.

— Voyez-moi ça! Parfait! disait Platon en tirant la chemise. Le Français ayant passé la tête et enfilé les manches sans lever les yeux, regardait sur lui la chemise et examinait les coutures.

— Eh quoi, mon petit faucon, ce n'est pas un atelier ici, et on n'a pas d'instruments; or il est dit : sans un clou, on ne tue même pas un pou. — Un sourire arrondissait le visage de Platon, en admiration devant son œuvre.

— *C'est bien, c'est bien, merci, mais vous devez avoir de la toile de reste?* dit le Français.

— Elle ira encore mieux quand tu la porteras sur le corps,

disait Karataïev qui continuait d'admirer la chemise. Ce sera et commode et agréable...

— *Merci, merci, mon vieux, le reste?...*, répéta le Français en souriant et ayant sorti un assignat, il le donna à Karataïev, *mais le reste...*

Pierre voyait que Karataïev ne voulait pas comprendre ce que disait le Français et il les regardait tous deux sans intervenir. Karataïev remercia pour l'argent et continua d'admirer son ouvrage. Le Français insistait sur les restes et il demanda à Pierre de traduire ce qu'il disait.

— A quoi ça lui sert, les restes? dit Karataïev. Ça nous aurait fait de fameuses bandes pour les pieds. Allons, que Dieu le bénisse !

Karataïev, le visage soudain changé, assombri, sortit de sous sa chemise les restes de toile bien roulés et les tendit au Français sans le regarder. « Tant pis », fit Karataïev, et il s'éloigna. Le Français regarda la toile, resta un instant pensif, jeta à Pierre un regard interrogateur, et ce fut comme si le regard de Pierre lui avait dit quelque chose.

— *Platoche, dites donc, Platoche !* cria soudain en rougissant le Français d'une voix aiguë. *Gardez pour vous*, dit-il en tendant les chutes de toile; et il se retourna et partit.

— Voyez-moi ça, dit Karataïev en hochant la tête. On dit que ce sont des païens, mais ils ont une âme eux aussi. Les petits vieux disaient bien : main qui sue donne bien, main trop sèche retient. Lui-même est tout nu, et il m'a donné.

Karataïev resta un moment silencieux en regardant avec un sourire pensif les morceaux de toile.

— Elles seront fameuses nos bandes, mon ami, dit-il, et il rentra dans le baraquement.

XII

Pierre était prisonnier depuis quatre semaines. Bien que les Français lui eussent proposé de le transférer dans le baraquement des officiers, il était resté dans celui où on l'avait amené le premier jour.

Dans Moscou dévastée et incendiée, Pierre avait éprouvé presque jusqu'à la limite les privations que peut supporter un homme; mais grâce à sa robuste complexion et sa santé, dont il ne s'était jamais rendu compte jusqu'alors, et surtout parce que ces privations avaient augmenté si insensiblement qu'on ne pouvait dire quand elles avaient commencé, il supportait sa situation non seulement facilement, mais avec joie même. C'est précisément au cours de cette période qu'il avait trouvé la paix et la satisfaction vainement cherchées auparavant. Il avait toute sa vie cherché dans différentes directions cette paix, cet accord avec soi-même qui l'avaient tellement frappé chez les soldats à Borodino. Il les avait cherchés dans la philanthropie, la maçonnerie, les distractions de la vie mondaine, dans le vin, dans le sacrifice, dans son amour romantique pour Natacha; il les avait cherchés par les voies de la pensée, et toutes ces recherches et ces tentatives l'avaient trompé. Et voilà que sans y penser, il recevait cet apaisement et l'accord avec soi-même, mais seulement en passant par la terreur de la mort, par les privations et par ce que lui avait fait comprendre Karataïev.

Les terribles minutes qu'il avait vécues pendant l'exécution avaient lavé comme pour toujours son imagination et sa mémoire des idées et des angoisses qui lui semblaient autrefois si importantes. Il ne lui venait pas la moindre pensée touchant la Russie, la guerre, la politique, Napoléon. Il lui était évident que tout cela ne le concernait pas, qu'il n'avait pas été appelé à y prendre part et ne devait donc pas en juger. « Russie et été ne sont pas alliés », répétait-il; c'étaient les paroles de Karataïev, et elles le calmaient étrangement. Son intention de tuer Napoléon et ses calculs du nombre cabalistique de la Bête de l'Apocalypse lui paraissaient maintenant incompréhensibles, et même comiques. Sa colère contre sa femme et la crainte qu'elle déshonorât son nom lui paraissaient maintenant non seulement mesquines, mais drôles. Que lui importait que cette femme menât quelque part là-bas la vie qui lui plaisait? Que lui importait que les Français apprennent ou non que leur prisonnier était le comte Bézoukhov?

Il lui arrivait souvent de se rappeler sa conversation avec le prince André, et il était maintenant pleinement d'accord avec lui, tout en comprenant un peu différemment la pensée de son ami. Le prince André pensait et disait que le bonheur ne pouvait être que négatif, mais il le disait avec une nuance d'amertume et d'ironie, comme si en parlant ainsi il exprimait une autre idée : que toutes nos aspirations vers un bonheur positif nous sont données uniquement pour que l'impossibilité de les satisfaire nous tourmente. Mais Pierre reconnaissait sans aucune arrière-pensée que c'était bien cela. L'absence de douleur, la satisfaction des besoins et en conséquence le libre choix des occupations, c'est-à-dire du mode de vie, apparaissaient à présent à Pierre comme le bonheur humain suprême et incontestable. Ici, à présent seulement, Pierre, pour la première fois, apprécia pleinement le plaisir que donne la nourriture quand on a envie de manger, la boisson quand on a envie de boire, le sommeil quand on a envie de dormir, la chaleur quand on a froid, la conversation quand on a envie de parler et d'entendre une voix humaine. La satisfaction des besoins — une bonne nourriture, la propreté, la liberté — à présent qu'il était privé de tout cela, semblaient à Pierre le bonheur parfait, et le choix des occupations, c'est-à-dire la vie, maintenant que ce choix était si limité, lui semblait chose si facile qu'il oubliait que l'excès des commodités de l'existence anéantit tout le bonheur que donne la satisfaction des besoins, et qu'une grande liberté dans le choix des occupations, cette liberté que lui octroyaient son instruction, sa richesse, sa situation mondaine, que cette liberté rend précisément le choix des occupations d'une difficulté insoluble et anéantit le besoin même et la possibilité d'une occupation.

Tous les rêves de Pierre tendaient maintenant vers le moment où il serait libre. Et cependant, dans la suite, tout au long de sa vie, Pierre ne se souvint et ne parla jamais qu'avec enthousiasme de ce mois de captivité, évoquant ces sensations puissantes et joyeuses qu'il ne devait plus retrouver, et surtout la paix de l'âme, l'absolue liberté intérieure qu'il n'avait connues qu'en ce temps-là.

Quand le premier jour, levé très tôt, il était sorti à l'aube du baraquement et avait vu d'abord les sombres coupoles et les croix du monastère de Novodiévitchi, la gelée blanche sur l'herbe poussiéreuse, les hauteurs du mont des Moineaux, et le rivage boisé qui serpentait dominant la rivière, puis se perdait dans les lointains violets, lorsqu'il avait senti le contact de l'air frais et avait entendu les croassements des choucas qui, venant de Moscou, survolaient la campagne, et lorsqu'ensuite la lumière avait jailli soudain à l'orient et que le bord du soleil avait solennellement émergé d'un nuage, et que les coupoles et les croix, et la rosée et les lointains et la rivière, tout s'était mis à jouer, à briller dans la joyeuse lumière, Pierre avait éprouvé le sentiment nouveau, jamais encore éprouvé, de la joie et de la puissance de la vie.

Et ce sentiment ne devait plus l'abandonner au cours de la captivité; il grandit même à mesure qu'augmentaient les difficultés de sa situation.

L'estime en laquelle l'avaient tenu ses camarades sitôt après son arrivée avait encore renforcé ce sentiment de disponibilité et de fermeté morale. Sa connaissance des langues, le respect que lui témoignaient les Français, la simplicité avec laquelle il donnait ce qu'on lui demandait (il recevait comme officier trois roubles par semaine), sa force qu'il prouvait en enfonçant avec les mains des clous dans les murs du baraquement, sa douceur dans ses rapports avec les prisonniers, sa faculté incompréhensible pour eux de rester immobile sans rien faire, — tout cela faisait de lui, à leurs yeux, un être mystérieux et supérieur. Ces mêmes particularités qui dans le monde où il vivait auparavant étaient, sinon nuisibles tout au moins gênantes, — sa force, son dédain des commodités de l'existence, sa distraction, sa simplicité, — ici, au milieu de ces gens, lui valaient presque le prestige d'un héros.

Et Pierre se rendait compte que cette situation lui imposait des devoirs.

XIII

Dans la nuit du 6 au 7 octobre, l'armée française commença à évacuer Moscou : on démolissait les cuisines, les baraquements, on chargeait les voitures, et les troupes et les convois se mettaient en marche.

A sept heures du matin, un détachement de Français en tenue de campagne, — shakos, fusils, havresacs, avec en plus de gros ballots — s'aligna devant le baraquement, et la rumeur des conversations animées parsemées de jurons courut le long des rangs.

Tous étaient prêts dans le baraquement, habillés, ceinturés, chaussés et n'attendaient plus que l'ordre de sortir. Seul Sokolov, le soldat malade, blême, décharné, avec des cernes bleus autour des yeux, n'était ni habillé, ni chaussé; assis à sa place, de ses yeux qui saillaient tant son visage était maigre, il regardait d'un air interrogateur ses camarades qui ne faisaient pas attention à lui, et gémissait faiblement et régulièrement : ce n'était évidemment pas tant la douleur qui le faisait gémir — il avait de la dysenterie — que la peur et le chagrin de rester seul.

Pierre, chaussé des bottes que lui avait cousues Karataïev dans le cuir d'une caisse à thé apportée par un Français pour qu'on y découpât ses semelles, une corde en guise de ceinture, s'approcha du malade et s'accroupit à côté de lui.

— Eh quoi, Sokolov, ils ne t'abandonnent pas complètement! Ils ont un hôpital. Peut-être seras-tu encore mieux que nous, dit Pierre.

— Oh! mon Dieu! Oh, c'est ma mort! Oh, mon Dieu! gémit plus fort le soldat.

— Je vais leur en parler tout de suite, dit Pierre, et s'étant levé, il se dirigea vers la porte du baraquement. Il en approchait quand entra le caporal qui, la veille, avait offert une pipe à Pierre. Le caporal et les deux soldats qui l'accompagnaient étaient en tenue de campagne, havresac et shako, jugulaire au menton, ce qui changeait leurs visages familiers.

Le caporal était venu sur l'ordre de ses chefs pour fermer la porte. Avant de laisser sortir les prisonniers, il fallait procéder à leur appel.

— *Caporal, que fera-t-on du malade?...* commença Pierre.

A la minute même qu'il prononçait ces mots, il eut un doute : était-ce bien le caporal qu'il connaissait ou bien un inconnu, tant ce caporal ne se ressemblait plus. En outre, au moment où Pierre parlait, de deux côtés à la fois retentit soudain le fracas des tambours. Le caporal se rembrunit en entendant Pierre et, ayant lancé un juron incompréhensible, claqua la porte. Le baraquement fut plongé dans une demi-obscurité; les tambours continuaient de battre des deux côtés et étouffaient les gémissements du malade.

« Voilà!... ça recommence! » se dit Pierre et il eut froid dans le dos. Dans le visage transformé du caporal, dans le son de sa voix, dans le fracas excitant et assourdissant des tambours, Pierre reconnut cette force mystérieuse et indifférente à tout qui obligeait les hommes, en dépit de leur volonté, à tuer leurs semblables, la force qu'il avait vue à l'œuvre lors de l'exécution. Craindre cette force, essayer de l'éviter, adresser des demandes ou des exhortations aux hommes qui étaient ses instruments, était inutile. Cela, Pierre le savait à présent. Il fallait attendre et patienter. Pierre ne s'approcha plus du malade et ne se retourna plus vers lui. Il se tenait debout en silence, l'air sombre, près de la porte du baraquement.

Quand la porte s'ouvrit et que les prisonniers, se bousculant comme un troupeau de moutons, se pressèrent vers la sortie, Pierre se poussa en avant et s'approcha de ce même capitaine qui était prêt à tout faire pour lui, aux dires du caporal. Le capitaine, lui aussi, était en tenue de campagne, et « cela » perçait aussi à travers son visage froid, cela que Pierre avait reconnu dans les paroles du caporal et le fracas des tambours.

— *Filez, filez*, répétait le capitaine, fronçant sévèrement les sourcils et regardant les prisonniers qui passaient en hâte devant lui. Pierre savait que sa tentative serait vaine, mais il s'approcha de lui.

— *Eh bien, qu'est-ce qu'il y a?* demanda sèchement l'officier en se tournant vers lui, comme s'il ne le reconnaissait pas. Pierre lui parla du malade.

— *Il pourra marcher, que diable!* dit le capitaine. *Filez, filez*, reprit-il, sans regarder Pierre.

— *Mais non, il est à l'agonie...*, commença Pierre.

— *Voulez-vous bien!...* cria le capitaine furieux.

Dram da da dam, dam, dam, crépitèrent les tambours. Et Pierre comprit que la force mystérieuse s'était complètement emparée de ces gens et qu'à présent il était inutile de dire quoi que ce fût.

On sépara les officiers prisonniers des soldats, et on leur ordonna de marcher en tête. Les officiers, parmi lesquels se trouvait Pierre, étaient une trentaine, et il y avait trois cents soldats environ.

Les officiers prisonniers qui venaient des autres baraquements, tous des inconnus pour Pierre, étaient beaucoup mieux vêtus que lui et le regardaient, lui et ses chaussures, avec méfiance et hostilité. Non loin de Pierre marchait un gros commandant qui jouissait visiblement du respect de ses camarades; il portait une robe de chambre tartare que ceinturait une serviette et avait un visage bouffi, jaune et grognon. Une de ses mains, qui tenait une blague à tabac, était passée dans l'échancrure de son vêtement, de l'autre il s'appuyait sur une chibouque. Soufflant et haletant, il grognait et se fâchait contre tout le monde parce qu'il lui semblait qu'on le poussait et qu'on se hâtait, alors qu'il n'y avait pas de raison de se presser, et qu'on s'étonnait, alors qu'il n'y avait nullement de quoi s'étonner. Un autre officier, petit et maigre, engageait la conversation avec tout le monde, faisait des suppositions sur leur destination et la longueur de l'étape qu'on leur ferait faire. Un fonctionnaire en uniforme de commissaire et chaussé de bottes de feutre courait de côté et d'autre, cherchait à se rendre compte des dévastations de Moscou, faisait part de ses observations sur les quartiers brûlés et sur telle et telle partie de la ville qu'on pouvait apercevoir. Un officier d'origine polonaise, à en juger par son accent, discutait avec le fonctionnaire, lui démontrant qu'il se trompait sur les quartiers de Moscou.

— De quoi discutez-vous? disait le commandant d'un ton irrité. Nicolas ou Vlass, tout est pareil; vous voyez, tout a brûlé, et c'est fini... Qu'avez-vous à me pousser, est-ce que la route n'est pas assez large? dit-il d'un air mauvais à l'homme qui le suivait et ne le poussait nullement.

— Oh! oh! oh! qu'ont-ils fait! s'exclamaient tantôt d'un côté de la route, tantôt de l'autre, les prisonniers à la vue des décombres. Et Zamoskvorétchié [1], et Zoubovo! Et le Kremlin donc!... Regardez, il n'en reste pas la moitié! Je vous disais bien que tout Zamoskvorétchié avait brûlé, et c'est ainsi.

— Eh bien, vous le savez maintenant que tout a brûlé! A quoi bon en parler alors! disait le commandant.

En passant à Khamovniki (un des rares quartiers épargnés par le feu) devant l'église, la foule des prisonniers se porta soudain d'un côté, et on entendit des exclamations d'horreur et de dégoût.

— Voyez, les misérables! De vrais païens! Un mort! Oui, c'est un mort... On l'a barbouillé de je ne sais quoi!...

Pierre aussi s'avança vers l'église où était cette chose qui avait provoqué des exclamations, et il aperçut vaguement une forme adossée à la grille. D'après ce que disaient ses compagnons qui voyaient mieux que lui, il comprit que c'était le cadavre d'un homme dressé contre la grille, le visage barbouillé de suie.

— *Marchez, sacré nom!... Filez... trente mille diables!* juraient les convoyeurs; et de nouveau furieux, ils dispersèrent à coups de crosse les prisonniers qui regardaient le cadavre.

XIV

Les ruelles de Khamovniki [2], que traversaient les prisonniers suivis des charrettes et des fourgons de leur escorte, étaient vides, mais en approchant des magasins de l'intendance, ils se trouvèrent pris dans la masse compacte d'un énorme convoi d'artillerie où s'étaient introduites des voitures particulières.

Aux abords du pont, tout le monde s'arrêta, attendant que ceux qui étaient en tête fussent passés. Du haut du pont, les prisonniers découvrirent des files interminables d'autres convois en marche devant et derrière eux. A droite, là où la route de Kalouga tourne près de Neskoutchny pour se perdre au loin, des troupes et des convois avançaient sans fin. C'était le corps d'armée de Beauharnais, parti le premier de Moscou que suivaient le long du quai et sur le pont Kamenny [1] les troupes et les convois de Ney.

Le corps d'armée de Davout dont dépendaient les prisonniers passait par le Gué de Crimée [2] et s'engageait déjà dans la rue de Kalouga. Mais la file des fourgons s'était à tel point étirée que les régiments de Ney débouchaient déjà de la Grande Ordynka [3] alors que les derniers convois de Beauharnais ne s'étaient pas encore engagés dans la rue de Kalouga.

Ayant passé le Gué de Crimée, les prisonniers faisaient quelques pas, s'arrêtaient, repartaient; la cohue des véhicules et des hommes ne cessait d'augmenter. Après avoir parcouru en plus d'une heure les quelques centaines de pas qui séparent le pont de la rue de Kalouga et atteint le carrefour des rues de Zamoskvorétchié et de Kalouga, le groupe compact des prisonniers s'arrêta et resta plusieurs heures debout dans l'attente. On entendait de tous côtés, pareil au bruit de la mer, le grondement ininterrompu des roues, le piétinement des hommes, les cris furieux et les jurons. Debout, serré contre le mur d'une maison incendiée, Pierre écoutait ces bruits qui se fondaient dans son imagination avec le son des tambours.

Plusieurs officiers prisonniers grimpèrent pour mieux voir sur le mur de la maison incendiée près de laquelle se tenait Pierre.

— Que de monde! Que de monde!... Et qu'est-ce qu'on a entassé, même sur les canons... voyez, des fourrures!... disait-on. Voyez-moi ça, ce qu'ils ont pillé, les canailles! Celui-là, qu'a-t-il derrière lui, sur sa charrette? Il l'a arraché à une icône..., ma parole!... Des Allemands, sans doute. Et celui-là, un des nôtres, un paysan, ma parole!... Ah, les crapules!... voyez-moi ce qu'il est chargé! Il avance à peine... Et là, ce drojki, ils le prennent aussi!... Et celui-là, juché sur des coffres! Mon Dieu!... On se bat!...

— C'est ça, vas-y, sur la gueule, sur la gueule!... On sera

encore là ce soir. Regardez, regardez... et ça doit être Napoléon lui-même. Quels chevaux avec des monogrammes et des couronnes!... Et la voiture, une vraie maison... Eh, tu as perdu un sac... Il ne voit pas... Ils recommencent à se battre... Tiens, une femme avec un petit enfant, et pas mal. Comment donc, on va sûrement te laisser passer... Regardez, ça n'en finit pas. Des filles russes! Ma parole, des filles, et bien installées dans des calèches!

Une nouvelle vague de curiosité, comme celle qui les avait soulevés devant l'église de Khamovniki, porta les prisonniers vers la route, et Pierre, grâce à sa haute taille, vit par-dessus la tête des autres ce qui excitait tant leur curiosité. Dans trois calèches, égarées parmi les caisses de munitions, étaient assises et tassées l'une contre l'autre des femmes fardées, parées de vêtements aux couleurs vives, les joues rougies, qui criaient on ne sait quoi de leurs voix stridentes.

Depuis que Pierre avait reconnu la présence de la force mysrérieuse, plus rien ne lui paraissait étrange ou effrayant, ni le cadavre enduit de suie par amusement, ni ces femmes qui se hâtaient pour aller on ne sait où, ni les ruines calcinées de Moscou. Tout ce que Pierre voyait ne produisait sur lui presque aucune impression, comme si son âme, se préparant à une lutte difficile, se refusait à accueillir des impressions susceptibles de l'affaiblir.

Les voitures des femmes passèrent, que suivirent de nouveau des charrettes, des soldats, des fourgons, et encore des soldats, des prolonges d'artillerie, des soldats, des caissons, des soldats, des femmes de temps à autre.

Pierre ne distinguait pas ces gens les uns des autres; il ne saisissait que leur mouvement.

Tous ces gens et ces chevaux semblaient chassés par une force invisible. Tous, au cours de l'heure durant laquelle Pierre les observa, émergeaient des différentes rues avec le seul et même désir de passer au plus vite; tous, se heurtant à d'autres, se fâchaient, se battaient; les lèvres retroussées découvraient les dents, les sourcils se fronçaient, les mêmes injures s'échangeaient, et sur tous les visages se lisait la même expression martiale, froide et cruelle qui avait surpris Pierre lorsqu'il l'avait aperçue sur le visage du caporal, quand éclatait le roulement des tambours.

Vers le soir, le chef de l'escorte ayant rassemblé ses hommes parvint à force de cris et de discussions à s'introduire parmi les fourgons, et les prisonniers, entourés de tous côtés, prirent la route de Kalouga.

On marcha très vite, sans se reposer, et on ne s'arrêta qu'au coucher du soleil. Les convois s'agglomérèrent, et les hommes commencèrent à se préparer pour la nuit. Tous semblaient fâchés et mécontents. Jurons, cris de colère, bruit de rixes retentirent encore longtemps de différents côtés. Une voiture qui suivait le convoi, ayant buté contre une charrette des convoyeurs, l'avait défoncée avec son timon. Des soldats accoururent de différents côtés; les uns frappaient sur la tête des chevaux de la voiture pour les faire tourner, d'autres se battaient entre eux, et Pierre vit un Allemand grièvement blessé à la tête d'un coup de sabre.

On eût dit que tous ces hommes éprouvaient, maintenant qu'ils s'étaient arrêtés au milieu des champs dans le crépuscule d'une froide soirée d'automne, la sensation de s'éveiller péniblement après la hâte et l'agitation qui les avaient envahis au départ de Moscou. S'étant arrêtés, tous semblaient avoir compris qu'on ne savait pas encore où on allait et que bien des épreuves et des difficultés les attendaient au cours de leur marche.

Durant cette étape, les convoyeurs traitèrent les prisonniers encore plus mal qu'au départ; on leur distribua pour la première fois de la viande de cheval. On remarquait que tous, des officiers jusqu'au dernier soldat de l'escorte, manifestaient contre chacun des prisonniers une sorte d'hostilité personnelle qui brusquement s'était substituée aux anciennes relations amicales. Cette hostilité s'accrut encore quand, au moment de l'appel des prisonniers, il se trouva que dans l'agitation du départ un soldat russe, qui avait fait semblant d'avoir mal au ventre, s'était échappé. Pierre vit un Français battre un Russe parce que celui-ci s'était écarté de la route, et il entendit le capitaine, son ami, s'en prendre à un sous-officier à propos du fugitif et le menacer du conseil de guerre. En réponse au sous-officier qui expliquait que le soldat était malade et ne pouvait marcher, l'officier dit qu'ordre était donné de fusiller tous les traînards. Pierre sentait que cette force fatale, qui l'avait écrasé au moment de l'exécution et qui ne s'était pas montrée pendant sa captivité, disposait à nouveau de son existence. Il avait peur; mais il sentait que plus la force fatale s'acharnait à l'écraser, plus grandissait en son âme et s'affermissait la force de la vie, indépendante de l'autre.

Pierre mangea une soupe de farine de seigle avec de la viande de cheval et s'entretint avec ses compagnons.

Ni lui, ni aucun d'eux ne parlèrent de ce qu'ils avaient vu à Moscou, de la brutalité des Français, ni de l'ordre de fusiller les traînards qu'on leur avait signifié; comme pour mieux résister à une situation qui empirait, tous se montraient particulièrement gais et animés. Ils évoquaient leurs souvenirs personnels, les épisodes comiques de la campagne, et évitaient les conversations se rapportant à la situation présente.

Le soleil était couché depuis longtemps. De brillantes étoiles s'allumaient çà et là dans le ciel; la lueur rouge, semblable à celle d'un incendie, de la pleine lune qui se levait se répandit à l'horizon, et un énorme globe rouge se balança étrangement dans la brume grisâtre. Il commençait à faire clair. La soirée était terminée, mais la nuit n'avait pas encore commencé. Pierre se leva, quitta ses nouveaux camarades et, passant entre les feux de bivouac, s'en alla de l'autre côté de la route où étaient, lui avait-on dit, les soldats prisonniers. Il avait envie de causer avec eux. Mais une sentinelle française l'arrêta sur la route et lui ordonna de rebrousser chemin.

Pierre revint sur ses pas, non vers le feu, vers ses camarades, mais vers une charrette dételée où il n'y avait personne. Il s'assit sur la terre froide près de la roue de la charrette et, les jambes repliées sous lui, la tête baissée, il resta longtemps immobile, réfléchissant. Plus d'une heure s'écoula. Personne ne le dérangeait. Soudain, il éclata de son gros rire bon enfant, et si fort que de différents côtés des hommes se retournèrent surpris par cet étrange rire évidemment solitaire.

— Ha, ha, ha! riait Pierre. Le soldat ne m'a pas laissé passer, dit-il à haute voix. On m'a pris, on m'a enfermé. On me tient en captivité. Qui? Moi? Moi? Moi, mon âme immortelle! Ha, ha, ha!... Ha, ha, ha!... — Les larmes lui en venaient aux yeux.

Quelqu'un se leva et s'approcha pour voir de quoi riait tout seul ce grand homme étrange. Pierre cessa de rire, se leva, s'éloigna du curieux et regarda autour de lui.

L'immense bivouac s'étendant à l'infini, qui avait tout à l'heure retenti du crépitement des feux et de la rumeur des hommes, s'apaisait; les feux rouges pâlissaient et s'éteignaient. La pleine lune était haut dans le ciel clair. Les forêts et les champs au-delà du camp, qu'auparavant on ne distinguait pas, se découvraient maintenant au loin. Et au-delà de ces forêts et de ces champs, on devinait un clair lointain, infini, mouvant, attirant. Pierre leva les yeux vers les étoiles qui palpitaient dans les profondeurs du ciel. « Et tout cela est à moi, et tout cela est en moi, et tout cela est moi ! pensait Pierre. Et tout cela, ils l'ont pris et enfermé dans un baraquement de planches ! » Il sourit et alla dormir auprès de ses camarades.

XV

Dans les premiers jours d'octobre, un nouveau parlementaire arriva chez Koutouzov porteur d'une lettre de Napoléon avec des offres de paix, datée trompeusement de Moscou alors que Napoléon était déjà non loin de Koutouzov, sur l'ancienne route de Kalouga. Koutouzov répondit à cette lettre comme il avait déjà répondu à la première, transmise par Lauriston, qu'il ne pouvait pas être question de paix.

Bientôt après, le détachement de partisans de Dorokhov qui opérait à gauche de Taroutino fit savoir que des Français étaient apparus à Fominskoïé, qu'il s'agissait de la division de Broussier, et que cette division, séparée des autres troupes, pouvait facilement être anéantie. Les soldats et les officiers exigeaient de nouveau qu'on passât à l'action. Les généraux de l'état-major, mis en goût par le souvenir de la facile victoire de Taroutino, insistaient auprès de Koutouzov pour qu'on acceptât les propositions de Dorokhov. Koutouzov, lui, était opposé à toute offensive. Il arriva ce qui devait arriver ; on tomba d'accord sur une solution moyenne et on envoya à Fominskoïé un petit détachement qui devait attaquer Broussier.

Par un étrange concours de circonstances, cette mission — la plus difficile et la plus importante, ainsi qu'il apparut plus tard — échut à Dokhtourov ; ce même modeste petit Dokhtourov que personne ne nous a présenté élaborant des plans de bataille, galopant en tête des régiments, semant à pleines mains des décorations, etc., Dokhtourov qu'on jugeait et disait indécis et peu perspicace, mais ce même Dokhtourov que, tout au long des guerres entre Russes et Français, d'Austerlitz à 1813, nous trouvons toujours au commandement, là où la situation est dangereuse. A Austerlitz, il reste le dernier sur la digue d'Augezd, ralliant les régiments, sauvant ce qu'on pouvait sauver, alors que tous fuient et périssent et qu'il n'y a pas un seul général à l'arrière-garde. Malade, secoué de fièvre, il va défendre Smolensk avec vingt mille hommes contre toute l'armée de Napoléon. A peine s'est-il assoupi à Smolensk près de la porte Malakhov, qu'il est réveillé en plein accès de fièvre par la canonnade, et Smolensk tient toute une journée. A la bataille de Borodino, quand Bagration est tué et que les troupes de notre flanc gauche ont perdu neuf hommes sur dix et que toute la force de l'artillerie française est concentrée sur ce point, c'est l'indécis et le peu perspicace Dokhtourov qu'on envoie et Koutouzov, qui en avait envoyé un autre, se hâte de réparer son erreur. Et le petit et modeste Dokhtourov y va, et Borodino est la gloire de l'armée russe. Beaucoup de héros nous ont été décrits en vers et en prose, mais de Dokhtourov on ne souffle presque mot.

C'est encore lui qu'on envoie là-bas, à Fominskoïé et de là à Malo-Iaroslavets où aura lieu la dernière bataille avec l'armée française, à partir de laquelle commence évidemment la ruine de cette armée. Et on nous parle de nouveau des génies et des héros de cette période de la campagne, mais toujours pas un mot de Dokhtourov ou très peu de chose, ou des choses douteuses. Mais ce silence sur Dokhtourov est précisément la meilleure preuve de ses mérites.

Il est naturel que celui qui ne comprend pas le fonctionnement d'une machine puisse s'imaginer que la partie la plus importante est ce copeau de bois qui, s'y étant introduit par hasard, frotte et fait du bruit et gêne sa marche. Celui qui ignore la construction de la machine ne peut comprendre que sa partie essentielle ce n'est pas ce copeau qui l'empêche de fonctionner, mais ce petit pignon de transmission qui tourne sans bruit.

Le 10 octobre, le jour même où Dokhtourov, ayant parcouru la moitié du chemin vers Fominskoïé, s'était arrêté au village d'Aristovo, se préparant à exécuter la mission qui lui avait été confiée, toute l'armée française, étant parvenue dans son mouvement convulsif jusqu'à la position de Murat pour y livrer bataille semblait-il, soudain, sans nulle raison, obliqua à gauche sur la nouvelle route de Kalouga et entra à Fominskoïé qu'occupait jusqu'alors le seul Broussier. Dokhtourov avait à ce moment-là sous son commandement, en plus de Dorokhov, deux petits détachements, ceux de Figner et de Seslavine.

Le soir du 11 octobre, Seslavine se rendit à Aristovo auprès de Dokhtourov et lui amena un prisonnier, un soldat français de la garde. Le prisonnier disait que les troupes entrées ce jour-là à Fominskoïé constituaient l'avant-garde de la Grande Armée, que Napoléon était avec elle, que cette armée avait quitté Moscou depuis cinq jours déjà. Le même soir, un paysan venant de Borovsk raconta qu'il avait assisté à l'entrée dans la ville d'une immense armée. Les cosaques du détachement de Dorokhov rapportèrent qu'ils avaient vu la garde française sur la route vers Borovsk. D'après ces renseignements, il était évident que, là où on pensait n'avoir affaire qu'à une division, se trouvaient à présent toutes les forces des Français qui, ayant quitté Moscou, avaient pris une direction imprévue en suivant l'ancienne route de Kalouga. Dokhtourov ne voulait rien entreprendre, car il ne voyait plus clairement quel était son devoir. On lui avait donné l'ordre d'attaquer Fominskoïé, mais il n'y avait alors à Fominskoïé que le seul Broussier, tandis que maintenant il allait se trouver devant toute l'armée française. Ermolov voulait agir selon sa propre initiative, mais Dokhtourov tenait à avoir les instructions du Sérénissime. On décida d'envoyer un rapport au quartier général.

On choisit pour cela un officier avisé, Bolkhovitinov, qui devait non seulement remettre le rapport, mais expliquer verbalement la situation. Vers minuit, Bolkhovitinov, muni du rapport et des instructions nécessaires, partit au galop pour le quartier général, accompagné d'un cosaque qui conduisait des chevaux de rechange.

XVI

La nuit d'automne était sombre et tiède. Il pleuvait depuis quatre jours. Ayant changé deux fois de chevaux et couvert au galop trente verstes en une heure et demie sur une route défoncée et boueuse, Bolkhovitinov arriva vers deux heures du matin à Letachovka. Ayant mis pied à terre devant l'isba dont la clôture portait l'écriteau : « Grand état-major », il laissa son cheval et pénétra dans l'entrée obscure.

— Le général de service, vite! Très important! dit-il à quelqu'un qui se dressait dans l'obscurité en reniflant.

— Il était très souffrant hier soir, ça fait la troisième nuit qu'il ne dort pas, chuchota la voix de l'ordonnance, soucieux du repos de son chef. Mieux vaudrait réveiller d'abord le capitaine.

— Très important, de la part du général Dokhtourov, dit Bolkhovitinov. Il entra, ayant trouvé à tâtons la porte ouverte.

L'ordonnance, passant devant lui, réveilla quelqu'un.

— Votre Noblesse, Votre Noblesse, un courrier!

— Quoi? Quoi? De qui? articula une voix ensommeillée.

— De Dokhtourov et d'Alexéi Pétrovitch[1]. Napoléon est à Fominskoïé, dit Bolkhovitinov sans voir dans l'obscurité celui qui l'interrogeait, mais supposant d'après le son de la voix que ce n'était pas Konovnitsyne.

L'homme réveillé bâillait et s'étirait.

— C'est que je n'ai pas envie de le réveiller, dit-il en cherchant quelque chose à tâtons. Il est très malade! Peut-être que ce ne sont que des bruits.

— Voici le rapport, dit Bolokhvitinov; j'ai l'ordre de le remettre immédiatement au général de service.

— Attendez que j'allume la chandelle. Où la fourres-tu toujours, imbécile? dit à l'ordonnance l'homme qui s'étirait (c'était Chtcherbinine, l'aide de camp de Konovnitsyne). — Je l'ai trouvée, la voilà, ajouta-t-il.

L'ordonnance battit le briquet. Chtcherbinine tâtonnait pour trouver le bougeoir.

— Ah, quelle saleté! dit-il avec dégoût.

A la lueur des étincelles, Bolkhovitinov aperçut le jeune visage de Chtcherbinine qui tenait une bougie et, dans un coin, un homme qui dormait encore. C'était Konovnitsyne.

Quand le briquet eut embrasé les bouts de bois soufrés d'une flamme d'abord bleue puis rouge, Chtcherbinine alluma une chandelle de suif, ce qui mit en fuite les cafards qui la rongeaient, et il examina le messager. Bolkhovitinov était couvert de boue et en s'essuyant avec sa manche, il l'étendait encore sur son visage.

— Mais qui donne ces renseignements? demanda Chtcherbinine en prenant l'enveloppe.

— Les renseignements sont sûrs, dit Bolkhovitinov. Et les prisonniers et les cosaques, et les éclaireurs, tous sont d'accord.

— Rien à faire, il faut l'éveiller, dit Chtcherbinine en se levant, et il s'approcha de l'homme en bonnet de nuit couvert d'un manteau. — Piotrr Pétrovitch! dit-il (Konovnitsyne ne bougea pas). — Au grand état-major! prononça-t-il avec un sourire, sachant que ces paroles réveilleraient à coup sûr le dormeur. Et en effet, la tête en bonnet de nuit se dressa immédiatement. Sur le beau visage ferme de Konovnitsyne, aux joues enflammées par la fièvre, persista encore un instant le souvenir de rêves très éloignés de la situation présente; mais ensuite, il tressaillit, son visage reprit son expression accoutumée, calme et ferme.

— Eh bien, quoi? De la part de qui? demanda-t-il immédiatement avec impatience en clignant des yeux à la lumière. Tout en écoutant le rapport de l'officier, Konovnitsyne décacheta le pli et le lut. Sa lecture achevée, il posa aussitôt sur le sol de terre battue ses pieds chaussés de bas de laine et enfila ses bottes; puis, ayant enlevé son bonnet de nuit, il lissa ses cheveux sur les tempes et mit sa casquette.

— Tu es arrivé rapidement? Allons chez le Sérénissime.

Konovnitsyne avait compris immédiatement que la nouvelle avait une très grande importance et qu'il n'y avait pas de temps à perdre. Était-ce bon, était-ce mauvais, il n'y pensait pas et ne se le demandait pas. Cela ne l'intéressait pas. Il jugeait les événements de la guerre non pas avec son intelligence, non pas en raisonnant, mais avec quelque chose d'autre. Au fond de son âme vivait la conviction inexprimée que tout irait bien; qu'il ne fallait pas y croire et moins encore se parler, mais qu'il fallait faire seulement son travail. Et son travail, il l'accomplissait en lui consacrant toutes ses forces.

Piotr Pétrovitch Konovnitsyne, qui comme Dokhtourov figure, pourrait-on dire, par convenance sur la liste de ceux qu'on appelle les héros de l'An Douze — les Barclay, les Raïevsky, les Ermolov, les Platov, les Miloradovitch — avait tout comme Dokhtourov la réputation d'un homme aux capacités et aux connaissances très limitées; comme Dokhtourov, Konovnitsyne n'élaborait jamais de plans de bataille mais se trouvait toujours là où la situation était la plus difficile : il dormait toujours la porte ouverte depuis qu'il avait été désigné comme général de service, exigeant qu'on le réveillât à l'arrivée de chaque courrier. Il était toujours sous le feu pendant le combat; aussi Koutouzov lui faisait-il des reproches à ce sujet et avait-il peur de s'en séparer. Il était comme Dokhtourov un de ces pignons qu'on ne remarque pas, qui ne font pas de bruit et constituent la partie essentielle d'une machine.

Sortant de l'isba dans la nuit humide et sombre, Konovnitsyne fit la grimace, en partie parce que son mal de tête augmentait, en partie parce que l'idée désagréable lui était venue que tous les personnages influents de l'état-major allaient se mettre à s'agiter à cette nouvelle, et surtout Bennigsen qui, depuis Taroutino, était à couteaux tirés avec Koutouzov; tous ces gens allaient proposer, discuter, donner ordres et contre-ordres. Et ce pressentiment lui était désagréable, bien qu'il sût qu'on ne pouvait éviter ces choses.

En effet, Toll, chez qui il passa pour lui communiquer la nouvelle, commença immédiatement à exposer ses considérations au général qui habitait avec lui, et Konovnitsyne qui écoutait, silencieux et las, dut lui rappeler qu'il fallait aller chez le Sérénissime.

XVII

Koutouzov, comme toutes les vieilles gens, dormait peu la nuit. Il s'assoupissait fréquemment dans la journée, de façon toujours inattendue, mais la nuit, couché tout habillé sur son lit, la plupart du temps il ne dormait pas, il réfléchissait.

Ainsi était-il allongé maintenant sur son lit, sa grande et lourde tête défigurée appuyée sur sa main grasse, et il réflé-chissait, regardant droit devant lui, dans l'obscurité, de son seul œil valide.

Depuis que Bennigsen, qui correspondait avec l'empereur et qui avait le plus d'autorité à l'état-major, l'évitait, Koutouzov était plus tranquille en ce sens qu'on ne l'obligeait plus à par-ticiper avec ses troupes à des offensives inutiles. La leçon de la bataille de Taroutino et de la journée qui l'avait précédée, toujours douloureusement présente à la mémoire de Koutouzov, devait aussi servir aux autres, pensait-il.

« Ils doivent comprendre que nous ne pouvons que perdre en prenant l'offensive. La patience et le temps, voilà mes deux vaillants guerriers! » se disait-il. Il savait qu'il ne fallait pas cueillir la pomme encore verte. Elle tomberait d'elle-même quand elle serait mûre; la cueillir verte, c'est abîmer le fruit et l'arbre, et avoir soi-même les dents agacées. Tel un chasseur expérimenté, il savait que la bête était blessée, blessée comme seule était capable de le faire toute la force russe; mais la bles-sure était-elle mortelle ou non, c'était là une question non encore élucidée. A présent, après l'envoi de Lauriston et de Berthier et sur la foi des rapports des partisans, Koutouzov était presque sûr que la bête était mortellement blessée. Mais il fallait encore d'autres preuves, il fallait attendre.

« Ils ont envie de courir voir dans quel état ils ont mis la bête. Attendez, vous le verrez. Toujours manœuvrer, toujours attaquer! songeait-il. A quoi bon? Ils veulent toujours se distinguer. Comme s'il était si amusant de se battre! Ils sont comme des enfants dont on ne peut rien tirer pour savoir comment les choses se sont passées, parce qu'ils veulent tous prouver qu'ils savent se battre. Mais il ne s'agit pas de cela maintenant. »

« Et quelles habiles manœuvres ils me proposent tous! Il leur semble que quand ils ont imaginé deux ou trois éventualités (il se souvint du plan d'ensemble élaboré à Pétersbourg), ils les ont toutes prévues. Et elles sont innombrables! »

La question non résolue : la blessure portée à Borodino était-elle ou non mortelle, cette question était suspendue depuis un mois déjà au-dessus de la tête de Koutouzov. D'une part, les Français avaient occupé Moscou. D'autre part, Koutouzov sentait de tout son être, sans le moindre doute, que ce terrible coup qu'avaient asséné dans un suprême effort lui et tous les Russes devait être mortel. Quoi qu'il en fût, il fallait des preuves, et il les attendait depuis un mois déjà, et plus elles tardaient, plus il s'impatientait. Étendu sur son lit, il passait ses nuits d'insomnie à faire ce que faisaient tous ces jeunes généraux, cela même qu'il leur reprochait. Il imaginait comme eux les éventualités possibles, avec cette seule différence qu'il ne fondait aucune action sur ces éventualités et n'en voyait pas deux ou trois, mais des milliers. Plus il réfléchissait, plus il en imaginait. Il imaginait toutes les manœuvres que pouvait accomplir Napoléon, soit avec toute son armée, soit en la divisant; il pouvait marcher sur Pétersbourg ou droit sur lui, ou le tourner. Koutouzov envisageait aussi (éventualité qu'il redoutait par-dessus tout) que Napoléon, retournant contre lui ses propres armes, reste à Moscou et l'y attende.

Il imaginait même que Napoléon pourrait reculer dans la direction de Médyne et de Ioukhnov [1]. Mais la seule chose qu'il ne put prévoir fut celle précisément qui arriva : ces absurdes bonds spasmodiques de l'armée napoléonienne d'un côté et de l'autre au cours des onze jours qui suivirent son départ de Moscou et qui rendirent possible sa totale destruction, à quoi Koutouzov n'avait encore tout de même osé rêver. Le rapport de

Dorokhov sur la division Broussier, les renseignements fournis par les partisans sur la détresse des Français, les rumeurs concernant leurs préparatifs en vue d'évacuer Moscou, tout confirmait que l'ennemi était défait et sur le point de fuir. Mais ce n'était là que des suppositions qui pouvaient satisfaire des jeunes gens et non Koutouzov. Avec ses soixante années d'expérience, Koutouzov savait quelle importance il fallait accorder aux rumeurs, il savait à quel point les gens qui désirent telle ou telle chose parviennent à grouper les faits de façon qu'ils paraissent justifier leur désir, il savait combien facilement on néglige alors ce qui le contredit. Aussi, plus le désir de Koutouzov était violent, moins il se permettait d'admettre qu'il pût se réaliser. Cette question absorbait toutes les forces de son âme. Tout le reste se réduisait à ses yeux aux obligations de la vie quotidienne : entretiens avec les membres de l'état-major, lettres à Mme de Staël qu'il écrivait de Taroutino, lecture de romans, distribution de décorations, correspondance avec Pétersbourg, etc. Mais la destruction de l'armée française, qu'il était seul à avoir prévue, était son unique désir.

Dans la nuit du 11 octobre, il était couché, la tête appuyée sur sa main, et il pensait à cela.

On bougea dans la chambre voisine, et les pas de Toll, Konovnitsyne et Bolkhovitinov retentirent.

— Eh! qui est là? Entrez, entrez! Quoi de nouveau? leur cria le commandant en chef.

Tandis que le laquais allumait une bougie, Toll communiqua la teneur du message.

— Qui a apporté le pli? demanda Koutouzov avec un visage qui, la bougie allumée, surprit Toll par sa froide sévérité.

— Il ne peut y avoir de doute, Votre Altesse.

— Amène-le, amène-le!

Koutouzov était assis, une jambe abaissée hors du lit et son gros ventre étalé sur l'autre jambe repliée. Il plissait son œil valide pour mieux voir le messager, comme s'il voulait lire sur ses traits ce qui le préoccupait.

— Parle, parle, mon ami, dit-il à Bolkhovitinov de sa voix sourde de vieillard, en refermant sa chemise qui bâillait sur sa poitrine. — Approche, approche, plus près. Quelles nouvelles m'as-tu apportées? Hein? Napoléon a quitté Moscou? C'est vraiment ainsi? Hein?

Bolkhovitinov commença par exposer en détail ce qu'on l'avait chargé de dire.

— Parle, dis vite, ne fais pas languir mon âme, l'interrompit Koutouzov.

Bolkhovitinov, ayant tout dit, se tut, attendant les ordres. Toll commença une phrase, mais Koutouzov lui coupa aussitôt la parole. Il voulut dire quelque chose, mais soudain son visage se plissa, se contracta et, ayant fait un geste de la main à Toll, il se tourna du côté opposé, vers l'angle de l'isba où l'on distinguait des icones noircies.

— Seigneur, mon Créateur! Tu as tendu l'oreille à notre prière..., dit-il en joignant les mains, d'une voix tremblante. La Russie est sauvée. Je Te remercie, Seigneur!

Et il pleura.

XVIII

Depuis la réception de la nouvelle de l'évacuation de Moscou et jusqu'à la fin de la campagne, toute l'activité de Koutouzov consiste uniquement à empêcher ses troupes, en ayant recours à l'autorité, à la ruse et aux prières, d'entreprendre contre un ennemi à l'agonie des offensives, des manœuvres inutiles, ou même d'entrer en contact avec lui. Dokhtourov marche vers Malo-Iaroslavets, mais Koutouzov tarde avec le gros de l'armée, et donne l'ordre d'évacuer Kalouga, derrière laquelle il lui semble possible de se retirer.

Koutouzov recule partout, mais l'ennemi n'attend pas qu'il se retire et fuit dans la direction opposée.

Les historiens de Napoléon nous décrivent son habile manœuvre vers Taroutino et Malo-Iaroslavets et font des suppositions sur ce qui se serait passé si Napoléon avait eu le temps de pénétrer dans les riches provinces du sud.

Mais outre que rien n'empêchait Napoléon de pénétrer dans ces provinces du sud (car l'armée russe lui laissait le champ libre), les historiens oublient que rien ne pouvait sauver les troupes de Napoléon, car elles portaient déjà alors en elles les germes de leur inéluctable destruction. Pourquoi cette armée qui avait trouvé à Moscou des vivres abondants, mais n'avait pas su en disposer et les avait foulés aux pieds, cette armée qui, arrivée à Smolensk, au lieu de répartir les vivres les avait livrés au pillage, pourquoi cette armée aurait-elle pu se refaire dans la province de Kalouga peuplée par les mêmes Russes que Moscou et où le feu avait la même propriété de consumer tout ce qui peut brûler?

L'armée était incapable de se refaire où que ce fût; depuis la bataille de Borodino et le pillage de Moscou, elle portait en elle les conditions en quelque sorte chimiques de sa décomposition.

Les hommes de cette armée fuyaient avec leurs chefs sans savoir où, ne désirant qu'une chose (Napoléon comme le dernier de ses soldats), sortir personnellement au plus vite de cette situation sans issue dont tous ils se rendaient compte, bien que vaguement.

C'est pour cette seule raison qu'au conseil de guerre de Malo-Iaroslavets, alors que les généraux faisant mine de discuter donnaient chacun leur avis, celui du naïf soldat Mouton qui, parlant en dernier, dit ce que tout le monde pensait, qu'il fallait s'en aller au plus vite, cet avis ferma toutes les bouches, et Napoléon lui-même ne put rien opposer à une vérité dont tous avaient conscience.

Tous savaient qu'il fallait s'en aller et cependant on avait honte de s'avouer qu'on y était obligé. Un choc extérieur était nécessaire pour vaincre cette honte. Et ce choc se produisit au moment voulu. Ce fut ce que les Français appelèrent « *le Hourra de l'Empereur* ».

Le lendemain du conseil de guerre, le matin de bonne heure, Napoléon, sous prétexte d'inspecter les troupes et le terrain de la bataille de la veille et de celle qui allait être livrée, parcourait avec une suite de maréchaux et une escorte les positions de l'armée. Les cosaques en maraude tombèrent sur l'empereur et faillirent l'enlever. Il ne dut son salut qu'à ce qui perdait les Français, le butin sur lequel les cosaques se jetèrent, oubliant comme à Taroutino les hommes. Ils ne firent pas attention à Napoléon, firent main basse sur le butin, et Napoléon put leur échapper.

Les *enfants du Don* ayant failli s'emparer de l'empereur au milieu de son armée, il devint clair qu'il n'y avait rien d'autre à faire que de s'enfuir au plus vite par la route la plus proche qu'on connaissait déjà. Napoléon, qui avec son petit ventre d'homme de quarante ans ne se sentait plus aussi alerte et audacieux qu'autrefois, comprit l'avertissement. Sous l'effet de la peur que lui avaient causée les cosaques, il adopta aussitôt l'avis de Mouton et donna l'ordre, comme disent les historiens, de la retraite par la route de Smolensk.

Que Napoléon ayant été d'accord avec Mouton, son armée ait battu en retraite ne prouve nullement qu'il en ait donné l'ordre, mais que les forces, qui agissaient sur toute l'armée pour lui faire prendre la route de Mojaïsk, agissaient en même temps sur Napoléon.

XIX

Quand un homme se meut, il assigne toujours quelque but à ce mouvement. Pour faire mille verstes, il faut que l'homme pense que quelque chose de bon se trouve au-delà de ces mille verstes. Pour avoir la force d'avancer, il faut l'image d'une terre promise.

La terre promise des Français, au temps de l'invasion, était Moscou; au temps de leur retraite, la patrie. Mais la patrie était trop loin, et l'homme qui a mille verstes à faire doit absolument pouvoir se dire en oubliant le but final : aujourd'hui, j'atteindrai à quarante verstes d'ici un endroit où je pourrai me reposer et dormir; et au cours de la première étape, cet endroit masque le but final et concentre sur soi tous les désirs, tous les espoirs. Cette attitude qui est celle de tout individu se retrouve amplifiée dans le cas d'une foule.

Pour les Français qui battaient en retraite sur l'ancienne route de Smolensk, le but final, la patrie, était bien trop éloigné, et le but rapproché, vers lequel tendaient tous les désirs, tous les espoirs, se renforçant prodigieusement dans cette foule, c'était Smolensk, non pas que l'on crût Smolensk plein de vivres et de troupes fraîches, non pas qu'on eût promis cela à ces hommes (au contraire, les cadres supérieurs de l'armée et Napoléon lui-même savaient que les approvisionnements y étaient réduits), mais parce que cela seul pouvait leur donner la force d'avancer et de supporter les privations, et tous, et ceux qui ne savaient pas la vérité, et ceux qui la savaient, se leurrant eux-mêmes, aspiraient à Smolensk comme à la terre promise.

Lorsqu'ils eurent débouché sur la grande route, les Français se précipitèrent avec une extraordinaire énergie et une vitesse inouïe vers le but qu'ils s'étaient inventé. Cet élan collectif soudait la foule des Français en un tout, lui insufflait une certaine volonté; mais la cohésion des Français tenait à une autre raison encore.

Cette raison était leur nombre. Leur masse immense attirait à elle, selon la loi de l'attraction physique, les atomes qu'étaient les individus. Cette masse de cent mille hommes avançait d'un seul bloc, formant comme un État.

Chacun d'eux séparément ne désirait qu'une chose, être fait prisonnier, échapper à toutes ces horreurs et ces misères. Mais d'autre part, la force de l'élan collectif vers le but, Smolensk, les entraînait tous dans la même direction. D'autre part, un corps d'armée ne pouvait se rendre à une compagnie; si les Français profitaient de la moindre occasion pour se débarrasser les uns des autres et se rendre sous le premier prétexte décent, ces prétextes ne se présentaient pas toujours. Leur nombre même et leur marche rapide en masse compacte les privaient de ces possibilités, et il était non seulement difficile mais impossible aux Russes d'arrêter ce mouvement qui absorbait toute l'énergie des Français. La rupture mécanique du corps ne pouvait au-delà d'une certaine limite accélérer le processus de décomposition.

On ne peut faire fondre instantanément un bloc de neige. Augmenterait-on la chaleur, on ne pourrait faire fondre la neige avant un certain laps de temps déterminé. Au contraire, plus la chaleur augmente, plus la neige restante durcit.

Aucun des chefs militaires russes ne le comprenait en dehors de Koutouzov. Dès qu'on eut la certitude que l'armée française fuyait par la route de Smolensk, ce que prévoyait Konovnitsyne dans la nuit du 11 octobre se produisit. Tous les chefs militaires voulaient se distinguer, couper, envelopper, culbuter, faire prisonnière l'armée française, et tous exigeaient l'offensive.

Koutouzov seul employait tout son pouvoir (et le pouvoir d'un commandant en chef n'est pas tellement grand) à s'opposer à l'offensive.

Il ne pouvait pas leur dire ce que nous disons à présent : à quoi bon livrer bataille, à quoi bon barrer la route, à quoi bon sacrifier ses hommes, à quoi bon achever cruellement des malheureux, à quoi bon tout cela, puisque le tiers de cette armée avait fondu sans combat entre Moscou et Viazma? Mais de tout ce que lui dictait sa vieille sagesse, il ne leur communiquait que ce qu'ils pouvaient comprendre : il leur parlait du pont d'or [1], et ils se moquaient de lui, le calomniaient, rageaient et crânaient autour de la bête frappée à mort.

A Viazma, Ermolov, Miloradovitch, Platov et d'autres étant à proximité des Français, ne purent résister au désir de couper et de culbuter deux corps d'armée ennemis. En informant Koutouzov de leur intention, ils lui envoyèrent en guise de rapport une feuille blanche dans une enveloppe.

Et quoi que fît Koutouzov pour retenir l'armée, nos troupes attaquèrent, cherchant à barrer la route aux Français. Les régiments d'infanterie, raconte-t-on, allaient à l'attaque musique et tambours en tête, tuaient et perdaient des milliers d'hommes.

Et pour ce qui est de couper et de culbuter, ils ne coupèrent et ne culbutèrent rien, et l'armée française, à laquelle le danger donnait plus de cohésion, poursuivait, en fondant progressivement, sa route fatale vers Smolensk.

TROISIÈME PARTIE

I

La bataille de Borodino avec l'occupation de Moscou et la fuite des Français sans combat qui suivit, est un des phénomènes historiques les plus instructifs.

Tous les historiens sont d'accord pour dire que l'activité extérieure des États et des peuples dans les conflits qui les opposent se manifeste par des guerres, que la puissance politique des États et des peuples augmente ou diminue en conséquence de leurs plus ou moins grands succès militaires.

Quelque étranges que soient les récits des historiens qui nous exposent comment tel roi ou empereur, s'étant disputé avec tel autre roi ou empereur, a réuni ses troupes, s'est battu avec son ennemi, a remporté la victoire, a tué trois, cinq, dix mille hommes et a conquis ainsi un État et tout un peuple de plusieurs millions d'hommes, bien qu'on ne comprenne pas pourquoi la défaite d'une armée, de la centième partie de toutes les forces d'un peuple, ait obligé celui-ci à se soumettre, tous les faits de l'histoire (dans la mesure où ils nous sont connus) confirment que les plus ou moins grands succès de l'armée d'un peuple remportés sur l'armée d'un autre peuple sont la cause ou du moins les signes de l'accroissement ou de l'affaiblissement de la puissance de ce peuple. L'armée a remporté la victoire, et immédiatement les droits du peuple vainqueur augmentent au détriment des droits du peuple vaincu. L'armée a été défaite et immédiatement, à la mesure de cette défaite, le peuple est privé de ses droits; et si la défaite est complète, il se soumet complètement.

C'est ainsi que les choses se sont toujours passées (d'après l'histoire) depuis les temps les plus reculés et jusqu'à nos jours. Toutes les guerres de Napoléon confirment cette règle. A mesure des défaites des troupes autrichiennes, les droits de l'Autriche se trouvent réduits, tandis que les droits et la puissance de la France augmentent. Les victoires des Français à Iéna et à Auerstaedt mettent fin à l'existence indépendante de la Prusse.

Mais voilà qu'en 1812 les Français remportent la victoire sous Moscou et Moscou est prise, et après cela, sans combats, ce n'est pas la Russie qui cesse d'exister, c'est l'armée napoléonienne de six cent mille hommes qui cesse d'exister, puis la France napoléonienne. Forcer les faits à s'adapter à la règle de l'histoire, dire par exemple que les Russes sont restés maîtres du champ de bataille à Borodino, qu'il y eut après Moscou des combats qui détruisirent l'armée de Napoléon, est impossible.

Après la victoire des Français à Borodino, il n'y eut plus de bataille générale, pas même de combats de quelque importance, et l'armée française cesse d'exister. Que signifie cela? Si c'était un exemple tiré de l'histoire de la Chine, nous aurions pu dire qu'il ne s'agissait pas là d'un phénomène historique (échappatoire habituelle des historiens dès que les choses ne cadrent pas avec leurs théories). Si encore le conflit où auraient été engagées des forces réduites n'avait été que de courte durée, nous aurions pu considérer le fait comme exceptionnel. Mais l'événement s'est déroulé sous les yeux de nos pères pour qui il y allait de la vie et de la mort de la patrie, et cette guerre a été la plus grande de toutes les guerres que nous connaissions.

La période de la guerre de 1812 qui va de la bataille de Borodino à l'expulsion des Français ne démontre pas seulement qu'une bataille gagnée n'a pas toujours pour conséquence nécessaire la conquête du pays et n'est même pas toujours la preuve de cette conquête, elle démontre que la force qui décide du sort des peuples ne réside pas dans les conquérants, ni même dans les armées et les batailles, mais dans quelque chose d'autre.

Les historiens français qui décrivent la situation de l'armée française à la veille de son départ de Moscou affirment que tout était en parfait état dans la Grande Armée sauf la cavalerie, l'artillerie et le train des équipages, et qu'on manquait aussi de fourrage pour les chevaux et les bêtes à cornes. Or rien ne pouvait remédier à cette situation désastreuse parce que les paysans brûlaient leur foin plutôt que de le donner aux Français.

La bataille gagnée n'apporta pas les résultats habituels parce que les paysans Karp et Vlass qui, après le départ des Français vinrent à Moscou avec leurs chariots pour piller la ville et en général ne manifestaient guère des sentiments héroïques, tout comme la masse innombrable des paysans préférèrent brûler leur fourrage plutôt que de le transporter à Moscou où les Français leur en offraient un bon prix.

Représentons-nous deux hommes qui arrivent avec leurs épées pour se battre en duel selon toutes les règles de l'art de l'escrime. Le combat dure déjà depuis un certain temps quand soudain un des duellistes sent qu'il est blessé; se rendant compte qu'il ne s'agit pas d'une plaisanterie, qu'il y va de sa vie, il jette son épée, saisit le premier gourdin venu, le brandit. Mais représentons-nous que cet homme qui a employé si raisonnable-ment le moyen le meilleur et le plus simple pour atteindre son but, qui est de plus imbu de traditions chevaleresques, veuille cacher ce qui s'est exactement passé et prétendre qu'il a triomphé à l'épée selon toutes les règles de l'art. On peut se figurer quelle confusion, quel gâchis engendrerait le récit de ce duel.

L'escrimeur qui exigeait de se battre selon toutes les règles de l'art, c'étaient les Français; son adversaire qui abandonna son épée pour s'emparer d'un gourdin, c'étaient les Russes; les gens qui prétendent tout expliquer en se référant aux règles de l'escrime, ce sont les historiens qui ont décrit cet événement.

A partir de l'incendie de Smolensk, une guerre commença qui ne se conformait plus aux traditions militaires. L'incendie des villes et des villages, la retraite après les combats, le coup de Borodino et de nouveau la retraite, l'incendie de Moscou, la chasse aux maraudeurs, l'enlèvement des convois, la guerre de partisans, tout cela violait toutes les règles.

Napoléon le sentait et depuis le jour où arrivé à Moscou il prit la pose correcte de l'escrimeur et aperçut au-dessus de sa tête non plus l'épée de l'adversaire mais un gourdin, il ne cessa de se plaindre et à Koutouzov et à Alexandre que la guerre était menée contrairement à toutes les règles (comme s'il existait on ne sait quelles règles pour tuer les gens). En dépit des plaintes des Français sur l'inobservation des règles, et malgré la honte qu'éprouvaient on ne sait pourquoi certains hauts personnages russes qui jugeaient inconvenant de se battre à coups de gour-din, et auraient préféré qu'on se tînt selon toutes les règles *en quarte* ou *en tierce* pour se fendre habilement *en prime*, etc., le gourdin de la guerre nationale se leva dans toute sa force redou-table et grandiose, et sans s'enquérir des goûts de quiconque et des règles, avec une grossière simplicité, mais avec efficacité, sans tenir compte de rien, il se levait, s'abaissait, et il martelait ainsi les Français jusqu'à destruction complète de l'armée d'invasion.

Et grâces soient rendues au peuple qui, non pas comme les Français en 1813, après avoir salué selon toutes les règles de l'art, retournent leur épée et la tendent poliment et élégamment par la poignée à leur magnanime vainqueur, mais grâces soient rendues au peuple qui, au moment de l'épreuve, sans se demander comment les autres agiraient d'après les règles en des circonstances analogues, saisit simplement et aisément le premier gourdin venu et tape jusqu'à ce que dans son âme l'humiliation et le besoin de la vengeance fasse place au mépris et à la pitié.

II

Une des dérogations les plus patentes et les plus avantageuses aux prétendues règles de la guerre est l'action que mènent des hommes isolés contre des hommes tassés ensemble. Cela se produit toujours lorsque la guerre prend un caractère national. Au lieu de marcher en foule contre une foule, les hommes se dispersent, attaquent isolément et fuient aussitôt qu'ils se heurtent à des forces importantes, puis attaquent de nouveau dès que l'occasion s'en présente. C'est ce que faisaient les guérilleros en Espagne; c'est ce que faisaient les montagnards au Caucase; c'est ce que firent les Russes en 1812.

On a appelé les guerres de ce genre guerres de partisans, et l'on s'est figuré que les ayant appelées ainsi on avait éclairci leur signification. Cependant une telle guerre non seulement échappe à toutes les règles, mais s'oppose directement à un principe tactique bien connu et réputé infaillible. D'après ce principe, celui qui attaque doit concentrer ses troupes afin d'être plus fort que l'adversaire au moment du combat.

La guerre de partisans (toujours heureuse, comme le montre l'histoire) est diamétralement opposée à ce principe. Cette opposition tient à ce que la science militaire identifie la force d'une armée à ses effectifs. La science militaire dit qu'une armée est d'autant plus forte qu'elle est plus nombreuse. *Les gros bataillons ont toujours raison.*

En disant cela, la science militaire raisonne comme cette mécanique qui, ne tenant compte des forces que dans leurs rapports avec les masses, déclarerait que les forces sont égales entre elles parce que les masses sont égales ou inégales.

Or la force (la quantité de mouvement) est le produit de la masse et de la vitesse.

Lorsqu'il s'agit d'opérations militaires, la force des troupes est, elle aussi, le produit de leur masse par quelque chose d'autre, par une certaine inconnue x.

La science militaire constate dans l'histoire d'innombrables exemples où la force des troupes ne correspond pas à leur masse, où de petits détachements battent de plus gros, et elle reconnaît vaguement l'existence de ce coefficient inconnu et essaye de le retrouver en faisant appel soit à la disposition géométrique, soit à l'armement, soit, le plus souvent, au génie des chefs militaires. Mais les résultats qu'on obtient en ramenant ce coefficient à l'un de ces facteurs ne concordent pas avec les faits historiques.

Cependant, pour trouver cette inconnue, cet x, il suffit de renoncer à la fausse idée de l'efficacité des dispositions du pouvoir suprême en temps de guerre, idée accréditée pour la plus grande gloire des héros.

Cet x est le moral de l'armée, c'est-à-dire la plus ou moins grande volonté de se battre et de s'exposer aux dangers que courent tous les soldats qui composent une armée, indépendamment du fait que ces hommes se battent sous le commandement de chefs qui ont tout ou non du génie, sur deux ou trois lignes, avec des gourdins ou des fusils tirant trente coups à la minute. Les hommes qui ont la plus ferme volonté de se battre sauront toujours se mettre d'eux-mêmes dans les conditions les plus favorables pour se battre.

Le moral de l'armée est le multiplicateur de la masse dont le produit est la force de l'armée. Définir et exprimer la valeur du moral d'une armée, de ce multiplicateur inconnu, est la tâche de la science.

La solution de ce problème ne deviendra possible que lorsque nous cesserons de substituer arbitrairement à la valeur de l'inconnue, x, les conditions dans lesquelles elle se manifeste, telles que les dispositions du chef, l'armement, etc., les considérant comme exprimant la valeur du multiplicateur, et prendrons celui-ci en son entier, c'est-à-dire comme la volonté plus ou moins grande de se battre et de s'exposer au danger. C'est alors seulement, après avoir mis en équation les faits historiques connus, qu'on pourra espérer définir l'inconnue, x, en comparant dans chaque cas ses valeurs relatives.

Dix hommes, bataillons ou divisions, se battent contre quinze hommes, bataillons ou divisions, et sont vainqueurs, c'est-à-dire ont tué et fait prisonniers tous leurs adversaires sans exception, en ayant perdu eux-mêmes quatre unités. Ainsi donc le chiffre des pertes a été d'un côté 4, de l'autre 15. En conséquence 4 égale 15, et en conséquence $4\,x = 15\,y$. Ainsi $x:y = 15 : 4$. Cette équation ne donne pas la valeur de l'inconnue, mais elle donne le rapport entre deux inconnues. En introduisant dans de telles équations diverses unités historiques prises isolément (batailles, campagnes, périodes de guerre), on obtiendra des séries de nombres qui doivent être régies par des lois, lois qui pourront être découvertes.

La règle tactique qui prescrit d'agir en masse en attaquant et en ordre dispersé en se retirant, cette règle ne fait que confirmer inconsciemment cette vérité que la force d'une armée dépend de son moral. Pour conduire les hommes sous les boulets, il faut plus de discipline que pour repousser un assaillant, et cela ne peut s'obtenir qu'en agissant en masse. Mais cette règle, qui perd de vue le moral de l'armée, est constamment mise en échec; son désaccord avec la réalité des faits apparaît particulièrement frappante dans tous les cas où le moral des troupes s'exalte ou au contraire faiblit, dans les guerres nationales.

En battant en retraite en 1812, les Français auraient dû se défendre isolément d'après les règles de la tactique, mais ils s'agglomérèrent au contraire en masses compactes, parce que le moral des troupes est tombé si bas qu'ils ne maintiennent leur cohésion qu'en formant une masse. Les Russes, selon la règle de la tactique, auraient dû au contraire attaquer en masses compactes, et en réalité ils se dispersent, parce que leur moral est si élevé que les hommes isolés frappent les Français sans attendre les ordres, et s'exposent aux dangers et aux fatigues sans y être obligés par la discipline.

III

La guerre dite de partisans commença dès l'entrée de l'ennemi à Smolensk.

Bien avant que cette guerre eût été reconnue par notre gouvernement, des milliers d'hommes de l'armée ennemie — traînards, maraudeurs, fourrageurs — avaient déjà été exterminés par les cosaques et les paysans qui abattaient ces gens avec la même inconscience que des chiens déchirent un chien enragé égaré. Denis Davydov [1] fut le premier qui comprit avec son flair patriotique l'importance de ce terrible gourdin qui, sans se soucier des règles de l'art militaire, tuait les Français, et c'est à lui que revient la gloire d'avoir organisé ce genre de guerre.

Le premier détachement de partisans de Davydov fut formé le 24 août; d'autres détachements se formèrent à sa suite. A mesure que la campagne se prolongeait, le nombre de ces détachements augmentait.

Les partisans détruisaient la Grande Armée morceau par morceau. Ils ramassaient les feuilles mortes qui tombaient d'elles-mêmes de l'arbre qui se desséchait, l'armée française, et parfois ils secouaient cet arbre.

En octobre, alors que les Français s'enfuyaient vers Smolensk, ces détachements d'importance et de caractère très différents se comptaient par centaines. Plusieurs d'entre eux formaient de véritables armées avec infanterie, artillerie, états-majors et même certaines commodités d'existence. Il y en avait qui étaient composés uniquement de cosaques, d'autres, plus petits, où se côtoyaient fantassins et cavaliers, d'autres encore composés de paysans ou de propriétaires ruraux que personne ne connaissait. Un de ces détachements qui fit prisonniers en un mois plusieurs centaines d'hommes, était commandé par un sacristain; la femme d'un staroste, Vassilissa, tua des centaines de Français [2].

Dans les derniers jours d'octobre, la guerre de partisans atteignit son apogée. La première période de cette guerre était déjà révolue, cette période au cours de laquelle les partisans surpris eux-mêmes de leur audace craignaient à tout moment d'être pris et encerclés par les Français, et sans desseller, sans jamais presque descendre de cheval, se cachaient dans les forêts, s'attendant toujours à être poursuivis. A présent, cette guerre avait pris forme et chacun voyait clairement ce qu'on pouvait et ce qu'on ne pouvait pas entreprendre contre l'ennemi. Seuls maintenant les chefs de détachements importants, avec états-majors qui, selon les règles, se tenaient à distance des Français, jugeaient encore maintes opérations impossibles. Quant aux petits groupes qui étaient depuis longtemps en action et surveillaient de près les Français, ils considéraient comme réalisables des opérations auxquelles n'osaient même pas songer les chefs des grands détachements. Quant aux cosaques et aux paysans qui se faufilaient parmi les Français, tout maintenant leur paraissait possible.

Le 22 octobre, Dénissov, l'un des partisans, se trouvait avec son groupe au plus fort de leur fièvre guerrière. Parti en expédition avec ses hommes dès le matin, se dissimulant dans les bois bordant la grande route, il avait épié toute la journée un important convoi français avec des équipements de cavalerie et des prisonniers russes, qui s'était séparé des autres groupes et se dirigeait vers Smolensk sous une forte escorte, comme on l'avait appris des espions et des prisonniers. Le passage de ce convoi était connu non seulement de Dénissov et de Dolokhov (lui aussi était à la tête d'un petit groupe) qui se trouvait non loin de Dénissov, mais également des chefs de grands détachements avec état-major. Tout le monde était au courant et, comme disait Dénissov, aiguisait ses dents contre ce convoi. Les chefs de deux détachements importants — un Polonais et un Allemand — proposèrent en même temps à Dénissov de se joindre à eux pour attaquer le convoi.

— Non, frères. Je suis assez grand pour me débrouiller moi-même, dit Dénissov, après avoir lu leurs lettres, et il écrivit à l'Allemand que malgré son désir sincère de servir sous les ordres d'un général aussi brillant et aussi célèbre, il devait renoncer à ce bonheur, parce qu'il s'était déjà mis sous les ordres du général polonais. Et il écrivit à celui-ci dans le même sens, l'avertissant qu'il s'était déjà entendu avec l'Allemand.

Ayant pris ces dispositions, Dénissov, sans en informer ses supérieurs, s'apprêtait à attaquer le convoi avec Dolokhov et à s'en emparer rien qu'avec leurs faibles forces. Le 22 octobre, le convoi venant du village de Mikoulino se dirigeait vers le village de Chamchévo. Du côté gauche de la route de Mikoulino à Chamchévo, s'étendait une vaste forêt qui, par endroits, arrivait jusqu'à la route, à d'autres s'en écartait d'une verste ou davantage. C'est là que, tantôt s'enfonçant jusqu'au plus profond de la forêt, tantôt longeant la lisière, Dénissov avait marché toute la journée avec ses hommes sans perdre de vue les Français qui avançaient. Dès le matin, non loin de Mikoulino, là où la forêt était toute proche de la route, les cosaques du groupe de Dénissov s'étant emparés de deux fourgons chargés de selles de cavalerie, qui s'étaient enlisés dans la boue, les avaient emmenés dans la forêt. A partir de ce moment et jusqu'au soir, les partisans surveillèrent la marche des Français sans les attaquer. Il fallait les laisser arriver tranquillement à Chamchévo sans leur donner l'alarme et alors, s'étant joint à Dolokhov qui, vers le soir, devait venir se concerter avec Dénissov dans une petite maison forestière (à une verste de Chamchévo), tomber à l'aube sur les Français de deux côtés à la fois comme une avalanche, et les tuer ou les faire tous prisonniers.

A deux verstes en arrière de Mikoulino, là où la forêt atteignait la route, Dénissov laissa six cosaques chargés de le prévenir aussitôt qu'apparaîtraient de nouvelles colonnes françaises.

En avant de Chamchévo, Dolokhov devait pareillement surveiller la route pour savoir à quelle distance pouvaient se trouver d'autres troupes françaises. On supposait que le convoi comptait 1 500 hommes. Dénissov avait deux cents hommes, Dolokhov pouvait en avoir autant. Mais la supériorité numérique de l'ennemi n'arrêtait pas Dénissov. Il lui fallait encore savoir une chose : quelles étaient exactement ces troupes, et pour cela il devait s'emparer d'une « langue » (c'est-à-dire d'un homme faisant partie de la colonne ennemie). Lors de l'attaque matinale des deux fourgons, l'affaire s'était déroulée si rapidement que tous les Français qui se trouvaient autour des fourgons avaient été tués et que l'on n'avait pris vivant qu'un petit tambour; ce gamin, un traînard, ne put rien dire de positif sur les troupes qui composaient la colonne.

Attaquer une seconde fois, Dénissov le jugeait dangereux; il ne fallait pas alerter toute la colonne. Aussi envoya-t-il en avant à Chamchévo un paysan qui faisait partie de son groupe, Tikhone Chtcherbaty, en le chargeant de capturer si possible au moins un des fourriers de l'avant-garde qui devait déjà s'y trouver.

IV

C'était un jour d'automne pluvieux et tiède. Le ciel et l'horizon étaient de la même teinte d'eau trouble. Il tombait tantôt une sorte de fine bruine et tantôt une grosse pluie oblique.

Dénissov, en manteau de feutre et bonnet d'astrakan d'où l'eau s'égouttait, montait un cheval de race, maigre, aux flancs creusés. De même que son cheval penchait la tête et aplatissait les oreilles, il grimaçait sous la pluie oblique et regardait attentivement en avant d'un air soucieux. Son visage, amaigri et couvert d'une courte barbe drue et noire, semblait mécontent.

A côté de Dénissov chevauchait son collaborateur, un capitaine de cosaques; lui aussi en manteau de feutre et bonnet d'astrakan: il montait un grand cheval du Don, bien nourri. Le capitaine de cosaques Lovaïsky était long, plat comme une planche: il avait un teint blanc, des cheveux blonds, des yeux clairs et étroits; son visage et tout son maintien exprimaient le parfait contentement de soi. Bien qu'on n'eût pu dire au juste ce qu'avaient de particulier le cheval et le cavalier, dès le premier coup d'œil jeté sur le capitaine et Dénissov, on voyait que Dénissov était trempé et mal à l'aise, que Dénissov était un homme monté sur un cheval, alors qu'en regardant le capitaine, il était évident qu'il était aussi à l'aise et sûr de lui que toujours, qu'il n'était pas un homme qui montait un cheval, mais un homme qui formait avec le cheval un seul être dont la force se trouvait doublée.

A quelques pas devant eux marchait un paysan de petite taille, leur guide, trempé jusqu'aux os, en caftan gris et bonnet blanc pointu.

Un peu en arrière, sur un maigre et mince petit cheval kirguize, avec une énorme queue, une épaisse crinière et les lèvres déchirées jusqu'au sang, chevauchait un jeune officier vêtu d'une capote française bleue.

Il était accompagné d'un hussard portant en croupe un jeune garçon en uniforme français déchiré et bonnet de police bleu. Le garçon se cramponnait au hussard de ses mains rouges de froid, remuait ses pieds nus, essayant de les réchauffer et, les sourcils levés, regardait autour de lui avec étonnement. C'était le tambour français capturé le matin.

Venaient enfin sur le chemin forestier, étroit et défoncé, par trois ou quatre de front, les hussards, puis les cosaques, l'un en manteau de feutre, l'autre en capote française, un autre encore enveloppé jusqu'à la tête d'une couverture de cheval. Qu'ils fussent alezans ou bais, les chevaux étaient tous noirs sous la pluie qui ruisselait sur eux. Leurs cous paraissaient étrangement minces à cause des crinières trempées. Une vapeur s'élevait d'eux. Et les vêtements et les selles et les brides, tout était mouillé, luisant et flasque comme la terre elle-même et les feuilles mortes dont était jonché le chemin. Les hommes étaient assis, recroquevillés, essayant de ne pas bouger pour maintenir tiède l'eau qui s'était infiltrée jusqu'à leur corps, et ne pas en laisser passer d'autre, froide, qui s'introduisait sous la selle, les genoux et dans le cou. Au milieu de la file des cosaques, deux fourgons attelés de chevaux français et de chevaux cosaques sellés, cahotaient sur les souches et les branches mortes et pataugeaient dans les ornières remplies d'eau de la route.

En contournant une mare qui se trouvait sur son chemin, le cheval de Dénissov fit un écart et son cavalier donna du genou contre un arbre.

— Eh, diable! s'écria Dénissov furieux et montrant les dents, il frappa à trois reprises le cheval de son fouet, s'éclaboussant de boue et éclaboussant ses compagnons. Dénissov était de mauvaise humeur et à cause de la pluie et parce qu'il avait faim (personne n'avait rien mangé depuis le matin), mais surtout parce qu'il n'avait pas encore eu de nouvelles de Dolokhov et que l'homme envoyé pour capturer une « langue » ne revenait pas.

« Il est douteux qu'on retrouve pareille occasion d'enlever un convoi. L'attaquer seul, c'est trop risqué, et remettre l'affaire à un autre jour, c'est risquer que l'un des grands détachements me prenne le gibier sous le nez », pensait Dénissov qui ne cessait de surveiller la route devant lui dans l'attente de l'envoyé de Dolokhov.

Ayant débouché sur une clairière d'où la vue s'étendait loin vers la droite, Dénissov s'arrêta.

— Quelqu'un vient, dit-il.

Le capitaine regarda dans la direction qu'indiquait Dénissov.

— Ils sont deux, un officier et un cosaque. Seulement, il n'est pas « supposable » que ce soit le lieutenant-colonel lui-même, dit le capitaine qui aimait à employer des mots qu'ignoraient les cosaques.

Les cavaliers, ayant descendu une côte, disparurent aux regards pour reparaître quelques minutes plus tard. Un officier échevelé, trempé jusqu'aux os, les pantalons relevés plus haut que les genoux, arrivait au galop fatigué d'un cheval qu'il cravachait. Derrière lui, dressé sur les étriers, un cosaque venait au trot. L'officier, un très jeune garçon au large visage vermeil, au regard gai, s'approcha de Dénissov et lui tendit une enveloppe détrempée.

— De la part du général, dit l'officier. Excusez-moi, elle n'est pas tout à fait sèche...

Dénissov, fronçant les sourcils, prit l'enveloppe et la décacheta.

— Eh bien, tout le monde disait, c'est dangereux, c'est dangereux, dit l'officier en s'adressant au capitaine, tandis que Dénissov lisait la lettre qui lui avait été remise. D'ailleurs, Komarov et moi, — il désigna le cosaque — nous nous étions préparés. Nous avions chacun deux pisto... Tiens, qu'est-ce que c'est? demanda-t-il en apercevant le tambour. Un prisonnier? Vous vous êtes déjà battus? On peut lui parler?

— Rostov! Pétia! s'écria à ce moment-là Dénissov ayant parcouru le pli qu'on lui avait remis. Mais comment n'as-tu pas dit qui tu étais! — Et Dénissov, s'étant retourné, tendit en souriant la main à l'officier.

Cet officier était Pétia Rostov.

Durant tout le trajet, Pétia s'était préparé à se présenter devant Dénissov comme il convenait à un homme fait et à un officier, sans faire allusion à leurs relations passées. Mais dès que Dénissov lui eût souri, le visage de Pétia s'illumina; il rougit de joie, oubliant le ton officiel qu'il avait préparé, se mit à raconter qu'il était passé devant les Français, et combien il était heureux qu'on lui eût confié une telle mission, et qu'il avait déjà pris part à un combat près de Viazma et qu'un hussard s'y était distingué.

— Eh bien, je suis content de te voir, interrompit Dénissov et son visage reprit une expression soucieuse.

— Mikhaïl Féoklitytch, dit-il à son capitaine, c'est de nouveau l'Allemand. Il est sous ses ordres. — Et Dénissov expliqua que la lettre qu'on venait de lui apporter contenait l'ordre réitéré du général allemand de se joindre à lui pour attaquer le convoi.

— Si nous ne l'enlevons pas demain, il s'en emparera sous notre nez, conclut-il.

Pendant que Dénissov parlait avec le capitaine, Pétia décontenancé par le ton froid de Dénissov et supposant que ce ton était dû à l'état de son pantalon retroussé, l'arrangeait sous son manteau pour que personne ne pût le remarquer, cherchant à prendre son air le plus martial.

— Quels seront les ordres de Votre Haute Noblesse? demanda-t-il à Dénissov en portant la main à sa visière et se remettant à jouer à l'aide de camp devant son général, comme il s'y était préparé. Ou dois-je rester auprès de Votre Haute Noblesse?

— Quels ordres? dit Dénissov pensivement. Mais peux-tu rester jusqu'à demain?

— Oh, je vous en prie!... Puis-je rester auprès de vous? s'écria Pétia.

— Mais que t'a ordonné exactement le général, de revenir immédiatement? demanda Dénissov. Pétia rougit.

— Mais il n'a rien dit. Je pense que je peux..., dit-il d'un air interrogateur.

— Eh bien, soit, dit Dénissov. Et se tournant vers ses hommes, il leur donna ses instructions; le détachement devait aller prendre un peu de repos dans la maison forestière, à l'endroit convenu. Quant à l'officier qui montait le cheval kirguize (cet officier remplissait les fonctions d'aide de camp) il devait aller à la recherche de Dolokhov pour savoir où il était et s'il viendrait le soir. Dénissov lui-même, avec le capitaine et Pétia, avait l'intention de s'approcher de la lisière de la forêt qui longeait Chamchévo, afin de jeter un coup d'œil sur l'endroit où s'étaient installés les Français et qu'on devait attaquer le lendemain.

— Allons, le barbu, dit-il au paysan qui les guidait, conduisnous à Chamchévo.

Dénissov, Pétia et le capitaine, accompagnés de quelques cosaques et du hussard qui transportait le prisonnier, se dirigèrent à gauche, par le ravin, vers la lisière de la forêt.

V

La pluie avait cessé, mais il bruinait et les branches des arbres s'égouttaient. Dénissov, le capitaine et Pétia suivaient en silence le paysan aux jambes torses qui, marchant sans bruit d'un pas léger dans ses chaussures de tille sur les racines et les feuilles mouillées, les conduisait vers la lisière de la forêt.

Parvenu à un tournant, le paysan s'arrêta un moment, regarda autour de lui et se dirigea là où le mur des arbres devenait moins épais. Il s'arrêta près d'un grand chêne qui avait encore ses feuilles et, d'un geste discret, fit signe d'approcher.

Dénissov et Pétia s'approchèrent de lui. De l'endroit où le paysan s'était arrêté, on apercevait les Français. Immédiatement après la forêt, un champ de blé s'étendait sur une pente bosselée. A droite, au-delà d'un ravin abrupt, se voyaient un petit village et une maison de maître aux toits effondrés. Dans ce village et dans cette maison, dans le champ, dans le jardin, près des puits et près de l'étang, et le long de toute la route qui montait du pont vers le village, à quelques deux cents sagènes [1] de distance, on distinguait dans le brouillard mouvant des foules de gens. On entendait distinctement les cris qu'ils poussaient dans une langue étrangère pour encourager les chevaux qui montaient la pente, attelés aux fourgons, et les appels qu'ils échangeaient entre eux.

— Amenez-moi le prisonnier, dit Dénissov à mi-voix, sans quitter des yeux les Français.

Le cosaque mit à pied à terre, descendit l'enfant et s'approcha avec lui de Dénissov. Lui montrant les Français, Dénissov lui demanda quels étaient ces régiments. Le gamin, ses mains transies dans les poches et les sourcils relevés, regardait craintivement et, malgré son évident désir de dire tout ce qu'il savait, s'embrouillait dans ses réponses et ne faisait que confirmer tout ce que demandait Dénissov. Dénissov, le visage sombre, se détourna de lui et s'adressant au capitaine lui fit part de ses intentions.

Tournant vivement la tête, Pétia regardait tantôt le tambour, tantôt Dénissov, tantôt le capitaine, tantôt les Français dans le village et sur la route, s'efforçant de ne rien laisser passer d'important.

— Que Dolokhov vienne ou non, il faut les avoir... hein? dit Dénissov avec un joyeux éclair dans les yeux.

— L'endroit est commode, dit le capitaine.

— L'infanterie passera par le bas, par les marécages, poursuivit Dénissov; ils se glisseront jusqu'au jardin; vous autres vous arriverez avec les cosaques par là. — Dénissov montra la forêt derrière le village. — Et moi, par ici, avec mes hussards. Et au coup de feu...

— Par le ravin, impossible, il y a une fondrière, les chevaux s'enliseront. Il faut prendre plus à gauche.

Pendant qu'ils parlaient ainsi à mi-voix, un coup de feu claqua, dans le ravin près de l'étang, puis un autre, une fumée blanche apparut, une autre, et on entendit un grand cri presque joyeux où se confondaient les voix des centaines de Français qui se trouvaient à mi-pente. Au premier instant, Dénissov et le capitaine reculèrent vivement. Ils se trouvaient si près qu'ils se crurent la cause de ces coups de feu et des cris. Mais les coups de feu et les cris ne les concernaient pas. Un homme vêtu de quelque chose de rouge courait en bas à travers le marais. C'était évidemment sur lui qu'on tirait et c'est à lui que s'adressaient les cris.

— Mais c'est notre Tikhone, dit le capitaine.

— C'est lui, c'est bien lui !

— Quelle canaille ! dit Dénissov.

— Il s'en tirera, dit le capitaine en plissant les yeux.

L'homme qu'ils appelaient Tikhone, ayant couru jusqu'à la rivière, s'y précipita d'un tel élan que l'eau rejaillit, disparut un instant et ressortit à quatre pattes, ruisselant, et se remit à courir. Les Français qui le poursuivaient s'arrêtèrent.

— Il est adroit, dit le capitaine.

— Quel animal ! s'écria Dénissov avec dépit. Et qu'a-t-il donc fait jusqu'à présent ?

— Qui est-ce ? demanda Pétia.

— C'est notre éclaireur. Je l'avais envoyé pour capturer une « langue ».

— Ah oui, dit Pétia en hochant la tête au premier mot de Dénissov, comme s'il avait tout compris, bien qu'il n'eut pas compris un seul mot.

Tikhone Chtcherbaty était un des hommes les plus indispensables du détachement. C'était un paysan de Pokrovskoïé, près de Gjat. Quand au début de ses opérations Dénissov arriva à Pokrovskoïé et comme toujours prit contact avec le staroste et lui demanda ce qu'on savait des Français, le staroste répondit, ainsi que répondent tous les starostes, aussitôt sur la défensive, que pour ce qui était de savoir quelque chose, on ne savait rien. Mais quand Dénissov lui eut expliqué que son but était de battre les Français et demandé si des Français ne s'étaient pas aventurés chez eux, le staroste dit qu'il y avait eu des « miraudeurs » en effet, mais qu'au village seul Tichka Chtcherbaty s'occupait de ces choses. Dénissov fit appeler Tikhone et, l'ayant félicité de son activité, lui dit en présence du staroste quelques mots sur la fidélité au tsar et à la patrie, et la haine des Français que devaient avoir tous les fils de la Russie.

— Nous ne faisons rien de mal aux Français, répondit Tikhone, visiblement effrayé par les paroles de Dénissov. On s'est seulement comme qui dirait amusé à faire la chasse avec les gars. On a bien abattu deux dizaines de « mirauldeurs », mais autrement on n'a rien fait de mal...

Le lendemain, alors que Dénissov ayant complètement oublié ce jeune paysan, quittait Pokrovskoïé, on l'informa que Thikone s'était joint au détachement et demandait à en faire partie. Dénissov l'accepta.

Tikhone qui avait commencé par faire les gros travaux — allumer le feu, aller chercher l'eau, écorcher les chevaux, etc. — montra bientôt beaucoup de goût et de dispositions pour la guerre de partisans. Il partait en chasse la nuit et rapportait chaque fois des vêtements et des fusils français, et quand on lui en donnait l'ordre, il ramenait aussi des prisonniers. Dénissov dispensa Tikhone des corvées, le prit avec lui dans ses expéditions et l'incorpora aux cosaques.

Tikhone n'aimait pas monter à cheval et allait toujours à pied, sans jamais se laisser distancer par la cavalerie. Ses armes consistaient en un mousqueton, qu'il portait plutôt en manière de plaisanterie, une pique et une hache dont il savait se servir aussi habilement qu'un loup se sert de ses dents avec lesquelles il lui est aussi facile d'épucer sa fourrure que de briser un gros os. Tikhone maniait sa hache avec la même sûreté, qu'il s'agît de fendre une poutre d'un coup ou de tailler, en tenant la hache par la tête, de fins copeaux ou des cuillers. Tikhone occupait dans le détachement une place à part, exceptionnelle. Quand il fallait faire quelque chose de particulièrement difficile et de déplaisant — soulever d'un coup d'épaule une charrette enlisée dans la boue, retirer un cheval par la queue d'une fondrière, l'écorcher, se glisser au milieu des Français, parcourir cinquante verstes en vingt-quatre heures, tout le monde en riant désignait Tikhone.

— Il s'en moque, lui, ce diable! Il est fort comme un cheval, disait-on de lui.

Un jour, un Français qu'il faisait prisonnier lui avait tiré un coup de pistolet et l'avait atteint dans le gras des reins. Cette blessure, que Tikhone soigna uniquement avec de la vodka comme remède externe et interne, devint l'objet des plus joyeuses plaisanteries dans tout le détachement, plaisanteries auxquelles Tikhone se prêtait volontiers.

— Alors, frère, tu ne t'y risqueras plus? Te voilà tout tordu, disaient les cosaques en s'esclaffant.

Tikhone, se contorsionnant exprès et grimaçant, faisait mine d'être fâché et accablait les Français des injures les plus comiques. Cet événement eut un seul effet sur Tikhone : depuis ce jour, il ramenait rarement des prisonniers.

Tikhone était l'homme le plus utile et le plus courageux du détachement. Personne comme lui ne savait trouver l'occasion propice d'une attaque; personne n'avait pris et tué plus de Français que lui. Aussi était-il le bouffon de tous les cosaques et des hussards, et il acceptait volontiers ce rôle. Cette fois-ci, Dénissov l'avait envoyé la nuit précédente à Chamchévo pour ramener une « langue ». Mais soit qu'il n'eût pas voulu se contenter d'un seul Français, soit qu'il eût dormi la nuit, il s'était glissé de jour dans les buissons, au beau milieu des Français qui l'avaient découvert, comme l'avait vu d'en haut Dénissov.

VI

S'étant entretenu quelque temps encore avec le capitaine de l'attaque du lendemain, Dénissov, qui semblait s'y être décidé à la vue des Français tout proches, fit faire demi-tour à son cheval et rebroussa chemin.

— Et maintenant, frère, allons nous sécher, dit-il à Pétia.

Parvenu à la maison forestière, Dénissov s'arrêta et scruta les alentours. Un homme s'avançait à travers la forêt, vêtu d'une veste, coiffé d'un chapeau tartare, des chaussures de tille aux pieds, un fusil en bandoulière, une hache à la ceinture; il marchait à grands pas légers sur ses longues jambes, balançant ses longs bras. A la vue de Dénissov, il s'empressa de lancer quelque chose dans un buisson et, ayant enlevé son chapeau trempé aux bords flasques, il s'approcha de son chef. C'était Tikhone. Son visage aux yeux étroits, grêlé et creusé de rides, rayonnait d'une joyeuse satisfaction. Il dressa la tête et, comme s'il se retenait de rire, fixa Dénissov.

— Alors, où as-tu disparu? demanda Dénissov.

— Où j'ai disparu? J'ai fait la chasse aux Français, répondit vivement et hardiment Tikhone, d'une voix de basse rauque et pourtant chantante.

— Pourquoi donc es-tu allé te fourrer chez eux de jour, animal? Et alors, tu n'en as pas pris?...

— Pour en prendre, j'en ai pris, dit Tikhone.

— Où donc est-il?

— J'en ai pris un en tout premier encore, à l'aube, poursuivit Tikhone, et il se mit d'aplomb en écartant largement ses pieds plats et contournés chaussés de tille. — Et je l'ai emmené dans la forêt. Mais je vois, non, ce n'est pas ce qu'il nous faut. Et je me dis, si j'allais en chercher un autre, meilleur...

— Voyez-moi cette canaille! Je le pensais bien, dit Dénissov au capitaine. — Et pourquoi donc n'as-tu pas amené celui-là?

— Mais à quoi bon? interrompit précipitamment Tikhone mécontent. Puisque je vous dis qu'il ne convenait pas. Est-ce que je ne sais pas ce qu'il vous faut?

— Quel animal!... Et alors?...

— Je suis allé en chercher un autre, continua Tikhone, je rampe dans la forêt et je m'allonge comme ça. — Soudain, Tikhone se coucha sur le ventre d'un mouvement souple et imprévu, mimant la scène. — En voilà un qui se présente, poursuivit-il. Alors... alors je l'accroche ainsi. — Tikhone bondit, rapide et léger. — Viens, que je lui dis, chez le colonel. Le voilà qui se met à crier. Et ils étaient quatre par là. Ils sont tombés sur moi avec des sabres. Moi, je me jette sur eux de cette manière, avec ma hache; que faites-vous, que je leur dis, au nom du Christ! s'écria Tikhone, agitant les bras d'un air terrible et bombant le torse!

— C'est ça que nous t'avons vu de là-haut filer à travers les mares, dit le capitaine en plissant ses yeux brillants.

Pétia avait très envie de rire, mais il voyait que tout le monde essayait de garder son sérieux. Son regard courait du visage de Tikhone à celui de Dénissov; il ne comprenait pas ce que tout cela signifiait.

— Ne fais donc pas l'imbécile, dit Dénissov en toussotant d'un air fâché. Pourquoi n'as-tu pas ramené le premier?

Tikhone se mit à se gratter le dos d'une main et la tête de l'autre, et soudain, tout son visage se détendit en un sourire béat et stupide, qui découvrit une brèche dans ses dents (c'est pour cela qu'on l'avait surnommé « chtcherbaty »[1]). Dénissov sourit et Pétia éclata d'un rire plein de gaieté auquel se joignit Tikhone.

— Mais quoi, il ne convenait pas du tout, dit Tikhone. Il était en loques, comment aurais-je pu l'amener. Et grossier avec ça, Votre Noblesse! Comment, qu'il dit, je suis le fils d'un général, je ne viendrai pas, il dit.

— Quel animal! s'exclama Dénissov. Il me faut des renseignements.

— Mais je l'ai interrogé, reprit Tikhone. Je les connais mal, qu'il dit. Des nôtres, il y en a beaucoup, mais ils ne valent pas cher. Ça s'appelle des soldats, mais allez-y de bon cœur et vous les prendrez tous, conclut Tikhone en regardant gaiement Dénissov droit dans les yeux.

— Attends un peu que je t'en administre une centaine de bien cuisants, et tu cesseras de faire l'imbécile, dit Dénissov sévèrement.

— Mais pourquoi se fâcher? protesta Tikhone. Quoi, est-ce que je ne les connais pas, vos Français? Attends seulement qu'il fasse nuit, et je t'en ramène trois, et qui tu veux.

— Eh bien, allons, dit Dénissov. Et il garda un visage renfrogné et ne dit mot jusqu'à la maisonnette forestière.

Tikhone marchait en arrière et Pétia entendait les cosaques rire de lui et avec lui à propos d'une certaine paire de bottes qu'il avait jetée dans les buissons.

Quand le rire qui avait secoué Pétia en écoutant et en voyant le sourire de Tikhone fut calmé et que Pétia comprit que ce Tikhone avait tué un homme, il se sentit mal à l'aise. Il se retourna vers le petit tambour et quelque chose le piqua au cœur. Mais ce malaise ne dura qu'un instant. Il sentit la nécessité de redresser la tête, de prendre une allure martiale et d'interroger d'un air entendu le capitaine de cosaques sur l'entreprise du lendemain, pour ne pas se montrer indigne de la société où il se trouvait.

L'officier qui avait été dépêché auprès de Dolokhov vint au devant de Dénissov et le prévint que Dolokhov allait venir lui-même et que de son côté tout marchait bien.

Dénissov se rasséréna aussitôt et appela Pétia auprès de lui.

— Allons, parle-moi un peu de toi, dit-il.

VII

Ayant quitté sa famille au départ de Moscou, Pétia avait rejoint son régiment et, peu après, un général qui commandait un fort détachement l'avait pris comme officier d'ordonnance.

Depuis qu'il avait été promu officier et surtout depuis qu'appartenant à l'armée active il avait pris part à la bataille de Viazma, Pétia était constamment dans un état de joyeuse excitation à se savoir un homme, et dans la fièvre de son enthousiasme il s'agitait sans cesse, craignant de laisser passer l'occasion d'un exploit vraiment héroïque. Il était très heureux de ce qu'il avait vu et vécu dans l'armée, et cependant il lui semblait que c'était là justement où il ne se trouvait pas que s'accomplissaient des actions du plus pur héroïsme. Et il avait toujours hâte de se trouver présent là où il n'était pas.

Quand, le 21 octobre, son général exprima le désir d'envoyer quelqu'un au détachement de Dénissov, Pétia demanda d'un air si malheureux qu'on l'envoyât, lui, que le général ne put refuser. Mais en l'envoyant, il se souvint de sa folle conduite à la bataille de Viazma où Pétia, au lieu de se rendre par la route là où on l'avait envoyé, avait galopé jusqu'aux premières lignes où il avait essuyé le feu des Français et tiré deux coups de pistolet; aussi, le général, en l'envoyant, avait-il interdit à Pétia de prendre part à une opération de Dénissov, quelle qu'elle fût. C'est pourquoi Pétia avait rougi et s'était troublé lorsque Dénissov lui avait demandé s'il était autorisé à rester. Jusqu'à ce qu'il eût atteint la lisière de la forêt, Pétia considérait qu'il lui fallait remplir strictement son devoir et rentrer immédiatement. Mais quand il vit les Français, puis Tikhone, et apprit qu'on allait certainement attaquer dans la nuit, passant rapidement d'un point de vue à un autre, comme font les jeunes gens, il décida en lui-même que son général, pour lequel jusque-là il avait eu beaucoup de respect, n'était rien qu'un Allemand, que Dénissov était un héros et le capitaine de cosaques un héros, et Tikhone un héros, et qu'il eût été honteux de sa part de les quitter dans ce moment difficile.

Il commençait à faire nuit lorsque Dénissov avec Pétia et le capitaine arrivèrent à la maison forestière. Dans la demi-obscurité, on distinguait des chevaux sellés, des cosaques, des hussards qui installaient des abris dans la clairière et allumaient des feux rougeoyants dans un ravin (pour dissimuler la fumée aux Français). Dans l'entrée de la petite isba, un cosaque, les manches retroussées, découpait de la viande de mouton. Dans l'isba même, trois officiers du détachement de Dénissov faisaient d'une porte une table. Pétia enleva et donna à sécher ses vêtements mouillés et se mit immédiatement à aider les officiers à installer la table.

Dix minutes plus tard, la table était prête et couverte d'une serviette. Il y avait de la vodka, une gourde de rhum, du pain blanc et du mouton rôti avec du sel.

Assis à table avec les officiers et déchiquetant le mouton gras et odorant de ses doigts où coulait la graisse, Pétia était rempli d'une ferveur enfantine, de tendresse et d'amour pour tous les hommes et certain, en conséquence, d'être aimé de tous.

— Alors qu'en pensez-vous, Vassili Feodorovitch, demanda-t-il à Dénissov, ce n'est rien si je passe avec vous encore une petite journée? — Et sans attendre la réponse, il répondit lui-même à sa propre question : — On m'a donné l'ordre de m'informer, eh bien, je serai informé... Seulement vous me laisserez aller en pleine... dans la plus importante... Je n'ai pas besoin de récompenses... Mais j'ai envie... — Pétia serra les dents et regarda autour de lui en tournant sa tête redressée et en agitant la main.

— Dans la plus importante..., répéta Dénissov en souriant.

— Seulement, je vous prie, confiez-moi un commandement, que je puisse commander entièrement, continuait Pétia. Allons, qu'est-ce que ça vous coûte?... Ah, un couteau? demanda-t-il à un officier qui voulait couper du mouton. Et il lui tendit son couteau de poche.

L'officier admira le couteau.

— Prenez-le, je vous en prie. J'en ai beaucoup comme ça..., dit Pétia en rougissant. Mon Dieu! J'avais complètement oublié! s'écria-t-il soudain. J'ai du merveilleux raisin sec! Vous savez, sans pépins. Nous avons un nouveau cantinier, et il a des choses si excellentes. J'en ai acheté dix livres. J'ai l'habitude, j'ai toujours quelque douceur. En voulez-vous?... — Et Pétia courut dans l'entrée auprès de son cosaque et apporta des couffins où il y avait bien cinq livres de raisins secs. Mangez, messieurs, mangez.

— Et n'avez-vous pas besoin d'une cafetière? demanda-t-il au capitaine de cosaques. J'en ai acheté une à notre cantinier, merveilleuse! Il a d'excellentes choses. Et il est très honnête. C'est le principal. Je vous l'enverrai absolument. Et peut-être n'avez-vous plus de pierres à feu ou sont-elles usées? Cela arrive. J'en ai pris avec moi, j'en ai ici. — Il montra les couffins. — J'en ai une centaine. Je les ai achetées très bon marché, je vous en prie, prenez autant qu'il vous en faut, ou bien tout peut-être.

Et soudain, effrayé à l'idée qu'il avait peut-être exagéré, Pétia s'arrêta et rougit.

Il essaya de se rappeler s'il n'avait pas fait encore quelque sottise. Et repassant les souvenirs de cette journée, il se rappela le tambour français. « Nous, nous sommes bien ici, mais lui? Où l'a-t-on mis? Lui a-t-on donné à manger? Ne l'a-t-on pas molesté? » songea-t-il. Mais s'étant rendu compte qu'il avait un peu brodé à propos des pierres à briquet, il eut peur maintenant.

« Je pourrais leur demander, pensait-il, mais on va dire : c'est un gamin, et il a pitié de ce gamin. Je leur montrerai demain si je suis un enfant! Est-ce honteux de leur demander? Et puis, qu'importe! » Et immédiatement, rougissant et regardant les officiers dans la crainte de voir sur leurs visages une expression moqueuse, il dit :

— Et peut-on appeler ce gamin qu'on a fait prisonnier? Lui donner quelque chose à manger?... peut-être...

— Oui, il fait pitié, dit Dénissov qui n'avait évidemment rien trouvé de honteux à cette proposition. Qu'on l'amène ici. On l'appelle *Vincent Bosse*. Qu'il vienne!

— Je vais l'appeler, dit Pétia.

— Appelle-le, appelle-le! Il fait pitié, ce gamin, répéta Dénissov.

Pétia se trouvait près de la porte quand Dénissov prononça ces mots. Il se faufila parmi les officiers et s'approcha de Dénissov.

— Permettez-moi de vous embrasser, mon cher ami, dit-il. Ah, comme c'est bien! comme c'est parfait! — Et ayant embrassé Dénissov, il courut dans l'entrée.

— *Bosse! Vincent!* cria Pétia devant la porte de sortie.

— Qui vous faut-il, monsieur? dit une voix dans l'obscurité. Pétia répondit qu'il cherchait le garçon français qu'on avait pris ce jour-là.

— Ah, Vessenny? dit le cosaque.

Le prénom, *Vincent*, avait déjà été transformé par les cosaques en Vessenny, et par les paysans et les soldats en Vissénia. Dans les deux versions, cette allusion au printemps [1] correspondait bien à l'image d'un jeune garçon.

— Il était là-bas à se chauffer près du feu. Eh, Vissénia! Vissénia! Vessenny! — Des appels retentirent dans l'obscurité, et des rires. — Le galopin est déluré, dit le hussard qui se trouvait près de Pétia. Nous lui avons donné à manger tout à l'heure. Effrayant, ce qu'il était affamé!

On entendit des pas dans la nuit et, pataugeant de ses pieds nus dans la boue, le tambour s'approcha de la porte.

— *Ah, c'est vous!* dit Pétia. *Voulez-vous manger? N'ayez pas peur, on ne vous fera pas de mal!* ajouta-t-il timidement en effleurant affectueusement son bras. *Entrez, entrez.*

— *Merci, monsieur,* répondit le tambour d'une voix tremblante, presque enfantine, et il essuya contre le seuil ses pieds sales.

Pétia avait envie de dire bien des choses au tambour, mais il n'osait pas. Debout à côté de lui, il hésitait. Puis il lui prit la main dans l'obscurité et la serra.

— *Entrez, entrez,* répéta-t-il dans un affectueux chuchotement.

« Ah, que pourrais-je faire pour lui! » se dit-il et, ayant ouvert la porte, il laissa passer le jeune garçon devant lui.

Quand le tambour fut entré dans l'isba, Pétia s'assit loin de lui, considérant qu'il serait humiliant de lui prêter attention. Mais il tâtait son argent dans sa poche, se demandant s'il serait honteux de le donner au tambour.

VIII

Dénissov fit donner au tambour de la vodka et du mouton et ordonna de le vêtir d'un caftan russe, ayant décidé de ne pas le renvoyer avec les autres prisonniers mais de le garder dans son détachement. Cependant l'attention de Pétia s'était détournée du tambour pour se porter sur Dolokhov qui venait d'arriver. Pétia avait entendu dans l'armée beaucoup de récits sur l'extraordinaire bravoure de Dolokhov et sa cruauté à l'égard des Français; aussi, depuis que Dolokhov était entré dans l'isba, Pétia ne le quittait pas des yeux et se donnait du cœur et redressait la tête pour ne pas se montrer indigne même d'un Dolokhov.

L'aspect de Dolokhov surprit beaucoup Pétia par sa simplicité.

Dénissov portait un manteau caucasien, laissait pousser sa barbe, et une image de Saint Nicolas-le-Thaumaturge pendait à sa poitrine; sa manière de parler, toute son attitude, soulignaient le caractère particulier de sa situation. Dolokhov, lui qui à Moscou autrefois portait un costume persan, avait au contraire à présent l'aspect du plus correct des officiers de la garde. Son visage était soigneusement rasé, il portait une redingote militaire ouatinée, avec la croix de Saint-Georges à la boutonnière et, sur la tête, une casquette ordinaire, posée droit. Il avait déposé dans un coin son manteau de feutre mouillé et s'étant approché de Dénissov, sans dire bonjour à personne, s'était immédiatement informé de l'affaire en cours. Dénissov le mit au courant des vues qu'avaient sur le convoi les grands détachements, des propositions dont avait été chargé Pétia et de la réponse qu'il avait faite aux deux généraux. Puis Dénissov lui dit ce qu'il savait du détachement français.

— Tout ça est bel et bien, mais il faut savoir combien de troupes il y a là et lesquelles, dit Dolokhov, il faudra y aller. Sans savoir exactement combien ils sont, il ne faut pas se lancer dans cette histoire. J'aime à faire les choses soigneusement. Est-ce qu'un de ces messieurs ne désire pas m'accompagner dans leur camp? J'ai un uniforme avec moi.

— Moi, moi... J'irai avec vous! s'écria Pétia

— Tu n'as absolument pas besoin d'y aller, dit Dénissov à Dolokhov. — Quant à lui, je ne le laisserai aller pour rien au monde.

— Voilà qui est bon! s'écria Pétia. Pourquoi donc n'irai-je pas?

— Mais parce que c'est inutile.

— Vous voudrez bien m'excuser, parce que... parce que.. je partirai, et voilà tout. Vous me prendrez? demanda-t-il à Dolokhov.

— Pourquoi pas..., dit Dolokhov distraitement, en dévisageant le tambour.

— Il y a longtemps que tu l'as, ce jeune gaillard? demanda-t-il à Dénissov.

— On l'a pris aujourd'hui, mais il ne sait rien. Je l'ai gardé près de moi.

— Et des autres, qu'en fais-tu? s'enquit Dolokhov.

— Comment? Ce que j'en fais? Je les renvoie contre un reçu! s'écria Dénissov, rougissant soudain. Et je dirai hardiment que je n'ai pas un seul homme sur la conscience. Est-il plus difficile de renvoyer en ville trente ou trois cents hommes avec un convoi, que de salir, je le dis crûment, l'honneur d'un soldat?

— Bon pour le petit comte de dire de telles gentillesses à seize ans, dit Dolokhov avec un sourire froid. Mais tu aurais dû laisser ça depuis longtemps.

— Comment? je ne dis rien, je dis seulement que j'irai absolument avec vous, intervint timidement Pétia.

— Ces gentillesses ne sont plus de notre âge, poursuivit Dolokhov, comme s'il éprouvait un plaisir particulier à insister sur ce sujet qui irritait Dénissov. Pourquoi l'as-tu pris chez toi, celui-là? — Il désigna le tambour d'un signe de tête. — Parce qu'il te fait pitié? Nous savons bien ce que valent tes reçus. Tu enverras cent hommes, et il n'en arrivera que trente. Ils mourront de faim en route ou on les abattra. Alors... A quoi bon les faire prisonniers?

Le capitaine de cosaques approuvait de la tête en plissant ses yeux clairs.

— Il n'y a pas à discuter, je ne veux pas prendre ça sur ma conscience. Tu dis : ils mourront. Soit. Mais pas de ma main.

Dolokhov rit.

— Qu'est-ce donc qui les a empêchés de me prendre déjà vingt fois? Et qu'ils me prennent moi ou toi avec tes sentiments chevaleresques, le même tremble nous attend. — Il se tut quelques instants. — Allons, il faut s'occuper de notre affaire, envoyer mon cosaque pour qu'il rapporte le bât. J'ai deux uniformes français. Alors, viens-tu avec moi? demanda-t-il à Pétia.

— Moi? Oui, oui, absolument, s'écria Pétia en rougissant presque jusqu'aux larmes, et il jeta un coup d'œil à Dénissov.

Tandis que Dolokhov discutait avec Dénissov au sujet des prisonniers, Pétia de nouveau s'était senti mal à l'aise et agité, mais de nouveau il n'eut pas le temps de se rendre exactement compte de quoi ils parlaient. « Si des hommes âgés et connus pensent ainsi, c'est donc que ce doit être ainsi, c'est que c'est bien, pensait-il. Mais il ne faut surtout pas que Dénissov se figure que je vais lui obéir, qu'il peut me donner des ordres. J'irai absolument avec Dolokhov dans le camp français. Il peut, donc je peux aussi. »

A toutes les raisons qu'invoquait Dénissov, Pétia répondait que lui aussi avait l'habitude de tout faire soigneusement et non pas à la va-comme-je-te-pousse, et qu'il ne pensait jamais au danger qu'il pouvait courir.

— Parce que, convenez-en vous-même, si on ne sait pas exactement combien ils sont là-bas, la vie peut-être de centaines d'hommes en dépend, alors que nous ne sommes que deux. Et puis, j'en ai très envie, et j'irai absolument, absolument, vous ne me retiendrez pas, disait-il. Ce serait pire encore...

IX

Ayant mis capotes et shakos français, Pétia et Dolokhov se dirigèrent vers l'endroit déboisé d'où Dénissov avait examiné le camp; sortis de la forêt dans une obscurité complète, ils descendirent dans le ravin. Parvenus au fond du ravin, Dolokhov ordonna aux cosaques qui l'accompagnaient de l'attendre et se dirigea au grand trot vers le pont. Pétia, à moitié mort d'émotion, trottait à ses côtés.

— Si nous sommes pris, je ne me rendrai pas vivant, j'ai un pistolet, chuchota Pétia.

— Ne parle pas russe, chuchota rapidement Dolokhov, et au même instant un cri retentit dans la nuit : « *Qui vive?* » et le cliquetis d'un fusil.

Le sang afflua au visage de Pétia, et il saisit son pistolet.

— *Lanciers du 6e*, répondit Dolokhov sans accélérer ni ralentir l'allure de son cheval. La silhouette noire d'une sentinelle se profilait sur le pont.

— *Mot d'ordre?*

Dolokhov retint son cheval et avança au pas.

— *Dites donc, le colonel Gérard est ici?* demanda-t-il.

— *Mot d'ordre?* répéta la sentinelle sans répondre à la question et en barrant la route.

— *Quand un officier fait sa ronde, les sentinelles ne demandent pas le mot d'ordre...*, cria Dolokhov, perdant soudain patience et poussant son cheval vers la sentinelle. *Je vous demande si le colonel est ici.*

Et, sans attendre la réponse de la sentinelle qui s'était écartée, Dolokhov gravit la côte au pas.

Ayant aperçu une ombre noire qui traversait la route, Dolokhov arrêta l'homme et lui demanda où se trouvaient le commandant et les officiers. Cet homme, un soldat, un sac sur le dos, s'approcha tout près du cheval de Dolokhov, le toucha de la main et expliqua d'un ton posé et amical que le commandant et les officiers se trouvaient plus haut, sur la colline, à droite, dans la cour de la ferme (c'est ainsi qu'il appelait la cour de la maison seigneuriale).

Ayant suivi la route, des deux côtés de laquelle résonnait

autour des feux la rumeur des conversations françaises, Dolokhov se dirigea vers la cour de la maison seigneuriale. Ayant franchi le portail, il mit pied à terre et s'approcha d'un grand feu flambant haut, autour duquel étaient assis plusieurs hommes parlant très fort entre eux. Quelque chose cuisait dans une petite marmite posée au bord du foyer, et un soldat à genoux, en capote bleue et bonnet de police, vivement éclairé par les flammes, remuait ce qui cuisait avec une baguette de fusil.

— *Oh, c'est un dur à cuire*, disait un officier assis dans l'ombre, de l'autre côté du feu.

— *Il les fera marcher, les lapins...*, dit un autre en riant. Tous se turent et scrutèrent l'obscurité en entendant les pas de Dolokhov et de Pétia qui s'approchaient du feu avec leurs chevaux.

— *Bonjour, messieurs!* prononça Dolokhov d'une voix forte et distincte.

Les officiers remuèrent dans l'ombre et l'un d'eux, au long cou, contourna le foyer et s'approcha de Dolokhov.

— *C'est vous, Clément?* demanda-t-il. *D'où, diable...*, mais il n'acheva pas, reconnaissant sa méprise et fronçant légèrement les sourcils, il salua Dolokhov comme un étranger et lui demanda en quoi il pouvait lui être utile. Dolokhov expliqua que lui et son camarade essayaient de rattraper leur régiment et demanda, s'adressant à la ronde, si ces messieurs ne savaient rien du 6e lanciers. Personne ne savait rien et il sembla à Pétia que les officiers l'examinaient ainsi que Dolokhov avec hostilité et méfiance. Il y eut un silence.

— *Si vous comptez sur la soupe du soir, vous venez trop tard*, fit une voix derrière le feu, avec un léger rire.

Dolokhov répondit qu'ils étaient rassasiés et qu'il leur fallait reprendre la route cette nuit même.

Il confia les chevaux au soldat qui remuait quelque chose dans la marmite et s'accroupit près du feu à côté de l'officier au long cou. Cet officier, qui ne le lâchait pas des yeux, lui redemanda de quel régiment il était. Dolokhov ne répondit pas, faisant semblant de n'avoir pas entendu la question et ayant allumé une pipe française qu'il avait tirée de sa poche, il demanda aux officiers si la route devant eux était libre de cosaques.

— *Les brigands sont partout*, répondit l'officier de l'autre côté du feu.

Dolokhov dit que les cosaques n'étaient dangereux que pour

des isolés comme lui et son camarade, mais qu'ils n'osaient sans doute pas attaquer les grands détachements, ajouta-t-il d'un ton interrogateur. Personne ne répondit.

« A présent il va partir », pensait à tout moment Pétia en écoutant la conversation, debout devant le feu.

Mais Dolokhov se remit à parler et posa des questions directes sur les effectifs et le nombre de leurs bataillons et sur les prisonniers. En s'enquérant des prisonniers russes qui suivaient le convoi, Dolokhov dit :

— *La vilaine affaire de traîner ces cadavres après soi. Vaudrait mieux fusiller cette canaille*, et il rit très haut d'un rire si étrange qu'il sembla à Pétia que les Français allaient immédiatement deviner l'imposture, et il fit involontairement un pas pour s'écarter du feu. Personne ne répondit aux paroles et au rire de Dolokhov, et l'officier qu'on ne voyait pas (il était allongé, enveloppé dans sa capote) se souleva et chuchota quelque chose à son camarade; Dolokhov se leva et héla le soldat qui gardait les chevaux.

« Rendront-ils ou non les chevaux? » se demanda Pétia en se rapprochant instinctivement de Dolokhov.

On amena les chevaux.

— *Bonjour, messieurs*, dit Dolokhov.

Pétia voulut dire *bonsoir* et ne put prononcer ce mot. Les officiers parlaient entre eux à voix basse. Dolokhov mit longtemps à monter en selle, son cheval ne restait pas tranquille; puis il franchit au pas le portail. Pétia avançait à ses côtés, voulant et n'osant pas se retourner pour voir si les Français allaient ou non les poursuivre.

Parvenu à la route, Dolokhov ne revint pas par les champs, mais longea le village. A un endroit il s'arrêta, prêtant l'oreille.

— Tu entends? demanda-t-il.

Pétia reconnut des voix russes; il aperçut près des feux les sombres silhouettes des prisonniers. Étant descendus vers le pont, Pétia et Dolokhov passèrent devant la sentinelle qui arpentait le pont d'un air morne et ne leur dit rien, puis ils s'engagèrent dans le ravin où les attendaient les cosaques.

— Et maintenant, adieu. Dis à Dénissov : à l'aube, au premier coup de feu, prononça Dolokhov et il voulut s'éloigner, mais Pétia lui saisit le bras.

— Non! s'écria-t-il, vous êtes un tel héros! Ah, comme c'est bien! Comme c'est merveilleux! Comme je vous aime!

— Bon, bon, dit Dolokhov, mais Pétia ne le lâchait pas, et

Dolokhov le vit qui se penchait vers lui dans l'obscurité. Pétia voulait l'embrasser. Dolokhov l'embrassa, rit, fit faire demi-tour à son cheval et disparut dans la nuit.

X

Revenu à la maisonnette forestière, Pétia trouva Dénissov dans l'entrée. Troublé, inquiet et furieux contre lui-même pour l'avoir laissé partir, Dénissov attendait Pétia.

— Dieu soit loué! cria-t-il. Dieu soit loué! répétait-il en écoutant le récit enthousiaste de Pétia. — Et que le diable t'emporte, je n'ai pas dormi à cause de toi! Allons, Dieu soit loué! Maintenant, va dormir. Nous avons encore le temps de faire un petit somme jusqu'au matin.

— Oui... Non, dit Pétia. Je n'ai pas encore sommeil. Et puis je me connais, si je m'endors, c'est fini. Et puis, j'ai l'habitude de ne pas dormir avant le combat.

Pétia resta assis quelque temps dans l'isba, repassant avec joie les péripéties de son expédition et imaginant vivement ce qui allait se passer le lendemain. Puis, voyant que Dénissov s'était endormi, il se leva et sortit dans la cour.

Il faisait encore complètement sombre dans la cour. La pluie avait cessé mais des gouttes tombaient des arbres. Non loin de l'isba, on distinguait les taches noires des abris des cosaques et de leurs chevaux entravés. Derrière l'isba, deux fourgons se détachaient en noir et près d'eux des chevaux; dans le ravin, le feu s'éteignait en rougeoyant. Les cosaques et les hussards ne dormaient pas tous : çà et là, on entendait, mêlées au bruit des gouttes d'eau et à celui, tout proche, des chevaux qui mangeaient, des voix sourdes comme chuchotantes.

Pétia regarda autour de lui dans l'obscurité et s'approcha des fourgons. Quelqu'un ronflait sous les fourgons; tout autour, des chevaux debout, sellés, mâchaient leur avoine. Dans l'obscurité, Pétia reconnut son cheval qu'il appelait Karabakh, bien qu'il fût de race ukrainienne [1], et il s'approcha de l'animal.

— Eh bien, Karabakh, demain, nous allons nous distinguer... demain, dit-il en lui soufflant dans les naseaux et en l'embrassant.

— Alors, monsieur, vous ne dormez pas? dit un cosaque assis sous un des fourgons.

— Non. Mais... Likhatchov, je crois que tu t'appelles ainsi, sais-tu que je viens seulement d'arriver. Nous avons été chez les Français.

Et Pétia raconta en détail au cosaque non seulement son expédition, mais pourquoi il y était allé et pourquoi il considérait qu'il valait mieux risquer sa vie que d'agir à la va-comme-je-te-pousse.

— Mais vous devriez faire un petit somme, dit le cosaque.

— Non, je suis habitué, répondit Pétia. Et dites-moi, les pierres de vos pistolets ne sont-elles pas un peu usées? J'en ai apporté avec moi. Tu n'en as pas besoin? Tu peux en prendre.

Le cosaque sortit à mi-corps de dessous le fourgon pour mieux voir Pétia.

— Parce que j'ai l'habitude de tout faire soigneusement, continua Pétia. Il y en a qui agissent comme ça, sans se préparer, et puis ils le regrettent. Moi, je n'aime pas ça.

— C'est juste, dit le cosaque.

— Et puis encore une chose, voilà, je t'en prie, mon ami, aiguise-moi mon sabre; il s'est émou... (mais Pétia eut peur de mentir : son sabre n'avait jamais encore été aiguisé). — Ça peut se faire?

— Pourquoi pas? On peut.

Likhatchov se leva, fouilla dans les sacs, et Pétia entendit bientôt le bruit guerrier de l'acier contre la pierre. Il grimpa sur le fourgon et s'assit sur le rebord. Le cosaque aiguisait le sabre.

— Et alors, ils dorment, les gars? dit Pétia.

— Les uns, oui, les autres, non.

— Ah, et le gamin?

— Vessenny? Il est là-bas, enfoui dans le foin. La peur lui a donné sommeil. Ce qu'il était content!

Pétia resta silencieux un bon moment, prêtant l'oreille aux bruits. Des pas résonnèrent dans l'obscurité et une silhouette noire apparut.

— Qu'est-ce que tu aiguises là? demanda l'homme s'approchant du fourgon.

— Eh bien, j'aiguise un sabre, pour le monsieur.

— Bonne affaire, dit l'homme, un hussard, sembla-t-il à Pétia, La tasse est-elle restée chez vous?

— Là, près de la roue.

Le hussard prit la tasse.

— Je crois qu'il fera bientôt clair, dit-il et il s'éloigna.

Pétia aurait dû savoir qu'il était dans une forêt, dans le détachement de Dénissov, à une verste de la route, qu'il était assis sur un fourgon enlevé aux Français, près duquel étaient attachés des chevaux, qu'en-dessous de lui était assis le cosaque Likhatchov qui aiguisait son sabre, que la grande tache noire, à droite, était la maison forestière, et la tache brillante et rouge en bas à gauche, le feu qui s'éteignait, que l'homme qui était venu chercher une tasse était un hussard qui désirait boire; mais Pétia ne savait rien et ne voulait rien savoir de tout cela. Il est dans un royaume enchanté où rien n'existe qui ressemble à la réalité. La grande tache noire est peut-être bien la maison forestière, et peut-être est-ce une caverne qui conduit dans les profondeurs de la terre. La tache rouge est peut-être un feu, et peut-être l'œil d'un monstre colossal. Peut-être est-il vraiment assis sur un fourgon, mais il est fort possible qu'il soit assis non pas sur un fourgon mais sur une tour d'une hauteur vertigineuse; et si l'on en tombait, on volerait toute une journée avant de toucher terre, tout un mois, on volerait toujours sans jamais arriver. Peut-être est-ce tout simplement le cosaque Likhatchov qui est assis devant le fourgon, mais très probablement, c'est l'homme le meilleur, le plus courageux, le plus merveilleux de l'univers, que personne ne connaît. Peut-être est-ce en effet un hussard, celui qui est venu chercher la tasse pour aller boire de l'eau dans le ravin, et peut-être vient-il de disparaître et ne reparaîtra-t-il plus jamais, peut-être n'a-t-il jamais existé.

Quoi qu'eût pu voir à cet instant Pétia, rien ne l'aurait étonné. Il était dans un royaume enchanté où tout était possible.

Il regarda le ciel. Et le ciel était enchanté lui aussi. Le ciel se dégageait et au-dessus de la cime des arbres des nuages couraient rapidement, découvrant les étoiles. Parfois ils se dispersaient, et apparaissait un ciel noir et pur. Parfois, on prenait ce noir pour des nuages. Parfois le ciel paraissait s'élever haut, très haut au-dessus de la tête, et parfois le ciel descendait si bas qu'on aurait pu le saisir avec la main.

Pétia ferma les yeux et se mit à vaciller.

Les gouttes tombaient, la faible rumeur des voix chuchotantes se poursuivaient. Des chevaux hennirent et se battirent. Quelqu'un ronflait.

— Ojig, jig, ojig, jig... sifflait le sabre qu'on aiguisait. Et subitement, Pétia entendit les sons harmonieux d'un orchestre qui jouait un hymne inconnu, suave et solennel. Pétia était musicien comme Natacha et plus que Nicolas, mais il n'avait jamais appris la musique, n'y avait jamais pensé, et c'est pourquoi les mélodies qui lui venaient soudain à l'esprit lui paraissaient neuves et particulièrement attachantes. La musique se faisait de plus en plus distincte. Le thème se développait, passait d'un instrument à l'autre. C'était ce qu'on appelle une fugue, mais Pétia n'avait pas la moindre notion de ce qu'était une fugue. Chaque instrument, qui tantôt ressemblait à un violon, tantôt à une trompette, mais était plus beau, plus pur que les violons et les trompettes, chaque instrument jouait sa partie et n'ayant pas encore terminé sa phrase, se confondait avec un autre instrument qui la reprenait à son tour, puis elle était prolongée par un troisième, un quatrième; puis tous se fondaient ensemble et se séparaient de nouveau et se fondaient encore, tantôt en un solennel chant d'église, tantôt en une musique brillante et triomphale.

« Ah, mais je suis en train de rêver, se dit Pétia, et il faillit basculer en avant. C'est dans mes oreilles. Et peut-être est-ce ma musique. Allons, encore! Vas-y, ma musique! allons!... »

Il ferma les yeux. Et, de différents côtés, comme venant de très loin, les sons frémirent, commencèrent à s'organiser, à se disperser, à se mêler, et de nouveau tout s'unit en un hymne solennel. « Ah, c'est merveilleux! Comme je veux, et tant que je veux », se dit Pétia. Il essaya de diriger cet énorme ensemble d'instruments.

« Allons, plus doucement, plus doucement, plus doucement, éteignez-vous à présent. » Et les sons lui obéissaient. « A présent plus pleinement, plus gaiement. Encore, encore plus joyeusement! » Et les sons montaient d'une mystérieuse profondeur, plus puissants, plus solennels. « Allons, les voix, entrez! » commanda Pétia. Et de loin, des voix d'hommes se firent entendre, puis des voix de femmes. Les voix s'enflaient, grandissaient dans un effort très régulier et solennel. Effrayé et joyeux, Pétia écoutait leur étrange beauté.

Le chant s'unissait à la marche triomphale, et les gouttes tombaient, et le sabre sifflait : jig, jig, jig... et de nouveau les chevaux se battirent et hennirent, sans interrompre le chœur, mais en s'y intégrant.

Pétia ne savait pas depuis combien de temps cela durait. Il savourait son bonheur, ne cessait de s'en étonner et regrettait de ne pouvoir le partager avec personne. La voix amicale de Likhatchov l'éveilla.

— C'est prêt, Votre Noblesse. Avec ça, vous fendrez un Français en deux.

Pétia revint à lui.

— Il commence à faire jour, vraiment il fait jour! s'écria-t-il.

Les chevaux, qu'on ne voyait pas jusqu'alors, devenaient visibles de la tête à la queue et à travers les branches dénudées passait une lumière aqueuse. Pétia se secoua, sauta à terre, prit une pièce d'un rouble dans sa poche et la tendit à Likhatchov, brandit son sabre pour voir s'il l'avait bien en main et le remit dans le fourreau. Les cosaques déliaient les chevaux et vérifiaient le harnachement.

— Et voici le commandant, dit Likhatchov.

Dénissov sortit de l'isba et ayant appelé Pétia donna l'ordre de se préparer.

XI

Dans la demi-obscurité on se partagea rapidement les chevaux, on serra les sangles et chacun rejoignit son groupe. Debout devant la maison forestière, Dénissov donnait ses dernières instructions. L'infanterie se mit en route la première, faisant gicler la boue sous des centaines de pieds et disparut rapidement entre les arbres dans la brume de l'aurore. Le capitaine des cosaques faisait ses recommandations à ses hommes. Pétia tenait son cheval par la bride, attendant avec impatience l'ordre de monter en selle. Son visage lavé à l'eau froide et surtout ses yeux brûlaient comme du feu, des frissons parcouraient son dos, et tout son corps était secoué d'un tremblement rapide et régulier.

— Alors, tout est prêt chez vous? dit Dénissov. Amenez les chevaux.

On amena les chevaux. Dénissov se fâcha contre un cosaque qui n'avait pas suffisamment serré les sangles et, l'ayant injurié, monta en selle. Pétia saisit l'étrier. Le cheval voulut le mordre à la jambe selon son habitude, mais Pétia qui ne sentait pas le poids de son corps, enfourcha d'un bond sa monture et, tout en se retournant vers les hussards qui les suivaient dans l'obscurité, il s'approcha de Dénissov.

— Vassili Feodorovitch, vous me confierez quelque mission? Je vous en prie... au nom du ciel!... dit-il.

Dénissov, qui semblait avoir oublié son existence, se tourna vers lui.

— Je te demande une chose, dit-il sévèrement, de m'obéir et de n'aller te fourrer nulle part.

Pendant tout le trajet, Dénissov n'adressa plus la parole à Pétia et avança en silence. Quand ils arrivèrent à la lisière de la forêt, il commençait à faire nettement plus clair dans le champ. Dénissov échangea à voix basse quelques mots avec le capitaine et les cosaques commencèrent à défiler devant Pétia et Dénissov. Quand ils furent tous passés, Dénissov toucha son cheval et s'engagea sur la pente. Fléchissant sur leur arrière-train et glissant, les chevaux descendaient avec leurs cavaliers dans le ravin. Pétia se tenait à côté de Dénissov. Le tremblement qui le secouait augmentait encore. Il faisait de plus en plus clair; la brume seule cachait les objets éloignés. Parvenus en bas et ayant jeté un coup d'œil en arrière, Dénissov fit un signe de tête au cosaque qui se tenait près de lui.

— Le signal! prononça-t-il.

Le cosaque leva le bras. Un coup de feu retentit. Et au même instant, on entendit le piétinement des chevaux qui s'élançaient en avant, des cris de différents côtés et d'autres coups de feu.

A l'instant même où retentirent les premiers bruits de galop et les cris, Pétia frappa son cheval, lâcha les brides et sans écouter Dénissov qui lui criait quelque chose, fonça droit devant lui. Il lui avait semblé au premier coup de feu que tout était devenu brusquement clair comme en plein midi. Il arriva près du pont. Les cosaques galopaient devant lui sur la route. Il se heurta sur le pont à un cosaque qui s'était laissé distancer, et repartit au galop. Des hommes, des Français probablement, traversaient la route en courant de la droite vers la gauche. L'un d'eux tomba dans la boue sous les pieds du cheval de Pétia.

Près de l'une des isbas, les cosaques massés faisaient on ne sait quoi. Un cri affreux partit du milieu de la foule. Pétia s'en approcha et la première chose qu'il vit fut le visage pâle d'un Français à la mâchoire tremblante qui se cramponnait au bois d'une pique dirigée contre lui.

— Hourra!... les enfants!... ils sont à nous!... cria Pétia et, lâchant la bride à son cheval échauffé par la course, il repartit à fond de train le long de la rue.

Des coups de feu claquaient en avant. Cosaques, hussards, et prisonniers russes dépenaillés couraient sur la route dans tous les sens et tous poussaient des cris confus, incompréhensibles. Un

Français, un solide gaillard en capote bleue, au visage rouge et résolu, se défendait contre les hussards à coups de baïonnette. Quand Pétia arriva, le Français était déjà tombé. « Toujours trop tard », se dit Pétia en un éclair, et il galopa dans la direction où retentissaient de fréquents coups de feu. Ces coups de feu venaient de la cour de cette maison où il était venu de nuit avec Dolokhov. Les Français s'étaient retranchés derrière une palissade dans un jardin envahi d'épais buissons, et tiraient sur les cosaques massés devant le portail. En approchant du portail, Pétia aperçut à travers la fumée Dolokhov, le visage d'une pâleur verdâtre, qui criait des ordres aux hommes : « A revers! Attendez l'infanterie! » hurlait-il au moment où Pétia arrivait près de lui.

— Attendre?... Hourraa!... cria Pétia, et il s'élança instantanément vers l'endroit d'où partaient les coups de feu et où la fumée était la plus dense.

On entendit une salve, des balles sifflèrent, les unes se perdirent, d'autres claquèrent sur quelque chose. Les cosaques et Dolokhov s'engouffrèrent dans la cour à la suite de Pétia. Dans la fumée épaisse et mouvante, des Français jetaient leurs fusils et sortaient des buissons au-devant des cosaques, d'autres, fuyant, dévalaient la colline vers l'étang. Pétia continuait de galoper dans la cour et au lieu de tenir les rênes, il agitait rapidement les bras d'une façon bizarre et s'inclinait de plus en plus d'un côté de la selle. Ayant buté contre les braises d'un feu qui rougeoyait encore dans la lumière matinale, son cheval s'arrêta brusquement, et Pétia tomba lourdement sur la terre humide. Les cosaques virent ses bras et ses jambes s'agiter convulsivement, cependant que sa tête ne remuait pas. Une balle lui avait traversé le crâne.

Ayant parlementé avec le chef du détachement français qui était sorti de la maison avec un mouchoir noué à son épée et avait déclaré qu'ils se rendaient, Dolokhov descendit de cheval et s'approcha de Pétia, étendu immobile, les bras écartés.

— Il a son compte, dit-il, le visage assombri, et il alla vers le portail au-devant de Dénissov qui arrivait.

— Tué! s'écria Dénissov en apercevant déjà de loin le corps de Pétia dans cette position qu'il connaissait si bien, celle d'un mort.

— Il a son compte, répéta Dolokhov, comme s'il avait plaisir à prononcer ces mots, et il se dirigea vivement vers les prisonniers qu'entouraient les cosaques descendus de cheval. — Pas de prisonniers! cria-t-il à Dénissov.

Dénissov ne répondit pas. Il s'approcha de Pétia, mit pied à terre et de ses mains tremblantes tourna vers soi le visage maculé de sang et de boue et déjà pâli de Pétia.

« Je suis habitué aux douceurs... Un excellent raisin, prenez tout », se rappela-t-il. Et les cosaques se tournèrent vers lui, surpris par les sons semblables à un aboiement que poussait Dénissov; se détournant vivement, il s'approcha de la palissade et s'y cramponna.

Au nombre des prisonniers russes délivrés par Dénissov et Dolokhov, se trouvait Pierre Bézoukhov.

XII

Depuis le départ de Moscou, le commandement français n'avait pris aucune disposition nouvelle concernant le convoi de prisonniers dont faisait partie Pierre. A partir du 22 octobre, les prisonniers n'étaient plus avec les troupes et les fourgons avec lesquels ils avaient quitté Moscou. La moitié du convoi chargée de biscuits qui les suivit durant les premières étapes avait été enlevée par les cosaques; l'autre moitié était partie en avant; il ne restait aucun des cavaliers à pied qui marchaient en tête : ils avaient tous disparu. L'artillerie, que les prisonniers voyaient devant eux durant les premières étapes, avait fait place aux énormes convois du maréchal Junot qu'escortaient des Westphaliens. Un convoi d'équipement de cavalerie suivait les prisonniers.

A partir de Viazma, les troupes françaises, qui marchaient jusqu'alors en trois colonnes, avançaient maintenant en foule. Le désordre, dont Pierre avait remarqué les signes dès la première étape, était parvenu à son comble.

La route qu'on suivait était bordée des deux côtés de cadavres de chevaux; des hommes déguenillés, traînards de différents détachements, tantôt se joignaient à la colonne en marche, tantôt se laissaient de nouveau distancer par elle et étaient remplacés par d'autres.

De fausses alertes eurent lieu plusieurs fois au cours du trajet et les soldats de l'escorte levaient leurs fusils, tiraient et fuyaient à toutes jambes en se bousculant; puis ils se rassemblaient de nouveau et s'injuriaient, se reprochant mutuellement leur vaine terreur.

Cependant, le dépôt de cavalerie, le convoi de prisonniers et les fourgons de Junot qui se déplaçaient ensemble formaient encore un tout, et néanmoins tous trois fondaient rapidement.

Le dépôt qui comptait au début cent vingt voitures n'en comptait maintenant guère plus de soixante; les autres avaient été prises ou abandonnées; plusieurs fourgons du convoi de Junot avaient été capturés aussi ou abandonnés. Trois autres avaient été attaqués et pillés par des traînards du corps de Davout. Pierre avait appris en écoutant les propos des soldats allemands que l'escorte de ce convoi était plus forte que celle des prisonniers, et qu'un de leurs camarades, un Allemand, avait été fusillé par ordre du maréchal lui-même, parce qu'on avait trouvé chez lui une cuiller d'argent appartenant au maréchal.

Mais des trois groupes, c'était celui des prisonniers qui fondait le plus rapidement. Des trois cent trente hommes qui avaient quitté Moscou, il en restait maintenant moins de cent; plus encore que les selles du dépôt de cavalerie et le train de Junot, les prisonniers étaient à charge aux soldats du convoi. Les selles et les cuillers de Junot, ils comprenaient encore que cela pût servir à quelque chose; mais pourquoi des soldats affamés et grelottants devaient-ils monter la garde pour surveiller des Russes également affamés et grelottants, qu'on avait ordre de fusiller quand ils n'étaient plus capables d'avancer? Cela était non seulement incompréhensible mais répugnant. Et comme s'ils craignaient, dans l'affreuse situation où ils se trouvaient eux-mêmes, de se laisser aller au sentiment de pitié à l'égard des prisonniers qu'ils éprouvaient, et ainsi d'aggraver leur propre situation, les soldats se montraient particulièrement sévères et hargneux avec les prisonniers.

A Dorogobouje, tandis que les soldats, ayant enfermé les prisonniers dans une écurie, allaient piller leurs propres magasins, quelques prisonniers avaient creusé un passage sous le mur et s'étaient enfuis; mais, repris par les Français, ils avaient été fusillés.

Les dispositions prises au départ de Moscou, selon lesquelles les officiers marchaient à part des soldats, avaient été depuis longtemps abolies; tous ceux qui pouvaient avancer marchaient ensemble, et dès la troisième étape Pierre avait de nouveau rejoint Karataïev et le chien lilas aux pattes torses qui avait adopté Karataïev pour maître.

Le surlendemain du départ de Moscou, Karataïev avait été repris par la fièvre qui l'avait tenu couché à l'hôpital de Moscou, et à mesure que Karataïev s'affaiblissait, Pierre s'éloignait de lui.

Il ne savait pas pourquoi, mais depuis que l'état de Karataïev empirait, Pierre devait faire un effort sur soi pour s'approcher de lui. Et quand il s'approchait et entendait ces faibles gémissements que Karataïev poussait d'habitude en se couchant à l'étape et qu'il sentait l'odeur plus forte à présent que répandait Karataïev, Pierre s'en éloignait et ne pensait plus à lui.

En captivité, dans le baraquement, Pierre avait découvert — et cela non pas avec son intelligence mais avec tout son être vivant — que l'homme est créé pour le bonheur, que le bonheur est en lui, qu'il consiste dans la satisfaction des besoins naturels de l'homme et que tout le malheur vient non de l'insuffisance mais de l'excès; mais à présent, au cours de ces trois semaines de marche, il avait encore appris une nouvelle et consolante vérité : il avait appris qu'il n'y a au monde rien d'effrayant. Il avait appris que, tout comme il n'existe pas au monde de situation dans laquelle l'homme soit heureux et entièrement libre, il n'existe pas non plus de situation dans laquelle il soit totalement malheureux et privé de liberté. Il avait appris qu'il existe une limite aux souffrances et une limite à la liberté et que cette limite est très proche; que l'homme qui souffrait parce que dans son lit de roses un pétale s'était replié, souffrait comme lui-même souffrait à présent quand il s'endormait sur la terre nue et humide en se réchauffant d'un côté et en se refroidissant de l'autre; que lorsqu'il mettait autrefois ses étroits escarpins de bal, il souffrait comme il souffrait maintenant qu'il marchait pieds nus (ses chaussures étaient depuis longtemps tombées en lambeaux), et que ses pieds étaient couverts d'escarres. Il reconnut que lorsqu'il avait, librement croyait-il, épousé sa femme, il n'était pas plus libre qu'à présent qu'on l'enfermait pour la nuit dans une écurie. De tout ce qu'il subissait et que plus tard lui-même devait appeler des souffrances, mais que sur le moment il ressentait à peine, le pire était l'état de ses pieds, crevassés et ensanglantés. (La viande de cheval était savoureuse et nourrissante, l'odeur de salpêtre de la poudre utilisée en guise de sel lui semblait même agréable, il ne faisait pas encore très froid; dans la journée, on avait toujours chaud en marchant, et la nuit on allumait des feux, et les poux qui dévoraient son corps le réchauffaient.) Une seule chose avait été pénible les premiers temps, ses pieds.

A la seconde étape, examinant près du feu ses pieds meurtris, Pierre pensait qu'il lui serait impossible d'aller plus loin, mais quand tout le monde se leva, il se mit en marche en boitillant et ensuite, lorsqu'il fut échauffé, il marcha sans douleur; le soir cependant ses pieds étaient encore plus effrayants à voir. Mais il ne les regardait pas et pensait à autre chose.

Pierre se rendait compte seulement maintenant de la puissante vitalité de l'homme et combien était précieux le pouvoir qui lui est donné de déplacer son attention, laquelle joue ainsi le rôle de cette soupape de sûreté qui laisse échapper la vapeur dès que la pression dépasse une certaine norme.

Il ne voyait et n'entendait pas fusiller les prisonniers qui ne pouvaient plus avancer, bien que plus d'une centaine déjà eussent été passés par les armes. Il ne pensait pas à Karataïev qui s'affaiblissait chaque jour davantage et devait évidemment subir bientôt le même sort. Moins encore Pierre pensait à lui-même. Plus sa situation devenait difficile, plus effrayant apparaissait l'avenir, plus étaient joyeux et apaisants les souvenirs, les pensées, les images qui surgissaient en son esprit indépendamment de sa situation présente.

XIII

Le 22 à midi, Pierre gravissait une côte sur une route boueuse et glissante, en regardant ses pieds et les aspérités du sol. De temps à autre, il jetait un coup d'œil sur la foule qui l'entourait, puis reportait les yeux sur ses pieds. Tout cela lui était également familier et faisait corps avec lui. Le Gris, le chien mauve aux pattes torses, courait gaiement sur le bord de la route; parfois, pour manifester son adresse et sa satisfaction, il repliait une patte de derrière et sautillait sur les trois autres et puis, galopant de nouveau sur toutes les quatre, il se précipitait en aboyant contre les corbeaux posés sur les charognes. Il était plus gai et plus gras qu'à Moscou. La chair de divers animaux — depuis l'homme jusqu'au cheval — s'étalait partout à divers degrés de putréfaction, le passage continuel des troupes empêchait les loups de s'approcher, et Le Gris pouvait s'empiffrer tout à son aise.

Une petite pluie tombait depuis le matin; il semblait à tout moment qu'elle allait s'arrêter et le ciel s'éclaircir et voilà qu'après un bref arrêt, la pluie tombait plus fort. La route saturée de pluie n'absorbait plus l'eau et les ruisseaux dévalaient le long des ornières.

Pierre marchait, regardant de côté et d'autre, comptant ses pas trois par trois et les marquant en pliant chaque fois un doigt. S'adressant à la pluie, il disait intérieurement : « Allons, allons encore, vas-y plus fort ! »

Il lui semblait qu'il ne pensait à rien ; mais très loin, très profondément, son âme pensait à quelque chose de très important et de très consolant. Cette chose c'était la conclusion spirituelle infiniment subtile de sa conversation de la veille avec Karataïev.

La veille, à l'étape du soir, transi près du feu éteint, Pierre s'étant levé, s'était approché du feu voisin qui brûlait mieux. Près du feu était assis Platon ; enveloppé d'une capote comme d'une chasuble, il racontait aux prisonniers, de sa voix posée, agréable, mais faible et maladive, une histoire que Pierre connaissait. Il était déjà plus de minuit. C'était l'heure où, sous l'action de la fièvre, Karataïev se montrait particulièrement animé. S'étant approché du feu et entendant la voix faible et maladive de Platon, apercevant son visage pitoyable illuminé par le feu, Pierre sentit comme une piqûre désagréable au cœur. Il eut peur de la pitié que lui inspirait cet homme et voulut s'éloigner, mais il n'y avait pas d'autre feu et Pierre essayant de ne pas regarder Platon, s'assit tout de même.

— Alors, ta santé ? demanda-t-il.

— Ma santé ? Dieu n'octroie pas la mort à qui pleure sur sa santé, répondit Karataïev, et il revint immédiatement au récit qu'il avait commencé.

— ... Et alors, frère, continua Platon, son visage pâle et amaigri éclairé d'un sourire, les yeux brillants d'un éclat particulièrement joyeux, alors, frère...

Pierre connaissait depuis longtemps cette histoire. Karataïev la lui avait bien racontée six fois, à lui seul, et toujours avec un sentiment particulièrement joyeux. Mais, bien qu'il la connût, Pierre y prêta l'oreille, comme à quelque chose de nouveau, et ce doux ravissement, que Karataïev éprouvait visiblement en la racontant, se communiqua à Pierre. C'était l'histoire d'un vieux marchand qui vivait honnêtement avec sa famille dans la crainte de Dieu et qui s'était rendu un jour avec un ami, un riche marchand, à la foire de Nijny-Novgorod.

Descendus dans une auberge, les deux marchands s'étaient endormis. Et le lendemain matin, le compagnon du marchand fut trouvé égorgé et dévalisé. Le couteau ensanglanté fut trouvé sous l'oreiller du vieux marchand. On jugea le marchand, on le fouetta, on lui arracha les narines, « comme il se doit, selon la loi », disait Karataïev, et on l'envoya au bagne.

— Et voilà, frère (c'est à cet endroit du récit que Pierre était arrivé), dix années se passent et plus encore. Le petit vieux vit au bagne. Il se soumet comme il se doit, ne fait rien de mal. Il demande seulement à Dieu de lui envoyer la mort. Bon... Et voilà qu'une nuit ils se rassemblent, les bagnards, comme nous voilà toi et moi aujourd'hui; et le petit vieux est avec eux. Et on en vient à se raconter pour quel crime on souffre, en quoi on a offensé Dieu. Et chacun se met à raconter : celui-ci a tué une âme, celui-là, deux, un autre est un incendiaire, un autre, un vagabond, il est là comme ça, pour rien. On interroge le petit vieux : « Toi, pourquoi souffres-tu, grand-père? — Moi, frères, je souffre pour mes péchés et pour ceux des autres. Mais je n'ai pas fait périr une seule âme, et je n'ai pas pris ce qui n'était pas à moi, et j'ai partagé avec les malheureux. Moi, frères, je suis un marchand et j'avais de grandes richesses. Voilà ce qui m'est arrivé », qu'il dit. Et il leur raconta toute l'affaire dans l'ordre. « Moi, qu'il dit, je ne m'afflige pas pour moi. Dieu m'a choisi. Je m'afflige seulement pour ma vieille et les enfants. » Et comme ça, le petit vieux se met à pleurer. Mais voilà-t-il pas que parmi eux se trouvait justement l'homme qui avait tue le marchand. « Où ça s'est passé, dit-il, grand-père? Quand? Quel mois? » Il demanda tout et son cœur lui fit mal. Il s'approche comme ça du petit vieux, et boum! tombe à ses pieds. « C'est pour moi, qu'il dit, mon petit vieux, que tu souffres. C'est la vraie verite, frères, cet homme souffre pour rien, il est innocent. C'est moi, qu'il dit, qui ai fait la chose et j'ai glissé le couteau sous ton oreiller quand tu dormais. Pardonne-moi, grand-père, au nom du Christ! »

Karataïev se tut, souriant joyeusement; il regarda le feu et arrangea une bûche.

— Le petit vieux lui dit : « Que Dieu te pardonne, nous sommes tous des pécheurs devant Dieu, je souffre pour mes péchés. » Et il versa des larmes amères. Eh bien, qu'en penses-tu, mon petit faucon! disait Karataïev, rayonnant de plus en plus d'un sourire emerveillé, comme si c'était dans ce qui lui restait encore à dire que résidaient toute la beauté et le sens de son récit.

— Qu'en penses-tu, mon petit faucon! Cet assassin s'est accusé devant les autorités. « J'ai fait périr six âmes, qu'il dit (c'était un grand criminel), mais c'est de ce petit vieux que j'ai le plus pitié. Qu'il ne pleure donc plus à cause de moi. » Il a tout raconté, on a écrit, on a envoyé un papier, comme il se devait. L'endroit était éloigné, ça a mis du temps jusqu'à ce qu'on ait jugé et fait le nécessaire, jusqu'à ce que les papiers soient écrits comme il convenait, en passant par les autorités. C'est allé jusqu'au tsar. Enfin, arrive un ordre du tsar : qu'on relâche le marchand, qu'on lui donne en dédommagement ce qu'on a prescrit. Le papier est arrivé, on recherche le petit vieux. — Où donc est-il, le petit vieux qui a souffert innocemment? Il y a un papier du tsar! On cherche. — La mâchoire inférieure de Karataïev tressaillit. — Et lui, Dieu l'avait déjà pardonné, il était mort. C'est ainsi, petit faucon, conclut Karataïev, et il demeura long-temps silencieux, regardant droit devant lui en souriant.

Ce n'était pas le récit en lui-même mais son sens mystérieux, cette exaltation joyeuse qui resplendissait sur le visage de Karataïev tandis qu'il parlait, la mystérieuse signification de cette joie, c'était cela qui remplissait à présent l'âme de Pierre d'un bonheur confus.

XIV

— A vos places! cria soudain une voix.

Prisonniers et soldats s'affairèrent gaiement dans l'attente de quelque chose d'heureux et de solennel. Des ordres retentirent de tous côtés, et sur la gauche, des cavaliers bien vêtus, montés sur de bons chevaux, dépassèrent au trot les prisonniers. Tous les visages prirent cette expression tendue qu'ont les gens à l'approche de hauts personnages. Les prisonniers s'agglomérèrent et on les repoussa hors de la route; l'escorte s'aligna.

— L'empereur! l'empereur! Le maréchal! Le duc!

A peine les cavaliers furent-ils passés que surgit dans un fracas un carrosse attelé de chevaux gris à la Daumont. Pierre vit dans un éclair le beau visage calme, gras et blanc d'un homme en tricorne [1]. C'était un des maréchaux. Le regard du maréchal se porta sur la silhouette massive, si remarquable, de Pierre, et dans l'expression du regard de cet homme qui immédiatement se détourna en fronçant les sourcils, Pierre crut lire une compassion aussitôt dissimulée.

Le général qui commandait la colonne, rouge et apeuré, galo-pait derrière le carrosse en cravachant son maigre cheval. Quelques officiers se rassemblèrent, des soldats les entourèrent. Tous étaient émus et tendus.

— *Qu'est-ce qu'il a dit? Qu'est-ce qu'il a dit?* entendit Pierre.

Au moment du passage du maréchal, les prisonniers s'étaient massés et Pierre aperçut Karataïev qu'il n'avait pas encore vu ce matin. Enveloppé dans sa capote, Karataïev était assis, appuyé contre un bouleau. Son visage, qui gardait l'expression de joyeux attendrissement qu'il avait pendant le récit des souffrances du marchand innocent, rayonnait encore d'une douceur solennelle.

Karataïev regardait Pierre de ses bons yeux ronds, à présent embués de larmes et, manifestement, l'appelait auprès de lui, voulant lui dire quelque chose. Mais Pierre avait trop peur pour lui. Il fit mine de n'avoir pas remarqué ce regard et s'éloigna en hâte.

Quand les prisonniers se remirent en route, Pierre se retourna. Karataïev était assis sur le bord de la route, près du bouleau, et deux Français penchés sur lui parlaient entre eux. Pierre ne se retourna plus. Il montait la côte en boitillant.

Derrière, à l'endroit où Karataïev était assis, retentit un coup de feu. Pierre entendit distinctement ce coup de feu, mais au moment même où il l'entendit, il se souvint qu'il n'avait pas terminé le calcul, commencé avant le passage du maréchal, du nombre d'étapes qui restait à faire jusqu'à Smolensk. Et il se remit à compter. Deux soldats, dont l'un tenait en main un fusil encore fumant, passèrent en courant devant lui. Ils étaient pâles tous deux et dans l'expression de leur visage — l'un d'eux jeta à Pierre un regard timide — il y avait quelque chose qui ressemblait à ce qu'il avait vu chez le jeune soldat, au moment de l'exécution. Pierre regarda le soldat et se souvint qu'il avait l'avant-veille brûlé sa chemise au feu où il la séchait et qu'on s'était moqué de lui.

Le chien se mit à hurler derrière, à l'endroit où Karataïev avait été assis. « Quel imbécile, pourquoi hurle-t-il? » se demanda Pierre.

Les prisonniers qui marchaient avec Pierre ne se retournèrent pas non plus vers l'endroit où avait retenti le coup de feu, puis le hurlement du chien; mais une expression sévère était sur tous les visages.

Le dépôt, les prisonniers et les fourgons du maréchal s'arrêtèrent dans le village de Chamchévo. Tout le monde se tassa autour des feux. Pierre s'approcha de l'un d'eux, mangea de la viande de cheval rôtie, se coucha le dos au feu et s'endormit immédiatement. Il dormait du même sommeil qu'à Mojaïsk, après Borodino.

Les événements réels se confondirent de nouveau avec les images du rêve et, de nouveau, quelqu'un, lui-même ou un autre, parlait et disait les mêmes choses qu'il avait dites à Mojaïsk.

« La vie est tout, la vie est Dieu. Tout se déplace, se meut et ce mouvement est Dieu. Et tant que persiste la vie, persiste la joie de la conscience de la divinité. Aimer la vie, c'est aimer Dieu. La plus grande difficulté et la plus haute béatitude, c'est d'aimer cette vie dans ses souffrances, dans ses souffrances imméritées. »

« Karataïev! » se rappela Pierre.

Et soudain Pierre vit devant lui, comme vivant, un petit vieux depuis longtemps oublié qui, en Suisse, lui avait enseigné la géographie. « Attends », dit le petit vieux à Pierre, et il lui montra une mappemonde. Cette mappemonde était une sphère vivante, mouvante et sans limites précises. Toute la surface de la sphère était constituée de gouttes, étroitement serrées l'une contre l'autre. Et toutes ces gouttes se mouvaient, se déplaçaient et tantôt plusieurs se confondaient pour en former une seule, tantôt l'une d'elles se divisant donnait naissance à d'autres. Chaque goutte tendait à se répandre, à occuper le plus de place possible, mais les autres essayaient d'en faire autant, la pressaient, parfois la détruisaient, parfois s'unissaient à elle.

— Voilà la vie, dit le vieil instituteur.

« Comme c'est simple et clair, songea Pierre. Comment ai-je pu l'ignorer jusqu'à présent? ».

— Au centre, Dieu, et chaque goutte cherche à s'élargir pour Le refléter dans la plus large mesure. Et elle grandit, s'unit à d'autres, se rétrécit, disparaît de la surface, descend dans les profondeurs et émerge de nouveau. Le voilà, Karataïev, il s'est répandu, il a disparu. *Vous avez compris, mon enfant?* dit l'instituteur.

— *Vous avez compris, sacré nom!* cria une voix, et Pierre s'éveilla.

Il se souleva et s'assit. Un Français accroupi près du feu, qui venait de repousser un prisonnier, grillait de la viande sur une baguette de fusil. Les manches retroussées, il tournait adroitement la baguette de ses mains rouges, velues, aux veines saillantes, aux doigts courts. Son visage basané et sombre, aux sourcils froncés, se détachait nettement à la lueur des braises.

— *Ça lui est bien égal,* grogna-t-il en se tournant vivement vers le prisonnier qui se tenait derrière lui... *brigand, va!*

Et le soldat, tournant et retournant la baguette, jeta à Pierre un regard irrité. Pierre se détourna et scruta l'obscurité. Le prisonnier, que le Français avait repoussé, était assis près du feu et passait sa main sur quelque chose. Regardant de plus près, Pierre reconnut le chien lilas qui, assis à côté du prisonnier, agitait la queue.

— Ah, il est revenu? dit Pierre, et Pla..., commença-t-il et il n'acheva pas.

Des souvenirs soudain surgirent dans son imagination, s'entremêlant entre eux; il se rappela le regard que lui avait adressé Platon assis sous l'arbre, le coup de feu qui avait retenti à cet endroit, le hurlement du chien, les visages coupables des deux Français qui l'avaient dépassé en courant, le fusil encore fumant, l'absence de Karataïev à cette étape, et il fut prêt à comprendre que Karataïev avait été tué; mais au même moment, venu Dieu sait d'où, surgit en lui le souvenir de la soirée qu'il avait passée avec une belle Polonaise, en été, sur le balcon de sa maison de Kiev. Et, n'ayant pu réunir les souvenirs des événements de ce jour et en tirer une conclusion, Pierre ferma les yeux et l'image d'une nature estivale se mêla au souvenir d'une baignade, de la sphère liquide et mouvante, et il se laissa glisser dans l'eau, et si profondément qu'elle lui recouvrit la tête.

Avant le lever du soleil, Pierre fut réveillé par des cris et des coups de fusil tout proches, se succédant rapidement. Des Français passèrent en courant devant lui.

— *Les cosaques!* cria l'un d'eux, et une minute plus tard une foule de visages russes entoura Pierre.

Il se passa un bon moment avant que Pierre comprît ce qui lui arrivait. Les clameurs de joie de ses camarades retentissaient de tous côtés.

— · Frères! Mes amis, mon âme! criaient en pleurant les vieux soldats en étreignant les cosaques et les hussards.

Cosaques et hussards entouraient les prisonniers et leur offraient en hâte qui un vêtement, qui des bottes, qui du pain. Pierre sanglotait, assis au milieu d'eux, et ne pouvait articuler un mot; il étreignit le premier soldat qui s'approcha de lui et l'embrassa en pleurant.

Debout près du portail de la maison en ruine, Dolokhov faisait défiler devant lui la foule des Français désarmés, bouleversés par ce qui venait de se produire : ils parlaient entre eux à haute voix, mais quand ils passaient devant Dolokhov qui frappait légèrement ses bottes de son fouet et les considérait de son regard froid, vitreux et qui ne présageait rien de bon, ils s'arrêtaient de parler. Un cosaque de Dolokhov se tenait de l'autre côté et comptait les prisonniers, marquant les centaines d'un trait de craie sur le portail.

— Combien? demanda Dolokhov au cosaque.

— On en est à la deuxième centaine, répondit le cosaque.

— *Filez, filez,* disait Dolokhov qui avait appris cette expression des Français et, croisant le regard des prisonniers qui passaient devant lui, ses yeux brillaient d'un éclat cruel.

Dénissov, le visage sombre, suivait tête nue les cosaques qui portaient vers une fosse creusée dans le jardin le corps de Pétia Rostov.

XVI

Quand s'établirent les grands froids, à partir du 28 octobre, la retraite des Français prit un caractère plus tragique encore. Les uns gelaient ou se rôtissaient autour des feux jusqu'à en mourir, les autres — l'empereur, les rois, les ducs — poursuivaient leur route en voiture, enveloppés de pelisses, emportant avec eux le produit de leurs pillages. Mais au fond, le processus de décomposition de l'armée française se continuait sans changement.

De cette armée de soixante-treize mille hommes, sans compter la garde (qui pendant toute la guerre ne fit rien si ce n'est piller), de cette armée de soixante-treize mille hommes il ne restait à Viazma que trente-six mille hommes (cinq mille au plus étaient tombés dans les combats). Tel est le premier terme de la progression qui, avec une rigueur mathématique, détermine les suivants.

L'armée française fondit et s'anéantit dans les mêmes proportions de Moscou à Viazma, de Viazma à Smolensk, de Smolensk à la Bérézina, de la Bérézina à Vilna, et cela indépendamment du plus ou moins grand froid, de la pression des Russes, des obstacles de la route et de toutes les autres circonstances prises isolément. A partir de Viazma, les troupes françaises ne formaient plus trois colonnes, mais une foule, et il en fut ainsi jusqu'à la fin.

Berthier écrivait à son souverain (on sait à quel point les chefs se permettent de s'écarter de la vérité en décrivant la situation d'une armée) :

« Je crois devoir faire connaître à Votre Majesté l'état de ses troupes dans les différents corps d'armée que j'ai été à même d'observer depuis deux ou trois jours dans différents passages. Elles sont presque débandées. Le nombre de soldats qui suivent les drapeaux est en proportion du quart au plus dans presque tous les régiments, les autres marchent isolément dans différentes directions et pour leur compte, dans l'espérance de trouver des subsistances et pour se débarrasser de la discipline. En général, ils regardent Smolensk comme le point où ils doivent se refaire. Ces derniers jours on a remarqué que beaucoup de soldats jettent leurs armes. Dans cet état de choses, l'intérêt du service de Votre Majesté exige, quelles que soient ses vues ultérieures, qu'on rallie l'armée à Smolensk en commençant à la débarrasser des non-combattants, tels que les hommes démontés, et des bagages inutiles et du matériel de l'artillerie qui n'est plus en proportion avec les forces actuelles. En outre les jours de repos, des subsistances sont nécessaires aux soldats qui sont exténués par la faim et la fatigue : beaucoup sont morts ces derniers jours sur la route et dans les bivouacs. Cet état de choses va toujours en augmentant et donne lieu de craindre que si l'on n'y prête un prompt remède, on ne soit plus maître des troupes dans un combat.

Le 9 novembre, à 30 verstes de Smolensk. »

S'étant engouffrés dans Smolensk qui leur apparaissait comme la terre promise, les Français s'arrachèrent les vivres en s'entretuant, pillèrent leurs propres magasins et quand tout fut pillé, ils coururent plus loin.

Tous marchaient sans savoir où ni pourquoi ils marchaient. Le génial Napoléon le savait moins encore que les autres, car personne ne lui donnait d'ordre. Mais et lui et son entourage observaient tout de même leurs vieilles habitudes : on rédigeait des instructions, des lettres, des rapports, des *ordres du jour ;* on se disait les uns aux autres « *Sire, mon Cousin, Prince d'Eckmühl, Roi de Naples* », etc. Mais les ordres et les rapports n'étaient que du papier, rien ne se faisait d'après eux, parce que rien ne pouvait se faire d'après eux, et malgré les titres qu'ils se donnaient de Majesté, Altesse et Cousin, tous sentaient qu'ils étaient des hommes pitoyables et vils, qui avaient fait beaucoup de mal, et qu'il fallait maintenant payer.

Et tout en faisant semblant de se préoccuper de l'armée, chacun d'eux ne pensait qu'à soi, aux moyens de s'en sortir au plus vite.

XVII

Les mouvements des armées française et russe au cours de la retraite de Moscou au Niémen ressemblent au jeu de colin-maillard lorsqu'on bande les yeux aux deux joueurs et que l'un d'eux agite de temps en temps une clochette pour avertir de sa position celui qui doit l'attraper. Au début, celui qu'on attrape sonne, sans craindre l'adversaire, mais quand il se voit en fâcheuse posture, il fuit son adversaire en tâchant de ne pas faire de bruit et souvent, croyant l'éviter, se précipite droit dans ses bras.

Au début, les troupes de Napoléon donnaient encore de leurs nouvelles — au cours de la première période de la retraite sur la route de Kalouga, — mais ensuite, arrivées sur la route de Smolensk, elles s'enfuirent, étouffant de la main le battant de la clochette, et souvent, pensant qu'elles s'éloignaient des Russes, couraient droit dessus.

En raison de la rapidité de leur course et de celle des Russes lancés à leur poursuite et, en conséquence, de l'épuisement des chevaux, le principal moyen dont on dispose pour connaître approximativement la position de l'ennemi, les reconnaissances de cavalerie, faisait défaut. De plus, les deux armées changeant frequemment et rapidement de position, les renseignements qu'on obtenait ne parvenaient pas en temps utile. Si le 2 on apprenait que l'armée ennemie se trouvait le 1er à tel endroit, le 3, quand il etait possible d'entreprendre quelque chose, cette armee avait déjà franchi deux étapes et se trouvait dans une tout autre position.

Une armée fuyait, l'autre la poursuivait. A partir de Smolensk, les Français avaient le choix entre plusieurs routes. Durant les quatre jours qu'ils passèrent dans cette ville, ils auraient pu apprendre, semble-t-il, où se trouvait l'ennemi, combiner quelque manœuvre avantageuse et entreprendre quelque chose de nouveau. Mais après une halte de quatre jours, la foule des Français reprit sa course, non pas à droite ou à gauche, mais sans raisonner, sans entreprendre aucune manœuvre, par la vieille route, la plus mauvaise, de Krasnoïé et d'Orcha, où elle retrouvait ses propres traces.

S'attendant à être attaqués par derrière et non par-devant, les Français fuyaient en s'étirant jusqu'à laisser entre les troupes des intervalles de vingt-quatre heures de marche. En avant de tous courait l'empereur, puis venaient les rois, les ducs. L'armee russe, supposant que Napoléon allait prendre à droite et franchir le Dniéper, ce qui était la seule chose raisonnable, obliqua vers la droite et déboucha sur la grande route de Krasnoïé. Et comme au colin-maillard, les Français se heurtèrent à notre avant-garde.

Se voyant soudain en présence de l'ennemi, les Français surpris s'arrêtèrent, la confusion se mit dans leurs rangs, puis ils reprirent leur course, abandonnant leurs camarades restés en arrière. Les unités de l'armée française passèrent trois jours durant à travers les troupes russes, l'une après l'autre, d'abord celles du vice-roi, puis de Davout, puis de Ney, abandonnant l'artillerie, les bagages lourds et la moitié de leurs hommes. Elles fuyaient, de nuit, en contournant les Russes par la droite.

Ney qui fermait la marche parce qu'il s'était attardé à faire sauter les murailles de Smolensk qui ne gênaient personne (malgré leur situation malheureuse ou à cause d'elle peut-être, les Français éprouvaient le besoin de frapper le plancher sur lequel ils étaient tombés), — Ney, qui marchait en dernier avec son corps de dix mille hommes, n'en avait plus que mille lorsqu'il rejoignit Napoléon à Orcha, après avoir traversé le Dniéper en se faufilant de nuit à travers les bois.

D'Orcha, les Français, fuyant toujours, coururent vers Vilna en continuant à jouer à colin-maillard avec leurs poursuivants. A la Bérézina, ce fut de nouveau la confusion; beaucoup se noyèrent, beaucoup se rendirent, mais ceux qui réussirent à franchir la rivière coururent plus loin. Leur grand chef endossa une pelisse, s'installa dans un traîneau et partit tout seul au triple galop, laissant là ses camarades. Celui qui put en fit autant, celui qui ne put pas se rendit ou mourut.

XVIII

Il semblerait qu'en ce qui concerne du moins cette période de la retraite des Français, quand ils faisaient tout ce qu'il était possible de faire pour périr, quand aucun des mouvements de cette foule, à commencer par le détour sur la route de Kalouga et jusqu'à la fuite de son chef, n'avait le moindre sens, — il semblerait que pour ce qui est de cette période, les historiens qui attribuent les actions des masses à la volonté d'un seul homme ne pussent pas décrire cette retraite selon leurs théories. Eh bien, non! Des montagnes de livres ont été écrits par les historiens sur cette campagne, et tous parlent des dispositions prises par Napoléon et de ses plans profonds, des manœuvres prescrites aux troupes et des ordres géniaux de ses maréchaux.

La retraite de Napoléon de Malo-Iaroslavets, alors que lui était laissée libre la route menant vers des régions riches en vivres et qu'était ouverte la route parallèle que prit ensuite pour le poursuivre Koutouzov, cette inutile retraite le long d'une route dévastée, nous est présentée comme due à diverses profondes considérations. Ces mêmes considérations sont évoquées pour expliquer la retraite de Smolensk à Orcha. Ensuite, on nous décrit l'héroïsme de Napoléon à Krasnoïé, où il est prêt, assure-t-on, à livrer bataille, à commander en personne, et où il marche, un bâton de bouleau à la main et dit :

— *J'ai assez fait l'empereur, il est temps de faire le général*, et malgré cela, aussitôt après il fuit de nouveau, abandonnant à leur triste sort les tronçons de l'armée qui se trouvaient en arrière.

On nous décrit également la grandeur d'âme des maréchaux, de Ney en particulier, grandeur d'âme qui a consisté en ce qu'il s'est faufilé de nuit par les bois jusqu'au Dniéper et, l'ayant traversé, est accouru à Orcha ayant perdu drapeaux, artillerie et les neuf dixièmes de ses troupes.

Et enfin, le départ du grand empereur quittant son héroïque armée nous est présenté par les historiens comme quelque chose de sublime et de génial. Même cette fuite ultime qui, en langage humain, est la dernière des lâchetés, même cette action dont tout enfant apprend à avoir honte, trouva sa justification dans le langage des historiens.

Lorsqu'on ne peut tendre davantage les fils si élastiques des raisonnements historiques, quand l'acte est contraire de façon évidente à tout ce que l'humanité considère comme bon ou même juste, les historiens font appel pour s'en tirer à la notion de grandeur. On ne peut, paraît-il, appliquer à la grandeur la mesure du bien et du mal. Pour celui qui est grand rien n'est mal. Aucune abomination ne peut lui être imputée.

« C'est grand ! » disent les historiens, et alors il n'y a plus ni bien ni mal, il y a ce qui est « grand » et ce qui « n'est pas grand ». Ce qui est grand est bien, ce qui n'est pas grand est mauvais. La grandeur, d'après les conceptions des historiens, est le propre d'on ne sait quels animaux particuliers qu'ils appellent héros. Et Napoléon, se hâtant de rentrer chez lui enveloppé d'une pelisse bien chaude, en abandonnant à leur perte non seulement ses camarades, mais (de son point de vue) les hommes qu'il avait amenés là, sent que c'est grand, et son âme est tranquille.

« Du sublime (il voyait quelque chose de sublime en lui) au ridicule, il n'y a qu'un pas », dit-il. Et le monde entier répète depuis cinquante ans : « Sublime, grand ! Napoléon le grand ! Du sublime au ridicule, il n'y a qu'un pas. »

Et il ne viendra à l'idée de personne qu'admettre une grandeur à laquelle on ne peut appliquer la mesure du bien et du mal, revient à reconnaître sa propre nullité, son incommensurable petitesse.

Pour nous qui disposons de la mesure du bien et du mal que le Christ nous a apportée, il n'y a rien qui ne soit mesurable. Et il n'y a pas de grandeur là où manquent la simplicité, la bonté et la vérité.

XIX

En lisant les descriptions de la dernière période de la guerre de 1812, qui des Russes n'a pas éprouvé une pénible impression de dépit, d'insatisfaction et d'incompréhension? Qui ne s'est pas demandé : comment se fait-il qu'on n'ait pas capturé et détruit tous les Français, alors que trois armées les entouraient, supérieures en nombre, alors que les Français, désorganisés, mourant de faim et de froid, se rendaient en foule, alors que (nous dit l'histoire) le but des Russes était précisément d'arrêter, d'encercler et de capturer tous les Français?

Comment se fait-il que cette armée russe qui, inférieure en nombre aux Français, avait livré la bataille de Borodino, comment se fait-il qu'entourant les Français de trois côtés et ayant pour but de les capturer, elle n'ait pas atteint son but? Est-il possible que les Français nous soient à tel point supérieurs que, les ayant encerclés avec des forces plus nombreuses, nous n'ayons pu les battre? Comment cela s'est-il produit?

Répondant à cette question, l'histoire (celle qu'on nomme ainsi) nous dit que cela s'est produit parce que Koutouzov et Tormassov et Tchitchagov, et celui-ci et celui-là n'ont pas exécuté telle et telle manœuvre.

Mais pourquoi n'ont-ils pas exécuté ces manœuvres? Si le but qu'on s'était fixé n'a pas été atteint par leur faute, pourquoi ne les a-t-on pas jugés et châtiés? Mais même si l'on admet que l'échec des Russes incombe à Koutouzov, à Tchitchagov, etc., on n'arrive quand même pas à comprendre pourquoi, dans les conditions où l'armée russe se trouvait à Krasnoïe et à la Bérézina (dans les deux cas les Russes étaient supérieurs en nombre), pourquoi elle n'a pas pris toute l'armée française avec ses maréchaux, les rois et l'empereur, alors que tel était le but des Russes?

Expliquer cet étrange phénomène en disant (ainsi que le font les historiens russes) que Koutouzov a empêché l'attaque, n'est pas sérieux; nous savons, en effet, que la volonté de Koutouzov ne put empêcher l'armée d'attaquer à Viazma et à Taroutino.

Pour quelles raisons l'armée russe qui, bien qu'inférieure en nombre, avait remporté la victoire de Borodino sur un ennemi en pleine force, fut-elle vaincue, alors qu'elle était plus nombreuse, à Krasnoïé et à la Bérézina, par les foules désorganisées des Français?

Si le but des Russes consistait à couper la retraite aux Français et à faire prisonnier Napoléon et les maréchaux, et que ce but non seulement ne fut pas atteint mais que toutes les tentatives pour l'atteindre furent brisées chaque fois de la façon la plus honteuse, alors la dernière période de la campagne est, avec juste raison, présentée par les Français comme une suite de victoires et très injustement par les historiens russes comme un triomphe.

Dans la mesure où on les y oblige, les historiens militaires russes arrivent involontairement à cette conclusion et, malgré leurs envolées lyriques sur le courage, le dévouement des Russes, etc., ils doivent avouer que la retraite des Français depuis Moscou est une série de victoires de Napoléon et de défaites de Koutouzov.

L'amour-propre national mis à part, on sent tout de même que cette conclusion renferme une contradiction, car la série des victoires des Français les a conduits à un anéantissement total tandis que la série des défaites des Russes les a menés à l'extermination complète de l'ennemi et à la libération de leur patrie.

La source de cette contradiction réside dans le fait que les historiens qui étudient les événements d'après les lettres des souverains et des généraux, les relations, les rapports, etc., attribuent à la dernière période de la campagne de 1812 un but qui n'a jamais existé, but qui aurait consisté à encercler et à capturer Napoléon, ses maréchaux, etc.

Ce but n'a jamais existé et ne pouvait pas exister parce qu'il n'avait aucun sens et que l'atteindre était tout à fait impossible.

Ce but n'avait aucun sens, premièrement, parce que l'armée désorganisée de Napoléon s'enfuyait de Russie le plus vite possible, c'est-à-dire qu'elle faisait précisément ce que pouvait souhaiter tout Russe. Pourquoi donc aurait-il fallu procéder à toutes sortes d'opérations contre les Français qui fuyaient aussi vite qu'ils le pouvaient?

Deuxièmement, il aurait été absurde de se mettre en travers de la route de gens qui utilisaient toute leur énergie à fuir.

Troisièmement, il aurait été absurde de sacrifier des troupes pour anéantir l'armée française qui s'anéantissait d'elle-même, indépendamment de toute cause extérieure, dans de telles proportions que n'y aurait-il eu aucun obstacle sur la route, elle n'aurait pu ramener au-delà des frontières plus de troupes qu'elle n'en ramena effectivement en décembre, c'est-à-dire la centième partie de toute l'armée.

Quatrièmement, il aurait été absurde de vouloir capturer l'empereur, les rois, les ducs; leur capture aurait gêné au plus haut point l'action des Russes, ainsi que le reconnaissaient les diplomates les plus habiles de ce temps (J. de Maistre et d'autres). Plus absurde encore aurait-il été de vouloir s'emparer de corps d'armée français, alors que nos propres troupes avaient fondu de moitié avant Krasnoïé, et que pour garder ces corps d'armée il aurait fallu leur affecter des divisions, alors que nos propres soldats ne recevaient pas toujours des rations complètes et que les Français qui avaient déjà été pris mouraient de faim.

Le projet des plus profonds, visant à couper la route à Napoléon et à le faire prisonnier avec son armée, évoque la façon d'agir d'un maraîcher qui, voulant chasser de son potager le bétail en train de piétiner ses semis, se précipiterait vers le portail pour se mettre à frapper les animaux sur la tête. La seule chose qu'on eût pu dire à la décharge du maraîcher, c'est qu'il était très en colère. Mais cette excuse même n'aurait pu être invoquée en faveur de ceux qui avaient élaboré le projet, parce que ce n'étaient pas eux qui avaient souffert du potager piétiné.

Mais couper la route à Napoléon et le faire prisonnier était non seulement absurde, c'était impossible.

C'était impossible, en premier lieu, parce que l'expérience ayant prouvé que les mouvements de colonnes opérant au cours d'un combat dans un périmètre de quelque cinq verstes ne coïncident jamais avec les prévisions; il est clair que les chances qu'avaient Koutouzov, Tchitchagov et Wittgenstein de se rejoindre au moment voulu à l'endroit prévu étaient en fait égales à zéro. Et c'est ce que pensait Koutouzov qui avait déjà dit en recevant le plan que les diversions à grandes distances ne donnaient pas les résultats escomptés.

Secondement, c'était impossible parce que, pour paralyser la force d'inertie avec laquelle reculait l'armée de Napoléon, il eût fallu lui opposer des forces incomparablement supérieures à celles dont nous disposions.

Troisièmement, c'était impossible parce que le terme militaire « couper une armée » n'a aucun sens. On peut couper un morceau de pain et non une armée. Couper une armée, lui barrer la route, est absolument impossible, parce qu'il y a toujours tout autour suffisamment de place par où il est possible de tourner l'obstacle; et puis, il y a la nuit, quand on ne voit rien, ce dont les théoriciens militaires auraient pu se convaincre, ne fût-ce que par les exemples de Krasnoïé et de la Bérézina. D'ailleurs, faire prisonnier quelqu'un est impossible sans le consentement de celui qu'on veut prendre; de même qu'il est impossible d'attraper une hirondelle, alors qu'on peut la prendre si elle se pose sur la main. On peut faire prisonniers ceux qui se rendent, comme les Allemands, selon les règles de la stratégie et de la tactique. Mais les troupes françaises ne considéraient pas, et à juste raison, qu'il leur fût avantageux de se rendre, car la fuite et la captivité leur promettaient une mort identique par le froid et la faim.

Et en quatrième lieu, et c'est le plus important, c'était impossible parce que jamais, depuis que le monde existe, aucune guerre n'a été menée dans d'aussi terribles conditions que la campagne de 1812, et que les troupes russes qui poursuivaient les Français tendaient toutes leurs forces et ne pouvaient faire davantage sans s'anéantir elles-mêmes.

Au cours de la marche de l'armée russe de Taroutino à Krasnoïé, elle perdit cinquante mille hommes, rien qu'en malades et traînards, c'est-à-dire un nombre égal à la population d'une grande ville de province. La moitié de ses effectifs fondit sans combat.

Et c'est en parlant de cette période de la campagne, alors que les troupes sans bottes ni vêtements chauds, mal nourries, privées de vodka, dorment des mois durant dans la neige par quinze degrés de froid [1]; alors qu'il n'y a que sept ou huit heures de jour et que le reste du temps c'est la nuit pendant laquelle l'action de la discipline ne se fait plus sentir; alors que les choses ne se passent pas comme dans une bataille quand les hommes pour quelques heures seulement sont introduits dans la zone de la mort où il n'y a plus de discipline, mais qu'ils vivent pendant des mois en lutte à tout moment contre la mort par la faim et le froid; alors que la moitié de l'armée périt en un mois, c'est en parlant précisément de cette période de la campagne que les historiens nous disent que Miloradovitch devait exécuter une marche de flanc dans telle direction et Tormassov aller à tel endroit et Tchitchagov se déplacer par là (en ayant de la neige jusqu'au-dessus des genoux) et qu'un tel a culbuté et coupé, etc.

Les Russes, dont la moitié sont morts, ont fait tout ce qui pouvait et devait être fait pour atteindre un but digne de la nation, et ce ne fut pas leur faute si d'autres Russes assis dans des chambres bien chauffées se proposaient de faire ce qui était impossible.

Cette étrange et à présent incompréhensible contradiction entre les faits et les descriptions de l'histoire provient uniquement de ce que les historiens qui ont écrit sur ces événements écrivaient l'histoire des beaux sentiments et des discours des généraux et non pas l'histoire des événements.

Ce qui leur paraît le plus important ce sont les paroles de Miloradovitch, les récompenses que reçurent tel et tel généraux et leurs projets; quant à la question des cinquante mille hommes restés dans les hôpitaux ou les tombes, elle ne les intéresse même pas, parce qu'elle ne rentre pas dans le cadre de leur étude.

Et pourtant, il suffit de se détourner de l'étude des rapports et des plans des généraux, et de prêter attention au mouvement de ces centaines de milliers d'hommes qui ont pris une part active, directe aux événements, et soudain toutes les questions qui semblaient jusqu'alors insolubles trouvent avec une facilité et une simplicité extraordinaires une solution indiscutable.

Couper Napoléon et son armée, ce projet n'a jamais existé que dans l'imagination d'une dizaine de personnes. Il ne pouvait exister parce qu'il était absurde et que le réaliser était impossible.

Le peuple n'avait qu'un seul but : libérer sa terre des envahisseurs. Ce but se réalisa d'abord de soi-même parce que les Français fuyaient et qu'il s'agissait donc seulement de ne pas arrêter leur mouvement. Deuxièmement, ce but fut atteint grâce à l'entrée en action des forces populaires qui décimaient les Français, et troisièmement, du fait que la grande armée russe marchait à la suite des Français, prête à utiliser la force au cas où les Français se seraient arrêtés.

L'armée russe devait agir à la façon du fouet sur un animal. Et le conducteur de troupeau expérimenté savait que le moyen le plus efficace était de tenir le fouet levé, menaçant, et non pas de frapper sur la tête l'animal en pleine course.

QUATRIÈME PARTIE

I

Lorsque l'homme voit mourir un animal, l'horreur le saisit : ce qu'il est lui-même — sa substance même — s'anéantit sous ses yeux, cesse d'être. Mais quand ce qui meurt est un homme, et un homme qu'on aime, alors, en plus de l'horreur ressentie devant l'anéantissement de la vie, on éprouve encore un déchirement, l'âme est atteinte d'une blessure qui, tout comme une plaie physique, parfois tue, parfois se cicatrise, mais fait toujours souffrir et craint les contacts extérieurs qui l'enveniment.

Après la mort du prince André, Natacha et la princesse Marie l'éprouvaient pareillement. Courbées moralement et les paupières baissées devant le nuage noir et menaçant de la mort suspendu sur elles, elles n'osaient par regarder le visage de la vie. Elles préservaient prudemment leurs plaies ouvertes des contacts douloureux et indiscrets. Tout, une lourde voiture passant rapidement dans la rue, l'annonce du dîner, une question de la femme de chambre à propos de la robe à préparer ou, pire encore, un mot de sympathie, froid ou manquant de sincérité, tout irritait douloureusement la plaie, semblait une offense, rompait cet indispensable silence dans lequel toutes deux essayaient de prêter l'oreille à ce chœur sévère et redoutable qui continuait encore de retentir dans leur imagination et empêchait d'apercevoir ces lointains mystérieux, infinis, qui s'étaient pour un instant révélés à elles.

C'est seulement lorsqu'elles étaient ensemble qu'elles ne se sentaient ni offensées ni blessées. Elles parlaient peu entre elles. Et quand elles parlaient, c'était sur les sujets les plus insignifiants. L'une et l'autre évitaient pareillement toute allusion à ce qui aurait pu avoir quelque rapport avec l'avenir.

Accepter la possibilité d'un avenir leur paraissait une offense à sa mémoire. Avec plus de précaution encore, elles évitaient dans leurs entretiens tout ce qui se rapportait au défunt. Il leur semblait que tout ce qu'elles venaient de vivre ne pouvait être exprimé par des paroles. Il leur semblait que tout rappel par des mots des détails de sa vie profanait la grandeur et la sainteté du mystère qui s'était accompli sous leurs yeux.

La réserve constante de leurs propos, leurs efforts continuels pour éviter tout ce qui pouvait les amener à parler de lui, cette surveillance exercée de toutes parts à la frontière de ce qui ne devait pas être dit, purifiaient et éclairaient dans leur imagination ce qu'elles ressentaient.

Mais la tristesse pure et totale est aussi impossible que la joie pure et totale. Étant donné la situation de la princesse Marie, unique maîtresse de son sort et tutrice de son neveu dont l'éducation lui incombait, ce fut elle en premier que la vie fit sortir de ce monde de tristesse qu'elle habitait depuis deux semaines. Elle reçut des lettres de sa famille auxquelles il fallut répondre; la chambre où on avait installé son neveu était humide et il se mit à tousser. Alpatytch vint à Iaroslavl, présenta son rapport et conseilla à la princesse de s'installer à Moscou dans la maison de la Vozdvijenka qui était intacte et exigeait seulement quelques légères réparations. La vie continuait et il fallait vivre. Si pénible qu'il fût pour la princesse Marie de sortir de ce monde de contemplation solitaire dans lequel elle avait vécu jusque-là, si douloureux et si honteux presque qu'il lui fût de laisser seule Natacha, les soucis de l'existence exigeaient qu'elle en prît sa part et involontairement elle se donna à eux. Elle vérifiait les comptes d'Alpatytch, conférait avec Dessales au sujet du petit Nicolas et prenait ses dispositions en vue de son prochain départ pour Moscou.

Natacha restait seule et depuis que la princesse Marie avait commencé ses préparatifs de départ, elle l'évitait aussi.

La princesse Marie avait proposé à la comtesse de laisser Natacha partir avec elle à Moscou, et la mère et le père avaient accepté cette proposition avec joie; ils voyaient de jour en jour décliner les forces physiques de leur fille et espéraient grand bien tant d'un changement de lieu que des soins des médecins de Moscou.

— Je n'irai nulle part, répondit Natacha lorsqu'on lui fit cette proposition. Je demande seulement qu'on me laisse en paix.

Et elle s'enfuit de la chambre, retenant avec peine ses larmes, non pas tant des larmes de chagrin que de dépit et de colère.

S'étant vue abandonnée par la princesse Marie et livrée seule à sa douleur, Natacha restait la plupart du temps dans sa chambre; assise les jambes repliées dans un coin du divan, elle déchirait ou tripotait nerveusement quelque chose de ses doigts effilés, considérant d'un regard fixe, obstiné, l'objet sur lequel ses yeux s'étaient arrêtés. Cet isolement l'épuisait et la torturait, mais lui était indispensable. Dès que quelqu'un entrait chez elle, elle se redressait brusquement, changeait de position et d'expression, et prenait un livre ou un ouvrage de couture, attendant avec une visible impatience le départ de l'intrus.

Il lui semblait à tout moment qu'elle était sur le point de comprendre, de pénétrer ce sur quoi était fixé le regard de son âme dans une interrogation terrible, au-dessus de ses forces.

A la fin de décembre, vêtue d'une robe de laine noire, sa natte nouée négligemment en chignon, Natacha, pâle et amaigrie, était assise, les jambes repliées, dans le coin du divan; froissant et défroissant nerveusement les bouts de sa ceinture, elle regardait l'angle de la porte.

Elle regardait là-bas dans la direction où il était parti, de l'autre côté de la vie. Et l'autre côté de la vie, auquel auparavant jamais elle ne pensait, qui auparavant lui paraissait quelque chose de lointain et d'invraisemblable, lui était maintenant plus proche et plus compréhensible que ce côté-ci de la vie où tout était ou bien vide et destruction, ou bien douleur et outrage.

Elle regardait là où elle savait qu'il se trouvait; mais elle ne pouvait le voir autrement que tel qu'il avait été ici. Elle le voyait de nouveau tel qu'il était aux Mytichtchi, à Troïtsa, à Iaroslavl.

Elle voyait son visage, entendait sa voix et répétait les paroles qu'il avait prononcées et celles qu'elle lui avait dites, et parfois elle imaginait d'autres paroles qui, alors, auraient pu être dites.

Le voilà étendu dans un fauteuil, vêtu de sa courte pelisse de velours, la tête appuyée sur sa main maigre et pâle. Sa poitrine est affreusement creusée et ses épaules relevées. Ses lèvres sont fermement serrées, ses yeux brillent, et sur son front blême, une ride frémit et s'efface. Une de ses jambes est agitée d'un tremblement rapide, presque imperceptible. Natacha sait qu'il lutte contre une douleur aiguë. « Qu'est-ce que cette douleur?

Pourquoi la douleur? Que sent-il? Comment a-t-il mal? » se demanda Natacha. Il remarqua son attention, leva les yeux et commença à parler sans sourire.

« Ce qui est terrible, dit-il, c'est de se lier pour toujours à un homme qui souffre. C'est un tourment perpétuel. » Et il posa sur elle un regard scrutateur. Comme toujours, Natacha avait répondu avant de prendre le temps de réfléchir à sa réponse; elle avait dit : « Cela ne peut pas durer ainsi, cela ne sera pas, vous serez bien portant, vous guérirez complètement. »

Elle le revoyait à présent et elle revivait tout ce qu'elle avait ressenti alors. Elle se rappela son long regard sévère et triste en entendant sa réponse, et elle devina le sens de ce long regard de reproche et de désespoir.

« J'ai admis, se disait maintenant Natacha, que ç'aurait été affreux s'il avait toujours continué à souffrir; mais je l'ai dit en pensant seulement à lui, c'est pour lui que ç'aurait été affreux; et lui l'a compris autrement. Il a compris que c'est pour MOI que ç'aurait été affreux. Alors il tenait encore à la vie, il craignait la mort. Et moi je lui ai dit ça si grossièrement, si bêtement. Je ne pensais pas cela. Je pensais tout autre chose. Si j'avais dit ce que je pensais, j'aurais dit : qu'il meure lentement, qu'il continue toujours de mourir sous mes yeux, et j'aurais été heureuse en comparaison de l'état où je suis maintenant. Maintenant... rien, il n'y a rien. Le savait-il? Non, il ne le savait pas et ne le saura jamais. Et maintenant jamais, jamais plus on ne pourra réparer cela. » Et il lui redisait les mêmes paroles, mais à présent, en imagination, Natacha lui répondait autrement. Elle l'arrêtait et lui disait : « C'est terrible pour vous, mais pas pour moi. Vous savez que sans vous il ne me reste rien dans la vie, et que souffrir avec vous est mon plus grand bonheur. » Et il lui prenait la main et la serrait comme il l'avait serrée cet affreux soir, quatre jours avant sa mort. Et dans son imagination, elle lui adressait d'autres paroles encore, tendres et amoureuses, qu'elle aurait pu lui dire alors. « Je t'aime... toi... toi... Je t'aime... je t'aime... » disait-elle en comprimant convulsivement les mains et en serrant les dents dans un effort farouche.

Et une douleur moins amère l'envahissait, et déjà des larmes remplissaient ses yeux, mais soudain elle se demandait : A qui disait-elle cela? Où était-il et QUI était-il maintenant? Et de nouveau elle sombrait dans une stupeur sèche et dure, et de nouveau, les sourcils froncés, toute tendue, elle regardait là-bas, là où il était. Encore un effort, lui semblait-il, et elle percerait le mystère... Mais à la minute même où l'incompréhensible allait se découvrir, le claquement violent de la poignée de la porte frappa douloureusement son oreille. Douniacha, la femme de chambre, entra brusquement, le visage épouvanté.

— Venez chez votre père, vite, dit-elle d'un ton insolite. Un malheur... Piotr Ilitch... une lettre, articula-t-elle à travers un sanglot.

II

En plus de l'éloignement qu'elle éprouvait pour tout le monde, Natacha en éprouvait alors un, tout particulier, pour les membres de sa famille. Tous les siens, son père, sa mère, Sonia, lui étaient si familiers, elle était tellement habituée à eux, ils faisaient à tel point partie de l'existence quotidienne, que leurs paroles, leurs sentiments, lui semblaient une offense à ce monde dans lequel elle vivait ces derniers temps. Ils ne lui étaient pas seulement indifférents, elle les considérait même avec hostilité. Elle avait entendu Douniacha parler de Piotr Ilitch, de malheur, mais elle ne l'avait pas comprise.

« Qu'est-ce que c'est que ce malheur? Quel malheur peut-il leur arriver? Tout marche chez eux comme par le passé dans la tranquillité quotidienne », songeait Natacha.

Quand elle entra dans la salle, son père sortait en hâte de la chambre de la comtesse. Son visage était fripé et mouillé de larmes. Il était manifestement sorti en courant de la chambre pour donner libre cours aux sanglots qui l'étouffaient. A la vue de Natacha, il fit un geste désespéré des bras et éclata en sanglots, secoué de hoquets convulsifs qui crispaient son visage rond et mou.

— Pé... Pétia... Va, va, elle... elle t'appelle... — Et sanglotant comme un enfant, avançant à petits pas sur ses jambes débiles, il s'approcha d'une chaise et s'y laissa presque tomber en couvrant son visage de ses mains.

Et soudain Natacha se sentit comme traversée par une décharge électrique. Elle reçut un coup terrible au cœur et ressentit une affreuse douleur ; il lui sembla qu'on arrachait d'elle quelque chose et qu'elle allait mourir. Mais aussitôt après, elle se trouva instantanément délivrée de cette interdiction de vivre qui pesait sur elle. A la vue de son père, en entendant derrière la porte les cris terribles, sauvages de sa mère, elle s'oublia instantanément elle-même et elle oublia sa propre peine.

Elle accourut auprès de son père, mais agitant ses bras dans un geste d'impuissance il lui désignait la chambre de la comtesse. La princesse Marie, pâle, la mâchoire tremblante, sortit de la chambre, prit la main de Natacha et dit quelque chose. Natacha ne la voyait ni ne l'entendait. Elle franchit la porte d'un pas rapide, s'arrêta un instant comme si elle luttait contre elle-même et se précipita vers sa mère.

La comtesse, étendue dans un fauteuil, se tordait étrangement et se cognait la tête contre le mur. Sonia et les femmes de chambre la tenaient par les bras.

— Natacha! Natacha!... criait la comtesse. Ce n'est pas vrai, pas vrai... Il ment... Natacha! criait-elle en repoussant celles qui l'entouraient. Allez-vous-en tous! Ce n'est pas vrai! Tué!... ha-ha-ha!... Ce n'est pas vrai!

Natacha posa un genou sur le fauteuil, se pencha sur sa mère, l'enlaça, la souleva avec une force inattendue, tourna son visage vers soi et se serra contre elle.

— Maman!... ma colombe!... Je suis là, ma chérie. Maman, chuchotait-elle sans s'arrêter un instant.

Elle ne lâchait pas sa mère, luttant tendrement avec elle, réclamait des oreillers, de l'eau, déboutonnait et déchirait la robe de sa mère.

— Ma chérie, ma colombe... maman... mon âme, continuait-elle de chuchoter sans arrêt, lui baisant la tête, les mains, le visage, et sentant ses larmes ruisseler irrésistiblement en chatouillant son nez et ses joues.

La comtesse serra la main de sa fille, ferma les yeux et se tut un moment. Soudain, elle se souleva avec une vivacité inattendue, jeta autour d'elle un regard vide et, apercevant Natacha, se mit à lui serrer la tête de toutes ses forces entre ses mains. Ensuite, elle tourna vers elle le visage grimaçant de douleur de sa fille et le scruta longuement.

— Natacha, tu m'aimes, dit-elle dans un chuchotement. Natacha, tu ne me tromperas pas? Tu me diras toute la vérité?

Natacha la regardait de ses yeux pleins de larmes et son visage implorait seulement l'amour et le pardon.

— Maman, ma chérie, répétait-elle à sa mère, tendant toutes

les forces de son amour pour lui enlever de quelque façon et prendre sur soi le surcroît de souffrance qui l'accablait.

Et de nouveau, dans une lutte vaine contre la réalité, la mère, refusant de croire qu'elle-même vivait alors qu'avait été tué son enfant préféré, ce garçon florissant de vie, se réfugiait, fuyant cette réalité, dans l'univers de la folie.

Natacha ne put se rappeler plus tard comment se passa cette journée, ni la nuit, le lendemain et la nuit suivante. Elle ne dormit pas et ne quitta pas sa mère. L'amour de Natacha, têtu, patient, ne s'épanchait pas en consolations et en explications, mais était un appel à la vie qui, à chaque seconde, semblait envelopper de toutes parts la comtesse.

La troisième nuit, la comtesse se calma pour quelques minutes et Natacha ferma les yeux, la tête appuyée contre l'accoudoir du fauteuil. Le lit grinça, Natacha ouvrit les yeux. Sa mère était assise sur le lit et parlait à voix basse.

— Comme je suis heureuse que tu sois arrivé. Tu es fatigué, veux-tu du thé? — Natacha s'approcha d'elle. — Tu as embelli et mûri, continuait la comtesse en prenant sa fille par la main.

— Maman, que dites-vous?...

— Natacha, il n'est plus, il n'est plus là! — Et étreignant sa fille, la comtesse pleura pour la première fois.

III

La princesse Marie remit son départ. Sonia, le comte essayaient de remplacer Natacha, mais n'y parvenaient pas. Ils voyaient qu'elle seule pouvait sauver sa mère de la folie du désespoir. Durant trois semaines Natacha vécut auprès de sa mère sans sortir, dormant dans un fauteuil, lui donnant à boire et à manger, et s'entretenant constamment avec elle; Natacha lui parlait parce que seule sa voix tendre et caressante apaisait la comtesse.

La plaie de l'âme de la mère ne pouvait guérir. La mort de Pétia lui avait arraché la moitié de sa vie. C'était une femme de cinquante ans alerte et fraîche qui avait reçu la nouvelle de cette mort. Quand un mois plus tard elle sortit de sa chambre, c'était une vieille femme à demi morte qui ne prenait plus part à la vie. Mais cette même blessure qui avait à moitié tué la comtesse, cette nouvelle blessure avait rappelé Natacha à la vie.

La plaie de l'âme due à un déchirement de l'être spirituel se referme peu à peu, si étrange que cela paraisse, comme une plaie physique. Mais après qu'elle s'est fermée extérieurement et que ses lèvres paraissent ressoudées, la plaie de l'âme, tout comme la plaie physique, ne guérit intérieurement que sous la poussée de la force de vie en expansion.

C'est ainsi que guérit la blessure de Natacha. Elle pensait que sa vie était finie. Mais soudain, son amour pour sa mère lui montra que l'essence de sa vie, l'amour, était encore vivant en elle. L'amour s'éveilla et la vie s'éveilla aussi.

Les derniers jours du prince André avaient lié Natacha à la princesse Marie. Le nouveau malheur les rapprocha encore davantage. La princesse Marie avait remis son départ et pendant les trois dernières semaines, elle soigna Natacha comme un enfant malade. Les semaines que Natacha avait passées dans la chambre de sa mère avaient brisé ses forces physiques.

Un jour, dans l'après-midi, la princesse Marie ayant remarqué que Natacha tremblait de fièvre, la conduisit chez elle et la coucha sur son lit. Natacha se coucha, mais lorsque la princesse Marie, ayant baissé les stores, voulut quitter la chambre, Natacha l'appela auprès d'elle.

— Je n'ai pas sommeil, Marie, reste près de moi.

— Tu es fatiguée, essaie de dormir.

— Non, non, pourquoi m'as-tu emmenée? Elle va m'appeler.

— Elle va beaucoup mieux. Elle a si bien parlé aujourd'hui.

Étendue sur le lit, Natacha considérait dans la demi-obscurité de la chambre le visage de la princesse Marie.

« Lui ressemble-t-elle? se demandait Natacha. Oui et non, mais elle est à part, étrangère, différente, inconnue. Et elle m'aime. Qu'y a-t-il dans son âme? Tout est bon en elle. Mais comment? Que pense-t-elle? Comment me considère-t-elle? Oui, elle est merveilleuse. »

— Macha, dit-elle timidement en attirant la main de la princesse Marie. Macha, ne me crois pas mauvaise. Non? Macha, ma chérie. Comme je t'aime! Soyons tout à fait, tout à fait amies.

Et la serrant dans ses bras, Natacha se mit à baiser les mains et le visage de la princesse Marie, confuse et heureuse de cette manifestation des sentiments de Natacha.

Depuis ce jour, entre la princesse Marie et Natacha s'établit cette amitié tendre et passionnée qui n'existe qu'entre les femmes. Elles s'embrassaient sans cesse, se disaient des mots affectueux et passaient ensemble la plus grande partie de leur temps. Si l'une sortait, l'autre était inquiète et se dépêchait de la rejoindre. Elles se sentaient plus en accord l'une avec l'autre que lorsque, séparées, chacune se trouvait en face de soi. Entre elles se développa un sentiment plus fort que l'amitié, le sentiment exclusif de ne pouvoir vivre que l'une en présence de l'autre.

Parfois elles se taisaient pendant des heures entières; parfois, déjà couchées dans leur lit, elles commençaient à causer et parlaient jusqu'au matin. La plupart du temps, elles parlaient du lointain passé. La princesse Marie racontait son enfance, parlait de sa mère, de ses rêves; et Natacha qui auparavant se détournait avec une calme incompréhension de cette vie de dévouement, de soumission, de la poésie du renoncement chrétien, maintenant qu'elle se sentait liée par son affection à la princesse Marie, s'était mise à aimer aussi son passé et à comprendre ce côté de l'existence qu'elle était incapable de comprendre autrefois. Elle ne songeait pas à pratiquer dans sa propre existence la soumission et le renoncement, parce qu'elle était habituée à rechercher d'autres joies, mais elle comprit et aima dans une autre cette vertu qu'elle ne comprenait pas jusque-là. Devant la princesse Marie, qui écoutait les récits de l'enfance et de l'adolescence de Natacha, s'ouvraient également des perspectives incompréhensibles auparavant, la foi dans la vie, dans la joie de vivre.

Elles ne parlaient toujours pas de LUI, pour ne pas troubler par des paroles, ainsi qu'il leur semblait, la pureté du sentiment qu'elles gardaient en elles. Or du fait de ce silence, peu à peu, sans l'admettre, elles oubliaient le prince André.

Natacha avait maigri, pâli et était devenue physiquement si faible que tout le monde parlait constamment de sa santé, ce qui lui était agréable. Mais parfois, elle était assaillie par la crainte non seulement de la mort, mais de la maladie, de la faiblesse, de la perte de sa beauté; et parfois, involontairement, elle examinait avec attention son bras nu, s'étonnant de sa maigreur, ou bien, le matin, elle regardait longuement dans un miroir son visage tiré et, croyait-elle, pitoyable. Il lui semblait qu'il devait en être ainsi, mais elle n'en était pas moins triste et effrayée.

Un jour, elle monta rapidement un escalier et fut tout essoufflée; ayant trouvé aussitôt un prétexte pour descendre, elle remonta de nouveau, éprouvant ses forces et s'observant.

Une autre fois elle appela Douniacha et sa voix trembla.

Elle l'appela une seconde fois, bien qu'elle entendît ses pas, elle l'appela de cette voix de poitrine avec laquelle elle chantait autrefois, et l'écouta attentivement...

Elle l'ignorait et ne l'aurait pas cru, mais sous la couche de vase qui s'étendait sur son âme et lui semblait impénétrable, perçaient déjà les fines pointes, jeunes et délicates, d'une herbe nouvelle, qui devaient prendre racine et si bien recouvrir de leurs pousses vivaces le chagrin qui l'avait écrasée, que bientôt on ne l'apercevrait plus. La plaie se cicatrisait en profondeur.

A la fin de janvier, la princesse Marie partit pour Moscou, et le comte insista pour que Natacha l'accompagnât afin de consulter les médecins.

IV

Après le combat de Viazma où Koutouzov n'avait pu lutter contre le désir de ses troupes de culbuter, de couper l'ennemi, etc., la course des Français et celle des Russes à leur suite se poursuivirent sans combat jusqu'à Krasnoïé[1]. La fuite des Français était si rapide que les Russes ne parvenaient pas à les rejoindre; la cavalerie et l'artillerie manquaient de chevaux et les renseignements sur les mouvements des Français se révélaient toujours inexacts.

Les soldats des armées russes étaient si exténués par ces marches quotidiennes de quarante verstes en vingt-quatre heures, qu'on ne pouvait les faire avancer plus vite.

Pour se rendre compte du degré d'épuisement de l'armée russe, il suffit de noter le fait suivant : n'ayant perdu au cours de son mouvement de Taroutino à Krasnoïé que tout au plus cinq mille hommes en tués et blessés et moins d'une centaine de prisonniers, l'armée russe, forte de cent mille hommes au départ de Taroutino, n'en comptait plus que cinquante mille à Krasnoïé.

La course rapide des Russes à la poursuite des Français agissait sur l'armée russe de façon aussi destructrice que la fuite sur l'armée des Français. La seule différence consistait en ce que l'armée russe avançait de son plein gré et non sous la menace de mort suspendue sur l'armée française, et encore en ceci que les traînards et les malades français tombaient aux mains de l'ennemi, tandis que les traînards russes restaient chez eux. La principale cause de la fonte de l'armée de Napoléon fut la rapidité de son mouvement, et la preuve irréfutable en est la fonte correspondante de l'armée russe.

Toute l'activité de Koutouzov, aussi bien à Taroutino qu'à Viazma, visait uniquement, autant qu'il était en son pouvoir, à ne pas entraver ce mouvement des Français qui leur était fatal (comme le voulaient, tant à Pétersbourg qu'à l'armée, les généraux russes), mais à le favoriser au contraire et à faciliter ainsi le mouvement de ses propres troupes.

Mais à partir du moment où l'épuisement de l'armée et les pertes importantes dus à la rapidité de sa course devinrent manifestes, une autre raison encore incitait Koutouzov à ralentir le mouvement de ses troupes et à attendre. Le but des Russes était de poursuivre les Français. On ignorait quelle route prendraient les Français; aussi, notre chemin s'allongeait d'autant plus que nous les suivions de plus près : en effet, c'était seulement en les suivant à une certaine distance qu'on pouvait couper par des raccourcis les zigzags que faisaient les Français. Toutes les manœuvres habiles que proposaient les généraux exigeaient des déplacements de troupe, allongeaient les étapes; or la seule chose raisonnable était de les réduire. Et c'est à cela que tendit durant toute la campagne, de Moscou à Vilna, l'activité de Koutouzov, non pas sporadiquement, sous la pression des circonstances, mais de façon systématique, sans jamais modifier sa ligne de conduite.

Koutouzov savait, non pas parce qu'il était intelligent ou savant, mais parce qu'il était profondément russe, il savait et sentait ce que sentait chaque soldat russe, que les Français étaient vaincus, que les ennemis fuyaient et qu'il fallait les éconduire; mais en même temps, il ressentait en union avec les soldats tout le poids de cette campagne, unique tant par sa rapidité que par la rigueur de la saison où elle se déroula.

Mais aux généraux, surtout à ceux qui n'étaient pas russes, qui désiraient se distinguer, étonner, capturer on ne sait pourquoi quelque duc ou quelque roi, à ces généraux il semblait, à présent que toute bataille n'était plus qu'une vilenie et une absurdité, il leur semblait que c'était justement le moment de livrer bataille et de vaincre quelqu'un. Koutouzov se contentait de hausser les épaules quand on lui soumettait l'un après l'autre des projets de manœuvre avec ces soldats affamés, mal chaussés et mal vêtus, dont les effectifs sans combattre avaient fondu de moitié en un mois, et qu'il fallait amener dans les meilleures conditions jusqu'à la frontière, alors qu'il restait à parcourir une distance plus grande encore que celle qu'on avait déjà parcourue.

Ce désir de se distinguer et de manœuvrer, de culbuter, de couper l'ennemi, se manifestait surtout lorsque l'armée russe se heurtait soudain aux Français.

C'est ce qui arriva à Krasnoïé où l'on croyait trouver une des trois colonnes françaises, et où l'on tomba sur Napoléon en personne à la tête de seize mille hommes. En dépit de tous les moyens qu'employa Koutouzov pour éviter ce choc néfaste et épargner son armée, les soldats russes exténués s'acharnèrent trois jours durant sur les troupes françaises débandées.

Toll avait rédigé un dispositif : *die erste Colonne marschiert* [1], etc. Et, comme toujours, rien ne se fit selon les plans. Le prince Eugène de Würtemberg canonnait des hauteurs les Français qui passaient devant lui et réclamait des renforts qui n'arrivaient pas. Profitant de la nuit, les Français contournant les Russes se dispersaient, se cachaient dans les forêts et, chacun s'en tirant comme il pouvait, poursuivaient leur route.

Miloradovitch, qui disait qu'il ne voulait rien savoir des besoins matériels de ses hommes, qu'on ne pouvait jamais trouver quand on avait besoin de lui, le « *chevalier sans peur et sans reproche* », comme il s'appelait lui-même, et grand amateur de pourparlers avec les Français, Miloradovitch envoyait des parlementaires, exigeant la reddition, perdait du temps et faisait tout autre chose que ce qu'on lui avait ordonné.

— Mes enfants, je vous fais don de cette colonne, disait-il, en désignant les Français à sa cavalerie. Et sur leurs chevaux qui pouvaient à peine avancer et qu'ils éperonnaient et frappaient du plat de leur sabre, les cavaliers, après de grands efforts, s'approchaient au trot de la colonne qu'on leur avait offerte, c'est-à-dire d'une foule de Français pétrifiés de froid et de faim, et la colonne jetait ses fusils et se rendait, ce qu'elle avait envie de faire depuis longtemps.

On fit à Krasnoïé vingt-six mille prisonniers, on prit des centaines de canons, on ne sait quel bâton qu'on appelait « bâton de maréchal », après quoi on discuta pour savoir qui s'était distingué et on se déclara satisfait, tout en regrettant beaucoup de ne pas avoir pris Napoléon ou au moins quelque héros, quelque maréchal, et on se le reprochait mutuellement, et on le reprochait surtout à Koutouzov.

Ces hommes entraînés par leurs passions étaient les exécuteurs aveugles d'une triste nécessité, mais il se considéraient comme des héros et s'imaginaient que ce qu'ils avaient accompli était la chose la plus digne et la plus noble. Ils accusaient Koutouzov et disaient que, depuis le début de la campagne, il les avait empêchés de battre Napoléon, qu'il ne pensait qu'à satisfaire ses passions et n'avait pas voulu quitter les Manufactures de toile [1] parce qu'il y était bien tranquille; qu'il avait, à Krasnoïé, arrêté l'attaque parce qu'ayant appris la présence de Napoléon, il avait complètement perdu la tête; qu'on pouvait supposer qu'il était de connivence avec Napoléon, qu'il s'était laissé acheter par Napoléon, etc. *.

Plus encore, les contemporains entraînés par leurs passions n'ont pas été seuls à parler ainsi; la postérité et l'histoire ont proclamé Napoléon *grand;* quant à Koutouzov, pour les étrangers, c'était un vieux courtisan rusé, débauché et faible; pour les Russes, quelque chose d'indéfinissable, une sorte de pantin qui fut utile uniquement à cause de son nom bien russe.

V

En 1812 et 1813 on accusait carrément Koutouzov d'avoir commis des erreurs. L'empereur était mécontent de lui. Et un récent ouvrage d'histoire rédigé par ordre supérieur dit que Koutouzov était un courtisan rusé et fourbe que terrorisait le seul nom de Napoléon et qui par ses erreurs à Krasnoïé et à la Bérézina avait privé l'armée russe de la gloire d'une victoire complète **.

Tel est le sort non pas des grands hommes, non pas du *grand homme* que l'esprit russe ne reconnaît pas, mais de ces hommes rares, toujours solitaires, qui ayant compris la volonté de la Providence lui soumettent leur propre volonté. La haine et le mépris de la foule punissent ces hommes pour avoir pénétré des lois supérieures.

Pour les historiens russes (c'est étrange et terrible à dire),

* Mémoires de Wilson.
** Histoire de l'an 1812 par Bogdanovich : caractéristiques de Koutouzov et considérations sur l'insuffisance des résultats des combats de Krasnoïe.

Napoléon, cet insignifiant instrument de l'histoire, qui nulle part, jamais, pas même en exil, n'a fait preuve de dignité humaine, Napoléon est un objet d'admiration et d'enthousiasme; il est *grand*. Mais Koutouzov, cet homme qui du début à la fin de son activité en 1812, depuis Borodino et jusqu'à Vilna, s'est toujours montré fidèle à lui-même dans ses actes et ses paroles, a laissé un exemple exceptionnel dans l'histoire d'abnégation et de prescience du sens des événements que découvrira l'avenir, Koutouzov n'est pour ces historiens qu'un personnage inconsistant, pitoyable, et parlant de Koutouzov et de l'an 12, ils ont toujours, semble-t-il, un peu honte.

Et cependant il serait difficile même d'imaginer un personnage historique dont l'action fût aussi invariablement et continuellement dirigée vers un but unique. Il serait difficile d'imaginer un but plus digne de la volonté de tout un peuple et mieux en harmonie avec elle. Plus difficile encore serait de trouver un autre exemple dans l'histoire où le but que s'était fixé un personnage historique eût été aussi complètement atteint que le but vers lequel fut orientée toute l'activité de Koutouzov en l'an 12.

Koutouzov n'a jamais parlé des quarante siècles qui le contemplent du haut des pyramides, des sacrifices qu'il accomplit pour la patrie, de ce qu'il a l'intention d'accomplir ou a déjà accompli; en général il ne parlait pas de lui-même, ne jouait aucun rôle, semblait toujours l'homme le plus simple et le plus ordinaire et disait les choses les plus simples et les plus ordinaires. Il écrivait des lettres à ses filles et à Mme de Staël, lisait des romans, aimait la société des jolies femmes, plaisantait avec les généraux, les officiers et les soldats et ne contredisait jamais les gens qui voulaient lui démontrer quelque chose. Quand le comte Rostoptchine, arrivé au galop au pont de la Iaouza, fit des reproches à Koutouzov, l'accusant d'être personnellement responsable de la perte de Moscou, et lui dit : « N'avez-vous pas promis de ne pas abandonner Moscou sans combat? » Koutouzov répondit : « Mais je n'abandonnerai pas Moscou sans combat », bien que Moscou fût déjà abandonnée. Quand Araktchéiev vint le trouver de la part de l'empereur et lui dit qu'il conviendrait de confier à Ermolov le commandement de l'artillerie, Koutouzov répondit : « Oui, je venais justement de le dire moi-même », bien qu'une minute plus tôt il eût dit tout autre chose. Que lui importait à lui qui, parmi la foule stupide qui l'entourait, était seul à comprendre l'immense signification de l'événement, que lui importait à qui le comte Rostoptchine attribuerait les malheurs de la capitale, à lui ou à soi? Moins encore le préoccupait la question de savoir qui on allait nommer chef de l'artillerie.

Non seulement dans ces occasions mais constamment, ce vieil homme, à qui l'expérience de la vie avait appris que les idées et les mots qui servent à les exprimer ne sont pas les moteurs des hommes, disait des paroles totalement dénuées de sens, les premières qui lui venaient à l'esprit.

Mais ce même homme qui faisait si peu de cas de ses paroles, pas une fois ne dit un seul mot qui ne fût en accord avec ce but unique qu'il poursuivit durant toute la guerre. Involontairement bien entendu, avec la pénible certitude qu'il ne serait pas compris, il a exprimé maintes fois sa pensée dans les circonstances les plus diverses. Après la bataille de Borodino qui marqua le début de son désaccord avec son entourage, seul il a dit que LA BATAILLE DE BORODINO ÉTAIT UNE VICTOIRE, et il l'a répété et de vive voix et dans ses rapports, jusqu'à la fin de sa vie. Seul il a dit que LA PERTE DE MOSCOU N'ÉTAIT PAS LA PERTE DE LA RUSSIE. Aux offres de paix apportées par Lauriston, il a répondu QU'IL NE POUVAIT Y AVOIR LA PAIX, PARCE QUE TELLE EST LA VOLONTÉ DU PEUPLE; lui seul a dit lors de la retraite des Français QUE TOUTES NOS MANŒUVRES ÉTAIENT INUTILES, TOUT SE FERAIT TOUT SEUL MIEUX ENCORE QUE NOUS LE SOUHAITIONS, QU'IL FALLAIT FAIRE A L'ENNEMI UN PONT D'OR, QUE NI LA BATAILLE DE TAROUTINO, NI CELLE DE VIAZMA, NI CELLE DE KRASNOIÉ N'ÉTAIENT NÉCESSAIRES, QU'IL FALLAIT BIEN ARRIVER AVEC QUELQUE CHOSE A LA FRONTIÈRE, QU'IL NE DONNERAIT PAS UN SOLDAT RUSSE POUR DIX FRANÇAIS.

Et lui seul, ce courtisan, comme on nous le représente, cet homme qui ment à Araktchéiev pour plaire à l'empereur, lui seul, ce courtisan, dit à Vilna QUE LA GUERRE PORTÉE AU-DELA DE LA FRONTIÈRE ÉTAIT NUISIBLE ET INUTILE, ce qui lui valut la défaveur de l'empereur.

Mais les paroles seules ne suffiraient pas à prouver qu'il avait dès le début compris le sens des événements. Ses actes, tous, sans la moindre exception, étaient dirigés vers un seul et même triple but. 1) tendre toutes ses forces pour soutenir le choc des Français, 2) les vaincre et 3) les chasser de Russie en atténuant autant que possible les souffrances du peuple et des troupes.

Koutouzov, ce temporisateur, dont la devise était : patience et longueur de temps, l'adversaire des actions décisives, livre la bataille de Borodino en conférant aux préparatifs de ce combat une extraordinaire solennité. Et ce même Koutouzov qui avant la bataille d'Austerlitz avait dit qu'elle serait perdue, à Borodino, en dépit des généraux qui déclarent la bataille perdue, en dépit du fait unique dans l'histoire qu'après la bataille gagnée l'armée doit reculer, lui seul, contredisant tout le monde, affirme jusqu'à son dernier jour que la bataille de Borodino est une victoire. Lui seul tout au long de la retraite insista pour qu'on ne livrât pas de combats, ceux-ci étant devenus inutiles, et ensuite pour ne pas entreprendre une nouvelle guerre et ne pas franchir les frontières de la Russie.

Il est facile aujourd'hui de comprendre le sens de l'événement, à condition de ne pas attribuer aux masses des desseins qui n'existaient que dans la tête d'une dizaine de gens, parce que l'événement avec toutes ses conséquences est étalé devant nous.

Mais comment ce vieil homme, seul contre tous, a-t-il pu déjà alors deviner le sens qu'avait l'événement dans l'esprit du peuple, et cela avec une telle justesse que pas une fois il ne le trahit?

Cette extraordinaire pénétration du sens des événements en cours prenait sa source dans le sentiment national qu'il portait en lui dans toute sa force et sa pureté.

Et c'est uniquement parce qu'il reconnut en Koutouzov la présence de ce sentiment que le peuple réussit par des voies étranges à imposer, contrairement à la volonté du tsar, le vieillard en disgrâce comme le représentant de la guerre nationale. Et seul ce sentiment l'éleva à cette suprême altitude du haut de laquelle, en sa qualité de commandant en chef, il dirigeait toutes ses forces non pour tuer et exterminer des hommes mais pour les aider et les sauver.

Cette figure simple, modeste et pour autant vraiment grande, ne pouvait être conforme au modèle mensonger inventé par l'histoire, du héros européen qui dirige soi-disant les hommes.

Il ne peut y avoir de grand homme pour un laquais, parce que le laquais a sa conception à lui de la grandeur.

VI

Le 5 novembre, premier jour de la bataille dite de Krasnoïé, vers le soir, alors qu'après maintes discussions et erreurs des généraux qui avaient conduit leurs hommes là où il ne le fallait pas, après l'envoi d'aides de camp avec des contre-ordres, quand il fut évident que l'ennemi fuyait partout et qu'il ne pouvait y avoir et n'y aurait pas de bataille, Koutouzov quitta Krasnoïé et alla à Dobroïé, où s'était installé ce jour-là le grand quartier général.

La journée était claire, il gelait. Koutouzov avec une suite de généraux mécontents de lui, qui chuchotaient derrière son dos, se dirigeait vers Dobroïé sur son gros cheval blanc. Tout le long de la route, des Français faits prisonniers dans la journée (on en avait pris ce jour-là sept mille) se pressaient autour des feux. Non loin de Dobroïé, à côté d'une longue rangée de canons français dételés, debout le long de la route, bourdonnait une foule énorme de ces prisonniers déguenillés, enveloppés et entortillés dans n'importe quoi. A l'approche du commandant en chef, la rumeur s'apaisa et tous les yeux se fixèrent sur Koutouzov. Coiffé d'un bonnet blanc à bande rouge, enveloppé d'un manteau ouatiné qui remontait en bosse sur ses épaules voûtées, il avançait lentement. Un des généraux lui expliquait où avaient été pris les canons et les prisonniers.

Quelque chose semblait préoccuper Koutouzov et il n'écoutait pas le général. Il plissait les yeux d'un air mécontent et considérait attentivement les prisonniers qui présentaient un aspect particulièrement lamentable. La plupart d'entre eux, le nez et les joues gelés, étaient défigurés, et presque tous avaient des yeux rouges, gonflés et suppurants.

Un petit groupe de Français se tenait tout près de la route, et deux d'entre eux — le visage de l'un était couvert d'ulcères — déchiraient avec les mains un morceau de viande crue. Il y avait quelque chose de terrifiant et d'animal dans le regard rapide qu'ils jetèrent sur les cavaliers, dans l'expression haineuse avec laquelle le soldat aux ulcères, ayant regardé Koutouzov, se détourna aussitôt et poursuivit son occupation.

Koutouzov considéra longuement et intensément ces deux prisonniers; son visage se contracta encore davantage et il hocha la tête d'un air pensif. A un autre endroit, il remarqua un soldat russe qui, riant et tapotant un Français sur l'épaule, lui parlait amicalement. Koutouzov hocha de nouveau la tête avec la même expression pensive.

— Que dis-tu? demanda-t-il au général qui continuait ses explications et attirait l'attention du commandant en chef sur les drapeaux pris à l'ennemi, dressés devant le front du régiment Préobrajensky.

— Ah, les drapeaux, dit Koutouzov s'arrachant avec un visible effort à ses pensées. Il se retourna distraitement; des milliers d'yeux le fixaient de toutes parts attendant qu'il parlât.

Il s'arrêta devant le régiment Préorbrajensky, poussa un profond soupir et ferma les yeux. Quelqu'un de la suite fit un signe aux soldats qui tenaient les drapeaux de s'approcher et de les ranger autour du commandant en chef. Koutouzov resta quelques secondes silencieux et, visiblement à contre cœur, se soumettant aux nécessités de la situation, redressa la tête et se mit à parler. Des officiers en foule l'entourèrent; il parcourut d'un regard attentif leur cercle et en reconnut quelques-uns.

— Je vous remercie tous! dit-il en s'adressant aux soldats, puis aux officiers (dans le silence qui s'était établi autour de lui, chacune de ses paroles prononcées lentement s'entendait distinctement). — Je vous remercie tous pour votre fidèle et difficile service. La victoire est complète et la Russie ne vous oubliera pas. Gloire à vous tous à jamais!

Il se tut et regarda autour de lui.

— Baisse, baisse-lui la tête, dit-il au soldat qui tenait une aigle française et qui, sans le faire exprès, l'avait inclinée devant le drapeau du régiment Préobrajensky. Plus bas, plus bas, voilà, comme ça... Hourra, les enfants! prononça-t-il avec un brusque mouvement du menton vers les soldats.

— Hourra-ra-ra! rugirent des milliers de voix.

Tandis que les soldats criaient, Koutouzov, courbé sur sa selle, baissa la tête et son œil unique brilla d'une lueur douce et, eût-on dit, malicieuse.

— Voilà, frères, dit-il quand les voix se furent tues.

Et soudain son ton et l'expression de son visage changèrent; le commandant en chef cessa de parler et un vieil homme tout simple prit la parole, qui de toute évidence voulait communiquer à ses camarades quelque chose de très important.

Un mouvement se produisit dans la foule des officiers et les rangs des soldats, pour mieux entendre ce qu'il allait dire maintenant.

— Voilà, frères, je sais combien c'est dur pour vous, mais que faire! Prenez patience; il n'y en a plus pour longtemps. Nous reconduirons nos visiteurs et alors nous nous reposerons. Votre tsar ne vous oubliera pas, ni vos services. C'est dur pour vous, mais tout de même, vous êtes chez vous; et eux, regardez à quoi ils en sont réduits. — Il désigna les prisonniers. — Pis que les derniers des mendiants. Tant qu'ils étaient forts, nous ne les ménagions pas, mais à présent, on peut en avoir pitié. Ce sont des hommes eux aussi. N'est-il pas vrai, enfants?

Il regarda autour de lui et, dans les regards interdits, obstinément, respectueusement fixés sur lui, il lut l'approbation de ses paroles. Son visage s'illuminait de plus en plus d'un doux sourire de vieillard qui étoilait de petites rides les coins de sa bouche et de ses yeux; il resta un moment silencieux et baissa la tête comme perplexe.

— Mais après tout, il faut bien le dire, qui donc les a appelés chez nous? Tant pis pour eux! Qu'ils aillent se faire f...! dit-il soudain en redressant la tête. Et levant son fouet, il partit au galop pour la première fois de toute la campagne, tandis que les soldats, rompant les rangs, riaient aux éclats et criaient hourra!

Les paroles prononcées par Koutouzov ne furent sans doute pas comprises par les troupes : personne n'aurait pu se rappeler le contenu du discours du feld-maréchal, d'abord solennel, puis simple et familier; cependant, le sens profond de ses paroles fut non seulement compris, mais le sentiment de triomphe lié à la conscience de son bon droit et à la pitié pour l'ennemi, sentiment qui s'était exprimé dans le juron sans méchanceté du vieillard, ce même sentiment vivait dans le cœur de tous les soldats et s'exprima par leurs cris joyeux qui se prolongèrent longtemps. Quand peu après un des généraux demanda à Koutouzov s'il ne désirait pas qu'on fît avancer sa voiture, Koutouzov, visiblement très ému, lui répondit en réprimant un sanglot.

VII

Le 8 novembre, le dernier jour des combats de Krasnoïé, la nuit tombait quand les troupes arrivèrent à leurs bivouacs. Le temps avait été calme mais froid dans la journée, avec quelques chutes de neige; vers le soir, il s'était dégagé; à travers de rares flocons, on apercevait le ciel étoilé d'un noir violet, et il gelait plus fort.

Le régiment de fusiliers, qui comptait trois mille hommes au départ de Taroutino et n'en avait plus que neuf cents à présent, arriva un des premiers à l'endroit où il devait bivouaquer, dans un village sur la grand'route. Les fourriers qui accueillirent le régiment expliquèrent que toutes les isbas étaient occupées par des Français malades ou morts, par des cavaliers et des états-majors. Il ne restait qu'une seule isba, pour le commandant du régiment.

Le commandant du régiment alla à son isba. Le régiment traversa le village et mit ses fusils en faisceaux sur la route, près des dernières isbas.

Tel un énorme animal aux membres innombrables, le régiment se mit en devoir de préparer son gîte et de s'occuper de sa nourriture. Une partie des soldats s'égailla, de la neige jusqu'aux genoux, dans la forêt de bouleaux à droite du village où retentirent aussitôt des coups de hache, le craquement des branches fracassées et des voix joyeuses; d'autres s'affairaient autour des chariots du régiment au milieu desquels on avait placé les chevaux, apportaient les marmites et les biscuits et donnaient à manger aux chevaux. D'autres encore s'étaient répandus dans le village, préparaient le logement des officiers d'état-major, sortaient des isbas les cadavres des Français, s'emparaient des planches, du bois sec, de la paille des toits pour les feux de camp et des clôtures pour se protéger de la neige.

Une quinzaine de soldats, derrière les isbas, au bout du village, essayaient d'ébranler avec des cris joyeux la haute clôture d'un hangar dont on avait déjà enlevé le toit.

— Oh, oh, tous ensemble, allons-y! criaient les voix et, dans l'obscurité nocturne, l'énorme pan saupoudré de neige de la clôture oscillait dans un tintement de glace brisée. Les pieux du bas craquaient de plus en plus souvent, et enfin la clôture s'écroula, entraînant dans sa chute les soldats qui s'acharnaient dessus. Il y eut un grand cri de joie sauvage et des rires.

— Allons-y, par deux! Passe le levier... Là, comme ça... Où vas-tu te fourrer?

— Tous ensemble... Attendez, les enfants!... Au cri!

Tous se turent, et une voix pas très forte, veloutée et agréable, entonna une chanson. A la fin de la troisième strophe, au moment même où s'éteignait la dernière note, vingt voix poussèrent toutes ensemble un grand cri : « Ououou! Ça bouge! Ensemble!

Poussez, les enfants!... » Mais malgré leurs efforts conjugués, la clôture ne bougeait que peu; dans le silence qui s'était établi, on entendait des halètements bruyants.

— Eh, vous autres, de la sixième! Diables! Maudits! Donnez-nous un coup de main... à charge de revanche...

Une vingtaine d'hommes de la sixième compagnie qui allaient au village, se joignirent à ceux qui tiraient la clôture, et celle-ci qui avait bien cinq sagènes de long et une de large, se tordant, glissant et blessant les épaules des soldats hors d'haleine, se mit en branle dans la rue du village.

— Alors, tu avances?... Vas-y plus fort, espèce de... Pourquoi t'arrêtes-tu?... Ce n'est pas malheureux...

Les jurons gais et obscènes n'arrêtaient pas.

— Alors! quoi? fit soudain la voix autoritaire d'un adjudant qui accourait vers les porteurs.

— Il y a des messieurs ici, dans l'isba, l'amiral lui-même, et vous, maudits diables... Je vous en donnerai, moi! cria-t-il, et il frappa à toute volée le dos du premier soldat qui lui tomba sous la main. Ne peut-on pas faire ça sans bruit?

Les soldats se turent. Celui que l'adjudant avait frappé essuya en toussotant son visage ensanglanté qui avait porté contre la clôture sous la violence du coup.

— Voyez-moi, le diable, comme il tape! Il m'a mis la gueule en sang, murmura timidement le soldat quand le sous-officier se fut éloigné.

— Ça ne te plaît pas? fit une voix moqueuse. Et modérant les éclats de leurs voix, les soldats poursuivirent leur chemin. Sortis du village, ils se remirent à parler aussi fort qu'avant, émaillant leurs propos des mêmes jurons absurdes.

Dans l'isba devant laquelle venaient de passer les soldats, des officiers supérieurs s'étaient réunis et causaient avec animation en prenant le thé, des événements de la journée et des manœuvres qu'on se proposait de faire le lendemain. On voulait entreprendre une marche de flanc à gauche, couper le vice-roi et le faire prisonnier.

Quand les soldats apportèrent la clôture, les feux de camp des cuisines flambaient déjà de toutes parts. Les bûches crépitaient, la neige fondait et les ombres noires des soldats allaient et venaient sur le terrain couvert de neige piétinée, occupé par la troupe.

Les haches et les sabres-baïonnettes s'activaient de tous côtés; tout se faisait sans qu'on eût besoin de donner des ordres;

on apportait du bois pour l'entretien des feux la nuit, on confectionnait des huttes pour les officiers, on faisait bouillir les marmites, on nettoyait les fusils et le fourniment.

La clôture apportée par la huitième compagnie fut dressée en demi-cercle du côté du nord et consolidée avec des pieux, et on alluma du feu devant. On sonna la retraite, on fit l'appel, on soupa, et tout le monde s'installa pour la nuit autour des feux; qui rapetassait ses chaussures, qui fumait une pipe, qui, complètement nu, s'épouillait à la chaleur des flammes.

VIII

On pourrait croire que dans les dures conditions d'existence, difficilement imaginables, dans lesquelles vivaient alors les soldats russes — sans bottes fourrées, sans vêtements chauds, sans toit au-dessus de la tête, dans la neige par dix-huit degrés de froid, sans rations complètes même, car les convois de l'intendance ne parvenaient pas toujours à rattraper l'armée — on pourrait croire que les troupes devaient présenter le plus morne, le plus triste des spectacles.

Au contraire, jamais dans les meilleures conditions matérielles les troupes n'avaient offert un spectacle plus animé, plus gai. Cela tenait à ce que l'armée se débarrassait quotidiennement de tous ceux qui perdaient courage et faiblissaient. Tous ceux qui étaient physiquement et moralement épuisés demeuraient en arrière. Ceux qui restaient, vigoureux de corps et d'âme, représentaient la fleur de l'armée.

Le bivouac de la huitième compagnie, à l'abri de la clôture, avait attiré beaucoup de monde. Deux adjudants s'étaient assis près de son feu qui flambait plus clair que les autres. Pour avoir le droit de s'y asseoir, les hommes exigeaient qu'on apportât des bûches.

— Alors Makéiev, tu as disparu?... les loups t'ont mangé? Apporte donc du bois, criait un soldat roux à la trogne rouge qui, les yeux plissés et clignotants à cause de la fumée, ne s'écartait pourtant pas du feu. — Vas-y toi au moins. Apporte du bois, corbeau, dit-il à un autre soldat.

Le roux n'était ni sous-officier, ni même caporal, mais c'était un robuste gaillard, aussi donnait-il des ordres aux plus faibles que lui. Un petit maigrichon au nez pointu qu'on surnommait « le corbeau » se leva docilement; il allait exécuter l'ordre, mais à ce moment la fine et gracieuse silhouette d'un jeune soldat portant une charge de bois, surgit dans la lumière du feu.

— Donne ici. Là, c'est fameux!

On cassa les bûches, on les dressa, on souffla dessus, on agita les pans des capotes, et la flamme siffla et crépita. Les hommes se rapprochèrent, allumèrent leurs pipes. Le jeune et beau soldat qui avait apporté le bois, les poings sur les hanches se mit rapidement et adroitement à battre de la semelle pour réchauffer ses pieds glacés.

— Ah, ma petite maman, la rosée est froide, mais elle est bonne pour le fusilier, fredonnait-il avec une sorte de hoquet sur chaque syllabe de la chanson.

— Eh! tes semelles vont filer! cria le roux, voyant ballotter une des semelles du danseur. — Quelle rage de danser!

Le danseur s'arrêta, arracha la semelle pendante et la lança dans le feu.

— Tu as raison, frère, dit-il. Et ayant retiré de son sac un morceau de drap bleu français, il s'en enveloppa le pied.

— Elles se racornissent à la chaleur, ajouta-t-il en étendant ses jambes vers le feu.

— Bientôt on en livrera des neuves. On dit qu'une fois qu'on en aura fini, on touchera le double de tout.

— Et ce chien de Pétrov, il est quand même resté en route, dit un adjudant.

— Je l'observais depuis longtemps, dit un autre.

— Eh quoi, un gringalet...

— Et dans la troisième compagnie, il manquait hier neuf hommes, on dit.

— Juge toi-même, si tes pieds gèlent, comment marcher?

— Sottises tout ça, dit l'adjudant.

— Aurais-tu envie que ça t'arrive? dit un vieux soldat d'un ton de reproche à celui qui venait de parler de pieds gelés.

— Et que penses-tu donc? dit soudain d'une voix aiguë et tremblante le soldat au nez pointu qu'on appelait « le corbeau », en se dressant derrière le feu. Qui est rond maigrira, et qui maigrira mourra. Ainsi moi, par exemple, je suis à bout, dit-il d'un ton subitement résolu à l'adjudant. Fais-moi envoyer à l'hôpital. Je suis tout brisé. Autrement, c'est pareil, je ne pourrai pas suivre.

— Allons, ça suffit, dit calmement l'adjudant.

Le petit maigrichon se tut et la conversation se poursuivit.

— Aujourd'hui, en a-t-on pris de ces Français! Mais des bottes, pour parler franc, pas un n'en avait de vraies; ça n'avait de bottes que le nom, dit un soldat, entamant un nouveau sujet.

— Ce sont les cosaques qui les ont déchaussés. On a nettoyé une isba pour le colonel, et on a enlevé les corps. Ça faisait pitié à voir, les enfants, dit le danseur. On les a remués, eh bien, crois-tu, il y en avait un de vivant, il bredouillait encore quelque chose dans sa langue.

— Et ce sont des gens propres, les enfants, dit le premier. Blancs, tiens, comme un bouleau, et il y a de beaux gaillards parmi eux, dis, et des nobles.

— Et que crois-tu? Il en a ramassé de toutes les conditions.

— Et ils ne savent pas du tout parler comme nous, dit le danseur avec un sourire perplexe. Je lui demande : « A quelle couronne appartiens-tu? » et lui, il baragouine à sa façon. Étrange peuple.

— Ce qui est étrange, frères, reprit celui qui était étonné de la blancheur des Français, les paysans de Mojaïsk disaient, quand ils ont commencé à enlever les morts là où qu'on s'est battu, eh bien, y avait bien un mois que les morts étaient là, les leurs. Eh bien, il est là, couché, leur mort, blanc comme du papier, propre, pas ça d'odeur...

— Quoi, le froid? demanda un autre.

— Quel malin tu fais! Le froid! Il avait fait chaud. Si c'était le froid, les nôtres non plus n'auraient pas pourri. Mais qu'ils disaient, on s'approche d'un des nôtres, il est tout pourri, plein de vers. On noue un mouchoir sur le nez, on détourne la gueule, et on le traîne. Et le leur, qu'ils disaient, blanc comme du papier, et pas ça d'odeur.

Il y eut un silence.

— Ça doit être la nourriture, dit l'adjudant, ils ont baffré comme les maîtres.

Personne ne répliqua.

— Ce paysan de Mojaïsk, là où qu'il y a eu la bataille, il disait comme ça qu'on les a rassemblés de dix villages, ils ont charrié les morts pendant vingt jours, et il en restait encore. Et des loups, ce qu'il y en avait, qu'il disait...

— C'était une vraie bataille, celle-là, dit le vieux soldat. Il y a de quoi se souvenir; et tout le reste après... c'est rien que pour tourmenter les gens.

— Eh oui, l'oncle. Avant-hier, nous arrivons sur eux, mais quoi, rien à faire, ils ne se laissent pas approcher. Ils jettent leurs fusils. A genoux, pardon, qu'ils disent. C'est pas la guerre, ça, on fait semblant. On dit que Poléon lui-même, Platov l'a pris deux fois, mais il ne sait pas le mot qu'il faut dire. Il le prend, il le tient, et voilà que dans ses mains l'autre se fait oiseau, il s'envole, et voilà. Et le tuer non plus, on n'y arrive pas.

— Ce que tu mens bien, Kisselev, gros malin.

— Des mensonges? C'est la vérité vraie!

— Et si c'était moi, aussitôt attrapé, je l'enterrerais. Et je lui enfoncerais un pieu de tremble [1]! En a-t-il fait périr du monde!

— C'est pareil, on lui fera une fin, il cessera de se promener, dit en bâillant un soldat.

La conversation tomba, les soldats commencèrent à se coucher.

— Regarde les étoiles, ce qu'il y en a, et comme elles brillent! Vois donc, les femmes ont étendu leurs toiles, dit un soldat qui admirait la Voie lactée.

— Ça, les enfants, c'est signe de bonne récolte.

— Il faudrait encore un peu de bois.

— Tu chauffes ton dos et ton ventre gèle, en voilà un prodige!

— Oh, Seigneur!

— Qu'as-tu à pousser, tu crois que le feu est pour toi seul, hein? Regardez-le s'étaler!

Dans le silence qui s'établissait s'éleva le ronflement de ceux qui dormaient; les autres se tournaient et se retournaient et se chauffaient, échangeant un mot de temps en temps. D'un feu éloigné d'une centaine de pas jaillit un rire gai et communicatif.

— Écoutez-moi ça! Quel tapage à la cinquième! dit un soldat. Et que de monde! Une foule!

Un soldat se leva et alla à la cinquième compagnie.

— Ils s'amusent bien, dit-il en revenant. Deux Français se sont collés à eux. Un, complètement gelé, et l'autre, quel dégourdi! Il chante des chansons.

— Si on allait voir... — Quelques soldats se dirigèrent vers la cinquième compagnie.

IX

La cinquième compagnie bivouaquait à la lisière de la forêt. Un énorme feu flambait clair sur la neige, éclairant les branches des arbres alourdies de givre.

Au milieu de la nuit, les soldats de la cinquième compagnie

entendirent dans la forêt des pas sur la neige et des craquements de branches.

— Les enfants, un ours, dit un soldat. Tous levèrent la tête, prêtèrent l'oreille, et de la forêt sortirent dans la lumière vive du feu deux silhouettes humaines étrangement attifées, qui se soutenaient l'une l'autre.

C'étaient deux Français qui s'étaient cachés dans la forêt. Bredouillant quelque chose d'une voix enrouée dans une langue incompréhensible pour les soldats, ils s'approchèrent du feu. L'un d'eux était haut de taille, portait un shako d'officier et semblait complètement épuisé. S'étant approché du feu, il voulut s'asseoir, mais tomba à terre. L'autre, petit et râblé, un mouchoir noué autour de la tête, était plus solide. Il releva son camarade et dit quelque chose en montrant sa bouche; les soldats entourèrent les Français, étendirent une capote sous le malade et apportèrent à tous deux de la bouillie de sarrazin [1] et de la vodka.

L'officier français était Ramballe; celui qui portait un mouchoir était son ordonnance, Morel.

Quand Morel eut bu de la vodka et fini une petite marmite de bouillie, il fut pris d'une gaieté maladive et commença à parler sans arrêt, s'adressant aux soldats qui ne le comprenaient pas. Ramballe refusa de manger et restait couché en silence devant le feu, appuyé sur un coude, regardant de ses yeux rouges, dénués de toute expression, les soldats russes. De temps à autre, il poussait un long gémissement, puis redevenait silencieux. Morel, désignant ses épaules, essayait de faire comprendre aux soldats que c'était un officier et qu'il fallait le réchauffer. Un officier russe qui s'était approché du feu envoya demander au colonel s'il consentirait à ce qu'un officier français vînt se réchauffer chez lui et quand on revint dire que le colonel donnait l'ordre d'amener l'officier, on dit à Ramballe d'y aller. Il se leva et voulut marcher, mais il chancela et serait tombé si un officier qui se tenait près de lui ne l'eût soutenu.

— Alors? On ne t'y reprendra plus? dit un soldat à Ramballe avec un clin d'œil moqueur.

— Eh, imbécile! Que chantes-tu là! Quel paysan, vraiment, un paysan! s'exclama-t-on de toutes parts à l'adresse du soldat qui avait voulu plaisanté. — On entoura Ramballe, deux hommes le soulevèrent en entrelaçant les bras et le portèrent dans l'isba. Ramballe se tenait aux cous des soldats, et tandis qu'on l'emportait, il commença à parler d'une voix plaintive :

— *Oh, mes braves, oh mes bons, mes bons amis! Voilà des hommes! Oh, mes braves, mes bons amis!* et il posa la tête sur l'épaule d'un des soldats, comme un enfant.

Cependant, entouré par les soldats, Morel était assis à la meilleure place.

Morel, un petit Français râblé, aux yeux enflammés et larmoyants, un mouchoir noué à la manière des femmes par-dessus sa casquette, portait une courte pelisse de femme. Visiblement ivre il avait passé un bras autour du cou du soldat assis près de lui, et chantait d'une voix enrouée et entrecoupée une chanson française. Les soldats se tenaient les côtes en le regardant.

— Voyons, voyons, apprends-nous comment? J'apprendrai vite. Comment? disait le gai chanteur que Morel enlaçait.

> *Vive Henri quatre,*
> *Vive ce roi vaillant!*

chanta Morel en clignant de l'œil.

> *Ce diable à quatre...*

— Vivarika! Vif serouvarou! Sudiabliaka..., répéta le soldat, en agitant le bras. Il avait en effet saisi l'air.

— Écoute-moi ça! Ce que c'est bien! Ho-ho-ho-ho-ho!... — Un rire grossier et joyeux se déchaîna. Morel, le visage grimaçant, riait aussi.

— Allons, vas-y encore, encore!

> *Qui eut le triple talent,*
> *De boire, de battre,*
> *Et d'être un vert galant...*

— Ça se tient aussi. Allons, à toi, Zalétaïev!...

— Kiou..., prononça Zalétaïev avec effort. Kiou-iou-iou..., prolongea-t-il le son, en allongeant les lèvres avec application, lé triptala, dé-bou-dé-ba-i-détravagala.

— Ah, fameux! Ça c'est un Français! Ho... ho-ho-ho-ho! Alors, tu veux encore manger?

— Donne-lui donc de la bouillie, il ne se rassasiera pas si vite, affamé comme il est.

On lui apporta de nouveau de la bouillie, et Morel, avec de petits rires, s'attaqua à la troisième marmite. Des sourires joyeux s'épanouissaient sur les visages des jeunes soldats qui regardaient Morel. Les vieux, qui ne jugeaient pas convenable de s'occuper de telles futilités, étaient couchés de l'autre côté du feu, mais de temps à autre, se soulevant sur un coude, ils jetaient en souriant un coup d'œil à Morel.

— Ce sont des hommes aussi, dit l'un d'eux en s'enveloppant de sa capote. L'absinthe, elle aussi, pousse sur sa racine [1].

— Oh! Seigneur, Seigneur! Que d'étoiles! Ça fourmille! Il va geler...

Et tout se tut. Les étoiles, comme si elles savaient que personne maintenant ne les verrait, jouèrent de tous leurs feux dans le ciel noir. Tantôt s'enflammant, tantôt s'éteignant, tantôt palpitant, elles se chuchotaient, affairées, quelque chose de joyeux mais de mystérieux.

X

Les troupes françaises fondaient régulièrement selon une stricte progression mathématique. Et ce passage de la Bérézina, sur lequel on a tant écrit, ne fut qu'une des étapes intermédiaires de la destruction de cette armée française, et nullement un épisode décisif de la campagne. Si on a tant écrit et qu'on écrit encore tant sur la Bérézina, du côté français, c'est uniquement parce que, sur le pont écroulé de la Bérézina, les souffrances que subissait l'armée française au jour le jour, tout au long de sa route, se concentrèrent soudain en un spectacle tragique qui resta dans toutes les mémoires. Du côté russe, on a tant parlé et tant écrit à propos de la Bérézina uniquement parce que loin du théâtre de la guerre, à Pétersbourg, un plan stratégique avait été élaboré (par Pfuhl) pour prendre au piège Napoléon sur la Bérézina. Tout le monde était persuadé que tout se passerait dans la réalité exactement comme sur le papier, et c'est pourquoi on prétendit que ce fut précisément le passage de la Bérézina qui causa la perte des Français. En fait, les conséquences du passage de la Bérézina furent beaucoup moins désastreuses pour les Français que les pertes en canons et en prisonniers qu'ils subirent à Krasnoïé, comme le montrent les chiffres.

L'importance du passage de la Bérézina tient seulement à ce qu'il a prouvé de façon évidente et décisive la vanité de tous les plans dressés en vue de couper l'ennemi, et la justesse du mode d'action, le seul possible, que réclamaient Koutouzov et toute l'armée (la masse) et qui consistait simplement à suivre l'ennemi. Les Français fuyaient avec une vitesse sans cesse accrue, toute leur énergie tendue vers le but à atteindre; cette foule fuyait comme une bête blessée, et elle ne pouvait s'arrêter en route, ce que prouva non pas tant l'organisation du passage que ce qui se produisit quand les ponts furent rompus. Les soldats sans armes, les habitants de Moscou, femmes avec enfants, qui se trouvaient dans les convois français, tous, sous l'effet de la force d'inertie, ne se rendaient pas mais fuyaient, se précipitaient dans les barques, dans l'eau glacée.

Cet élan était raisonnable. La situation tant des fuyards que des poursuivants était également mauvaise. En restant avec les siens, chacun comptait dans son malheur sur l'aide des camarades, parmi lesquels il avait sa place bien déterminée. Tandis qu'en se rendant aux Russes, il se trouvait toujours dans la même situation, avec cette différence qu'il se voyait relégué au dernier rang dans le partage des choses de première nécessité. Les Français n'avaient pas besoin de savoir exactement que la moitié des prisonniers dont on ne savait que faire périssaient de froid et de faim, quel que fût le désir des Russes de les sauver; les Français sentaient qu'il ne pouvait en être autrement. Les chefs russes les plus accessibles à la pitié, les mieux disposés à l'égard des Français, et même les Français en service dans l'armée russe ne pouvaient rien faire pour les prisonniers, victimes du dénuement de l'armée russe. Il était impossible d'enlever le pain et le vêtement aux soldats affamés dont on avait besoin, pour les donner à des hommes qui certes n'étaient ni dangereux, ni haïs, ni coupables, mais dont on n'avait que faire. Quelques-uns le faisaient, mais c'étaient des exceptions.

En arrière, c'était la mort certaine, en avant, l'espoir. Les vaisseaux étaient brûlés, il n'y avait d'autre issue que de fuir tous ensemble, et cette fuite absorbait toutes les forces des Français.

A mesure qu'elle se prolongeait, et surtout après la Bérézina, les débris de cette armée sombraient dans un état de plus en plus lamentable. Conformément au plan établi à Pétersbourg, le commandement russe fondait de grands espoirs sur la Bérézina; aussi les passions s'échauffaient et les généraux s'accusaient mutuellement et accusaient surtout Koutouzov. Comme on supposait que l'échec du plan lui serait imputé, le mécontentement, le mépris et les railleries dont il était l'objet, se donnaient libre cours. La raillerie et le mépris s'exprimaient bien entendu dans les formes les plus respectueuses, dans cette forme qui empêchait Koutouzov de s'informer de quoi on l'accusait et pourquoi. On ne lui parlait pas sérieusement; en lui présentant un rapport, en lui demandant une autorisation, on faisait mine d'accomplir un rite affligeant et, derrière son dos, on échangeait des clins d'œil et on essayait à tout moment de le tromper.

Tous ces gens, précisément parce qu'ils ne pouvaient le comprendre, avaient admis une fois pour toutes qu'il était inutile de discuter avec le vieux, qu'il ne saisirait jamais toute la profondeur de leurs plans, qu'il se contenterait de répondre par des phrases (ce n'étaient pour eux que des phrases) sur le pont d'or et l'impossibilité de franchir la frontière avec une foule de va-nu-pieds, etc. Tout cela, ils l'avaient déjà entendu de lui. Et tout ce qu'il disait, qu'il fallait par exemple attendre le ravitaillement, que les hommes n'avaient pas de bottes, tout cela était si simple, et tout ce que, eux, proposaient était si compliqué et si intelligent que de toute évidence, leur semblait-il, Koutouzov était stupide et décrépit, et eux des chefs de génie privés de pouvoir.

Après la jonction avec l'armée du brillant amiral et du héros de Pétersbourg, Wittgenstein, cet état d'esprit et les ragots des états-majors s'exaspérèrent à l'extrême. Koutouzov voyait tout cela et se contentait de hausser les épaules en soupirant. Une seule fois seulement il se fâcha, après la Bérézina, et écrivit à Bennigsen, qui envoyait ses rapports directement à l'empereur, la lettre suivante :

« En raison de vos crises maladives, veuillez, Votre Excellence, vous rendre au reçu de ce pli à Kalouga et y attendre les ordres de Sa Majesté et une affectation ultérieure. »

Mais après le renvoi de Bennigsen, arriva le grand-duc Constantin Pavlovitch qui avait pris part au début de la campagne et avait été éloigné par Koutouzov. Le grand-duc informa Koutouzov que l'empereur était mécontent des faibles progrès de nos armées et de la lenteur de leurs mouvements. L'empereur en personne avait l'intention de se rendre aux armées dans les prochains jours.

Le vieil homme qui avait autant d'expérience de la cour que de la guerre, qui en août de la même année avait été nommé commandant en chef contre la volonté de l'empereur, l'homme qui avait éloigné le grand-duc héritier de l'armée, celui qui, de sa propre autorité, en opposition à la volonté de l'empereur, avait ordonné l'abandon de Moscou, comprit immédiatement que son temps était révolu, que son rôle était joué et qu'il ne disposait plus de ce semblant de pouvoir. Et ce n'est pas seulement à l'attitude de la cour qu'il le comprit. D'une part, il voyait que l'action militaire, celle où il avait joué son rôle, était achevée, et il sentait sa mission accomplie. D'autre part, il commençait à éprouver dans son vieux corps une grande lassitude et la nécessité d'un repos physique.

XI

Le 29 novembre, Koutouzov entra à Vilna, dans sa bonne Vilna, comme il disait. Koutouzov avait été deux fois gouverneur de Vilna au cours de sa carrière. Dans cette ville riche demeurée intacte, en plus des commodités dont il avait été si longtemps privé, Koutouzov retrouva de vieux amis et de vieux souvenirs. Et se détournant brusquement de toutes les préoccupations militaires, il se plongea dans une vie régulière et paisible, dans la mesure où les passions qui bouillaient autour de lui le lui permettaient, comme si tout ce qui s'accomplissait et devait encore s'accomplir dans le monde de l'histoire ne le concernait aucunement.

Tchitchagov, un des plus ardents partisans des manœuvres destinées à « couper » et à « culbuter » l'ennemi, Tchitchagov qui avait voulu tout d'abord faire une diversion en Grèce, puis à Varsovie, mais ne voulait absolument pas se rendre là où on l'envoyait, qui était connu pour avoir son franc-parler avec l'empereur, qui considérait Koutouzov comme son obligé, vu qu'envoyé en 1811 pour conclure la paix avec la Turquie en passant par-dessus Koutouzov et, ayant constaté que la paix était déjà conclue, il avait reconnu devant l'empereur que le mérite en revenait à Koutouzov, ce fut ce Tchitchagov qui accueillit Koutouzov au château de Vilna où il devait descendre. En petite tenue de vice-amiral, dague au côté, casquette sous le bras, Tchitchagov remit à Koutouzov son rapport sur la garnison ainsi que les clefs de la ville. La déférence dédaigneuse des jeunes pour un vieillard qui n'avait plus sa tête se manifestait au plus haut point dans toute l'attitude de Tchitchagov, déjà au courant des accusations portées contre Koutouzov.

En causant avec Tchitchagov, Koutouzov lui dit, entre autres choses, que les équipages chargés de vaisselle qui lui avaient été pris à Borissovo, étaient intacts et lui seraient rendus.

— *C'est pour me dire que je n'ai pas sur quoi manger... Je puis au contraire vous fournir de tout dans le cas même où vous voudriez donner des dîners*, prononça Tchitchagov piqué au vif; voulant par chacune de ses paroles établir son bon droit, il attribuait la même intention à Koutouzov. Celui-ci sourit de son sourire fin et pénétrant et, ayant haussé les épaules, répondit :

— *Ce n'est que pour vous dire ce que je vous dis.*

A Vilna, Koutouzov, contrairement à la volonté de l'empereur, arrêta une grande partie des troupes. A en croire son entourage, il s'affaissa étrangement et s'affaiblit physiquement au cours de ce séjour à Vilna. Il s'occupait à contrecœur des affaires de l'armée, les abandonnant à ses généraux et, dans l'attente de l'empereur, menait une vie dissipée.

Parti en traîneau de Pétersbourg le 7 décembre avec sa suite, le comte Tolstoï, le prince Volkonsky, Araktchéiev et d'autres, l'empereur arriva à Vilna le 11 décembre et se rendit directement au château. Devant le château, malgré le froid très vif, une centaine de personnes attendaient, généraux, officiers d'état-major en grand uniforme, et la garde d'honneur du régiment Sémionovsky.

Le courrier qui précédait l'empereur arriva au galop de sa troïka en sueur [1] et cria : « Il arrive! » Konovnitsyne se précipita dans le vestibule pour avertir Koutouzov qui attendait dans la loge du suisse.

Une minute plus tard, la massive silhouette du vieillard en grand uniforme, la poitrine constellée de toutes ses décorations, et le ventre barré d'une écharpe, sortit sur le perron en se balançant. Koutouzov mit son chapeau à l'ordonnance, prit ses gants, descendit péniblement les degrés en marchant de travers, et parvenu en bas prit le rapport qu'il devait présenter à l'empereur.

Il y eut encore quelques va-et-vient, des chuchotements. Une autre troïka passa encore comme le vent, et tous les yeux se portèrent sur le traîneau qui approchait et dans lequel on distinguait déjà les silhouettes de l'empereur et de Volkonsky.

Tout cela, comme toujours depuis cinquante ans, agit sur le vieux militaire, le troubla physiquement; il s'agita, se tâta d'un air soucieux, rectifia son chapeau et, brusquement, au moment même où l'empereur sortant du traîneau levait les yeux sur lui, il se reprit, se raidit, tendit le rapport et commença à parler d'une voix mesurée et obséquieuse.

L'empereur enveloppa Koutouzov de la tête aux pieds d'un regard rapide, ses sourcils se froncèrent un instant, mais se maîtrisant aussitôt, il s'approcha et, ouvrant les bras, étreignit le vieux général. Cette étreinte agit sur Koutouzov comme toujours : cédant une fois de plus à une émotion habituelle et obéissant à une pensée intime, il ne put retenir un sanglot.

L'empereur salua les officiers et la garde du régiment Sémionovsky et, ayant de nouveau serré la main du vieillard, entra avec lui au château.

Resté seul avec le feld-maréchal, l'empereur lui exprima son mécontentement pour la lenteur des opérations et les erreurs commises à Krasnoïé et à la Bérézina, et lui fit part de ses considérations au sujet de la prochaine campagne au-delà des frontières. Koutouzov ne fit ni objections ni observations. La même expression soumise et stupide avec laquelle il avait, sept ans plus tôt, écouté les ordres de l'empereur dans la plaine d'Austerlitz, se figea sur son visage.

Quand Koutouzov sortit de son cabinet et traversa la salle de sa démarche lourde et plongeante, la tête baissée, une voix l'arrêta.

— Votre Altesse, disait quelqu'un.

Koutouzov leva la tête et regarda longtemps dans les yeux le comte Tolstoï qui, tenant un petit objet sur un plateau d'argent, se tenait debout devant lui. Koutouzov semblait ne pas comprendre ce qu'on lui voulait.

Et soudain il parut se souvenir : un imperceptible sourire passa sur son visage bouffi, et avec un profond et respectueux salut il prit l'objet qui se trouvait sur le plateau : c'était la croix de Saint-Georges de première classe.

XII

Le lendemain, le feld-maréchal donna un dîner suivi d'un bal que l'empereur honora de sa présence. Koutouzov ayant reçu la croix de Saint-Georges de première classe, l'empereur lui prodiguait les plus hautes marques de faveur, mais tout le monde savait que le souverain était mécontent du commandant en chef. Les convenances étaient observées, et l'empereur tout le premier en donnait l'exemple; cependant tous savaient que le vieillard était coupable et n'était bon à rien. Quand, au bal, Koutouzov, selon un vieil usage datant de Catherine, fit incliner devant le souverain les drapeaux pris à l'ennemi, l'empereur eut une grimace désagréable et murmura quelque chose où certains crurent distinguer : « Vieux comédien. »

Ce qui augmenta encore à Vilna le mécontentement de l'empereur contre Koutouzov, c'est que celui-ci, de toute évidence, ne voulait pas ou ne pouvait pas comprendre l'importance de la prochaine campagne.

Lorsque le lendemain matin l'empereur dit aux officiers qui s'étaient rassemblés autour de lui : « Vous n'avez pas sauvé la Russie seulement, vous avez sauvé l'Europe », tous comprirent dès ce moment que la guerre n'était pas terminée.

Seul Koutouzov ne voulait pas le comprendre et disait ouvertement qu'une nouvelle guerre ne pouvait améliorer la situation et augmenter la gloire de la Russie, mais risquait de compromettre cette situation et de diminuer l'immense gloire qu'à son avis elle avait conquise. Il essayait de prouver à l'empereur qu'il était impossible de réunir de nouvelles troupes; il insistait sur les souffrances des populations, sur les risques d'échec, etc.

Vu son état d'esprit, on considérait naturellement que le feld-maréchal ne pouvait que gêner et freiner la prochaine campagne.

Pour éviter de heurter de front le vieillard, une solution se présentait d'elle-même : procéder comme on avait fait à Austerlitz et au début de la guerre avec Barclay, c'est-à-dire enlever au commandant en chef, sans l'alarmer, sans le lui déclarer expressément, l'autorité sur laquelle il s'appuyait pour la remettre à l'empereur.

Dans ce dessein, on transforma peu à peu l'état-major et le pouvoir effectif de celui de Koutouzov fut supprimé et transféré à celui de l'empereur. Toll, Konovnitsyne, Ermolov reçurent d'autres affectations. Tout le monde disait très haut que le feld-maréchal était très affaibli et que sa santé s'était altérée.

Il fallait que sa santé fût mauvaise pour qu'il pût céder ses fonctions à celui qui le remplaçait. Et en effet sa santé était mauvaise.

Aussi naturellement, simplement et progressivement que lorsque Koutouzov était passé du commandement de l'armée de Turquie à l'organisation des milices à la Chambre des Finances à Pétersbourg, puis au commandement suprême, au moment précis où c'était nécessaire, aussi naturellement, simplement et progressivement, maintenant que Koutouzov avait joué son rôle, un autre prenait sa place, celui qu'exigeaient les circonstances.

La guerre de 1812, en plus de sa signification nationale, chère au cœur russe, devait en avoir encore une autre, européenne.

Le mouvement des peuples d'Occident en Orient devait être suivi d'un mouvement des peuples d'Orient en Occident, et pour cette nouvelle guerre, il fallait un nouvel homme d'action, possédant des vues, des qualités différentes de celles de Koutouzov et mû par d'autres mobiles.

Alexandre Ier, pour conduire les peuples d'Orient en Occident et pour restaurer les frontières des peuples, était aussi indispensable que l'avait été Koutouzov pour le salut et la gloire de la Russie.

Koutouzov ne comprenait pas ce que signifiaient l'Europe, l'équilibre, Napoléon. Il ne pouvait le comprendre. Pour le représentant du peuple russe, après la destruction de l'ennemi et la libération de la Russie parvenue au sommet de la gloire, en tant que Russe, il n'y avait plus rien à faire. Pour le représentant de la guerre nationale, il ne restait rien d'autre à faire qu'à mourir. Et il mourut.

XIII

Pierre, ainsi qu'il arrive généralement, ne ressentit tout le poids des privations physiques et des efforts qu'imposait la captivité que lorsque ces privations et ces efforts prirent fin. Après sa libération, il alla à Orel, et le surlendemain de son arrivée, alors qu'il se préparait à partir pour Kiev, il tomba malade et dut garder le lit pendant trois mois; aux dires des médecins, il avait une jaunisse infectieuse. Bien qu'on le soignât, le saignât, et lui fît prendre des remèdes, il guérit tout de même.

Tout ce qui était arrivé à Pierre dans l'intervalle, entre sa libération et sa maladie, ne lui laissa presque aucune impression. Il se souvenait seulement d'un temps gris, sombre, tantôt pluvieux, tantôt neigeux, d'une dépression physique, de douleurs dans les jambes et le côté; il se souvenait d'une façon générale des malheurs et des souffrances des hommes; il se souvenait de la curiosité agaçante des officiers, des généraux qui l'interrogeaient, de ses démarches pour obtenir une voiture et des chevaux, et surtout il se souvenait qu'il était alors incapable de penser et d'éprouver des sentiments quelconques. Le jour de sa libération, il avait vu le corps de Pétia Rostov. Le même jour, il avait appris que le prince André avait survécu plus d'un mois à sa blessure de Borodino et qu'il n'était mort que récemment, chez les Rostov. Le même jour, Dénissov qui avait communiqué cette nouvelle à Pierre, fit au cours de la conversation une allusion à la mort d'Hélène, supposant que Pierre l'avait apprise depuis longtemps. Tout cela paraissait à Pierre simplement étrange. Il sentait qu'il était incapable de pénétrer le sens de toutes ces nouvelles. Il avait hâte seulement de s'éloigner au plus vite loin de ces lieux où les hommes s'entre-tuaient, pour aller dans quelque calme retraite et là se recueillir, se reposer et réfléchir sur tout ce qu'il avait appris d'étrange et de nouveau. Mais dès qu'il fut arrivé à Orel, il tomba malade. Revenu à lui après sa maladie, Pierre vit auprès de lui ses deux serviteurs venus de Moscou, Térenty et Vaska, et l'aînée des princesses qui, habitant près d'Eletz, une des propriétés de Pierre, et apprenant sa libération et sa maladie, l'avait rejoint pour le soigner.

Au cours de sa convalescence, Pierre ne se débarrassa que lentement des impressions de ces derniers mois, ancrées en lui, et il avait peine à se représenter qu'on ne l'enverrait nulle part le lendemain, que personne ne lui enlèverait son lit bien chaud et qu'il aurait sûrement à dîner, à souper, et du thé. Mais pendant longtemps encore, il lui arriva de se revoir en rêve dans les conditions de sa captivité. Et c'est à la longue également qu'il comprit la portée des nouvelles qu'il avait apprises lors de sa libération : la mort du prince André, celle d'Hélène et la destruction de l'armée française.

La joie de la liberté, de cette liberté totale, inaliénable, inhérente à l'homme, dont il avait pris pour la première fois conscience à la première étape après le départ de Moscou, remplissait l'âme de Pierre pendant sa convalescence. Et il constatait avec étonnement que cette liberté intérieure, indépendante des circonstances, semblait à présent se parer luxueusement, avec prodigalité même, d'une liberté extérieure. Il se trouvait dans une ville étrangère, sans relations, personne n'exigeait rien de lui, personne ne l'envoyait nulle part, tout ce qu'il désirait il l'avait; la pensée de sa femme qui le tourmentait continuellement avait disparu, sa femme elle-même n'étant plus.

« Ah, comme c'est bien, comme c'est merveilleux! se disait-il quand on lui avançait une table bien servie avec un bouillon odorant, ou quand il s'étendait pour la nuit dans un lit moelleux et propre, ou quand il se souvenait soudain que c'en était fini de sa femme et des Français. Ah, comme c'est bien, comme c'est merveilleux! »

Et, cédant à une vieille habitude, il s'interrogeait : « Bon, et après? Que vais-je faire? » — Et immédiatement il se répondait : « Rien. Je vivrai. Ah, comme c'est merveilleux! »

Cela même qui le torturait autrefois, ce qu'il cherchait sans cesse, le but de la vie, n'existait plus pour lui. Si ce but tant cherché n'existait plus pour lui à présent, ce n'était pas un hasard : il sentait qu'il n'existait pas et ne pouvait exister. Et c'est l'absence de ce but qui lui donnait cette pleine et joyeuse conscience de sa liberté qui faisait alors son bonheur.

Il ne pouvait avoir de but, parce qu'il possédait la foi, non pas une foi en des lois quelconques ou des paroles, ou des idées, mais la foi en un Dieu vivant, toujours senti personnellement. Autrefois, il Le cherchait dans les buts qu'il s'assignait. Cette quête d'un but n'était que la quête de Dieu. En captivité, il avait compris subitement, non pas par des paroles et des raisonnements mais par un sentiment direct, ce que lui disait naguère sa nounou : « Dieu, Le voilà, ici, partout. » En captivité, il avait compris que le Dieu de Karataïev était plus grand, plus infini, plus inconcevable que le Grand Architecte de l'univers que reconnaissaient les maçons. Il éprouvait le sentiment d'un homme qui aurait trouvé sous ses pieds ce qu'il cherchait, alors qu'il se fatiguait les yeux à regarder au loin. Toute sa vie, il avait regardé on ne sait où, par-dessus la tête des hommes qui l'entouraient; or il ne fallait pas se fatiguer les yeux, mais simplement regarder devant soi.

Autrefois, il ne savait voir en rien le grand, l'inconcevable, l'infini; il pressentait seulement que cela devait exister quelque part, et il le cherchait. Dans tout ce qui était proche et compréhensible, il ne voyait que l'aspect borné, mesquin, quotidien, absurde. Il s'armait d'une longue-vue mentale et regardait au loin, là où le quotidien, le mesquin voilé par la brume, lui apparaissait grand, infini, uniquement parce qu'il était indis-

tinct. C'est ainsi que lui étaient apparues la vie de l'Europe,
la politique, la maçonnerie, la philosophie, la philanthropie.
Même alors cependant, dans ces minutes qu'il considérait comme
des moments de faiblesse, son intelligence pénétrait ces lointains et il y apercevait la même petitesse, la même mesquinerie,
la même absurdité. Maintenant, il avait appris à voir la grandeur,
l'éternité, l'infini en tout. Aussi était-il naturel que pour le
voir, pour jouir de sa contemplation, il eût jeté sa longue-vue
avec laquelle il avait regardé jusqu'alors par-dessus la tête des
hommes, et qu'il contemplât joyeusement autour de lui la vie
perpétuellement changeante, toujours grande, incompréhensible
et infinie. Et plus il regardait de près, plus il était calme et heureux. La terrible question qui autrefois détruisait toutes ses
constructions intellectuelles : « Pourquoi? » n'existait plus pour
lui à présent. A présent, à cette question, « Pourquoi? » son
âme tenait toute prête une réponse : parce que Dieu existe, ce
Dieu sans la volonté duquel pas un cheveu ne tombe de la tête de
l'homme.

XIV

Pierre n'avait pas changé dans ses manières extérieures.
En apparence, à le voir il était exactement tel qu'autrefois.
Tout comme auparavant, il était distrait et semblait occupé
par autre chose que ce qu'il avait sous les yeux, par quelque
chose de personnel, de particulier. Entre ses façons actuelles
et celles d'autrefois, il y avait cependant une différence : avant,
quand il oubliait ce qu'il y avait devant lui, ce qu'on lui disait,
il fronçait douloureusement le front comme s'il cherchait et ne
parvenait pas à distinguer quelque chose de très éloigné. A
présent, il oubliait de même ce qu'on lui disait et ce qu'il avait
sous les yeux; mais avec un sourire à peine perceptible et
moqueur, eût-on dit, il considérait attentivement ce qui était
devant lui, prêtait l'oreille à ce qu'on lui disait, bien que manifestement voyant et entendant tout autre chose. Avant, il
semblait certes un homme bon, mais malheureux; aussi les
gens malgré eux s'en éloignaient. A présent, un sourire où s'exprimait la joie de vivre jouait continuellement autour de sa bouche,
et l'intérêt qu'il portait aux autres rayonnait dans ses yeux qui
semblaient leur demander s'ils étaient heureux comme lui.

Avant il parlait beaucoup, s'échauffait en parlant et écoutait peu; maintenant, il se laissait rarement entraîner par la conversation, et savait écouter, si bien que les gens lui confiaient volontiers leurs secrets les plus intimes.

La princesse n'avait jamais aimé Pierre et nourrissait à son endroit une hostilité particulière, se sentant son obligée depuis la mort du vieux comte. Mais peu après son arrivée à Orel où elle était venue dans le but de démontrer à Pierre que malgré son ingratitude elle considérait de son devoir de le soigner, elle découvrit, dépitée et étonnée, qu'elle l'aimait. Pierre ne faisait rien pour gagner ses bonnes grâces; il la considérait seulement avec curiosité. Autrefois, la princesse discernait dans le regard de Pierre de l'indifférence et de l'ironie et, en sa présence comme en la présence des autres, elle se contractait et ne laissait apparaître que le côté agressif de sa nature. Maintenant, elle sentait au contraire qu'il cherchait à atteindre les couches les plus profondes de son être, et d'abord avec méfiance, puis avec gratitude, elle lui laissa voir les bons côtés cachés de sa nature.

L'homme le plus rusé n'aurait pu s'insinuer plus habilement dans la confiance de la princesse, réveillant en elle les souvenirs du plus beau temps de sa jeunesse et les écoutant avec intérêt. Et cependant, toute la ruse de Pierre consistait à rechercher son propre plaisir en suscitant en la princesse aigrie, sèche et fière à sa manière, des sentiments humains.

« Oui, c'est un homme très bon lorsqu'il se trouve sous l'influence non plus de mauvaises gens mais de personnes comme moi », se disait la princesse.

Le changement qui s'était produit en Pierre fut aussi perçu à leur façon par ses serviteurs, Térenty et Vaska. Ils trouvaient qu'il était devenu beaucoup plus simple. Souvent Térenty ayant déshabillé son maître et lui ayant souhaité bonne nuit, ne s'éloignait pas encore mais attendait, chaussures et vêtements à la main, si le maître n'allait pas entamer une conversation. Et le plus souvent, Pierre retenait Térenty, voyant qu'il avait envie de parler.

— Alors, dis-moi... comment donc vous procuriez-vous à manger? demandait-il.

Et Térenty commençait à parler du désastre de Moscou, puis aussi du défunt comte et il restait longtemps debout, tenant les vêtements, racontant et écoutant aussi parfois les récits de Pierre, et sortait avec l'agréable impression que son maître était proche de lui et lui témoignait de l'amitié.

Le médecin qui soignait Pierre et venait le voir tous les jours, bien que comme tous les médecins il crût indispensable d'avoir l'air d'un homme dont chaque minute est précieuse pour l'humanité souffrante, passait des heures près de Pierre, lui racontant ses histoires favorites et lui faisant part de ses observations sur les mœurs des malades en général et des dames en particulier.

— Quel plaisir que de s'entretenir avec un tel homme! Ce n'est pas comme chez nous autres, provinciaux, disait-il.

Quelques officiers de l'armée française prisonniers résidaient à Orel et le docteur amena l'un d'eux, un jeune Italien.

Cet officier commença à fréquenter Pierre et la princesse riait des tendres sentiments qu'il manifestait à son cousin.

L'Italien, visiblement, n'était heureux que quand il pouvait venir chez Pierre, causer avec lui et lui raconter son passé, sa vie à la maison, son amour, et épancher sa colère contre les Français et surtout contre Napoléon.

— Si tous les Russes vous ressemblent ne fût-ce qu'un peu, disait-il à Pierre, *c'est un sacrilège que de faire la guerre à un peuple comme le vôtre.* Vous qui avez tant souffert par les Français, vous ne les haïssez même pas.

Et cette affection passionnée de l'Italien, Pierre l'avait méritée simplement en éveillant en lui les meilleurs côtés de son âme et en les admirant.

Vers la fin de son séjour à Orel, Pierre reçut la visite d'une ancienne connaissance, le comte Villarski, ce même franc-maçon Villarski qui l'avait introduit dans la loge en 1807. Villarski était marié à une riche Russe qui avait de grandes propriétés dans le gouvernement d'Orel et il était chargé provisoirement du ravitaillement de la ville.

Ayant appris que Bézoukhov était à Orel, Villarski, bien qu'il n'eût jamais été intimement lié avec lui, vint le voir avec les protestations d'amitié et de bons sentiments que manifestent généralement les gens qui se rencontrent dans un désert. Villarski s'ennuyait à Orel et était heureux de retrouver un homme de son milieu et ayant, comme il le supposait, les mêmes intérêts que lui.

Mais à son grand étonnement, Villarski se rendit compte que Pierre était dépassé par son époque et avait sombré dans l'égoïsme et l'apathie, comme il se le disait à part soi.

— *Vous vous encroûtez, mon cher*, lui disait-il. Néanmoins Villarski trouvait à présent plus d'agrément à la compagnie de

Pierre que par le passé et il venait le voir chaque jour. Quant à Pierre, en regardant Villarski et en l'écoutant, il songeait que si étrange, si incroyable que cela lui parût maintenant, il avait été dans un passé guère lointain semblable à Villarski.

Villarski était marié, père de famille. Il s'occupait des domaines de sa femme, de son service et de ses enfants, et il considérait que toutes ces occupations entravaient sa vie, qu'elles étaient toutes méprisables parce qu'elles avaient pour but son bien personnel et celui de sa famille. Les questions militaires, administratives, politiques, maçonniques absorbaient constamment son attention. Sans chercher à modifier sa façon de voir, sans le blâmer, inaltérablement calme, joyeux et légèrement ironique, Pierre admirait ce phénomène curieux qu'il connaissait bien.

Dans les rapports de Pierre avec Villarski, avec la princesse, le docteur, avec tous les gens qu'il rencontrait, se montrait un nouveau trait de son caractère qui lui valait les bonnes dispositions de tous : il reconnaissait à chacun le droit de penser, de sentir et de considérer les choses à sa façon, et qu'il était impossible de convaincre quelqu'un par des discours. L'intérêt, la sympathie que Pierre témoignait aux gens tenaient précisément à ce qu'il admettait comme légitime cette singularité de l'individu, qui auparavant le troublait et l'irritait. Le fait que les façons de voir des hommes différaient, s'opposaient même complètement entre elles et étaient aussi parfois en contradiction avec la vie qu'ils menaient, ce fait enchantait Pierre et provoquait son bon sourire nuancé d'ironie.

Dans les affaires d'ordre pratique, Pierre, à sa grande surprise, disposait à présent d'un point d'appui qui lui manquait autrefois. Autrefois, toute question d'argent et surtout les demandes d'argent auxquelles, vu sa fortune, il était fréquemment en butte, le plongeaient dans une agitation, dans une perplexité sans issue. « Faut-il donner ou non? se demandait-il. J'ai de l'argent et lui en a besoin; mais un autre en a encore plus besoin. Qui en a besoin davantage? Mais peut-être me trompent-ils tous deux... » Autrefois il ne parvenait pas à se dégager de ces suppositions et donnait aux uns et aux autres, tant et tant qu'il pouvait donner. Et il se trouvait tout aussi embarrassé devant chaque question concernant l'administration de sa fortune, quand l'un disait qu'il fallait faire ceci et un autre, cela.

Maintenant, très étonné, il découvrait que toutes ces questions ne provoquaient plus de doutes et de perplexités; un juge avait surgi en lui qui, conformément à des lois que lui-même ignorait, décidait ce qu'il fallait ou ne fallait pas faire.

Comme par le passé, les questions d'argent le laissaient indifférent, mais à présent il savait pertinemment ce qu'on devait et ne devait pas faire. La première fois que le juge eut à prononcer sa sentence, ce fut à l'occasion de la demande d'un colonel français prisonnier : il vint voir Pierre, lui parla longuement de ses exploits et pour finir exigea presque de Pierre quatre mille francs pour les envoyer à sa femme et à ses enfants. Pierre les lui refusa sans le moindre effort, sans la moindre incertitude, très étonné, en y réfléchissant plus tard, que ce qui lui paraissait auparavant d'une difficulté insurmontable fût simple et facile. Mais en même temps qu'il refusait au colonel, il décidait qu'en quittant Orel il devait employer quelque ruse pour faire accepter à l'officier italien de l'argent dont il avait manifestement besoin. Ce qui prouva encore à Pierre la fermeté de son attitude dans les affaires d'ordre pratique, ce fut la décision qu'il prit touchant les dettes de sa femme et la remise en état de ses maisons à Moscou et à la campagne.

Son intendant principal vint le retrouver à Orel, et Pierre établit avec lui l'état général de ses revenus. Les pertes subies par Pierre du fait de l'incendie de Moscou atteignaient selon l'estimation de l'intendant, près de deux millions.

En contrepartie, l'intendant présenta à Pierre un décompte qui prouvait qu'en dépit de ces pertes, les revenus de Pierre non seulement ne diminueraient pas mais augmenteraient, à condition qu'il refusât de régler les dettes qu'avait laissées la comtesse, ce qu'il n'était pas tenu de faire, et renonçât à reconstruire la maison de Moscou et celle des environs de Moscou qui ne rapportaient rien, alors que leur entretien coûtait quatre-vingt mille roubles par an.

— Oui, oui, c'est vrai, dit Pierre en souriant gaiement. Oui, oui, je n'ai pas besoin de tout cela. Ruiné, je suis devenu beaucoup plus riche.

Mais en janvier, Savélitch arrivé de Moscou parla de la situation de la ville, du devis que l'architecte avait établi pour la remise en état des deux maisons, celle de Moscou et celle de la banlieue, et ll en parla comme d'affaires entendues. En même temps, Pierre reçut des lettres du prince Basile et de ses connaissances de Pétersbourg; il y était question des dettes de sa femme.

Et Pierre décida que le plan de l'intendant qui lui avait tant plu, n'était pas satisfaisant et qu'il devait partir pour Pétersbourg, en finir avec les affaires de sa femme, et rebâtir la maison de Moscou. Pourquoi le fallait-il, il ne le savait pas, mais il savait sans doute possible qu'il le fallait. En conséquence de cette décision, ses revenus diminuaient des trois quarts. Mais c'était nécessaire; il le sentait.

Villarski partait pour Moscou, et ils décidèrent de faire route ensemble.

Tout au long de sa convalescence à Orel, Pierre n'avait cessé d'éprouver une sensation de liberté, de joie, de vie; mais quand en voyage il se sentit à l'air libre, vit des centaines de nouveaux visages, cette sensation se renforça encore. Pendant toute la durée du trajet, il éprouva la joie de l'écolier en vacances. Tous les gens — un postillon, un maître de poste, les paysans sur la route ou dans les villages — tous prenaient à ses yeux un sens nouveau. La présence et les réflexions de Villarski qui se lamentait continuellement sur la pauvreté de la Russie, son retard sur l'Europe, son ignorance, ne faisaient qu'exalter la joie de Pierre. Là où Villarski ne percevait que le souffle de la mort, Pierre distinguait une force vitale prodigieusement puissante, cette force qui, dans les neiges de ces immenses espaces, entretenait la vie de ce peuple si différent des autres, en le maintenant uni. Pierre ne contredisait pas Villarski et semblait d'accord avec lui (car l'accord simulé était le moyen le plus facile d'éviter les discussions dont rien ne pouvait sortir) et il l'écoutait en souriant gaiement.

XV

De même qu'il est difficile d'expliquer pourquoi et où se hâtent les fourmis d'une fourmilière bouleversée, les unes sortant de terre en traînant des brindilles, des œufs et des fourmis mortes, les autres retournant à la fourmilière, se heurtant, se rattrapant, se battant, de même il serait tout aussi difficile d'expliquer les raisons pour lesquelles les Russes, après le départ des Français, se rassemblèrent en foule en ce lieu qui s'appelait autrefois Moscou. Mais de même qu'en observant les fourmis éparpillées autour de la fourmilière démolie, bien que celle-ci soit totalement détruite, il est évident d'après l'opiniâtreté, l'énergie et les innombrables insectes affairés, que tout a été détruit hormis quelque chose d'indestructible, d'immatériel, en quoi réside toute la force de la fourmilière ; de même Moscou, bien qu'il n'y eût plus ni autorités, ni églises, ni objets de culte, ni richesse, ni maisons, demeurait néanmoins la même Moscou qu'en août. Tout était détruit, sauf quelque chose d'immatériel, mais de puissant et d'indestructible.

Les mobiles auxquels obéissaient les gens qui, de toutes parts, affluaient à Moscou après que la ville eut été évacuée par l'ennemi, étaient les plus divers, les plus personnels et, au début, souvent de caractère primitif et bestial. Un seul mobile était commun à tous, retrouver ce lieu qui s'appelait auparavant Moscou pour y retrouver chacun son activité propre.

Au bout d'une semaine, Moscou comptait déjà quinze mille habitants, au bout de deux semaines, vingt-cinq mille et ainsi de suite. Augmentant sans arrêt, le chiffre de la population dépassait en automne 1813 celui de 1812.

Les premiers Russes qui entrèrent à Moscou furent les cosaques du détachement de Wintzingerode, des paysans des villages voisins et des habitants qui, ayant fui Moscou, s'étaient cachés dans les environs. Étant entrés dans Moscou dévastée et l'ayant trouvée pillée, les Russes commencèrent à piller eux aussi ; ils poursuivirent l'œuvre des Français. Les paysans arrivaient avec leurs charrettes pour emporter dans les villages tout ce qui avait été abandonné dans les maisons en ruine et les rues. Les cosaques emportaient ce qu'ils pouvaient dans leurs camps ; les propriétaires saccagés s'emparaient de tout ce qu'ils trouvaient dans les autres maisons et le transportaient chez eux sous prétexte que cela leur appartenait.

Après les premiers pilleurs en arrivèrent d'autres, d'autres encore et à mesure qu'augmentait leur nombre, le pillage devenait de jour en jour plus difficile et prenait des formes plus précises.

Les Français avaient trouvé Moscou vide, mais ayant conservé les formes de vie d'un organisme bien réglé, avec ses différents secteurs d'activité commerciale, artisanale, administrative, religieuse. Ces formes étaient privées de vie, mais elles existaient encore. Il y avait des marchés, des boutiques, des magasins, des entrepôts, la plupart pleins de marchandises ; il y avait des fabriques, des ateliers ; il y avait des palais, de riches demeures remplies d'objets de luxe ; il y avait des hôpitaux, des prisons, des chancelleries, des églises, des cathédrales. A mesure que le séjour des Français se prolongeait, ces formes de la vie citadine se disloquaient, et finalement, tout se confondit en un vaste champ de mort et de pillage.

Plus le pillage des Français se prolongeait, plus il détruisait aussi bien les richesses de Moscou que les forces des pillards. Au contraire, à mesure que se prolongeait le pillage des Russes — qui débuta dès leur entrée dans la capitale — et augmentait le nombre de ceux qui y participaient, plus la ville retrouvait sa vie normale et sa prospérité.

En plus des pillards, les gens les plus divers amenés les uns par la curiosité, d'autres par les obligations de leur service ou par leurs intérêts — propriétaires, prêtres, petits et grands fonctionnaires, marchands, artisans, paysans — affluaient à Moscou de toutes parts comme le sang afflue au cœur.

Au bout d'une semaine déjà, les paysans, venus avec des charrettes vides pour les ramener pleines d'objets, étaient arrêtés par les autorités et obligés de transporter les cadavres hors de la ville. Ayant appris l'échec de leurs camarades, d'autres paysans apportaient en ville du pain, de l'avoine, du foin, se faisant une telle concurrence que les prix tombèrent plus bas qu'autrefois. Des équipes [1] de charpentiers, comptant sur de bons salaires, arrivaient quotidiennement à Moscou ; on bâtissait de tous côtés de nouvelles maisons et on remettait en état les anciennes et celles qui avaient souffert du feu. Les marchands s'installaient dans des baraquements. Des auberges s'ouvraient dans les maisons dévastées. Les offices religieux reprirent dans de nombreuses églises restées intactes. On rapportait les objets du culte qui avaient été éparpillés. Les fonctionnaires installaient leurs tables recouvertes de drap et leurs armoires à documents dans des chambres. Les autorités supérieures et la police procédaient à la distribution des objets laissés par les Français. Les propriétaires des maisons où l'on avait trouvé quantité de choses apportées d'autres maisons se plaignaient qu'on les obligeât à tout transporter au Kremlin, tandis que d'autres rétorquaient que les Français ayant accumulé en un seul endroit des objets pris un peu partout, il était injuste de les laisser à la disposition des gens chez qui on les trouvait. On injuriait la police, on la soudoyait, on estimait les biens incendiés de l'État à dix fois leur valeur réelle, on exigeait des secours. Le comte Rostoptchine rédigeait des proclamations.

XVI

Pierre arriva à Moscou à la fin de janvier et s'installa dans une aile de sa maison épargnée par l'incendie. Il alla voir le comte Rostoptchine et quelques connaissances rentrées à Moscou, et se prépara à partir le surlendemain pour Pétersbourg. Tout le monde célébrait la victoire ; la vie bouillonnait dans la capitale saccagée qui renaissait. Tout le monde accueillait Pierre avec joie ; on voulait le voir, on l'interrogeait sur ce qu'il avait vu. Pierre était très bien disposé à l'égard de tous les gens qu'il rencontrait ; mais à présent il se tenait involontairement sur ses gardes avec tous pour ne s'engager en rien. A toutes les questions qu'on lui posait, qu'elles fussent importantes ou insignifiantes — qu'on lui demandât où il allait habiter, s'il comptait reconstruire sa maison, quand il irait à Pétersbourg, s'il voudrait bien se charger d'une cassette ? — il répondait : oui, peut-être, je pense, etc.

Il avait entendu dire que les Rostov étaient à Kostroma, et la pensée de Natacha lui venait rarement à l'esprit. Si elle le visitait, ce n'était qu'un agréable souvenir d'un passé lointain. Il se sentait libéré, non seulement des obligations sociales mais aussi de ce sentiment qu'il avait, lui semblait-il, délibérément suscité en lui.

Le surlendemain de son arrivée, il apprit des Droubetskoï que la princesse Marie était à Moscou. La pensée de la mort du prince André, de ses souffrances, de ses derniers jours poursuivait souvent Pierre ; elle lui revint maintenant avec une force accrue. Ayant appris au cours du repas que la princesse Marie se trouvait à Moscou et habitait sa maison qui n'avait pas été incendiée dans la Vozdvijenka, il alla la voir le soir même.

En se rendant chez la princesse Marie, Pierre ne cessait de songer au prince André, à leur amitié, à leurs diverses rencontres, et à la dernière surtout, à Borodino.

« Est-il possible qu'il soit mort dans cet état d'animosité où il se trouvait alors ? Est-il possible que le sens de la vie ne se soit pas révélé à lui avant la mort ? » se demandait Pierre. Il se souvint de Karataïev, de sa mort et compara involontairement ces deux hommes, si différents et si proches pourtant en ceci qu'il les avait aimés tous deux et que tous deux avaient vécu et étaient morts.

Pierre arriva à la maison du vieux prince dans les dispositions les plus graves. La maison avait été épargnée; elle portait quelques traces de délabrement mais avait gardé son caractère général. Le vieux laquais qui accueillit Pierre, le visage sévère comme s'il voulait faire sentir au visiteur que l'absence du prince ne troublait pas l'ordre de la maison, dit que la princesse s'était retirée dans son appartement et recevait les dimanches.

— Annonce-moi, peut-être me recevra-t-elle.

— A vos ordres, répondit le laquais, entrez, je vous prie, dans la salle des portraits.

Quelques minutes plus tard, il revint suivi de Dessales. Dessales dit à Pierre, de la part de la princesse, qu'elle serait très heureuse de le voir et le priait, s'il voulait bien l'excuser pour ce manque de cérémonie, de monter dans son appartement.

Dans une petite chambre basse de plafond, éclairée par une seule bougie, la princesse était assise avec une personne en robe noire. Pierre se souvenait que la princesse avait toujours auprès d'elle des dames de compagnie, mais qui elles étaient, Pierre l'ignorait et ne s'en souvenait plus. « C'est une de ses dames », se dit-il, en jetant un coup d'œil sur la personne en robe noire.

La princesse se leva avec empressement, alla à sa rencontre et lui tendit la main.

— Oui, dit-elle après qu'il lui eut baisé la main, en examinant son visage qui avait changé, voilà comment nous nous rencontrons. Il parlait souvent de vous les derniers temps.

Son regard alla de Pierre à la dame en noir, avec une expression timide qui, un instant, surprit Pierre.

— J'ai été si heureuse d'apprendre que vous étiez sain et sauf. C'est la seule bonne nouvelle reçue depuis longtemps. — De nouveau, la princesse jeta vers sa compagne un regard plus inquiet encore et voulut dire quelque chose, mais Pierre l'interrompit.

— Vous pensez bien que j'ignorais tout de lui, dit-il. Je le croyais tué. Tout ce que j'ai appris, je l'ai appris indirectement, de seconde main. Je sais seulement qu'il est arrivé chez les Rostov... Quel destin !

Pierre parlait vite, avec animation. Il jeta une fois de plus un coup d'œil sur la dame de compagnie, saisit un regard attentif, bienveillant et curieux fixé sur lui et, comme cela arrive souvent dans la conversation, il sentit sans savoir pourquoi que cette dame de compagnie était une personne bonne, gentille, qui ne gênerait pas leur entretien à cœur ouvert avec la princesse Marie.

Mais aux derniers mots qu'il prononça concernant les Rostov, le trouble qui se lisait sur le visage de la princesse s'accentua. Ses yeux allèrent de nouveau de Pierre à la dame en noir, et elle dit :

— Ne la reconnaissez-vous pas?

Pierre regarda encore une fois le visage fin et pâle aux yeux noirs et à la bouche étrange de la dame de compagnie. Quelque chose de proche, oublié depuis longtemps, quelque chose qui était plus que plaisant le regardait à travers ces yeux attentifs. « Mais non, cela ne se peut! se dit-il. Ce visage sévère, maigre, pâle et vieilli? Ce ne peut être elle. Ce n'est que le reflet de ce qu'elle fut. » Mais à ce moment, la princesse Marie dit : « Natacha ». Et le visage aux yeux attentifs sourit, avec peine, avec effort, comme s'entrouvre une porte aux gonds rouillés. Et de cette porte ouverte un souffle de ce bonheur depuis longtemps oublié auquel, maintenant surtout, il ne pensait pas, parvint jusqu'à lui et l'enveloppa. Un souffle le caressa, l'enveloppa et l'absorba tout entier. Lorsqu'elle sourit, il ne pouvait plus y avoir de doute : c'était Natacha, et il l'aimait.

Dès la première minute, involontairement, Pierre dit et à elle et à la princesse Marie, et à lui-même surtout, le secret que lui-même ignorait. Il rougit de joie, mais aussi douloureusement; il voulait cacher son émotion. Mais plus il voulait la cacher, plus clairement — plus clairement que n'auraient pu le faire les paroles les plus précises — il disait, et à elle, et à la princesse Marie et à lui-même, qu'il l'aimait.

« Non, ce n'est que la surprise », songea Pierre. Mais lorsqu'il voulut reprendre l'entretien avec la princesse Marie, il regarda de nouveau Natacha et une rougeur encore plus vive se répandit sur son visage, et un émoi encore plus violent, à la fois joyeux et craintif, envahit son âme. Il s'embrouilla dans ses mots et s'arrêta au milieu de son discours.

Pierre n'avait pas remarqué Natacha parce qu'il ne s'attendait aucunement à la trouver là, mais il ne l'avait pas reconnue parce que le changement survenu en elle depuis leur dernière rencontre était immense. Elle avait maigri et pâli. Mais ce n'était pas cela qui la rendait méconnaissable : on ne pouvait la reconnaître à la minute où il était entré, parce que sur ce visage, dans ces yeux où autrefois la joie de vivre allumait toujours un sourire contenu, maintenant, quand il était entré et qu'il l'avait regardée pour la première fois, il n'y avait plus l'ombre de sourire; il n'y avait que des yeux attentifs, bons et tristement interrogateurs.

Le trouble de Pierre ne se communiqua pas à Natacha, mais elle ressentit un certain plaisir qui éclaira imperceptiblement son visage.

XVII

— Elle est venue passer quelque temps chez moi, dit la princesse Marie. Le comte et la comtesse arriveront prochainement. La comtesse est dans un affreux état; mais Natacha elle-même avait besoin de consulter un médecin. On l'a envoyée de force avec moi.

— Oui, existe-t-il une famille qui n'ait son lot de souffrance? dit Pierre en s'adressant à Natacha. Vous savez que c'est arrivé le jour même où on nous a délivrés. Je l'ai vu. Quel charmant enfant c'était!

Natacha le regardait, et en réponse à ces mots ses yeux s'ouvrirent seulement plus larges et s'éclairèrent davantage.

— Que peut-on dire ou penser de consolant? reprit Pierre. Rien. Pourquoi un si charmant garçon et si plein de vie devait-il mourir?

— Oui, à notre époque, il serait difficile de vivre sans la foi..., dit la princesse Marie.

— Oui, oui. C'est la vérité même, interrompit hâtivement Pierre.

— Pourquoi? demanda Natacha en regardant attentivement Pierre dans les yeux.

— Comment pourquoi? dit la princesse Marie. La seule pensée de ce qui attend là-bas...

Natacha, sans écouter la princesse Marie jusqu'au bout, regarda de nouveau Pierre d'un air interrogateur.

— Et parce que, continua Pierre, seul celui qui croit qu'existe un Dieu qui nous dirige, peut supporter une perte comme celle qu'elle a subie, et... comme la vôtre.

Natacha avait déjà ouvert la bouche pour dire quelque chose, mais subitement elle se ravisa. Pierre se hâta de se détourner d'elle et s'adressa de nouveau à la princesse Marie pour l'interroger sur les derniers jours de son ami. Le trouble de Pierre avait presque disparu, mais il sentait que son ancienne liberté avait disparu elle aussi. Il sentait que chacune de ses paroles, chacun de ses actes avaient maintenant un juge dont le jugement lui était maintenant plus précieux que le jugement du monde entier. Il parlait, mais tout en prononçant les mots, il réfléchissait à l'impression que ces mots produisaient sur Natacha. Il ne disait pas exprès ce qui pouvait lui plaire; mais quoi qu'il dît, il se jugeait de son point de vue à elle.

La princesse Marie, comme toujours à contrecœur, se mit à parler de l'état dans lequel elle avait trouvé le prince André. Mais les questions de Pierre, son regard vif et inquiet, son visage frémissant d'émotion, l'obligèrent peu à peu à entrer dans les détails qu'elle craignait, pour elle-même, de ressusciter dans son imagination.

— Oui, oui, c'est bien ça, disait Pierre, le corps tout entier penché en avant vers la princesse Marie et écoutant avidement son récit. — Oui, oui; il s'est donc apaisé, radouci? Il a toujours tant cherché de toutes les forces de son âme une seule chose : être tout à fait bon, qu'il ne pouvait avoir peur de la mort. Les défauts qu'il avait, s'il en avait, ne venaient pas de lui. Ainsi il s'est donc adouci? disait Pierre. Quel bonheur qu'il vous ait revue, dit-il, se tournant soudain vers Natacha et la regardant de ses yeux pleins de larmes.

Le visage de Natacha frémit. Elle fronça les sourcils et pour un instant baissa les yeux. Elle hésita un moment : le dirait-elle ou non?

— Oui, ce fut un bonheur, dit-elle d'une douce voix de poitrine, pour moi c'était sûrement un bonheur. — Elle se tut. — Et lui..., lui..., il m'a dit qu'il le désirait à l'instant même où j'entrais chez lui...

La voix de Natacha se brisa. Elle rougit, serra les mains sur ses genoux et, soudain, faisant un visible effort sur elle-même, leva la tête et se mit à parler très vite :

— Nous ne savions rien quand nous sommes partis de Moscou. Je n'osais pas poser de questions à son sujet. Et soudain Sonia m'a dit qu'il était avec nous. Je ne songeais à rien, je ne pouvais m'imaginer dans quel état il était; j'avais seulement besoin de le voir, d'être près de lui, disait-elle, tremblant et haletant. Et sans se laisser interrompre, elle raconta ce qu'elle n'avait encore jamais raconté à personne : tout ce qu'elle avait vécu pendant les trois semaines de leur voyage et de leur séjour à Iaroslavl.

Pierre l'écoutait la bouche ouverte et sans la lâcher de ses yeux embués de larmes. En l'écoutant il ne pensait ni au prince André, ni à la mort, ni à ce qu'elle racontait. Il l'écoutait et la plaignait seulement pour cette souffrance qu'elle éprouvait en lui faisant ce récit.

La princesse, le visage contracté par l'effort qu'elle faisait pour retenir ses larmes, était assise à côté de Natacha et écoutait pour la première fois l'histoire des derniers jours de l'amour de son frère et de Natacha.

Ce récit, qui la torturait et la rendait heureuse, était évidemment indispensable à Natacha.

Elle parlait, mêlant les détails les plus insignifiants aux secrets les plus profonds de son âme, et semblait ne plus pouvoir s'arrêter. Elle répéta plusieurs fois les mêmes choses.

On entendit derrière la porte la voix de Dessales qui demandait si Nicolas pouvait entrer dire bonsoir.

— Oui, c'est tout, tout..., dit Natacha. Elle se leva rapidement tandis que l'enfant entrait, courut presque à la porte, donna de la tête contre cette porte dissimulée par une portière et, avec un gémissement de douleur ou peut-être de chagrin, s'élança hors de la chambre.

Pierre regardait la porte par où elle avait disparu et ne comprenait pas pourquoi il se trouvait soudain seul au monde.

La princesse Marie le rappela à la réalité en lui désignant l'enfant qui venait d'entrer.

Le visage du petit Nicolas, qui ressemblait à son père, le frappa à tel point dans le désarroi où il était plongé, qu'ayant embrassé l'enfant, il se leva brusquement, sortit son mouchoir et s'approcha de la fenêtre. Il voulut prendre congé de la princesse Marie, mais elle le retint.

— Non, il nous arrive parfois à Natacha et à moi de veiller jusqu'à trois heures; je vous en prie, restez encore. Je vais faire servir le souper. Allez en bas, nous venons tout de suite.

Au moment où Pierre allait sortir, elle lui dit :

— C'est la première fois qu'elle a parlé ainsi de lui.

XVIII

On conduisit Pierre dans une grande salle à manger éclairée; quelques minutes plus tard, on entendit des pas et la princesse et Natacha entrèrent dans la pièce. Natacha paraissait de nouveau calme, mais elle ne souriait pas et son visage avait repris son expression sévère. La princesse, Natacha et Pierre ressentaient pareillement cette gêne qui suit d'ordinaire un entretien sérieux et intime. Poursuivre l'entretien qui vient de se terminer est impossible; on a honte de parler de bagatelles, et se taire est désagréable car on a envie de parler et ce silence semble manquer de franchise. Ils s'approchèrent sans rien dire de la table. Les laquais reculèrent et avancèrent les chaises. Pierre déplia sa serviette au contact froid et, se décidant à rompre le silence, jeta un regard sur Natacha et la princesse Marie. Toutes deux évidemment avaient pris au même moment la même décision. La satisfaction de vivre se lisait dans leurs yeux à toutes deux, et l'aveu qu'en dehors des chagrins il y avait aussi des joies.

— Prenez-vous de la vodka, comte? demanda la princesse, et ces paroles chassèrent soudain les ombres du passé. — Parlez-nous donc de vous. On raconte tant de choses extraordinaires sur vous.

— Oui, répondit Pierre avec ce sourire doucement ironique qui lui était devenu habituel. — On rapporte sur mon compte, même à moi, des choses merveilleuses que je n'ai pas vues, même en rêve. Maria Abramovna m'a invité chez elle et m'a raconté tout ce qui m'était arrivé ou avait dû m'arriver. Stépane Stépanovitch m'a appris aussi ce que je devais raconter. En général, j'ai remarqué qu'être un homme intéressant (je suis maintenant un homme intéressant) est très reposant : on m'invite et on me raconte.

Natacha sourit et voulut dire quelque chose.

— On nous a raconté, interrompit la princesse Marie, que vous aviez perdu deux millions à Moscou. Est-ce vrai?

— Mais je suis devenu trois fois plus riche, dit Pierre.

Bien que le règlement des dettes de sa femme et la nécessité où il s'était trouvé de bâtir eussent modifié l'état de ses affaires, Pierre continuait à raconter qu'il était devenu trois fois plus riche.

— Ce que j'ai gagné sans aucun doute, c'est la liberté..., commença-t-il d'un ton sérieux; mais il se ravisa et ne continua pas, jugeant que c'était un sujet de conversation trop exclusivement personnel.

— Et vous bâtissez?

— Oui, Savélitch l'exige.

— Dites-moi, vous n'aviez pas encore appris la mort de la

comtesse quand vous étiez à Moscou? demanda la princesse Marie, et elle rougit aussitôt, remarquant qu'en posant cette question aussitôt après que Pierre eut parlé de sa liberté, elle attribuait à ses paroles un sens que peut-être elles n'avaient pas.

— Non, dit Pierre ne trouvant évidemment pas gênante la façon dont la princesse avait compris son allusion à sa liberté.

— J'ai appris son décès à Orel, et vous ne pouvez vous imaginer à quel point cela m'a frappé. Nous n'étions pas des époux modèles, dit-il précipitamment, en jetant un rapide coup d'œil vers Natacha, et voyant à son visage qu'elle était curieuse de savoir ce qu'il dirait de sa femme, — mais cette mort m'a beaucoup impressionné. Quand deux personnes se brouillent, toutes deux sont toujours coupables. Et la faute que vous avez commise à l'égard de quelqu'un qui n'est plus devient terriblement lourde. Et puis, une mort pareille... sans un ami, sans consolation... J'ai beaucoup, beaucoup pitié d'elle, conclut-il, et il lut avec plaisir une joyeuse approbation sur le visage de Natacha.

— Et vous voilà de nouveau célibataire et fiancé possible, dit la princesse Marie.

Pierre devint soudain cramoisi et s'efforça pendant un bon moment de ne pas regarder Natacha. Quand il s'y décida, il vit un visage froid, sévère, et même dédaigneux, lui sembla-t-il.

— Mais, avez-vous vu Napoléon et parlé avec lui comme on le raconte? demanda la princesse Marie.

Pierre éclata de rire.

— Pas une fois, jamais! Les gens semblent s'imaginer qu'être prisonnier c'est être l'hôte de Napoléon. Non seulement je ne l'ai pas vu mais je n'en ai même pas entendu parler. J'étais en beaucoup plus mauvaise compagnie.

Le souper se terminait et Pierre, qui s'était d'abord refusé à parler de sa captivité, se laissa entraîner à en faire le récit.

— Mais il est tout de même vrai que vous êtes resté à Moscou pour tuer Napoléon? demanda Natacha avec un léger sourire. Je l'ai deviné quand nous vous avons rencontré près de la Tour de Soukharev; vous vous souvenez?

Pierre avoua que c'était vrai et, à partir de là, guidé par les questions de la princesse Marie et surtout de Natacha, il fut entraîné à faire le récit détaillé de ses aventures.

Il commença sur ce ton doucement ironique qu'il avait maintenant en parlant des gens et surtout de lui-même; mais, quand il en fut aux souffrances et aux horreurs dont il avait été le témoin, son récit l'absorba sans qu'il s'en rendît compte et il se mit à parler avec l'émotion contenue de l'homme qui revit des impressions bouleversantes.

La princesse Marie regardait avec un sourire plein de douceur tantôt Pierre, tantôt Natacha. A travers tout ce récit, elle ne voyait que Pierre et sa bonté. Accoudée à la table, Natacha, dont le visage changeait constamment d'expression au cours du récit, ne lâchait pas un instant Pierre des yeux, revivant visiblement avec lui ce qu'il racontait. Non seulement son regard mais ses exclamations et les brèves questions qu'elle posait à Pierre qu'elle saisissait dans tout ce qu'il disait ce que précisément il voulait transmettre. Il était évident que non seulement elle comprenait ce qu'il disait mais aussi ce qu'il voulait et ne pouvait pas exprimer avec des mots. Parvenu à l'épisode de l'enfant et de la femme dont il avait pris la défense, ce qui avait amené son arrestation, Pierre parla ainsi :

« C'était un affreux spectacle, des enfants abandonnés, certains dans les flammes... Devant moi, on a retiré un enfant... des femmes auxquelles on arrachait ce qu'elles avaient, dont on arrachait les boucles d'oreille... » — Pierre rougit et se troubla.

— Alors survint une patrouille et ceux qui ne pillaient pas, tous les hommes, on les a pris. Et moi aussi.

— Vous ne racontez pas tout certainement; vous avez sûrement fait quelque chose..., dit Natacha, et après un silence elle ajouta : de bien.

Pierre poursuivit son récit. Quand il arriva à l'exécution, il voulut passer les détails horribles, mais Natacha exigea qu'il ne passât rien.

Pierre avait commencé à parler de Karataïev (il s'était déjà levé de table et marchait de long en large, et Natacha le suivait des yeux), mais il s'arrêta.

— Non, vous ne pouvez comprendre ce que j'ai appris auprès de cet illettré, un peu simple d'esprit.

— Si, dites, insista Natacha. Où donc est-il?

— On l'a tué, presque sous mes yeux.

Et Pierre parla des derniers jours de leur captivité, de la maladie de Karataïev (sa voix tremblait tout le temps) et de sa mort.

Pierre racontait ses aventures comme il ne les avait encore

jamais évoquées. Il lui semblait que tout ce qu'il avait vécu prenait maintenant comme un sens nouveau. Tandis qu'il racontait toutes ces choses à Natacha, il éprouvait la rare joie que donnent à l'homme les femmes qui écoutent, non pas les femmes D'ESPRIT qui, en écoutant, essayent de se rappeler ce qu'on leur dit soit pour enrichir leur intelligence et à l'occasion le répéter, soit pour l'adapter à leurs propres idees et le répandre au plus vite en discours intelligents élaborés dans leur petite cuisine intellectuelle, mais les vraies femmes qui possèdent le don de choisir le meilleur de tout ce que dit et fait l'homme, et de s'en imprégner. Natacha, sans s'en rendre compte, était tout attention : elle ne laissait passer ni un mot, ni un frémissement de voix, ni un regard, ni un tressaillement des muscles du visage, ni un geste de Pierre. Elle attrapait au vol le mot avant qu'il fût achevé et le laissait pénétrer directement dans son cœur large ouvert, devinant le sens mysterieux du travail intérieur de Pierre.

La princesse Marie suivait le récit, y prenait part, mais elle voyait maintenant autre chose qui absorbait son attention; elle voyait qu'il y avait entre Pierre et Natacha possibilité d'amour et de bonheur. Et cette pensée qui lui venait pour la première fois la remplissait de joie.

Il était trois heures du matin. Les domestiques, tristes et sévères, venaient changer les bougies, mais personne ne les remarquait. Pierre termina son récit; de ses yeux brillants et animés, Natacha continuait de le regarder attentivement comme si elle voulait encore comprendre quelque chose que peut-être il n'avait pas dit. Pierre à la fois confus et heureux la regardait de temps à autre et cherchait que dire pour changer de sujet de conversation. La princesse Marie se taisait. Personne ne songeait qu'il était trois heures du matin et qu'il était temps de dormir.

— On répète : malheurs, souffrances, dit Pierre. Mais si maintenant, à cette minute, on me demandait : veux-tu redevenir ce que tu étais avant ta captivité ou bien revivre de nouveau tout cela? Au nom du Ciel, encore une fois la captivite et la viande de cheval! Nous pensons que dès qu'on nous sort des sentiers familiers, tout est perdu, c'est alors seulement que commence quelque chose de nouveau et de bon. Tant qu'il y a de la vie, il y a aussi le bonheur. Devant nous, il y a beaucoup, beaucoup de choses. C'est moi qui vous le dis, déclara-t il en s'adressant à Natacha.

— Oui, oui, dit-elle en répondant à tout autre chose, et moi aussi, je ne souhaiterais rien sinon tout revivre depuis le commencement.

Pierre la considéra attentivement.

— Oui, et rien d'autre, confirma Natacha.

— Ce n'est pas vrai, ce n'est pas vrai! cria Pierre. Je ne suis pas coupable si je vis et désire vivre, et vous non plus.

Soudain, Natacha enfouit la tête dans ses mains et se mit à pleurer.

— Natacha, qu'as-tu? demanda la princesse Marie.

— Rien, rien. — Elle sourit à Pierre à travers ses larmes. — Adieu, il est temps de dormir.

Pierre se leva et prit congé.

La princesse Marie et Natacha se rejoignirent comme toujours dans la chambre à coucher. Elles causèrent de ce que Pierre avait raconté. La princesse Marie ne dit pas ce qu'elle pensait de Pierre. Natacha non plus ne parla pas de lui.

— Allons, bonne nuit, Marie, dit Natacha. Tu sais, j'ai souvent peur qu'en ne parlant pas de lui (le prince André) dans la crainte de rabaisser nos sentiments, nous ne l'oubliions.

La princesse Marie poussa un profond soupir qui confirmait que Natacha voyait juste, mais en paroles elle ne l'admit pas.

— Est-il possible d'oublier? dit-elle.

— J'étais si bien aujourd'hui en racontant tout; je souffrais, c'était pénible et j'étais bien. Très bien, dit Natacha. Et je suis sûre qu'il l'aimait vraiment beaucoup. C'est pour ça que je lui ai tout raconté... Ce n'était pas mal de ma part de lui avoir raconté? demanda-t-elle, rougissant soudain.

— A Pierre? Oh, non! Comme il est merveilleux, dit la princesse.

— Tu sais, Marie, dit subitement Natacha avec un sourire espiègle que son amie ne lui avait plus vu depuis longtemps, on dirait qu'il est devenu tout propre, tout lisse, frais, comme s'il sortait du bain; tu comprends? comme s'il sortait moralement du bain. N'est-ce pas vrai?

— Oui, dit la princesse Marie. Il a beaucoup gagné.

— Et une petite redingote courte et les cheveux coupés courts. Tout à fait comme s'il sortait du bain... papa autrefois...

— Je comprends qu'IL (le prince André) n'ait aimé personne autant que lui, dit la princesse Marie.

— Oui, et il est très différent de lui. On dit que les hommes sont amis quand ils sont très différents. C'est probablement vrai. N'est-ce pas qu'il ne lui ressemble pas du tout, en rien?

— Oui, et il est merveilleux.

— Eh bien, bonne nuit, répondit Natacha.

Et le même sourire espiègle resta longtemps, comme oublié, sur son visage.

XIX

Pierre ne parvenait pas à dormir; il arpentait sa chambre, tantôt les sourcils froncés, plongé dans on ne sait quelles pensées, haussant brusquement les épaules et tressaillant, tantôt souriant d'un air heureux.

Il pensait au prince André, à Natacha, à leur amour, et tantôt était jaloux de leur passé, tantôt se reprochait cette jalousie ou se la pardonnait. Il était déjà six heures du matin, et il continuait de marcher à travers la chambre.

« Eh bien, que faire puisque c'est impossible autrement? Que faire? C'est donc qu'il le faut », se dit-il, et s'étant déshabillé en hâte il se mit au lit, heureux et ému, mais libéré des doutes et de l'incertitude.

« Il faut, si étrange, si impossible que soit ce bonheur, il faut faire tout pour que nous soyons mari et femme, elle et moi », se dit-il.

Plusieurs jours déjà avant cette visite, Pierre avait fixé son départ pour Pétersbourg à vendredi. Quand il s'éveilla le jeudi, Savélitch vint demander ses ordres concernant les bagages.

« Comment, à Pétersbourg? Quel Pétersbourg? Qui est à Pétersbourg? se demanda-t-il involontairement. Oui, il y a longtemps, avant que cela n'arrive, je me préparais, je ne sais pourquoi, à aller à Pétersbourg, se rappela-t-il. Pourquoi donc? Peut-être bien que je partirai. Comme il est bon et attentif, comme il se souvient de tout! pensa-t-il en regardant le vieux visage de Savélitch. Et comme son sourire est agréable! »

— Alors, tu ne veux toujours pas être libéré, Savélitch? demanda Pierre.

— A quoi me servirait la liberté, Votre Excellence? Du vivant du défunt comte, que Dieu ait son âme, on a bien vécu, et avec vous non plus, on ne se plaint pas, et personne ne m'offense.

— Bon, et les enfants?

— Et les enfants s'arrangeront aussi, Votre Excellence; avec de tels maîtres, on peut vivre.

— Alors, et mes héritiers? dit Pierre. Si tout à coup je me marie!... Cela peut arriver, pourtant, ajouta-t-il avec un sourire involontaire.

— Et je me permets de le dire, ce serait une bonne chose, Votre Excellence.

« Comme c'est facile, selon lui, songea Pierre. Il ne sait pas comme c'est effrayant, comme c'est dangereux. Trop tôt ou trop tard... Effrayant! »

— Alors, quels sont vos ordres? Décidez-vous de partir demain? demanda Savélitch.

— Non, j'attendrai un peu. Je t'avertirai. Excuse-moi pour tous les tracas, dit Pierre et voyant le sourire de Savélitch il se dit : « Comme c'est étrange pourtant qu'il ignore qu'aucun Pétersbourg n'existe plus et qu'avant tout il faut que cette chose se décide. D'ailleurs, il sait probablement et fait semblant. Lui en parler? Qu'en pense-t-il? Non, un jour ou l'autre, plus tard. »

A déjeuner, Pierre raconta à la princesse sa cousine qu'il avait été la veille chez la princesse Marie et qu'il y avait rencontré « pouvez-vous imaginer qui? Natacha Rostov ».

La princesse feignit de ne rien trouver là de plus surprenant que si Pierre lui avait dit avoir vu Anna Sémionovna, par exemple.

— Vous la connaissez? demanda Pierre.

— J'ai vu la princesse, répondit-elle. J'ai entendu dire qu'on l'avait fiancée avec le jeune Rostov. Ç'aurait été très bien pour les Rostov; il paraît qu'ils sont complètement ruinés.

— Non, connaissez-vous la jeune Rostov?

— J'ai seulement entendu parler dans le temps de cette histoire, c'est très dommage.

« Non, elle ne comprend pas, ou bien elle joue la comédie, pensa Pierre. Il vaut mieux ne pas le lui dire, à elle non plus. »

La princesse, elle aussi, avait préparé les provisions pour le voyage de Pierre.

« Comme ils sont tous bons, se disait Pierre, de s'occuper maintenant de tout ça, alors que ça ne peut plus les intéresser en rien certainement. Et tout ça pour moi, voilà qui est étonnant! »

Ce même jour, le maître de police vint trouver Pierre pour

lui proposer d'envoyer un homme de confiance au Kremlin pour recevoir les objets qu'on restituait à leurs propriétaires.

« Et celui-là aussi, pensait Pierre, en regardant le visage du maître de police. — Quel brave et bel officier, et comme il est bon! S'occuper MAINTENANT de telles futilités! Et on prétend qu'il n'est pas honnête et qu'il profite de sa situation. Quelles sottises! Mais après tout, pourquoi ne profiterait-il pas? On l'a éduqué comme ça. Et tout le monde fait de même. Quel visage agréable et bon, et comme il sourit en me regardant. »

Pierre alla dîner chez la princesse Marie.

En passant dans les rues entre les décombres calcinés des maisons, il admirait leur beauté. Les cheminées, les murs écroulés, qui lui rappelaient les ruines pittoresques du Rhin et du Colisée, s'alignaient, se masquant les unes les autres, dans les quartiers incendiés. Les cochers qu'il rencontrait, les occupants de leur voiture, les charpentiers en train de tailler des poutres, les marchandes et les boutiquiers, tous regardaient Pierre avec des visages rayonnants de joie et semblaient dire : « Le voilà! Voyons un peu ce qui sortira de tout cela! »

En entrant dans la maison de la princesse Marie, Pierre douta soudain d'être venu ici la veille, d'avoir vu Natacha, d'avoir causé avec elle. « Peut-être ai-je imaginé tout cela. Peut-être vais-je entrer et ne voir personne. » Mais à peine fut-il entré dans la pièce que, privé instantanément de sa liberté, il ressentit dans tout son être la présence de Natacha. Elle portait la même robe noire aux plis souples et était coiffée comme la veille, mais elle était tout autre. Si elle avait été ainsi la veille, quand il était entré dans la chambre, il n'aurait pas hésité un instant à la reconnaître.

Elle était telle qu'il l'avait connue presque enfant et ensuite fiancée au prince André. Une lueur gaie et interrogative brillait dans ses yeux; son visage avait une expression tendre et étrangement espiègle.

Pierre dîna et il serait resté toute la soirée, mais la princesse Marie devait aller aux vêpres, et Pierre partit avec elle.

Le lendemain, Pierre arriva de bonne heure, dîna et resta toute la soirée. Bien que la princesse Marie et Natacha fussent de toute évidence contentes de sa visite, bien que tout l'intérêt de l'existence de Pierre se trouvât concentré dans cette maison, quand vint le soir, ils s'étaient tout dit et la conversation sautait sans cesse d'un sujet insignifiant à l'autre et était souvent interrompue par des silences. Pierre resta ce soir-là si tard que la princesse Marie et Natacha échangeaient des regards, se demandant évidemment s'il allait bientôt partir. Pierre le voyait et ne pouvait partir. Il se sentait gêné, mal à l'aise, mais il restait quand même parce qu'IL NE POUVAIT PAS se lever et partir.

La princesse Marie, ne voyant pas la fin de cette situation, se leva la première et se plaignant d'une migraine, s'apprêta à prendre congé de Pierre.

— Ainsi, vous partez demain pour Pétersbourg? demanda-t-elle.

— Non, je ne pars pas, répondit hâtivement Pierre d'un air étonné, presque offensé. Oui, non, à Pétersbourg... Demain..., mais je ne vous dis pas adieu. Je passerai prendre vos commissions, dit-il, debout devant la princesse Marie, rougissant et ne partant toujours pas.

Natacha lui tendit la main et sortit. Au lieu de la suivre, la princesse s'enfonça au contraire dans son fauteuil et posa sur Pierre le regard grave et attentif de ses yeux lumineux. La lassitude qu'elle avait clairement manifestée un moment auparavant avait complètement disparu. Elle poussa un long et profond soupir, comme si elle se préparait à une longue conversation.

Le trouble et la gêne de Pierre s'étaient instantanément dissipés avec le départ de Natacha pour faire place à une vivacité qui révélait son émotion. D'un geste prompt, il avança son fauteuil tout près de celui de la princesse Marie.

— Oui, je voulais vous dire, dit-il répondant à son regard comme il aurait répondu à des paroles. — ... Princesse, aidez-moi. Que dois-je faire? Puis-je espérer? Princesse, chère amie, écoutez-moi. Je sais tout. Je sais que je ne suis pas digne d'elle; je sais que maintenant, il est impossible de parler de cela. Mais je veux être un frère pour elle. Non, ce n'est pas ça?... Je ne veux pas, je ne peux pas...

Il s'arrêta et frotta son visage et ses yeux.

— Eh bien, voilà, continua-t-il en faisant un visible effort sur lui-même pour parler de façon cohérente. Je ne sais pas depuis quand je l'aime. Mais je n'ai aimé qu'elle de toute ma vie et je l'aime tellement que je ne peux m'imaginer mon existence sans elle. Demander sa main maintenant, je ne l'ose pas; mais la pensée que peut-être elle pourrait être à moi et que je laisserais passer cette possibilité... cette possibilité... est horrible. Dites, puis-je espérer? Chère princesse, ajouta-t-il après un court silence et en touchant sa main, parce qu'elle ne répondait pas.

— Je pense à ce que vous m'avez dit, répondit la princesse Marie. Voici ce que je vais vous dire. Vous avez raison : lui parler d'amour maintenant...

La princesse s'arrêta. Elle avait voulu dire : « Lui parler d'amour maintenant est impossible », mais elle s'arrêta parce qu'elle avait vu l'avant-veille au changement qui s'était brusquement opéré en Natacha que non seulement celle-ci n'aurait pas été offensée si Pierre lui avait exprimé son amour, mais qu'elle ne désirait que cela.

— Lui en parler maintenant... est impossible, dit tout de même la princesse.

— Mais, que dois-je faire?

— Confiez-moi cela, dit la princesse Marie. Je sais...

Pierre la regardait dans les yeux.

— Eh bien, eh bien..., dit-il.

— Je sais qu'elle vous aime... vous aimera, se reprit la princesse Marie.

A peine eut-elle prononcé ces mots que Pierre bondit et, le visage terrifié, saisit la main de la princesse.

— Pourquoi le pensez-vous? Vous pensez que je peux espérer? Vous le pensez?

— Oui, je le pense, dit-elle en souriant. Écrivez aux parents et confiez-moi le reste. Je lui parlerai quand ce sera possible, je désire cela. Et mon cœur me dit que cela se fera.

— Non, ce n'est pas possible... Comme je suis heureux! Non, ce n'est pas possible! répétait Pierre en baisant les mains de la princesse Marie.

— Partez pour Pétersbourg; c'est mieux. Et moi, je vous écrirai, dit-elle.

— A Pétersbourg? partir? Bien entendu, je pars! Mais demain, puis-je revenir?

Le lendemain, Pierre vint faire ses adieux. Natacha était moins animée que les autres jours; mais, parfois, en la regardant dans les yeux, Pierre avait l'impression de disparaître; ni lui ni elle n'existaient plus, rien d'autre n'existait qu'une sensation de bonheur. « Est-il possible? Non, ce n'est pas possible », se disait-il à chacun des regards de Natacha, à chacun de ses gestes, à chacune de ses paroles, qui remplissaient son âme de joie.

Quand en lui disant adieu il prit sa main fine et maigre, il la retint involontairement un peu longuement dans la sienne.

« Est-il possible que cette main, ce visage, ces yeux, ce trésor de charme féminin qui m'est encore étranger, est-il possible que tout cela soit un jour à moi, et pour toujours, me devienne familier, comme je suis familier à moi-même? Non, cela n'est pas possible!... »

— Au revoir, comte, lui dit-elle à haute voix. Et elle ajouta à voix basse : « Je vous attendrai avec impatience. »

Et ces simples mots, le regard, l'expression du visage qui les accompagnaient, devinrent pour Pierre durant deux mois l'objet de souvenirs inépuisables, de réflexions et d'heureuses rêveries : « JE VOUS ATTENDRAI AVEC IMPATIENCE »... Oui, oui, comment a-t-elle dit? Oui, JE VOUS ATTENDRAI AVEC IMPATIENCE. Ah, comme je suis heureux! Qu'est-ce donc? Comme je suis heureux! » se répétait-il.

XX

Cette fois il ne se passait en Pierre rien de pareil à ce qu'il avait éprouvé dans les mêmes circonstances lors de ses fiançailles avec Hélène.

Il ne se répétait pas comme alors, avec une honte maladive, les paroles qu'il avait prononcées, il ne se disait pas : « Ah, pourquoi n'ai-je pas dit telle chose, et pourquoi, pourquoi ai-je dit : *je vous aime* »? Maintenant, au contraire, chaque parole prononcée par elle ou par lui, il la répétait en imagination avec tous les détails qui l'accompagnaient, expression du visage, sourire, et ne désirait rien ajouter ni retrancher, il ne désirait que répéter. Il n'avait pas l'ombre d'un doute sur ce qu'il entreprenait, ne se demandait pas si c'était bien ou mal. Un seul doute terrible lui venait parfois à l'esprit. Tout cela ne se passe-t-il pas en songe? La princesse Marie ne s'est-elle pas trompée? Ne suis-je pas trop orgueilleux et sûr de moi? Je suis confiant; et voilà qu'arrivera tout à coup ce qui doit normalement arriver : la princesse Marie lui parlera, et elle sourira et répondra : « Comme c'est étrange! Sans doute s'est-il trompé? Ne sait-il pas qu'il n'est qu'un homme, un homme ordinaire, tandis que moi?... Je suis quelqu'un de tout différent, de supérieur... »

Seul ce doute venait souvent à l'esprit de Pierre. Il ne faisait non plus aucun plan maintenant. Le bonheur qui l'attendait lui semblait si invraisemblable qu'il suffisait qu'il se réalisât et il ne pourrait rien y avoir au-delà. Tout serait accompli.

Une soudaine et joyeuse folie dont Pierre ne se croyait pas capable s'empara de lui. Tout le sens de l'existence, non seulement pour lui seul, mais pour le monde entier, semblait enfermé uniquement dans son amour pour elle et dans son amour possible pour lui. Tous les gens lui apparaissaient parfois préoccupés d'une seule chose, de son futur bonheur. Il lui semblait parfois que tous se réjouissaient comme lui-même et essayaient seulement de lui cacher cette joie, faisant mine d'être absorbés par d'autres intérêts. Dans chaque parole, dans chaque geste, il voyait des allusions à son bonheur. Souvent il étonnait les gens qu'il rencontrait par ses regards et ses sourires heureux, significatifs, qui exprimaient une connivence secrète. Mais quand il comprenait que les gens pouvaient ignorer tout de son bonheur, il les plaignait de tout son cœur et avait envie de leur expliquer d'une façon ou d'une autre que tout ce qui les occupait n'était que vétilles et futilités indignes d'attention.

Quand on lui proposait de prendre du service, ou quand on discutait en sa présence des affaires de l'État ou de la guerre, supposant que le bonheur de tous dépendait de telle ou telle solution, il écoutait avec un doux sourire plein de pitié et étonnait ses interlocuteurs par d'étranges remarques. Mais aussi bien les hommes qui semblaient à Pierre comprendre le vrai sens de l'existence, c'est-à-dire ce qu'il éprouvait, que les malheureux qui évidemment ne le comprenaient pas, le sentiment qu'il irradiait les éclairait tous, au cours de cette période, d'une telle lumière que sans le moindre effort et dès la première rencontre il voyait en chacun tout ce qu'il y avait en lui de bon et de digne d'amour.

En examinant les affaires et les papiers de sa défunte femme, il n'éprouva pour sa mémoire d'autre sentiment que la pitié parce qu'il n'avait pas connu ce bonheur qu'il connaissait à présent. Le prince Basile qui, ayant obtenu un nouveau poste et une décoration, se montrait maintenant particulièrement fier, lui semblait un vieillard bon, touchant et digne de pitié.

Il lui arriva souvent par la suite d'évoquer ce temps d'heureuse folie; tous les jugements qu'il avait portés sur les hommes et les événements demeurèrent à jamais justes à ses yeux. Non seulement il ne les renia pas plus tard mais, dans les moments de doute intérieur et de contradiction, il recourait au contraire aux appréciations de ce temps de folie, et elles se trouvaient toujours justes.

« Peut-être, songeait-il, paraissais-je alors vraiment bizarre et comique; mais je n'étais pas aussi fou qu'il semblait. Au contraire, j'étais alors plus intelligent et plus clairvoyant que je ne l'ai jamais été, et je comprenais tout ce qui vaut la peine d'être compris dans la vie, parce que... j'étais heureux. »

La folie de Pierre consistait en ceci que pour aimer les hommes il n'attendait pas, comme auparavant, de trouver des raisons personnelles, ce qu'il appelait les mérites des gens; mais 'amour remplissait son cœur et, aimant les hommes sans raison, il découvrait les raisons évidentes qui les rendaient dignes d'être aimés.

XXI

Dès le premier soir quand, après le départ de Pierre Natacha avait dit à la princesse Marie avec un sourire joyeusement railleur qu'il avait tout à fait, mais tout à fait l'air de sortir du bain, avec sa petite redingote courte et ses cheveux coupés..., dès cette minute, quelque chose de secret, quelque chose d'ignoré d'elle-même, mais d'irrépressible, s'était éveillé dans l'âme de Natacha.

Tout en elle, — son visage, sa démarche, son regard, sa voix — tout se transforma brusquement. Une soif de vie, un espoir de bonheur auxquels elle ne s'attendait pas émergèrent à la surface et exigèrent satisfaction. Dès ce premier soir, Natacha parut avoir oublié tout ce qui lui était arrivé. A partir de ce moment, elle ne se plaignit pas une seule fois de sa situation, ne dit plus un mot du passé et ne craignit plus de faire des plans de joyeux avenir. Elle parlait peu de Pierre, mais quand la princesse Marie y faisait allusion, une lueur, depuis longtemps éteinte, se rallumait dans ses yeux et ses lèvres se plissaient en un étrange sourire.

Le changement survenu en Natacha commença par étonner la princesse Marie; mais quand elle en comprit le sens, ce changement l'attrista. « Est-il possible qu'elle ait si peu aimé mon frère qu'elle puisse l'oublier si vite? » pensait la princesse Marie, lorsque, seule, elle réfléchissait à la transformation de Natacha. Mais quand elle se trouvait avec Natacha, elle n'était pas fâchée contre elle et ne lui faisait pas de reproches. La puissance de vie réveillée en Natacha était si irrésistible évidemment, si inattendue pour elle-même qu'en sa présence la princesse Marie sentait qu'elle n'avait pas le droit de lui faire des reproches, même à part soi.

Natacha se livrait avec une telle plénitude et une telle sincérité au nouveau sentiment qui l'envahissait qu'elle n'essayait même pas de cacher qu'elle ne se sentait plus triste maintenant, mais joyeuse et gaie.

Quand après l'explication nocturne avec Pierre la princesse regagna sa chambre, Natacha l'accueillit sur le seuil.

— Il a parlé? Oui? Il a parlé? répétait-elle.

Et une expression joyeuse en même temps que pitoyable, suppliant qu'on lui pardonnât sa joie, s'arrêta sur son visage.

— Je voulais écouter à la porte, mais je savais que tu me dirais tout.

Si compréhensible, si touchant que fût pour la princesse Marie le regard que Natacha fixait sur elle, si grande que fût la pitié qu'éveillait en elle son trouble, au premier instant les paroles de Natacha la blessèrent néanmoins. Elle se rappela son frère, combien il aimait Natacha.

« Mais que faire! elle ne peut être autrement », se dit la princesse Marie; et le visage triste et un peu sévère, elle transmit à Natacha tout ce que Pierre lui avait dit. Apprenant qu'il se préparait à partir pour Pétersbourg, Natacha s'étonna.

— A Pétersbourg! répéta-t-elle, comme si elle ne comprenait pas. Mais ayant considéré attentivement le visage peiné de la princesse, elle devina la raison de sa tristesse et soudain fondit en larmes.

— Marie, dit-elle, apprends-moi ce que je dois faire : je crains d'être mauvaise. Je ferai ce que tu me diras; apprends-moi!...

— Tu l'aimes?

— Oui, murmura Natacha.

— Alors, pourquoi pleures-tu? Je suis heureuse pour toi, dit la princesse Marie, ayant complètement pardonné, à cause de ces larmes, la joie de Natacha.

— Ce ne sera pas bientôt, mais un jour. Pense un peu quel bonheur ce sera quand je serai sa femme, et toi celle de Nicolas.

— Natacha, je t'ai demandé de ne pas parler de cela. Parlons de toi.

Elles se turent quelque temps.

— Mais pourquoi à Pétersbourg? dit soudain Natacha, et immédiatement, elle répondit à sa propre question : Non, non, ce doit être ainsi... n'est-ce pas, Marie? Il le faut...

ÉPILOGUE

PREMIÈRE PARTIE

I

Sept ans s'étaient passés depuis 1812. La mer démontée de l'histoire européenne était rentrée dans ses rivages. Elle semblait calmée; mais les forces mystérieuses qui dirigent l'humanité (mystérieuses parce que les lois qui régissent leurs mouvements nous sont inconnues), poursuivaient leur action.

Bien que la surface de la mer de l'histoire semblât immobile, l'humanité avançait d'une démarche aussi continue que celle du temps. Des groupes humains se constituaient et se défaisaient; des événements se préparaient qui allaient entraîner la formation et la chute des empires, les migrations des peuples.

La mer de l'histoire ne se précipitait plus d'un brusque élan d'un rivage à l'autre : elle bouillonnait dans ses profondeurs. Les personnages historiques n'étaient plus projetés par les vagues d'un rivage à l'autre comme auparavant; à présent, ils semblaient tournoyer sur place. Les personnages historiques qui, à la tête des armées, entreprenaient, traduisant les mouvements des masses, des guerres, des campagnes, et livraient des batailles, se livraient maintenant à des manœuvres politiques, diplomatiques, concluaient des traités et légiféraient, reflétant ainsi le bouillonnement des profondeurs.

Les historiens donnent à cette activité des personnages historiques le nom de RÉACTION.

Décrivant l'activité de ces personnages, qui seront selon eux la cause de ce qu'ils appellent RÉACTION, les historiens les jugent sévèrement. Tous les hommes célèbres de ce temps, à commencer par Alexandre et Napoléon et jusqu'à Mme de Staël, Photius, Schelling, Fichte, Châteaubriand et d'autres, sont cités devant leur tribunal rigoureux et sont acquittés ou condamnés selon qu'ils ont contribué au PROGRÈS ou à la RÉACTION.

D'après eux, la Russie connut, elle aussi, une réaction au cours de cette période, et le principal responsable de cette réaction fut Alexandre Ier, ce même Alexandre Ier qui, selon leurs propres affirmations, avait été le promoteur des réformes libérales du début de son règne et le sauveur de la Russie.

Dans la littérature russe actuelle, il n'est personne, du collégien au savant historien, qui ne jette la pierre à Alexandre pour les erreurs qu'il a commises dans la dernière période de son règne.

« Il aurait dû faire ceci et cela. Dans telle circonstance, il a bien agi, dans telle autre, mal. Il s'est admirablement comporté au début de son règne et en 1812; mais il a commis une faute en accordant la constitution à la Pologne [1], en signant la Sainte Alliance, en donnant tout pouvoir à Araktchéiev [2], en favorisant Galitzine [3] et le mysticisme, puis en encourageant Chichkov et Photius [4]; il a mal agi en accordant une importance exagérée aux exercices militaires; il a mal agi en cassant le régiment Sémionovsky [5], etc. »

Il faudrait dix pages pour énumérer tous les griefs que lui font les historiens en se référant à leurs propres idées touchant le bonheur de l'humanité.

Que signifient ces reproches?

Ces actes d'Alexandre qu'approuvent les historiens, par exemple les mesures libérales du début de son règne, sa lutte contre Napoléon, la fermeté de son attitude en 1812, la campagne de 1813, ne découlent-ils pas de la source même — l'hérédité, l'éducation, le genre de vie, qui ont formé la personnalité d'Alexandre — dont découlent également les actes qui provoquent les critiques des historiens, comme la Sainte Alliance, le rétablissement de la Pologne, les mesures réactionnaires des années 20?

A quoi se ramènent en somme ces griefs?

A ceci, qu'un personnage tel qu'Alexandre Ier, hissé au faîte de la puissance, placé comme au foyer de l'aveuglante lumière de l'histoire dont les rayons convergeaient sur lui, qui du fait de cette situation subissait d'autant plus fort l'influence des intrigues, des mensonges, des flatteries, des illusions qu'il se faisait sur son propre compte, toutes choses inséparables du pouvoir, qui sentait peser sur lui à tout moment de son existence la responsabilité de tout ce qui s'accomplissait en Europe, un personnage non pas imaginaire mais vivant, ayant comme tout homme des habitudes, des passions, des élans vers le bien, le beau, le vrai, que ce personnage (auquel les historiens ne reprochent pas de manquer de vertu) n'avait pas, il y a un demi-siècle, sur le bonheur de l'humanité les mêmes vues que celles qu'a aujourd'hui un professeur qui depuis sa jeunesse se consacre à la science, c'est-à-dire lit des livres et des cours et prend des notes dans un cahier sur ces livres et ces cours.

Mais suppose-t-on même qu'Alexandre Ier se trompait il y a un demi-siècle dans ses jugements sur le bonheur de l'humanité, on est tout naturellement et nécessairement amené à supposer qu'au bout d'un certain temps il se trouvera que l'historien qui juge Alexandre avait, lui aussi, des vues erronées sur le bonheur de l'humanité. Cette supposition s'impose d'autant plus que lorsque nous examinons le développement de la science historique, nous voyons que d'une année à l'autre les opinions sur le bonheur de l'humanité changent avec chaque nouvel historien; de sorte que ce qui était jugé bon est dix ans plus tard jugé mauvais, et inversement. Mais cela ne suffit pas : nous constatons que des historiens écrivant à la même époque ont des vues diamétralement opposées sur ce qui était bien et ce qui était mal : les uns font un mérite à Alexandre de la constitution octroyée à la Pologne et de la conclusion de la Sainte Alliance, les autres lui en font grief.

En parlant de l'activité d'Alexandre ou de Napoléon, on ne peut dire qu'elle a été utile ou nuisible, car nous ne pouvons dire en quoi elle était utile et en quoi nuisible. Si cette activité déplaît à quelqu'un, elle lui déplaît uniquement parce qu'elle ne concorde pas avec ses vues limitées sur ce qui est bien. Si le bien pour moi en 1812 c'est de conserver la maison de mon père à Moscou, si c'est la gloire de l'armée russe, ou la prospérité de l'Université de Pétersbourg ou d'ailleurs, ou la liberté de la Pologne, ou la puissance de la Russie, ou l'équilibre de l'Europe, ou un certain courant d'esprit européen, — le progrès, je dois reconnaître que l'activité de tout personnage historique a en dehors de ces divers buts d'autres buts d'un caractère plus général et qui me sont inaccessibles.

Mais admettons que ce qu'on appelle la science ait la possibilité de réconcilier toutes les contradictions, et dispose pour juger les personnages et les événements historiques d'un critère immuable de ce qui est bien et de ce qui est mauvais.

Admettons qu'Alexandre eût pu agir tout différemment. Admettons que, se conformant aux prescriptions de ceux qui l'accusent, de ceux qui déclarent connaître le but final vers lequel marche l'humanité, il eût pu suivre ce programme de liberté, d'égalité et de progrès (il n'en existe pas d'autre, semble-t-il) que lui auraient tracé ses accusateurs d'aujourd'hui. Admettons que ce programme eût été possible, qu'il eût été élaboré et qu'Alexandre y eût conformé son action. Qu'en serait-il advenu de l'activité de tous ceux qui s'opposaient à l'orientation du gouvernement d'alors, de cette activité qui, de l'avis des historiens, était bonne et utile? Elle n'aurait pas existé; il n'y aurait eu aucune vie, il n'y aurait rien eu.

Si l'on admet que la vie humaine peut être gouvernée par la raison, alors il n'y a même plus possibilité de vie.

II

Si l'on admet, comme le font les historiens, que les grands hommes mènent l'humanité vers certains buts déterminés, tels que la grandeur de la Russie ou de la France, ou l'équilibre européen, ou la diffusion des idées de la Révolution, ou le progrès général, ou quoi que ce soit d'autre, alors il est impossible d'expliquer les événements historiques sans faire intervenir les notions de HASARD et de GÉNIE.

Si le but des guerres européennes du début de ce siècle était la grandeur de la Russie, ce but pouvait être atteint sans toutes les guerres précédentes et sans l'invasion. Si le but était la grandeur de la France, ce but pouvait être atteint sans la Révolution et sans l'Empire. Si le but était de répandre certaines idées, l'imprimerie y serait arrivée bien mieux que les soldats. Si le but était le progrès de la civilisation, il est à supposer qu'il existe pour répandre la civilisation d'autres voies, plus conformes à ce but, que l'extermination des hommes et la destruction de leurs richesses.

Pourquoi cela s'est-il passé ainsi et non autrement? Parce que cela s'est passé ainsi.

« Le HASARD a produit la situation, le GÉNIE en a profité », dit l'histoire.

Mais qu'est-ce que le HASARD? Qu'est-ce que le GÉNIE?

Les mots HASARD et GÉNIE ne désignent rien de réel et ils ne peuvent donc pas être définis. Ces mots désignent simplement un certain degré de compréhension des événements. J'ignore pourquoi se produit tel phénomène, je pense que je ne peux le savoir; c'est pourquoi je ne veux pas le savoir, et je dis : le HASARD. Je vois une force qui produit une action qui n'est pas à la mesure des facultés ordinaires des hommes; je ne comprends pas pourquoi cela se produit, et je dis : le GÉNIE.

Pour un troupeau de moutons, le mouton que le berger enferme chaque soir dans un enclos spécial où il mange à part et qui devient deux fois plus gros que les autres, ce mouton doit sembler un génie. Et le fait que tous les soirs, ce même mouton ne revient pas dans l'enclos commun mais est nourri d'avoine dans un enclos spécial, et que ce même mouton, précisément ce mouton-là, ruisselant de graisse, est tué pour être mangé, ce fait doit apparaître au troupeau comme une surprenante conjonction du génie avec toute une série de hasards extraordinaires.

Mais il suffirait que les moutons cessent de croire que tout ce qui leur arrive n'a d'autre raison que de leur faire atteindre leur but de moutons, il leur suffirait d'admettre que les événements qui leur arrivent peuvent avoir des fins qui leur échappent, et ils verraient immédiatement que tout ce qui arrive au mouton engraissé est cohérent et logique. Quand bien même ils ignoreraient dans quel but on l'a engraissé, ils sauraient au moins que tout ce qui est arrivé au mouton n'est pas arrivé fortuitement, et ils n'auraient plus besoin de faire appel au HASARD et au GÉNIE.

Ce n'est qu'en renonçant à connaître le but proche et compréhensible et en admettant que le but final nous est inaccessible, que nous apercevrons la cohérence et la logique dans la vie des personnages historiques; nous découvrirons la raison de leur action sans commune mesure avec les facultés ordinaires des hommes, et alors nous n'aurons plus besoin de recourir aux notions de HASARD et de GÉNIE.

Il suffit seulement de reconnaître que le but des remous des peuples européens nous est inconnu, et que seuls nous sont connus les faits, à savoir les massacres d'abord en France, puis en Italie, en Afrique, en Prusse, en Autriche, en Espagne, en Russie, et que le mouvement d'Occident en Orient et d'Orient en Occident constitue le trait essentiel et le but de ces événements; non seulement nous n'aurons pas besoin alors d'admettre qu'il y a quelque chose d'exceptionnel, de GÉNIAL en Napoléon et Alexandre, mais nous ne pourrons pas les voir autrement que comme des hommes pareils à tous les hommes; et non seulement nous n'aurons pas besoin d'expliquer par le HASARD les menus événements qui ont fait de ces hommes ce qu'ils sont devenus, mais il nous sera évident que tous ces menus événements étaient nécessaires.

Ayant renoncé à la connaissance du but final, nous comprendrons clairement que, de même qu'on ne peut imaginer qu'une plante quelconque ait d'autres fleurs, d'autres semences mieux adaptées à sa nature que celles qu'elle produit, il est impossible de même d'imaginer deux autres hommes avec tout leur passé, qui correspondraient à tel point, jusqu'aux moindres détails, au rôle qui leur était dévolu.

III

Le sens profond, essentiel, des événements européens du début de ce siècle réside dans le mouvement offensif des peuples européens d'Occident en Orient, puis d'Orient en Occident. Le premier déclencha le second. Pour que les peuples d'Occident pussent accomplir cette marche guerrière qui les mena jusqu'à Moscou, il leur était indispensable : 1º de se rassembler en une masse combattante d'une telle ampleur qu'elle fût en état de supporter le choc des masses armées de l'Orient; 2º de renoncer à toutes leurs habitudes et traditions, et 3º d'avoir à leur tête un homme qui, à ses propres yeux et aux leurs, fût capable de justifier les mensonges, les pillages et les massacres qui devaient être accomplis au cours de ce mouvement.

Et à partir de la Révolution française, nous voyons s'écrouler l'ancien groupement, insuffisamment important; les anciennes habitudes et traditions sont détruites, un nouveau groupement se constitue peu à peu, de plus vastes dimensions, de nouvelles habitudes et traditions s'élaborent, et l'homme qui doit prendre la tête du futur mouvement et porter toute la responsabilité de ce qui doit s'accomplir, se prépare à son rôle.

Un homme sans convictions, sans habitudes, sans traditions, sans nom, qui n'est même pas français, grâce, semble-t-il, à une série de hasards des plus étranges, s'ouvre un passage parmi les partis qui agitent alors la France et, sans adhérer à aucun, se trouve porté à une situation en vue.

L'ignorance de ses compagnons, la faiblesse et la nullité de ses adversaires, la sincérité de ses fourberies et la brillante assurance de cet homme borné le portent à la tête de l'armée. La valeur des soldats de l'armée d'Italie, le peu d'entrain à se battre que montrent les ennemis, sa témérité puérile et sa confiance en soi lui acquièrent la gloire militaire. Un nombre incalculable de prétendus hasards l'accompagne partout. La disgrâce dans laquelle il tombe auprès des dirigeants français tourne à son avantage. Toutes ses tentatives pour quitter la voie qui lui était tracée échouent : la Russie refuse ses services [1] et il ne réussit pas davantage en Turquie. Au cours des guerres d'Italie, il est à plusieurs reprises à deux doigts de sa perte, et il est sauvé chaque fois de façon inattendue : les troupes russes, celles-là même qui pourraient anéantir sa gloire, n'interviennent pas en Europe pour certaines raisons diplomatiques tant qu'il y est encore.

A son retour d'Italie, il trouve le gouvernement à Paris dans un tel état de décomposition que les hommes qui y participent sont irrémédiablement compromis et balayés. Et une issue s'offre à lui d'elle-même dans cette dangereuse situation ; c'est l'absurde expédition d'Afrique, entreprise sans aucune raison. Et de nouveau, les prétendus hasards l'accompagnent. L'imprenable Malte se rend sans un coup de feu ; les dispositions les plus périlleuses sont couronnées de succès ; la flotte ennemie qui, par la suite, ne laissera plus passer une barque, laisse passer toute une armée. En Afrique, une série de forfaits est commise contre une population presque désarmée. Et les auteurs de ces forfaits, et surtout leur chef, sont convaincus que tout cela est admirable, glorieux, que tout cela est comparable aux exploits de César ou d'Alexandre de Macédoine.

Cet idéal de GLOIRE et de GRANDEUR qui revient non seulement à considérer que rien de ce qu'on fait n'est mal, mais à s'enorgueillir de chacun de ses crimes en lui attribuant une signification incompréhensible et mystérieuse, cet idéal, qui devait diriger cet homme et ceux qui lui étaient liés, s'élabore librement en Afrique. Quoi qu'il entreprenne, tout lui réussit. La peste ne l'atteint pas. Les exécutions cruelles des prisonniers ne lui sont pas imputées à crime. Et l'on approuve son départ d'Afrique, d'une imprudence puérile, et l'abandon indigne de ses compagnons dans le malheur ; et de nouveau, la flotte ennemie le laisse échapper deux fois. Lorsque, complètement grisé par le succès des crimes qu'il a commis, et prêt à jouer son rôle, il arrive à Paris sans aucun dessein précis, la décomposition du gouvernement républicain, qui un an plus tôt aurait pu le perdre, en est à son dernier stade, et elle sert maintenant l'ascension de cet homme étranger à tous les partis.

Il n'a aucun plan, il craint tout; mais les partis s'accrochent à lui et réclament sa collaboration.

Lui seul, avec son idéal de gloire et de grandeur élaboré en Italie et en Égypte, avec sa folle adoration de soi-même, sa témérité dans le crime et sa sincérité dans le mensonge, lui seul est en mesure de justifier ce qui doit s'accomplir.

Il faut qu'il occupe cette place qui l'attend; aussi, presque indépendamment de sa volonté et en dépit de son indécision, de l'absence de plan, de toutes ses erreurs, il est entraîné dans le complot dont l'objet est la prise du pouvoir, et ce complot est couronné de succès.

On le traîne presque de force à une séance du Directoire. Il prend peur, veut fuir, se croyant perdu, fait mine de s'évanouir, profère des paroles insensées qui auraient dû le perdre. Mais les dirigeants français, auparavant avisés et fiers, se rendant compte à présent que leur rôle est fini, sont plus troublés encore que lui, ne disent pas ce qu'ils auraient dû dire pour conserver le pouvoir et perdre leur adversaire.

Un HASARD, des millions de HASARDS lui livrent le pouvoir, et tout le monde, comme si l'on s'était donné le mot, contribue à renforcer ce pouvoir. C'est d'une série de HASARDS que dépend la mentalité des dirigeants français d'alors qui se soumettent à lui. Ce sont des HASARDS qui forment le caractère de Paul Ier qui reconnaît son autorité. Le HASARD ourdit un complot contre lui, mais loin de lui nuire ce complot ne fait qu'affermir son pouvoir. Le HASARD lui livre le duc d'Enghien et fortuitement l'oblige à le tuer, ce qui convainc la foule, mieux que tout autre moyen, qu'il en avait le droit puisqu'il en avait la force. Le HASARD fait en sorte qu'il concentre toutes ses forces pour une expédition en Angleterre qui évidemment aurait été fatale pour lui, et il ne réalise jamais cette intention mais tombe sur Mack et les Autrichiens qui se rendent sans combat. Le HASARD et le GÉNIE lui donnent la victoire à Austerlitz, et par HASARD tout le monde, non pas seulement les Français, mais toute l'Europe à l'exception de l'Angleterre qui ne participera pas aux événements qui doivent s'accomplir, tous les hommes, malgré l'horreur et le dégoût suscités autrefois par ses crimes, reconnaissent à présent son pouvoir, le titre qu'il s'est donné, et son idéal de grandeur et de gloire qui semble à tous admirable et raisonnable.

Comme si elles voulaient s'éprouver et se préparer à leur futur mouvement, à plusieurs reprises, en 1805, 1806, 1807 et 1809, les forces de l'Occident vont vers l'Orient, chaque fois plus puissantes et plus nombreuses. En 1811, le groupement d'hommes qui s'était formé en France s'agglomère en une masse énorme avec les peuples du centre de l'Europe. Et, à mesure que cette masse s'accroît, le pouvoir de persuasion de l'homme placé à la tête du mouvement grandit. Au cours de la période préparatoire de dix ans qui précéda le grand mouvement, cet homme se met en rapports avec toutes les têtes couronnées d'Europe. Les maîtres du monde dépouillés de leur autorité ne peuvent opposer à l'idéal napoléonien de GLOIRE et de GRANDEUR qui n'a pas de sens, aucun idéal raisonnable. L'un après l'autre, ils s'empressent de montrer à Napoléon qu'ils ne sont rien. Le roi de Prusse envoie sa femme quémander les bonnes grâces du grand homme; l'empereur d'Autriche considère que cet homme lui fait une faveur en accueillant dans sa couche la fille des Césars; le pape, gardien des choses sacrées, fait servir sa religion à l'ascension du grand homme. Ce n'est pas tant Napoléon lui-même qui se prépare à jouer son rôle, que ceux qui l'entourent qui l'amènent à prendre sur lui toute la responsabilité de ce qui s'accomplit et doit s'accomplir. Il n'est pas un de ses crimes ou de ses mensonges mesquins qui, dans la bouche de ceux qui l'entourent, ne soit immédiatement travesti en un grande action. Les Allemands ne trouvent rien de mieux pour l'honorer que de fêter Iéna et Auerstaedt. Non seulement lui est grand, mais grands sont également ses aïeux, ses frères, ses beaux-frères, ses beaux-fils. Tout se conjugue pour le priver de la dernière lueur de raison et le préparer à son terrible rôle. Et quand il est prêt, les forces sont prêtes elles aussi.

L'invasion déferle sur l'Orient, atteint le but final, Moscou. La capitale est prise; l'armée russe est détruite plus radicalement que ne l'ont jamais été les armées ennemies dans les campagnes précédentes, d'Austerlitz à Wagram. Mais, brusquement, ces HASARDS et ce GÉNIE qui l'avaient conduit jusqu'à présent, de façon ininterrompue, de succès en succès, au but qu'il s'était assigné, font place à d'innombrables HASARDS contraires, depuis le rhume de Borodino jusqu'au froid et à l'étincelle qui mit le feu à Moscou; et au lieu du GÉNIE se découvrent une sottise et une bassesse sans exemple.

L'armée d'invasion reflue, elle fuit, et aucun hasard ne lui est plus favorable, tous maintenant lui sont contraires.

Le mouvement inverse d'Orient en Occident présente une remarquable analogie avec le mouvement précédent d'Occident en Orient. Comme ce fut le cas en 1805, 1807, 1809, des mouvements partiels d'Orient en Occident préludent au grand mouvement; divers groupes s'agglomèrent en une masse immense, les peuples d'Europe centrale viennent s'y joindre, et ce sont les mêmes hésitations à mi-chemin et la même accélération du mouvement à mesure qu'on approche du but.

Paris, le but final, est atteint. Le gouvernement et l'armée de Napoléon sont anéantis. Napoléon lui-même n'a plus de raison d'être. Tous ses actes sont de toute évidence pitoyables et vils; mais alors se produit de nouveau un hasard inexplicable : les alliés haïssent Napoléon, ils voient en lui l'auteur de leurs malheurs; privé de force et de pouvoir, convaincu de crimes et de perfidies, il eût dû apparaître à leurs yeux tel qu'il leur apparaissait dix ans plus tôt, ou leur apparaîtrait un an plus tard, un bandit hors la loi. Mais par un étrange hasard, personne ne le voit ainsi. Son rôle n'est pas encore terminé. L'homme, qui n'était dix ans plus tôt et ne sera un an plus tard qu'un bandit hors la loi, est envoyé dans une île à deux jours de traversée de la France; elle lui est donnée en propriété avec sa garde et des millions qu'on lui paye on ne sait pourquoi.

IV

La mer des peuples en mouvement commence à rentrer dans ses rivages. Le raz de marée reflue et sur la mer apaisée se forment de légers remous où se démènent les diplomates qui se figurent que ce sont eux précisément qui apaisent les vagues.

Mais la mer calmée se soulève soudain. Les diplomates croient que ce sont eux, que ce sont leurs désaccords qui provoquent cette nouvelle montée des forces; ils s'attendent à ce que la guerre éclate entre leurs souverains; la situation leur semble sans issue. Mais la vague dont ils pressentent le déferlement n'accourt pas du côté où ils l'attendaient. C'est la même vague et le même point de départ, Paris. Ce qui se produit est le dernier remous du flux d'Occident en Orient, remous qui doit résoudre les difficultés diplomatiques apparemment inextricables et mettre fin aux mouvements guerriers de cette période.

L'homme qui a ruiné la France, seul, sans soldats, revient dans cette France où nul complot n'a préparé son retour. Le premier gendarme venu peut l'arrêter, mais par un étrange hasard non seulement personne ne l'arrête, mais tous accueillent avec enthousiasme l'homme qu'on maudissait la veille et qu'on allait maudire un mois plus tard.

Cet homme est encore nécessaire pour justifier le dernier acte collectif.

L'acte est accompli.

Le dernier rôle est joué. Ordre est donné à l'acteur d'enlever son costume et de se démaquiller : on n'aura plus besoin de lui.

Et, durant des années, cet homme, dans la solitude de son île, se joue à lui-même une piteuse comédie, intrigue et ment, justifiant ses actes alors qu'on n'a déjà plus besoin de cette justification, et le monde entier découvre ce qu'était en réalité celui qu'on prenait pour une force lorsqu'une main invisible le dirigeait.

Le régisseur ayant fait jouer le drame et dépouillé l'acteur de son costume, nous le montre tel qu'il est.

— Voyez à quoi vous avez cru ! Le voilà ! Voyez-vous maintenant que ce n'est pas lui mais moi qui vous faisais mouvoir ?

Mais pendant longtemps les hommes ne l'ont pas compris, aveuglés qu'ils étaient par la force du mouvement qui les entraînait.

Plus cohérente encore et logique apparaît la vie d'Alexandre Ier, le personnage placé à la tête du mouvement inverse d'Orient en Occident.

Que fallait-il à l'homme qui éclipsant les autres se trouverait à la tête de ce mouvement d'Orient en Occident ?

Il fallait qu'il eût le sentiment de la justice, qu'il participât aux affaires de l'Europe, mais de loin, de façon que les intérêts mesquins n'obscurcissent pas sa pensée ; il fallait qu'il dominât moralement ses compagnons, les souverains de cette époque ; il fallait qu'il eût une nature affable et séduisante, qu'il eût été personnellement offensé par Napoléon. Et tout cela se retrouve chez Alexandre Ier, tout cela est le produit des innombrables HASARDS de sa vie passée et de son éducation, et de ses mesures libérales, et des conseils de ceux qui l'entouraient, et d'Austerlitz, et de Tilsitt et d'Erfurt.

Pendant la guerre, ce personnage demeure inactif, car il n'est pas nécessaire. Mais dès qu'apparaît la nécessité d'une guerre européenne générale, il occupe au moment voulu sa place, réunit les peuples européens et les mène au but.

Le but est atteint. Après la dernière guerre, celle de 1815, Alexandre se trouve au sommet du pouvoir auquel l'homme puisse accéder. Comment va-t-il en disposer?

Alexandre Ier, le pacificateur de l'Europe, l'homme qui depuis ses jeunes années ne voulait que le bonheur de ses peuples, le promoteur dans sa patrie des réformes libérales, maintenant qu'il dispose des pouvoirs les plus étendus et donc, semble-t-il, de la possibilité de faire le bonheur de ses peuples, tandis que Napoléon en exil élabore des plans puérils et mensongers sur la façon dont il rendrait heureuse l'humanité s'il en avait le pouvoir, Alexandre Ier, ayant accompli sa mission et sentant sur lui la main de Dieu, reconnaît soudain le néant de cette prétendue puissance, se détourne d'elle, la remet entre les mains d'hommes qu'il méprisait et qui étaient méprisables, et dit seulement :

— « Pas à nous, pas à nous, Seigneur, mais à Ton Nom [1]! » Je suis un homme comme vous; laissez-moi vivre comme un homme et penser à mon âme et à Dieu.

De même que le soleil, comme chaque atome de l'éther, est une sphère parfaite en soi et cependant n'est qu'un atome dans un tout inaccessible à l'homme en son immensité, ainsi chaque être humain porte en soi ses propres buts et cependant les porte au service de buts généraux inaccessibles à l'homme.

Une abeille posée sur une fleur a piqué un enfant. Et l'enfant a peur des abeilles et dit que leur but est de piquer les gens. Le poète admire l'abeille qui plonge dans le calice des fleurs, et dit que le but de l'abeille est de s'imprégner du parfum des fleurs. L'apiculteur, ayant remarqué que l'abeille recueille le pollen des fleurs et le rapporte à la ruche, dit que le but de l'abeille est de recueillir du miel. Un autre apiculteur, ayant étudié de plus près la vie de l'essaim, dit que l'abeille recueille le pollen et le suc pour nourrir les jeunes abeilles et élever une reine, que son but est la conservation de l'espèce. Le botaniste remarque que, passant chargée du pollen d'une fleur dioïque au pistil d'une autre fleur, l'abeille féconde celle-ci, et le botaniste voit là le but des abeilles. Un autre, observant la propagation des plantes, constate que l'abeille contribue à cette propagation, et ce nouvel observateur peut dire que c'est là le but des abeilles. Mais le but final des abeilles ne se ramène ni au premier, ni au second, ni au troisième des buts partiels que l'intelligence humaine est capable de découvrir. Plus l'esprit de l'homme avance dans la découverte de ces buts partiels, plus inaccessible lui apparaît le but final.

Seule est accessible à l'homme l'observation des relations entre la vie de l'abeille et les autres phénomènes de la vie. Il en est de même des buts des personnages historiques et des peuples.

V

Le mariage de Natacha qui épousa en 1813 le comte Bézoukhov fut le dernier événement heureux dans la famille des Rostov. La même année, le comte Ilia Andréiévitch mourait et, comme cela arrive toujours, avec sa mort l'ancienne famille se désagrégea.

Les événements de la dernière année, l'incendie de Moscou et la fuite de la ville, la mort du prince André et la douleur de Natacha, la mort de Pétia et le désespoir de la comtesse, tout cela était tombé coup sur coup sur la tête du vieux comte. Il semblait ne pas comprendre et ne se sentait pas de force à comprendre ce que signifiaient tous ces événements et, ayant moralement baissé sa vieille tête, attendait et appelait, eût-on dit, de nouveaux coups qui l'auraient achevé. Tantôt il semblait apeuré et perdu, tantôt faussement animé et entreprenant.

Le mariage de Natacha l'occupa quelque temps par son côté extérieur. Il commandait des dîners et des soupers et manifestement voulait paraître gai; mais sa gaieté n'était pas communicative comme autrefois; elle provoquait au contraire la compassion de ceux qui le connaissaient et l'aimaient.

Après le départ de Pierre et de sa femme, il devint silencieux et se plaignit d'éprouver de l'angoisse. Quelques jours plus tard, il tomba malade et se mit au lit. Dès le début de sa maladie, il comprit, malgré les paroles consolantes des médecins, qu'il ne se relèverait plus. La comtesse passa à son chevet quinze jours dans un fauteuil, sans se déshabiller. Chaque fois qu'elle lui donnait un médicament, il avait un sanglot et lui baisait silencieusement la main. Le dernier jour, il demanda en pleurant pardon à sa femme et à son fils absent de les avoir ruinés : c'était la faute qui le tourmentait le plus. Ayant communié et reçu l'extrême-onction, il mourut doucement, et le lendemain la foule des connaissances venues rendre leurs derniers devoirs au défunt, emplissait l'appartement que louaient les Rostov. Tous ces amis qui avaient tant de fois dîné et dansé chez lui, qui s'étaient tant de fois moqué de lui, à présent, tous, avec le même sentiment de remords et d'attendrissement, disaient comme pour se justifier devant quelqu'un : « Oui, quoi qu'on puisse dire, c'était un homme délicieux. Des hommes comme lui, on n'en rencontre plus... Et qui donc n'a pas ses faiblesses? »

Il mourut de façon inattendue, alors que ses affaires se trouvaient à tel point embrouillées qu'il était impossible d'imaginer comment tout cela aurait fini si cette situation s'était prolongée encore un an.

Nicolas était à Paris avec les armées russes quand lui parvint la nouvelle de la mort de son père. Il donna immédiatement sa démission et, sans l'attendre, prit un congé et arriva à Moscou. La situation financière du comte se précisa complètement un mois après sa mort et surprit tout le monde par l'énorme quantité de petites dettes dont personne ne connaissait l'existence. Le total des dettes atteignait le double de la valeur des propriétés.

Parents et amis conseillaient à Nicolas de refuser la succession. Mais Nicolas ne voulut pas en entendre parler, considérant que ce refus porterait offense à la mémoire sacrée pour lui de son père. Il accepta la succession avec l'obligation de payer les dettes.

Les créanciers qui s'étaient tus si longtemps, liés du vivant du comte par ce charme indéfinissable mais puissant qu'exerçait sur eux sa bonté désordonnée, tous à la fois exigèrent le règlement de leurs créances. Il y eut alors, comme toujours, des rivalités : c'était à qui se ferait payer le premier, et les mêmes gens qui, comme Mitégnka et d'autres, possédaient des traites, qui n'étaient pas des reconnaissances de dettes mais des cadeaux, se montraient à présent les créanciers les plus acharnés. On ne laissait à Nicolas ni délai ni repos, et ceux qui semblaient avoir eu pitié du vieillard responsable de leurs pertes (si pertes il y avait) se ruaient impitoyablement sur le jeune héritier évidemment innocent de tout, mais qui s'était volontairement chargé du payement des dettes.

Aucune des combinaisons imaginées par Nicolas ne réussit : les propriétés furent vendues aux enchères pour la moitié de leur valeur, et la moitié des dettes resta impayée. Nicolas accepta de son beau-frère Bézoukhov les trente mille roubles que celui-ci lui offrait pour régler les traites qu'il considérait réellement signées en reconnaissance de prêts d'argent et, afin de ne pas être mis en prison pour les dettes restantes, ainsi que l'en menaçaient les créanciers, il prit de nouveau du service.

Rentrer dans l'armée où il devait être promu commandant de regiment à la première vacance, lui était impossible, car sa mère se raccrochait maintenant à son fils comme à sa dernière raison de vivre; aussi, bien qu'il lui fût pénible de rester à Moscou parmi les gens qui le connaissaient auparavant, et en dépit de sa répugnance pour l'administration civile, il accepta un poste de fonctionnaire et, ayant enlevé l'uniforme qu'il aimait tant, il s'installa avec sa mère et Sonia dans un petit appartement de Sivtsev Vrajek [1].

Natacha et Pierre, qui habitaient alors Pétersbourg, ne se faisaient pas une idée précise des difficultés de Nicolas. Ayant emprunté de l'argent à son beau-frère, il essayait de lui cacher sa triste situation. Elle était particulièrement mauvaise parce qu'avec ses mille deux cents roubles d'appointements, il lui fallait non seulement subvenir à ses besoins, à ceux de sa mère et de Sonia, mais encore faire en sorte que sa mère ne s'aperçût pas qu'ils étaient pauvres. La comtesse ne pouvait concevoir l'existence sans le luxe auquel elle avait été habituée dès l'enfance, et exigeait constamment, ne comprenant pas combien c'était difficile pour son fils, tantôt une voiture qu'il ne possédait pas pour ramener une amie, tantôt des mets chers pour elle-même et du vin pour son fils, tantôt de l'argent pour faire une surprise à Natacha ou à Nicolas lui-même.

Sonia tenait le ménage, soignait sa tante, lui lisait à haute voix, supportait ses caprices et son hostilité secrète, et aidait Nicolas à cacher à la vieille comtesse la gêne dans laquelle ils vivaient. Nicolas sentait qu'il ne parviendrait jamais à s'acquitter de sa dette de reconnaissance envers Sonia pour tout ce qu'elle faisait pour sa mère; il admirait sa patience, sa fidélité, mais cherchait à s'éloigner d'elle.

Ce qu'il lui reprochait au fond de l'âme, eût-on dit, c'est d'être trop parfaite et qu'on ne pût rien lui reprocher. Elle avait tout ce qu'on apprécie chez les gens; mais elle avait peu de ce qu'il fallait avoir pour se faire aimer de lui. Et il sentait que plus il l'appréciait et moins il l'aimait. Il l'avait prise au mot quand, dans sa lettre, elle lui avait rendu sa liberté, et maintenant se conduisait vis-à-vis d'elle comme si tout ce qui s'était passé entre eux autrefois était oublié depuis longtemps et ne pouvait en aucun. cas se répéter.

La situation de Nicolas ne cessait d'empirer. L'intention qu'il avait eue d'économiser sur son traitement s'avéra n'être qu'un rêve. Non seulement il ne parvenait à rien mettre de côté mais il contractait de menues dettes pour satisfaire les exigences de sa mère. D'issue à cette situation, il n'en voyait aucune. La pensée d'épouser une riche héritière que lui proposaient des parentes lui était odieuse. L'idée d'une autre issue, la mort de sa mère, ne lui venait jamais à l'esprit. Il ne désirait rien, n'espérait rien et, tout au fond du cœur, goûtait une délectation sombre et austère à supporter sa situation sans murmures. Il essayait d'éviter ses anciennes connaissances, leur commisération et leurs offres offensantes de l'aider. Il évitait toute distraction, tout divertissement, ne s'occupait de rien, même à la maison où il passait le temps à faire des patiences avec sa mère, à marcher en silence à travers les chambres et à fumer une pipe après l'autre. Il avait l'air de s'appliquer à maintenir en lui cette sombre tension d'esprit qui seule lui permettait de supporter sa situation.

VI

Au début de l'hiver, la princesse Marie vint à Moscou. Elle apprit par la rumeur publique la situation des Rostov et comment « le fils se sacrifiait pour sa mère », ainsi qu'on disait en ville.

« Je n'attendais rien d'autre de lui », se disait la princesse Marie, se sentant avec joie confirmée dans son amour. Évoquant ses relations amicales, presque de parenté, avec tous les Rostov, elle considérait qu'elle devait aller les voir. Mais, au souvenir de ses rapports avec Nicolas à Voronège, elle avait peur de cette entrevue. Cependant, ayant fait un grand effort sur elle-même, quelques semaines après son arrivée, elle se rendit chez les Rostov.

Nicolas la reçut le premier, car on ne pouvait entrer chez la comtesse qu'en passant par la chambre de son fils. Aussitôt qu'il vit la princesse Marie, au lieu de l'expression de joie à laquelle elle s'attendait, le visage de Nicolas prit une expression d'orgueilleuse froideur, de sécheresse, que la princesse Marie ne lui avait jamais vue auparavant. Nicolas s'informa de sa santé, la conduisit auprès de sa mère et au bout de cinq minutes quitta la pièce.

Quand la princesse sortit de chez la comtesse, Nicolas vint au-devant d'elle et avec une solennité particulièrement froide la reconduisit jusque dans l'antichambre. Il ne répondit pas un mot à sa remarque au sujet de la santé de la comtesse. « En quoi cela vous regarde-t-il? Laissez-moi tranquille », disait son regard.

— Pourquoi vient-elle rôder ici? Que veut-elle? Je ne puis souffrir ces dames du monde et leurs amabilités! dit-il à haute voix devant Sonia, incapable évidemment de cacher son dépit, après que la voiture de la princesse se fut éloignée.

— Oh, comment peut-on parler ainsi, Nicolas! dit Sonia en ayant peine à contenir sa joie. Elle est si bonne, et *maman* l'aime tant.

Nicolas ne répondit pas. Il aurait voulu qu'on ne parlât plus de la princesse. Mais depuis sa visite, la vieille comtesse en parlait plusieurs fois par jour.

La comtesse la couvrait d'éloges, exigeait que son fils allât lui rendre visite, exprimait le désir de la voir plus souvent, et cependant, chaque fois qu'elle en parlait, son humeur pour finir tournait à l'aigre.

Nicolas essayait de se taire lorsque sa mère parlait de la princesse, mais son silence agaçait la comtesse.

— C'est une jeune fille très digne et remarquable, disait-elle, et tu dois aller la voir. Tu verras tout de même quelqu'un, alors que tu dois t'ennuyer avec nous, je pense.

— Mais je n'en ai aucunement envie, maman.

— Avant tu voulais la voir, et maintenant tu ne veux plus. Vraiment, mon cher, je ne te comprends pas. Tantôt tu t'ennuies, tantôt tu ne veux plus voir personne.

— Mais je n'ai pas dit que je m'ennuyais.

— Comment, tu as dit toi-même que tu ne voulais pas la voir! C'est une jeune fille très bien, et elle t'a toujours plu; et maintenant, tout à coup, tu as je ne sais quelles raisons... On me cache tout.

— Mais nullement, maman.

— Si encore je te demandais de faire quelque chose de désagréable, mais non, je te demande d'aller rendre une visite. Il me semble que la simple politesse l'exige... Je te l'ai demandé, et maintenant je ne m'en mêle plus, puisque tu as des secrets pour ta mère.

— Mais j'irai, si vous le désirez.

— Ça m'est égal, c'est pour toi que je le désire.

Nicolas soupirait, mordillait sa moustache et étalait les cartes en essayant d'attirer l'attention de sa mère vers un autre sujet.

Le second, le troisième et le quatrième jour, la même conversation se répéta encore et encore.

Après sa visite aux Rostov et l'accueil froid, inattendu, de Nicolas, la princesse Marie reconnut qu'elle avait eu raison de ne pas vouloir aller la première chez les Rostov.

« Je ne m'attendais à rien d'autre, se disait-elle, en faisant appel à son orgueil. — Il m'est indifférent, je voulais simplement revoir la vieille dame qui a toujours été bonne pour moi et à laquelle je dois beaucoup. »

Mais ces raisonnements ne parvenaient pas à l'apaiser. Un sentiment semblable au repentir la tourmentait quand elle se rappelait sa visite. Bien qu'elle eût pris la ferme résolution de ne plus aller chez les Rostov et d'oublier tout cela, elle avait constamment l'impression d'être dans une fausse situation. Et quand elle se posait la question de savoir ce qui la tourmentait, elle était obligée de s'avouer que c'étaient ses rapports avec Nicolas. Son ton froid et respectueux ne reflétait pas ses sentiments pour elle (cela, elle le savait); ce ton cachait quelque chose. Ce quelque chose, elle devait l'élucider, et d'ici là, elle ne pourrait être tranquille.

Au milieu de l'hiver, assise dans la salle d'étude, elle surveillait les leçons de son neveu, quand on vint lui annoncer le comte Rostov. Bien résolue à ne pas révéler son secret et à cacher son trouble, elle invita Mlle Bourienne à l'accompagner et entra au salon avec elle.

Dès le premier regard jeté sur le visage de Nicolas, elle comprit qu'il n'était venu que pour remplir un devoir de politesse, et décida de s'en tenir fermement au ton qu'il adopterait lui-même.

Ils parlèrent de la santé de la comtesse, des amis communs, des dernières nouvelles de la guerre et, lorsque furent écoulées les dix minutes qu'exigent les convenances, après lesquelles le visiteur peut se lever, Nicolas se leva pour prendre congé.

Avec l'aide de Mlle Bourienne, la princesse supporta fort bien la conversation ; mais à la toute dernière minute, au moment où il se levait, elle était si lasse de parler de ce qui ne lui importait pas, et la pensée qu'à elle seule si peu de joies avaient été accordées dans la vie s'empara à tel point de son esprit que, dans un accès de distraction, regardant droit devant elle de ses yeux lumineux, elle resta assise, immobile, sans remarquer qu'il s'était levé.

Nicolas la regarda et, feignant de ne pas remarquer sa distraction, il dit quelques mots à Mlle Bourienne et se tourna de nouveau vers la princesse. Elle était toujours assise, immobile, et sur son visage délicat se lisait la souffrance. Il eut soudain pitié d'elle et sentit confusément qu'il pouvait être la cause de cette souffrance. Il eut envie de l'aider, de lui dire quelque chose d'agréable; mais il ne trouvait rien à dire.

— Au revoir, princesse, dit-il. Elle se ressaisit, rougit violemment et poussa un profond soupir.

— Ah, excusez-moi, dit-elle, semblant s'éveiller. — Vous partez déjà, comte; eh bien, au revoir! Et le coussin pour la comtesse?

— Attendez, je vais l'apporter, dit Mlle Bourienne, et elle quitta le salon.

Tous deux se taisaient en se regardant de temps à autre.

— Oui, princesse, dit enfin Nicolas avec un triste sourire, il n'y a pas longtemps, semble-t-il, et pourtant que d'eau a passé sous les ponts depuis que nous nous sommes vus pour la première fois à Bogoutcharovo. Comme nous paraissions tous malheureux! Et pourtant, je donnerais cher pour faire revenir ce temps... mais impossible.

Tandis qu'il prononçait ces mots, la princesse le considérait avec insistance de ses yeux rayonnants. On eût dit qu'elle essayait de comprendre le sens caché de ses paroles qui lui aurait éclairé le sentiment qu'il éprouvait pour elle.

— Oui, oui, dit-elle, mais vous n'avez pas à regretter le passé, comte. D'après ce que je sais de votre vie actuelle, vous vous la rappellerez toujours avec joie, parce que l'abnégation dans laquelle vous vivez maintenant...

— Je n'accepte pas vos louanges, l'interrompit-il hâtivement; au contraire, je me fais constamment des reproches. Mais c'est là un sujet très peu intéressant et peu agréable.

Et son regard redevint froid et sec comme avant. Mais la princesse avait déjà retrouvé en lui l'homme qu'elle connaissait et aimait, et elle ne parlait plus qu'à cet homme-là.

— Je pensais que vous me permettriez de vous dire cela, dit-elle. Je m'étais tant rapprochée de vous... et de votre famille, et je croyais que vous ne considéreriez pas comme déplacée ma symtathie; mais je me suis trompée, dit-elle. Sa voix trembla soudain. — Je ne sais pourquoi, continua-t-elle en se ressaisissant, vous étiez si différent avant, et...

— Il y a des milliers de raisons POURQUOI (il appuya particulièrement sur le mot POURQUOI). Je vous remercie, princesse, dit-il doucement. C'est dur, parfois.

« Ainsi, voilà pourquoi! Voilà pourquoi! murmurait une voix intérieure dans l'âme de la princesse Marie. Non, je n'ai pas aimé en lui uniquement ce regard gai et ouvert, son extérieur agréable; j'ai deviné son âme noble, ferme et prête à se sacrifier, se disait-elle. Oui, maintenant il est pauvre, et je suis riche... Oui, ce n'est que pour cela... Oui, si ce n'était pas... » Et, en se rappelant sa tendresse d'autrefois et en regardant son bon et triste visage, elle comprit la raison de sa froideur.

— Pourquoi donc, comte, pourquoi? cria-t-elle soudain presque malgré elle, en se rapprochant de lui. Pourquoi, dites-moi? Vous devez me dire. — Il se taisait. — J'ignore, comte, votre POURQUOI, continua-t-elle. Mais cela m'est pénible, je... je vous l'avoue. Vous voulez, je ne sais pourquoi, me priver de votre ancienne amitié. Et cela me fait mal. — Sa voix et ses yeux étaient pleins de larmes. — J'ai eu si peu de bonheur dans la vie que toute perte m'est dure... Pardonnez-moi, adieu.

Elle fondit soudain en larmes et se dirigea vers la porte.

— Princesse, attendez, au nom du ciel! s'écria-t-il en essayant de l'arrêter. Princesse!

Elle se retourna. Pendant plusieurs secondes ils se regardèrent dans les yeux en silence, et ce qui était lointain et impossible devint soudain proche, possible, inéluctable...

. . . .

VII

En automne 1814, Nicolas épousa la princesse Marie et s'installa avec sa femme, sa mère et Sonia à Lyssya Gory.

En quatre ans, sans vendre les propriétés de sa femme, il parvint à payer ses dernières dettes et, ayant reçu un petit héritage après la mort d'une cousine, il put également rembourser Pierre.

Trois ans plus tard, vers 1820, Nicolas avait si bien rétabli ses affaires qu'il put acheter une petite propriété près de Lyssya Gory et menait des pourparlers pour le rachat de la maison paternelle d'Otradnoïë, ce qui était son grand rêve.

Ayant commencé à s'occuper de ses domaines par nécessité, il se prit bientôt d'une telle passion pour leur mise en valeur que l'agriculture devint son occupation préférée et même exclusive.

Nicolas avait des idées simples, il n'aimait pas les innovations, surtout les innovations anglaises qui commençaient alors à être à la mode, se moquait des ouvrages théoriques d'agronomie, ne voulait pas entendre parler de haras, de productions coûteuses et d'ensemencements de céréales chères. En général, il ne s'occupait jamais spécialement d'une partie quelconque de l'exploitation; il avait toujours devant les yeux LE DOMAINE dans son ensemble et non pas telle ou telle de ses parties. Et le plus important pour lui ce n'était pas l'azote et l'oxygène du sol et de l'air, non pas telle charrue perfectionnée ou tel engrais spécial, mais cet outil essentiel par l'entremise duquel agissent l'azote et l'oxygène et l'engrais et la charrue, c'est-à-dire le travailleur, le paysan. Quand Nicolas entreprit l'exploitation de son domaine et commença à en étudier les différents secteurs, le paysan attira spécialement son attention; il était à ses yeux non seulement l'outil, mais le but et le juge. Il commença par observer attentivement le paysan en essayant de comprendre de quoi il avait besoin, ce qu'il considérait comme bon et comme mauvais; il faisait semblant de prendre des dispositions et de donner des ordres, mais en réalité il ne cherchait qu'à s'instruire auprès des paysans sur les procédés et les paroles et les jugements qu'ils considéraient comme bons ou mauvais. Et c'est seulement lorsqu'il eut compris les goûts et les aspirations du paysan, lorsqu'il eut appris à parler comme lui et à pénétrer le sens caché de ses propos, lorsqu'il se fut senti proche de lui, c'est alors seulement qu'il commença à le diriger hardiment, c'est-à-dire à remplir par rapport aux paysans le devoir qui lui incombait. Et la gestion de Nicolas donna les résultats les plus brillants.

En se chargeant de l'administration du domaine, Nicolas, guidé par une sorte de prescience, nomma d'emblée bailli, staroste, adjoint [1], ceux-là mêmes que les paysans eussent élus s'ils avaient pu choisir; et les hommes qu'il nomma restèrent toujours en place. Avant d'étudier les propriétés chimiques du fumier, avant de se plonger dans le DÉBIT et le CRÉDIT (ainsi qu'il disait en plaisantant), il s'informa de la quantité de bétail que possédaient les paysans, et il cherchait par tous les moyens à l'augmenter; il veillait à ce que les familles s'étendissent en maintenant leur unité et n'autorisait pas les partages. Il traquait les paresseux, les débauchés, les incapables, et essayait de les exclure de la communauté.

Au temps des semailles, de la rentrée des foins et de la moisson, il surveillait pareillement ses propres champs et ceux des paysans. Et rares étaient les propriétaires dont les champs étaient aussi bien et aussi rapidement ensemencés et moissonnés, et rapportaient autant que chez Nicolas.

Il n'aimait pas avoir affaire aux domestiques; il les appelait des bons a rien, et aux dires de tous, les laissait trop libres et les gâtait; quand il fallait prendre une décision au sujet d'un domestique et surtout s'il fallait le punir, il hésitait et demandait conseil à tout le monde. Mais lorsqu'il lui était possible de donner au recrutement un domestique au lieu d'un paysan, il le faisait sans la moindre hésitation. S'agissait-il en revanche de dispositions concernant les paysans, il n'éprouvait jamais de doutes. Chacune de ses décisions, il le savait, serait approuvée par tous, contre un ou quelques-uns.

Il ne se permettait pas plus de surcharger de travail ou de punir un homme, d'alléger son sort ou de le récompenser pour la seule raison que tel était son bon plaisir. Il n'eût pu dire quelle était cette règle d'après laquelle il jugeait ce qu'il fallait et ne fallait pas faire, mais cette règle existait en lui, ferme, inébranlable.

Il lui arrivait souvent de dire, dépité de quelque échec, de quelque désordre : « Avec notre peuple russe », s'imaginant qu'il ne pouvait souffrir les paysans.

Mais il aimait de toutes les forces de son âme ce peuple russe et sa façon de vivre; et c'est grâce à cela justement qu'il avait pu comprendre et adopter l'unique méthode d'exploitation susceptible de donner de bons résultats.

Cette passion de son mari provoquait la jalousie de la comtesse Marie qui regrettait de ne pouvoir la partager, mais elle était incapable de comprendre les joies et les peines que lui distribuait ce monde à part où elle se sentait une étrangère. Elle ne comprenait pas pourquoi, levé à l'aube et ayant passé toute la journée dans les champs ou à l'aire, il revenait des semailles, de la fenaison ou de la moisson prendre le thé avec elle, si animé et heureux. Elle ne comprenait pas ce qu'il admirait tellement quand l parlait avec enthousiasme du riche paysan Matvéi Ermichine qui avait passé toute la nuit avec sa famille à transporter ses gerbes, si bien que ses meules étaient déjà prêtes alors que personne encore n'avait terminé la moisson. Elle ne comprenait pas pourquoi, allant et venant de la fenêtre au balcon, il souriait si joyeusement sous ses moustaches et clignait de l'œil quand sur l'avoine en train de sécher sur pied tombait une pluie tiède et drue; ou pourquoi, quand à la fenaison ou à la moisson, un nuage menaçant était chassé par le vent, il se frottait gaiement les mains en revenant de l'aire, rouge, hâlé et en sueur, les cheveux imprégnés des senteurs d'absinthe et de menthe, et disait : « Allons, encore un jour, et ma récolte et celle des paysans, tout sera engrangé! »

Elle pouvait encore moins comprendre pourquoi, lui qui avait si bon cœur et était toujours prêt à prévenir ses désirs, se montrait presque désespéré quand elle lui transmettait la prière de paysannes ou de paysans qui s'étaient adressés à elle pour obtenir d'être dispensés des travaux, pourquoi lui, le bon Nicolas, refusait obstinément, lui demandant d'un ton irrité de ne pas se mêler de ce qui ne la regardait pas. Elle sentait qu'il avait un univers à lui qu'il aimait passionnément et que gouvernaient des lois qu'elle ne comprenait pas.

Quand, essayant de le comprendre, elle lui disait parfois qu'il avait du mérite à s'occuper du bien de ses serfs, il se fâchait et répondait : « En aucune manière : l'idée ne m'en vient même pas à l'esprit, et pour leur bien je ne ferais pas ça! Tout ça, c'est de la poésie et des contes de bonne femme, tout ça, le bien du prochain! Il faut que nos enfants ne soient pas obligés de mendier leur pain; il me faut assurer notre fortune tant que je suis en vie. Voilà tout. Et pour cela, il faut de l'ordre, il faut de la sévérité... Voilà! » disait-il en serrant son poing d'homme sanguin. « Bien sûr, aussi de la justice, ajoutait-il, car si le paysan est nu et affamé, et n'a qu'un misérable cheval, il ne travaillera ni pour lui ni pour moi. »

Et sans doute était-ce parce que Nicolas ne se permettait pas de penser qu'il faisait quelque chose pour les autres au nom de la vertu, sans doute était-ce pour cela que tout ce qu'il faisait portait ses fruits : sa fortune augmentait rapidement, les paysans du voisinage venaient lui demander de les acheter, et après sa mort, le peuple garda longtemps la pieuse mémoire de son administration. « C'était un maître... D'abord, la part des paysans, ensuite, la sienne. Avec ça, exigeant. Un maître, quoi! »

VIII

Une chose seulement tourmentait parfois Nicolas dans ses rapports avec ses gens : il était emporté et de plus avait la main leste, fidèle en cela à une vieille habitude de hussard. Les premiers temps, il n'y voyait rien de répréhensible, mais au cours de la deuxième année de son mariage, son point de vue sur ces sortes de règlements de compte changea brusquement.

Un jour, en été, on convoqua le staroste de Bogoutcharovo qui avait succédé à feu Drone et qu'on accusait de nombreuses malversations et négligences. Nicolas le reçut sur le perron, et dès les premières réponses du staroste, des cris et des coups retentirent dans l'entrée. Revenu à la maison pour le déjeuner, Nicolas s'approcha de sa femme, assise la tête baissée devant son métier à broder, se mit à lui raconter selon son habitude ses occupations de la matinée et parla du staroste de Bogoutcharovo. La comtesse Marie, rougissant, pâlissant et serrant les lèvres, restait assise la tête toujours baissée et ne répondait rien aux paroles de son mari.

— Quelle impudente canaille! disait-il en s'échauffant au seul souvenir de l'incident. Encore s'il m'avait dit qu'il était ivre, qu'il n'avait pas remarqué... Mais qu'as-tu, Marie? demanda-t-il soudain.

Le comtesse Marie leva la tête, voulut dire quelque chose, mais aussitôt la baissa de nouveau et serra les lèvres.

— Qu'as-tu? Que t'arrive-t-il, mon amie?...

La comtesse Marie qui n'était pas jolie embellissait toujours quand elle pleurait. Elle ne pleurait jamais sous le coup d'une douleur physique ou de dépit, elle ne pleurait que parce qu'elle était triste ou qu'elle avait pitié. Et quand elle pleurait, ses yeux rayonnants acquéraient un charme indicible.

Dès que Nicolas lui eut pris la main, elle ne put se contenir et fondit en larmes.

— Nicolas, j'ai vu... il est coupable, mais toi, comment toi? Nicolas! — Et elle cacha son visage dans ses mains.

Nicolas se tut, devint cramoisi et s'étant éloigné d'elle se mit à arpenter la pièce en silence. Il comprit pourquoi elle pleurait; mais il ne pouvait instantanément se trouver d'accord avec elle, reconnaître que ce qui lui était familier depuis l'enfance et qu'il considérait comme la chose la plus ordinaire fût condamnable.

« Sentimentalité, contes de bonne femme que tout ça! Ou bien a-t-elle raison? » se demandait-il. N'ayant pu résoudre cette question, il jeta de nouveau un regard sur ce visage douloureux et aimant, et comprit soudain qu'elle avait raison et qu'il était depuis longtemps coupable vis-à-vis de lui-même.

— Marie, dit-il doucement en s'approchant d'elle, cela n'arrivera plus jamais; je te donne ma parole. Jamais, répéta-t-il d'une voix tremblante, comme un petit garçon qui demande pardon.

Les larmes coulèrent encore plus abondantes des yeux de la comtesse. Elle prit la main de son mari et la baisa.

— Nicolas, quand as-tu brisé ton camée? dit-elle pour changer de conversation, en examinant la main qui portait une bague avec la tête de Laocoon.

— Aujourd'hui, c'est toujours cette histoire. Ah, Marie, ne me rappelle plus cela. — Il s'empourpra de nouveau. — Mais que ceci m'en fasse toujours souvenir, dit-il en désignant la bague abîmée.

Depuis lors, dès qu'au cours d'une explication avec un staroste ou un employé le sang lui montait au visage et qu'il commençait à serrer les poings, Nicolas tournait la bague au camée brisé sur son doigt et baissait les yeux devant l'homme qui l'avait mis en colère. Une ou deux fois par an cependant, il s'oubliait et alors, revenu près de sa femme, il avouait et lui promettait que maintenant, c'était bien la dernière fois.

— Marie, tu dois me mépriser sans doute? Je le mérite, disait-il.

— Pars, pars vite, si tu sens que tu n'as pas la force de te dominer, disait tristement la comtesse Marie en essayant de consoler son mari.

La noblesse de la province estimait Nicolas, mais on ne l'aimait pas. Les intérêts des propriétaires fonciers le laissaient indifférent, c'est pourquoi les uns le prenaient pour un homme orgueilleux, les autres pour un sot. En été, il consacrait tout son temps, depuis les semailles de printemps jusqu'à la rentrée des moissons, à ses terres. En automne, il s'adonnait à la chasse avec le même sérieux et le même sens pratique avec lesquels il administrait son domaine: il partait pour un mois ou même deux, avec ses meutes. En hiver, il visitait ses autres villages et lisait, surtout des livres d'histoire qu'il faisait venir chaque année pour une somme fixe. Il se constituait, ainsi qu'il disait lui-même, une bibliothèque sérieuse, et il s'était fait une règle de lire tous les livres qu'il recevait. L'air important, il s'installait dans son cabinet pour cette lecture qu'il s'était tout d'abord imposée comme un devoir et qui était devenue ensuite une habitude qui lui procurait un plaisir d'un ordre particulier et la conscience de s'occuper de choses sérieuses. En dehors de ses voyages d'affaires, en hiver, il passait la plus grande partie de son temps à la maison, dans l'intimité de la famille, participant jusque dans ses moindres détails à l'existence quotidienne de sa femme et de ses enfants. Sa femme lui devenait de plus en plus proche; chaque jour, il découvrait en elle de nouvelles richesses spirituelles.

Depuis le mariage de Nicolas, Sonia habitait chez lui. Avant son mariage, Nicolas, en s'accusant et en faisant de Sonia de grands éloges, avait raconté à sa femme tout ce qui s'était passé entre lui et la jeune fille. Il avait demandé à la comtesse Marie de se montrer bonne et affectueuse avec elle. La comtesse avait parfaitement conscience des torts de son mari; elle aussi se sentait coupable envers Sonia, pensait que sa fortune avait joué un certain rôle dans le choix de Nicolas, ne pouvait rien reprocher à Sonia, désirait l'aimer; et cependant, non seulement elle ne l'aimait pas mais il lui arrivait souvent de découvrir au fond de son cœur de mauvais sentiments à son égard, et elle ne parvenait pas à les réprimer.

Un jour, causant de Sonia avec son amie Natacha, elle lui dit qu'elle se sentait injuste envers elle.

— Tu sais, répondit Natacha, toi qui lis souvent l'Évangile, il y a là un passage qui concerne directement Sonia.

— Lequel? demanda avec étonnement la comtesse Marie.

— « On donnera à celui qui a et à celui qui n'a pas, il sera enlevé [1] ». Tu te souviens? Elle est celle qui n'a pas. Pourquoi? Je l'ignore. Peut-être n'y a-t-il pas d'égoïsme en elle, je ne sais pas; mais on lui enlève, et tout lui a été enlevé. J'ai parfois douloureusement pitié d'elle. Avant, je désirais de toutes mes forces que Nicolas l'épousât, mais j'ai toujours eu comme le pressentiment que cela ne se ferait pas. Elle est la FLEUR STÉRILE. Tu sais, comme sur les fraisiers? Parfois, j'ai pitié d'elle et parfois je me dis qu'elle ne sent pas cela comme nous l'aurions senti.

Et bien que la comtesse Marie eût expliqué à Natacha que ces paroles de l'Évangile devaient être comprises autrement, lorsqu'elle regardait Sonia elle était d'accord avec l'interprétation de Natacha. Il semblait en effet que Sonia ne souffrait pas de sa situation et était complètement résignée à son rôle de FLEUR STÉRILE. Elle semblait ne pas tant tenir aux individus qu'à l'ensemble de la famille. Comme une chatte, elle s'était attachée non aux hommes mais à la maison. Elle soignait la vieille comtesse, caressait et gâtait les enfants, était toujours prête à rendre les menus services dont elle était capable; mais tout cela était involontairement accepté avec trop peu de reconnaissance...

Les bâtiments de Lyssya Gory avaient été restaurés, mais n'avaient pas la même allure que du temps du vieux prince.

Les constructions entreprises aux jours de gêne étaient plus que simples. La grande maison élevée sur les anciennes fondations de pierre était en bois, crépie seulement à l'intérieur. Les pièces au plancher de bois blanc étaient meublées de fauteuils et de divans des plus ordinaires et durs, de tables et de chaises confectionnées par les menuisiers du village avec le bois des bouleaux du domaine. La maison, spacieuse, comportait des chambres pour les domestiques et une aile destinée aux visiteurs. Les parents des Rostov et des Bolkonsky se réunissaient parfois à Lyssya Gory où ils arrivaient en famille avec leurs seize chevaux et des dizaines de serviteurs, et y passaient des mois. De plus, quatre fois par an, aux anniversaires et fêtes des maîtres de la maison, Lyssya Gory accueillait jusqu'à cent personnes pour un ou deux jours. Le reste du temps, l'existence s'écoulait immuablement régulière, avec ses occupations habituelles, les thés, les déjeuners, les dîners, les soupers préparés avec les produits du domaine.

IX

C'était la veille de la Saint Nicolas d'hiver, le 5 décembre 1820. Cette année-là Natacha, son mari et ses enfants séjournaient chez les Rostov depuis le début de l'automne. Pierre était à Pétersbourg où il s'était rendu pour affaires personnelles, comme il disait, pour trois semaines; mais il était absent déjà depuis plus de six semaines. On l'attendait d'un moment à l'autre.

Le 5 décembre, en plus de la famille Bézoukhov, les Rostov recevaient encore un vieil ami de Nicolas, le général en retraite Vassili Feodorovitch Dénissov.

Nicolas savait que lorsque les invités se réuniraient le 6, jour de la solennité, il serait obligé d'enlever son bechmet [1], de mettre sa redingote et des bottes étroites à bouts pointus, de se rendre à la nouvelle église qu'il venait de faire bâtir, puis de recevoir les félicitations, d'offrir des zakousky et de parler des élections de la noblesse et de la récolte. Mais il considérait qu'il avait encore le droit de passer la veille de ce jour comme à l'ordinaire. Avant le dîner, Nicolas vérifia les comptes du régisseur d'un village de la province de Riazan appartenant au neveu de sa femme, écrivit deux lettres d'affaires et fit un tour à l'aire, ainsi qu'aux étables et aux écuries. Ayant pris des mesures contre l'ivresse générale à laquelle il fallait s'attendre à l'occasion de la fête patronale, il rentra pour le dîner et, sans avoir eu le temps d'échanger un mot en tête à tête avec sa femme, s'assit à la longue table de vingt couverts où avaient pris place tous les habitants de la maison : sa mère et la vieille Mme Biélov qui lui tenait compagnie, sa femme, ses trois enfants, leur gouvernante et leur précepteur, le jeune Nicolas avec son précepteur, Sonia, Dénissov, Natacha, ses trois enfants, leur gouvernante et le vieux Mikhaïl Ivanytch, l'architecte du prince, qui vivait au repos à Lyssya Gory.

La comtesse Marie était assise à l'autre bout de la table, en face de son mari. Dès qu'il se fut assis, à la façon dont, ayant pris sa serviette, il avait déplacé rapidement le verre et le gobelet qui se trouvaient devant lui, la comtesse Marie se dit qu'il était de mauvaise humeur comme cela lui arrivait quelquefois, surtout avant la soupe et lorsqu'il venait directement à table après un tour dans la propriété. La comtesse Marie connaissait parfaitement cet état d'esprit et quand elle-même était bien disposée, elle attendait tranquillement qu'il eût mangé sa soupe, et alors seulement lui parlait et l'obligeait à avouer qu'il était de mauvaise humeur sans raison. Mais ce jour-là, elle oublia comment elle se conduisait en de telles occasions; elle s'attrista de le voir fâché contre elle sans raison et se sentit malheureuse. Elle lui demanda où il avait été. Il répondit. Elle lui demanda encore si tout allait bien dans le domaine. Mais son ton manquant de naturel, il fit la grimace et répondit avec brusquerie.

« Ainsi, je ne me suis pas trompée, se dit la comtesse Marie, et pourquoi est-il fâché contre moi? » A la façon dont il lui avait répondu, elle devina qu'il était irrité contre elle et voulait couper court à la conversation. Elle sentait elle-même que son ton manquait de naturel; mais elle ne put s'empêcher de poser encore quelques questions.

La conversation grâce à Dénissov devint bientôt générale et animée, et la comtesse Marie ne parla plus à son mari. Quand on se leva de table et qu'on vint remercier la vieille comtesse, la comtesse Marie embrassa son mari, tout en lui tendant sa main à baiser[1], et lui demanda pourquoi il était fâché avec elle.

— Tu as toujours des idées bizarres; je ne songe même pas à être fâché, dit-il.

Mais le mot « toujours » répondait à la comtesse Marie : « Oui, je suis fâché, et je ne veux pas dire pourquoi. »

Nicolas vivait en si bonne intelligence avec sa femme que même Sonia et la vieille comtesse qui, par jalousie, auraient souhaité la mésentente entre les époux, ne pouvaient trouver aucun prétexte à une critique quelconque. Cependant, il y avait des moments où ils éprouvaient l'un pour l'autre une certaine animosité. Parfois, et justement après les périodes les plus heureuses, un sentiment d'éloignement et d'hostilité les envahissait brusquement. Cela se produisait généralement pendant les grossesses de la comtesse, et elle était justement dans cet état.

— Allons, *messieurs et mesdames*, dit Nicolas d'une voix forte et qui semblait gaie (sa femme avait l'impression qu'il le faisait exprès pour l'offenser), je suis sur pied depuis six heures du matin. Demain, il faudra bien souffrir; mais aujourd'hui je vais me reposer.

Et sans rien dire à la comtesse Marie, il alla dans le petit fumoir et s'allongea sur le divan.

« Voilà, c'est toujours ainsi, songeait la comtesse Marie. Il parle à tout le monde sauf à moi. Je vois, je vois que je lui répugne, surtout quand je suis dans cet état. » Elle regarda son gros ventre; puis, dans la glace, son visage pâle, jaunâtre et amaigri aux yeux plus grands que jamais.

Et tout lui devint désagréable; et les cris et les rires de Dénissov, et les propos de Natacha, et surtout ce regard rapide que lui lança Sonia.

Sonia offrait toujours à la comtesse Marie le premier prétexte qu'elle cherchait pour nourrir son irritation.

Après être restée un moment avec les invités sans rien comprendre à ce qu'ils disaient, elle sortit discrètement et alla dans la chambre des enfants.

Les enfants voyageaient juchés sur des chaises; ils allaient à Moscou et l'invitèrent à les accompagner. Elle s'assit et joua un moment avec eux, mais la pensée de son mari et de son hostilité sans raison ne cessait de la tourmenter. Elle se leva et se dirigea avec peine, sur la pointe des pieds, vers le petit fumoir.

« Peut-être ne dort-il pas; je m'expliquerai avec lui », se disait-elle ; André, l'aîné des garçons, la suivit sur la pointe des pieds en contrefaisant sa démarche. La comtesse Marie ne le remarqua pas.

— *Chère Marie, il dort, je crois ; il est si fatigué*, dit Sonia qu'elle rencontra dans le grand fumoir (la comtesse avait l'impression qu'elle la rencontrait partout). — Il ne faut pas qu'André le réveille.

La comtesse Marie se retourna, vit derrière elle le petit André, sentit que Sonia avait raison, et justement pour cela rougit et retint avec un visible effort une parole blessante. Elle ne dit rien et pour ne pas obéir à Sonia fit signe de la main à son fils de ne pas faire de bruit, mais il la suivit tout de même et s'approcha de la porte. Sonia alla à l'autre porte. De la chambre où dormait Nicolas parvenait le bruit régulier de sa respiration, dont les moindres nuances étaient familières à sa femme. Elle entendait cette respiration, voyait devant elle son beau front lisse, ses moustaches, son visage qu'elle avait si souvent contemplé dans le silence de la nuit tandis qu'il dormait. Nicolas fit soudain un mouvement et poussa un grognement. Et au même instant, le petit André cria de derrière la porte :

— Papa, maman est ici.

La comtesse Marie pâlit d'effroi et fit des signes à son fils. Il se tut et le silence, angoissant pour la comtesse Marie, se prolongea une minute. Elle savait combien Nicolas détestait qu'on le réveillât. Soudain un nouveau grognement retentit derrière la porte, puis un mouvement, et la voix mécontente de Nicolas qui dit :

— Ils ne me laisseront pas tranquille une minute. Marie, c'est toi ? Pourquoi l'as-tu amené ?

— J'étais venue voir seulement..., je n'avais pas remarqué... excuse-moi...

Nicolas toussa et se tut. La comtesse Marie s'éloigna de la porte et reconduisit son fils dans la chambre d'enfants. Cinq minutes plus tard, la petite Natacha aux yeux noirs, âgée de trois ans, la préférée de Nicolas, apprenant de son frère que papa dormait et que maman était dans le grand fumoir, accourut auprès de son père à l'insu de la comtesse Marie. La petite fille aux yeux noirs fit hardiment grincer la porte, s'approcha du divan d'un pas décidé sur ses petits pieds arrondis et, ayant examiné la position de son père qui dormait en lui tournant le dos, se dressa sur le bout des pieds et embrassa la main de son père sur laquelle reposait sa tête. Nicolas se retourna, un sourire attendri sur les lèvres.

— Natacha, Natacha! dit derrière la porte la comtesse Marie effrayée. — Papa veut dormir.

— Mais non, maman, il ne veut pas dormir, répondit la petite Natacha avec assurance. Il rit.

Nicolas posa ses pieds par terre, se souleva et prit sa fille dans ses bras.

— Entre, Macha, dit-il à sa femme.

La comtesse Marie entra et s'assit près de son mari.

— Je n'avais pas vu tout à l'heure qu'il me suivait, dit-elle en hésitant, J'étais venue comme ça, pour rien...

Tenant sa fille d'un bras, Nicolas regarda sa femme et, ayant remarqué l'expression contrite de son visage, l'entoura de son autre bras et l'embrassa dans les cheveux.

— On peut embrasser maman? demanda-t-il à Natacha.

Natacha sourit timidement.

— Encore, dit-elle en indiquant d'un geste impératif l'endroit où Nicolas venait d'embrasser sa femme.

— Je ne sais pas pourquoi tu t'imagines que je suis de mauvaise humeur, dit Nicolas, répondant à la question qui, il le savait, tourmentait sa femme.

— Tu ne peux te figurer à quel point je me sens seule et malheureuse quand tu es ainsi. Il me semble toujours...

— Allons, Marie, sottises que tout cela! Comment n'as-tu pas honte! dit-il gaiement.

— Il me semble que tu ne peux m'aimer, que je suis si laide... toujours... et maintenant, dans ma po...

— Ah, que tu es comique! Non pas aimée parce que belle, mais belle parce qu'aimée [1]. Ce sont les Malvina et autres qu'on aime parce qu'elles sont belles. Mais ma femme, est-ce que je l'aime? Ce n'est pas que je l'aime, c'est autre chose que je ne sais comment t'expliquer. Sans toi, et quand un chat noir, comme aujourd'hui, traverse notre route, je suis comme perdu et ne peux rien faire. Est-ce que j'aime mon doigt? Je ne l'aime pas, mais essaye un peu de me le couper...

— Non, pour moi, ce n'est pas ainsi, mais je comprends. Alors tu n'es pas fâché contre moi?

— Terriblement fâché, dit-il en souriant et s'étant levé il se lissa les cheveux et se mit à arpenter la chambre.

— Sais-tu, Marie, à quoi je songeais? — Et la paix étant conclue, il commença aussitôt à penser à haute voix devant sa femme.

Il ne demandait pas si elle était disposée à l'écouter; peu

lui importait. Une idée lui était venue à l'esprit, elle devait donc l'avoir aussi. Et il lui fit part de son intention de demander à Pierre de rester chez eux jusqu'au printemps.

La comtesse Marie l'écouta, fit quelques remarques et commença à son tour à penser tout haut. Ses pensées à elle concernaient les enfants.

— Comme on voit déjà la femme, dit-elle en français en désignant la petite Natacha. Vous autres, vous nous reprochez notre manque de logique. La voilà, notre logique. Je dis : papa veut dormir, et elle répond : non, il rit. Et elle a raison, dit la comtesse Marie avec un sourire heureux.

— Oui, oui!

Prenant sa fille dans ses bras vigoureux, Nicolas la souleva, l'assit sur son épaule en la tenant par ses petites jambes, et se mit à marcher avec elle à travers la pièce. Le père et la fille avaient la même mine béate.

— Tu sais, tu es peut-être injuste. Tu l'aimes trop, celle-là, dit à mi-voix et en français le comtesse Marie.

— Oui, mais que faire?... J'essaye de ne pas le montrer...

A ce moment dans l'entrée et dans l'antichambre on entendit le bruit du contrepoids et des pas qui signalaient un visiteur.

— Quelqu'un vient.

— Je suis sûre que c'est Pierre. Je vais aller voir, dit la comtesse Marie, et elle sortit.

En son absence, Nicolas se permit de faire avec sa fille le tour de la chambre au galop. Essoufflé, il se hâta de faire descendre la fillette rieuse et la serra contre sa poitrine. Les bonds qu'il venait de faire lui rappelèrent la danse et, regardant le visage rond et joyeux de l'enfant, il se prit à songer à ce qu'elle serait quand plus tard, devenu vieux, il commencerait à la mener dans le monde et danserait avec elle la mazurka, comme feu son père dansait avec sa fille le Danilo Cooper.

— C'est lui, c'est lui, Nicolas! dit quelques minutes plus tard la comtesse Marie en rentrant dans la chambre. Voilà notre Natacha qui revit maintenant. Tu aurais dû voir son ravissement et comme elle l'a attrapé pour être resté si longtemps absent. Allons, viens, viens vite! Séparez-vous donc à la fin, dit-elle en souriant et en regardant l'enfant qui se serrait contre son père.

Nicolas sortit tenant sa fille par la main. La comtesse Marie resta dans le fumoir.

« Jamais, jamais, je n'aurais cru qu'on pût être aussi heureuse », murmura-t-elle. Un sourire fit rayonner son visage; mais au même moment elle soupira et son profond regard refléta une douce tristesse, comme si en plus du bonheur qu'elle connaissait il existait un autre bonheur, impossible à atteindre en cette vie, dont involontairement elle se souvenait en cette minute.

X

Natacha s'était mariée au début du printemps 1813, et en 1820 elle avait déjà trois filles et un fils qu'elle avait longtemps désiré et que maintenant elle nourrissait elle-même. Elle avait grossi et s'était élargie, si bien qu'il était difficile de reconnaître dans cette forte mère de famille la fine et remuante Natacha d'autrefois. Ses traits s'étaient accentués et avaient pris une expression de paisible douceur et de sérénité. On ne retrouvait plus sur son visage cette flamme vivante qui, auparavant, brûlait constamment en elle et faisait son charme. Maintenant, on ne voyait souvent que son visage et son corps, et son âme restait complètement invisible. On ne voyait qu'une puissante femelle, belle et féconde. L'ancienne flamme se ranimait en elle rarement à présent. Cela n'arrivait que lorsque son mari rentrait de voyage, comme maintenant, et quand un de ses enfants relevait de maladie, ou encore quand elle parlait avec sa belle-sœur du prince André (elle ne parlait jamais de lui avec son mari, le supposant jaloux du souvenir qu'elle en gardait) et encore, très rarement, quand quelque chose l'incitait inopinément à chanter. Elle avait complètement abandonné le chant depuis son mariage. Et en ces rares instants, quand l'ancienne flamme s'allumait dans ce beau corps épanoui, elle était encore plus séduisante qu'autrefois.

Depuis son mariage, Natacha vivait avec son mari à Moscou, à Pétersbourg et dans leur domaine près de Moscou, ou chez sa mère, c'est-à-dire chez Nicolas. On voyait peu dans le monde la jeune comtesse Bézoukhov, et ceux qui l'y voyaient n'étaient guère contents d'elle. Elle n'était ni charmante, ni aimable. Non que Natacha aimât la solitude (elle ne savait pas si elle l'aimait ou non, et il lui semblait plutôt que non), mais portant, mettant au monde et allaitant ses enfants, et prenant part à tout instant à la vie de son mari, elle ne pouvait satisfaire ces besoins de sa nature qu'en renonçant à la vie mondaine. Tous ceux qui avaient connu Natacha avant son mariage se montraient surpris du changement survenu en elle comme d'une chose extraordinaire. Seule la vieille comtesse qui avec son instinct maternel, avait compris que tous les élans de Natacha n'étaient dus qu'au besoin d'avoir une famille, un mari (comme elle-même l'avait proclamé un jour à Otradnoïé moins en manière de plaisanterie que comme une expression de la vérité), seule la mère s'étonnait de l'étonnement des gens qui ne comprenaient pas Natacha; et elle répétait qu'elle avait toujours su que Natacha serait une épouse et une mère exemplaires.

— Elle pousse seulement à l'extrême son amour pour son mari et ses enfants, cela en devient même stupide, disait la comtesse.

Natacha ne suivait pas cette règle d'or professée par les gens intelligents et surtout par les Français, laquelle dit qu'en se mariant la jeune fille ne doit pas se laisser aller, ne doit pas renoncer à ses talents, doit plus que jamais s'occuper de son extérieur, doit demeurer attirante pour son mari tout comme elle cherchait à l'être aux yeux de son fiancé. Natacha, au contraire, abandonna immédiatement tous ses moyens de séduction, dont un des plus puissants était son chant. Elle l'abandonna justement parce que c'était un charme puissant. Natacha ne se souciait ni de ses manières, ni de sa façon de parler; elle ne songeait pas à apparaître à son mari dans les attitudes les plus avantageuses, ou à ses toilettes, ou à éviter de tracasser son mari par ses exigences. Elle agissait à l'inverse de ces règles. Elle sentait que toutes les séductions que son instinct lui avait appris à utiliser auparavant auraient été maintenant tout simplement ridicules aux yeux de son mari à qui, dès la première minute, elle s'était donnée tout entière, c'est-à-dire de toute son âme, sans lui fermer ne fût-ce qu'un petit coin de son être. Elle sentait que ce qui la liait à son mari, ce n'étaient pas les poétiques sentiments qui l'avaient attiré vers elle; c'était quelque chose d'autre, d'indéfinissable, mais de ferme, comme ce qui liait son propre corps à son âme.

Faire mousser ses boucles, porter des paniers et chanter des romances pour attirer son mari, lui eût semblé aussi étrange que de se parer pour sa propre satisfaction. Quant à se parer pour plaire aux autres, peut-être que cela lui eût été en effet agréable, elle n'en savait rien, mais elle n'en avait absolument pas le temps. Si elle ne s'occupait ni de chant, ni de sa toilette, ni du choix de ses expressions, cela tenait principalement à ce qu'elle n'avait pas le temps de s'en occuper.

On sait que l'homme est capable de se laisser entièrement absorber par un objet quelconque, si insignifiant qu'il paraisse. Et on sait qu'il n'est pas d'objet, si insignifiant soit-il, qui ne grandisse à l'infini lorsqu'on pose sur lui son attention.

L'objet qui avait complètement accaparé Natacha était sa famille, c'est-à-dire un mari — qu'il fallait savoir prendre de telle façon qu'il lui appartînt sans partage, à elle, à la maison, — et des enfants qu'il fallait porter, mettre au monde, nourrir et élever.

Et plus profondément elle pénétrait, non pas avec son intelligence mais de toute son âme, de tout son être, dans ce monde qui l'occupait, plus cet objet grandissait sous ses yeux attentifs, et plus faibles, plus insignifiantes lui paraissaient ses propres forces, si bien qu'elle les concentrait toutes sur une seule chose, et malgré cela n'arrivait pas à faire tout ce qui lui semblait nécessaire.

Les discussions et les considérations sur le droit de la femme, les rapports entre les époux, leur liberté et leurs droits, bien qu'on ne les appelât pas encore comme aujourd'hui des « QUESTIONS », avaient cours alors exactement comme aujourd'hui, mais ces questions non seulement n'intéressaient pas Natacha mais elle ne les comprenait absolument pas.

Ces questions, alors comme aujourd'hui, existaient uniquement pour les hommes qui dans le mariage ne voient que le plaisir que reçoivent les époux l'un de l'autre, c'est-à-dire seulement le début du mariage et non pas sa signification complète qui réside dans la famille.

Ces considérations et les questions actuelles, qui ressemblent à la question « comment obtenir le plus de plaisir d'un dîner », ne se posaient pas plus alors qu'elles ne se posent maintenant, pour ceux qui considèrent qu'on mange un dîner pour se nourrir et qu'on se marie pour avoir une famille.

Si le dîner a pour but de nourrir le corps, celui qui mangera deux dîners goûtera peut-être plus de plaisir mais n'atteindra pas le but, car l'estomac ne digérera pas les deux dîners.

Si la fin du mariage est la famille, celui ou celle qui voudra avoir beaucoup de femmes ou de maris, obtiendra peut-être beaucoup de plaisir mais n'aura en aucun cas une famille.

Si le but du dîner est de nourrir le corps, et le but du mariage, la famille, la solution consiste uniquement à ne pas manger plus que ce que peut digérer l'estomac, et ne pas avoir plus de maris ou de femmes qu'il n'en faut pour avoir une famille, c'est-à-dire un mari ou une femme. Natacha avait besoin d'un mari, et le mari lui fut donné. Et non seulement elle ne voyait par la nécessité d'un autre mari, meilleur, mais comme elle concentrait toutes les forces de son âme au service de son mari et de sa famille, elle ne pouvait même pas s'imaginer et ne voyait aucun intérêt à s'imaginer ce qui aurait pu arriver s'il en avait été autrement.

Natacha n'aimait pas en général le monde, mais elle tenait d'autant plus à la société des siens; son frère, sa mère, la comtesse Marie et Sonia. Elle tenait à la société de ces gens chez qui, échevelée, en robe de chambre, elle pouvait à grands pas venir de la chambre d'enfants et leur montrer avec un visage joyeux un lange taché de jaune et non plus de vert, et se sentir rassurée en leur entendant dire que l'enfant allait maintenant beaucoup mieux.

Natacha se laissait aller à tel point que ses robes, sa coiffure, ses paroles lancées hors de propos, sa jalousie, — elle était jalouse de Sonia, de la gouvernante, de n'importe quelle femme, jolie ou laide, — étaient le sujet habituel des plaisanteries de ses proches. L'opinion générale était que Pierre était sous la pantoufle de sa femme; et c'était ainsi en effet. Dès les premiers jours de leur union, Natacha avait posé ses exigences. Pierre fut fort étonné de la façon de voir, toute nouvelle pour lui, de sa femme, qui prétendait que chaque minute de son existence appartînt à elle et à la famille; Pierre fut étonné des exigences de sa femme mais en fut flatté et s'y soumit.

La soumission de Pierre consistait en ce qu'il n'osait non seulement faire la cour mais même causer en souriant avec une femme, n'osait aller au Club, à des dîners, simplement « comme ça », pour passer le temps, n'osait dépenser de l'argent pour des fantaisies, n'osait se permettre de longs voyages sinon pour ses affaires, au nombre desquelles sa femme plaçait également ses travaux intellectuels auxquels elle ne comprenait rien, tout en leur attachant une grande importance. En échange de cela, Pierre avait le droit absolu, chez lui, à la maison, de disposer à son gré non seulement de sa propre personne mais aussi de toute sa famille. Chez elle, à la maison, Natacha se faisait l'esclave de son mari, et toute la maison marchait sur la pointe des pieds quand Pierre travaillait, lisait ou écrivait dans son cabinet. Il lui suffisait de montrer une préférence pour telle ou telle chose, et il l'obtenait. Il lui suffisait d'exprimer un désir, et Natacha courait l'exécuter.

Toute la maison était soumise aux soi-disant ordres de Pierre, c'est-à-dire aux désirs de Pierre que Natacha cherchait à deviner. Le train de vie et le lieu où l'on habitait, les connaissances, les relations, les occupations de Natacha, l'éducation des enfants, tout cela dépendait entièrement non seulement des volontés qu'exprimait Pierre, mais des idées qu'il jetait au cours de la conversation et que Natacha s'efforçait d'interpréter. Et elle devinait fort bien en quoi consistait au fond ce que désirait son mari, et une fois qu'elle l'avait deviné, elle s'y tenait fermement. Pierre lui-même voulait-il revenir sur ce qu'il avait dit, elle s'y opposait, tournant contre lui ses propres armes.

Ainsi, pendant la période difficile dont Pierre garda toujours le souvenir, lorsqu'après la naissance d'un premier enfant chétif, il avait fallu changer trois fois de nourrice et que Natacha était tombée malade de désespoir, Pierre lui exposa un jour les idées de Rousseau, avec lesquelles il était tout à fait d'accord, sur le recours aux nourrices, dangereux et contraire à la nature. Avec la naissance de l'enfant suivant, malgré la résistance de sa mère, des docteurs et même de son mari qui s'élevaient contre son désir de nourrir elle-même, chose alors inouïe et jugée périlleuse, Natacha tint bon, et depuis nourrit elle-même tous ses enfants.

Très souvent, dans les moments d'irritation, il arrivait aux époux de discuter, mais longtemps après, Pierre, à son étonnement et à sa joie, retrouvait non seulement dans les propos mais dans les actes de sa femme, cette même idée à laquelle elle s'était opposée. Et non seulement il retrouvait la même idée, mais la retrouvait purifiée de l'exagération qu'il y avait introduite dans le feu de la discussion.

Après sept ans de mariage, Pierre avait la ferme et joyeuse conviction qu'il n'était pas un mauvais homme, et il s'en rendait compte parce qu'il se voyait reflété en sa femme. En lui, il le sentait, tout le bon et le mauvais étaient mêlés et se voilaient réciproquement. Mais sa femme ne reflétait que ce qu'il avait de vraiment bon; ce qui n'était pas tout à fait bon était rejeté. Et ce reflet n'était pas le produit de la pensée logique; il s'opérait par une autre voie, directe et mystérieuse.

Deux mois plus tôt, Pierre étant déjà chez les Rostov avait reçu une lettre du prince Feodor lui demandant de venir à Pétersbourg pour y discuter de questions importantes qui préoccupaient les membres d'une société [1] dont Pierre avait été l'un des principaux fondateurs.

Ayant lu cette lettre comme elle lisait toutes les lettres de Pierre, Natacha, malgré la peine que lui causait toujours l'absence de son mari, lui proposa elle-même de se rendre à Pétersbourg. Tout en ne comprenant pas l'activité abstraite, intellectuelle de son mari, elle lui attribuait une énorme importance, avait constamment peur d'être une entrave à cette activité. Après la lecture de la lettre, elle répondit au regard timide et interrogateur de Pierre en lui demandant de partir, mais de lui fixer exactement la date de son retour. Et il avait eu un congé de quatre semaines.

Ce congé était expiré depuis quinze jours, et Natacha était dans un état continuel de crainte, de tristesse et d'irritation.

Arrivé au cours de ces deux dernières semaines, Dénissov, général en retraite mécontent de la situation présente, considérait Natacha avec étonnement et mélancolie, comme on contemple le portrait non ressemblant d'une personne jadis aimée. Un regard terne, ennuyé, des réponses à côté et des propos sur les enfants, c'était tout ce qu'il voyait et entendait de l'ancienne enchanteresse.

Au cours de cette quinzaine, Natacha se montrait surtout triste et irritable quand, pour la consoler, sa mère, son frère, Sonia ou la comtesse Marie essayaient d'excuser Pierre et d'inventer des raisons à son retard.

— Des bêtises, des sornettes, tous ces travaux qui ne mènent à rien, et toutes ces stupides sociétés, disait-elle, parlant de ces mêmes choses à l'importance desquelles elle croyait fermement.

Et elle retournait dans la chambre des enfants pour nourrir son unique garçon, Pétia. Personne ne pouvait rien lui dire d'aussi apaisant et de raisonnable que ce petit être de trois mois, quand il reposait contre sa poitrine et qu'elle sentait les mouvements de sa bouche et entendait le reniflement de son petit nez. Cet être disait : « Tu te fâches, tu es jalouse, tu voudrais te venger, tu as peur, et me voilà, moi, et me voilà, moi... » Et il n'y avait rien à répondre, c'était plus que vrai.

Pendant ces deux semaines d'inquiétudes, Natacha eut si souvent recours à l'enfant pour se calmer, elle s'occupa tant de lui qu'elle le nourrit trop et qu'il tomba malade. Sa maladie la terrifiait et cependant c'était de cela justement qu'elle avait besoin. En le soignant, elle supportait mieux son inquiétude pour son mari.

Elle donnait le sein quand le bruit du traîneau de Pierre se fit entendre devant le perron, et la nounou qui savait ce qui réjouirait sa maîtresse, entra dans la chambre d'un pas silencieux mais vif, le visage rayonnant.

— Il est arrivé? demanda Natacha dans un rapide chuchotement, craignant de bouger pour ne pas réveiller l'enfant qui s'endormait.

— Il est arrivé, chère, chuchota la nounou.

Le sang afflua au visage de Natacha et ses pieds bougèrent involontairement; mais bondir et courir n'était pas possible. L'enfant rouvrit les yeux, regarda. « Tu es là », sembla-t-il dire, et il se remit à sucer paresseusement.

Lui ayant doucement retiré le sein, Natacha berça l'enfant, le remit à la bonne et se dirigea à pas pressés vers la porte. Mais devant la porte, elle s'arrêta comme se reprochant d'avoir trop vite abandonné l'enfant dans sa joie, et elle se retourna. La bonne, les coudes levés, faisait passer l'enfant par-dessus le rebord du berceau.

— Allez donc, allez, allez, soyez tranquille, allez, chuchotat-elle en souriant avec la familiarité qui s'établit entre bonne d'enfant et maîtresse.

Et Natacha courut d'un pas léger dans l'antichambre.

Dénissov qui, la pipe à la bouche, sortait du cabinet pour aller au salon, reconnut ici pour la première fois Natacha. Son visage transfiguré irradiait des flots de lumière éclatante.

— Il est arrivé! lui lança-t-elle en courant, et Dénissov se sentit ravi de l'arrivée de Pierre qu'il n'aimait pas beaucoup.

Natacha aperçut dans l'antichambre la haute silhouette en pelisse en train d'enlever son cache-nez. « Lui! C'est bien lui! C'est vrai! Le voilà! » se dit-elle et se précipitant sur lui, elle l'enlaça, le serra contre elle, la tête contre sa poitrine, puis, s'étant écartée, jeta un regard sur le visage heureux de Pierre, parsemé de givre. « Oui, c'est lui; joyeux, content... »

Et soudain, elle se rappela les tourments de l'attente qu'elle avait endurés ces deux dernières semaines; la joie qui rayonnait sur son visage disparut; ses sourcils se froncèrent et un torrent de reproches et de paroles méchantes se déversa sur Pierre.

— Oui, tu es content, tu es très gai, tu t'es amusé... Et moi, ici? Si au moins tu avais pitié des enfants! Je nourris, mon lait a tourné... Pétia a été à la mort. Et toi, tu t'amuses. Oui, tu t'amuses.

Pierre savait qu'il n'était pas coupable, car il n'avait pu partir plus tôt; il savait que cette explosion de colère était déplacée, et il savait que dans deux minutes ce serait fini; et surtout il se sentait gai et joyeux. Il aurait voulu sourire, mais il n'osait même y songer. Il se composa un visage piteux et craintif et se pencha sur sa femme.

— Je ne pouvais pas, je te jure! Mais comment va Pétia?

— Mieux maintenant. Allons! Comment n'es-tu pas honteux! Si tu pouvais voir comment je suis en ton absence, comment je me tourmente!...

— Et toi, ta santé?

— Viens, viens, disait-elle, sans lâcher sa main. Et ils se dirigèrent vers leurs appartements.

Quand Nicolas et sa femme vinrent chercher Pierre, il était dans la chambre des enfants et tenait sur la paume de son énorme main son fils qui venait de se réveiller, et le pouponnait. Sur le large visage du nourrisson à la bouche sans dents, grande ouverte, un gai sourire s'était arrêté. Sur le visage de Natacha, l'orage avait depuis longtemps fait place à un joyeux soleil qui brillait dans le regard attendri qu'elle posait sur son mari et son fils.

— Et vous avez bien parlé de tout avec le prince Feodor? disait Natacha.

— Oui, très bien.

— Tu vois, il la tient (la tête, sous-entendait Natacha). Mais comme j'ai eu peur pour lui!

— Et la princesse, l'as-tu vue? Est-ce vrai qu'elle est amoureuse de ce?...

— Oui, imagine-toi...

Nicolas et sa femme entrèrent à ce moment. Pierre, tenant toujours son fils, se pencha vers eux et ils s'embrassèrent, puis Pierre répondit à leurs questions. Mais il était évident que malgré tout ce qu'on avait d'intéressant à se dire, l'enfant avec son petit bonnet et sa tête vacillante, absorbait complètement l'attention de Pierre.

— Qu'il est gentil! dit la comtesse Marie en considérant le bébé et en jouant avec lui. — Voilà ce que je ne comprends pas, Nicolas, ajouta-t-elle s'adressant à son mari, comment n'apprécies-tu pas le charme de ces vivantes merveilles?

— Je ne comprends pas, je ne peux pas, dit Nicolas en jetant un regard froid sur l'enfant. Un morceau de viande. Allons, Pierre!

— Et pourtant, il est un père si tendre, poursuivit la comtesse Marie pour justifier son mari, mais seulement quand ils ont un an ou à peu près...

— Non, Pierre, lui, s'en occupe très bien, dit Natacha. Il assure que sa main est faite juste à la mesure d'un derrière d'enfant. Voyez.

— Mais pas pour ça seulement, dit soudain Pierre en riant, et enlevant vivement l'enfant de sa main, il le passa à la nounou.

XII

Comme dans toute vraie famille, plusieurs univers complètement différents coexistaient à Lyssya Gory qui, gardant leurs particularités et se faisant des concessions mutuelles, formaient un tout harmonieux. Tout événement qui se produisait dans la maison était également important, également joyeux ou triste pour tous ces univers, mais chacun d'eux avait ses propres raisons, tout à fait personnelles et indépendantes des autres, de s'en réjouir ou de s'en attrister.

Ainsi le retour de Pierre était un événement important et joyeux, et c'est ce qu'il fut pour tous.

Les domestiques — les juges les plus sûrs des maîtres parce qu'ils jugent non pas sur leurs paroles et l'expression de leurs sentiments mais sur leurs actes et leurs façons de vivre, — les domestiques étaient heureux du retour de Pierre, parce qu'ils savaient que, lui étant là, le comte cesserait d'inspecter chaque jour le domaine et se montrerait de meilleure humeur, et aussi parce qu'il y aurait pour tous de beaux cadeaux à l'occasion de la fête.

Les enfants et les gouvernantes se réjouissaient du retour

de Pierre parce que personne mieux que lui ne savait les faire participer à la vie commune. Lui seul savait jouer au clavicorde cette écossaise (l'unique pièce que Pierre connaissait) sur laquelle, comme il le disait, on pouvait danser n'importe quelle danse, et il avait sûrement rapporté des cadeaux pour tout le monde.

Nicolas, qui était maintenant un garçon de quinze ans intelligent, maigre, maladif, avec des cheveux blonds bouclés et de beaux yeux, se réjouissait parce qu'il avait pour l'oncle Pierre, ainsi qu'il l'appelait, une admiration et un amour passionnés. Personne n'avait suscité en lui cette passion pour Pierre qu'il ne voyait d'ailleurs que rarement. Son éducatrice, la comtesse Marie, faisait tous ses efforts pour amener l'enfant à aimer son mari comme elle l'aimait elle-même, et Nicolas aimait son oncle, mais avec une imperceptible nuance de dédain. Pierre, il l'adorait. Il ne voulait être ni hussard, ni chevalier de Saint-Georges, comme l'oncle Nicolas, il voulait être savant, intelligent et bon comme Pierre. En présence de Pierre, la joie rayonnait sur son visage et il rougissait et perdait le souffle quand Pierre s'adressait à lui. Il n'oubliait rien de ce que disait Pierre, et ensuite, seul ou avec Dessales, il reprenait chacune de ses paroles et réfléchissait à sa signification. La vie passée de Pierre, ses malheurs avant 1812 (malheurs dont il s'était fait une idée vague et poétique d'après quelques propos), ses aventures à Moscou, sa captivité, Platon Karataïev (dont Pierre l'avait entretenu), son amour pour Natacha (à qui l'enfant portait aussi une affection particulière) et surtout son amitié avec son père (ce père que le garçon ne se rappelait pas), tout cela faisait pour lui de Pierre un héros, un personnage sacré.

A partir des paroles qu'il avait saisies concernant son père et Natacha, de l'émotion avec laquelle Pierre parlait du défunt, de cette tendre et prudente vénération avec laquelle en parlait Natacha, le jeune garçon qui commençait seulement à deviner l'amour, avait conclu que son père avait aimé Natacha et l'avait léguée en mourant à son ami. Quant à ce père, dont l'enfant ne se souvenait pas, il lui apparaissait comme une divinité qu'on ne pouvait se représenter, et il ne l'évoquait qu'avec un serrement de cœur et des larmes de tristesse et d'admiration. Il était donc, lui aussi, heureux de l'arrivée de Pierre.

Les invités, eux, étaient contents du retour de celui qui avait le don d'introduire l'animation et l'harmonie dans toute société.

Les grandes personnes, sans parler bien entendu de Natacha, étaient heureuses de revoir l'ami dont la présence rendait l'existence plus agréable et plus sereine.

Les vieilles dames étaient contentes des cadeaux qu'il rapportait mais principalement de ce que Natacha allait revivre.

Pierre sentait que chacun de ces univers le voyait d'un point de vue différent, et il se hâtait de donner à chacun ce qu'il attendait.

Pierre, le plus distrait des hommes, le plus oublieux, avait acheté tout ce qui se trouvait sur la liste établie par sa femme; il n'avait oublié ni les commissions de sa belle-mère, ni celles de Nicolas, ni l'étoffe pour la robe de Mme Biélov, ni les jouets pour ses neveux. Au début de leur mariage, il avait trouvé étrange que sa femme exigeât qu'il n'oubliât rien de ce qu'il s'était chargé de faire et d'acheter, et il fut surpris du véritable chagrin de Natacha lorsqu'à son premier voyage il avait tout oublié. Mais par la suite, il s'était habitué à cela. Sachant que Natacha ne lui demandait rien pour elle, et ne lui donnait de commissions pour les autres que s'il s'offrait lui-même à les faire, il goûtait maintenant dans ces achats de cadeaux pour toute la maison un plaisir inattendu et enfantin, et n'oubliait jamais rien. S'il encourait les reproches de Natacha, c'était uniquement parce qu'il achetait trop et trop cher. A tous ses défauts, comme pensaient la plupart des gens, — négligence, laisser-aller — ou à ses qualités, selon l'opinion de Pierre, Natacha joignait encore l'avarice.

A partir du jour où Pierre s'était mis à vivre sur un grand pied avec une famille qui exigeait de grosses dépenses, il s'était aperçu à son vif étonnement qu'il dépensait deux fois moins qu'autrefois et que sa situation financière qui s'était détériorée les derniers temps, en grande partie à cause des dettes de sa première femme, commençait à se rétablir.

La vie était moins dispendieuse parce qu'elle était réglée : ce luxe le plus onéreux qui consiste à mener un genre de vie qu'on peut changer à chaque instant, ce luxe, Pierre ne le connaissait plus et ne désirait plus le connaître. Il sentait que son mode de vie était maintenant fixé une fois pour toutes jusqu'à sa mort, que le changer n'était pas en son pouvoir et qu'en raison de cela, cette façon de vivre n'était pas coûteuse.

Pierre, gai et souriant, déballait ses achats.

— Hein, n'est-ce pas bien! disait-il en étalant comme un boutiquier un morceau d'étoffe.

Sa fille aînée sur ses genoux, Natacha était assise en face de lui et ses yeux brillants allaient rapidement de son mari à ce qu'il avait acheté.

— C'est pour Mme Béliov? Parfait. — Natacha tâta le tissu.

— Un rouble, sans doute?

Pierre dit le prix.

— C'est cher, dit Natacha. Mais comme les enfants vont être contents, et *maman !* Tu as eu tort seulement de m'acheter ça, ajouta-t-elle sans pouvoir retenir un sourire en admirant un de ces peignes d'or garnis de perles qui commençaient justement à être à la mode alors.

— C'est Adèle qui m'a entraîné : achetez, achetez..., dit Pierre.

— Quand donc le porterai-je? — Natacha le piqua dans sa natte. — Quand nous mènerons Macha dans le monde; peut-être les portera-t-on de nouveau. Allons, viens.

Ayant rassemblé les cadeaux, ils allèrent d'abord dans la chambre des enfants, puis chez la comtesse.

La comtesse était comme d'habitude assise avec Mme Biélov devant la grande patience, lorsque Pierre et Natacha entrèrent au salon, les paquets sous le bras.

La comtesse avait dépassé la soixantaine. Ses cheveux étaient tout blancs, et elle portait un petit bonnet qui encadrait d'une ruche tout son visage. Ce visage était ridé, la lèvre supérieure rentrée et les yeux ternes.

Après la mort de son fils et de son mari qui s'étaient suivies de si près, elle se sentait comme un être oublié par hasard en ce monde, n'ayant plus aucun but, aucune raison de vivre. Elle mangeait, buvait, dormait, veillait, mais elle ne vivait pas. L'existence ne lui procurait aucune impression. Elle n'attendait rien de la vie, sinon le repos, mais ce repos elle ne pouvait le trouver que dans la mort. Tant que la mort ne venait pas, il lui fallait vivre, c'est-à-dire utiliser ses diverses forces vitales. On observait en elle, porté au plus haut degré, ce qu'on observe chez les tout petits enfants et les très vieilles gens. Son existence n'avait aucun but extérieur, mais il lui était de toute évidence nécessaire d'exercer ses diverses facultés et ses divers penchants. Il lui fallait de temps à autre manger, dormir, réfléchir, parler, pleurer, faire quelque chose, se fâcher, etc., uniquement parce qu'elle possédait un estomac, un cerveau, des muscles, des nerfs, et un foie. Elle accomplissait tout cela sans y être poussée de l'extérieur, non pas comme le font les gens dans toute la force de l'âge à qui le but vers lequel ils tendent dissimule l'autre but, le simple exercice de leur énergie. Elle parlait uniquement parce qu'elle éprouvait le besoin physique de faire travailler ses poumons et sa langue. Elle pleurait comme un enfant, parce qu'elle avait besoin de se moucher, etc. Ce qui chez les hommes dans la force de l'âge se présente comme but, n'était pour elle évidemment qu'un prétexte.

Ainsi, le matin, surtout si elle avait la veille mangé quelque chose de gras, il lui venait le besoin de se fâcher, et alors elle saisissait le premier prétexte, la surdité de la vieille Biélov.

De l'autre bout de la chambre, elle se mettait à lui parler à voix basse.

— Aujourd'hui, il semble faire plus tiède, ma chère, chuchotait-elle. Et quand l'autre répondait : « Comment donc, ils sont arrivés », elle grognait, hargneuse : « Mon Dieu, qu'elle est sourde et bête! »

L'autre prétexte était son tabac à priser, qui lui semblait tantôt trop sec, tantôt trop humide, tantôt mal broyé. Après ces accès d'irritation, la bile se répandait sur son visage et ses femmes de chambre savaient à des signes certains quand la dame de compagnie serait de nouveau sourde et le tabac humide, et quand le visage de la comtesse jaunirait. Tout comme elle avait besoin d'épancher sa bile, elle avait besoin parfois de faire travailler les facultés mentales qui lui restaient; le prétexte était les patiences. Quand elle avait besoin de pleurnicher, le prétexte était feu son mari; quand il lui fallait s'inquiéter, c'était Nicolas et sa santé; quand il fallait dire des méchancetés, c'était la comtesse Marie; quand il fallait exercer l'organe de la voix — cela se produisait généralement vers sept heures du soir, après le repos dans une chambre obscure qui suivait la digestion — alors le prétexte était le récit des mêmes événements, toujours aux mêmes auditeurs.

Tous les habitants de la maison se rendaient compte de l'état de la vieille dame; personne cependant n'en parlait jamais, et tous s'efforçaient de satisfaire ses divers besoins. Les rares regards et les demi-sourires attristés qu'échangeaient Nicolas, Pierre, Natacha et la comtesse Marie montraient seuls qu'ils comprenaient l'état de la comtesse.

Mais ces regards disaient encore autre chose; ils disaient que la comtesse avait accompli sa tâche en cette vie, qu'elle n'était pas entièrement telle qu'on la voyait à présent, que tous nous serions comme elle, et qu'il était doux de se soumettre à elle, de se maîtriser pour cet être qui avait été un jour plein de vie comme nous, mais qui maintenant était pitoyable. *Memento mori*, disaient ces regards.

Seuls dans la maison, les gens complètement mauvais ou stupides et les petits enfants ne comprenaient pas cela et s'éloignaient d'elle.

XIII

Quand Pierre et sa femme entrèrent au salon, la comtesse se trouvait dans cet état où elle avait besoin d'occuper son esprit en étalant la grande patience; aussi, bien que par habitude, elle eût prononcé les paroles qu'elle prononçait toujours au retour de Pierre ou de son fils : « Il était temps, il était grand temps, mon cher; on n'en pouvait plus. Allons, Dieu merci! » et qu'en recevant les cadeaux, elle prononçât les autres paroles habituelles : « Ce n'est pas le cadeau qui m'est précieux, mon cher ami. Merci d'avoir pensé à une vieille femme... » il était visible que l'entrée de Pierre à cette minute lui était désagréable, parce qu'elle la distrayait de la grande patience inachevée. Elle termina la patience, et alors seulement elle s'occupa des cadeaux. Ceux-ci comprenaient un étui à jeu de cartes d'un travail remarquable, une tasse de porcelaine de Sèvres bleu vif, munie d'un couvercle et sur laquelle étaient peintes des bergères, et une tabatière en or avec le portrait du comte que Pierre avait commandé à Pétersbourg à un miniaturiste (la comtesse le désirait depuis longtemps). Comme elle n'avait pas envie de pleurer à ce moment, elle regarda le portrait avec indifférence et s'intéressa davantage à l'étui.

— Merci, mon ami, tu m'as comblée, dit-elle, comme elle disait toujours. — Mais ce que tu as fait de mieux est de t'amener toi-même. Vraiment, ça ne ressemble à rien! Tu devrais gronder un peu ta femme. Ça n'a pas le sens commun. Elle est comme folle sans toi. Elle ne voit rien, ne se souvient de rien. — Vois, Anna Timoféievna, ajouta-t-elle, quel étui m'a rapporté mon fils.

Mme Biélov admira les cadeaux et s'extasia sur son étoffe.

Bien que Pierre, Natacha, Nicolas, la comtesse Marie et Dénissov eussent à s'entretenir de beaucoup de choses qu'on ne disait pas en présence de la comtesse, non pas parce qu'on lui cachait quoi que ce fût, mais parce qu'elle était tellement en retard sur les événements que si l'on s'était mis à parler devant elle d'un fait quelconque, il aurait fallu répondre à des questions tombant mal à propos et répéter des choses qu'on lui avait déjà dites maintes fois, — un tel était mort, un autre s'était marié, — et qu'elle ne pouvait plus se rappeler. Cependant, comme de coutume, ils prenaient le thé au salon devant le samovar, et Pierre répondait aux questions de la comtesse, qu'elle posait sans savoir pourquoi et qui n'intéressaient personne : oui, le prince Basile avait vieilli et la comtesse Maria Alexéievna lui envoyait son souvenir, etc.

Cette conversation qui n'intéressait personne, mais était inévitable, dura tout le temps qu'on prit le thé. A la table ronde, autour du samovar près duquel était assise Sonia, se rassemblaient tous les membres adultes de la famille. Les enfants, les précepteurs et les gouvernantes avaient déjà pris le thé et on entendait leurs voix dans le fumoir à côté. Chacun occupait sa place accoutumée : Nicolas près du poêle, à une petite table où on le servait. La vieille Milka, fille de la première Milka, un lévrier dont les grands yeux noirs à fleur de tête tranchaient sur le museau entièrement blanc, était installée dans un fauteuil à côté de son maître. Dénissov, avec ses cheveux bouclés, sa moustache et ses favoris grisonnants, était assis près de la comtesse Marie, sa redingote de général déboutonnée. Pierre était assis entre sa femme et la vieille comtesse. Il racontait les choses susceptibles d'intéresser la vieille dame et qu'elle pouvait comprendre. Il parlait des événements mondains, de ces gens qui appartenaient autrefois à son cercle, en son temps pleins de vie, mais qui maintenant, pour la plupart dispersés par le monde, achevaient tout comme elle leur existence, glanant les derniers épis de ce qu'ils avaient semé au cours de leur vie. Mais c'étaient précisément ceux-là, ses contemporains, qui constituaient aux yeux de la comtesse le monde vraiment réel et important. A l'animation de Pierre, Natacha voyait que son voyage avait été plein d'intérêt, qu'il avait envie de raconter beaucoup de choses, mais qu'il n'osait pas en parler devant la comtesse. Dénissov n'appartenant pas à la famille, ne comprenait pas les précautions de Pierre; de plus, mécontent de la situation générale, il était très intéressé par ce qui se passait à Pétersbourg, aussi poussait-il constamment Pierre à parler tantôt du régiment Sémionovsky, tantôt d'Araktchéiev, tantôt de la Société Biblique [1]. Pierre se laissait parfois entraîner et abordait ces sujets, mais Nicolas et Natacha le ramenaient chaque fois à la santé du prince Ivan et de la comtesse Maria Antonovna [1].

— Et alors, toute cette folie, et ce Gossner et cette Tatarinova [2], est-il possible que cela continue? demanda Dénissov.

— Si ça continue? s'écria Pierre, plus que jamais. La Société Biblique, à présent, c'est tout le gouvernement.

— Qu'est-ce donc, *mon cher ami?* demanda la comtesse qui, ayant fini son thé, cherchait manifestement un prétexte à se fâcher un peu après avoir mangé. Comment dis-tu : le gouvernement? Je ne comprends pas.

— Oui, vous savez, *maman,* intervint Nicolas qui savait comment il fallait traduire les choses dans le langage de sa mère, c'est le prince Alexandre Nikolaïévitch Galitzine [3] qui a fondé une société, alors on dit qu'elle est très puissante.

— Araktchéiev et Galitzine, dit Pierre imprudemment, maintenant c'est tout le gouvernement. Et quel gouvernement! On voit partout des complots, on a peur de tout.

— Comment? En quoi donc le prince Alexandre Nikolaïévitch est-il coupable? C'est un homme très respectable. Je l'ai rencontré autrefois chez Maria Antonovna, dit la comtesse vexée; et plus vexée encore parce que tout le monde se taisait, elle poursuivit : aujourd'hui, on s'est mis à juger tout le monde. Une société évangélique, eh bien, quel mal à cela? — Elle se leva (tout le monde en fit autant) et l'air sévère, vogua vers le fumoir et sa propre table.

Au milieu du silence attristé général, on entendit, venant de la pièce voisine, des exclamations et les rires des enfants. Une joyeuse agitation régnait manifestement parmi eux.

— C'est prêt, c'est prêt! retentit, dominant toutes les autres, la voix perçante de la petite Natacha. Pierre échangea un regard avec la comtesse Marie et Nicolas (sa femme, il ne cessait jamais de la voir) et eut un sourire heureux.

— Quelle merveilleuse musique! dit-il.

— C'est Anna Makarovna qui a fini de tricoter son bas, dit la comtesse Marie.

— Oh, je vais voir ça, dit Pierre en sautant sur ses pieds. Tu sais, dit-il en s'arrêtant près de la porte, pourquoi j'aime particulièrement cette musique? Ils sont les premiers à m'apprendre que tout va bien. Aujourd'hui, je reviens : plus j'approche de la maison, plus j'ai peur. J'entre dans l'antichambre et j'entends Andrioucha qui rit aux éclats; allons, ça veut dire que tout va bien...

— Je sais, je connais ce sentiment, approuva Nicolas. Non, je ne puis aller. C'est une surprise qu'on me destine, ces bas.

Pierre entra chez les enfants et les cris et les rires redoublèrent.

— Allons, Anna Makarovna, fit sa voix, venez ici, au milieu, et au commandement : un, deux, et quand je dirai trois... toi, mets-toi ici, et toi, sur les bras. Allons, un, deux..., fit la voix de Pierre. — Il y eut un silence. — Trois!

Et des clameurs de ravissement remplirent la pièce.

— Deux, deux! criaient les enfants.

C'étaient deux bas qu'Anna Makarovna, par un procédé secret, connu d'elle seule, tricotait à la fois sur ses aiguilles et qu'elle retirait toujours solennellement l'un de l'autre, en présence des enfants, quand ils étaient terminés.

XIV

Peu après, les enfants vinrent dire bonsoir. Ils embrassèrent tout le monde, les précepteurs et les gouvernantes s'inclinèrent et se retirèrent. Il ne restait que Dessales et son pupille. Le précepteur l'invita à voix basse à descendre avec lui.

— *Non, Monsieur Dessales, je demanderai à ma tante de rester*, répondit également à voix basse Nicolas Bolkonsky.

— *Ma tante*, permettez-moi de rester, dit-il en s'approchant de la comtesse Marie. Son visage était à la fois suppliant, inquiet et ravi. La comtesse Marie le regarda et se tourna vers Pierre :

— Quand vous êtes là, il ne peut s'arracher..., lui dit-elle.

— *Je vous le ramènerai tout à l'heure, Monsieur Dessales, bonsoir*, dit Pierre en tendant la main au Suisse, et il s'adressa en souriant au jeune garçon. — Nous ne nous sommes pas encore vus tous les deux. Marie, il lui ressemble de plus en plus, dit-il à la comtesse Marie.

— A mon père? demanda l'enfant en rougissant violemment et en levant sur Pierre un regard brillant, admiratif.

Pierre approuva de la tête et reprit le récit interrompu par les enfants.

La comtesse Marie brodait sur canevas; Natacha ne quittait pas des yeux son mari, Nicolas et Dénissov se levaient, réclamaient leurs pipes, fumaient, recevaient leur thé des mains de Sonia qui, d'un air morne, s'obstinait à rester près du samovar, questionnaient Pierre. Le jeune garçon bouclé et maladif, aux yeux lumineux, était assis dans un coin, et sans se faire remarquer, tournait de temps à autre sa tête au cou mince qui émergeait de ses cols rabattus, vers l'endroit où se trouvait Pierre; il tressaillait parfois et se murmurait quelque chose à lui-même, en proie visiblement à un sentiment nouveau et violent.

La conversation tournait autour de ces commérages qui circulent dans les hautes sphères et constituent pour la plupart des gens tout l'intérêt de la politique intérieure. Dénissov, mécontent du gouvernement à cause des échecs essuyés dans sa carrière, apprenait avec satisfaction toutes les sottises que, selon lui, on faisait à Pétersbourg, et joignait aux paroles de Pierre des commentaires acerbes et tranchants.

— Autrefois, il fallait être allemand, et maintenant il faut danser avec Tatarinova et Mme de Krüdener, lire... Eckartshausen [1] et les autres. Ah, il faudrait lâcher sur tous ces gens-là notre brave Bonaparte! Il leur ferait sortir leurs imbécillités de la tête. Livrer le régiment Sémionovsky au soldat Schwartz [2]! criait-il.

Bien que n'ayant pas comme Dénissov le désir de trouver tout mauvais, Nicolas considérait, lui aussi, que juger le gouvernement était important et nécessaire, et il trouvait que la nomination de A... comme ministre de ceci, et celle de B... comme général-gouverneur à tel endroit, et le fait que l'empereur eût prononcé telle parole, et le ministre telle autre, que tout cela avait une grande importance. Et il jugeait indispensable de s'intéresser à ces choses et d'interroger Pierre. Les questions de ces deux interlocuteurs maintenaient la conversation dans les limites des commérages ordinaires des hautes sphères.

Mais Natacha, qui connaissait toutes les pensées de son mari et sa façon d'être, voyait qu'il avait depuis longtemps envie d'entraîner la conversation dans une autre voie et n'y parvenait pas, et qu'il désirait exprimer ses idées intimes, celles-là mêmes qui l'avaient amené à aller à Pétersbourg et à s'entendre avec son nouvel ami, le prince Feodor; elle lui vint en aide en lui posant la question : « Et ton affaire avec le prince Feodor? »

— De quoi s'agit-il? demanda Nicolas.

— Toujours de la même chose, dit Pierre en regardant autour de lui. Tout le monde voit que les choses vont tellement mal qu'on ne peut les laisser aller ainsi, et que le devoir de tous les honnêtes gens est d'intervenir dans la mesure de leurs moyens.

— Que peuvent donc faire les honnêtes gens? demanda Nicolas en fronçant légèrement les sourcils. Que peut-on faire?

— Eh bien, voici...

— Allons dans mon bureau, dit Nicolas.

Natacha, qui savait depuis longtemps qu'on allait venir la chercher pour nourrir le bébé, entendit l'appel de la bonne et se dirigea vers la chambre des enfants. La comtesse Marie la suivit. Les hommes passèrent dans le bureau, et Nicolas Bolkonsky y entra à leur suite sans que son oncle s'en aperçût, et s'assit dans l'ombre, près de la fenêtre, derrière la table.

— Eh bien, que feras-tu? demanda Dénissov.

— Toujours des rêveries, dit Nicolas.

— Voilà. — Pierre se mit à parler d'une voix chuintante avec de grands gestes, tantôt arpentant le bureau, tantôt s'arrêtant.

— Voici quelle est la situation à Pétersbourg : l'empereur ne se mêle de rien. Il est entièrement plongé dans ce mysticisme (Pierre maintenant ne pardonnait à personne le mysticisme). Il n'aspire qu'à la tranquillité, et cette tranquillité, seuls peuvent la lui donner ces gens *sans foi ni loi*, qui coupent et étouffent tout à tour de bras : Magnitsky [1], Araktchéiev, et *tutti quanti*. Tu admets, n'est-ce pas, que si tu ne t'occupais pas de ton domaine, mais cherchais uniquement la tranquillité, plus ton régisseur serait cruel et plus sûrement tu atteindrais ton but? demanda-t-il à Nicolas.

— Mais, où veux-tu en venir? dit Nicolas.

— Eh bien, tout croule. Dans les tribunaux, le vol; à l'armée, le bâton, le pas de parade [2], les colonies militaires [3]. On torture le peuple, on étouffe l'instruction. Tout ce qui est jeune, honnête, on l'extermine! Tout le monde voit que ça ne peut pas continuer ainsi. La corde est trop tendue et se rompra inéluctablement, disait Pierre (comme disent tous ceux qui observent les actes de n'importe quel gouvernement depuis qu'existent les gouvernements). Je n'ai cessé de le leur répéter à Pétersbourg.

— A qui? demanda Dénissov.

— Mais vous savez bien à qui, dit Pierre avec un regard significatif. Au prince Feodor et à eux tous. L'instruction, la bienfaisance, c'est très bien, évidemment. La tâche est splendide, et tout et tout; mais dans les circonstances actuelles, il faut autre chose.

A ce moment, Nicolas s'aperçut de la présence de son neveu. Son visage s'assombrit; il s'approcha de lui.

— Que fais-tu ici?

— Voyons, laisse-le, intervint Pierre en prenant Nicolas par le bras, et il poursuivit : Ce n'est pas suffisant, leur ai-je dit. Il faut autre chose maintenant... Quand vous êtes là à attendre à tout instant que cette corde trop tendue se casse, quand tous attendent d'inéluctables bouleversements, il faut que le plus grand nombre possible de gens se réunissent et marchent la main dans la main pour parer à la catastrophe générale. Tout ce qui est jeune et fort est attiré là-bas et se pervertit. L'un est séduit par les femmes, l'autre, par les honneurs, le troisième, c'est l'ambition, l'argent, et ils passent dans l'autre camp. Des gens indépendants, libres, comme vous et moi, il n'en reste presque plus. Je dis : élargissez le cercle de la Société, que le *mot d'ordre* ne soit plus la seule vertu, mais l'indépendance et l'action.

Nicolas, ne s'occupant plus de son neveu, changea son fauteuil de place d'un air mécontent et s'y assit; tout en écoutant Pierre, il toussotait et s'assombrissait de plus en plus.

— Mais dans quel but agir? s'écria-t-il. Et quels seront vos rapports avec le gouvernement?

— Voici quels rapports! Des rapports de collaboration. La Société peut ne pas être secrète si le gouvernement admet son existence. Non seulement elle n'est pas hostile au gouvernement, mais c'est une société de vrais conservateurs. Une société de gentlemen dans le plein sens du terme. Nous ne sommes là que pour qu'un Pougatchov [1] ne vienne pas massacrer mes enfants et les tiens, et pour qu'Araktchéiev ne m'envoie pas dans un camp militaire; c'est uniquement pour cela que nous nous donnons la main, uniquement pour le bien général et la sécurité générale.

— Oui, mais une société secrète, donc nécessairement hostile et nuisible au gouvernement, ne peut engendrer que le mal.

— Pourquoi? Est-ce que le Tugendbund [2] qui a sauvé l'Europe (on n'osait encore penser alors que c'était la Russie qui avait sauvé l'Europe) a engendré un mal quelconque? Le Tugendbund, c'est le bien, c'est l'amour, c'est l'assistance mutuelle, c'est ce que le Christ a prêché sur la croix...

Natacha, rentrée dans la pièce au milieu de la conversation, regardait avec joie son mari. Elle ne se réjouissait pas de ce qu'il disait. Cela ne l'intéressait même pas, parce qu'il lui semblait que tout cela était extrêmement simple et qu'elle savait

688

tout cela depuis longtemps (parce qu'elle savait d'où cela venait : elle connaissait toute l'âme de Pierre); mais elle se réjouissait de le voir animé, exalté.

Oublié de tous, l'enfant au cou mince émergeant de ses cols rabattus contemplait Pierre avec plus de joie encore et de ravissement. Chaque parole de Pierre lui brûlait le cœur et d'un mouvement nerveux de ses doigts, il brisait sans s'en apercevoir les bâtons de cire à cacheter et les plumes de son oncle qui lui tombaient sous la main.

— Voilà ce qu'était le Tugendbund allemand; ce n'était pas du tout ce que tu crois. Et c'est cela que je propose.

— Allons, frère, le Tugendbund, c'est bon pour les mangeurs de saucisses. Mais moi, je ne comprends pas ça, je ne peux même pas le prononcer, fit la voix forte et décidée de Dénissov.

— Tout est mauvais, ignoble, je suis d'accord, mais le Tugendbund, je ne comprends pas. Si on n'est pas content, alors la RÉVOLTE [1]. Ça, c'est bien! *Je suis votre homme!*

Pierre sourit, Natacha rit franchement, mais Nicolas fronça les sourcils encore davantage et se mit en devoir de prouver à Pierre qu'il ne fallait s'attendre à aucune catastrophe, et que tous les dangers dont il parlait n'existaient que dans son imagination. Pierre démontrait le contraire et comme son intelligence était plus vigoureuse et plus rapide, Nicolas se sentit mis au pied du mur. Cela augmenta encore son irritation, car, au fond de l'âme, il savait, non par raisonnement mais par quelque chose de beaucoup plus fort que le raisonnement, il savait qu'il voyait juste.

— Voici ce que je vais te dire, déclara-t-il en se levant et en allant ranger dans un coin sa pipe avec des gestes nerveux pour finalement la jeter. Je ne peux pas te le prouver. Tu dis que chez nous, tout va mal et qu'il va y avoir un bouleversement; je ne vois pas tout cela, mais tu dis qu'un serment est affaire de convention, et à cela je te répondrai : tu es mon meilleur ami, tu le sais, mais formez une société secrète, commencez à contrecarrer le gouvernement, quel qu'il soit, je sais que mon devoir est de lui obéir. Et qu'Araktchéiev me donne à l'instant l'ordre de marcher contre vous avec mon escadron et de vous tailler en pièces, je n'hésiterai pas une minute, et je marcherai. Juge-le comme tu veux.

Un silence gêné suivit cette déclaration. Natacha parla la première, prenant la défense de son mari et attaquant son frère. Sa défense était faible et maladroite, mais le but fut atteint.

La conversation reprit, et non plus sur le ton hostile des dernières paroles de Nicolas.

Quand tous se levèrent pour aller souper, Nicolas Bolkonsky s'approcha de Pierre, pâle, les yeux lumineux.

— Oncle Pierre... vous... non... Si Papa vivait... Il aurait été d'accord avec vous? demanda-t-il.

Pierre comprit soudain quel travail de la pensée et du sentiment, intense, complexe, profondément personnel, avait dû se poursuivre dans cet enfant pendant la conversation et, se rappelant tout ce qu'il avait dit, il regretta que le jeune garçon l'eût entendu. Cependant, il fallait lui répondre.

— Je pense que oui, dit-il à contrecœur, et il quitta le bureau.

L'enfant pencha la tête et parut alors seulement s'apercevoir des dégâts qu'il avait commis sur la table. Il rougit et s'approcha de Nicolas.

— Mon oncle, excusez-moi, c'est moi qui ai fait cela sans le vouloir, dit-il en désignant la cire à cacheter et les plumes brisées.

Nicolas tressaillit, agacé.

— C'est bon, c'est bon, dit-il en jetant sous la table les morceaux de cire et les plumes. Et contenant avec effort la colère qui le gagnait, il se détourna de son neveu.

— Tu n'avais rien à faire ici, dit-il.

XV

Durant le souper, on ne parla plus politique et sociétés. Dénissov engagea la conversation sur le sujet le plus agréable pour Nicolas : les souvenirs de 1812, et Pierre se montra particulièrement charmant et amusant. On se sépara dans les dispositions les plus amicales.

Quand après le souper Nicolas, s'étant déshabillé dans son cabinet et ayant donné ses ordres au régisseur qui l'avait attendu, entra en robe de chambre dans sa chambre à coucher, il trouva sa femme encore assise à son bureau en train d'écrire.

— Qu'écris-tu, Marie? demanda-t-il. La comtesse Marie rougit. Elle craignait que ce qu'elle écrivait ne fût pas compris et approuvé par son mari.

Elle eût désiré lui cacher ce qu'elle écrivait, mais en même temps elle était heureuse d'avoir été surprise et d'être obligée de lui en parler.

— C'est mon journal, Nicolas, dit-elle, en lui tendant un petit cahier bleu couvert de sa grande écriture ferme.

— Ton journal?... dit Nicolas avec une nuance d'ironie, et il prit le cahier en main.

Il y était noté en français :

« Le 4 décembre. Aujourd'hui Andrioucha (le fils aîné) s'étant éveillé ne voulait pas s'habiller et Mlle Louise m'a fait appeler. Il faisait des caprices et s'entêtait. J'ai essayé des menaces, mais il s'est fâché davantage. Alors j'ai pris sur moi de le laisser et nous nous sommes mises avec la bonne à faire lever les autres enfants; et je lui ai dit, à lui, que je ne l'aimais pas. Il s'est tu pendant longtemps, comme étonné; puis, en chemise, il a bondi de son lit et a éclaté en sanglots si impétueusement que je n'ai pu le calmer pendant longtemps. On voyait qu'il était surtout tourmenté de m'avoir chagrinée; puis, quand le soir je lui ai donné son petit billet, il s'est remis à pleurer pitoyablement, en m'embrassant. On peut en faire tout ce qu'on veut avec de la tendresse. »

— Qu'est-ce que c'est que ce petit billet? demanda Nicolas.

— J'ai commencé à donner aux aînés un petit billet où il est indiqué comment ils se sont conduits.

Nicolas plongea son regard dans les yeux lumineux posés sur lui et continua de feuilleter et de lire. Tout ce qui semblait à la mère digne de remarque dans la vie des enfants était noté dans le journal, tout ce qui révélait le caractère des enfants ou bien suggérait des idées générales sur les méthodes d'éducation. C'étaient la plupart du temps les détails les plus insignifiants, mais ils ne semblaient pas tels à la mère, ni au père maintenant tandis qu'il lisait pour la première fois ce journal de la vie des enfants.

Le 5 décembre, la comtesse avait écrit :

« Mitia a fait l'espiègle à table. Papa a interdit de lui donner du gâteau. On ne lui en a pas donné; mais il regardait les autres si piteusement et avidement tandis qu'ils mangeaient! Je pense que punir en privant de dessert ne fait que développer la gourmandise. En parler à Nicolas. »

Nicolas déposa le cahier et regarda sa femme. Les yeux rayonnants le fixaient interrogativement (approuvait-il ou non le journal?). Il ne pouvait y avoir de doute : non seulement il approuvait le journal mais il était en admiration devant sa femme.

« Peut-être ne fallait-il pas faire cela d'une façon si pédante; peut-être ne fallait-il pas le faire du tout », songeait Nicolas; mais cette tension perpétuelle, sans répit, de l'âme, qui n'avait d'autre but que le bien moral des enfants, le remplissait d'admiration. Si Nicolas avait pu prendre conscience du sentiment qu'il éprouvait pour sa femme, il se serait rendu compte que son amour ferme, tendre et fier reposait principalement sur son étonnement devant la beauté de sa femme, devant ce monde supérieur de l'âme, pour lui presque inaccessible, où elle vivait constamment.

Il était fier qu'elle fût si intelligente, si bonne, et sachant à quel point il lui était inférieur dans le domaine spirituel, il était d'autant plus heureux que non seulement elle lui appartînt avec son âme, mais qu'elle fût une partie de lui-même.

— J'approuve, j'approuve entièrement, mon amie, dit-il d'un air significatif. Et après un silence il ajouta : Et moi, aujourd'hui, je me suis mal conduit. Tu n'étais pas dans mon cabinet. Nous avons discuté avec Pierre, et je me suis emporté. Mais c'est impossible, c'est un tel enfant! Je me demande ce qu'il adviendrait de lui si Natacha ne le tenait pas si ferme. Te figures-tu pourquoi il est allé à Pétersbourg?... Ils ont organisé là-bas...

— Oui, je sais, dit la comtesse Marie. Natacha m'a raconté.

— Alors tu sais, continua Nicolas en s'échauffant rien qu'au souvenir de la discussion, il prétend me persuader que le devoir de tous les honnêtes gens consiste à se dresser contre le gouvernement, alors que le serment et le devoir... Je regrette que tu n'aies pas été là. Tout le monde m'est tombé dessus, et Dénissov, et Natacha... Natacha est hautement comique. Elle a beau le tenir sous sa pantoufle, dès qu'il s'agit de raisonner, elle ne dit pas un mot qui ne vienne de Pierre, ajouta Nicolas cédant à cette tendance irrépressible qui nous porte à juger même les êtres les plus chers et les plus proches. Nicolas oubliait que ce qu'il venait de dire de Natacha pouvait mot pour mot lui être appliqué dans ses rapports avec sa femme.

— Oui, j'ai remarqué cela, dit la comtesse Marie.

— Quand je lui ai dit que le devoir et le serment étaient au-dessus de tout, il s'est mis à démontrer Dieu sait quoi. Dommage que tu n'aies pas été là; qu'aurais-tu dit?

— A mon avis, tu as entièrement raison. C'est ce que j'ai dit à Natacha. Pierre dit que tout le monde souffre, est tourmenté, se pervertit, et que notre devoir est d'aider le prochain. Il a raison, bien entendu; mais il oublie que nous avons d'autres obligations, plus proches, que Dieu lui-même nous a désignées, et que nous pouvons risquer notre propre vie mais pas celle de nos enfants.

— Voilà, voilà, c'est exactement ce que je lui ai dit, reprit Nicolas qui croyait sincèrement qu'il avait parlé ainsi. Et eux, ils se butaient, et l'amour du prochain et le christianisme... et tout ça devant Nikolouchka qui s'était glissé dans le cabinet et a tout cassé.

— Ah, tu sais, Nicolas, je me fais souvent du tourment pour lui, dit la comtesse Marie. C'est un enfant si extraordinaire! Et je crains de le négliger à cause des miens. Nous avons tous des enfants, des proches, lui n'a personne. Il est toujours seul avec ses pensées.

— Il me semble vraiment que tu n'as rien à te reprocher vis-à-vis de lui. Tout ce que peut faire pour son fils la mère la plus tendre, tu l'as fait et le fais pour lui. Et j'en suis heureux, naturellement. C'est un gentil, un très gentil garçon. Aujourd'hui, il écoutait Pierre dans une sorte d'inconscience. Et figure-toi, comme nous allions souper, je regarde : il a mis en morceaux tout ce qui se trouvait sur ma table, et il l'a avoué immédiatement. Je ne lui ai jamais entendu dire un mensonge. Un gentil, un très gentil garçon! répéta Nicolas. — Au fond, son neveu ne lui plaisait guère, mais il tenait à reconnaître qu'il était gentil.

— Ce n'est tout de même pas la même chose qu'une mère, dit la comtesse Marie, je sens que ce n'est pas la même chose, et cela me tourmente. Un garçon merveilleux; mais j'ai très peur pour lui. La société d'autres garçons lui ferait du bien.

— Eh bien, il n'y a plus longtemps à attendre; cet été je le conduirai à Pétersbourg, dit Nicolas. Oui, Pierre a toujours été et reste un rêveur, poursuivit-il en revenant à la conversation du soir qui, visiblement, l'avait ému. Voyons, que m'importe tout ce qui se passe là-bas, qu'Araktchéiev soit mauvais, et tout le reste! En quoi cela me regardait-il quand je me suis marié et que j'avais tant de dettes qu'on voulait me jeter en prison, et que j'avais une mère qui ne voyait et ne comprenait rien du tout à cela! Et puis toi, les enfants, les affaires. Est-ce pour mon plaisir que je travaille du matin au soir dans le domaine ou au bureau [1]? Non, je sais que je dois travailler pour le repos de ma mère, pour te rendre ce que je te dois et pour que les enfants ne soient pas réduits à la pauvreté comme je l'ai été, moi.

La comtesse Marie eût voulu lui dire que l'homme n'est pas rassasié que de pain, qu'il attribuait trop d'importance à ces AFFAIRES, mais elle savait qu'il ne fallait pas le dire et que c'était inutile. Elle se contenta de prendre la main de son mari et de la baiser. Il vit dans ce geste une approbation et une confirmation de ses idées et, ayant réfléchi un moment en silence, il continua de penser à haute voix.

— Tu sais, Marie, dit-il, Ilia Mitrofanovitch est arrivé aujourd'hui (c'était l'intendant) de notre village de Tambov, et il dit qu'on offre déjà quatre-vingt mille roubles de la forêt. — Et Nicolas, le visage animé, expliqua qu'il serait bientôt possible de racheter Otradnoïé. — Encore une dizaine d'années, et je laisserai les enfants... dans une excellente situation.

La comtesse Marie écoutait son mari et comprenait tout ce qu'il lui disait. Elle savait que quand il pensait ainsi tout haut, il lui demandait parfois ce qu'il venait de dire, et se fâchait s'il remarquait qu'elle pensait à autre chose. Mais il lui fallait faire pour cela de grands efforts car ce qu'il disait ne l'intéressait en aucune façon. Elle le regardait non pas en pensant à autre chose, mais en sentant autre chose, un amour tendre et soumis pour cet homme qui ne comprenait jamais tout ce qu'elle comprenait; et peut-être était-ce à cause de cela qu'elle l'aimait encore plus, avec une nuance de tendresse passionnée. En dehors de ce sentiment qui l'absorbait tout entière et l'empêchait de saisir dans le détail les projets de son mari, il lui venait des pensées qui n'avaient rien de commun avec ce qu'il disait. Elle pensait à son neveu (ce qu'avait dit son mari de l'émotion avec laquelle l'enfant avait écouté Pierre l'avait fortement impressionnée), et revoyait divers traits de sa nature tendre et sensible, et en pensant à son neveu elle pensait à ses enfants. Elle ne comparait pas son neveu à ses enfants, elle comparait le sentiment qu'elle éprouvait pour eux et pour lui, et remarquait avec tristesse qu'il manquait quelque chose à son sentiment pour le jeune garçon.

Il lui venait parfois à l'esprit que cette différence tenait à la différence d'âge; mais cependant elle se sentait coupable envers lui et se promettait du fond du cœur de se corriger et de faire l'impossible, c'est-à-dire d'aimer en cette vie et son mari, et ses enfants, et son neveu, et tous ses proches, comme le Christ avait aimé l'humanité tout entière. L'âme de la comtesse Marie tendait toujours vers l'éternel, l'infini, le parfait, et c'est pourquoi elle ne pouvait jamais être apaisée. Sur son visage apparut l'expression sévère de la haute et secrète souffrance qu'éprouve une âme oppressée par le corps. Nicolas la regarda.

« Mon Dieu! que deviendrons-nous si elle meurt, comme il me le semble quand elle a ce visage? » pensa-t-il et, debout devant l'icône, il commença à réciter les prières du soir.

XVI

Restée seule avec Pierre, Natacha elle aussi parlait comme on ne parle qu'entre mari et femme, c'est-à-dire en se comprenant l'un l'autre avec une clarté et une rapidité extrêmes, les pensées se communiquant par une voie contraire à toutes les règles de la logique, sans recourir aux jugements, déductions et conclusions, mais par des procédés tout à fait particuliers. Natacha était tellement habituée à s'entretenir de cette façon avec son mari que le déroulement logique de la pensée de Pierre était pour elle le signe certain que quelque chose n'allait pas entre elle et lui. Quand il se mettait à démontrer, à parler raisonnablement et posément et qu'entraînée par son exemple elle parlait de même, elle savait qu'ils finiraient immanquablement par se disputer.

Cette conversation contraire à toutes les règles de la logique, ne fût-ce que du fait qu'on parlait à la fois de sujets totalement différents, avait commencé dès qu'ils s'étaient trouvés seuls et que Natacha, les yeux dilatés par la joie, s'était doucement approchée de Pierre, puis, soudain, lui ayant saisi la tête, l'avait serrée contre sa poitrine en disant : « Maintenant tu es tout à moi, tout à moi! tu ne m'échapperas plus! » Cette façon de s'entretenir simultanément de beaucoup de choses, non seulement n'empêchait pas les époux de se comprendre mais était au contraire le signe certain qu'ils se comprenaient parfaitement.

De même que dans les rêves tout est invraisemblable, absurde et contradictoire, sauf le sentiment qui les commande, ainsi dans cette sorte de communication, contraire à toutes les règles du raisonnement, ce qui est clair et cohérent ce n'est pas le discours, mais uniquement le sentiment qui le commande.

Natacha mettait Pierre au courant des petits faits de l'existence quotidienne de Nicolas, elle disait à son mari qu'elle ne vivait littéralement pas en son absence, et qu'elle aimait toujours davantage Marie, et que Marie était, sous tous les rapports, bien meilleure qu'elle. Natacha reconnaissait très sincèrement la supériorité de la comtesse Marie, mais en même temps elle exigeait de Pierre qu'il la préférât à Marie et à toutes les femmes, et qu'il le lui répétât, surtout après avoir été à Pétersbourg où il avait rencontré beaucoup de femmes.

Répondant à Natacha, Pierre lui dit à quel point lui avaient été insupportables les soirées et les dîners à Pétersbourg avec les dames du monde.

— Je me suis complètement déshabitué de parler avec des dames, dit-il, c'est tout simplement ennuyeux. Et puis, j'étais si occupé.

Natacha le considéra attentivement et poursuivit :

— Marie, c'est une telle merveille ! Comme elle sait comprendre les enfants ! On dirait qu'elle ne voit que leur âme. Ainsi hier, Mitia s'est mis à faire des caprices...

— Ah, comme il ressemble à son père, l'interrompit Pierre.

Natacha comprit pourquoi il avait fait cette remarque sur la ressemblance de Mitia et de Nicolas ; le souvenir de sa discussion avec son beau-frère lui était désagréable et il voulait savoir ce qu'en pensait Natacha.

— Nicolas a cette faiblesse : si quelque chose n'est pas admis par tout le monde, il ne l'acceptera jamais. Et moi, je comprends que tu tiennes précisément à *ouvrir une carrière*, dit-elle en répétant des paroles que Pierre avait dites un jour.

— Non, le principal, dit Pierre, c'est que les idées et les raisonnements sont pour Nicolas un amusement, presque un passe-temps. Il se constitue une bibliothèque et il s'est donné comme règle de ne pas acheter un nouveau livre tant qu'il n'a pas fini de lire le précédent. Et Sismondi, et Rousseau, et Montesquieu... — Pierre eut un sourire. — Tu sais bien à quel point je..., reprit-il aussitôt, désireux d'adoucir ses paroles ; mais Natacha l'interrompit, lui faisant sentir que c'était inutile.

— Ainsi tu dis que pour lui les idées sont un amusement...

— Oui, et pour moi, c'est le reste qui est un amusement. A Pétersbourg, je voyais continuellement les gens comme dans un rêve. Quand une idée m'occupe, tout le reste est un amusement.

— Ah, quel dommage que je n'aie pas assisté à ton arrivée chez les enfants ! dit Natacha. Laquelle a été la plus contente ? Lisa, sans doute.

— Oui, répondit Pierre et il continua de parler de ce qui le préoccupait. — Nicolas dit que nous ne devons pas penser. Mais cela m'est impossible, sans compter que je sentais à Pétersbourg (à toi je peux l'avouer) que sans moi tout se désagrégeait, chacun tirait de son côté. Mais j'ai réussi à rassembler tout le monde et puis, mon idée est si simple et si claire! Car je ne dis pas que nous devons agir contre ceci ou contre cela. Nous pouvons nous tromper. Mais je dis : vous qui aimez le bien, tendez-vous tous la main et qu'il n'y ait qu'un drapeau, la vertu active! Le prince Serge est un excellent homme, et intelligent.

Natacha ne doutait pas de la grandeur de l'idée de Pierre; une chose pourtant la troublait : c'est qu'il fût son mari. « Était-il possible qu'un homme si important et si utile à la société soit en même temps mon mari? Comment cela est-il arrivé? » Elle avait envie de lui exprimer ce doute. « Quels étaient donc ceux qui pourraient décider s'il était en effet tellement plus intelligent que les autres? » se demandait-elle, et elle évoquait en son imagination les gens que Pierre avait en particulière estime. Mais à en juger par ses récits, il n'estimait personne autant que Platon Karataïev.

— Tu sais à qui je pense? dit-elle. A Platon Karataïev. Lui, t'aurait-il approuvé maintenant?

Pierre ne s'étonna nullement de cette question. Il comprit le cheminement des pensées de sa femme.

— Platon Karataïev? dit-il, et il demeura songeur, essayant manifestement de se représenter en toute sincérité quelle eût été l'opinion de Karataïev. — Il n'aurait pas compris, et peut-être bien que si après tout.

— Je t'aime terriblement! dit soudain Natacha. Terriblement. Terriblement!

— Non, il n'aurait pas approuvé, dit Pierre ayant réfléchi. Ce qu'il aurait approuvé, c'est notre vie de famille. Il désirait tant voir en tout l'harmonie, le bonheur, la paix, et j'aurais été fier qu'il pût nous voir. Tu dis, la séparation. Mais tu ne t'imagines pas quel sentiment particulier j'éprouve pour toi après une séparation...

— Et puis après..., commença Natacha.

— Non, ce n'est pas ça. Je ne cesse jamais de t'aimer. Et aimer davantage est impossible; mais ça, c'est à part... Enfin, oui... — Il n'acheva pas parce que leurs regards qui venaient de se croiser avaient dit le reste.

— Quelles sottises, s'exclama Natacha, la lune de miel, et que les premiers temps c'est ce qu'il y a de mieux! Au contraire, le meilleur temps, c'est maintenant. Si seulement tu ne partais pas! Te souviens-tu comme nous nous querellions? Et c'était toujours ma faute. Toujours. Et pourquoi nous disputions-nous? Je ne me souviens même plus.

— Toujours pour la même raison, dit Pierre en souriant, la jalou...

— Tais-toi, je te déteste! s'écria Natacha. Et une lueur froide et méchante passa dans ses yeux. — Tu l'as vue? ajouta-t-elle après un silence.

— Non, et si je l'avais vue, je ne l'aurais pas reconnue.

Ils se turent un moment.

— Ah, tu sais? Quand tu t'es mis à parler dans le cabinet, je te regardais, commença Natacha, voulant évidemment éloigner le nuage qui passait. Tu lui ressemblais comme deux gouttes d'eau, au petit garçon (elle appelait ainsi son fils). Ah, il est temps d'aller près de lui... Il faut... Mais c'est dommage de partir.

Ils se turent quelques instants. Puis, soudain, se tournant l'un vers l'autre, ils commencèrent à parler en même temps, Pierre avec chaleur et complaisance, Natacha avec un sourire doux et heureux. S'étant heurtés, ils s'arrêtèrent tous deux, se cédant réciproquement le pas.

— Non, toi, que voulais-tu? Parle, parle!

— Non, parle, toi! Moi, c'est comme ça, des bêtises, dit Natacha.

Pierre dit ce qu'il avait commencé. C'était la suite de ses considérations pleines de contentement sur ses succès à Pétersbourg. Il lui semblait à cette minute qu'il était appelé à donner une orientation nouvelle à toute la société russe et au monde entier.

— Je voulais seulement dire que toutes les idées qui ont de grandes conséquences sont toujours simples. Toute ma pensée consiste en ceci : si les hommes pervertis sont liés entre eux et constituent une force, les hommes honnêtes doivent faire de même. Comme c'est simple pourtant!

— Oui.

— Et toi, que voulais-tu dire?

— Comme ça, des sottises.

— Mais tout de même.

— Mais rien, des bagatelles, dit Natacha dont le sourire devint plus lumineux encore. Je voulais te dire seulement à propos de Pétia : aujourd'hui la bonne s'approche pour le prendre, il s'est mis à rire, a fermé les yeux et s'est blotti contre moi; il a sûrement cru qu'il se cachait. Il est vraiment délicieux. Le voilà qui crie. Allons, au revoir !

Et elle sortit de la chambre.

Pendant ce temps, en bas, dans la chambre à coucher du jeune Bolkonsky où brûlait toujours une veilleuse (l'enfant avait peur de l'obscurité et on n'avait pu le corriger de ce défaut), Dessales dormait, la tête sur ses quatre oreillers et son nez romain émettait des ronflements réguliers ; Nicolas qui venait de se réveiller, baigné de sueur froide, était assis sur son lit, les yeux grand ouverts et regardait devant lui. Un affreux cauchemar l'avait réveillé. Il s'était vu en rêve avec Pierre, coiffés de casques pareils à ceux qui étaient reproduits dans son livre de Plutarque. L'oncle Pierre et lui marchaient en tête d'une immense armée. Elle était formée de lignes blanches obliques qui remplissaient l'air comme ces toiles d'araignée qui volent en automne et que Dessales appelait *fils de la Vierge*. Devant eux volait la Gloire semblable à ces fils mais quelque peu plus dense. Tous deux, Pierre et lui, couraient légers et joyeux et se rapprochaient du but. Soudain, les fils qui les entraînaient commencèrent à se relâcher, à s'embrouiller ; cela devenait pénible. Et l'oncle Nicolas Ilitch se dressa devant eux dans une pose sévère et menaçante.

— C'est vous qui avez fait cela, dit-il en désignant les cires à cacheter et les plumes brisées. Je vous aimais, mais Aràktchéiev m'a donné des ordres et je tuerai le premier qui fera un pas de plus. Nicolas jeta un regard vers Pierre, mais Pierre n'était plus là. Pierre, c'était son père, le prince André, et son père n'avait aucune forme, aucune apparence, mais il était là, et en le voyant Nicolas se sentit défaillir d'amour ; il se sentit sans force, sans charpente, liquide. Son père le caressait et le plaignait. Mais l'oncle Nicolas Ilitch continuait d'avancer sur eux. La terreur saisit Nicolas et il s'éveilla.

« Mon père, pensait-il. Mon père (bien qu'il y eût dans la maison deux portraits ressemblants du prince André, Nicolas ne se représentait jamais son père sous une forme humaine), mon père était avec moi et me caressait. Il m'approuvait, il approuvait l'oncle Pierre. Quoi qu'il dise, je le ferai. Mucius Scævola a brûlé sa main. Et pourquoi ne pourrait-il se produire quelque chose de semblable ? Je sais, ils veulent que j'étudie. Mais un jour j'aurai terminé, et alors j'agirai. Je ne demande qu'une chose à Dieu, qu'il m'advienne ce qui est advenu aux hommes de Plutarque, et je ferai la même chose. Je ferai mieux. Tous comprendront, tous m'aimeront, tous m'admireront. » Et soudain, Nicolas sentit les sanglots lui serrer la poitrine et il fondit en larmes.

— *Êtes-vous indisposé?* demanda Dessales.

— *Non*, répondit Nikolouchka, et il se recoucha. « Il est bon et affectueux, je l'aime, se dit-il en pensant à Dessales. Et l'oncle Pierre! Ah, quel homme merveilleux! Et mon père! Mon père! Mon père! Oui, j'accomplirai des choses qui l'auraient rendu heureux, même LUI... »

DEUXIÈME PARTIE

I

L'objet de l'histoire est la vie des peuples et de l'humanité. Saisir directement, embrasser et décrire rien qu'avec des mots la vie non seulement de l'humanité mais d'un peuple même, apparaît impossible. Les anciens historiens utilisaient toujours le même procédé pour saisir, décrire la vie d'un peuple, apparemment insaisissable. Ils décrivaient l'activité des individus qui gouvernaient le peuple; et cette activité exprimait à leurs yeux celle du peuple tout entier.

A la question de savoir d'abord comment ces individus obligeaient les peuples qu'ils gouvernaient à leur obéir, ensuite qui dirigeait la volonté desdits individus, les historiens répondaient à la première question en reconnaissant que la volonté de la divinité soumettait les peuples à la volonté d'un homme élu, et à la seconde question, en reconnaissant que la même divinité dirigeait la volonté de l'élu vers un but prédéterminé.

Ainsi, la solution de ces questions était fondée pour les Anciens sur leur foi en l'intervention directe de la divinité dans les affaires humaines.

La nouvelle science historique a rejeté en théorie ces deux thèses. Ayant renoncé à la croyance des Anciens en la soumission de l'homme à la divinité et en un but prédéterminé vers lequel seraient conduits les peuples, il semble que la nouvelle science aurait dû étudier non pas les manifestations de l'autorité, mais les causes qui l'engendrent. Et pourtant, elle ne l'a pas fait. Ayant repoussé en théorie la conception des Anciens, elle l'applique dans la pratique.

Elle a remplacé les hommes disposant d'un pouvoir divin et que dirige directement la divinité, soit par des héros doués de facultés extraordinaires, surhumaines, soit tout simplement par les hommes les plus divers, à commencer par les monarques jusqu'à des journalistes, qui dirigeaient les masses. Aux buts des peuples, juif, grec, romain, — voulus par la divinité et considérés par les Anciens comme les buts de l'humanité en marche, — la nouvelle histoire a substitué ses propres buts, — le bien du peuple français, allemand, anglais — ou encore, sous la forme la plus abstraite, le développement de la civilisation de toute l'humanité, entendant généralement par humanité les peuples qui occupent le petit bout nord-ouest d'un immense continent.

La nouvelle histoire a répudié les anciennes croyances sans les remplacer par une nouvelle conception, et la logique de cette situation a obligé les historiens qui avaient soi-disant rejeté le pouvoir divin des rois et le fatum des anciens, à revenir par d'autres voies au même point, à admettre :

1° que les peuples sont gouvernés par des individus, et,

2° qu'il existe un certain but vers lequel marchent les peuples et l'humanité tout entière.

Tous les ouvrages des historiens les plus récents, de Gibbon et jusqu'à Buckle [1], en dépit de leurs divergences apparentes et de l'apparente nouveauté de leurs points de vue, sont basés sur ces deux antiques et inévitables postulats.

En premier lieu, l'historien décrit l'activité des individus qui, à son avis, dirigent l'humanité : l'un considère que ce sont uniquement les souverains, les chefs de guerre, les ministres; un autre leur adjoint encore les orateurs, les savants, les réformateurs, les philosophes et les poètes. En second lieu, l'historien connaît le but vers lequel est conduite l'humanité : pour l'un, c'est la grandeur de l'État romain, espagnol ou français; pour un autre, c'est la liberté, l'égalité, la civilisation d'un certain genre, élaborée par ce petit coin de la terre qu'on appelle l'Europe.

En 1789, des troubles éclatent à Paris; ils grandissent, s'étendent et se traduisent par un déplacement des peuples d'Occident en Orient; ce mouvement se dirige vers l'Orient, se heurte au mouvement inverse d'Orient en Occident et, en 1812, atteint son point culminant, Moscou, et alors se déroule avec une remarquable symétrie un mouvement inverse d'Orient en Occident qui, à l'exemple du premier, entraîne avec lui les peuples du centre de l'Europe, atteint son point culminant en Occident, Paris, et s'apaise.

Au cours de cette période de vingt ans, d'immenses étendues de terre ne sont plus labourées, des maisons sont brûlées, le commerce s'oriente dans de nouvelles directions, des millions d'hommes s'appauvrissent, d'autres s'enrichissent, émigrent, et des millions d'hommes, des chrétiens professant la loi de l'amour du prochain, s'entretuent.

Qu'est-ce que tout cela signifie? Pourquoi cela est-il arrivé? Qu'est-ce qui a obligé ces hommes à brûler des maisons et à tuer leurs semblables? Quelles furent les causes de ces événements? Quelle force poussait ces hommes à agir ainsi? Voilà les questions naïves et parfaitement légitimes que l'homme se pose malgré lui quand il se trouve en présence des documents et des traditions de cette période.

Pour obtenir une réponse à ces questions, le sens commun se tourne vers la science de l'histoire qui a pour tâche de faire prendre aux peuples et à l'humanité conscience d'eux-mêmes.

Si l'histoire avait maintenu le point de vue des Anciens, elle aurait dit : pour récompenser ou punir son peuple, la divinité donna le pouvoir à Napoléon dont elle dirigea la volonté afin d'atteindre son but divin. Et cette réponse aurait été complète et claire. On pouvait croire ou ne pas croire à la mission divine de Napoléon; mais pour le croyant, toute l'histoire de cette époque aurait été compréhensible et il n'aurait pu y avoir aucune contradiction.

Mais la nouvelle science historique ne peut répondre de cette façon. La science n'admet pas le point de vue des Anciens sur l'intervention directe de la divinité dans les affaires humaines, et pour cette raison elle est obligée de donner d'autres réponses.

Répondant à ces questions, la nouvelle science historique déclare : vous voulez savoir ce que signifie ce mouvement, pourquoi il s'est produit et quelle force a engendré ces événements? Écoutez :

« Louis XIV était un homme très orgueilleux et imbu de lui-même, il avait telles maîtresses et tels ministres, et il gouvernait mal la France. Ses successeurs furent des gens faibles et ils gouvernèrent également mal la France. Ils avaient tels favoris et telles maîtresses. D'autre part, certains hommes écrivaient à cette époque des livres. A la fin du xviiie siècle, une vingtaine d'hommes se réunirent à Paris et se mirent à dire que tous les hommes étaient égaux et libres. A la suite de quoi, les gens commencèrent dans toute la France à s'entr'égorger et à se jeter mutuellement à l'eau. Ces gens tuèrent le roi et beaucoup d'autres. A ce moment, il y avait en France un homme de génie, Napoléon. Il remportait partout des victoires, c'est-à-dire qu'il tuait beaucoup d'hommes, parce qu'il était très génial. Et il alla, on ne sait pour quelles raisons, tuer des Africains, et il les tua si bien et se montra si rusé et si intelligent que, rentré en France, il donna l'ordre à tout le monde de lui obéir Et tous lui obéirent. Devenu empereur, il alla de nouveau tuer des gens en Italie, en Autriche et en Prusse. Et là aussi, il en tua beaucoup. Mais il y avait en Russie un empereur, Alexandre, qui décida de restaurer l'ordre en Europe, et pour cela il fit la guerre à Napoléon. Cependant, en 1807, il se lia subitement d'amitié avec lui, mais en 1811 ils se disputèrent de nouveau, et ils recommencèrent à tuer beaucoup de gens. Et Napoléon amena six cent mille hommes en Russie et conquit Moscou; mais ensuite, il s'enfuit brusquement de Moscou, et alors l'empereur Alexandre, aidé par les conseils de Stein et des autres, unit l'Europe dans une coalition contre celui qui avait troublé sa tranquillité. Tous les alliés de Napoléon devinrent soudain ses ennemis; et cette coalition marcha contre Napoléon qui avait rassemblé de nouvelles forces. Les alliés vainquirent Napoléon, entrèrent à Paris, obligèrent Napoléon à abdiquer et l'envoyèrent à l'île d'Elbe, sans le priver de son titre d'empereur et en lui manifestant le plus grand respect, alors que, cinq ans auparavant et un an plus tard, tous le considéraient comme un bandit hors la loi. Et ce fut Louis XVIII qui commença à régner, bien que jusqu'alors tant les Français que les Alliés ne fissent que s'en moquer. Cependant Napoléon versa des larmes devant la vieille garde, renonça au trône et partit en exil. Ensuite, d'habiles hommes d'État et des diplomates (en particulier Talleyrand qui s'était hâté de s'asseoir avant les autres dans un certain fauteuil et avait ainsi élargi les frontières de la France) engagèrent des pourparlers à Vienne, et ces pourparlers faisaient le bonheur ou le malheur des peuples. Soudain, les diplomates et les monarques faillirent se disputer; ils étaient prêts déjà à donner de nouveau l'ordre à leurs troupes de s'entretuer; mais à ce moment, Napoléon arriva en France avec un bataillon et les Français, qui les détestaient, se soumirent immédiatement à lui. Mais les monarques alliés se fâchèrent et repartirent en guerre contre les Français. Et ils vainquirent le génial Napoléon et l'envoyèrent dans l'île de Sainte-Hélène, en reconnaissant soudain que c'était un bandit. Et là, l'exilé, séparé des êtres chers à son cœur et de sa France bien-aimée, mourut lentement sur son rocher et légua à la postérité ses grandes actions. Et en Europe, ce fut la réaction et tous les souverains recommencèrent à faire souffrir leurs peuples. »

On aurait tort de prendre cela pour une plaisanterie, pour une caricature des descriptions des historiens. C'est au contraire la transcription la plus atténuée de ces réponses contradictoires et qui ne répondent en aucune façon à la question que pose TOUTE l'histoire, depuis les auteurs de mémoires et d'histoires d'un peuple particulier, jusqu'aux traités d'histoire universelle, et d'histoire d'un nouveau genre, celle de la CULTURE.

L'étrangeté et le comique de ces réponses viennent de ce que la nouvelle histoire est pareille à un sourd qui répond à des questions que personne ne lui pose.

Si l'histoire a pour tâche de décrire les mouvements des peuples, alors la première question — qui laissée sans réponse rend tout le reste incompréhensible — est la suivante : quelle est la force qui meut les peuples? En réponse à cette question, la nouvelle histoire nous dit d'un air affairé que Napoléon était très génial, ou bien que Louis XIV était très orgueilleux, ou encore que tels écrivains ont écrit tels livres.

Cela se peut, et les hommes sont prêts à l'admettre, mais ce n'est pas ce qu'ils demandent. Tout cela présenterait de l'intérêt si nous reconnaissions qu'un pouvoir divin souverain et immuable dirige les peuples par l'entremise des Napoléon, des Louis et des écrivains; mais nous ne reconnaissons pas ce pouvoir, et alors, avant de parler des Napoléon, des Louis et des écrivains, il faut montrer le lien qui existe entre ces personnages et les mouvements des peuples.

Le pouvoir divin a fait place à une nouvelle force; il faut expliquer en quoi consiste cette nouvelle force, car c'est en elle précisément que réside tout l'intérêt de l'histoire.

L'histoire semble supposer que l'existence de cette force va de soi et que tout le monde la connaît. Mais si désireux qu'il soit de prendre cette nouvelle force pour connue, celui qui lira un grand nombre d'ouvrages historiques doutera malgré lui que cette nouvelle force, diversement comprise par les historiens eux-mêmes, soit vraiment connue de tous.

II

Quelle est la force qui met en mouvement les peuples?

D'après les historiens qui écrivent des biographies ou l'histoire d'un peuple particulier, cette force est le pouvoir propre aux héros et aux souverains. Selon eux, les événements sont dus uniquement à la volonté des Napoléon, des Alexandre et en général des personnages qu'ils décrivent. Les réponses qu'ils donnent à la question de la force qui dirige les événements sont satisfaisantes, mais uniquement tant qu'il n'y a qu'un seul historien pour chaque événement. Dès que des historiens de nationalités et ayant des points de vue différents se mettent à décrire le même événement, les réponses qu'ils donnent perdent tout sens, car chacun d'eux comprend différemment ladite force et souvent même de façon totalement opposée. L'un attribue l'événement au pouvoir de Napoléon, l'autre à celui d'Alexandre; un troisième fait appel au pouvoir de quelque autre personnage. De plus, les historiens de ce genre se contredisent mutuellement quand il leur faut expliquer les raisons du pouvoir d'un même personnage. Thiers, un bonapartiste, dit que le pouvoir de Napoléon était dû à sa vertu et à son génie; pour Lanfrey, un républicain, il était fondé sur des escroqueries et la duperie du peuple. Ainsi les historiens de ce genre sapent réciproquement leurs positions et détruisent par là la valeur de la force qui engendre les événements, et ils n'apportent aucune réponse à la question essentielle de l'histoire.

Les auteurs qui traitent de l'histoire universelle semblent reconnaître que l'idée que se font les historiens particuliers de la force qui engendre les événements est fausse. Ils n'admettent pas que cette force soit le pouvoir des héros et des souverains, mais y voient le résultat de nombreuses forces différemment orientées. En décrivant une guerre ou la conquête d'un peuple, ils recherchent la cause de l'événement non pas dans la volonté de quelque personnage, mais dans l'action réciproque de nombreux individus liés à l'événement.

Selon cette conception, le pouvoir des personnages historiques étant le produit de forces multiples, ne devrait plus être considéré, semble-t-il, comme engendrant de lui-même les événements.

Et cependant la plupart des auteurs d'histoires universelles reprennent de nouveau la notion du pouvoir comme force produisant d'elle-même les événements et comme étant avec eux en relation de cause à effet.

A en juger d'après leurs descriptions, tantôt le personnage historique est le produit de son temps et son pouvoir n'est que la résultante de diverses forces, et tantôt son pouvoir est la force qui détermine les événements. Gervinus, par exemple, Schlosser et d'autres, tantôt démontrent que Napoléon est un produit de la Révolution, des idées de 1789, etc., et tantôt déclarent tout net que la campagne de 1812 et d'autres événements qui ne sont pas de leur goût résultent uniquement de la volonté mal orientée de Napoléon et que même le développement des idées de 1789 fut arrêté par l'arbitraire de Napoléon. Les idées de la Révolution, l'état général des esprits ont engendré le pouvoir de Napoléon. Et le pouvoir de Napoléon a étouffé les idées révolutionnaires et la tendance générale des esprits.

Cette étrange contradiction n'est pas fortuite. Non seulement elle se retrouve à chaque pas, mais c'est d'une série ininterrompue de telles contradictions que sont tissées toutes les descriptions des auteurs d'histoires universelles. Cette contradiction vient de ce que s'étant engagés dans la voie de l'analyse, ces historiens se sont arrêtés à mi-chemin.

On n'est certain d'avoir trouvé toutes les composantes d'une force composée ou résultante que lorsqu'on aura établi que la somme des composantes est égale à la résultante; or cette condition n'est jamais observée par les auteurs d'histoires universelles, et c'est ainsi qu'ils se voient obligés d'admettre, leurs composantes étant insuffisantes, une autre force encore, inexpliquée, agissant dans le sens de la résultante.

En décrivant la campagne de 1813 ou la restauration des Bourbons, l'auteur d'une histoire particulière dit franchement que ces événements sont dus à la volonté d'Alexandre. Mais Gervinus, auteur d'une histoire universelle, rejette cette interprétation et s'efforce de montrer que la campagne de 1813 et la restauration des Bourbons n'avaient pas eu seulement pour cause la volonté d'Alexandre, mais aussi l'activité de Stein, de Metternich, de Mme de Staël, de Talleyrand, de Fichte, de Chateaubriand, et d'autres. L'historien a évidemment décomposé le pouvoir d'Alexandre en ses éléments : Talleyrand, Chateaubriand, etc.; la somme de ces composantes, c'est-à-dire l'action réciproque de Chateaubriand, de Talleyrand, de

Mme de Staël et d'autres, n'est pas égale de toute évidence à la résultante en sa totalité, c'est-à-dire à la soumission de millions de Français aux Bourbons. Du fait que Chateaubriand, Mme de Staël et d'autres ont échangé telles paroles découlent leurs relations mutuelles et non la soumission de millions d'hommes. Aussi, pour expliquer comment ces relations ont eu pour effet la soumission de millions d'hommes, autrement dit comment des composantes égales à A ont donné une résultante égale à mille A, l'historien est obligé d'admettre de nouveau cette même puissance du pouvoir qu'il nie, la considérant comme la résultante de forces, c'est-à-dire qu'il doit admettre une force inexpliquée qui agit dans la direction de la composée. Et c'est précisément ce que font les auteurs d'histoires universelles. Et ainsi ils se trouvent en contradiction non seulement avec ceux qui écrivent l'histoire d'un peuple, mais avec eux-mêmes.

Les habitants des campagnes qui ne savent que vaguement ce qui cause la pluie, disent, selon qu'ils désirent la pluie ou le beau temps : le vent a chassé les nuages, ou bien le vent a amené les nuages. Ainsi font les auteurs d'histoires universelles : parfois, quand ils en ont envie, quand cela concorde avec leur théorie, ils disent que le pouvoir est le résultat des événements; et quelquefois, quand il leur faut prouver autre chose, ils disent que le pouvoir produit les événements.

Une troisième sorte d'historiens qu'on appelle historiens de la CULTURE, empruntant la voie tracée par les historiens universels qui admettent parfois les écrivains et les dames comme force agissante, conçoivent cette force de façon encore toute différente. Ils la trouvent dans ce qu'on nomme culture, dans l'activité intellectuelle.

L'attitude des historiens de la culture découle logiquement de celle de leurs prédécesseurs, car si on peut expliquer les événements historiques par les relations qu'entretiendraient certains hommes avec d'autres, pourquoi ne pas expliquer lesdits événements par les livres qu'écrivaient ces hommes? Parmi l'immense quantité de phénomènes qui accompagnent tout événement historique, ces historiens en choisissent un, l'activité intellectuelle, et déclarent qu'elle est la cause. Mais, en dépit de tous leurs efforts pour montrer que la cause de l'événement réside dans l'activité intellectuelle, il faut beaucoup de complaisance pour admettre qu'il puisse y avoir quelque chose de commun entre l'activité intellectuelle et les mouvements des peuples, et en tout cas on ne peut absolument pas admettre que cette activité dirige les peuples. Car des faits tels que les cruelles tueries de la Révolution française succédant à la proclamation de l'égalité des hommes, et les guerres les plus meurtrières à la prédication de l'amour, contredisent cette théorie.

Mais même en admettant que tous les raisonnements subtils dont sont remplis ces ouvrages soient exacts, en admettant que les peuples soient dirigés par on ne sait quelle force appelée IDÉE, la question essentielle de l'histoire n'en reste pas moins sans réponse, ou bien à l'ancien pouvoir des monarques et à l'influence des conseillers et autres personnages introduite par les histoires universelles, vient se joindre une nouvelle force encore, l'IDÉE, dont les liens avec les masses exigent une explication. On peut comprendre que Napoléon disposant du pouvoir, tel événement ait pu se produire; avec un peu de bonne volonté, on peut encore comprendre que Napoléon, concurremment avec d'autres facteurs, ait été la cause d'un événement. Mais que le *Contrat social* ait amené les Français à s'entretuer, cela ne peut être compris sans explication du lien causal entre cette nouvelle force et l'événement.

Il est indubitable qu'un lien existe entre tous ceux qui vivent à la même époque, aussi est-il possible de trouver un certain rapport entre l'activité intellectuelle des hommes et leur mouvement historique, tout comme on peut trouver ce rapport entre ledit mouvement et le commerce, les métiers, l'horticulture ou n'importe quoi. Mais pourquoi les historiens de la culture considèrent l'activité intellectuelle comme la cause ou l'expression de tout le mouvement historique, cela se comprend difficilement. Les historiens ne pouvaient être amenés à cette théorie que par les considérations suivantes :

1º L'histoire est écrite par des savants, et il leur est en conséquence naturel de croire que l'activité de leur corporation est à la base du mouvement de toute l'humanité, tout comme il est naturel et agréable aux marchands, aux cultivateurs, aux soldats de le croire aussi (si on n'en parle pas, c'est uniquement parce que les marchands et les soldats n'écrivent pas l'histoire).

2º L'activité spirituelle, l'instruction, la civilisation, la culture, les idées, ce sont là des notions peu claires, mal définies, sous l'étiquette desquelles il est très commode d'utiliser des termes qui ont un sens encore moins clair et qui donc peuvent servir à étayer toutes sortes de théories.

Mis à part les mérites intrinsèques de ce genre d'histoire (peut-être est-il utile après tout à quelqu'un ou à quelque chose), les histoires de la culture, auxquelles se ramènent de plus en plus les histoires universelles, ont ceci de remarquable que tout en étudiant en détail et à fond les différentes doctrines religieuses, philosophiques et politiques en tant que causes des événements, chaque fois qu'elles ont à décrire un événement historique réel, — la campagne de 1812 par exemple — elles le décrivent involontairement comme produit par le pouvoir, disant carrément que cette campagne est l'œuvre de Napoléon. En parlant de la sorte, les historiens de la culture se contredisent inconsciemment eux-mêmes, ou bien ils prouvent que cette nouvelle force qu'ils ont inventée n'exprime pas les événements historiques, et que le seul moyen de comprendre l'histoire c'est de recourir à cette notion de pouvoir qu'ils n'admettent pas, prétendent-ils.

III

Une locomotive est en marche. On demande : pourquoi marche-t-elle ? Un paysan dit : c'est le diable qui la fait avancer. Un autre dit : la locomotive marche parce que les roues tournent. Un troisième : la cause du mouvement est dans la fumée qu'emporte le vent.

La réponse du paysan est irréfutable : on ne pourrait la réfuter qu'en lui démontrant que le diable n'existe pas, ou qu'un autre paysan lui prouve que ce n'est pas le diable, mais un Allemand qui fait marcher la locomotive. Alors seulement la contradiction leur fera voir que tous deux ont tort. Mais celui qui dit que la cause est le mouvement des roues se réfute lui-même, car s'il s'est engagé sur le terrain de l'analyse, il doit aller toujours plus loin : il doit trouver la cause du mouvement des roues. Et jusqu'à ce qu'il arrive à la dernière cause de la marche de la locomotive, à la vapeur sous pression dans la chaudière, il n'aura pas le droit de s'arrêter dans la recherche des causes. Quant à celui qui a expliqué le mouvement de la locomotive parce que le vent emporte la fumée en arrière, voyant que les roues ne fournissent pas la cause, il s'est saisi du premier signe venu et l'a cité comme cause.

La seule notion qui puisse expliquer la marche de la locomotive est celle d'une force égale au mouvement visible.

La seule notion susceptible d'expliquer le mouvement des peuples est celle d'une force égale au mouvement total des peuples.

Cependant, par cette notion les divers historiens désignent des forces complètement différentes les unes des autres, mais toutes NON ÉGALES au mouvement visible. Pour les uns, c'est une force appartenant en propre au héros, comme le paysan voyait le diable dans la locomotive; pour d'autres, une force produite par d'autres forces, comme le mouvement des roues; pour les troisièmes, l'effet d'influences intellectuelles, comme la fumée emportée par le vent.

Tant qu'on écrira l'histoire des individus — des César, des Alexandre, des Luther ou des Voltaire — et non pas l'histoire de TOUS les hommes, de TOUS ceux, sans une seule exception, qui ont participé à l'événement, il est absolument impossible de décrire le mouvement de l'humanité sans faire appel à la notion d'une force qui oblige les hommes à diriger leurs activités vers un seul but. Et la seule notion de ce genre que connaissent les historiens, c'est le pouvoir.

Cette notion est la seule manette qui permette de manipuler la matière de l'histoire telle qu'on l'interprète actuellement, et celui qui brise cette manette, comme le fit Buckle, et ne trouva pas d'autre façon de manipuler la matière de l'histoire, celui-là se prive de toute possibilité de l'utiliser. La meilleure preuve que le recours à la notion de pouvoir pour expliquer les phénomènes historiques est inévitable, nous est donnée par les auteurs mêmes d'histoires universelles et d'histoires de la culture, qui renoncent soi-disant à cette notion et sont obligés à chaque pas de l'utiliser.

Pour ce qui est des questions touchant l'humanité, la science historique jusqu'à nos jours a été semblable à l'argent en circulation : billets de banque et espèces sonnantes. Les biographies et les histoires particulières sont analogues aux billets de banque qui peuvent avoir cours et s'échanger, jouant leur rôle sans dommage pour personne et étant même utiles, tant que ne se pose pas la question de leur couverture. Il suffit simplement d'oublier de se demander comment la volonté des héros produit les événements, et les histoires des Thiers paraîtront intéressantes, instructives, avec, en plus, une certaine nuance de poésie. Mais tout comme on met en doute la valeur réelle des billets, soit parce que leur fabrication étant facile on pourrait en faire beaucoup, soit parce qu'on veut les échanger contre de l'or, ainsi on se met à douter de la signification réelle des histoires de ce genre, soit parce qu'il s'en écrit beaucoup trop, soit parce que quelqu'un demande dans la simplicité de son âme : quelle est donc la force qui a permis à Napoléon de faire cela? C'est-à-dire quand on veut échanger le papier en circulation contre l'or pur de la vérité.

Quant aux auteurs d'histoires universelles et d'histoires de la culture, ils sont semblables aux gens qui ayant reconnu les mouvements des billets de banque auraient décidé de fabriquer au lieu de billets une monnaie sonnante d'un métal n'ayant pas la densité de l'or. Et cette monnaie eût été en effet SONNANTE, mais uniquement SONNANTE. Le papier pouvait encore tromper les ignorants, alors qu'une monnaie sonnante mais sans valeur ne peut tromper personne. De même que l'or n'est de l'or que lorsqu'il peut être utilisé pour d'autres fins encore que l'échange, ainsi les histoires universelles ne seront de l'or que lorsqu'elles seront en mesure de répondre à la question essentielle de l'histoire : qu'est-ce que le pouvoir? Elles répondent à cette question de façon contradictoire, et les histoires de la culture l'écartent complètement, répondant à tout autre chose. Et tout comme des jetons qui ressemblent à l'or ne peuvent être utilisés qu'entre ceux qui acceptent de les reconnaître pour de l'or et parmi ceux qui ne connaissent pas la valeur de l'or, ainsi les histoires universelles et les histoires de la culture, qui ne répondent pas aux questions essentielles de l'humanité, servent, on ne sait dans quels desseins particuliers, de monnaie courante aux universités et à la foule des lecteurs, amateurs de livres sérieux, comme il les appellent.

IV

Ayant renoncé à cette conception des Anciens selon laquelle le peuple était soumis à la volonté d'un élu et la volonté de celui-ci à la divinité, l'histoire ne pouvait faire un pas sans se contredire, à moins de choisir une de ces solutions : ou bien revenir à l'ancienne croyance en l'intervention directe de la divinité dans les affaires humaines, ou bien expliquer clairement quelle est cette force qui produit les événements historiques et qu'on appelle le pouvoir.

Revenir au premier terme de l'alternative est impossible : la croyance est détruite; il est donc indispensable d'expliquer ce qu'est le pouvoir.

Napoléon a donné l'ordre de rassembler des troupes et de

partir en guerre. Cette façon de voir les choses nous est devenue si familière, nous nous sommes si bien approprié ce point de vue que la question de savoir pourquoi six cent mille hommes partent en guerre quand Napoléon a prononcé telles et telles paroles nous paraît dénuée de sens. Il avait le pouvoir et donc ce qu'il ordonnait était accompli.

Cette réponse est tout à fait satisfaisante si nous croyons que le pouvoir lui a été donné par Dieu. Mais aussitôt que nous ne reconnaissons pas cela, il est indispensable de définir quel est ce pouvoir d'un homme sur les autres.

Un tel pouvoir ne peut être celui, direct, qu'exerce un être fort sur un être faible du fait de sa supériorité physique, et qui est fondé sur la contrainte physique ou la menace de cette contrainte, comme le pouvoir d'Hercule. Il ne peut non plus être fondé sur une force morale supérieure, ainsi que le pensent dans la simplicité de leur âme certains historiens lorsqu'ils disent que les personnages historiques sont des héros, c'est-à-dire des hommes doués de cette force d'âme et de cette intelligence particulières qu'on appelle génie. Ce pouvoir ne peut être fondé sur la supériorité morale car, sans parler des héros tels que Napoléon, dont la valeur morale est fort discutée, l'histoire nous montre que ni les Louis XIV, ni les Metternich, qui gouvernaient des millions d'hommes, ne possédaient aucune force d'âme particulière, mais étaient au contraire pour la plupart moralement inférieurs à l'un quelconque des millions d'hommes qu'ils gouvernaient.

Si la source du pouvoir n'est ni dans les qualités physiques ni dans les qualités morales du personnage qui le détient, il est évident que la source de ce pouvoir doit se trouver en dehors du personnage, dans les rapports entre le détenteur du pouvoir et les masses.

C'est ainsi précisément que considère le pouvoir la science du droit, ce bureau de change de l'histoire qui promet de convertir la notion historique du pouvoir en or pur.

Le pouvoir est l'ensemble des volontés des masses transféré par consentement exprimé ou tacite sur les gouvernants que les masses se sont choisis.

Dans le domaine de la science du droit qui se ramène à des considérations sur la façon dont il faudrait organiser l'État et le pouvoir si l'on pouvait les organiser, tout est très clair; mais dans l'application à l'histoire, cette définition du pouvoir exige des éclaircissements.

La science du droit considère l'État et le pouvoir comme les anciens considéraient le feu, comme quelque chose d'absolu; mais pour l'histoire, l'État et le pouvoir ne sont que des phénomènes, de même que pour la physique de notre temps le feu est non pas un élément mais un phénomène.

C'est en raison de cette différence fondamentale entre le point de vue de l'histoire et celui de la science du droit que la science du droit peut exposer en détail comment, à son avis, il faudrait organiser le pouvoir et ce qu'est ce pouvoir, immuable, hors du temps; mais, aux questions historiques touchant les variations du pouvoir dans le temps, elle est incapable de répondre.

Si le pouvoir est l'ensemble des volontés transféré sur celui qui gouverne, Pougatchov est-il ou non le représentant des volontés des masses? S'il ne l'est pas, pourquoi alors Napoléon l'est-il? Pourquoi Napoléon III, quand on l'arrêta à Boulogne, était-il un criminel, et ensuite ce furent ceux qu'il arrêtait qui devinrent des criminels?

Dans les révolutions de palais auxquelles participent parfois deux ou trois personnes, la volonté des masses s'est-elle aussi reportée sur le nouveau maître? Dans les relations internationales, la volonté des masses populaires se reporte-t-elle sur celui qui les a conquises? En 1808, la volonté de la Ligue du Rhin fut-elle transférée sur Napoléon? La volonté des masses russes fut-elle reportée sur Napoléon lorsqu'en 1809 nos troupes alliées aux Français se battirent contre l'Autriche?

A ces questions, on peut répondre de trois façons :

1º Ou bien reconnaître que la volonté des masses est toujours transférée sans condition sur le ou les gouvernants qu'elles ont choisis et qu'ainsi l'apparition de tout nouveau pouvoir, toute lutte contre le pouvoir une fois transféré doivent être considérées comme une atteinte au vrai pouvoir;

2º Ou bien reconnaître que la volonté des masses se porte sur les dirigeants sous certaines conditions précises, reconnues, et montrer que les limitations du pouvoir, les conflits qu'il provoque et même sa destruction sont dus uniquement à ce que les gouvernants ne respectent pas les conditions auxquelles le pouvoir leur a été remis;

3º Ou bien reconnaître que la volonté des masses est transférée aux gouvernants sous certaines conditions, mais que ces conditions sont inconnues, indéterminées, et que l'apparition de nombreux pouvoirs, leurs luttes et leur chute dépendent de l'observation plus ou moins exacte par les gouvernants de ces conditions inconnues d'après lesquelles les volontés des masses sont transférées d'un personnage à l'autre.

C'est de ces trois façons que les historiens expliquent les rapports entre les masses et les gouvernants.

Seuls les historiens qui, ne comprenant pas dans la candeur de leur âme la question du pouvoir, — ces mêmes auteurs de biographies et d'histoires particulières dont il a été parlé plus haut, — semblent reconnaître que l'ensemble des volontés des masses est reporté sur les personnages historiques inconditionnellement; aussi, en décrivant un pouvoir quelconque, ces historiens supposent qu'il est l'unique, le seul vrai pouvoir et que toute force qui s'y oppose n'est pas un pouvoir mais une atteinte au pouvoir, un acte de violence.

Leur théorie convient aux périodes primitives et paisibles de l'histoire, mais, appliquée aux périodes complexes et tumultueuses de la vie des peuples, quand surgissent simultanément divers pouvoirs qui luttent entre eux, elle présente cet inconvénient que l'historien légitimiste voudra prouver que la Convention, le Directoire et Bonaparte n'ont fait que détruire le vrai pouvoir, tandis que le républicain et le bonapartiste essayeront de démontrer, l'un que la Convention et l'autre que l'Empire furent le vrai pouvoir, et que tout le reste n'était qu'usurpation. Il est évident que les explications du pouvoir fournies par ces historiens qui se réfutent mutuellement ne peuvent convenir qu'aux enfants en bas âge.

Reconnaissant la fausseté de cette conception de l'histoire, un autre groupe d'historiens dit que le pouvoir est basé sur la remise conditionnelle aux dirigeants de l'ensemble des volontés des masses et que les personnages historiques ne disposent du pouvoir qu'à condition d'accomplir le programme que, par un accord tacite, leur a imposé la volonté du peuple; mais quelles sont ces conditions? Les historiens ne nous le disent pas ou, s'ils le disent, ils se contredisent constamment l'un l'autre.

Chaque historien, selon l'idée qu'il se fait du but d'un peuple, conçoit ces conditions à sa façon; ce sera la grandeur ou la richesse, ou l'instruction des citoyens de la France ou d'un autre État. Sans parler des contradictions des historiens sur ce point, en admettant même l'existence d'un programme commun à tous de ces conditions, il n'en reste pas moins que les faits historiques contredisent presque toujours ces théories. Si les conditions sous lesquelles le pouvoir est remis sont la richesse, la liberté, l'instruction, comment se fait-il alors que les Louis XIV et les Ivan IV [1] achèvent tranquillement leur règne, tandis que les Louis XVI et les Charles Ier sont exécutés par les peuples? A cette question ces historiens répondent que les actes de Louis XIV, contraires au programme, ont eu leur répercussion sur Louis XVI. Mais pourquoi ne se sont-ils pas répercutés sur Louis XIV ou Louis XV, et précisément sur Louis XVI? Et quel est le délai d'une telle répercussion? A ces questions, il n'y a pas et ne peut y avoir de réponse. De ce point de vue, on explique tout aussi mal pour quelles raisons l'ensemble des volontés demeure pendant des siècles aux mains des gouvernants et de leurs héritiers, et puis, soudain, en l'espace de cinquante ans, il est transféré à la Convention, au Directoire, à Napoléon, à Alexandre, à Louis XVIII, de nouveau à Napoléon, à Charles X, à Louis-Philippe, à la République, à Napoléon III. Pour expliquer ces rapides transferts de pouvoirs d'un personnage à l'autre, et surtout en tenant compte des relations internationales, des conquêtes, des alliances, ces historiens sont obligés de reconnaître malgré eux qu'une partie de ces événements ne relèvent pas du transfert normal de la volonté des peuples, mais du hasard et sont dus tantôt à la ruse, tantôt à l'erreur, tantôt à la perfidie ou à la faiblesse d'un diplomate, ou d'un monarque, ou d'un chef de parti. De sorte que la majeure partie des phénomènes historiques — guerres civiles, révolutions, conquêtes — ne résultent pas pour ces historiens du transfert des libres volontés, mais de la volonté faussement orientée d'un ou de plusieurs individus, c'est-à-dire, encore une fois, d'une usurpation de pouvoir. Ainsi donc ces historiens présentent eux aussi les événements historiques comme des dérogations à leur théorie.

Ils sont semblables à un botaniste qui, ayant remarqué que certaines plantes germent en formant deux feuilles, prétendrait que tout ce qui pousse ne germe qu'en formant deux feuilles, et que le palmier et le champignon et le chêne même, ne présentant plus, parvenus à leur pleine croissance, les deux feuilles initiales, s'écartent de la théorie.

Une troisième catégorie d'historiens admet que la volonté des masses se transmet aux personnages historiques conditionnellement, mais que ces conditions ne nous sont pas connues. Ils disent que ces personnages possèdent le pouvoir uniquement parce qu'ils accomplissent la volonté des masses transférée sur eux:

Mais dans ce cas, si la force qui dirige les peuples ne réside pas dans les personnalités historiques mais dans les peuples eux-mêmes, quelle est alors la signification de ces personnalités? Les personnages historiques, disent ces historiens, expriment la volonté des masses; le rôle de ces personnages est de représenter l'activité des masses.

Dans ce cas, une question se pose : est-ce toute l'activité des personnages historiques qui exprime la volonté des masses, ou seulement un de ses aspects? Si toute l'activité des personnages historiques sert de moyen d'expression à la volonté des masses, comme le croient certains, alors les vies des Napoléon ou des Catherine II, telles que nous les racontent les biographes avec tous les détails des commérages de cour, expriment la vie des peuples, ce qui est une évidente absurdité. Si ce n'est qu'un aspect de l'activité du personnage historique qui exprime la vie des peuples, comme le pensent d'autres prétendus historiens-philosophes, alors pour déterminer quel aspect de cette activité exprime la vie du peuple il faut savoir d'abord en quoi consiste la vie du peuple.

Se heurtant à cette difficulté, lesdits historiens inventent l'idée la plus nébuleuse, la plus insaisissable et la plus abstraite sous laquelle on peut rassembler le plus grand nombre d'événements, et ils disent que c'est elle qui représente le but que poursuit l'humanité. Les abstractions les plus courantes, acceptées par presque tous les historiens, sont : la liberté, l'égalité, l'instruction, le progrès, la civilisation, la culture. Ayant posé comme but de l'humanité une abstraction quelconque, les historiens se consacrent à l'étude des personnages — rois, ministres, chefs militaires, écrivains, réformateurs, papes, journalistes — dont le souvenir s'est perpétué et qui sont jugés par les historiens selon qu'à leur avis ils ont agi pour ou contre telle abstraction. Mais comme rien ne prouve que le but de l'humanité soit la liberté, l'égalité, l'instruction ou la civilisation, et comme le lien des masses avec les gouvernants et les éducateurs de l'humanité n'est fondé que sur l'hypothèse arbitraire que l'ensemble des volontés des masses est toujours transféré sur les personnages que nous distinguons, nous autres, il est clair que l'activité de millions d'hommes qui émigrent, brûlent des maisons, laissent les terres en friche et s'exterminent mutuellement, ne trouve en aucune façon son expression dans l'activité d'une dizaine de personnages qui ne brûlent pas leurs maisons, ne s'occupent pas d'agriculture et ne tuent pas leurs semblables.

L'histoire le prouve à chaque pas. La fermentation des

peuples occidentaux, à la fin du siècle dernier, et l'élan qui les porte vers l'Orient trouvaient-ils leur explication dans l'activité des Louis XIV, XV et XVI, de leurs maîtresses, de leurs ministres, dans la vie de Napoléon, de Rousseau, de Diderot, de Beaumarchais et d'autres?

La marche du peuple russe vers l'Orient, vers Kazan et la Sibérie [1] s'explique-t-elle par la nature maladive d'Ivan IV et sa correspondance avec Kourbsky [2]?

Le mouvement des peuples au temps des Croisades peut-il s'expliquer par la biographie des Godefroy de Bouillon, des Louis et de leurs dames? Le mouvement des peuples d'Occident en Orient, sans aucun but, sans chefs, avec des foules de vagabonds, avec Pierre l'Ermite, nous reste incompréhensible. Et plus encore nous reste incompréhensible l'arrêt de ce mouvement, alors que justement les hommes d'action de cette époque lui avaient proposé un but raisonnable et saint : la délivrance de Jérusalem. Les papes, les rois, les chevaliers poussaient le peuple à aller libérer la Terre Sainte; mais le peuple n'y allait pas, parce que la cause inconnue qui l'avait incité d'abord à se mettre en mouvement n'existait plus. L'histoire des Godefroy de Bouillon et des Minnesänger ne peut évidemment embrasser la vie des peuples. L'histoire des Godefroy et des Minnesänger n'est rien d'autre que l'histoire des Godefroy et des Minnesänger, et l'histoire de la vie des peuples et de leurs élans demeure inconnue.

Moins encore nous explique la vie des peuples l'histoire des écrivains et des réformateurs.

L'histoire de la culture nous expliquera les aspirations, les conditions de vie et les idées d'un écrivain ou d'un réformateur. Nous apprenons que Luther avait un caractère emporté et qu'il a prononcé tels discours, que Rousseau était soupçonneux et a écrit tels livres; mais nous n'apprenons pas pourquoi après la Réforme les peuples s'entr'égorgeaient et pourquoi pendant la Révolution française les hommes s'envoyaient l'un l'autre à l'échafaud.

Si l'on réunit ces deux histoires ensemble, ainsi que le font les historiens les plus récents, ce sera l'histoire des monarques et des écrivains, et non pas l'histoire de la vie des peuples.

V

La vie de quelques personnages n'embrasse pas la vie des peuples, car le lien entre ces personnages et les peuples n'a pas été trouvé. La théorie selon laquelle ce lien repose sur le transfert de toutes les volontés sur les personnages historiques est une hypothèse que l'histoire ne confirme pas.

La théorie du transfert de l'ensemble des volontés des masses sur les personnages historiques explique peut-être beaucoup de choses dans le domaine de la science du droit et peut-être est-elle indispensable à cette science; mais appliquée à l'histoire, dès qu'il y a des révolutions, des conquêtes, des guerres civiles, dès que commence l'histoire, cette théorie n'explique rien.

Cette théorie semble irréfutable précisément parce que l'acte de transfert des volontés du peuple est un acte invérifiable, vu qu'il ne s'est jamais produit.

Quel que soit l'événement, quel que soit celui qui a pris la tête de l'événement, la théorie peut toujours dire que tel personnage a pris la tête de l'événement parce que l'ensemble général des volontés s'est transféré sur lui.

Les réponses fournies par cette théorie aux questions historiques ressemblent aux réponses d'un homme qui, voyant un troupeau se déplacer et ne tenant compte ni des différentes qualités de l'herbe dans les divers endroits du pâturage, ni de l'intervention du berger, prétendrait expliquer la direction prise par le troupeau en tenant uniquement compte de l'animal qui marche en tête du troupeau.

« Le troupeau va dans cette direction parce que l'animal qui est en tête le conduit, et l'ensemble des volontés de tous les autres animaux est transféré sur lui. »

Ainsi répondent les historiens de la première catégorie, qui reconnaissent le transfert inconditionnel du pouvoir.

«Si les animaux qui marchent en avant du troupeau changent, cela vient de ce que l'ensemble des volontés de tous les animaux passe d'un chef à l'autre, selon que l'animal va ou non dans la direction choisie par le troupeau. » Ainsi répondent les historiens qui reconnaissent que l'ensemble des volontés est transféré sur les gouvernants sous des conditions qu'ils considèrent comme étant connues. (D'après cette façon de voir, il arrive fréquemment que l'observateur, s'en tenant à la direction qu'il a choisie, continue à reconnaître comme guides ceux qui, en raison d'un changement de direction des masses, ne marchent plus en tête mais sur les côtés et parfois même en queue.)

« Si les animaux marchant en tête changent constamment et si la direction du troupeau entier change sans cesse elle aussi, cela vient de ce que pour atteindre la direction que nous connaissons, les animaux remettent leur volonté à ceux des animaux que nous remarquons particulièrement; aussi, pour étudier le mouvement du troupeau, faut-il observer tous les animaux qui nous paraissent remarquables, qui marchent de tous les côtés du troupeau. »

Ainsi parlent les historiens de la troisième catégorie, qui reconnaissent comme exprimant leur époque tous les personnages historiques, du roi au journaliste.

La théorie du transfert de la volonté des masses sur les personnages historiques n'est qu'une périphrase, elle ne fait que formuler la question en d'autres termes.

Quelle est la cause des événements historiques? Le pouvoir. Qu'est-ce que le pouvoir? Le pouvoir est l'ensemble des volontés transférées sur une personne. A quelles conditions la volonté des masses est-elle transférée sur une personne? A la condition que cette personne exprime la volonté de tous les hommes. Autrement dit, le pouvoir est le pouvoir. Autrement dit, le pouvoir est un mot dont le sens nous est incompréhensible.

Si le domaine de la connaissance humaine se limitait à la seule pensée abstraite, alors, ayant soumis à la critique l'explication du pouvoir que fournit la science, l'humanité serait amenée à la conclusion que le pouvoir n'est qu'un mot et qu'en réalité il n'existe pas. Mais en plus de la pensée abstraite, l'homme dispose pour connaître les phénomènes d'un autre instrument, l'expérience, qui lui permet de vérifier les résultats de sa pensée. Et l'expérience dit que le pouvoir n'est pas un mot mais un phénomène réel.

En dehors même du fait qu'aucune description de l'activité collective des hommes n'est possible sans la notion de pouvoir, l'existence du pouvoir est démontrée tant par l'histoire que par l'observation des événements actuels.

Quand se produit un événement, un homme ou des hommes

surgissent toujours par la volonté desquels l'événement paraît s'être accompli. Napoléon III l'ordonne, et les Français vont au Mexique. Le roi de Prusse et Bismarck prennent certaines dispositions, et les troupes entrent en Bohême. Napoléon Ier ordonne, et ses armées vont en Russie. Alexandre Ier ordonne, et les Français se soumettent aux Bourbons. L'expérience nous montre que quel que soit l'événement, il s'accomplit toujours en liaison avec la volonté d'un ou de plusieurs hommes qui l'ont ordonné.

Les historiens, habitués qu'ils sont à admettre l'intervention divine dans les affaires humaines, veulent voir la cause de l'événement dans la volonté exprimée de l'homme revêtu du pouvoir; mais cette conclusion n'est confirmée ni par le raisonnement ni par l'expérience.

D'une part, la réflexion montre que l'expression de la volonté de l'homme — ses paroles — ne constitue qu'une partie de l'activité collective qui s'exprime dans un événement, une guerre par exemple ou une révolution; en conséquence, si l'on ne reconnaît pas une force incompréhensible, surnaturelle, un miracle, on ne peut admettre que des paroles puissent être la cause directe du mouvement de millions d'hommes. D'autre part, quand bien même on admettrait que les paroles puissent être la cause de l'événement, l'histoire nous montre que l'expression de la volonté de personnages historiques, dans nombre de cas, ne produit aucun résultat, c'est-à-dire que leurs ordres non seulement souvent ne sont pas exécutés, mais que parfois même il se produit exactement le contraire de ce qu'ils avaient ordonné.

N'admettant pas la participation divine dans les affaires humaines, nous ne pouvons admettre le pouvoir comme cause des événements.

Du point de vue de l'expérience, le pouvoir n'est que le rapport de dépendance qui existe entre l'expression de la volonté d'un homme et l'exécution de cette volonté par d'autres hommes.

Pour comprendre les conditions de cette dépendance, nous devons avant tout rétablir la notion d'expression de la volonté en la rapportant à l'homme et non pas à la Divinité.

Si la Divinité donne un ordre, exprime sa volonté, ainsi que nous l'enseignent les Anciens, l'expression de cette volonté ne dépend pas du moment et n'est provoquée par rien, parce que la Divinité n'est en rien liée à l'événement. Mais lorsqu'il s'agit des ordres, de l'expression de la volonté des hommes qui agissent dans le temps et sont solidaires, nous devons, pour nous expliquer le lien existant entre l'ordre et l'événement, rétablir :

1° la condition de tout ce qui s'accomplit : la continuité du mouvement dans le temps, tant des événements que des ordres donnés par le personnage; et

2° la condition du rapport indispensable qui doit lier celui qui donne l'ordre et ceux qui l'exécutent.

VI

Seule l'expression de la volonté de la Divinité, indépendante du temps, peut se rapporter à toute une série d'événements qui ont à s'accomplir au cours de plusieurs années ou de siècles, et seule la Divinité, que rien ne conditionne, peut déterminer par la seule volonté la direction du mouvement de l'humanité; l'homme, lui, agit dans le temps et participe personnellement à l'événement.

En rétablissant la première condition passée sous silence, celle du temps, nous verrons qu'aucun ordre ne peut être exécuté sans qu'il ait été précédé d'un autre ordre qui rend possible l'exécution de celui qui le suit.

Jamais aucun ordre ne surgit spontanément et n'enferme en lui toute une série d'événements, mais chaque ordre découle d'un autre et ne se rapporte jamais à une série d'événements mais toujours à un seul moment de l'événement.

Quand nous disons par exemple que Napoléon a ordonné à ses troupes d'entrer en guerre, nous rassemblons dans un ordre unique une série d'ordres successifs dépendant les uns des autres. Napoléon ne pouvait ordonner la campagne de Russie et ne l'a jamais ordonnée. Il a donné l'ordre tel jour d'envoyer telle lettre à Berlin et à Pétersbourg; le lendemain, il a pris tels décrets et adressé tels ordres à l'armée, à la flotte, à l'intendance, etc. Ces millions d'ordres ont donné naissance à une série d'ordres correspondant à la série d'événements qui ont amené les armées françaises en Russie.

Si Napoléon, tout au long de son règne, donne des ordres pour une expédition en Angleterre et ne dépense pour aucune autre entreprise autant d'efforts et de temps et si, malgré cela, durant tout son règne il ne tente pas une seule fois de réaliser ce projet mais envahit la Russie, alors qu'il considère, comme il l'a dit à plusieurs reprises, qu'il est préférable d'en être l'allié, cela s'est produit parce que la première série d'ordres ne correspondait pas, et la seconde correspondait à la série d'événements.

Pour qu'un ordre soit sûrement exécuté, il faut que l'homme donne un ordre qu'il soit possible d'exécuter. Mais savoir ce qui peut ou ne peut pas être exécuté est impossible, non seulement dans le cas de l'expédition de Napoléon en Russie, à laquelle participent des millions d'hommes, mais dans le cas de l'événement le plus simple, car l'exécution de l'ordre peut toujours, dans un cas comme dans l'autre, se heurter à des millions d'obstacles. Pour chaque ordre exécuté, il s'en trouve toujours d'énormes quantités de non exécutés. Les ordres impossibles n'ont pas de lien avec l'événement, et ils ne s'accomplissent pas. Seuls ceux qui sont possibles s'agrègent en séries d'ordres consécutives, correspondant à des séries d'événements, et ceux-là sont exécutés.

Nous nous figurons faussement que l'ordre qui précède l'événement est la cause de l'événement, parce que quand l'événement s'est accompli et que certains ordres, les seuls qui parmi des milliers d'autres correspondaient aux événements, ont été exécutés, nous oublions ceux qui n'ont pas été exécutés parce que c'était impossible. De plus, notre erreur sous ce rapport vient principalement de ce que dans les exposés historiques, toute une série d'innombrables événements divers et infimes, comme par exemple cette série qui a amené l'armée française en Russie, se concentre autour d'un seul événement selon le résultat auquel aboutit cette série, et en conséquence de cela, toute la série d'ordres se concentre elle aussi autour d'une seule expression de la volonté.

Nous disons : Napoléon a voulu la campagne de Russie et il l'a faite. En réalité, nous ne trouverons à aucun moment dans l'activité de Napoléon rien qui ressemble à l'expression de cette volonté, mais nous trouverons une série d'ordres ou d'expressions de sa volonté, orientés de la façon la plus dispersée et la plus indéterminée. De l'innombrable série d'ordres inexécutés de Napoléon, s'est dégagée une série d'ordres exécutés en vue de la campagne de 1812, non pas parce que ces ordres se distinguaient en quoi que ce fût des autres ordres, non exécutés, mais parce que cette série d'ordres coïncidait avec la série d'événements qui amenait les armées françaises en Russie. Ainsi, lorsqu'on peint au pochoir, on ne peint pas telle ou telle figure parce qu'on étend la couleur à tel endroit, de telle façon, mais parce qu'on l'a étendue de tous les côtés sur la figure découpée au préalable.

Ainsi donc, lorsque nous considérons le rapport temporel

entre les ordres et les événements, nous trouvons que l'ordre ne peut en aucun cas être la cause de l'événement, mais qu'il y a entre eux une certaine dépendance déterminée.

Pour comprendre quelle est cette dépendance, il est indispensable de rétablir une autre condition négligée, celle de tout ordre qui émane non de la Divinité mais de l'homme et qui consiste en ce que cet homme même qui donne des ordres participe à l'événement.

Le rapport de celui qui ordonne à ceux auxquels il ordonne, c'est précisément ce qu'on appelle le pouvoir. Voici en quoi il consiste :

Pour agir en commun, les hommes s'assemblent toujours en groupes au sein desquels, malgré la diversité des buts que se propose l'action commune, le rapport entre les hommes participant à cette action est toujours le même.

En s'assemblant en groupes, les hommes se placent toujours entre eux dans des rapports tels que le plus grand nombre prend la part directe la plus importante et le plus petit nombre, la part directe la moins importante dans cette action commune pour laquelle ils ont formé le groupe.

De tous les groupes que forment les hommes pour accomplir des actions communes, l'un des plus nettement tranchés et des mieux définis est l'armée.

Toute armée est composée d'hommes du grade militaire le plus bas, soldats, qui sont le plus grand nombre; de gradés — caporaux, sous-officiers — qui sont en moins grand nombre que les soldats; d'officiers, dont le nombre est encore moins élevé, et ainsi de suite jusqu'au commandement militaire suprême qui se concentre en un seul individu.

L'organisation militaire peut être parfaitement figurée par un cône dont la base, qui a le plus grand diamètre, représente les soldats, les sections parallèles à la base, dont le diamètre est de plus en plus réduit, représentent les officiers, jusqu'au sommet du cône, dont la pointe représentera le commandant en chef.

Les soldats, qui sont le plus grand nombre, sont les points de la partie inférieure du cône, sa base. Le soldat frappe, coupe, brûle, pille lui-même et accomplit toujours ces actes sur l'ordre de ses supérieurs et ne donne jamais aucun ordre. Le sous-officier (leur nombre est déjà moins grand) agit en personne plus rarement que le soldat; mais il donne déjà des ordres. L'officier agit lui-même encore plus rarement, mais commande plus souvent. Le général, lui, ne fait plus que donner l'ordre aux troupes de marcher en leur désignant le but, et ne fait presque jamais usage d'une arme. Quant au commandant en chef, il ne peut jamais prendre une part directe à l'action et se contente de prendre des dispositions générales touchant le mouvement des masses. Ces mêmes rapports des hommes entre eux s'observent dans toute association en vue d'une activité commune, aussi bien dans l'agriculture que dans le commerce et dans toute entreprise.

Ainsi, sans multiplier artificiellement tous les points qui se confondent des sections du cône et des grades de l'armée, ou des titres et des situations de n'importe quelle administration ou entreprise, des plus bas aux plus élevés, nous voyons se dégager une loi selon laquelle les hommes qui se réunissent pour accomplir une action collective se trouvent toujours par rapport l'un à l'autre dans une situation telle que plus ils participent directement à l'action, moins ils peuvent donner d'ordres et plus ils sont nombreux, et moins ils participent directement à l'action, plus ils peuvent donner d'ordres et sont moins nombreux. Et ainsi, partant des couches inférieures, on s'élève jusqu'à un seul et unique personnage dont la participation directe à l'événement est la plus minime et qui concentre toute son activité sur le commandement.

C'est précisément le rapport entre ceux qui commandent et ceux à qui ils commandent qui constitue l'essence même de la notion qu'on nomme le pouvoir.

En rétablissant les conditions temporelles de l'accomplissement de tout événement, nous avons trouvé que l'ordre n'est exécuté que quand il se rapporte à une série d'événements qui leur correspond. Ayant rétabli la condition nécessaire du rapport entre celui qui ordonne et celui qui obéit, nous avons trouvé que, du fait de leur situation, ceux qui commandent prennent le moins de part directe à l'événement même et que leur activité est exclusivement orientée vers le commandement.

VII

Quand un événement quelconque se prépare, les hommes expriment leurs jugements, leurs désirs touchant l'événement, et comme celui-ci résulte de l'action commune de beaucoup de gens, il répond nécessairement, ne fût-ce qu'en partie, à l'un des désirs qui ont été formulés. Quand l'un des jugements se trouve justifié, il s'associe dans notre esprit à l'événement comme étant l'ordre qui l'a précédé.

Des hommes traînent une poutre. Chacun donne son avis sur la façon de la traîner et la direction à prendre. Quand ils ont achevé leur travail, il se trouve que la chose s'est faite selon l'avis de l'un d'eux. Il a commandé. Voilà l'ordre et le pouvoir dans leur forme primitive : celui qui a le plus travaillé de ses mains a moins réfléchi, moins pensé à ce que pouvait donner l'action commune et moins commandé; celui qui a donné plus d'ordres, traduisant son activité en paroles, n'a pu évidemment agir autant de ses mains.

Plus nombreux sont les hommes qui se réunissent en vue d'une tâche commune, plus tranché est le groupe de ceux qui prennent d'autant moins une part directe à l'action commune qu'ils consacrent davantage leur activité au commandement.

Quand l'homme agit seul, il maintient toujours en lui un certain nombre de raisons qui ont guidé, lui semble-t-il, son activité passée, qui lui servent à justifier son activité présente et qui le guident dans le choix des actions qu'il aura à accomplir.

Les collectivités font exactement de même : elles laissent à ceux qui ne prennent pas directement part à l'action le soin d'inventer les raisons, les justifications et les projets relatifs à leur activité commune.

Pour des raisons connues ou inconnues de nous, les Français commencent à s'entretuer. Et ces tueries sont accompagnées des justifications qui leur correspondent dans l'esprit des hommes qui considèrent que c'est indispensable au bien de la France, à l'établissement de la liberté, de l'égalité. Les hommes s'arrêtent de s'égorger, et l'événement est accompagné de sa justification, à savoir la nécessité de constituer un pouvoir unique, de résister à l'Europe, etc. Les hommes se mettent en marche d'Occident en Orient, massacrent leurs semblables, et cet événement est accompagné de discours sur la gloire de la France, la perfidie de l'Angleterre, etc. L'histoire nous montre que ces justifications de l'événement n'ont aucun sens prises en soi et se contredisent elles-mêmes, comme le meurtre d'un homme à la suite de la reconnaissance de ses droits et le massacre de millions d'hommes en Russie pour abaisser l'Angleterre. Mais, dans les circonstances où elles sont formulées, elles ont une signification.

Ces justifications libèrent les hommes qui participent à l'événement de leur responsabilité normale. Ces buts provisoires jouent le rôle des balais placés à l'avant de la locomotive pour nettoyer la voie. Ils aplanissent la route devant le sentiment de responsabilité morale. Sans de telles justifications, la question la plus simple que pose tout événement ne pourrait trouver de réponse : comment se fait-il que des millions de gens commettent des crimes tels que des guerres, des meurtres, etc.?

Étant donné les formes complexes de la vie actuelle des États et des sociétés en Europe, est-il possible d'imaginer un événement quelconque qui n'ait été prescrit, désigné, ordonné par des souverains, des ministres, des parlements, des journaux? Peut-il y avoir une action collective quelconque qui ne trouve sa justification dans l'unité de l'État, le sentiment national, l'équilibre européen, la civilisation? De sorte que tout événement qui s'accomplit correspond inévitablement à quelque désir exprimé, obtient sa justification et apparaît comme l'œuvre de la volonté d'une ou plusieurs personnes.

Quelle que soit la direction d'un bateau, on verra toujours à l'avant les remous des vagues que fend l'étrave. Pour les gens qui sont sur le bateau, le mouvement de ce remous est le seul qu'ils percevront.

Ce n'est qu'en surveillant de près, d'instant en instant, le mouvement de ce remous et en le comparant au mouvement du bateau, que nous constaterons qu'à chaque instant le mouvement du remous est déterminé par le mouvement du bateau et que notre erreur tient à ce que nous-mêmes nous avançons sans nous en apercevoir.

Et c'est ce que nous constaterons en observant d'instant en instant l'activité des personnages historiques (c'est-à-dire en rétablissant la condition nécessaire de tout ce qui s'accomplit, la condition de la continuité du mouvement dans le temps), sans perdre de vue le lien qui existe nécessairement entre les personnages historiques et les masses.

Quand le bateau suit une même direction, il est précédé du même remous; quand il change souvent de direction, le remous qu'il produit change fréquemment de direction lui aussi. Et le bateau a beau tourner, il est toujours précédé d'un remous.

Quoi qu'il se produise, il se trouvera toujours que c'est précisément cela qui avait été prévu et ordonné. Où qu'aille le bateau, le remous, qui ne dirige ni ne renforce son mouvement, bouillonne devant lui, et nous pourrons croire de loin non seulement qu'il bouillonne indépendamment, mais qu'il dirige même le mouvement du bateau.

En se contentant d'examiner uniquement les expressions de la volonté des personnages historiques qui prirent la forme d'ordres, les historiens ont admis que les événements dépendaient des ordres. Mais en examinant les événements eux-mêmes et le lien des personnages historiques avec les masses, nous avons trouvé que les personnages historiques et leurs ordres dépendent de l'événement. La preuve indubitable en est que si nombreux qu'aient été les ordres, l'événement ne s'accomplit pas en l'absence de causes autres que les ordres, mais qu'aussitôt qu'un événement se produit, quel qu'il soit, parmi toutes les volontés constamment exprimées il s'en trouvera qu'on pourra, selon leur sens et le moment, rapporter à l'événement comme l'ordre qui l'a causé.

Parvenus à cette conclusion, nous pouvons répondre nettement et avec certitude aux deux questions historiques essentielles :

1º Qu'est-ce que le pouvoir?

2º Quelle force dirige le mouvement des peuples?

1º Le pouvoir est un rapport entre un certain personnage connu et les autres hommes, rapport tel que ce personnage prend d'autant moins part à l'action qu'il exprime davantage d'opinions, de suppositions et de justifications, relativement à l'action commune en cours.

2º Le mouvement des peuples ne résulte ni du pouvoir, ni de l'activité intellectuelle, ni même de la conjonction des deux, ainsi que le pensaient les historiens, mais de l'activité de TOUS les hommes qui prennent part à l'événement et qui s'associent toujours de telle sorte que ceux qui prennent la part la plus directe à l'événement, prennent le moins de responsabilité, et inversement.

Dans l'ordre moral, la cause de l'événement paraît être le pouvoir; dans l'ordre physique, ceux qui obéissent au pouvoir. Mais comme l'activité morale est impensable sans l'activité physique, la cause de l'événement ne se trouve ni dans l'une ni dans l'autre, elle se trouve uniquement dans la conjonction des deux.

En d'autres termes, la notion de cause est inapplicable au phénomène que nous examinons.

En dernière analyse, nous aboutissons au cercle vicieux, à cette limite extrême où aboutit toujours l'esprit humain dans tous les domaines de la réflexion s'il ne joue pas avec l'objet de sa réflexion. L'électricité produit la chaleur, la chaleur produit l'électricité. Les atomes s'attirent, les atomes se repoussent.

En parlant de l'interaction de la chaleur et de l'électricité ou de celle des atomes, nous ne pouvons pas dire pourquoi les choses sont comme cela, et disons qu'elles sont ainsi parce qu'elles ne peuvent être autrement, que telle est leur nature, c'est la loi. Il en est de même des phénomènes historiques. Pourquoi se produit une guerre ou une révolution? Nous ne le savons pas; nous savons seulement que pour que l'une ou l'autre s'accomplisse, les hommes se groupent, s'organisent et tous participent à l'action; c'est ainsi parce que c'est impensable autrement, parce que c'est une loi.

VIII

Si l'histoire n'avait affaire qu'aux phénomènes extérieurs, il suffirait d'énoncer cette loi simple et évidente, et notre enquête serait terminée. Mais la loi de l'histoire concerne l'homme. Une parcelle de matière ne peut nous dire qu'elle n'éprouve nullement le besoin d'attirer ou de repousser et que c'est faux; mais l'homme qui est l'objet de l'histoire dit tout net : je suis libre et je ne suis donc pas soumis aux lois.

La présence de ce problème de la liberté de l'homme se perçoit à chaque pas dans l'histoire, même s'il n'est pas formulé.

Les historiens qui ont sérieusement réfléchi sont tous arrivés à cette question. Toutes les contradictions et les obscurités de l'histoire, la voie fausse que suit cette science proviennent uniquement de ce que la question n'a pas été résolue.

Si la volonté de tout homme était libre, c'est-à-dire si chacun pouvait agir comme il l'entend, alors toute l'histoire serait une série de hasards incohérents.

Si même au cours d'un millénaire un homme sur des millions avait la possibilité d'agir librement, c'est-à-dire à sa guise, il est évident qu'un seul acte libre de cet homme, contraire aux lois, anéantirait la possibilité d'existence de quelque loi que ce soit pour toute l'humanité.

Mais si ne fût-ce qu'une seule loi dirige les actions des hommes, alors il ne peut y avoir de liberté, car la volonté des hommes doit se soumettre à cette loi.

C'est dans cette contradiction que réside le problème du libre arbitre qui depuis les temps les plus reculés occupe les plus grands esprits, et depuis les époques les plus reculées a été posé dans toute son ampleur.

La question consiste en ceci : quand on étudie l'homme en tant qu'objet, de quelque point de vue que ce soit, — théologique, historique, éthique, philosophique, — on retrouve cette loi générale de la nécessité à laquelle il est soumis comme tout ce qui existe. Mais quand l'homme regarde en lui-même, quand il prend conscience de soi, il se sent libre.

Cette conscience est la source d'une connaissance de soi complètement distincte et indépendante de la raison. La raison permet à l'homme de s'observer, mais il ne se connaît qu'à travers sa conscience.

Sans la conscience de soi, aucune observation, aucune application de la raison ne sont même pensables.

Afin de comprendre, d'observer, de raisonner, l'homme doit avoir conscience de soi comme vivant. L'homme ne se sait vivant que voulant, c'est-à-dire en ayant conscience de sa volonté. Et de la volonté qui constitue l'essence même de sa vie, l'homme ne peut prendre conscience que comme d'une volonté libre.

Si en se soumettant à l'observation, l'homme remarque que sa volonté est toujours déterminée par une seule et même loi (observe-t-il la nécessité où il se trouve de se nourrir, ou le fonctionnement du cerveau, ou n'importe quoi), il ne peut comprendre cette direction toujours constante de sa volonté que comme sa limitation. Ce qui serait libre ne pourrait pas être limité. La volonté de l'homme lui apparaît limitée justement parce qu'il en a conscience comme d'une volonté libre.

Vous dites : je ne suis pas libre. Et moi, j'ai levé et abaissé ma main. Chacun comprend que cette réponse illogique est la preuve irréfutable de la liberté.

Cette réponse est l'expression de la conscience non soumise à la raison.

Si la conscience de la liberté n'était pas la source, distincte et indépendante de la raison, de la connaissance de soi, elle serait subordonnée à la raison et à l'expérience; mais en réalité cette subordination n'existe jamais et elle est impensable.

Une série d'expériences et de raisonnements montre à tout homme qu'en tant qu'objet d'observation, il est soumis à certaines lois, et l'homme accepte ces lois et ne lutte jamais, une fois qu'il l'a reconnue, contre la loi d'attraction ou celle d'impénétrabilité. Mais la même série d'expériences et de raisonnements lui montre que la liberté totale qu'il reconnaît en lui-même est impossible, que chacun de ses actes dépend de son organisme, de son caractère et des motifs qui agissent sur lui. Et cependant, l'homme ne se soumet jamais aux conclusions de ces expériences et de ces raisonnements.

Ayant appris par expérience et raisonnement qu'une pierre tombe vers le bas, l'homme n'a plus aucun doute et attend chaque fois que la loi qu'il a reconnue s'accomplisse.

Mais ayant reconnu avec la même certitude que sa volonté est soumise à des lois, il n'y croit pas et ne peut y croire.

Quel que soit le nombre de fois où l'expérience et le raisonnement ont montré à l'homme que dans les mêmes circonstances, et son caractère n'ayant pas changé, il ferait toujours ce qu'il a fait, quand pour la millième fois il aborde dans les mêmes circonstances et avec le même caractère une action qui se terminera toujours de la même façon, il se sent toujours aussi certain, comme avant toute expérience, de pouvoir agir comme il veut. Tout homme, si irréfutablement que le raisonnement et l'expérience lui prouvent qu'il est impossible de se représenter comme différents deux actes accomplis dans les mêmes conditions, tout homme, le sauvage comme le penseur, sent que sans cette absurde représentation (qui constitue l'essence de la liberté) il ne peut concevoir la vie. Il sent que si impossible que ce soit, cela est; car sans cette idée de la liberté non seulement il ne comprendrait pas la vie, mais il ne pourrait pas vivre un seul instant.

Il ne pourrait pas vivre parce que toutes les aspirations des hommes, tous leurs élans vers la vie, n'ont pour fin qu'une plus grande liberté. Richesse - pauvreté, gloire - obscurité, pouvoir - sujétion, force - faiblesse, santé - maladie, savoir - ignorance, travail - loisir, satiété - faim, vertu - vice, ne sont que des degrés plus ou moins élevés de la liberté.

Se représenter un homme privé de liberté est impossible, à moins de se le représenter privé de vie.

Si la notion de liberté apparaît à la raison absurde et contradictoire, comme la possibilité d'accomplir deux actes différents dans le même instant ou comme un effet sans cause, cela prouve seulement que la conscience ne relève pas de la raison.

C'est cette conscience inébranlable, irréfutable de la liberté, qui n'est pas du domaine du raisonnement et de l'expérience, qui est reconnue par tous les penseurs et ressentie par tous les hommes sans exception, c'est précisément cette conscience en dehors de laquelle l'homme est inconcevable, qui constitue l'autre côté du problème.

L'homme est la créature d'un Dieu tout-puissant, infiniment bon et omniscient. Qu'est-ce donc que le péché dont la notion découle de la conscience de la liberté de l'homme? Voilà la question de la théologie.

Les actes des hommes obéissent à des lois générales immuables que formulent les statistiques. En quoi donc consiste la responsabilité de l'homme devant la société, dont la notion découle de la conscience de la liberté? Voilà la question du droit.

Les actes de l'homme découlent de sa nature innée et des motifs qui agissent sur lui. Qu'est-ce donc que la conscience morale, la conscience du bien et du mal des actes qui découlent de la conscience de la liberté? Voilà la question de l'éthique.

L'homme, lié à la vie sociale de l'humanité, nous apparaît soumis aux lois qui déterminent cette vie. Mais le même homme, indépendamment de ces liens, nous apparaît comme libre. Comment faut-il considérer la vie passée des peuples et de l'humanité : comme le produit d'une activité humaine libre ou non? Voilà la question de l'histoire.

C'est seulement à notre présomptueuse époque de vulgarisation des connaissances, due à l'arme la plus puissante de l'ignorance, l'imprimerie, que la question du libre arbitre s'est trouvée placée sur un terrain où elle ne peut même plus se poser. A notre époque, la plupart des gens dits avancés, c'est-à-dire une foule d'ignorants, ont cru trouver dans les travaux des naturalistes qui ne traitent qu'un aspect de la question, son entière solution.

Il n'y a ni âme ni liberté, parce que la vie de l'homme s'exprime par les mouvements des muscles; or les mouvements des muscles sont conditionnés par l'activité nerveuse; il n'y a pas d'âme et de liberté parce qu'à une certaine période inconnue nous sommes nés des singes, disent-ils, écrivent-ils et publient-ils sans même se douter qu'il y a des millénaires, toutes les religions, tous les penseurs non seulement reconnaissaient, mais n'avaient jamais renié cette loi de la nécessité qu'ils essayent de prouver maintenant avec acharnement en ayant recours à la physiologie et à la zoologie comparée. Ils ne voient pas que le rôle des sciences naturelles dans cette question consiste uniquement à en éclairer un seul aspect. Car le fait que du point de vue de l'observateur la raison et la volonté ne sont que des *sécrétions* du cerveau, ou que l'homme a pu se développer conformément à une loi générale, à partir des animaux inférieurs, à une époque inconnue, ce fait éclaire seulement une nouvelle face d'une vérité reconnue il y a des milliers d'années par toutes les religions et les philosophies, à savoir que du point de vue de la raison, l'homme est soumis à la nécessité. Mais cela n'avance pas d'un cheveu la solution de la question qui présente une autre face, opposée, qui tient à la conscience de notre liberté.

Que l'homme soit issu du singe à une époque inconnue est aussi compréhensible que sa naissance à une certaine époque d'une poignée de terre (dans le premier cas, l'inconnue x est le temps, dans le second l'origine), et la question de savoir comment la conscience de la liberté coexiste avec la nécessité à laquelle l'homme est soumis, ne peut être résolue par le recours à la physiologie et à la zoologie comparée; car lorsqu'il s'agit d'une grenouille, d'un lapin ou d'un singe nous ne pouvons observer qu'une activité musculaire et nerveuse, tandis que dans l'homme nous trouvons et une activité neuro-musculaire et la conscience.

Les naturalistes et leurs admirateurs qui pensent résoudre cette question ressemblent à des maçons qui, ayant été chargés de crépir un côté du mur d'une église, profitant de l'absence du maître-d'œuvre, auraient dans leur zèle recouvert de plâtre et les fenêtres, et les icones, et les échafaudages, et les murs encore mal consolidés, et seraient ravis de leur travail, de leur point de vue de maçons, tout étant recouvert d'une belle couche de crépi.

IX

La solution du problème de la liberté et de la nécessité présente dans le cas de l'histoire un avantage par rapport aux autres branches de la connaissance qui se sont occupées de résoudre cette question, car pour l'histoire le problème ne met pas en cause l'essence même de la volonté humaine mais les manifestations de cette volonté dans le passé, et dans certaines conditions précises.

En ce qui concerne ce problème, l'histoire se trouve vis-à-vis des autres sciences dans la situation d'une science expérimentale vis-à-vis de sciences spéculatives.

L'objet de l'histoire n'est pas la volonté humaine en elle-même mais l'idée que nous nous en faisons.

Aussi, l'histoire ne se trouve-t-elle pas comme la théologie, l'éthique ou la philosophie, aux prises avec le mystère insoluble des deux contradictoires, la liberté et la nécessité. L'histoire étudie la vie de l'homme telle que nous nous la représentons, dans laquelle l'union des deux contradictoires est déjà un fait accompli.

Dans la vie réelle, chaque événement historique, chaque acte humain se comprend de façon claire et précise, sans qu'on éprouve la moindre contradiction, bien que chaque événement se présente à la fois comme partiellement libre et partiellement nécessité.

Si elle entreprend de résoudre le problème de l'union de la liberté et de la nécessité et de l'essence de ces deux concepts, la philosophie de l'histoire peut et doit suivre une voie opposée à celle des autres sciences. Au lieu de commencer par définir en eux-mêmes les concepts de liberté et de nécessité pour ensuite introduire sous ces définitions les phénomènes de la vie, à partir de l'énorme quantité de phénomènes qui relèvent d'elle et se présentent toujours en liaison avec la liberté et la nécessité, l'histoire doit déduire une définition des concepts de liberté et de nécessité.

De quelque façon que nous considérions l'activité de plusieurs hommes ou d'un seul, nous ne la comprenons que comme l'œuvre pour une part de la liberté humaine, pour une part de la nécessité.

Qu'il s'agisse de migrations de peuples ou d'incursions de barbares ou des ordres de Napoléon III, ou de l'acte qu'une personne a accompli il y a une heure et qui a consisté à prendre en se promenant telle direction entre plusieurs, nous n'apercevons pas la moindre contradiction. La part de liberté et de nécessité que comportent les actes de ces hommes nous est parfaitement visible.

Très souvent, selon le point de vue d'où nous examinons l'acte, nous lui attribuons plus ou moins de liberté; mais tout acte humain ne nous apparaît jamais autrement que comme un certain dosage de liberté et de nécessité. Quel que soit l'acte, nous y voyons une dose de liberté et une dose de nécessité. Et toujours, plus il comporte à nos yeux de liberté, moins il comporte de nécessité, et plus il comporte pour nous de nécessité moins il comporte de liberté.

Le rapport de la liberté à la nécessité augmente et diminue selon le point de vue auquel on se place pour examiner l'acte, mais ce rapport reste toujours inversement proportionnel.

Un homme se noie, s'accroche, à un autre et le noie aussi; une mère affamée, épuisée d'avoir nourri son enfant, vole du pain, un homme dressé par la discipline, au commandement tue un homme sans défense; ces gens sont moins coupables, c'est-à-dire moins libres et plus soumis à la nécessité aux yeux de celui qui connaît les conditions dans lesquelles ont agi ces gens, et plus libres pour celui qui ignore que l'homme se noyait lui-même, que la mère avait faim, que le soldat était dans le rang, etc. De même, un homme qui il y a vingt ans a commis un crime et qui ensuite a vécu paisiblement sans faire de mal à personne, apparaît moins coupable, et son acte relevant davantage de la nécessité aux yeux de celui qui examine cet acte au bout de vingt ans, et plus libre à celui qui examinait le même acte le lendemain du jour où il avait été commis. Et de même, l'acte d'un fou, d'un homme ivre ou surexcité, apparaît moins libre et plus étroitement nécessité à celui qui connaît l'état dans lequel était leur auteur, et plus libre à celui qui l'ignore. Dans tous ces cas, la part de liberté que comporte l'acte augmente ou diminue et en conséquence diminue ou augmente la part de la nécessité, selon le point de vue auquel on se place. De sorte que plus apparaît grande l'action de la nécessité plus faible apparaît celle de la liberté, et vice-versa.

La religion, le bon sens, les sciences du droit et l'histoire elle-même comprennent pareillement ce rapport entre la nécessité et la liberté.

Tous les cas sans exception où nous estimons que la liberté diminuant la nécessité augmente et vice-versa, notre jugement se fonde uniquement sur les trois catégories de données :

1º Les rapports de l'homme qui a accompli l'acte avec le monde extérieur,

2º avec le temps, et

3º avec les causes qui ont déterminé l'acte.

1º Le premier fondement, ce sont les rapports plus ou moins apparents que l'homme entretient avec le monde extérieur, la notion plus ou moins précise de la place exacte qu'occupe chaque homme par rapport à tout ce qui lui est coexistant. C'est en partant de là qu'il nous est évident que l'homme qui se noie est moins libre et soumis davantage à la nécessité que celui qui est debout sur la terre ferme; et c'est pourquoi les actes d'un homme dont l'existence s'écoule en liaison étroite avec d'autres hommes dans une région fortement peuplée, les actes d'un homme que lient sa famille, ses occupations, ses entreprises, nous apparaissent indubitablement moins libres et davantage régis par la nécessité que les actes d'un homme sans famille et isolé.

Si nous considérons l'homme en dehors de ses rapports avec tout ce qui l'entoure, alors chacun de ses actes nous apparaîtra comme libre. Mais si nous apercevons ne fût-ce qu'un seul de ses rapports avec l'entourage, si nous apercevons le moindre de ses liens avec quoi que ce soit, — l'homme qui lui parle, le livre qu'il lit, le travail qu'il fait, même l'air qui l'entoure, même la lumière qui tombe sur les objets autour de lui, — nous voyons que chacune de ces circonstances a une influence sur lui et dirige une part de son activité. Et nous estimons que sa liberté est d'autant plus réduite et que l'action qu'exerce sur lui la nécessité est d'autant plus forte que ces influences sont en plus grand nombre.

2° En second lieu, notre jugement tient compte des rapports plus ou moins apparents de l'homme avec son temps, de la place qu'occupe son activité dans le temps. C'est en partant de là que la chute du premier homme, qui eut pour conséquence la naissance du genre humain, apparaît évidemment comme moins libre que le mariage de l'homme d'aujourd'hui; c'est en partant de là que l'activité des hommes qui vivaient il y a des siècles, et avec laquelle je suis en liaison dans le temps, ne peut m'apparaître aussi libre que la vie actuelle dont les conséquences me sont encore inconnues.

De ce point de vue, la part plus ou moins élevée de liberté ou de nécessité que nous attribuons aux actes dépend du plus ou moins grand intervalle de temps qui sépare l'acte de notre jugement.

Si j'examine un acte que j'ai accompli il y a une minute, dans les mêmes circonstances à peu près que celles où je me trouve à présent, mon acte m'apparaît indubitablement libre. Mais si je juge un acte accompli il y a un mois, alors, me trouvant dans d'autres conditions, je reconnais involontairement que si cet acte n'avait pas été accompli, nombre de choses découlant de cet acte, utiles, agréables et même indispensables, n'auraient pas eu lieu. Si je me reporte par le souvenir à un acte encore plus éloigné, datant de dix ans par exemple ou plus, les conséquences de mon acte m'apparaîtront plus évidentes encore, et il me sera difficile d'imaginer ce qui se serait produit si cet acte n'avait pas eu lieu. Plus je remonterai par le souvenir dans le passé ou, ce qui revient au même, plus je m'avancerai dans l'avenir par la pensée, plus la liberté de mon acte m'apparaîtra douteuse.

Cette même attitude à l'égard du rôle que joue la liberté dans les affaires humaines se retrouve dans l'histoire. Un événement qui vient de s'accomplir nous apparaît comme l'œuvre incontestable de tous les hommes connus; mais lorsqu'il s'agit d'un événement plus éloigné, nous voyons déjà ses conséquences inévitables et ne pouvons nous figurer rien d'autre. Et plus nous remontons le cours du temps dans l'examen des événements, moins ils nous apparaissent arbitraires.

La guerre austro-prussienne nous apparaît sans conteste comme l'œuvre du rusé Bismarck, etc.

Les guerres napoléoniennes, quoique de façon plus douteuse, sont dues encore pour nous à la volonté de certains héros. Mais les croisades sont déjà pour nous un événement qui occupe dans le temps une place déterminée et sans lequel l'histoire nouvelle de l'Europe serait impensable, bien que cet événement lui aussi ait apparu aux chroniqueurs des croisades comme le résultat de la volonté de quelques' personnages. Quand il s'agit de la migration des peuples, il ne vient aujourd'hui à l'idée de personne qu'il dépendait de la libre volonté d'Attila de renouveler le monde européen. Plus l'objet de notre observation se situe loin dans l'histoire, plus douteuse apparaît la liberté des hommes qui ont produit les événements et plus évidente la nécessité.

3º En troisième lieu, notre appréciation se fonde sur la connaissance plus ou moins approfondie que nous pouvons avoir de cet enchaînement infini de causes qu'exige inévitablement la raison, et où chaque phénomène compris, et donc chaque acte de l'homme, doit trouver sa place bien déterminée en tant que conséquence de ceux qui l'ont précédé et cause de ceux qui le suivent.

C'est en partant de là que nos actes et ceux des autres nous apparaissent, d'une part, d'autant plus libres et moins soumis à la nécessité que nous connaissons mieux les lois, établies grâce à l'observation, de la physiologie, de la psychologie et de l'histoire, auxquelles l'homme est soumis, et que nous distinguons mieux la cause physiologique, psychologique ou historique de l'acte; d'autre part, plus l'acte observé est simple, et moins complexes sont le caractère et l'intelligence de l'homme dont nous observons l'acte.

Quand nous ne comprenons absolument pas la cause de l'acte — qu'il s'agisse d'un crime, d'un action bonne ou même indifférente moralement — nous admettons qu'il comporte la plus forte part de liberté. Lorsqu'il s'agit d'un crime, nous réclamons le châtiment le plus dur; lorsqu'il s'agit d'une bonne action, nous l'apprécions d'autant mieux. Dans le cas d'un acte moralement indifférent, nous y voyons l'expression d'une personnalité forte, originale et libre.

Mais si ne fût-ce qu'une seule des innombrables causes de l'acte nous est connue, nous lui attribuons déjà une certaine dose de nécessité, et alors nous sommes moins exigeants en ce qui concerne le châtiment du crime, nous trouvons la bonne action moins méritoire, nous attribuons moins de liberté à l'acte qui semblait original. Le fait que le criminel a grandi dans un milieu de malfaiteurs réduit déjà sa culpabilité. Le sacrifice d'un père ou d'une mère, le sacrifice avec la perspective d'une récompense sont plus compréhensibles que le sacrifice sans raison, et apparaissent pour cela moins admirables, moins libres. Le fondateur d'une secte, d'un parti, un inventeur nous étonnent moins quand nous savons comment et par quoi a été préparée son action. Si nous disposons d'une grande série d'expériences, si nos observations portent sans cesse sur les relations de cause à effet dans les actes humains, alors ces actes nous paraissent d'autant plus nécessaires et d'autant moins libres que nous relions plus sûrement les effets aux causes. Si les actes examinés sont simples et que nos observations ont porté sur une grande quantité de tels actes, nous nous faisons une idée plus complète encore de leur nécessité. L'acte malhonnête du fils d'un père malhonnête, la mauvaise conduite d'une femme tombée dans un certain milieu, le retour d'un ivrogne à l'ivrognerie, etc., sont des actes qui nous apparaissent d'autant moins libres que leurs causes nous sont plus compréhensibles. Mais si l'homme dont nous examinons l'acte se trouve sur le degré le plus bas du développement intellectuel, ainsi un enfant, un fou, un simple d'esprit, alors, connaissant les causes de ses actions et la simplicité de sa nature et de son intelligence, nous constatons en lui une si grande part de nécessité et une part si minime de liberté que dès que nous est connue la cause qui doit produire l'acte, nous pouvons prédire celui-ci.

C'est uniquement en se basant sur ces éléments qu'a été

élaborée la notion de l'irresponsabilité du criminel et des circonstances atténuantes, admise dans toutes les législations. La responsabilité apparaît plus ou moins grande selon la plus ou moins grande connaissance des conditions dans lesquelles se trouvait l'homme dont l'action est jugée, selon le plus ou moins grand laps de temps écoulé entre l'acte et son jugement, et selon la plus ou moins grande compréhension des causes de l'acte.

X

Ainsi, la part que nous attribuons à la liberté et à la nécessité varie progressivement selon que l'acte examiné est en liaison plus ou moins étroite avec le monde extérieur, qu'il est plus ou moins éloigné dans le temps et qu'il dépend plus ou moins de l'enchaînement des causes.

De sorte que si nous examinons le cas d'un homme dont les liens avec le monde extérieur nous sont le mieux connus, dont l'acte et le jugement que nous portons sur lui sont séparés par le plus grand laps de temps, les causes de l'acte nous étant par ailleurs les plus accessibles, nous considérons que cet acte comporte la plus grande part de nécessité et la part la plus petite de liberté. Au contraire, si la dépendance de l'homme des conditions extérieures est la plus faible, si l'acte vient de s'accomplir et que ces causes nous sont inaccessibles, dans ce cas nous attribuons à l'acte le maximum de liberté et le minimum de nécessité.

Mais dans un cas comme dans l'autre, nous aurions beau modifier notre point de vue, chercher à préciser les liens entre 'homme et le monde extérieur, ou reconnaître qu'ils nous sont accessibles, nous aurions beau allonger ou raccourcir la période de temps et comprendre ou ignorer les causes, jamais nous ne pourrons conclure ni à une liberté totale ni à une totale nécessité.

1º Nous aurions beau nous imaginer l'homme dégagé des influences du monde extérieur, nous ne parviendrions jamais à la notion de liberté dans l'espace. Chaque acte de l'homme est nécessairement conditionné et par son entourage et par son corps lui-même. Je lève mon bras et je l'abaisse. Mon acte me paraît libre; mais lorsque je me demande si je peux lever le bras dans toutes les directions, je vois que j'ai levé le bras dans la direction où cet acte rencontrait le moins d'obstacles aussi bien de la part des corps environnants que de la part de la structure de mon propre corps. Si parmi toutes les directions possibles j'ai choisi précisément celle-là, c'est qu'elle présentait moins d'obstacles. Pour que mon acte soit libre, il est indispensable qu'il ne rencontre aucun obstacle. Nous ne pourrions nous représenter un homme totalement libre qu'en nous le représentant hors de l'espace, ce qui est évidemment impossible.

2º Nous aurions beau rapprocher le moment du jugement du moment de l'acte, nous n'arriverions jamais à la notion de liberté dans le temps. Car si j'examine un acte accompli il y a une seconde, je dois tout de même reconnaître qu'il n'est pas libre, car il est enchaîné à ce moment où il a été accompli. Puis-je lever le bras? Je le lève; mais je me demande : pouvais-je ne pas lever le bras à ce moment déjà écoulé? Pour m'en assurer, je ne lève pas le bras dans le moment qui suit. Mais je ne l'ai pas levé juste à ce moment où je m'interrogeais sur la liberté; du temps a passé qu'il n'était pas en mon pouvoir de retenir, et le bras que j'ai levé alors, et l'air dans lequel j'ai alors fait ce mouvement ne sont déjà plus l'air qui m'entoure à présent, et le bras que je ne lève pas maintenant. Le moment où j'ai fait le premier mouvement ne peut revenir, et à ce moment je ne pouvais faire qu'un seul mouvement, et quel qu'il eût été, il ne pouvait être qu'unique. Le fait que je n'ai pas levé le bras dans la minute suivante ne prouve pas que je pouvais ne pas le lever alors. Et comme mon mouvement ne pouvait être qu'unique dans un instant du temps, il ne pouvait pas être différent. Pour se le représenter libre, il faut se le représenter dans le présent, à la limite du passé et de l'avenir, c'est-à-dire hors du temps, ce qui est impossible.

3º Les difficultés auxquelles nous nous heurtons pour comprendre la cause d'un événement auront beau s'accumuler, jamais nous ne parviendrons à nous représenter une liberté totale, c'est-à-dire l'absence de cause.

Si inaccessible que nous soit la cause d'une manifestation de la volonté dans un acte quelconque accompli par nous ou par autrui, notre intelligence pose avant tout l'existence d'une cause et exige sa recherche, aucun phénomène n'étant concevable autrement. Je lève le bras pour accomplir un acte indépendant de toute cause, mais vouloir accomplir un acte qui n'ait pas de cause est la cause de cet acte.

Mais quand bien même nous nous représenterions un homme

absolument dégagé de toute influence, en ne considérant son acte que dans l'instant même où il a été accompli, en supposant que cet acte n'est dû à aucune cause, et en admettant qu'il ne contient qu'un résidu infiniment petit de nécessité égal à zéro, même alors nous ne pourrions parvenir à la notion d'une totale liberté, car un être qui ne reçoit pas les influences du monde extérieur, qui est situé hors du temps, ne dépend d'aucune cause, n'est déjà plus un homme.

De même, il nous est impossible d'imaginer un acte humain dans lequel n'interviendrait pas la liberté et qui serait entièrement soumis à la nécessité.

1º La connaissance des conditions spatiales dans lesquelles se trouve l'homme aurait beau augmenter, cette connaissance ne peut jamais être totale, car le nombre de ces conditions est infini, tout comme est infini l'espace. Aussi, du moment que ne sont pas déterminées TOUTES les conditions agissant sur l'homme, sa dépendance n'est pas complète, il possède une dose de liberté.

2º Nous aurons beau allonger l'intervalle de temps entre le phénomène considéré et le moment de notre jugement, cette période sera toujours finie, or le temps est infini; c'est pourquoi de ce point de vue également, il ne peut jamais y avoir de nécessité totale.

3º Si accessible que nous soit la chaîne des causes de n'importe quel acte, nous ne connaîtrons jamais la chaîne entière, car elle est infinie, et jamais, encore une fois, nous ne parviendrons à la nécessité totale.

Mais de plus, même si, admettant un résidu de liberté égal à zéro, nous reconnaissions que certains cas — celui d'un moribond par exemple, d'un embryon, d'un idiot, — présentent une complète absence de liberté, nous détruirions par là la notion même de l'homme, que nous examinons; car dès l'instant qu'il n'y a pas de liberté, l'homme n'existe pas non plus. Aussi un acte humain qui ne relèverait que de la seule nécessité sans la moindre participation de la liberté, est aussi impensable qu'un acte qui serait pleinement libre.

Ainsi donc, pour nous représenter un acte humain soumis à la seule nécessité sans la moindre dose de liberté, nous sommes obligés d'admettre la connaissance d'un nombre INFINI de conditions spatiales, une période INFINIMENT grande de temps et une série de causes INFINIE.

Pour pouvoir nous représenter un homme complètement libre, non soumis à la nécessité, nous devons nous le figurer seul,

Dans le premier cas, si la nécessité sans la liberté était possible, nous serions amenés à définir la nécessité par cette même nécessité, c'est-à-dire à une forme sans contenu.

Dans le second cas, si la liberté sans la nécessité était possible, nous arriverions à une liberté inconditionnée, en dehors de l'espace, du temps et des causes, laquelle n'étant conditionnée et limitée par rien, ne serait rien, ou un contenu sans forme.

Nous aboutirions d'une façon générale à ces deux fondements de toute conception du monde : l'essence inaccessible de la vie et les lois qui déterminent cette essence.

La raison dit : 1º L'espace avec toutes les formes qui le rendent perceptible — la matière — est infini et ne peut être conçu autrement. 2º Le temps est un mouvement infini sans un seul instant de repos et ne peut être conçu autrement. 3º La chaîne des causes et des effets n'a pas de commencement et ne peut avoir de fin.

La conscience dit : 1º Je suis seul et tout ce qui existe n'est que moi; donc j'inclus l'espace. 2º Je mesure le temps qui fuit par l'instant immobile du présent, dans lequel uniquement je prends conscience de moi en tant que vivant; donc, je suis hors du temps. Et 3º Je suis en dehors des causes, car je me sens la cause de toute manifestation de ma vie.

La raison exprime les lois de la nécessité; la conscience, l'essence de la liberté.

La liberté que rien ne limite est l'essence de la vie dans la conscience de l'homme. La nécessité sans contenu est la raison de l'homme avec ses trois formes.

La liberté est ce qui est examiné. La nécessité, ce qui examine. La liberté est le contenu. La nécessité est la forme.

Ce n'est qu'en séparant les deux sources de la connaissance, qui se rapportent l'une à l'autre comme la forme et le contenu, qu'on obtient ces notions qui s'excluent réciproquement et sont inconcevables, celles de liberté et de nécessité.

C'est leur union seulement qui permet de se représenter clairement la vie de l'homme.

En dehors de ces deux notions qui se déterminent réciproquement en s'unissant comme la forme et le contenu, il est impossible de se représenter la vie.

Tout ce que nous savons de la vie des hommes se ramène à un

certain rapport entre la liberté et la nécessité, c'est-à-dire entre la conscience et les lois de la raison.

Tout ce que nous savons du monde extérieur de la nature se ramène à un certain rapport entre les forces de la nature et la nécessité, ou entre l'essence de la vie et les lois de la raison.

Les forces de la vie de la nature sont en dehors de nous, et nous n'en avons pas conscience, nous les appelons gravitation, inertie, électricité, force vitale, etc. Mais la force de la vie humaine est consciente et nous l'appelons la liberté.

Mais tout comme la force de gravitation, inconcevable en elle-même et qu'éprouve cependant tout homme, ne nous est compréhensible que dans la mesure où nous connaissons les lois de la nécessité à laquelle elle obéit (depuis la première notion de la pesanteur de tous les corps et jusqu'à la loi de Newton), ainsi la force en elle-même inconcevable de la liberté, dont chacun a conscience, ne nous est compréhensible que dans la mesure où nous connaissons les lois de la nécessité dont elle relève (depuis le fait que l'homme est mortel jusqu'aux lois les plus complexes de l'économie et de l'histoire).

Toute connaissance consiste à soumettre l'essence de la vie aux lois de la raison.

Ce qui distingue la liberté de l'homme de toute autre force, c'est que l'homme en est conscient; mais pour la raison, elle ne se distingue en rien de toute autre force. La force d'attraction, celle de l'électricité ou des affinités chimiques ne se distinguent l'une de l'autre que parce qu'elles sont différemment définies par la raison. De même, si la force de la liberté humaine se distingue des autres forces de la nature pour la raison, c'est que celle-ci la définit d'une façon particulière. Mais la liberté sans nécessité, c'est-à-dire en dehors des lois de la raison qui la définissent, ne se distingue en rien de la gravitation, ou de la chaleur, ou de la force végétale, n'est pour la raison que la sensation instantanée, indéfinissable de la vie.

Et de même que l'essence indéfinissable de la force qui meut les corps célestes, l'essence indéfinissable de la force de la chaleur, de l'électricité ou celle des affinités chimiques ou de la force vitale, constituent le contenu de l'astronomie, de la physique, de la chimie, de la botanique, de la zoologie, etc., ainsi l'essence de la force de la liberté constitue le contenu de l'histoire. Mais de même que l'objet de toute science est la manifestation de cette essence inconnue de la vie, cette essence elle-même étant l'objet de la seule métaphysique, ainsi la manifestation de la force de la liberté humaine dans l'espace, le temps et dans la dépendance des causes, constitue l'objet de l'histoire, la liberté elle-même étant l'objet de la métaphysique.

Dans la science expérimentale, ce qui est connu est dénommé lois de la nécessité, ce qui est inconnu est dit force vitale. La force vitale n'est que le nom du résidu inconnu de ce que nous savons de l'essence de la vie.

Il en est de même en histoire : ce qui nous est connu est dénommé lois de la nécessité, ce qui nous est inconnu, liberté. Pour l'histoire, la liberté n'est que le nom du résidu inconnu de ce que nous savons des lois de la vie des hommes.

XI

L'histoire étudie les manifestations de la liberté humaine dans ses relations avec le monde extérieur, dans le temps et dans sa dépendance des causes, c'est-à-dire qu'elle définit cette liberté en lui appliquant les lois de la raison; c'est pourquoi l'histoire n'est une science que dans la mesure où cette liberté est déterminée par ces lois.

Pour l'histoire, reconnaître la liberté des hommes en tant que force capable d'influencer les événements historiques, donc non soumise à des lois, équivaudrait à la reconnaissance par l'astronomie d'une force libre mouvant les corps célestes.

L'admettre rendrait impossible l'existence des lois, autrement dit rendrait impossible toute science. Si ne fût-ce qu'un seul corps se meut librement, alors les lois de Képler et de Newton n'existent plus et il n'est plus possible de comprendre le mouvement des corps célestes. S'il existe ne fût-ce qu'un seul acte libre humain, alors il n'existe plus une seule loi historique et il n'est plus possible de comprendre les événements historiques.

Les volontés humaines se meuvent aux yeux de l'histoire le long de lignes dont une extrémité se dissimule dans l'inconnu, cependant qu'à l'autre extrémité la conscience de la liberté dans l'instant avance à travers l'espace et le temps, et dans la dépendance des causes.

Les lois de ce mouvement nous sont d'autant plus évidentes

que son champ s'allonge derrière nous. Saisir et déterminer ces lois constitue le problème de l'histoire.

Étant donné le point de vue auquel se place la science actuelle dans l'examen de son objet et la voie qu'elle suit en cherchant les causes des phénomènes dans la libre volonté des hommes, il lui est impossible de formuler des lois, car nous avons beau limiter la liberté des hommes, dès que nous admettons qu'elle échappe aux lois, aucune loi n'est possible.

Ce n'est qu'en limitant infiniment cette liberté, c'est-à-dire en la considérant comme une quantité infiniment petite, que nous nous convaincrons que les causes nous sont complètement inaccessibles, et alors au lieu de rechercher les causes, l'histoire aura pour tâche de rechercher les lois.

Cette recherche est entreprise depuis longtemps, et ces nouvelles méthodes de pensée que l'histoire doit assimiler s'élaborent en même temps que l'ancienne histoire achève sa propre destruction, en fractionnant encore et toujours les causes des phénomènes.

Toutes les sciences ont suivi cette voie. Ayant abouti à l'infiniment petit, les mathématiques, la plus exacte des sciences, abandonnent le processus de fractionnement pour une nouvelle méthode de totalisation des inconnues infiniment petites. Renonçant à la notion de cause, les mathématiques recherchent la loi, c'est-à-dire les propriétés communes à tous les éléments inconnus infiniment petits.

Bien que sous une forme différente, les autres sciences ont suivi la même voie. Quand Newton énonça la loi de gravitation, il ne dit pas que le soleil ou la terre avait la propriété d'attirer; il dit que tout se passait comme si tous les corps, des plus grands aux plus petits, avaient la propriété de s'attirer l'un l'autre, c'est-à-dire que, laissant de côté la question de la cause du mouvement des corps, il formula la propriété commune à tous les corps depuis l'infiniment grand jusqu'à l'infiniment petit. Les sciences naturelles elles aussi, abandonnant le problème des causes, recherchent les lois. L'histoire s'est engagée dans la même voie. Et si l'histoire a pour objet d'étude le mouvement des peuples et de l'humanité et non pas des épisodes de la vie des hommes, elle doit, en écartant la notion de cause, rechercher les lois communes à tous les éléments de liberté infiniment petits, égaux et indissolublement liés entre eux.

XII

Depuis qu'a été découverte et démontrée la loi de Copernic, la seule reconnaissance du fait que c'est la terre et non pas le soleil qui se meut, a anéanti toute la cosmographie des Anciens. Si l'on avait réfuté cette loi, on aurait pu conserver la conception du mouvement des corps des Anciens ; mais ne l'ayant pas réfutée, il était impossible, semblait-il, de continuer l'étude de l'univers de Ptolémée. Et pourtant, même après la découverte de Copernic, on continua à étudier l'univers de Ptolémée.

Depuis qu'on a pour la première fois dit et démontré que le nombre des naissances ou des crimes obéit à des lois mathématiques, que certaines conditions géographiques et politico-économiques déterminent telle ou telle forme de gouvernement, que l'existence de certains rapports entre les populations et les terres qu'elles occupent entraîne leur migration, depuis ce jour, les bases sur lesquelles s'édifiait l'histoire se sont écroulées.

Si l'on avait réfuté les nouvelles lois, on aurait pu maintenir les anciennes conceptions historiques, mais sans les avoir réfutées, il était impossible, semblait-il, de continuer à étudier les événements historiques comme les produits de la libre volonté. des hommes. Car si telle forme de gouvernement s'est établie, si tel mouvement de population s'est produit à la suite de telles conditions géographiques, ethnographiques ou économiques, la volonté des hommes qui nous semblent avoir institué cette forme de gouvernement ou provoqué tel mouvement populaire ne peut déjà plus être regardée comme une cause.

Et cependant l'étude de l'histoire se poursuit comme auparavant, de front avec l'étude des lois de la statistique, de la géographie, de l'économie politique, de la philologie comparée, de la géologie, lesquelles sont en contradiction absolue avec ses postulats.

Dans le domaine de la philosophie de la nature, la lutte fut longue et opiniâtre entre les anciennes et les nouvelles idées. La théologie montait la garde autour de la tradition et accusait les novateurs de nier la révélation. Mais quand la vérité eut triomphé, la théologie s'établit aussi fermement sur le nouveau errain.

Aujourd'hui la lutte se poursuit avec la même obstination entre l'ancienne et la nouvelle conception de l'histoire, et la théologie monte encore une fois la garde autour des vues traditionnelles et accuse leurs adversaires de détruire la religion.

Dans un cas comme dans l'autre, la lutte excite les passions des adversaires et étouffe la vérité. D'un côté, c'est la peur et le regret de l'édifice érigé par les siècles; de l'autre, c'est la passion de la destruction.

Les hommes qui luttaient contre la vérité apparue en philosophie de la nature s'imaginaient que s'ils reconnaissaient cette vérité, c'en serait fait de la foi en Dieu, de la création des cieux, du miracle de Josué. De leur côté, les défenseurs des lois de Copernic et de Newton, Voltaire par exemple, se figuraient que les lois de l'astronomie détruisaient la religion, et la loi de gravitation était pour Voltaire une arme contre la foi.

Il semble de même aujourd'hui qu'il suffit d'admettre la loi de la nécessité pour que s'écroulent les notions de l'âme, du bien et du mal et toutes les institutions de l'État et de l'Église fondées sur ces notions.

Aujourd'hui, exactement comme Voltaire en son temps, des défenseurs indésirables de la loi de la nécessité font de cette loi une arme de guerre contre la religion; alors que tout comme la loi de Copernic en astronomie, la loi de la nécessité en histoire non seulement ne détruit pas mais consolide même le terrain sur lequel s'élèvent les institutions de l'État et de l'Église.

Comme en astronomie naguère, ainsi maintenant en histoire, toute la différence entre les deux conceptions repose sur l'acceptation ou le refus d'une unité absolue de mesure de tous les phénomènes visibles. En astronomie, c'était l'immobilité de la terre: en histoire, c'est l'indépendance de la personnalité, la liberté.

De même qu'en astronomie la difficulté d'admettre le mouvement de la terre tenait à ce qu'il fallait renoncer à l'impression de l'immobilité de la terre et du mouvement des planètes, ainsi en histoire la difficulté d'admettre la dépendance de la personnalité vis-à-vis des lois de l'espace, du temps et de la causalité, tient à ce qu'il faut renoncer au sentiment direct de l'indépendance de sa personne. De même que la nouvelle théorie astronomique disait : « Nous ne sentons pas, il est vrai, le mouvement de la terre, mais si nous admettons qu'elle est immobile, nous aboutissons à une absurdité; en admettant son mouvement que nous ne sentons pas, nous arrivons à formuler des lois », ainsi la nouvelle théorie de l'histoire dit : « Nous ne sentons pas, il est vrai, notre dépendance, mais si nous admettons notre liberté, nous aboutissons à une absurdité; tandis qu'en admettant que nous dépendons du monde extérieur, du temps et de la causalité, nous aboutissons à des lois. »

Dans le premier cas, il était indispensable de renoncer à la conscience de l'immobilité dans l'espace et d'admettre un mouvement que nous ne percevions pas; dans le cas présent, il est de même indispensable de renoncer à la liberté dont nous avons conscience et d'admettre la dépendance que nous n'éprouvons pas.

APPENDICE

QUELQUES MOTS
A PROPOS DE LA GUERRE ET LA PAIX

Au moment de publier un ouvrage auquel je n'ai cessé de travailler sans interruption pendant cinq ans dans les meilleures conditions, je voudrais exposer dans une préface mon point de vue sur cet ouvrage et prévenir ainsi les malentendus qu'il pourrait susciter chez les lecteurs. Je voudrais que les lecteurs ne voient et ne cherchent pas dans mon livre ce que je n'ai pas voulu et pu exprimer, et prêtent attention à cela précisément que j'ai voulu exprimer mais sur quoi (vu les circonstances) je n'ai pas jugé opportun de m'arrêter. Ni le temps, ni mes capacités ne m'ont permis d'accomplir pleinement ce que j'avais l'intention de faire, et je profite de l'hospitalité d'une revue spéciale pour exposer, ne fût-ce qu'incomplètement et brièvement, le point de vue de l'auteur sur son œuvre, à l'intention des lecteurs que cela peut intéresser.

1. — Qu'est-ce que « La Guerre et la Paix »? Ce n'est pas un roman, moins encore un poème, moins encore une chronique historique. « La Guerre et la Paix » est ce qu'a voulu et a pu exprimer l'auteur dans la forme où cela s'est exprimé. Cette indifférence de l'auteur à l'égard des formes conventionnelles des œuvres littéraires en prose pourrait paraître présomptueuse si elle avait été délibérée et n'avait pas eu de précédent. L'histoire de la littérature russe depuis Pouchkine non seulement offre de nombreux exemples d'une telle dérogation aux formes admises en Europe, mais ne fournit même pas un seul exemple du contraire. En commençant par les « Ames mortes » de Gogol et jusqu'à la « Maison des Morts » de Dostoïevsky, il n'existe pas une œuvre en prose dans notre littérature moderne s'élevant un peu au-dessus de la médio-crité, qui se plie complètement à la forme du roman, du poème ou de la nouvelle.

2. — Le caractère de l'époque, ainsi que me l'ont reproché certains lecteurs lors de la publication de la première partie de l'ouvrage, n'est pas suffisamment marqué. A ce reproche, je répon-drai ce qui suit. Je sais en quoi consiste ce caractère de l'époque qu'on ne trouve pas dans mon roman, ce sont les horreurs du servage, les femmes enfermées dans le térem[1], les fils adultes roués de coups, la Saltytchikha[2], etc. Ces traits de l'époque qui vivent encore dans notre imagination, je ne les crois pas exacts et je n'ai pas voulu les retenir. Les lettres, les journaux intimes, les traditions que j'ai étudiés ne m'ont pas offert plus d'exemples de cruauté et de violence que je n'en trouve maintenant ou à n'importe quelle époque. Dans ce temps-là comme aujourd'hui, on aimait, on enviait, on cherchait la vérité, la vertu, on se livrait aux passions, et la vie intellectuelle et morale était très complexe, parfois même plus raffinée que maintenant, dans les milieux aristocratiques. Si nous nous représentons cette époque comme un temps où régnaient l'arbitraire et la force brutale, cela tient à ce que les traditions, les mémoires, les nouvelles et romans ne nous ont rapporté que les cas les plus frappants de brutalité et de violence. En conclure que le caractère dominant de cette époque était le déchaînement de la force brutale, c'est se montrer injuste comme le serait un homme qui, se trouvant derrière une crête et ne voyant que la cime des arbres, en conclurait que dans toute cette région il n'y a rien que des arbres. Cette époque possède certes son caractère propre (comme c'est le cas pour toute époque); il tient à ce que les classes supérieures étaient profondément séparées des autres classes, à la philosophie qui régnait alors, à l'éducation, à l'habitude d'employer couramment la langue française, etc. Et ce caractère, j'ai tâché de l'exprimer autant que j'ai pu.

3. — L'emploi de la langue française dans une œuvre russe. Pourquoi est-ce que je fais parler non seulement les Russes, mais aussi les Français tantôt en russe et tantôt en français? Le reproche qu'on m'a fait à ce sujet est semblable au reproche que ferait un homme qui remarque sur un tableau des taches noires (des ombres) qui n'existent pas dans la réalité. Ce n'est pas la faute du peintre si les ombres qu'il a figurées sur son tableau sont aux yeux de certains des taches noires qui n'existent pas dans la réalité; mais le peintre n'est fautif que si ces ombres sont posées de façon grossière et inexactement. En étudiant cette époque, le début de notre siècle, en décrivant des personnages russes d'un certain milieu, et Napoléon, et les Français qui ont pris une part si directe à la vie de ce temps, je me suis laissé entraîner plus loin que ce n'était nécessaire par les formes d'expression de la pensée française. Aussi, tout en ne niant pas que les ombres sont peut-être inexactes et grossières, je voudrais seulement que ceux qui trouveront ridicule que Napoléon parle tantôt en russe et tantôt en français, sachent que cela leur paraît comique uniquement parce qu'à l'exemple de celui qui regarde le portrait, ils voient non pas un visage avec le jeu des ombres et des lumières, mais rien qu'une tache noire sous le nez.

4. — Les noms de mes personnages — Bolkonsky, Droubetskoï, Bilibine, Kouraguine, etc. — rappellent des noms russes connus. En confrontant des personnages imaginaires avec d'autres personnages, historiques, je sentais qu'il était gênant pour l'oreille de faire parler le comte Rostoptchine avec le Prince Pronsky, ou Strélsky ou avec d'autres princes ou comtes dont j'aurais inventé les noms, simples ou doubles [1]. Bolkonsky n'est pas Volkonsky, et Droubetskoï n'est pas Troubetskoï; cependant ces noms conviennent à un cercle aristocratique russe où ils sonnent familièrement et naturellement. Je n'ai pas su inventer pour tous les personnages des noms qui n'auraient pas sonné faux pour l'oreille, comme Bézoukhov et Rostov, et je n'ai pu éviter cette difficulté qu'en prenant au hasard les noms les plus familiers à une oreille russe et en y changeant quelques lettres. Je serais désolé si la ressemblance des noms imaginés avec des noms réels pouvait faire croire à quelqu'un que j'ai voulu décrire telle ou telle personne; je le regretterais surtout parce que ce genre de littérature, qui consiste à décrire des personnages existant réellement ou ayant existé, n'a rien de commun avec celui auquel je me consacre.

Maria Dimitrievna Akhrossimov et Dénissov, voilà les seuls personnages auxquels j'ai donné involontairement et sans y songer des noms très proches de ceux de deux personnages réels de la société d'alors, très caractéristiques et attachants. J'ai commis là une erreur, séduit par leur originalité frappante; mais mon erreur à cet égard s'est limitée à les introduire dans le roman, et le lecteur conviendra sans doute que le rôle qu'ils tiennent dans le roman n'a rien à voir avec la réalité. Tous les autres personnages sont purement imaginaires et n'ont, même pour moi, aucun modèle précis dans la tradition ou la réalité.

5. — Le désaccord entre ma description des événements historiques et les récits des historiens. Il n'est pas fortuit, il est inévitable. L'historien et l'artiste qui décrivent une époque ont affaire à des objets différents. L'historien aurait tort de vouloir peindre un personnage historique dans sa totalité, dans toute la complexité de ses relations avec tous les aspects de la vie; l'artiste de même n'accomplirait pas sa tâche s'il présentait toujours son personnage dans son attitude historique. Koutouzov ne désigne pas toujours l'ennemi, monté sur un cheval blanc, une longue-vue à la main. Rostoptchine, une torche à la main, n'est pas toujours en train d'incendier sa maison de Voronovo [1] (ce qu'il n'a d'ailleurs jamais fait) et l'impératrice Marie Feodorovna ne se tenait pas toujours debout, en manteau d'hermine, la main posée sur le Code, et c'est pourtant ainsi que se les représente l'imagination populaire.

Pour l'historien qui considère le rôle qu'a joué un personnage dans la réalisation d'un grand but, il y a des héros; pour l'artiste qui considère ce personnage dans ses relations avec tous les aspects de la vie, il n'y a pas et il ne peut pas y avoir de héros, il n'y a que des hommes.

Donnant une entorse à la vérité, l'historien est obligé parfois de ramener tous les actes d'un personnage historique à une idée qu'il a lui-même introduite dans ce personnage. Mais pour l'artiste, justement parce qu'elle est unique, une telle idée est inacceptable; elle est incompatible avec la tâche qu'il s'est assignée : comprendre et montrer non pas un certain acteur sur la scène de l'histoire mais un homme.

La différence est plus tranchée encore et plus essentielle lorsqu'il s'agit de décrire l'événement lui-même.

L'historien a affaire aux résultats de l'événement, l'artiste, au fait même. Décrivant une bataille, l'historien dit : le flanc gauche de telle armée fut dirigé contre tel village, rejeta l'ennemi, mais fut obligé de reculer; alors la cavalerie lancée à l'attaque bouscula... etc. L'historien ne peut s'exprimer autrement. Et cependant, pour l'artiste, ces paroles n'ont aucun sens et ne concernent même pas l'événement lui-même. Partant de sa propre expérience, ou instruit par des lettres, des rapports et des récits, l'artiste se fait une certaine image de l'événement accompli et, très souvent (dans le cas d'une bataille, par exemple), les conclusions auxquelles aboutit l'historien touchant l'action de telle ou telle armée sont opposées à celles de l'artiste. La divergence de leurs résultats tient à ce qu'ils ont puisé leurs renseignements à des sources différentes. La principale source de l'historien (continuons à nous servir de l'exemple de la bataille), ce sont les rapports des divers chefs et du généralissime. L'artiste ne peut rien tirer de ces sources;

elles ne lui disent rien, n'expliquent rien. Bien plus, l'artiste s'en détourne, y découvrant d'inévitables mensonges. Il est inutile de dire, en effet, que chacun des adversaires décrit la même bataille à sa façon. La description d'une bataille contient toujours une part de mensonge due à ce qu'on est obligé de décrire en peu de mots l'action de milliers d'hommes qui, disséminés sur plusieurs verstes, sont dans un état d'extrême surexcitation, en proie à la peur de la mort et de l'opprobre.

Dans les descriptions de bataille, on dit d'ordinaire que telle troupe a été envoyée à l'attaque de tel point, qu'ensuite l'ordre lui a été donné de reculer, et ainsi de suite, comme s'il était admis que cette discipline, qui soumet des dizaines de milliers d'hommes à la volonté d'un seul sur le terrain de manœuvres, exercera la même action là où il s'agit de vie et de mort. Tous ceux qui ont été à la guerre savent à quel point c'est faux *; et cependant c'est sur une supposition de ce genre que sont basés les rapports officiels, et sur ces rapports, les descriptions militaires. Parcourez les troupes aussitôt après la bataille, ou même un ou deux jours plus tard, avant qu'aient été rédigés les rapports officiels, et demandez aux soldats, aux officiers de tous grades comment les choses se sont passées. Tous ces hommes vous raconteront ce qu'ils ont vu et éprouvé, et vous aurez l'impression confuse et pénible de quelque chose d'immense, de complexe, d'infiniment divers; et vous n'apprendrez de personne, du commandant en chef moins encore que de quiconque, comment s'est déroulée la bataille dans son ensemble. Mais deux ou trois jours plus tard, on se met à rédiger des rapports, les bavards commencent à raconter comment s'est passé ce qu'ils n'ont pas vu; enfin, on élabore le rapport général et c'est ce rapport qui fixe l'opinion de l'armée. Chacun est soulagé d'échanger ses propres doutes et ses questions contre ce tableau mensonger, mais clair et toujours flatteur. Au bout d'un mois ou deux, interrogez un de ceux qui ont pris part au combat; déjà vous ne sentirez plus dans son récit cette matière brute, vivante, qui s'y trouvait auparavant; il se conforme au rapport officiel. Et tels ont été les nombreux récits que m'ont fait de la bataille de Borodino des

---

* *Après la publication de la première partie de mon roman et de la description de la bataille de Schoengraben, on m'a rapporté les paroles de Nicolas Nicolaïévitch Mouraviov-Karsky au sujet de cette description, et elles ont renforcé ma conviction. N. N. Mouraviov-Karsky, qui est commandant en chef, a dit qu'il n'avait jamais lu de récit de bataille plus fidèle et que son expérience personnelle l'avait convaincu qu'il est impossible d'exécuter au cours du combat les ordres du général en chef.*

personnes intelligentes qui y avaient participé. Toutes m'ont raconté les mêmes choses, et toutes d'après la description inexacte de Mikhaïlovsky-Danilevsky ou de Glinka et d'autres. Les détails même concordaient, et cependant ces personnes se trouvaient pendant la bataille à des verstes l'une de l'autre.

Après la chute de Sébastopol, le chef de l'artillerie Kryjanovsky m'envoya les rapports des officiers d'artillerie de tous les bastions et me demanda de rédiger un rapport d'ensemble d'après cette vingtaine de documents. Je regrette de n'en avoir pas pris copie. C'étaient les plus beaux échantillons de ce naïf et indispensable mensonge militaire qui est à la base de toutes les descriptions. Je suppose que maints auteurs de ces rapports, qui étaient mes camarades, riront à la lecture de ces lignes, en se rappelant comment ils ont décrit sur l'ordre de leurs chefs ce qu'ils ne pouvaient pas savoir. Tous ceux qui ont fait la guerre savent comment les Russes accomplissent leur tâche lorsqu'il s'agit de se battre, et comme en revanche ils sont peu capables de décrire ce qu'ils ont fait avec la vantardise nécessaire en pareil cas. Tout le monde sait que dans nos armées cet office, la rédaction des rapports et des relations, est généralement rempli par des étrangers.

Je dis tout cela pour montrer que le mensonge est inévitable dans les documents officiels auxquels se réfèrent les historiens militaires et qu'ainsi historiens et artistes ne peuvent souvent comprendre de la même façon les événements historiques. Mais, en plus d'inévitables contre-vérités, j'ai trouvé encore chez les historiens de l'époque qui m'occupait (sans doute à la suite de l'habitude de grouper les faits, de les relater brièvement et de se maintenir au niveau du caractère tragique des événements), des tournures particulières de langage, un ton emphatique, qui font que le mensonge, l'altération de la vérité n'atteignent plus seulement les faits eux-mêmes, mais aussi leur signification.

En étudiant les deux ouvrages historiques les plus importants pour cette époque, ceux de Thiers et de Mikhaïlovsky-Danilevsky, je me sentais perplexe, en me demandant comment de tels livres avaient pu être publiés et lus. Je ne parle déjà pas de ce que leurs exposés des menus faits, sur le ton le plus sérieux et le plus important, avec références à l'appui, sont diamétralement opposés; mais j'ai rencontré dans ces traités d'histoire des pages telles qu'on ne sait plus s'il faut en rire ou en pleurer, quand on songe que ces livres sont les seuls documents de cette époque et qu'ils ont des millions de lecteurs. Je ne donnerai qu'un exemple tiré du livre du célèbre historien Thiers. Ayant raconté que Napoléon avait *apporté avec lui de faux assignats, il dit :* « Relevant l'emploi de ces moyens par un acte de bienfaisance, DIGNE DE LUI ET DE L'ARMÉE FRANÇAISE, il fit distribuer des secours aux incendiés. Mais les vivres étant trop précieux pour être donnés longtemps à des étrangers, la plupart ennemis, Napoléon aima mieux leur fournir de l'argent, et leur fit distribuer des roubles-papier. »

Ce passage pris isolément nous frappe par son étourdissante, je ne dirai pas immoralité, mais absurdité ; cependant, replacé dans l'ensemble du livre, il n'étonne pas, car il est parfaitement dans le ton général du discours emphatique, solennel et dénué de sens précis.

Ainsi donc, la tâche de l'historien et celle de l'artiste sont complètement différentes, et le fait que je relate les événements et peins les hommes tout autrement que les décrivent les historiens ne doit surprendre personne.

Mais l'artiste ne doit pas perdre de vue que l'idée que se font les gens des événements et des personnages historiques n'est pas l'œuvre de la fantaisie mais dépend de la façon dont les historiens présentent les événements. Aussi, comme il représente et interprète les événements et les personnages tout autrement, l'artiste, comme l'historien, doit s'appuyer sur des documents. PARTOUT OU DANS MON ROMAN PARLENT ET AGISSENT DES PERSONNAGES HISTORIQUES, JE N'AI RIEN INVENTÉ, MAIS JE ME SUIS SERVI DES MATÉRIAUX QUE J'AI TROUVÉS ET QUI, RÉUNIS AU COURS DE MON TRAVAIL, CONSTITUENT TOUTE UNE BIBLIOTHÈQUE ; JE NE JUGE PAS UTILE DE DONNER ICI LES TITRES DE CES OUVRAGES AUXQUELS JE PEUX TOUJOURS ME RÉFÉRER.

6. — Enfin, sixième point, essentiel à mes yeux : l'importance des plus réduites qu'ont, selon moi, les prétendus grands hommes dans les événements historiques.

L'étude d'une époque aussi tragique, aussi riche en événements formidables et si proche de nous, dont les traditions sont encore vivantes, m'a convaincu jusqu'à l'évidence que les causes des événements historiques ne sont pas accessibles à notre intelligence. Dire (ce qui paraît très simple) que les causes des événements de 1812 résident dans l'esprit de conquête de Napoléon et dans la fermeté patriotique de l'empereur Alexandre est aussi dénué de sens que de dire que la chute de l'empire romain est due à la décision qu'a prise tel chef barbare de conduire ses armées vers l'Occident, ou à ce que tel empereur romain gouvernait mal l'État, ou encore qu'une montagne minée s'est écroulée à cause du dernier coup de pioche du dernier ouvrier.

Un événement où des millions d'individus se sont entretués, qui a entraîné la mort de cinq cent mille d'entre eux, ne peut avoir pour cause la volonté d'un seul homme; de même qu'un homme ne peut seul faire s'écrouler une montagne, il ne peut obliger cinq cent mi lle hommes à mourir. Mais alors, quelles sont les causes? D'après certains historiens, ce serait l'esprit de conquête des Français, le patriotisme de la Russie. D'autres parlent des idées démocratiques que les armées de Napoléon apportaient avec elles et de la nécessité pour la Russie de resserrer ses liens avec l'Europe, etc. Mais comment donc se fait-il que des millions de gens se sont entretués? Qui leur en a donné l'ordre? Chacun voit clairement, semble-t-il, qu'il ne pouvait en résulter aucun bien pour personne, mais que tous devaient s'en trouver plus mal. Pourquoi donc l'ont-ils fait? On peut avancer et on avance quantité d'explications des causes de cet événement absurde; mais la multiplicité des causes qu'on invoque, qui toutes convergent vers un même but, prouve simplement qu'elles sont innombrables et qu'aucune d'elles ne peut être dite la cause.

Pourquoi des millions d'hommes se sont-ils entretués alors que depuis la création du monde nul n'ignore que c'est mal agir tant du point de vue physique que moral?

Parce que cela devait inévitablement se produire, parce qu'en agissant ainsi ces hommes accomplissaient cette loi élémentaire, zoologique, à laquelle obéissent les abeilles en s'entretuant à l'automne et les mâles des animaux qui se battent entre eux au printemps. On ne peut donner d'autre réponse à cette terrible question.

Cette vérité n'est pas seulement évidente, elle est innée en tout homme; il ne vaudrait donc pas la peine de la démontrer s'il n'existait en l'homme un autre sentiment, la conscience qu'il est libre lorsqu'il agit.

En considérant l'histoire d'un point de vue général, nous sommes persuadés que les événements sont régis par une loi éternelle; mais les considérons-nous de notre point de vue personnel, nous sommes convaincus du contraire.

L'homme qui en tue un autre, Napoléon qui donne l'ordre de passer le Niémen, vous et moi qui faisons une demande d'affectation, qui levons ou baissons le bras, tous nous sommes convaincus sans éprouver le moindre doute que chacun de nos actes est fondé sur des motifs raisonnables et notre libre volonté, et qu'il dépend de nous d'agir ainsi ou autrement. Et cette conviction est si naturelle et si précieuse à chacun de nous qu'en dépit des preuves qu'apporte l'histoire et des statistiques criminelles (qui nous mon-

trent que les actes des autres ne sont pas libres), nous étendons la conscience de notre liberté à tous nos actes.

La contradiction paraît irréductible. En accomplissant un acte, je suis certain que je l'accomplis par ma volonté ; en considérant cet acte en tant qu'intégré à la vie de l'humanité (dans sa signification historique), je vois que cet acte était prédéterminé et inévitable. En quoi consiste l'erreur ?

Les observations psychologiques faites sur cette capacité qu'a l'homme de motiver rétrospectivement l'acte aussitôt accompli par une série de raisonnements soi-disant libres (je compte développer ceci plus en détail ailleurs) confirment l'hypothèse que la conscience qu'il a d'accomplir librement une certaine catégorie d'actes est trompeuse. Mais les mêmes observations psychologiques montrent qu'il est une autre catégorie d'actes où la conscience de la liberté n'est pas rétrospective, mais instantanée et incontestable. Quoi que disent les matérialistes, je peux incontestablement accomplir un acte ou m'en abstenir, lorsque cet acte ne met en cause que moi. C'est incontestablement de mon propre gré que je viens de lever et d'abaisser le bras. Je peux à ce moment même m'arrêter d'écrire. Vous pouvez à ce moment même cesser de lire. C'est incontestablement par ma seule volonté et en dehors de tout obstacle que je viens de me transporter en pensée en Amérique ou d'aborder n'importe quel problème mathématique. Je puis, pour faire l'expérience de ma liberté, lever et abaisser avec force mon bras. Je l'ai fait. Mais un enfant se tient devant moi ; je lève la main et avec la même force, je veux la baisser sur l'enfant. JE NE PEUX PAS le faire. Un chien se jette sur cet enfant. JE NE PEUX PAS ne pas lever la main sur le chien. Je suis un soldat et je marche dans le rang ; je ne peux pas ne pas suivre le mouvement du régiment. Je ne puis dans une bataille ne pas aller à l'attaque avec mon régiment et ne pas fuir quand tous fuient autour de moi. Si je défends un accusé devant le tribunal, je ne puis me taire ou ne pas savoir à l'avance ce que je vais dire. Je ne peux pas ne pas cligner des yeux si un coup est porté à mes yeux.

Ainsi, il y a deux sortes d'actes. Les uns dépendants, les autres indépendants de ma volonté. Et l'erreur qui conduit à la contradiction tient uniquement au fait que j'étends illégalement ma conscience de la liberté (qui accompagne légitimement tout acte se rapportant à mon être dans sa plus haute abstraction) jusqu'aux actes accomplis en liaison avec d'autres hommes et dépendants d'autres libres arbitres. Fixer la limite entre les deux domaines, celui de la liberté et celui de la nécessité, est très difficile ; c'est là la tâche unique et essentielle de la psychologie ; mais lorsqu'on observe les conditions dans lesquelles notre liberté ou notre dépendance se manifeste avec le plus de force, il est impossible de ne pas s'apercevoir que plus notre activité est abstraite, et donc moins liée à l'activité d'autrui, plus elle est libre ; et que, au contraire, plus notre activité est liée à celle d'autrui, moins elle est libre.

Le lien le plus fort, le plus indestructible, le plus pesant et le plus durable qui nous rattache à nos semblables, est ce qu'on nomme le pouvoir exercé sur autrui, le pouvoir, pris dans son vrai sens, n'étant que la plus forte dépendance dans laquelle on se trouve à l'égard des autres.

M'en étant convaincu, à tort ou à raison, au cours de mon travail, tout naturellement, en décrivant les événements de 1805, 1807 et surtout 1812 où cette prédétermination se découvre avec le plus de relief *, je ne pouvais attribuer d'importance à l'activité des hommes qui ont cru diriger les événements, mais qui moins que tous ceux qui y participaient ont introduit dans ces événements une part de liberté. L'activité de ces hommes ne m'a intéressé que dans la mesure où elle illustrait cette loi de la prédétermination qui, selon ma conviction, régit l'histoire, et cette loi psychologique qui incite l'homme accomplissant l'acte le moins libre à imaginer après coup une série de raisons, afin de se prouver qu'il a agi librement.

Comte Léon Tolstoï,
« Archives Russes » — 1868.

---

* Il est digne de remarque que presque tous ceux qui ont écrit sur les événements de 1812 y ont vu quelque chose de particulier et de fatal.

NOTES

LIVRE TROISIÈME

Page 7.

1. *Le 12 juin :* c'est-à-dire le 24 juin de notre calendrier (voir tome I, p. 343, n. 1). Même conversion pour toutes les dates qui vont suivre.

Page 10.

1. Proverbes, XXI, 1.

Page 12.

1. *Son historien :* Thiers, *Histoire du Consulat et de l'Empire.*

Page 30.

1. *En faisant la paix avec vous :* par le traité de Bucarest, voir t. I, p. 617, n. 1.

Page 33.

1. *Poltava* en Ukraine, où, en 1709, Pierre le Grand remporta sur le roi de Suède Charles XII, jusqu'alors réputé invincible, une victoire qui scella la décadence de la puissance suédoise et fonda celle de la Russie.

Page 35.

1. *Nommé commandant en chef :* après sa victoire sur les Turcs et l'occupation des provinces roumaines.

Page 38.

1. Le *jeune comte Kamensky* (fils du feld-maréchal) se distingua dans la guerre contre la Turquie, où il périt à l'attaque de Rouch-tchouk.

Page 49.

1. « Imbécile... toute l'affaire va couler... ça va faire du joli... »

2. « Ça a dû être une belle guerre tactique. »

Page 50.

1. « Je le disais bien, que toute l'affaire irait au diable! »

Page 51.

1. *La maison jaune* était l'asile d'aliénés.

Page 52.

1. « De ce monsieur italien, fort bien. »

2. « Bon aussi. »

Page 53.

1. « Jeu d'enfants! »

2. « N'est-ce pas, Excellence? »

3. « Bien sûr, qu'y a-t-il de plus à expliquer? »

Page 59.

1. *Kibitka*, carriole légère couverte.

Page 77.

1. Natacha confond les deux sens du mot *mir*, « paix » et « monde ».

Page 78.

1. La *porte royale* est celle par où l'officiant passe du sanctuaire de l'autel aux fidèles, séparés de lui par l'*iconostase*, cloison garnie de plusieurs rangées d'icônes.

Page 86.

1. « *Un champignon* » : par confusion populaire avec *chpion* « espion », autre mot étranger.

Page 90.

1. *La voûte de la Trinité*, porte voûtée au milieu du côté ouest de l'enceinte du Kremlin.

Page 91.

1. *Le Tsar des Canons*, énorme canon de près de deux tonnes fondu en 1856 et qui n'a jamais tiré, est exposé dans l'enceinte du Kremlin, près du Palais des Patriarches.

Page 92.

1. Le *kvass*, boisson gazeuse populaire, faite d'orgeou de pair de seigle fermentés.

Page 94.

1. Le *palais Slobodsky* était le siège de l'Assemblée de la noblesse de Moscou.

Page 95.

1. *La milice de l'an sept*, c'est-à-dire la levée en masse de volontaires de 1807 (l'année de Friedland).

Page 98.

1. *Serge Glinka*, combattant de 1805-1807, avait fondé en 1808 (après Tilsitt, alliance que réprouvaient les patriotes intransigeants) la revue *Le Messager russe*, ultra-nationaliste et surtout, dès avant 1812, violemment anti-française.

Page 105.

1. *Étranger impopulaire:* Barclay de Tolly, nommé ministre de la Guerre en 1810, était d'origine écossaise.

Page 114.

1. *Potemkine*, le célèbre favori de Catherine II, dirigeait les opérations pendant la guerre russo-turque de 1787-90, marquée par la prise de la forteresse d'Otchakov (voir t. I, p. 160, n. 1) sous le commandement de Souvorov, puis par celle d'Izmaïl (voir t. I, p. 175, n. 1).

2. *Platon Zoubov* fut le dernier favori de Catherine II.

Page 118.

1. *Général en chef:* ici simple titre honorifique, voir t. I, p. 142, n. 2.

Page 130.

1. *Le ministre:* Barclay de Tolly, auquel Araktchéiev est subordonné depuis 1810.

Page 135.

1. *Joconde*, le conte de La Fontaine.
2. *Sérénissime:* Koutouzov avait droit à ce qualificatif depuis qu'il était nommé prince.

Page 146.

1. *Le déposèrent sur une table :* c'est la coutume russe, avant la mise en bière.

Page 147.

1. *Pierre III* est le tsar qui fut victime de la révolution de Palais de 1762 qui porta Catherine II au trône. La rumeur se maintint longtemps dans le peuple qu'il avait échappé à ses assassins : c'est de quoi profita notamment, en 1772, l'imposteur Pougatchov (voir p. 688, n. 1).

Page 148.

1. *Se rachetaient :* c'est-à-dire achetaient à leur seigneur une charte d'émancipation.

Page 149.

1. La *déciatine* équivalait à un peu plus d'un hectare.

2. *A la redevance :* c'est-à-dire dispensés en principe, moyennant paiement d'une redevance annuelle, de la corvée seigneuriale.

Page 157.

1. *Une ration mensuelle (miessiatchina) :* c'est-à-dire un supplément égal à la part mensuelle de récolte qui leur revenait normalement.

Page 166.

1. *Fait tondre,* c'est-à-dire livré au recrutement (voir t. I, p. 499, n. 1). Les recrues (pour un service militaire de 25 ans, donc pratiquement à vie) étaient désignées en principe par la commune paysanne, qui devait choisir de préférence — jusqu'à concurrence de l'effectif demandé — les jeunes gens les moins indispensables à leur foyer ; le *staroste* arbitrait, et il en résultait de fréquents passe-droits.

Page 169.

1. Sa renonciation au prince André a écarté l'obstacle qu'aurait été le lien de famille établi par un mariage du prince André avec la sœur de Nicolas Rostov : l'Église orthodoxe prohibe le mariage en pareil cas.

Page 174.

1. *Tampon d'étoupe :* pour prévenir ou soulager les maux de dents.

Page 177.

1. *Kamensky :* voir p. 38, n. 1.

Page 180.

1. *Les petites affiches de Rostoptchine :* moitié communiqués patriotiques, moitié proclamations démagogiques, en langage artificiellement gaillard et populaire, destinées à maintenir le moral de la population.

2. *Vassili Lvovitch Pouchkine :* poète mineur, l'oncle paternel du grand Pouchkine.

3. *Chtchi :* soupe aux choux.

Page 187.

1. *Borodino :* c'est la bataille que les historiens français de Napoléon ont appelée bataille *de la Moskowa* (la *Moskva* étant la rivière qui traverse Moscou).

Page 194.

1. La tête rasée : voir t. I, p. 499, n. 1.

Page 213.

1. « Il faut que la guerre soit étendue en espace. C'est une façon de voir à laquelle je ne saurais donner trop de prix. »

2. « Oh oui, le but est uniquement d'affaiblir l'ennemi, on ne peut donc pas prendre en considération les pertes des particuliers. »

Page 220.

1. *25 août :* soit le 6 septembre de notre calendrier, voir t. I, p. 343, n. 1.

Page 222.

1. *Le vice-roi :* Eugène de Beauharnais, beau-fils de Napoléon qui l'avait fait vice-roi d'Italie.

Page 252.

1. « Le vieux monsieur se la coule douce. »

2. Du vieux monsieur.

Page 253.

1. De la présomption du vieux monsieur.

Page 265.

1. Rappelons que la *déciatine* faisait un peu plus d'un hectare.

Page 272.

1. La bataille de *Malo-Iaroslavets* (à environ 130 km au sud de Moscou, sur la route de Kalouga) fut en effet la dernière victoire française en Russie; mais elle révéla l'impossibilité d'emprunter une autre voie de retraite que celle de l'invasion, par les régions dévastées de la route de Smolensk.

Page 277.

1. L' « *izba de Koutouzov* », au village de *Fili*, a été reconstituée dans son état exact de 1812. Elle se trouve maintenant englobée dans le Grand-Moscou, non loin de la station de métro *Koutou-zovskaïa*.

Page 282.

1. « *Lever l'icone* », c'était la porter en procession. *L'icone d'Ibérie* (voir t. I, p. 683, n. 1) était la plus vénérée à Moscou.

2. Comme les y invitait Rostoptchine. *Les Trois Monts* désigne une colline à l'est de Moscou.

Page 283.

1. *Klioutchariov :* voir plus bas, t. II, p. 297.

Page 285.

1. *Kamenny Ostrov* (« L'île de pierre ») est une des îles du delta de la Néva, alors lieu de résidences aristocratiques.

Page 301.

1. Les Français entrèrent à Moscou le 14 septembre 1812, c'est-à-dire le 2 septembre « ancien style ».

Page 303.

1. *Barrière de Dorogomilovo :* Dorogomilovo était un faubourg à l'ouest de Moscou, sur la route de Smolensk.

Page 305.

1. *Biélaïa Tserkov* (« Blanche Église »), localité d'Ukraine, au sud de Kiev.

Page 320.

1. *S'asseoir et prier avant le départ :* voir t. I, p. 743, n. 1.

Page 322.

1. La rue *Sadovaïa* (« des Jardins »), large boulevard formant au nord de Moscou un anneau périphérique.

2. C'est-à-dire des quartiers nord-ouest : les convois convergeaient vers l'est en empruntant les boulevards extérieurs, ce que les Moscovites d'aujourd'hui appellent le *Koltso*, « l'Anneau ».

3. La *tour de Soukharev*, au départ de la route de Iaroslav, alors centre d'un marché populaire (aujourd'hui Place des kolkhozes), a été démolie sous le régime soviétique.

Page 325.

1. *Étangs du Patriarche :* un des boulevards de l'anneau intérieur de verdure de Moscou, où se trouvent aussi de petits lacs.

Page 327.

1. *Pont de Dorogomilovo* sur la Moskva.

2. *Mont Poklonnaïa* (« colline des Salutations ») : sur l'actuelle avenue Koutouzov (route de Smolensk), un peu au-delà de Fili : les Moscovites avaient coutume d'accompagner jusque-là, pour les derniers adieux, les amis partant en voyage en Occident.

Page 330.

1. C'est-à-dire vers les entrées nord, ouest, et sud de la ville.

Page 333.

1. *Gostinny Dvor* (« Cour des Forains »), galeries marchandes au centre du quartier de Kitaï Gorod (voir p. 340, n. 2).

Page 334.

1. *En caftan gris, à la tête rasée :* des condamnés de droit commun, que Rostoptchine avait fait mettre en liberté.

Page 335.

1. Proverbe.

Page 337.

1. *Rogojskaïa :* barrière au nord-est de Moscou.

Page 338.

1. *Varvarka* (« rue Sainte-Barbara ») : aujourd'hui rue Razine (du nom de Stenka Razine, cosaque révolté du xviie siècle) : à l'est de la Place Rouge, près de la basilique de Basile le Bienheureux.

Page 340.

1. *Marosséïka* (auj. rue Bogdan Khmelnitsky), reliant Kitaï-Gorod aux quartiers du nord-est.

2. *Kitaï-Gorod* (on traduit arbitrairement « Ville chinoise ») : quartier du gros négoce dans l'ancienne Moscou, aujourd'hui siège de divers services publics, à l'est de la Place Rouge. Du mur en question, qui ceignait ce quartier, il ne reste aujourd'hui qu'un fragment sur la place Sverdlov, près de l'Hôtel Métropole.

Page 342.

1. *Loubianka :* rue à la limite de Kitaï-Gorod, aujourd'hui place et rue Dzerjinski : là était la résidence de Rostoptchine. (Là se trouvent aujourd'hui le siège du ministère de l'Intérieur et la fameuse prison politique.)

Page 345.

1. Vladimir : à environ 175 km à l'est de Moscou.

Page 348.

1. *La moitié du crâne rasée :* en tant que condamné au bagne.

Page 351.

1. *Miasnitskaïa* (« rue des Bouchers », depuis 1934 rue Kirov), une des principales rues commerçantes du nord-est de Moscou.

Page 355.

1. *Arbat :* longue rue très animée du vieux Moscou, étroite et sinueuse, débouché de la route de Smolensk; elle est doublée aujourd'hui, à travers le vieux quartier de l'Arbat en partie détruit, par le prolongement de l'avenue Koutouzov.

2. « *Le Kremlin* » *:* en français dans le texte russe. Le nom russe est *Kreml*, mot qui paraît signifier « forteresse » ou « acropole ».

Page 356.

1. *Porte Koutafiev :* c'est-à-dire porte de la *Tour Koutafia*, séparée par un petit pont de la porte de la Trinité, au bout de la rue Vozdvijenka (voir t. I, p. 706, n. 1) laquelle relie l'Arbat au Kremlin.

Page 356.

1. *Mokhovaïa*, le long de l'enceinte ouest du Kremlin, aujourd'hui rue Karl Marx.

Page 358.

1. *Galerie des Carrossiers :* la rue où se fabriquaient et se vendaient les équipages.

Page 375.

1. La *Pétrovka* est la rue qui part du centre vers le nord à gauche du Théâtre Bolchoï; elle est prolongée par la *Galerie des Carrossiers*.

Page 376.

1. Les *Mytichtchi* (« Péages »), village au nord-est de Moscou, sur la route de Iaroslavl, aujourd'hui inclus dans le district du Grand-Moscou.

Page 377.

1. « La mère *aux pierres blanches* » *(bièlokamennaïa)*: c'est l'épithète de nature par laquelle les Russes expriment leur tendresse pour Moscou.

2. *La Trinité* (appelée plus bas, p. 423, de son nom russe *Troïtsa*), c'est le complexe monastique dont le centre est la *Laure de la Trinité-Saint-Serge*, près du village de Serguiév-Possad (« Bourg Saint-Serge », aujourd'hui *Zagorsk*), à environ 70 km à l'est de Moscou. Fondé au xive siècle par Saint Serge de Radonège, c'était un des sanctuaires les plus vénérés de l'ancienne Russie.

LIVRE QUATRIÈME

Page 399.

1. *Son Éminence:* Mgr Platon, métropolite de Moscou.

Page 409.

1. *Voronège,* sur la rivière du même nom (affluent du Don), à environ 500 km au sud de Moscou.

Page 423.

1. *Troïtsa,* « La Trinité », voir p. 377, n. 2.

Page 425.

1. *Son saint:* Saint Serge.

Page 430.

1. *Champ des Vierges (Diévitchié Polié),* au sud de Moscou, dans un méandre de la Moskva, où les Moscovites, sous le « joug tatar » (xiiie et xive siècles) devaient fournir un tribut en argent et filles nubiles.

2. *Ivan le Grand :* nom donné au plus haut clocher du Kremlin (97 mètres) que Boris Godounov fit construire en 1601 pour donner du travail aux victimes d'une famine.

3. *Monastère Novo-Diévitchi* (on traduit, sans doute improprement : « des Nouvelles Vierges ») : couvent de femmes fondé en 1524 à proximité du *Diévitchié Polié.*

Page 441.

1. Les saints *Flor* (le peuple prononce *Frol*) et *Laur*, que les icônes représentent toujours à cheval, étaient particulièrement vénérés dans la campagne russe : leur fête s'accompagnait, dans certaines régions, de rites qui dénoncent la survivance d'un ancien culte du cheval.

Page 443.

1. Les mots russes qui signifient « paysan » *(krestianine)* et « chrétien » *(khristianine)* sont presque homonymes. Le premier viendrait (étymologie d'ailleurs contestée) de ce que les moujiks portaient à même le corps une croix *(krest)* en sautoir.

Page 462.

1. *Krasnaïa Pakhra*, village sur la rivière *Pakhra*, (affluent de droite de la Moskva), qui décrit, à environ 40 km au sud de Moscou, une sorte d'arc irrégulier entre la *route de Kalouga* (orientée vers le sud-ouest) et la *route de Riazan* (orientée vers le sud-est). *Taroutino*, sur la rivière Nara (affluent de l'Oka), est sur la route de Kalouga.

2. *Marche de flanc :* Tolstoï se réfère ici à Thiers.

Page 469.

1. *Die erste Colonne... :* voir t. I, p. 349.

Page 480.

1. Ce *capitaine Iakovlev*, d'ailleurs riche seigneur foncier, fut le père de l'écrivain Alexandre Herzen, né précisément en 1812.

Page 497.

1. *Zamoskvorétchié* (« derrière la rivière Moskva »), quartier sud de Moscou, dans un méandre de la Moskva en face du Kremlin : c'était par excellence le quartier des marchands et entrepreneurs.

2. *Khamovniki* (« les Tisserands ») : faubourg du sud-ouest, aujourd'hui englobé dans Moscou autour de la place Frounzé.

Page 498.

1. *Kamenny most* (« Pont de pierre ») à la pointe sud-ouest du Kremlin.

2. *Gué de Crimée :* aujourd'hui Pont de Crimée, franchissant la Moskva au sud-ouest de la ville.

3. *Grande Ordynka* (« route de la Horde » tatare) : une des rues principales de Zamoskvorétchié.

Page 505.

1. *Alexeï Pétrovitch :* le général Ermolov.

Page 508.

1. *Médyne* et *Ioukhnov :* deux villes (à environ 150 et 200 km au sud-ouest de Moscou) sur une route intermédiaire entre celles de Kalouga et de Smolensk.

Page 513.

1. « Il faut faire à l'ennemi un pont d'or » pour faciliter sa retraite (et non l'attaquer), disait Koutouzov : voir p. 588.

Page 521.

1. *Denis Davydov :* le personnage historique prototype de Vaska Dénissov (voir t. I, p. 145, n. 1). Le premier détachement que lui accorda Koutouzov comptait 50 hussards et 150 cosaques.

2. *Vassilissa Kojina,* femme d'un *staroste* de la province de Smolensk, s'attaquait elle-même, à coups de fourche et de faux, aux maraudeurs ou traînards de la Grande Armée : la tradition prétend qu'elle en tua cent cinquante.

Page 528.

1. 200 sagènes, soit un peu plus de 400 mètres.

Page 532.

1. *Chtcherbaty* est l'adjectif qui signifie « ébréché ».

Page 536.

1. Ces deux déformations de « Vincent » (mot difficilement prononçable pour un Russe à cause des nasales) rappellent le mot russe *vesna*, « printemps ».

Page 543.

1. *Karabakh* est le nom d'un massif montagneux de la partie sud du Caucase, et aussi de la population qui l'habite (aujourd'hui république autonome dans le cadre de la République soviétique d'Azerbaïdjan).

Page 556.

1. C'est bien « en tricorne » qu'on lit dans le texte de Tolstoï.

Page 569.

1. Il s'agit de degrés Réaumur.

Page 580.

1. *Krasnoïé*, à 60 km à l'ouest de Smolensk.

Page 582.

1. *Die erste Colonne*, etc. : voir t. I, p. 349.

Page 583.

1. *Les Manufactures de Toile :* la localité de *Polotniany Zavod*, à mi-chemin entre Kalouga et Médyne (voir p. 508, n. 1), domaine et filatures qui appartenaient aux Gontcharov (famille de Nathalie Gontcharov, la femme de Pouchkine). Koutouzov s'y attarda un certain temps pendant le début de la retraite de la Grande Armée.

Page 595.

1. *Un pieu de tremble :* c'était, dans la superstition populaire, le moyen de vaincre les sorciers ou de conjurer les revenants.

Page 596.

1. *Bouillie de sarrasin :* c'est la *kacha*, mets populaire russe.

Page 598.

1. *L'absinthe* est pour les paysans russes une herbe malfaisante.

Page 602.

1. *Troïka en sueur : troïka* désigne, pour les Russes, les trois chevaux et non la voiture.

Page 615.

1. *Équipes* de charpentiers : en russe *artél*, sorte de coopérative d'artisans.

ÉPILOGUE

Page 638.

1. Le Grand-duché de Varsovie créé par Napoléon ayant été, au traité de Vienne, donné à la Russie comme « *Royaume de Pologne* », Alexandre Ier lui accorda une Constitution (Diète

et armée), que son successeur Nicolas Ier devait abolir après la révolte polonaise de 1830.

2. *Araktchéiev*, ministre de la Guerre depuis 1808, eut pratiquement un pouvoir illimité après la disgrâce de Spéransky, et toute sa politique fut une réaction systématique contre les ébauches libérales de celui-ci.

3. Le prince *Alexandre Galitzine*, procureur du Saint-Synode depuis 1803, fut ministre de l'Instruction publique de 1816 à 1824 et se signala par sa politique d'intolérance religieuse et d'encouragement des sectes mystiques (la franc-maçonnerie exclue) et de censure bigote de la presse et du livre. Il avait fondé, en 1812, la *Société biblique*, sur le modèle anglais. Il tomba en disgrâce en 1824 et fut remplacé par l'amiral *A. S. Chichkov*, réactionnaire un peu plus modéré et orthodoxe sans mysticisme. La *Société biblique* devait être dissoute par Nicolas Ier en 1826.

4. Mgr *Photius*, métropolite de Pétersbourg, eut une grande influence sous Alexandre Ier comme inspirateur de toutes les mesures d'intolérance religieuse.

5. Le *régiment Sémionovsky* (voir t. I, p. 81, n. 1) se mutina en 1820 contre l'abus des châtiments corporels pratiqués par le colonel Schwartz. Il fut dissous et reformé avec d'autres cadres.

Page 643.

1. Bonaparte, alors lieutenant à peu près inconnu, offrit en effet ses services à la Russie en 1794 quand (après Thermidor) il se trouva quelques mois sans emploi.

Page 648.

1. Psaume CXV, V, 1.

Page 651.

1. *Sivtsev Vrajek :* voir t. I, p. 683, n. 1.

Page 657.

1. Trois fonctions d'administration du village que le seigneur, au temps du servage, confiait à des paysans choisis par lui.

Page 662.

1. Matt., XXV, 29.

Page 663.

1. *Bechmet :* sorte de jaquette tcherkesse.

Page 665.

1. On baisait la main de la maîtresse de maison en quittant la table.

Page 667.

1. Dicton populaire.

Page 674.

1. C'est le temps des sociétés littéraires, philosophiques et même politiques plus ou moins secrètes, où la jeunesse russe rêve de régénérer la Russie, de lui faire rattraper son retard sur l'Occident; on y discute les idées et théories venues surtout d'Allemagne et d'Angleterre. L'aboutissement sera notamment le putsch *décembriste* du 14 décembre 1825, à Pétersbourg, à l'occasion de la brève crise de succession ouverte par la mort d'Alexandre Ier.

Page 683.

1. Voir les notes 2, 3 et 5 de la p. 638.

Page 684.

1. *Maria Antonovna Narychkine,* voir t. I, p. 584, n. 1.

2. *Gossner* et la *Tatarinova:* deux personnages particulièrement remarqués du mouvement mystique alors en vogue à Pétersbourg. *Catherine Tatarinov* (chez qui on prétendait qu'avaient lieu des séances de dervichisme) fonda en 1817 l'*Union spirituelle*, secte mystique qui eut des adeptes jusque vers 1840.

3. *Galitzine:* voir p. 638, n. 3.

Page 686.

1. On attribue à la *baronne de Krüdener,* de qui Alexandre Ier fit la connaissance en Allemagne en 1813, une grande influence sur la conversion du tsar au mysticisme. *Eckartshausen*, écrivain mystique allemand.

2. *Livrer le régiment Sémionovsky au soldat Schwartz:* voir p. 81, n. 1. Araktchéiev rendit les sociétés secrètes (déjà nombreuses alors dans l'armée) responsables de la mutinerie.

Page 687.

1. *Magnitsky,* après avoir été collaborateur de Spéransky et partagé sa disgrâce, fut le protégé d'Araktchéiev et du prince Galitzine et, nommé en 1819 curateur de l'arrondissement universitaire de Kazan, se signala par la mise au pas des professeurs, des étudiants et de l'enseignement : il fit par exemple interdire

l'enseignement de la philosophie comme source d'idées subversives.

2. Le *pas de parade*, introduit dans l'armée russe par Paul Ier à l'imitation de l'armée prusienne, puis à peu près abandonné, fut remis en honneur, la paix revenue, par Araktchéiev.

3. Les *colonies militaires*, destinées à assurer une armée de couverture permanente, furent instituées par Araktchéiev dans les provinces frontières de Russie Blanche (Biélorussie) et d'Ukraine. Elles militarisaient les paysans en même temps qu'elles associaient des soldats aux travaux agricoles; la discipline était également dure pour les uns et les autres, et les enfants des uns comme des autres étaient voués au service militaire. Des soulèvements y éclatèrent en 1819 et 1830.

Page 688.

1. *Émilien Pougatchov* est le chef de bandes qui, se faisant passer pour Pierre III (le tsar dont le meurtre, en 1762, avait porté Catherine II au trône), souleva successivement, de 1772 à 1774, les Cosaques de l'Oural, les ouvriers serfs des fonderies ouraliennes, les Bachkirs de la steppe et les paysans des régions de la Moyenne Volga.

2. Le *Tugendbund* (« Société de la vertu ») fut une association allemande fondée en 1808 pour former la jeunesse dans l'esprit des traditions nationales. Dissous par Napoléon, il se reforma après sa chute. Il servit pour une part de modèle aux premières sociétés secrètes « décembristes » des jeunes officiers russes revenus en 1815 des campagnes d'Allemagne et de France.

Page 689.

1. *La révolte:* jeu de mots sur l'homonymie du mot allemand *Bund* (dans *Tugendbund*) et du mot russe *bount* « révolte ».

Page 693.

1. Il s'agit du *bureau (kontora)* où le seigneur traitait, avec son intendant, les affaires de son domaine.

Page 702.

1. *Gibbon* et *Buckle:* deux historiens anglais, le premier de méthode toute traditionnelle, le second mettant particulièrement en valeur les facteurs physiques et géographiques des événements historiques.

Page 716.

1. *Ivan IV:* Ivan « le Terrible » (1533-1584).

Page 718.

1. *Kazan*, siège d'un khanat tatar, fut conquis par Ivan le Terrible en 1552. C'est également sous son règne que commença, avec le cosaque Ermak, la conquête de la *Sibérie*.

2. Le prince *André Kourbsky*, après avoir été un fidèle assistant d'Ivan le Terrible, tomba en disgrâce et s'enfuit en Lituanie. Il échangea de là, avec le tsar, une *correspondance* passionnée, remarquable mélange de grossières injures réciproques et de très intéressantes considérations théoriques sur les rapports du tsar autocrate et des boïars.

QUELQUES MOTS A PROPOS DE « LA GUERRE ET LA PAIX »

Page 750.

1. Le *terem* était dans l'ancienne Russie l'appartement des femmes.

2. *La Saltytchikha* (avec un suffixe méprisant) : une certaine Saltykova, propriétaire noble, qui fit martyriser près de cent cinquante de ses serfs, surtout femmes et jeunes filles, pour les motifs les plus futiles. Condamnée aux travaux forcés, Catherine II la fit enfermer dans un couvent.

Page 751.

1. Exemples de *noms doubles* : Orlov-Dénissov, Ostermann-Tolstoï, Moussine-Pouchkine, Golénichtchev-Koutouzov...

Page 752.

1. Rostoptchine avait une propriété à Voronovo, à l'ouest de Moscou.

INDEX HISTORIQUE

ALEXANDRE Ier : empereur de Russie de 1801 à 1825, fils de Paul Ier. La première partie de son règne fut marquée par des tentatives de réformes libérales, auxquelles collabora Spéransky. La seconde partie de son règne fut absorbée par les événements extérieurs. Il tomba sous l'influence du prince Galitzine et de la baronne de Krüdener, tous deux mystiques, et forma le projet de la Sainte-Alliance, union des souverains chrétiens en face de la révolution et du libéralisme des petits États européens. La mutinerie du régiment Semionovsky (1820) l'entraîna dans une politique de réaction : renforcement de la censure, surveillance des universités, etc. L'homme de cette politique est Jules Araktchéiev, le fondateur des colonies militaires.

APCHÉRON (régiment d') : l'un des régiments d'infanterie lourde de l'armée russe.

APRAKSINE (comte Stéphane Stépanovitch) : général de cavalerie. Fut gouverneur de Smolensk de 1804 à 1812.

ARAKTCHÉIEV : familier et ami d'Alexandre Ier, fut ministre de la Guerre de 1808 à 1825. Connu pour sa cruauté. Fondateur des colonies militaires.

ARCHIVES DES AFFAIRES ÉTRANGÈRES : à Moscou, fondées en 1766. Au début du XIXe siècle, beaucoup de jeunes gens de la noblesse y travaillaient. Ils avaient formé un cercle : « Les Jeunes des Archives. »

ARKHAROV : riche famille noble de Moscou. Ivan Pétrovitch Arkharov était renommé pour sa large hospitalité.

ARMFELDT : général et homme d'État suédois. Accusé de haute trahison, il s'enfuit en Russie. Fut membre du Conseil d'Empire à partir de 1811. Accompagna Alexandre en 1812 lors du séjour que celui-ci fit à l'armée.

ASCH (baron) : gouverneur de Smolensk, de 1817 à 1822.

AUERSPERG VON MAUTERN : feld-maréchal autrichien. Tomba dans le piège que lui tendit Murat, au pont de Thabor. La prise de ce pont par les Français entraîna l'occupation de Vienne par Napoléon.

BAGOVOUT : général de l'armée russe. Prit part aux guerres de Turquie et aux guerres de 1806 à 1808. En 1812, il commandait le 2e corps d'infanterie de l'armée Barclay de Tolly. Fut tué à la bataille de Taroutino.

BAGRATION (prince) : général russe. Prit part à presque toutes les batailles des campagnes de 1805 à 1807. Fut général en chef de l'armée russe en 1809 contre les Turcs. En 1812, il commandait la deuxième armée d'Occident. Mourut des suites d'une blessure reçue à la bataille de Borodino.

BALACHOV : homme d'État russe. Fut sous Alexandre Ier chef de la police de Moscou (1804-1807), gouverneur militaire de Pétersbourg (1809-1810), membre du Conseil d'Empire (1810-1834). Accompagna Alexandre à Vilna en 1812 et porta la lettre du tsar à Napoléon.

BARCLAY DE TOLLY (prince) : feld-maréchal russe, d'origine écossaise. Fut en 1809 général en chef de l'armée russe, pendant la guerre de Finlande. Ministre de la Guerre à partir de 1810. Fut général en chef au début de la campagne de 1812, puis commanda la première armée d'Occident.

BASSANO (Maret, duc de) : homme d'État français. Devint ministre des Affaires Étrangères en 1811.

BEAUHARNAIS (Eugène de) : vice-roi d'Italie, duc de Lichtenberg, prince d'Empire, beau-fils de Napoléon Ier qui l'adopta en 1806. Participa à de nombreuses guerres. Commandait en 1812 le 4e corps d'armée. Prit part à la bataille de Borodino.

BEAUSSET : écrivain et homme de cour français. Préfet du Palais de Napoléon à partir de 1805. Accompagna Napoléon dans ses campagnes jusqu'en 1812.

BELLIARD (Augustin) : général français, chef d'état-major des armées de Murat de 1805 à 1808. Fut nommé gouverneur de Madrid en 1808. Prit part à la campagne de Russie en 1812.

BENNIGSEN : général de cavalerie. Remporta une victoire sur les Français en 1806 à Pultusk. Général en chef de l'armée russe en 1807. Attaché à Alexandre Ier au début de la campagne de 1812, puis chef d'état-major général. Prit part aux batailles de Taroutino et de Borodino. Général en chef de l'armée polonaise en 1813.

BÉRÉZINA : affluent de gauche du Dniepr. Les débris de l'armée française, poursuivis par l'armée russe, la traversèrent du 14 au 16 novembre 1812, près de la ville de Borissov.

BERLIN (entrevue de) : entre Alexandre Ier et le roi de Prusse

Frédéric III, au moment de la coalition contre la France. Eut lieu le 13/25 octobre 1805.

BERNADOTTE : maréchal français. Adopté en 1810 par le roi de Suède Charles XIII. Devint roi de Suède en 1818, sous le nom de Charles XIV ou Charles-Jean.

BERTHIER : maréchal français. Fut en permanence chef de l'état-major des armées de Napoléon dans les guerres de 1794 à 1814. Après la chute de Napoléon, il se rallia aux Bourbons.

BESSIÈRES (duc d'Istrie) : maréchal français. Commanda la cavalerie de la Garde de 1805 à 1807, la cavalerie de la réserve en 1809, la Garde et le corps de cavalerie en 1812. Au début de la campagne de 1813, fut commandant en chef de toute la cavalerie française.

BEZZOUBOVO : village du district de Mojaïsk, province de Moscou; un des points de la bataille de Borodino.

BIBLIQUE (Société) : société pour la diffusion de la Bible, fondée à Pétersbourg en 1813. Avait de nombreuses ramifications dans les autres villes russes et déploya une grande activité. Le président en était A. N. Galitzine; de hauts dignitaires et de hautes personnalités du clergé en étaient membres. Son activité fut encouragée par Alexandre Ier qui en fut membre. En 1824, après la disgrâce de Galitzine, le gouvernement changea brusquement d'attitude vis-à-vis de cette société qui fut interdite par décret de Nicolas Ier en 1826.

BORODINO : village du district de Mojaïsk, province de Moscou, sur la rivière Kolotcha, à 10 kilomètres de Mojaïsk. A donné son nom à la bataille du 26 août/7 septembre 1812, entre l'armée française commandée par Napoléon et l'armée russe commandée par Koutouzov. Ce fut la bataille la plus importante et la plus sanglante de la guerre de 1812; elle eut lieu près du village de Borodino, entre la vieille route de Smolensk et la rivière Moskova. Les Français étaient au nombre de 130 000, les Russes 140 000. Les Russes perdirent en tués et blessés 58 000 hommes. Les Français 35 000. Ni l'une ni l'autre armée ne remporta la victoire. Après la bataille, les Russes battirent en retraite vers Moscou, qu'ils abandonnèrent ensuite.

BOULOGNE (expédition de) : préparatifs de débarquement en Angleterre faits par Napoléon de 1801 à 1805.

BROUSSIER : général français. Participa à de nombreuses guerres. Général de division au moment de la campagne de Russie.

BUCKLE (Henry-Thomas) : historien et sociologue anglais.

BUXHŒVDEN : général de l'armée russe. Prit part à la bataille d'Austerlitz en 1805. Commandait un corps d'armée au début de la campagne 1806-1807. Après la paix de Tilsit, il reçut de Bennigsen le commandement en chef d'une armée.

Caulaincourt : diplomate français, ambassadeur à la Cour de Russie à Pétersbourg de 1807 à 1811.

Chevaliers-Gardes (régiments des) : l'un des régiments de la Garde à cheval russe, recruté parmi la fine fleur de l'aristocratie.

Chevardino : village du district de Mojaïsk, province de Moscou, près de Borodino. Un combat y eut lieu le 24 août 1812. Les Français s'emparèrent de la redoute de Chévardino.

Chichkov : homme d'État russe auteur du manifeste de 1812. Ministre de l'Instruction Publique de 1824 à 1828.

Claparède : général français. Prit part à la bataille de Borodino.

Clausewitz : général et théoricien militaire prussien. Au service de la Russie de 1812 à 1814.

Club anglais : club aristocratique de Moscou, fondé en 1770.

Colonies militaires : introduites en Russie en 1817 par Araktchéiev, ministre de la Guerre d'Alexandre Ier. On voulait installer chaque soldat avec sa famille et lui imposer à la fois l'obligation du service militaire et celle des travaux des champs. L'organisation de ces colonies fut accompagnée de grandes cruautés.

Compans : général français, commandait un corps d'armée en 1812.

Conseil d'Empire : corps de caractère consultatif, correspondant à l'une des chambres des parlements européens. Le Conseil d'Empire fut inauguré le 1er janvier 1810 et organisé d'après le projet de Spéransky. Il était composé de 35 dignitaires nommés et examinait les projets de loi, sanctionnés ensuite par le tsar.

Constantin (grand-duc) : frère d'Alexandre Ier. Commandait la garde en 1805 lorsqu'elle fit campagne à l'étranger. Prit part à la bataille d'Austerlitz. Revint à Pétersbourg en décembre 1805.

Corvisart (baron) : médecin français. Fut le médecin préféré de Napoléon.

Czartorysky (Adam) : homme d'État de famille polonaise, un des familiers d'Alexandre Ier au début du règne de celui-ci. Membre du comité secret, puis ministre des Affaires Étrangères de 1804 à 1806, et curateur en 1810 de l'arrondissement scolaire de Vilna.

Davout (duc d'Auerstaedt, prince d'Eckmühl) : maréchal français. Homme de confiance de Napoléon. Connu pour sa cruauté envers ses subordonnés.

Davydov : célèbre famille noble de Moscou, qui avait des biens dans la province de Moscou.

Dessaix : général français; commandait une division en 1812. Prit part à la bataille de Borodino.

DOKHTOUROV : général de l'armée russe. Prit part aux campagnes de 1805 à 1807 et à celles de 1812.

DOLGOROUKOV (I. V.) : général russe; commandait, sous Alexandre Ier en 1806, l'armée territoriale de la 7e région.

DOLGOROUKOV (P. R.) : général-adjudant, familier d'Alexandre Ier.

DOLOKHOV : général russe, partisan célèbre. Prit part aux campagnes de Turquie de 1806 et 1807. Commanda en 1812 une des brigades de la Ire armée, puis un détachement de partisans, qui se distingua dans la guerre contre les Français pendant la retraite de ceux-ci.

DUCHESNOIS (la) : tragédienne française.

DUPORT (Louis) : danseur parisien, qui vint s'installer à Pétersbourg en 1808.

DUROC (duc de Frioul) : maréchal français, familier de Napoléon, l'accompagna dans toutes ses campagnes de 1805 à 1813. Fut grand maréchal du Palais de Napoléon.

ECKARTSHAUSEN : écrivain mystique allemand.

ELIZABETH ALEXÉIEVNA : impératrice de Russie, femme d'Alexandre Ier.

ELIZABETH-WILHELMINE : princesse de Wurtemberg, impératrice d'Autriche, femme de François II.

ERMOLOV : général russe. Prit part aux campagnes de 1805 à 1807. Fut chef d'état-major de la Ire armée en 1812. Plus tard, vice-roi du Caucase.

FACETTES (le palais à) : palais du Kremlin à Moscou, construit en 1491. C'est là qu'avaient lieu les cérémonies importantes de la Cour.

GALITZINE (prince A. N.) : homme d'État russe. Procureur général du Saint-Synode en 1803, ministre de l'Instruction Publique de 1816 à 1824. Tomba en disgrâce en 1824.

GENLIS (Mme de) : femme de lettres française, auteur de romans pédagogiques qui connurent à son époque un grand succès.

GEORGE (Mlle) : actrice dramatique française qui fut en faveur auprès de Napoléon pendant plusieurs années.

GÉRARD : maréchal français. Fut, en 1812, général de brigade, puis de division. Prit part à la bataille de Borodino. Commandait l'arrière-garde du corps de Davout lors de la retraite des Français.

GIBBON : historien anglais, auteur de l'*Histoire de la décadence et de la chute de l'Empire romain*.

GLINKA (Serge Nicolaïévitch) : écrivain. Fonda en 1808 le journal *le Messager russe*, consacré à la lutte contre l'influence française en Russie, qui connut un grand succès.

GORKI : village du district de Mojaïsk, province de Moscou;

fut l'un des lieux où se déroula la bataille de Borodino.

GOSSNER : pasteur munichois, mystique et prédicateur. Vint à Pétersbourg en 1820, sur l'invitation des membres de la Société Biblique; il fut élu directeur de la Société et remporta de grands succès comme prédicateur. En 1824, après la disgrâce de Galitzine qui avait autorisé la publication de son livre *Le sens de la vie et l'enseignement du Christ*, Gossner fut exilé à l'étranger.

HAMBOURG *(Gazette de)*: journal périodique fondé en 1792, qui informait le public russe des principaux événements européens.

HARDENBERG : ministre des Affaires Étrangères de la Prusse de 1803 à 1806.

HAUGWITZ : homme d'État prussien, ministre des Affaires Étrangères en 1802.

IOGEL : maître à danser de Moscou, dont les bals furent très populaires.

IZMAIL : forteresse turque sur le Danube. Pendant les guerres russo-turques, Izmaïl passa trois fois des mains des Turcs à celles des Russes et inversement. Prise d'assaut en décembre 1791 par les armées russes sous le commandement de Souvorov avec la participation de Koutouzov. A partir de 1816, chef-lieu de district de la province de Bessarabie.

JUNOT (duc d'Abrantès) : général français. Fut éloigné de l'armée par Napoléon en 1812, à cause de l'insuccès de ses opérations militaires.

KAISSAROV : général russe. Fut d'abord général aide de camp, puis commanda l'avant-garde de l'armée. Chef d'un détachement de partisans en 1813.

KAMENNY OSTROV : une des îles de Pétersbourg; résidence des familles de l'aristocratie.

KAMENSKY : feld-maréchal russe. Prit part à la guerre de Sept Ans (campagne de 1760-1761) et à la guerre contre les Turcs (1769-1774). Fut nommé général en chef de l'armée russe en 1806, mais ne le resta que six jours, passa son commandement, se retira à la campagne et prit sa retraite. Fut assassiné peu après par ses serfs domestiques.

KARAMZINE : écrivain russe, auteur de nouvelles sentimentales, dont la plus célèbre est *la Pauvre Lise*.

KLIOUTCHARIOV : écrivain de tendance mystique, franc-maçon. Ami de Novikov, prit une part active aux affaires et aux séances de la Société. Fonctionnaire du service des postes à partir de 1799, puis directeur des postes. Il se fit un ennemi de Rostoptchine en intercédant pour Vérechtchaguine. Fut dépouillé de ses fonctions par Rostoptchine qui le soupçonnait d'être à la tête d'un complot de martinistes. Alexandre Ier le nomma sénateur en 1815.

KOLOTCHA : affluent de droite de la Moskova.

KONOVNITSYNE : général russe, en 1812 il commanda une division, puis l'arrière-garde des armées russes. Attaché à Alexandre Ier en 1815, puis ministre de la Guerre de 1815 à 1819.

KOTCHOUBEI : homme d'État russe, ministre de l'Intérieur de 1802 à 1807. Un des familiers d'Alexandre Ier.

KOURAKINE : diplomate russe, ambassadeur à Vienne de 1806 à 1808, puis à Paris de 1808 à 1812.

KOUTAÏSSOV : général russe, prit part à la guerre de 1806 à 1807. Commandant de l'artillerie de la première armée en 1812. Fut tué à la bataille de Borodino.

KOUTOUZOV (Mikhaïl Ilarionovitch, Sérénissime, prince de Smolensk) : général chef d'armée. Se distingua pendant les guerres de Turquie. Commanda en 1805 l'armée envoyée au secours de l'Autriche. Général en chef de l'armée russe en 1812.

KOZLOVSKY (prince) : colonel commandant un bataillon du régiment Préobrajensky.

KREMS (combat de) : eut lieu le 30 octobre/11 novembre 1805 entre les Russes commandés par Koutouzov et la division Mortier. Se termina par la victoire des Russes.

KRÜDENER (baronne de) : mystique russe qui exerça une grande influence sur Alexandre Ier. Vécut à partir de 1821 à Pétersbourg où elle se joignit au cercle des mystiques russes.

LANFREY : publiciste et historien français, républicain modéré. Auteur d'une histoire de Napoléon où, contrairement à Thiers, il le juge très sévèrement.

LANGERON (général, comte de) : servit dans l'armée française; émigra lors de la Révolution et entra au service de la Russie en 1790. Prit part aux guerres de Turquie et aux guerres contre Napoléon. Fit la connaissance de Pouchkine à Odessa, où il occupa un poste administratif.

LANNES (duc de Montebello) : maréchal français. Prit part aux batailles de 1805 à 1806, avec la Prusse et l'Autriche, et à la bataille de Pultusk. Commanda en 1809 un corps d'armée et fut blessé mortellement à la bataille d'Essling.

LARREY : médecin de Napoléon. Prit part à toutes les campagnes de la République et de l'Empire.

LAURISTON (marquis de) : maréchal de France. Fit ses études avec Napoléon à l'École d'Artillerie. Napoléon le choisit comme aide de camp en 1800. Prit part aux campagnes de 1805 et de 1809. Ambassadeur à Pétersbourg en 1811.

LAVATER : pasteur et écrivain suisse; inventa la théorie de la physiognomonie, art de juger le caractère d'après les traits du visage et la confrontation de la tête.

LELORME D'IDEVILLE : interprète de Napoléon, lors de l'entrée de celui-ci à Moscou.

LEMARROIS : général français, aide de camp de Napoléon.

LEPPICH : paysan originaire de Hollande, d'après les projets de qui on fit à Moscou en 1812 un ballon destiné à exterminer l'armée de Napoléon.

LICHTENSTEIN (prince de) : feld-maréchal autrichien. Après la bataille d'Austerlitz, il mena les pourparlers qui aboutirent à la paix de Presbourg. Commandant d'un corps d'armée en 1809, prit part aux batailles d'Essling et de Wagram. Conclut le traité de Schœnbrünn.

LIGNE (prince de) : homme politique et écrivain belge au service de l'Autriche, ami de l'empereur d'Autriche Joseph II. Séjourna en Russie sous Catherine II. Célèbre par son esprit.

LOPOUKHINE (I. V.) : Franc-maçon et mystique russe.

LOPOUKHINE (prince P. V.) : gouverneur de Iaroslavl et de Vologda sous Catherine II; ministre de la Justice sous Alexandre Ier de 1803 à 1810; président du Conseil d'Empire et du Conseil des ministres.

MACK : général autrichien. Encerclé par les armées françaises à Ulm, il se rendit à Napoléon. Passa en conseil de guerre et fut dégradé.

MAGNITSKY : collaborateur de Spéransky; exilé après la disgrâce de celui-ci. Fit sa carrière grâce à la protection d'Araktchéiev et du prince Galitzine. Curateur de l'arrondissement scolaire de Kazan, il ruina l'enseignement de l'université de cette ville par ses mesures réactionnaires.

MAISTRE (Joseph de) : écrivain français et homme d'État piémontais. Vécut à Pétersbourg de 1812 à 1817, en qualité d'ambassadeur du roi déchu de Sardaigne. Auteur des *Soirées de Saint-Pétersbourg*.

MALOÏAROSLAVETS : chef-lieu de district de la province de Kalouga. Une bataille y eut lieu le 12 octobre 1812, entre les Français battant en retraite depuis Moscou et les Russes. La ville, prise et reprise huit fois, resta aux Français, mais cette bataille eut pour conséquence la retraite forcée des Français par la vieille route de Smolensk.

MAMONOV : franc-maçon, fils du favori de Catherine II. Équipa à ses frais en 1812 un régiment de cavalerie. Le régiment de Mamonov se distingua dans les combats de Taroutino et de Maloïaroslavets.

MARIA FEODOROVNA (impératrice-mère) : née princesse de Wurtemberg, veuve de Paul Ier, mère d'Alexandre Ier.

MARINE : aide de camp d'Alexandre Ier; poète, composa des vers satiriques et des parodies.

MARKOV (comte) : diplomate russe. Fut ambassadeur à La Hayè et à Stockholm puis, de 1801 à 1803, à Paris, d'où il fut rappelé sur la demande de Bonaparte.

MEDYNE : chef-lieu de district de la province de Kalouga, sur la rivière Medynka.

MESSAGER RUSSE *(le)* : journal de tendance patriotique, édité à Moscou par Glinka de 1808 à 1824.

METTERNICH : diplomate autrichien. Ministre des Affaires Étrangères de son pays de 1809 à 1847 : joua un grand rôle dans toutes les affaires européennes de son temps.

MICHAUX DE BEAURETOUR : colonel, passa du service de la Sardaigne à celui de la Russie. Fut envoyé par Koutouzov pour annoncer à Alexandre Ier l'abandon de Moscou.

MILORADOVITCH : général russe. Prit part aux guerres de 1805 et 1806. En 1812-1813, il commanda tantôt l'avant-garde, tantôt l'arrière-garde de l'armée russe, puis la garde russe et prussienne lors des campagnes à l'étranger. Devint ensuite gouverneur de Pétersbourg. Mourut d'une blessure lors de l'insurrection des Décembristes.

MOJAÏSK : chef-lieu de district de la province de Moscou.

MOREAU : général français; remporta la victoire de Hohenlinden, puis devint le rival de Napoléon. Fut exilé pour avoir participé au complot de Pichegru et Cadoudal. Il partit en Amérique, puis revint en Europe en 1813, où il prit part aux dernières campagnes contre les Français. Fut blessé mortellement à la bataille de Dresde.

MORTIER (duc de Trévise) : maréchal de France. Prit part à presque toutes les campagnes de la Révolution et de l'Empire. Commandait la jeune garde en 1812.

MOUTON-DUVERNET : général français, fusillé sous la Restauration. Au conseil de guerre du 13/25 octobre 1812, après la bataille de Maloïaroslavets, lorsque Napoléon demanda s'il fallait livrer ou non une nouvelle bataille, et par quelle voie il fallait battre en retraite, par Kalouga ou par Smolensk, Mouton répondit qu'il fallait « battre en retraite par le chemin le plus connu et le plus court, par Mojaïsk en direction du Niémen, et le plus rapidement possible ».

MYTICHTCHI (les grandes) : village du district et de la province de Moscou, à 18 kilomètres au nord de cette ville. Alimentait en eau une partie de Moscou.

MYTICHTCHI (les petites) : village du district de Moscou à 12 kilomètres de cette ville.

NARYCHKINE (A. L.) : directeur des théâtres impériaux de 1799 à 1819.

NARYCHKINE (Maria Antonovna) : née princesse Tchetver-tinskaïa, femme de D. L. Narychkine; fut pendant de longues années la maîtresse d'Alexandre Ier.

NIJNI NOVGOROD : chef-lieu de la province du même nom, au confluent de la Volga et de l'Oka.

NOVIKOV : franc-maçon, écrivain et éditeur, déploya une grande activité sociale, et culturelle de 1779 à 1792.

NOVO-DIEVITCHI (monastère de) : couvent de femmes de Moscou, fondée en 1524.

NOVOSSILTSEV : homme d'État russe attaché à Alexandre Ier pour missions spéciales. Curateur de l'arrondissement scolaire de Pétersbourg de 1803 à 1804, et président de l'Académie des Sciences. Remplit plusieurs missions diplomatiques de 1805 à 1806. Fut nommé en 1813 président du Conseil provisoire créé pour l'administration du grand-duché de Varsovie. Membre, puis président du Conseil d'Empire et du Conseil des ministres.

OBOLENSKY : famille princière russe.

OREL : chef-lieu de la province du même non, au confluent de l'Oka et de l'Orlik.

ORLOV (comte A. G.) : général russe; favori de Catherine II. Prit sa retraite en 1775. Vécut à Moscou sous Alexandre Ier et s'y acquit une grande popularité par ses nobles manières et son hospitalité.

ORLOV-DENISSOV : général russe. Prit part aux guerres de 1806 et 1808, et à toutes les batailles importantes de la campagne de 1812. Ce fut lui qui donna l'idée de tourner le flanc gauche des Français à Taroutino.

OSTERMAN-TOLSTOI (comte) : général russe. Prit part aux guerres de 1805 à 1809. Commandait en 1812 le 4e corps de la première armée d'Occident. Prit part à la bataille de Borodino et à la campagne de 1813.

OTCHAKOV : forteresse turque à l'embouchure du Dniepr, prise par les armées russes sous le commandement de Souvorov, en 1788.

OUDINOT (duc de Reggio) : maréchal de France. Commandait un corps de grenadiers dans les campagnes de 1805 et 1806-1807.

OUVAROV : général russe. Commandait, en 1805, un régiment de chevaliers-gardes qui prit part à la bataille d'Austerlitz. Participa à la bataille de Borodino. Attaché à Alexandre Ier de 1813 à 1814.

PAGES (corps des) : établissement d'instruction réservé aux enfants de la noblesse élevés près de la Cour. Fondé en 1759, transformé en établissement d'instruction militaire en 1802.

Pahlen (comte) : diplomate russe et conseiller secret. Fut ambassadeur de Russie à Washington et Munich. Membre du Conseil d'Empire.

Palais d'Hiver : à Pétersbourg, sur la rive de la Néva. Construit en 1768, par l'architecte Rastrelli ; restauré après l'incendie de 1839. Résidence des tsars.

Paul Ier : empereur de Russie de 1796 à 1801, assassiné le 11/23 mars 1801. Père d'Alexandre Ier.

Paulucci (marquis) : général aide de camp. Servit dans l'armée française, puis passa au service de la Russie en 1807. En 1812, il fut chef d'état-major de la première armée, puis nommé au bout de quelques jours gouverneur de Livonie et Courlande. Partit en Italie en 1829.

Péterhof : chef-lieu de district de la province de Saint-Pétersbourg, sur les bords du golfe de Finlande, à 29 kilomètres de la capitale. Résidence des tsars.

Pfühl (baron de) : général et théoricien militaire prussien. Passa au service de la Russie en 1806. Établit en 1812, sur la demande d'Alexandre Ier, le plan des opérations contre Napoléon. Fut rappelé à Pétersbourg après son projet malheureux de fortification du camp de Drissa, et de là partit pour l'Angleterre.

Pierre III : empereur de Russie de 1761 à 1762, mari de Catherine II, détrôné et assassiné par sa femme. Sa fin prématurée donna naissance à des légendes populaires. Pougatchov se fera passer pour Pierre III, échappé à la mort et revenu pour libérer son peuple.

Platon : métropolite de Moscou. Orateur réputé.

Platov : général russe, hetman des cosaques du Don, prit une part active aux guerres contre Napoléon. Jouissait d'une grande popularité dans l'armée russe.

Poniatowsky (prince) : neveu du roi de Pologne Stanislas-Auguste, général polonais, fut en 1807 ministre de la Guerre du grand-duché de Varsovie. Prit part à la campagne de Napoléon en Russie en 1812, comme commandant d'un corps d'armée polonais.

Potemkine (prince) : homme d'État et général russe, favori de Catherine II.

Pouchkine (V. L.) : poète, oncle du grand Pouchkine (A. S.).

Pougatchov : cosaque qui fomenta la révolte populaire des régions de la Volga sous Catherine II. Il se faisait passer pour Pierre III.

Préobrajensky (régiment) : l'un des deux premiers régiments d'infanterie de la Garde russe. Formé par Pierre le Grand en 1687.

Pultusk : ville de la province de Varsovie, près de laquelle eut lieu une bataille entre les Russes et les Français le 26 décembre 1806.

RAÏEVSKY : général russe. Commandait le 7e corps d'infanterie de l'armée de Bagration au début de la guerre de 1812. A la bataille de Borodino, il commandait la redoute centrale qui reçut le nom de redoute Raïevsky. Fut nommé membre du Conseil d'Empire sous Nicolas Ier.

RAPP : général français, aide de camp de Napoléon de 1800 à 1814. Participa à beaucoup de guerres. Commandait une division de dragons. Fit échouer l'attentat de Frédéric Staps en 1809 contre Napoléon. Prit part à la campagne de Russie et fut blessé à la bataille de Borodino.

RAZOUMOVSKY (prince) : diplomate russe, ambassadeur à Vienne de 1790 à 1799 et de 1801 à 1807. A Vienne il approcha Mozart, Haydn et Beethoven.

REPNINE (prince) : général aide de camp russe. Commandait en 1805 le 4e escadron du régiment des chevaliers-gardes qui opéra lors de la bataille d'Austerlitz une attaque demeurée célèbre. Blessé à la poitrine et à la tête, le prince Repnine fut fait prisonnier avec le reste de son escadron, en tout 18 hommes. En 1812, il commandait la 9e division de cavalerie.

ROSTOPTCHINE : favori de Paul Ier, gouverneur de Moscou de 1812 à 1814. Fit imprimer en 1812 des affiches patriotiques qu'il rédigeait lui-même, à l'usage de la population de Moscou.

ROUCHTCHOUK : forteresse turque sur la rive droite du Danube. Pendant la guerre russo-turque de 1806-1812, fut assiégée longtemps sans succès par les troupes russes; Kamensky la prit d'assaut le 22 juillet 1810, non sans de grandes pertes pour l'armée russe.

ROUMIANTSOV : homme d'État russe. Sénateur sous Paul Ier, ministre du Commerce, puis ministre des Affaires Étrangères et chancelier sous Alexandre Ier.

ROUSTAN (le mamelouk) : garde du corps de Napoléon.

RURIK : chef des Varègues, premier prince russe, selon la légende.

SAINTE-ALLIANCE : pacte conclu entre les souverains de Russie, de Prusse et d'Autriche pour maintenir les traités de 1815 et lutter contre les aspirations libérales des petits États d'Europe.

SAINT-SYNODE : collège ecclésiastique, créé par Pierre le Grand en 1721, qui avait dans son ressort toutes les affaires spirituelles. Composé de métropolites, archevêques et évêques désignés par le tsar, et placé sous la surveillance d'un personnage laïc, le procureur général du Saint-Synode.

SAVARY (duc de Rovigo) : général français. Aide de camp et homme de confiance de Napoléon à partir de 1800. Prit part aux campagnes de 1805 à 1807 à titre de général de division.

Savostianov : paysan du village de Fili, district de Moscou, dans l'isba de qui, nommée plus tard « l'isba de Koutouzov », eut lieu le conseil de guerre où l'on délibéra sur l'abandon de Moscou.

Schmidt : général autrichien, familier de l'empereur François. Attaché à Koutouzov pendant la guerre de 1805. Tué au combat de Krems.

Schwartz (colonel) : créature d'Araktchéiev, provoqua par ses cruautés la révolte du régiment Sémionovsky.

Schwarzenberg : feld-maréchal autrichien, vice-président du Hof-Kriegs-Rat en 1805. Ambassadeur à Pétersbourg en 1808. Commanda un corps d'armée autrichien auxiliaire en 1812. Commanda en chef les armées alliées en 1813.

Sébastiani : maréchal de France, ministre des Affaires Étrangères sous la Restauration.

Sémionova (la) : chanteuse d'opéra; de l'avis des connaisseurs, se distinguait plus par son jeu que par sa voix. Chez elle fréquentaient Pouchkine, Griboïedov, Joukovski.

Semionovsky (régiment) : l'un des deux premiers régiments d'infanterie de la Garde, créé par Pierre le Grand en 1687. Se mutina en 1820 pour protester contre les châtiments corporels infligés par le colonel Schwartz.

Sénat : la plus haute institution d'État de l'Empire russe, créée en 1711 par Pierre le Grand.

Seslavine : général russe, partisan fameux. Prit part aux campagnes de 1805, 1807 et 1810. Commandait en 1812 un détachement indépendant de partisans. Il fut le premier à découvrir que les Français avaient quitté Moscou en empruntant la route de Kalouga et ne cessa de les harceler avec son groupe de partisans.

Sismondi : historien et économiste français.

Souvorov (prince d'Italie) : généralissime de l'armée russe. Prit part aux campagnes d'Italie et de Suisse contre la France, à la tête de l'armée austro-russe.

Spéransky : homme d'État russe, fils d'un prêtre de village. Chargé par Alexandre de rédiger un projet de constitution. Eut un grand pouvoir de 1809 à 1812, puis tomba en disgrâce.

Staps (Frédéric) : étudiant allemand qui tenta d'assassiner Napoléon à Vienne le 12 octobre 1809. Fusillé le 17 octobre par décision du conseil de guerre.

Stein : ministre et réformateur prussien, exilé d'Allemagne par Napoléon.

Stiecha ou Stiechka : chanteuse tzigane, à laquelle la célèbre cantatrice italienne Catalani aurait fait cadeau d'un châle qui lui avait été donné comme à la meilleure chanteuse. Pouchkine a parlé de l'amitié de Stiecha et de la Catalani.

Elle connut une grande célébrité à Moscou au début du XIXᵉ siècle.

STROGANOV : général et sénateur russe, un des familiers d'Alexandre Iᵉʳ, l'accompagna en 1805 dans sa campagne contre Napoléon et expédia les affaires courantes avec les cours de Vienne, Berlin et Londres.

TAROUTINO : village du district de Borovskoïé province de Kalouga. L'armée russe, battant en retraite depuis Moscou, y établit un camp du 20 septembre au 6 octobre 1812. Le 6 octobre, il s'y livra une bataille entre l'armée russe et l'avant-garde de l'armée française sous le commandement de Murat.

TATARINOVA : mystique et sectaire russe, fonda à Pétersbourg « l'Union Spirituelle », qui exista de 1817 à 1837.

TCHERNYCHOV : général et homme d'État russe. Prit part aux campagnes de 1805 et 1807. Fut chargé de missions diplomatiques. Attaché à Alexandre Iᵉʳ en 1811, commanda en 1812 un détachement de partisans. Ministre de la Guerre de 1827 à 1852 et président du Conseil d'Empire.

TCHITCHAGOV : amiral. Ministre de la Marine et membre du Conseil d'Empire sous Alexandre Iᵉʳ. Commandant la flotte de la mer Noire en 1811. Chargé par Alexandre Iᵉʳ de poursuivre les armées françaises battant en retraite, ses temporisations permirent aux Français de traverser la Bérézina. Fut presque accusé pour ce motif du crime de haute trahison.

TOLL : général russe. Prit part aux guerres de 1805 à 1809 et à presque toutes les batailles de 1812. Chef d'état-major en 1830, puis chef d'armée, il fut chargé de réprimer l'insurrection polonaise.

TOLSTOÏ : général russe. Participa aux campagnes de 1805.

TROÏTSA-SERGUEÏ (la Lavra) : couvent du district de Dmitrovskoïé, province de Moscou, fondé par saint Serge de Radonèje, aux environs de 1335.

TSAREVO-ZAIMICHTCHÉ : village du district de Viazma, province de Smolensk, à 45 kilomètres de Viazma, où Koutouzov reçut, en 1812, le commandement des armées russes.

TUGENBUND : association allemande fondée à Kœnigsberg en 1808 pour élever la jeunesse dans l'esprit des traditions nationales. Dissoute sur l'ordre de Napoléon en 1810, elle se reforma après la chute de celui-ci et prit un caractère d'opposition au gouvernement.

VALOUÏEVO : village du district de Mojaïsk, province de Moscou, près de Borodino; un des points de la bataille de Borodino.

VÉRESTCHAGUINE : fils d'un marchand de Moscou; ayant traduit en russe deux articles de la *Gazette de Hambourg* concernant Napoléon, il fut inculpé par Rostoptchine du crime de haute trahison, arrêté, enfermé et livré à la justice. Condamné aux travaux forcés à perpétuité le 17 juillet 1812. Rostoptchine aggrava sa peine en y ajoutant 25 coups de fouet. Le 2 septembre, jour de l'entrée des Français à Moscou, Rostoptchine le livra aux soldats de son escorte et à la foule déchaînée qui s'était rassemblée autour de sa maison.

VIAZEMSKY (prince) : conseiller d'État moscovite, habitué du Club anglais, père de l'écrivain prince P. A. Viazemsky.

VIAZMA : chef-lieu de district de la province de Smolensk. La bataille de Viazma eut lieu le 22 octobre 1812 entre la principale armée française battant en retraite depuis Moscou et l'avant-garde de l'armée russe, commandée par Miloradovitch et Platov.

VIAZMITINOV : administrateur russe. Gouverneur général de Pétersbourg en 1805, 1812 et 1816. Fut en outre ministre de la Police à partir de 1812 et président du Conseil des ministres.

VILIIA : rivière, affluent de droite du Niémen.

VILLENEUVE : amiral français, vaincu par Nelson à Trafalgar en 1805. Il se suicida après cette défaite.

VILLIERS : médecin réputé, Écossais d'origine. Accompagna Alexandre Ier dans toutes ses campagnes, voyages et congrès. Fut président de l'Académie Médico-Chirurgicale de 1809 à 1838.

VINESSE : miniaturiste renommé. Vivait à Pétersbourg en 1812.

VOLKONSKY : feld-maréchal russe. Fut général aide de camp en 1805, d'abord dans l'armée de Buxhœvden, puis dans celle de Koutouzov. Faisait partie de la suite d'Alexandre Ier en 1812. Attaché à Alexandre Ier en 1813-1814.

VRBNA : homme d'État autrichien. Lors de la prise de Vienne par Napoléon, il servit d'intermédiaire dans les pourparlers qui eurent lieu entre le gouvernement autrichien et les Français.

WEIROTHER : général autrichien, chef d'état-major de l'armée autrichienne. Théoricien militaire.

WIMPFEN : général autrichien. Attaché à l'état-major de Koutouzov en 1805.

WINTZINGERODE : général et diplomate russe.

WITTGENSTEIN : feld-maréchal russe d'origine prussienne. Prit part aux guerres de 1805 à 1807. Au début de la guerre de 1812, il commanda un corps d'armée qui défendait la route de Pétersbourg. Fut général en chef de l'armée russe après la mort de Koutouzov.

WOLZOGEN (baron de) : général prussien. Théoricien militaire, passa au service de la Russie en 1807, et fut attaché à l'état-major général. Établit avec Pfühl le plan de la campagne de 1812. Fut accusé de trahison par les cercles militaires russes.

WURTEMBERG (duc de) : frère de l'impératrice de Russie Maria Feodorovna, femme de Paul Ier, et premier roi de Wurtemberg sous le nom de Frédéric-Charles Ier. Prit part à la guerre de 1812.

ZAMOSKVORETCHIÉ : quartier sud-est de Moscou, sur la rive opposée de la Moskova, par rapport au Kremlin.

ZOUBOV (Platon) : le dernier favori de Catherine II.

LA GUERRE ET LA PAIX

LIVRE TROISIÈME

PREMIÈRE PARTIE   7
DEUXIÈME PARTIE   102
TROISIÈME PARTIE   268

LIVRE QUATRIÈME

PREMIÈRE PARTIE   398
DEUXIÈME PARTIE   461
TROISIÈME PARTIE   515
QUATRIÈME PARTIE   571

ÉPILOGUE

PREMIÈRE PARTIE   637
DEUXIÈME PARTIE   701

Appendice : « Quelques mots à propos de *La Guerre
et la Paix* »   749

Notes   759
Index historique   775

DU MÊME AUTEUR

Dans la même collection

ANNA KARÉNINE, tomes I et II. *Préface de Louis Pauwels. Traduction d'Henri Mongault.*

LA GUERRE ET LA PAIX, tome I. *Préface de Zoé Oldenbourg. Traduction de Boris de Schloezer.*

LA SONATE A KREUTZER, précédé de LE BONHEUR CONJUGAL et suivi de LE DIABLE. *Préface de Jean Freustié. Traductions de Sylvie Luneau et Boris de Schloezer.*

ENFANCE, ADOLESCENCE, JEUNESSE. *Préface de Michel Aucouturier. Traduction de Sylvie Luneau.*

LES COSAQUES. *Préface de Pierre Gascar. Traduction de Pierre Pascal.*

*Cet ouvrage
a été achevé d'imprimer par
Firmin-Didot S.A. Paris-Mesnil
le 18 février 1982.
Dépôt légal : février 1982.
1er dépôt légal dans la collection : décembre 1972.
Imprimé en France (9547).*